# LE CŒUR GLACÉ

DU MÊME AUTEUR :

*Les Vies de Loulou*, Albin Michel, 1990.
*Malena, c'est un nom de tango*, Plon, 1996.
*Atlas de la géographie humaine*, Grasset, 2000.
*Vents contraires*, Grasset, 2003.

www.editions-jclattes.fr

Almudena Grandes

# LE CŒUR GLACÉ

Roman

*Traduit de l'espagnol par Marianne Millon*

Ouvrage traduit avec le concours
du Centre national du livre

## JC Lattès

17, rue Jacob 75006 Paris

Ouvrage publié sous la direction de Sibylle Zavriew


Titre de l'édition originale
EL CORAZÓN HELADO
publiée par Tusquets Editores, Barcelona.

ISBN : 978-2-7096-2962-1

*À Luis.*
*À Mauro, à Irene et à Elisa*

*Vous êtes avec moi.*

« L'une des deux Espagnes
Saura te glacer le cœur. »

Antonio Machado

*I*

# LE CŒUR

« Je suis lasse de ne pas savoir où mourir. C'est là le plus grand motif de tristesse de l'émigré. Qu'avons-nous à voir avec les cimetières des pays où nous vivons ? [...] Vous ne comprenez pas ? Nous avons examiné nos pensées une par une pendant trente ans. Pendant trente ans, nous avons soupiré après notre paradis perdu, un paradis à nous, unique, spécial. Un paradis de maisons brisées et de plafonds effondrés. Un paradis aux rues désertes, aux morts sans sépulture. Un paradis de murs démolis, de tours abattues et de champs dévastés [...] Vous pouvez conserver tout ce que vous avez sur vous. Nous sommes les exilés de l'Espagne [...] Laissez-nous les ruines. Nous devons commencer à partir des ruines. Nous y parviendrons. »

María Teresa León, *Memoria de la melancolía*
(Buenos Aires, 1970)

« Ce qui différencie l'homme de l'animal, c'est que l'homme est un héritier et non un simple descendant. »

José Ortega y Gasset

Les femmes ne portaient pas de bas. Leurs genoux larges, bombés, charnus, soulignés par l'élastique des chaussettes, dépassaient parfois de leurs robes, qui n'étaient pas des robes, mais des sortes de housses en toile légère, sans forme et sans revers, auxquelles je n'aurais su donner un nom. Ce fut ce qui attira mon attention sur elles, plantées comme des arbres étiques dans l'herbe négligée du cimetière, sans bas, sans bottes, sans rien d'autre pour se couvrir qu'une veste en gros tricot qu'elles serraient contre leur poitrine avec leurs bras croisés.

Les hommes ne portaient pas de manteau non plus, mais ils avaient boutonné leurs vestes, en laine épaisse elles aussi, plus sombres, pour dissimuler leurs mains dans leurs poches de pantalon. Ils présentaient entre eux la même ressemblance que les femmes. Ils avaient tous une chemise boutonnée jusqu'au cou, la peau rêche, rasée de frais, et les cheveux très courts. Certains avaient coiffé un béret, d'autres non, mais leur posture était la même, les jambes écartées, la tête très raide, les pieds bien campés sur le sol, des arbres comme elles, courts et massifs, capables de supporter des calamités, très vieux et très robustes à la fois.

Mon père méprisait lui aussi le froid, et les frileux. Je m'en souvins alors, pendant que le vent glacé de la sierra – un peu d'air, aurait-il dit – me cinglait le visage de son couteau horizontal, acéré. Début mars, le soleil sait tromper, feindre qu'il est plus mûr, plus chaud lors des dernières matinées d'hiver, quand le ciel ressemble à une photo de lui-même, un bleu aussi intense que si un petit enfant l'avait retouché avec un crayon, le ciel idéal, pur, profond, transparent, sur fond de

montagnes aux sommets encore parés de neige, quelques
nuages pâles qui s'effilochent très lentement, pour affirmer
par leur indolence la perfection d'un mirage de printemps.
Quelle belle journée, aurait dit mon père, mais moi, j'avais
froid, le vent glacé me cinglait le visage et l'humidité du sol
transperçait la semelle de mes bottes, la laine de mes chaussettes, la fragile barrière de la peau, pour congeler les os de
mes doigts, la plante de mes pieds, mes chevilles. J'aurais
voulu vous y voir, en Russie, en Pologne, nous disait-il quand
nous étions petits et que nous nous plaignions du froid qui
régnait dans son village par des matinées comme celle-ci, ces
dimanches d'hiver où le plus beau ciel du monde choisit de
se lever sur Madrid. J'aurais voulu vous y voir, en Russie, en
Pologne, je le revis alors dans ces hommes secs, méprisant le
froid, auxquels il aurait pu ressembler, j'aurais voulu vous y
voir, en Russie, en Pologne... Et la voix de ma mère, Julio, s'il
te plaît, ne dis pas des choses comme ça aux enfants...

« Ça va, Álvaro ? »

J'entendis d'abord la voix de ma femme, puis je sentis la
pression de ses doigts, le contact d'une main qui cherchait la
mienne dans la poche de mon manteau. Mai me regardait, les
yeux grands ouverts avec un sourire indécis, l'expression
d'une personne intelligente qui sait qu'elle ne trouvera jamais
la façon de consoler quiconque face à l'action dévastatrice de
la mort. Elle avait le bout du nez rougi, et ses cheveux châtains, d'habitude lisses, et sages, lui battaient le visage comme
si le vent les avait rendus fous.

« Oui, lui assurai-je immédiatement, ça va. »

Puis je serrai ses doigts entre les miens jusqu'à ce qu'elle
me laisse seul à nouveau sans s'écarter d'un centimètre.

Il n'existe pas de consolation face à la mort, mais il aurait
aimé être enterré par une matinée comme celle-ci, tellement
semblable à celles qu'il choisissait pour nous emmener tous
en voiture déjeuner à Torrelodones. Quelle belle journée,
regardez ce ciel, comme la sierra est nette, on voit jusqu'à
Navacerrada, quelle belle matinée, cet air réveillerait un mort,
on a une de ces chances... Ma mère avait eu beau passer des
vacances dans ce village quand elle était jeune, y rencontrer
son mari, elle n'aimait pas ces excursions. Moi non plus, mais
lui, nous l'aimions tous, sa force, son enthousiasme, sa joie,
c'était ce qui nous faisait sourire et même chanter en chemin.

Maintenant qu'on roule lentement, on va raconter des mensonges, tralala, jusqu'à Torrelodones, ce village si bizarre qui ressemblait d'abord à un lotissement puis à une gare ferroviaire entourée de quelques maisons. Je parie que vous ne savez pas pourquoi il s'appelle comme ça ? Bien sûr que nous le savions, la tour des Lodones, cette forteresse miniature, ce château jouet, qui s'élevait au-dessus d'une colline surplombant la route. Pourtant, il nous l'expliquait à chaque voyage : c'est une tour très ancienne, les Lodones ressemblaient aux Wisigoths, pour vous donner une idée... Mon père nous disait toujours qu'il n'aimait pas son village, mais il aimait nous y emmener, nous montrer les montagnes, les collines, les prés où il gardait les moutons avec son père dans son enfance, et se promener dans les rues en saluant les paysans pour nous raconter ensuite toujours la même histoire : voici Anselmo, son grand-père et le mien étaient cousins germains, cette dame s'appelle Amada, et à côté d'elle, c'est Encarnita, ce sont des amies intimes, depuis toutes petites, cet homme, là-bas, s'appelle Paco, il avait très mauvais caractère, mais mes copains et moi, on allait voler des fruits dans son verger dès qu'on pouvait...

Paco, qui au moindre bruit sortait de chez lui avec un fusil à plomb pour la chasse aux perdrix qu'il n'utilisa jamais contre les petits voleurs qui pillaient ses figuiers, ses cerisiers, était beaucoup plus âgé que mon père et avait dû mourir avant lui. Anselmo, en revanche, était venu à son enterrement, et Encarnita aussi. Je les reconnus sous le masque sec que la vieillesse avait plaqué sur leurs véritables visages, les faces les plus rondes, les plus aimables qui aient souri à mes yeux d'enfant. De nombreuses années s'étaient écoulées, plus de vingt, depuis la dernière fois où l'irrésistible splendeur d'un ciel du dimanche nous avait emmenés déjeuner à Torrelodones, et je n'y étais pas retourné depuis. Ce fut la raison pour laquelle l'image de ces vieillards, pour qui le temps avait passé plus vite et plus lentement avant de les débarquer dans une autre vieillesse, si différente de celle de mon père qui, à la fin de sa vie, ne leur ressemblait pas du tout, m'émut à ce point. Un autre jour, dans d'autres circonstances, à un autre enterrement, peut-être n'aurais-je même pas distingué leurs visages dans la masse obscure et uniforme des corps pressés. Mais par cette magnifique matinée ensoleillée et triste, bleue et glacée, je pus les étudier un à un, une par une, l'aspect végétal de leurs troncs, leurs jambes courtes et massives, la raideur instinctive, presque arrogante, de leurs épaules vieilles mais encore hautes, et la couleur de leur peau, brune, opaque, tannée par le soleil de la sierra, qui éclate à l'intérieur et brûle sans dorer. Les rides verticales, profondes, longues comme des cicatrices, leur barraient les joues de haut en bas – contrairement aux savantes toiles d'araignée dont les fils ténus viennent border les yeux. Là aussi elles étaient peu nombreuses, profondes, décidées, caractéristiques d'un visage taillé au couteau, l'outil du temps sculpteur avait choisi un burin plus fin, peut-être aussi plus impie, pour travailler la tête de mon père.

Julio Carrión González était né dans une maison de Torrelodones, mais il mourut dans un hôpital de Madrid, le teint très pâle, une femme médecin spécialisé en soins intensifs à son chevet, et entouré de tous les tuyaux, tous les moniteurs, tous les appareils imaginables. À une époque, bien avant de me concevoir, sa vie commença à s'écarter de celle de ces hommes, ces femmes, parmi lesquels il avait grandi et qui lui avaient survécu, ces gens du village qui étaient venus à son enterrement comme s'ils arrivaient d'une autre époque, d'un autre monde, d'un pays ancien qui n'existait plus, que j'avais connu, et dont j'étais cependant incapable de me souvenir. Tout avait changé pour eux aussi, je le savais. Je savais que même s'ils arrivaient à temps, même s'ils avaient près d'eux une personne pourvue d'une voiture, d'un téléphone et d'un esprit vif, ils mourraient eux aussi entourés de tuyaux, de moniteurs, d'appareils. Je savais que l'habitude de sortir de chez soi sans manteau, sans bas, sans sac, et en pantoufles, n'avait aucun rapport avec le solde de leurs comptes en banque, qui grossissaient depuis des années grâce à l'exode systématique de Madrilènes décidés à quitter la ville, achetant à n'importe quel prix un pré qui donnait auparavant à peine de quoi faire paître une douzaine de brebis. Je le savais, et pourtant, sur leurs visages bruns, sur leurs corps arborescents, sur le velours usé de leurs pantalons et dans la cigarette que certains gardaient entre les lèvres comme un défi, je voyais une image ancienne de la grande pauvreté, je voyais une image cruelle de l'Espagne sur les genoux nus de ces femmes qui se protégeaient à peine du froid avec une veste en laine qu'elles serraient sur leur poitrine.

De l'autre côté il y avait sa famille, les fruits élégants de sa prospérité, sa veuve, ses enfants, ses petits-enfants, certains de ses associés ou leurs veuves, quelques amis choisis, des habitants de ma ville, de mon pays, du monde auquel j'appartenais. Nous étions peu nombreux. Ma mère nous avait priés de ne prévenir personne. « Après tout, Torrelodones, ce n'est pas Madrid, beaucoup de gens auraient du mal à se déplacer... » Nous comprîmes tous qu'elle préférait affronter les proches aux funérailles, et nous avions tous respecté son vœu, nous étions donc peu nombreux. Je n'avais pas prévenu mes beaux-parents ni les frères de ma femme, ni même Fernando Cisneros, qui était mon meilleur ami depuis l'université. Nous étions peu nombreux. Nous n'attendions personne d'autre.

Je n'aime pas les enterrements, ils le savent. Je n'aime pas l'air indifférent ou artificiellement compatissant des fossoyeurs quand leur regard bute sur celui des proches. Je n'aime pas le bruit des pelles, ni la brutalité du cercueil frôlant les parois de la fosse, ni la silencieuse docilité des cordes qui glissent, ni la liturgie des poignées de terre et des roses solitaires, ni cette syntaxe pompeuse, frauduleuse, des répons. Je n'aime pas le rituel macabre de cette cérémonie qui finit toujours par être si brève, si ordinaire, si curieusement supportable. C'est pour cela que je me tenais seul, loin, avec Mai à mes côtés, séparé des miens et des autres, aussi loin des manteaux en cuir que des vestes en laine et presque à l'abri du ronron du curé que ma famille avait fait venir de Madrid. Ma mère disait du père Aizpuru qu'il avait mis ses enfants sur le droit chemin, et mes frères aînés continuaient à s'adresser avec la même révérence timorée et infantile que lui-même cultivait quand il arbitrait les matchs de foot dans la cour du collège. Je ne l'avais jamais vraiment apprécié, car il avait également été mon tuteur l'année du bac et m'avait obligé à faire de la gymnastique dans la cour, torse nu, par les matins les plus froids de l'hiver.

Vous êtes des hommes, ou des fillettes ? Encore une image de l'Espagne, le curé portait la soutane boutonnée jusqu'au cou, tandis que je grelottais comme un mouton qu'on vient de tondre sous une pluie de neige fondue, des millions de gouttes minuscules, aériennes, ignorantes des récom-

penses de la virilité humaine, qui observaient une règle particulière en s'écrasant contre mon corps : d'abord, elles
gelaient, avant de brûler ma peau rougie. Vous êtes des
hommes, ou des fillettes ? des hommes ! Je ne répondais
jamais avec enthousiasme à cette question parce que ma tête
ne contenait qu'une seule idée, une phrase, trois mots : Aizpuru, pauvre salaud ! Et je me vengeais comme le plus naïf
des sots qui eurent jamais dix-sept ans, me taisant lors de la
messe du vendredi, sans prier, sans chanter, sans m'agenouiller. Va te faire foutre, Aizpuru, j'ai perdu la foi par ta faute.
Jusqu'au jour où il téléphona à ma mère, lui fixa rendez-vous
au lycée après les cours, s'entretint longuement avec elle, lui
demanda de me surveiller. Alvarito n'est pas comme ses
frères, lui dit-il, il est plus sensible, plus rebelle, plus faible.
Un gentil garçon, studieux, responsable, oui, intelligent, trop,
même, pour son âge. C'est pour cela que je me fais du souci
à son sujet. Les jeunes gens tels que lui peuvent mal tourner,
je crois donc qu'il convient de le surveiller, de le stimuler
quelque peu. Cette nuit-là, maman s'assit au bord de mon lit,
me coiffa avec deux doigts et, sans me regarder dans les yeux,
elle me demanda : Álvaro, mon petit, tu aimes les filles, n'est-
ce pas ? Oui maman, je les aime beaucoup. Elle soupira,
m'embrassa, quitta la pièce, ne me posa plus jamais de questions sur mes goûts et ne dit mot à mon père de la conversation qu'elle avait eue avec mon tuteur. Je finis l'année avec de
bonnes notes et un refrain imperturbable dans la tête, Aizpuru, pauvre salaud, pauvre salaud, sans me douter que de
nombreuses années plus tard je comprendrais que c'était lui,
et pas moi, qui avait raison.

Álvaro, mon petit, puisque tu n'as pas voulu mettre un
costume et une cravate, sois au moins gentil avec le père Aizpuru, s'il te plaît, pour moi... C'était la seule chose que m'avait
demandée ma mère ce matin-là, aussi m'étais-je avancé pour
lui serrer la main le premier afin que la froideur de mon
accueil fût immédiatement compensée par les simagrées de
Rafa et Julio, mes frères, des hommes et non des fillettes, qui
s'abandonnèrent dans les bras de ce vieillard gras qui leur
caressait la tête, les embrassait sur les joues et froissait le
revers de leurs costumes, bavant et pleurant tous à la fois.
Fraternité mariste, amour filial, j'ai deux mamans, l'une sur
terre et l'autre au ciel. Des conneries, si l'on y réfléchit bien.

J'essayai d'en parler à ma femme, elle me marcha sur le pied. Ma mère sur terre, qui m'adressa un dernier regard inquiet dans le vestibule, chez elle, avait dû lui parler. Mon père venait de mourir, nous allions l'enterrer, nous avions tous notre lot, sa veuve plus que quiconque. Aussi fis-je tout ce que j'étais censé faire. Tout sauf m'approcher de la fosse.

Le père Aizpuru avait raison, je n'étais pas comme mes frères, mais j'étais un gentil garçon, je l'ai toujours été, et j'avais posé moins de problèmes, déclenché moins de conflits qu'eux. Dans le monde non numérique, non scientifique, où j'ai grandi, ma capacité pour le calcul abstrait, certes supérieure à la moyenne, cimenta la légende d'une intelligence que je ne crois pas posséder non plus. Je suis un physicien théorique, ça oui, et cette définition fait hausser les sourcils et s'arrondir d'étonnement les lèvres de ceux qui l'entendent pour la première fois, jusqu'à ce qu'ils se mettent à réfléchir à sa signification, mon salaire de professeur à l'université, mes possibilités de devenir ce qu'ils considèrent comme riche ou important. Ils comprennent alors la vérité, que je suis un homme normal, raisonnable, voire ordinaire, du moins jusqu'à ce matin, quand ma seule extravagance, une aversion morbide pour les enterrements, a précipité mon esprit de la tristesse profonde et universelle des survivants vers un mystérieux état d'alerte sensorielle, dont le responsable fut certainement en partie le médicament qu'Angélica s'entêta à me faire prendre au petit déjeuner. Tu n'as pas pleuré, Álvaro, me dit-elle, prends, ça te fera du bien. Effectivement, je n'avais pas pleuré. Je ne pleure pas, pas beaucoup, presque jamais. Je ne demandai pas ce que c'était et je ne suis pas sûr non plus que ma propre douleur ne se soit pas interrompue d'elle-même, pour laisser place à ce que je ne pourrais ensuite m'expliquer que comme un excès de conscience. Un regard à la fois concentré et distant qui se laissa capturer par les genoux larges et charnus des femmes du village de mon père, avant de disséquer avec le même bistouri imprévu les visages et les corps de ma propre famille.

Ils étaient là, et soudain je pouvais les regarder comme si je ne les connaissais pas. Le père Aizpuru parlait toujours, et à son côté ma mère scrutait l'horizon de son œil aquatique, ce regard bleu de femme étrangère qui restait jeune dans un visage de vieille femme, la peau transparente, si fine qu'elle semblait sur le point de se déchirer, fatiguée de se rider, de se replier sur elle-même en éventails concentriques aux plis infinitésimaux. Les rides de ma mère n'avaient pas de caractère, à la différence de ses yeux. Ils semblaient doux mais savaient être durs, ils étaient astucieux avec l'avantage de leur couleur innocente ; quand elle riait ils étaient beaux, mais la colère les éclairait de l'intérieur d'une lumière plus pure, encore plus bleue. C'était toujours une belle femme, ma mère, elle l'avait tellement été, si blonde, si pâle, si exotique, Angélica Otero Fernández, suédoise imaginaire, une authentique rareté. Ta famille doit être de Soria, lui disait mon père, de sang ibère, les ibères étaient blonds, aux yeux clairs... Mon père était galicien, Julio, répondait-elle invariablement, d'un village de Lugo, et ma mère de Madrid, tu le sais très bien. Oui, mais je veux dire avant, à l'origine, ou alors ton père devait être celte, insistait-il, ne trouvant pas d'autre explication à la féroce suprématie des gènes de sa femme sur les siens, cette moisson d'enfants clairs, si blonds, si pâles, si exotiques, qui ne s'interrompit qu'une seule fois. À ma naissance.

Gitan, petit gitan, m'appelaient mes frères. Et Angélica les faisait taire, puis venait vers moi, et me prenait dans ses bras. Ne les écoute pas, Álvaro, tu es comme moi, tu ne le vois pas ? Avec le temps, c'était devenu plus certain que jamais. Le père Aizpuru avait raison, je ne suis pas comme mes frères, je ne leur ressemble même pas. Rafa, l'aîné, quarante-sept ans, sept de plus que moi, restait blond malgré sa calvitie. Auprès de ma mère, l'air sérieux, presque raide, imbu de la solennité du maître de cérémonie, se tenait un homme de haute taille vieilli prématurément, les épaules étroites pour sa taille et un ventre incongru au regard de sa minceur. Julio, le troisième, avait trois ans de moins et un air presque identique, bien que les signes de l'âge progressent beaucoup plus lentement sur son visage et son corps. Angélica, le docteur Carrión, qui avait des yeux différents, presque verts, était née entre eux, et enviait mes cheveux, les siens étant fins, fragiles, cassants. Le mystérieux sang des Otero, des Fernández, avait donné de meilleurs résultats chez les femmes que chez les hommes. Mes frères n'étaient pas très séduisants, mais mes sœurs, très jolies : Clara, la cadette, très blonde elle aussi en dépit de ses yeux couleur miel, était quasi éblouissante. Puis il y avait moi, si ordinaire dans la rue, au parc, au lycée, mais aussi étranger à la maison que si je venais d'une autre planète, et pourtant si semblable à mon père. Quatre ans après la naissance de Julio, cinq ans avant celle de Clara, je vins au monde, les cheveux noirs, les yeux noirs, la peau mate, les épaules larges, les jambes poilues, de grandes mains et le ventre plat. Carrión égaré, plus petit que ses frères, à peine aussi grand que ses sœurs, différent.

Le jour de l'enterrement de mon père, au cimetière de Torrelodones, je ne savais pas encore à quel point cette différence deviendrait douloureuse. Aizpuru ne se taisait toujours pas, le vent non plus, il faisait frissonner toute chose hormis les nuages qui continuaient à s'effilocher au loin lentement, sans parvenir à filtrer l'éclat liquide des dernières neiges. J'aurais voulu t'y voir, en Russie, en Pologne, m'aurait-il dit. Parce qu'il faisait froid, j'avais froid, malgré l'écharpe, les gants, les bottes, j'avais les mains dans les poches, mon manteau entièrement boutonné, même si je n'étais pas blond, même si je n'étais pas pâle, même si je ne ressemblais pas à mes frères. Ils avaient froid eux aussi, mais ils le cachaient, les épaules relevées dans une position presque martiale et les mains jointes, jointes par-dessus le manteau. Mon père avait adopté la même posture lors du dernier enterrement auquel il avait assisté. Et son allure, ses gants, son expression, avaient dû être semblables, si différents de la patiente résignation qui renforçait le regard d'Anselmo, d'Encarnita ; des yeux sans hâte parce qu'ils n'attendaient plus aucune surprise, qu'ils ne s'inclinaient que devant le temps et puisaient leur arrogance dans leur immense fatigue pour porter un regard dénué d'envie sur le monde des autres. C'était là la condition que mon père avait perdue, pensai-je alors, parce qu'il avait vécu une autre vie, avait eu plus de chance. L'argent n'achète pas le bonheur, mais la curiosité sans doute, et si la vie urbaine n'est pas saine, elle n'est pas ennuyeuse non plus. Le pouvoir a beau avilir, il développe la subtilité. Il avait eu beaucoup d'argent, de pouvoir, et il était mort sans connaître la condition végétale, voire minérale, où la vie avait précipité ces enfants qui avaient joué avec lui. Maintenant, à l'heure de sa disparition, ils étaient venus le reconnaître comme un des leurs.

Il ne l'était pas. Il ne l'était plus. Cela m'impressionna donc terriblement de les voir tous là, groupés au bord de la fosse, ne se mêlant pas à l'autre moitié de l'enterrement, scrutant la veuve et les enfants de Julio Carrión avec la même sagacité indifférente que je détectais sur leurs visages, leurs expressions. Si je ne les avais pas remarqués, si je n'avais pas accepté le défi pacifique de leurs genoux nus et de leurs vestes en laine, je n'aurais peut-être rien vu par la suite. Mais je continuais à les regarder sans savoir pourquoi, tout en me demandant s'ils s'étaient eux aussi aperçus que je ne ressemblais pas à mes frères. Quand le père Aizpuru s'arrêta enfin de parler, il me chercha du regard, et prononça cette phrase redoutable : que la famille s'approche.

Je n'avais pas eu conscience du silence avant cet instant, mais je distinguai un bruit de moteur très lointain et j'en célébrai le fracas, le ronflement qui masquait l'écho sale de ces mots qui remuaient la terre, comme s'ils prétendaient m'insulter avec âpreté, punir mes oreilles de fils lâche, d'élève rebelle du père Aizpuru. Que la famille s'approche, avait-il dit, et je ne bougeai pas, je l'avais annoncé à ma mère, à mes frères, à ma femme, je n'aime pas les enterrements, tout le monde le savait. Mai me regarda, me serra la main, je hochai la tête, et elle les rejoignit. Ce ne fut qu'alors que je pris conscience du silence et, avec lui, de la nature du son unique, aigu, laid, métallique, qui troublait la propreté de ce matin froid et dépourvu d'oiseaux. C'est le tour des cordes, calculai-je. Le souffle forcé des hommes et l'humiliation brutale du bois qui heurte les parois de la fosse. Je n'entendis rien, une voiture arriva et je distinguai le son profane, réconfortant, de son moteur de très loin, je l'entendis croître, se rapprocher pour cesser à l'instant même où les pelles achevaient leur travail.

Nous étions peu nombreux mais nous n'attendions personne d'autre, et voilà que quelqu'un arrivait maintenant. À contretemps.

« Maman, qu'est-ce que tu prends ?
— Rien, mon petit.
— Maman, tu dois manger...
— Pas maintenant, Julio.
— Eh bien moi, je crois que je vais prendre une fabada, et puis...
— Clara !

— Quoi ? Je suis enceinte. J'ai faim.

— Laissez-la manger ce qu'elle veut. Aujourd'hui ce n'est pas un jour comme les autres, chacun doit faire le deuil à sa façon.

— Ah oui ? Eh bien moi, je veux des anguilles.

— Pas question !

— Mais papa ! Tante Angélica vient de dire...

— Je me fiche de ce que tante Angélica a dit. Tu ne prends pas d'anguilles, un point c'est tout.

— Bon, alors du homard.

— Tu veux une gifle ?

— Et moi comme Guille...

— C'est-à-dire, pour Enrique, une deuxième gifle.

— Bon, alors, vous avez décidé ?

— Oui, des côtelettes de mouton pour tous les enfants. » Mes deux neveux regimbèrent en même temps, mais aucun n'osa protester. « Je m'occupe des entrées, et que maman mange au moins une soupe.

— Je n'en veux pas, Rafa.

— Alors de la purée de légumes.

— Non.

— Angélica, toi, dis-lui.

— C'est vrai, maman, tu dois manger quelque chose.

— Un, plus un, plus... ! Hé, j'ai la main levée !

— Julia, qu'est-ce qui t'arrive ?

— Eh bien je suis une enfant et je préfère du poulet à l'ail.

— Bon, que ceux qui veulent du poulet à l'ail lèvent la main. »

Isabel, ma belle-sœur, le bras armé de son mari, qui exerçait à sa place sa condition d'aîné avec une autorité sans équivoque et aucune considération envers celle du serveur, commença à compter. Tous se turent soudain, comme si quelqu'un avait appuyé sur pause lors d'un film vu des milliers de fois : les repas de famille des Carrión Otero dans un restaurant sur la route de La Corogne ; douze adultes, dorénavant onze seulement, et onze enfants, qui seraient bientôt douze, parlant, gesticulant, criant et remuant à la fois.

« Dis, maman, qui était cette fille qui est arrivée à la fin ? »

Le silence dura plus longtemps que prévu, car tous m'entendirent et personne ne sut me répondre. Ma mère me retourna une question :

« Quelle fille ?

— Au fait, Álvaro, qu'est-ce que tu veux ? Je ne t'ai pas noté.

— Moi... ? Des côtelettes, comme les enfants.

— Tais-toi un moment, Isabel ! » La curiosité rendit un instant leur éclat à des yeux d'un bleu très profond. « Quelle fille, Álvaro ?

— Eh bien, une fille... À peu près de l'âge de Clara, assez grande, les cheveux châtains, longs et lisses... Elle est arrivée en voiture, à la fin. Je l'ai vue entrer, elle est restée près de la porte. Elle portait un pantalon, de grosses lunettes de soleil et un manteau en cuir fourré. Vous ne l'avez pas vue ? »

Personne ne l'avait vue. Elle était entrée au cimetière d'un pas lent, marchant soigneusement pour éviter que ses talons hauts ne s'enfoncent dans la terre. Pourtant, elle ne semblait pas s'en soucier, car elle ne regardait pas le sol, ni le ciel, elle regardait devant, ou plutôt, elle se laissait regarder. Elle foulait l'herbe clairsemée, aplatie, parsemée de pierres, comme si elle s'avançait sur un tapis rouge sous la lumière des projecteurs. Elle semblait arriver d'ailleurs et se diriger vers un lieu très différent, car il y avait quelque chose dans son attitude, dans sa façon de bouger, d'accompagner ses foulées du rythme souple de ses bras, les épaules souples, dégagées, qui contrariait une norme universelle. Celle d'une timidité forcée, inconsciente mais inévitable, voire légèrement théâtrale, qui unit les personnes qui assistent à un enterrement même quand elles n'ont pas connu le défunt. Je ne pouvais pas voir ses yeux, mais je distinguais sa bouche, son menton, ses lèvres entrouvertes, un air serein et presque souriant, bien qu'elle n'ait pas souri une seule fois. Elle non plus ne s'approcha pas. Elle resta à ma hauteur, aussi loin des vestes en laine que des manteaux en cuir, peut-être consciente, peut-être pas, que j'étais son unique témoin, le seul qui se rappellerait l'avoir vue par la suite.

« Je me suis dit qu'elle travaillait peut-être avec vous ? dis-je en regardant Rafa et Julio, mes frères. Peut-être une ancienne secrétaire de papa, ou... Je ne sais pas, une employée de la société immobilière. »

Rafa me regarda, regarda Julio, qui acquiesça. Puis, ils me regardèrent tous les deux en même temps.

« Mais si c'est le cas, je pense qu'elle se serait approchée pour nous saluer. Je n'ai prévenu personne au bureau, bien sûr.

— Moi non plus.

— Eh bien... Je ne sais pas... Moi, je l'ai vue... Il est également possible que ce soit plutôt papa qu'elle connaissait, une infirmière qui l'aurait soigné à l'hôpital, non ? Elle n'a peut-être pas osé venir nous voir... »

Mais tout cela, je l'imaginai par la suite, pendant que je cherchais une explication raisonnable à cette disparition soudaine, aussi brusque, aussi inexplicable que son arrivée. Au début, je songeai à une chose beaucoup plus stupide : qu'elle s'était trompée, qu'elle ne pensait pas se retrouver à un enterrement, qu'elle avait tout autre chose à faire dans ce petit cimetière perdu, par ce matin froid d'un jeudi de mars, ensoleillé mais sans oiseaux. Ce n'était pas seulement son attitude, ni cette insouciance de femme qui se promène, sans but, pour le simple plaisir de se laisser regarder. C'était aussi son apparence qui rendait sa présence difficile à l'enterrement de mon père ; dans ce deuil scindé en deux, le souvenir de son enfance et celui de son âge adulte, incarné en deux réalités compactes, opposées, antagoniques. Elle était jeune, bien habillée, très couverte. Ses cheveux détachés et sans aucun maquillage contrastaient avec ses bottes sophistiquées. Elle aurait dû appartenir à ma famille, or je ne la connaissais pas. Si elle avait été une parente d'Anselmo, d'Encarnita, ou de n'importe quel habitant du village – qui ensemble, groupés, accompagnaient à distance les Madrilènes de cet air de sombre sérénité – elle aurait dû s'approcher pour les saluer. Au contraire, elle ouvrit son sac, en sortit un paquet de cigarettes, un briquet, alluma une cigarette, ôta ses lunettes et me regarda. Angélica, ma sœur, eut besoin de plus de temps pour réagir.

« Je ne sais pas quoi te répondre... Je travaille à l'UCI, je connais toutes les infirmières, et j'avoue que ta description ne correspond à aucune d'entre elles. Antoñita est jeune, mais pas grande, et les autres... Et puis, si elle n'a pas osé saluer maman, elle aurait dû me dire quelque chose, à moi.

— Eh bien, je ne sais pas, mais je l'ai vue, insistai-je, regardant mes frères et sœurs un par un. C'est peut-être une de vos voisines, ou une amie du collège, ou quelque chose comme ça. Elle aurait pu faire ses études avec toi, Clara...

— Elle est peut-être du village, suggéra mon frère aîné pendant que la petite hochait la tête.

— Ça aussi, j'y ai pensé, mais elle n'en avait pas l'air. » Ma mère appuya l'hypothèse de Rafa.

« Mais enfin, Álvaro ! L'air n'a rien à voir. Si elle avait mon âge, passe encore, mais maintenant vous les jeunes, vous êtes tous habillés pareil, à la ville comme à la campagne. Il n'y a plus de différence. »

Elle m'avait regardé comme si elle ne me connaissait pas, comme si elle tentait de me reconnaître, et j'ai pensé alors qu'elle était peut-être venue pour ça, qu'elle ne cherchait pas à se faire voir, mais à nous regarder. Je soutins le regard de ses grands yeux à l'étrange couleur, verdâtres mais sombres, pendant qu'elle me regardait en face, avec patience, avec fermeté, comme si elle attendait depuis longtemps l'occasion de nous revoir, comme si elle était venue là pour nous reconnaître, pour me reconnaître moi, qui m'étais trompé auparavant en la regardant, croyant que c'était ce qu'elle souhaitait. Ces deux derniers jours, j'avais tellement fumé que ce matin-là je me levai avec l'espoir de ne plus jamais le faire, mais j'avais un paquet dans la poche de mon manteau, et la cigarette qu'elle fumait lentement, sans détourner son regard du mien, m'obligea à abandonner son regard et mes intentions. Quand je commençai à fumer, elle avait déjà fini, quand je la regardai à nouveau, elle ne me regardait plus ; ses yeux se posèrent sur ma mère, qui sanglotait pendant que Rafa prenait une poignée de terre et la jetait sur le cercueil, puis sur Clara, qui laissait tomber quelques fleurs dans la fosse d'un ultime geste éploré, et enfin sur mes neveux les plus âgés, si jeunes encore, des enfants habillés en hommes en costume cravate, mal à l'aise dans leur rôle, sous la surveillance stricte des adultes. À présent, elle regardait ces derniers, elle les étudiait, les observait, avec la même intensité patiente qu'elle m'avait auparavant accordée, comme quelqu'un qui accomplit une mission en prenant son temps. Je fus alors convaincu que cette inconnue savait très bien où elle se trouvait, et je sentis poindre une inquiétude proche de la peur, une crainte superficielle qui ne provenait pas du danger mais de la menace de l'inexplicable. Soudain, ma mère se laissa tomber à la renverse, Julio la rattrapa, la soutint pendant qu'elle s'affaissait ensuite en avant. Le groupe se disloqua, et tous vinrent l'entourer immédiatement. Je compris que tout était fini, les pelles, les prières, les cordes. Mon père voyageait déjà vers l'oubli quand je m'approchai enfin, moi aussi, pour prendre ma place parmi les miens.

« Moi, je l'ai vue », déclara Guille, mon neveu, le deuxième des enfants de Rafa et le plus intelligent de tous, qui cessa de jouer avec son téléphone portable pour me regarder. « Elle portait une veste à petits carreaux et une sorte de pantalon d'équitation rentré dans des bottes qui remontent au-dessus du genou, c'est ça ?

— Oui, c'était elle. Heureusement que tu l'as vue toi aussi... » Je lui souris, et reçus en échange un sourire de quatorze ans, éperdu de reconnaissance. « Et tu l'as vue partir ?

— Non, ça non. Elle était dans le fond, et je croyais qu'elle viendrait après, comme les autres. Mais je ne l'ai pas revue. Je l'ai remarquée parce que... elle était jolie, non ?

— Évidemment, c'est très étrange... »

Rafa regarda tour à tour son fils, ma mère, puis moi, faillit dire quelque chose mais retint ses paroles.

« Et ça ne peut pas être une parente, maman ? insistai-je. Je ne sais pas, une cousine lointaine ou quelque chose dans le genre...

— Non. » Le démenti de ma mère fut sec, tranchant, mais il lui fallut un certain temps pour le justifier. « Tu sais, mon petit, je reconnais encore tous mes parents. Je suis vieille, mais j'ai toute ma tête.

— Oui, mais c'est que... » Je la regardai dans les yeux et j'y vis quelque chose que je n'attendais pas. « Rien.

— Dis, Álvaro... Tu prends quelque chose ? » Ma sœur Angélica intervint sur ce ton de sollicitude méfiante devenu célèbre au fil des accouchements, des hospitalisations et des convalescences de toute la famille. « Parce que, si tu n'as pris que le comprimé que je t'ai donné ce matin, tu as un comportement un peu bizarre, je dois dire... »

Moi aussi j'espérais la voir de près, retrouver ses yeux, en élucider la couleur, savoir qui elle était, pourquoi elle était venue, pourquoi elle nous regardait comme ça, avec cette intensité, cette patience de celui qui accomplit une mission en prenant tout son temps, mais j'étreignis tous les manteaux en cuir, toutes les vestes en laine, des gens connus et inconnus, j'embrassai des visages lisses, d'autres ridés, et elle n'apparut pas. Ma mère, les joues subitement creuses, avec une expression d'épuisement intense que nous ne lui avions pas vue aux pires moments de l'agonie de son mari, demanda de l'aide pour se remettre en route. Je la pris dans mes bras, partageant avec Julio l'étonnante légèreté de son corps, et nous l'emmenâmes tous deux hors du cimetière en la soulevant presque au-dessus du sol. « Quarante-neuf ans, murmurait-elle, nous avons vécu ensemble pendant quarante-neuf ans, en dormant dans le même lit et maintenant, maintenant...

— Maintenant tu dois connaître la fille de Clara, maman, et voir grandir le fils d'Álvaro, mes enfants. » Julio enfilait d'autres chiffres, des nombres comme des ancres, des clous, des boutons capables de la retenir à la vie. « Tu as cinq enfants, maman, et douze petits-enfants, et nous t'aimons tous, nous avons besoin de toi, nous avons besoin de toi pour continuer à aimer papa, pour qu'il reste vivant, tu le sais... »

Je l'écoutais comme s'il parlait de très loin tout en prenant soin de ce corps dont nous partagions la responsabilité. Je guettais les vestiges de cette femme qui s'était évaporée aussi facilement qu'elle était arrivée, surgissant de nulle part. Ma mère marchait très lentement, Julio la consolait de ses paroles douces, posées, et je l'embrassais de temps en temps ; je pressais mes lèvres, mes joues, contre sa tête, comme pour m'excuser moi-même de chercher cette inconnue dans toutes les directions, en sachant pertinemment qu'elle n'était pas là. Je voulais me convaincre que j'avais compris sa stratégie : arriver tard, quand l'assistance aurait déjà tourné le dos à la porte et que les proches se tiendraient autour du prêtre, suivre la cérémonie à distance, protégée par l'anéantissement ultime qui aveugle les malheureux. Partir vite, pendant que ceux qui n'ont pas senti la mort de près exécutent leur rituel. Elle avait prévu tout cela mais n'avait pas pu compter sur moi, sur mon unique extravagance, cette aversion morbide des enterrements qui avait fait échouer son plan, rogné son astuce. Elle ne voulait pas être vue, mais moi je l'avais vue, ainsi qu'un enfant de quatorze ans qui l'aurait oubliée immédiatement si, en sortant du cimetière, je n'avais eu la certitude que sa présence n'avait été ni un mirage, ni un accident. Rien qui puisse mériter le nom de hasard. Elle s'était trouvée là et nous avait regardés comme si elle nous connaissait, comme si elle voulait nous reconnaître. En la regardant, j'avais décelé un air familier dans son profil, un éclat flou, évanescent, que j'avais été incapable de saisir en la regardant en face, tout comme j'avais été incapable de saisir la nature de la lumière qui éclairait d'une couleur plus pure, plus bleue encore, les yeux de ma mère devant une question innocente.

« Pourquoi est-ce que tu ne m'en as pas parlé avant, Álvaro ?

— De quoi ? » Miguelito se débattit comme un beau diable au moment de monter sur son siège à l'arrière de la voiture, mais quand je parvins à boucler la dernière attache, il dormait déjà.

« De cette fille... » Mai démarra et j'occupai la place du passager, car ma sœur Angélica, conformément à son hystérie coutumière, avait insisté pour que je ne conduise pas. D'ailleurs, je n'en avais pas envie. « Tu aurais pu m'en parler avant, quand on est allé chercher le petit, ou avant d'arriver au restaurant.

— Effectivement, admis-je, sans trouver grand-chose à ajouter. Mais je n'y ai pas pensé. »

Ma femme s'arrêta à un feu rouge, sourit, me caressa les cheveux, se pencha vers moi, m'embrassa, et cette séquence d'actes doux, tranquilles, aimables m'arracha au froid et à l'inquiétude de la matinée pour me ramener en territoire connu, celui de ma propre vie, une plaine cultivée qui ne forçait généralement pas mes yeux, ni ma conscience.

« C'est bizarre, tout ça, non ? demanda-t-elle au bout d'un moment, quand nous roulions déjà sur l'autoroute.

— Oui. Ou non. Je ne sais pas. »

La mort est toujours si bizarre, pensai-je.

Les balcons de grand-mère Anita foisonnaient de géraniums, d'hortensias, de bégonias, de fleurs blanches et jaunes, roses et rouges, mauves et orangées, qui débordaient de leurs pots en terre pour grimper aux murs et envahir les balustrades, repues de lumière et d'attentions. À Paris, elles gelaient presque tous les ans, expliquait-elle à sa petite-fille quand elle sortait les arroser. Une tâche difficile, laborieuse, parce que les plantes cherchaient l'espace dont elles ne disposaient pas et grimpaient les unes sur les autres pour pousser droit, au point de confondre tiges et bourgeons. Mais grand-mère, elle, savait exactement où et quand elle devait arroser chaque plante.

« Allez, viens avec moi, au soleil, je vais te coiffer. »

Pour Raquel, c'était le prologue du meilleur moment du samedi. Aussi se dépêchait-elle de se placer devant l'un de ces balcons, véritables publicités pour la joie ; elle regardait un géranium rouge qui pointait l'entrée de la caserne du Conde-Duque, et demeurait très calme pendant que sa grand-mère lui brossait les cheveux.

« Grand-mère, pourquoi est-ce que tu t'appelles comme ça ? »

Ensuite, le peigne traçait une ligne droite sur la tête de Raquel, pour partager la chevelure en deux moitiés égales, et Anita, concentrée sur ses doigts, et leur habileté à diviser et subdiviser les mèches avec une précision quasi mécanique, mettait quelques secondes avant de répondre.

« Eh bien, parce que c'est le nom qu'on m'a donné.

— Mais on a dû t'appeler Ana, non ?

— Oui, bien sûr. Mon père voulait m'appeler Placer, mais ça ne plaisait pas à ma mère. Elle disait que ça n'était pas un prénom pour une femme convenable, travailleuse... » Elle ne pouvait pas la voir, mais la fillette savait que sa grand-mère souriait, qu'elle souriait toujours en racontant ce genre de plaisanterie qu'elle n'avait pour sa part jamais trouvée drôle. « Et comme j'étais la plus jeune, si petite, et que je n'avais que quinze ans quand nous sommes partis... Je ne sais pas, on m'a toujours appelée Anita. »

Elle achevait une tresse et commençait la seconde. Elle les réussissait toujours toutes les deux, de la même longueur, la même épaisseur, sans un seul cheveu lâche, fermes mais souples, drues et symétriques, semblables à des épis de blé.

« Et toi ? lui demandait-elle ensuite. Tu sais pourquoi tu t'appelles Raquel ?

— Bien sûr, répondit-elle en prenant sa respiration pour réciter d'une seule traite, comme lorsqu'on la faisait venir au tableau à l'école et qu'elle savait sa leçon par cœur. Grand-mère Rafaela n'aimait pas son prénom, mais elle voulait que maman sache bien prononcer les *r* et c'est pour cette raison qu'elle en a cherché un plus joli qui commencerait comme le sien, Raquel fut celui qu'elle préféra, et elle et papa l'aiment bien aussi, et c'est pour ça qu'ils me l'ont donné même s'ils disent que cette histoire de *r*, ce n'est pas vrai.

— Eh bien ils ont tort. » Grand-mère Anita la prenait alors par les épaules, la regardait attentivement, cherchant un défaut qu'elle ne trouvait jamais, et l'embrassait plusieurs fois de suite, sur les joues, le front, les cheveux, le cou, le bout du nez. « Maintenant, tu es vraiment jolie ! Tu veux aller réveiller ton grand-père ?

— Oui ! »

Et elle partait en courant dans ce couloir haut de plafond au sol parqueté, long et sombre, si différent de chez elle, avant d'arriver à la dernière porte, la chambre de ses grands-parents, où la lumière régnait à nouveau. Raquel aimait beaucoup cette maison, elle l'aima dès qu'elle la vit, vide et fraîchement repeinte, avec une pancarte bleue et jaune, *À vendre*, accrochée sur un balcon désolé, poussiéreux, incapable de prévoir la splendeur de son futur. « Regarde, maman », avait-elle dit quand elle eut fini de lire ces trois syllabes qui lui résistaient encore, car elle avait appris à parler en espagnol,

mais à lire en français, et elle ressentait une chose au nom
très étrange mais qui était manifestement normal dans sa
famille, car c'était déjà arrivé à ses parents, à ses oncles et
tantes, et à ses cousins. Aussi mélangeait-elle parfois les deux
langues. « À-ven-dre, maman », regarde, mais sa mère notait
déjà le numéro de téléphone. « Allez, dit-elle, il y a peut-être
un concierge. » Il y en avait un, et il possédait la clé. « Venez,
leur dit-il, on vient de nous installer un ascenseur, très étroit,
vous savez, ils l'ont fait venir d'Allemagne parce qu'ici il n'y
en a pas, et bien sûr, ces maisons anciennes n'ont pas été
prévues pour les inventions modernes... »

Ils montèrent au quatrième étage dans l'ascenseur le plus
étrange que Raquel ait vu en sept ans d'existence, mais même
ce détail lui plut. La cabine était si petite qu'on aurait dit un
jouet et ils durent y rentrer en file indienne, le concierge
devant, elle au milieu, sa mère derrière, comme s'ils jouaient
à un jeu. « Vous allez voir, leur dit l'homme, c'est un bel
appartement, il vient d'être refait, ils ont abattu plein de cloi-
sons pour agrandir les pièces et ajouté l'appartement voisin,
qui donnait sur la cour intérieure et ne faisait pas trente
mètres carrés, pour installer une petite cuisine et une
deuxième salle de bains... » Depuis un mois et demi qu'elles
cherchaient un appartement pour ses grands-parents dans
tout Madrid, elles avaient souvent entendu ce discours, mais
celui-ci n'était pas exagéré, ni mensonger. Elles découvrirent
d'abord un séjour très vaste, rectangulaire, pourvu de deux
grands balcons et d'une colonne noire et ronde, en acier, plantée au centre. « Elle gêne peut-être pour mettre les meubles,
dit sa mère en la voyant, mais je dois admettre qu'elle est très
jolie.

— C'est que l'immeuble entier a été refait par la fille de
la propriétaire, qui est architecte, vous savez, voyez comment
sont les choses aujourd'hui, une femme architecte et vous
n'imaginez pas comme elle est intelligente... »

Déjà, cet après-midi d'octobre 1976, à la lumière d'un
soleil fatigué qui se posait telle une gaze dorée et immaculée
sur les feuilles tout aussi fatiguées des arbres, la pièce au fond
du couloir fut celle que Raquel préféra, car il y avait une autre
colonne, aussi haute, aussi ronde et brillante que celle du
salon, avec le même chapiteau de feuilles et de pampres. Elle
ne se trouvait pas au centre mais sur un côté, et devant, sur

le mur opposé à la place qu'occuperait le lit, une galerie de fenêtres s'ouvrait sur une mer de toits sur des terrasses, de vagues rougeoyantes, ocre et jaunâtres, se brisant au-delà d'une très grande cour – presque un jardin, car le sommet des acacias arrivait presque au troisième étage.

De là, Raquel regarda Madrid, le rouge des tuiles qui dansaient entre l'ombre et la lumière, toujours semblables et toujours différentes, tels des écailles, des pétales, des miroirs facétieux qui absorbaient le soleil et le reflétaient à leur guise pour composer toute la gamme des couleurs chaudes, du jaune pâle des terrasses à l'orange intense des avant-toits éclairés, qui conféraient aux profils sévères des églises en ardoise une illusion de félicité béate. Les tours pointues, isolées, élancées, s'élevaient sans arrogance au-dessus de la silhouette irrégulière de la ville, qui dansait comme un bateau, un dragon, tel le cœur ancien et puissant du plus beau ciel que Raquel eût jamais vu. Le ciel est si grand, ici, pensa-t-elle en contemplant l'étendue infinie d'un bleu si profond qu'il méprisait la science des adjectifs, un bleu beaucoup plus bleu que le bleu ciel, si intense, si concentré, si net qu'il ne ressemblait même pas à une couleur, mais à une chose. L'image nue et véritable de tous les ciels. Quelques rares nuages hauts et allongés, si fragiles qu'ils opposaient à peine un voile transparent qui filtrait la lumière sans la troubler, semblaient choisis, dessinés, placés à dessein pour témoigner de la profondeur d'un bleu illimité. C'était un ciel absolu qui la salua ce soir-là sans qu'elle s'en rendît compte, semblable à celui qui avait pris congé de son grand-père à l'aube d'un jour très ancien déjà, quand Ignacio n'imaginait pas qu'il l'emmènerait partout avec lui, pendant tellement, tellement longtemps.

Elle savait déjà l'importance que le soleil, la lumière, le bleu, avaient pour eux, les Espagnols. Je vais mourir, Rafaela, avait dit à sa femme son autre grand-père, Aurelio, le père de sa mère, en sortant du cabinet du médecin qui lui avait diagnostiqué une grave cardiopathie, irréversible à moyen terme. Je vais mourir, tu entends, et je veux mourir au soleil. Rafaela n'attendit pas la naissance de Raquel, mais elle ne voulut pas non plus dire la vérité à sa fille unique, qui s'était mariée en France, avant ses frères, et qui attendait un enfant. On rentre, lui dit-elle simplement, on va vendre la maison d'ici pour en acheter une sur la plage, près de Malaga, à Torre del

Mar ou à proximité, là où ton père voudra... On rentre, on ne rentre pas, ils sont rentrés, je crois qu'ils rentrent, j'aimerais rentrer, mon père ne veut pas, je crois que ma famille ne va pas tarder à rentrer. Personne ne disait jamais où il rentrait, ce n'était pas la peine. Raquel, qui naquit en 1969 et grandit à l'ombre des conversations fabriquées avec tous les temps, modes et périphrases possibles du verbe rentrer, ne demanda jamais pourquoi. C'était comme ça, simplement. Les Français déménageaient, partaient ou restaient. Pas les Espagnols. Les Espagnols rentraient ou ne rentraient pas, de même qu'ils parlaient une autre langue, chantaient d'autres chansons, et mangeaient des grains de raisin la nuit de la Saint-Sylvestre, avec le mal qu'on a pour en trouver. Ils sont si chers, c'est de la folie..., se plaignait grand-mère Anita.

Ses grands-parents maternels étaient rentrés, et c'était pour cette raison que, depuis l'âge de trois ans, ils la prenaient tous les étés avec eux dans cette maison blanche et carrée, lumineuse et fraîche, qui avait une grande cour, avec une treille sous laquelle Aurelio s'asseyait pour voir la mer. Elle se juchait dessus et se taisait, embrassant son grand-père, qui était très malade mais n'en avait pas l'air, et qui lui disait toujours la même chose : on est bien ici, non ? Et il souriait, comme on est bien, ici. Puis, en août, ses parents arrivaient et les emmenaient en voiture à Fuengirola, pique-niquer sur la plage, à Mijas, monter sur les ânes, à Ronda, voir les tau-reaux. Les derniers jours de l'été tout le monde était triste, à tel point que Raquel n'avait pas l'impression qu'ils rentraient mais plutôt qu'ils abandonnaient les lieux, s'exilaient des bou-gainvillées et des lauriers-roses, des orangers et des oliviers, de l'odeur de la mer et des bateaux du port, des palissades et des maisons blanchies à la chaux, des fenêtres fleuries et de l'ombre des treilles, de l'or de l'huile, de l'argent des sardines, des subtils mystères du safran et de la cannelle, de leur propre langue et de la couleur, du soleil, de la lumière, du bleu. Pour eux, rentrer n'était pas revenir à la maison, car on ne pouvait rentrer qu'en Espagne, même si personne n'osait jamais pro-noncer ce mot.

Aussi, quand ils arrivaient à Paris, les parents de papa – ceux qui ne rentraient pas – les invitaient-ils à dîner, et grand-mère Anita leur posait une foule de questions, racon-tez-moi tout, où vous êtes allés, ce que vous avez mangé, comment est le pays, ce que disent les gens, quelle musique ils écoutent ; il faisait très chaud ? il y avait beaucoup de touristes ? vous vous êtes bien amusés ? et les prix, comment ils sont ? vous m'avez rapporté ce que je vous ai demandé ? Oui, ils le lui avaient rapporté, dans une énorme caisse remplie de piment doux et fort, de conserves de thon et d'anchois, de piments de Murcie et de piments rouges, d'ail violet, de filet en pots, de manchego, ainsi qu'un jambon entier, des chorizos de Salamanque, du boudin de Burgos, des haricots blancs, des pois chiches, du petit salé et deux énormes bonbonnes d'huile d'olive qu'ils achetaient toujours au retour, dans un village près de Jaén. Très bien, disait-elle alors, très bien, et ses yeux se remplissaient de larmes. Et des aubergines, vous y avez pensé, je suis si contente, comme elles sont belles ! Ici on n'en trouve pas des comme ça, bien sûr, comme ils ne savent pas les préparer... Bien sûr, qu'ils savent, Anita, l'interrompait alors grand-père Ignacio, bien sûr qu'ils savent. Ce qu'il y a, c'est qu'ils ne les font pas comme tu les aimes. Bon, d'accord, reconnaissait-elle, puis avec une certaine crainte parce qu'elle l'aimait beaucoup, ils l'aimaient beaucoup tous les deux, elle regardait maman et lui demandait : et ton père, comment est-ce qu'il va ? Eh bien, répondait-elle, très bien, je dois dire, c'est incroyable, on dirait que le changement lui a magnifiquement réussi, c'est peut-être le climat ou... enfin, tu sais. La grand-mère acquiesçait de la tête et finissait par conclure : bien sûr, pour que son mari se retournât pour la regarder comme si elle venait de le piquer avec une très longue aiguille, une arme précise, douloureuse, pointue. C'est une sottise, Anita, une sottise. Et n'en parle plus, parce que je n'ai pas envie d'entendre ça une deuxième fois.

Ensuite, la grand-mère s'enfermait et cuisinait pendant trois jours, préparant la fête traditionnelle de la mi-septembre, à laquelle elle et son mari invitaient à dîner tous leurs amis espagnols et certains Français qui appréciaient autant qu'eux les plats, à l'exception de leur gendre, Hervé, le mari de la tante Olga. Il était adorable, très sympathique, très gentil, très progressiste mais très normand, à tel point qu'il prétendait que l'huile d'olive ne lui réussissait pas. La grand-mère s'en trouvait très vexée, même si elle préparait toujours quelque chose spécialement pour lui : une salade d'endives aux noix avec sa sauce préférée – roquefort –, tu parles d'une cochonnerie, disait-elle entre ses dents, ou une viande cuite au beurre. Ce menu de rechange se révélait de plus en plus important chaque année, parce qu'il y avait de plus en plus de Français et de moins en moins d'Espagnols à la fête annuelle des grands-parents. Le verbe revenir accélérait les temps, se déplaçait vite du futur vers le présent, assujettissait le passé par un chemin à la fois inverse et constant qui ne les emmenait pas en arrière, mais en avant. Après tant d'années d'immobilité, la léthargie perpétuelle d'une sieste dans une grotte étrangère, tout avait commencé à changer très vite pour eux, les Espagnols. Raquel était petite, mais elle s'en rendait compte. Ils rentrent, ils rentrent, ils rentrent, ils rentrent, ils sont rentrés.

On rentre, dit aussi son père qui, bien que né à Toulouse, et sa femme à Nîmes, n'aurait pu utiliser un autre verbe, le dire autrement. Nous aussi, on rentre. C'était en septembre 1975, ils avaient passé le mois d'août à Torre del Mar, et son père avait trouvé du travail en Espagne – non à Malaga, la ville d'où était originaire grand-père Aurelio, mais à Madrid, la ville de grand-père Ignacio. Je pars la semaine prochaine, papa. Tout seul. Les autres restent jusqu'à Noël, le temps de trouver un appartement, une école pour la petite, tout ça. Comme ma femme reste seule avec les enfants et qu'elle travaille si loin, que maman va tous les jours à Aubervilliers pour son travail, en revanche, j'ai pensé, si ça ne vous dérange pas, qu'ils pourraient rester chez vous pour les mois à venir et comme ça on n'aurait pas besoin d'attendre jusqu'à la fin pour le déménagement. Parce que ça ne te dérange pas d'emmener les enfants à l'école et d'aller les chercher ? N'est-ce pas, maman... ?

Mateo, son frère, était encore si petit qu'il n'aurait aucun souvenir de Paris, mais elle, Raquel, avait déjà six ans et elle commença à tout regretter à l'avance.

« Mais, voyons... pourquoi est-ce que tu ne veux pas partir ? » Grand-mère Anita cassait les cerneaux de noix pour la salade de l'oncle Hervé et elle observait d'un air soucieux le silence farouche de sa petite-fille. « Tu vas voir comme vous serez bien à Madrid. Et pour l'école, ne t'en fais pas. Tu ne te souviens pas comme tu as pleuré quand je t'ai dit que tu ne viendrais plus à ma garderie ? Et puis plus rien. Tu as connu Mademoiselle Françoise, qui était si gentille, et tu t'es tout de suite fait plein d'amis. Eh bien, en Espagne, ce sera pareil, ou mieux, parce que c'est ton pays, notre pays. Nous sommes espagnols, tu le sais. »

Pas moi, faillit-elle répondre. Vous si, mais pas moi, je suis parisienne, je suis née ici et je ne veux pas partir, j'ai peur de partir, de ne plus voir mes amis, mon collège, mon quartier, ma maison, l'autobus, les rues, les programmes de télévision. Voilà ce qu'elle pensa, et si elle se contenta d'une plainte plus modeste, ce ne fut pas parce que ses six ans ne lui permirent pas de formuler ses sentiments avec précision, mais parce qu'elle savait déjà, elle l'avait toujours su, que dans cette maison il était interdit de dire cela à voix haute.

« Si au moins on allait à Malaga ! Là-bas, il y a les grands-parents, et je connais parce qu'on y va en été.

— Et alors ? Grand-père Ignacio est de Madrid. Demande-lui donc de t'en parler. Moi, je n'y suis jamais allée et je connais par cœur...

— Pourquoi vous ne venez pas avec nous, grand-mère ?

— Eh bien parce que certains disent qu'ils font et d'autres font vraiment, voilà pourquoi. » Elle finit de casser les cerneaux de noix, les mit dans un saladier, lava le couteau, l'essuya, mit ses mains sur ses hanches et la regarda. « Parce que ton grand-père n'en a pas envie, parce que c'est l'homme le plus buté du monde et pourtant, je suis aragonaise, hein ! Têtue comme une mule, c'est ce qu'il dit, mais c'est bien lui le plus têtu, qui dit non, non, non, et non. Quand on a voulu lui donner la nationalité française, il n'en a pas voulu, quand on aurait pu commencer à mettre de l'argent de côté, il a refusé d'acheter un appartement, et tu vois, ton grand-père Aurelio, la bonne affaire qu'il a faite avec ce qu'on lui a donné pour sa maison de Villeneuve, qui était si petite et avec tout ce qu'il restait à payer, il a acheté celle de Torre del Mar et il lui en est resté. Mais pas ton grand-père Ignacio, pas lui, pas lui, lui, en quel honneur ? Lui, il doit toujours être le plus... finaud. Et pourquoi, je te demande, pourquoi ? Eh bien, pour rien. Où est ton grand-père Aurelio, celui qui a eu la faiblesse de prendre racine en France ? En Espagne. Où est ton grand-père Ignacio, celui qui refuse d'investir un centime dans un pays où il est de passage ? En France. Nous sommes là et nous y resterons. Nous serons les derniers à rentrer, je te le dis, les derniers.

— Mais toi, tu voudrais...

— Bien sûr, que je voudrais. » La grand-mère sourit, s'assit sur une chaise, la prit dans ses bras. « Si j'avais épousé un Français, comme Olga, eh bien non. Mais... j'ai épousé ton grand-père. J'ai eu cette chance, parce que nous avons toujours été très heureux mais toujours en espagnol, en parlant en espagnol, en chantant en espagnol, en élevant des enfants espagnols, avec des amis espagnols, de la cuisine espagnole, des coutumes espagnoles, en déjeunant tard et en dînant encore plus tard, en nous couchant tard et en faisant la sieste... J'ai appris à cuisiner comme ma belle-mère : *cocido* le samedi, paella le dimanche. J'ai continué pendant toutes ces années, et je l'aimais, tu sais, hein, je l'ai aimée comme une mère, exactement comme ma mère, parce que c'est ce qu'elle a été pour moi, quand ton père est né et que nous ne savions même pas où se trouvait Ignacio, s'il était vivant ou mort... Et j'étais célibataire et tout ça. C'était très dur, à cette époque, mais tout était logique, tout avait un sens, et pourtant, aujourd'hui... Aujourd'hui, je ne sais plus ce qu'on fait ici, ce qu'on va y faire, surtout quand vous serez rentrés. Si ça ne tenait qu'à moi, on serait déjà à Madrid.

— Et ton village ?

— Mon village ? Ne prononce même pas son nom, je ne veux ni le voir ni m'en approcher, c'est moi qui te le dis... »

Les choses étaient comme ça. Étranges, absurdes, incompréhensibles. Parce que nous sommes espagnols. Son père était né à Toulouse, sa mère à Nîmes, Anita sa grand-mère avait quitté à quinze ans un village de la province de Teruel dont sa petite-fille ne pourrait jamais prononcer le nom même si elle le voulait, car Anita refusait de le prononcer elle-même. Là-bas, dans la sierra d'Albarracín, disait-elle seulement. Et que c'était un miracle qu'elle soit en vie parce qu'ils les avaient tous tués, son père, ses beaux-frères, tous sauf elle. Elle qui, un jour maudit, à tout juste quinze ans mais avec le courage d'une femme de trente, partit sur la route avec une sœur tuberculeuse et une mère qui à cinquante ans ressemblait déjà à une vieille femme, avant d'arriver, à travers champs, à Toulouse. Là, quand elle se retrouva seule, elle vécut sous la protection d'un couple originaire de Madrid, Mateo Fernández et María, sa femme, qui avaient eu un premier fils fusillé en Espagne, l'autre prisonnier quelque part en France, mobilisé de force par le STO, parce qu'il était espagnol. Ils avaient aussi deux filles : l'aînée était veuve, à vingt ans, son mari avait été fusillé lui aussi, devant les mêmes palissades que son beau-frère. Anita épousa le seul homme jeune de la famille Fernández qui était parvenu à survivre aux deux guerres. La nôtre et l'autre, disait-elle, comme si en Espagne les guerres étaient plus estimables, meilleures et différentes. Elle était heureuse que son fils aîné épousât Raquel Perea, la fille d'Aurelio, de Malaga, qui ne craignait que les tempêtes et qui faillit passer la frontière après s'être échappé du camp où il avait connu Ignacio Fernández, alias l'Avocat, mais qui au dernier moment, alors qu'il apercevait déjà l'uniforme des gardes civils, rebroussa chemin parce que nous sommes un pays de fils de pute, voilà la vérité, on n'y peut rien.

C'était le même Aurelio qui était rentré parce qu'il voulait mourir au soleil et qui s'éloignait chaque année davantage de la mort ; le même Aurelio qui vivait à l'ombre d'une treille, et emplissait de larmes les yeux de la femme qui berçait maintenant leur petite-fille dans la cuisine de sa maison, à Paris. Grand-mère Anita, qui n'avait jamais vu de treille andalouse et n'était jamais allée à Malaga, qui ne connaissait de la Méditerranée que la Côte d'Azur, qui avait vécu en France plus du double de temps qu'elle n'avait passé dans ce village d'Aragon dont elle ne voulait jamais prononcer le nom. Vivante par miracle et qui avait sûrement sauvé la vie de son mari – celui qui ne voulait pas rentrer en Espagne – quand celui-ci, au cours de l'année 1945, lui annonça qu'il comptait passer la frontière parce qu'il fallait des gens de l'autre côté, des hommes d'expérience, capables de coordonner ceux qui avaient continué à lutter seuls, de leur côté. Je t'en supplie, Ignacio, sur ce que tu as de plus sacré, ne rentre pas, tu as déjà suffisamment donné, et je n'ai que toi, je n'ai plus de famille, ni père, ni mère, ni frères et sœur, ni maison, ni village, ni pays, ni rien, je n'ai que toi, un fils que tu as connu quand il avait deux ans, et d'ici peu, un autre que tu ne connaîtras peut-être jamais. Tu en as bien assez fait, laisse ça aux autres, maintenant, lui avait-elle dit. Les autres ont fait la même chose que moi. Mais les autres ne peuvent rien pour ceux qui sont ici, et toi si. Toi aussi tu es nécessaire ici, Ignacio, tu as aidé beaucoup de gens et il y a beaucoup de gens qui ont encore besoin de toi...

Cet ultime argument, ourdi avec autant d'amour que de désespoir, retint en France l'homme le plus têtu du monde, qui avait voulu rentrer en Espagne quand sa femme ne le voulait pas, et qui ne voulait pas rentrer maintenant qu'elle pleurait, nostalgique de l'ombre d'une treille qu'elle n'avait jamais vue. Les choses étaient aussi bizarres que ça, et Raquel ne les comprenait pas, personne n'aurait pu. Mais ce labyrinthe sentimental, où les rues sans issue débouchaient sur une maison blanche au bord de la mer où la prospérité devenait une chaîne perpétuelle que seul l'acier si fragile des paradoxes pouvait limer, c'était la scène de sa vie, celle qu'il lui était échu de vivre.

J'en ai ras le pompon de cette guerre civile, disait son père, en chantant, utilisant une de ces chansonnettes que l'on entonne dans les excursions, et sa mère se mettait à rire pour ajouter le deuxième vers : et du courage des rouges espagnols, zim-boum, j'en ai ras le pompon du siège de Madrid, continuait son père, et de la bataille de Guadalajara, zim-boum, répliquait sa mère, et ils riaient tous les deux en même temps, j'en ai ras le pompon du Cinquième Régiment, et de la photo de mon père sur ce tank allemand, zim-boum, zim-boum, zim-boum...

C'était ainsi qu'ils revenaient le dimanche, après la paella de grand-mère Anita, morts de rire. Cependant il était déjà en Espagne, elle faisait les valises, et Raquel recevait la même réponse à toutes ses questions : eh bien parce que, parce que nous sommes espagnols. Jusqu'au jour où grand-père Ignacio lui fit une autre réponse.

« J'ai failli mourir plus d'une fois, tu sais ? D'abord pendant notre guerre. Ensuite, quand on m'a arrêté à Madrid, quand je me suis échappé de prison, quand on m'a envoyé à Albatera, quand j'ai sauté d'un train au milieu de la province de Cuenca, quand je suis allé de Barcelone à Gérone en camion, quand j'ai passé la frontière, au camp de Barcarès, où beaucoup sont morts, quand j'ai déserté ma compagnie, quand Mme Larronde a prévenu ma mère que son beau-frère était sur le point de me dénoncer, et après, quand j'ai réintégré ma compagnie, quand je me suis échappé à nouveau, quand je me suis battu contre les Allemands, voyons... » Il les avait comptées sur ses doigts. « J'aurais pu mourir treize fois et me voilà, qu'est-ce que tu dis de ça ?

— Et quand tu as voulu rentrer en Espagne et que grand-mère ne t'a pas laissé faire ?

— Ça ne compte pas.

— Et pourquoi tu t'échappais aussi souvent ?

— Eh bien, parce qu'ils voulaient me tuer.

— Qui ?

— Tous. »

Mais cela se passa après ce matin de novembre impossible et tropical, quand il faisait très froid dans la rue et trop chaud dans la maison, la chaleur que dégageait la voix de sa mère qui criait au téléphone : « Maman, maman, on le sait déjà, bien sûr, la radio l'a annoncé et mon mari a appelé il y a un moment, ah oui, c'est très bien, mais ne pleure pas, maman, dis à papa de prendre l'appareil, papa, papa, ne crie pas, calme-toi, tu ne vas pas tomber malade maintenant, par-dessus le marché... »

Raquel ne savait pas encore lire l'heure, mais elle se rendit compte qu'il était très tard parce que les persiennes filtraient un éclat qui peignait l'air de rafales de lumière, et l'on était jeudi, elle en était sûre, elle avait compté les jours qui manquaient avant que tante Olga ne l'emmène au cinéma avec ses cousins. Elle le lui avait promis, et il restait encore un jour et une nuit avant le début du vendredi. Alors on entendit sonner à la porte et c'était elle, tante Olga. Elle criait, elle aussi. Raquel prit peur. Elle resta bien sage, au lit, tentant d'imaginer ce qui avait pu arriver, jusqu'à ce qu'elle entende pleurer Mateo, son frère ; elle se leva sans réfléchir, et sortit en courant. Ils se trouvaient tous à la cuisine, tristes et sombres comme elle ne les avait jamais vus. Tante Olga se mouchait tout en mettant la cafetière sur le feu. Maman avait les yeux gonflés, mais elle semblait plus occupée à calmer l'enfant qu'à se rassurer elle-même. La grand-mère secouait la tête entre de profonds soupirs, comme si respirer avait représenté un effort. Son mari, assis devant la table vide, les bras inertes, pendant de chaque côté de son corps, fut le seul à la voir arriver.

« Qu'est-ce qu'il y a ? »

Raquel s'approcha pour s'asseoir sur ses genoux, sans demander la permission.

« Franco est mort, répondit-il en la serrant fort, comme s'il se réjouissait d'avoir trouvé quelque chose à faire de ses mains.

— Il n'y a pas classe ?

— Pas pour toi. Aujourd'hui c'est fête.

— Eh bien, je trouve que vous n'avez pas l'air très content... »

C'était lui qui paraissait le plus triste de tous, mais à ces mots il se mit à rire, et sa femme, sa fille, sa belle-fille, le suivirent avec entrain. Alors commença la vraie fête, un jour très long et extraordinaire. Peut-être pas le plus étrange de tous les jours étranges que Raquel allait vivre désormais jusqu'à un certain après-midi de mai 1977 ; car ce furent des années étranges, la première époque exceptionnelle de sa vie, mais le seul jour où on lui laissa faire tout ce qu'elle voulait. À l'heure du déjeuner, elle était toujours en chemise de nuit, elle n'avait pas bu son lait. Elle avait en revanche englouti un paquet entier de gâteaux au chocolat, cassé un cendrier, bu deux cocas, elle s'était fait l'œil charbonneux et peinturluré la bouche avec le rouge à lèvres de sa mère. Et personne ne semblait s'en rendre compte, de ça ni de rien, dans une maison où tout le monde s'était dispensé d'aller travailler et où personne ne cessait de s'agiter, car le téléphone et la porte n'arrêtaient pas de sonner. Des gens connus et inconnus, qui n'étaient pas allés travailler non plus, arrivaient et l'embrassaient, partaient ou restaient, mangeaient ou non, parce que chez les grands-parents on ne déjeuna pas ce jour-là, mais on mangea si souvent qu'on n'arrêta pas de manger. Grand-mère Anita s'enferma dans la cuisine, comme elle le faisait toujours lorsqu'elle était nerveuse, et elle surgissait à tout moment au salon avec un plateau. Puis l'oncle Hervé arriva avec les cousins ; Annette, qui s'appelait ainsi à cause de la grand-mère, et Jacques, qui s'appelait comme ça, tout simplement. Et Raquel commença à s'amuser davantage et à moins manger, elle s'occupa de maquiller sa cousine, qui avait un an de moins qu'elle et acceptait tout ce qu'on lui faisait, jusqu'à ce qu'elle entende frapper deux fois dans les mains puis la voix de son grand-père, allez ! on descend dans la rue.

Il était 16 h 30 et plus personne ne pleurait. Maman lui nettoya le visage avec un coton trempé dans un liquide blanc qui sentait mauvais, en souriant, comme si elle était ravie de la voir comme ça, couverte de taches de toutes les couleurs. Elle lui mit un ensemble neuf qu'elle venait de lui acheter, son beau manteau assorti d'un petit chapeau ridicule. Elle faillit l'enlever au dernier moment pour le laisser sur la console dans l'entrée, mais elle fut distraite par l'oncle Hervé qui leur proposait, à elle et Mateo, de les emmener chez lui avec ses enfants. Elle fut encore plus surprise par la réponse du grand-père : non, pas elle, qu'elle vienne. Elle est grande, comme ça elle se souviendra toujours de cette journée.

Raquel se souviendrait toujours de cette journée. Pas à cause des baisers ou des étreintes, de la joie et des larmes, de la satisfaction et du fracas des bouchons de champagne qui chantaient au rythme des jurons les plus féroces qu'elle eût jamais entendus. Pas à cause de cet éclat sauvage, ténébreux, dans les yeux sombres à moitiés dilatés par l'alcool et la mélancolie, qui éclatait derrière les portes de certaines maisons à Paris sans que Paris s'en rende compte, des endroits particuliers, familiers et étranges à la fois, où l'on recevait ses grands-parents en criant leur nom et en leur proposant de la tortilla aux pommes de terre, une de plus, qui ne serait jamais la dernière car ce fut une longue nuit de champagne et de tortillas aux pommes de terre, de baisers à répétition, de fortes étreintes, d'imprécations et de noms, de vengeance publique et de rancœurs privées, de toasts en l'honneur des absents et de questions en suspens. Parce que nous sommes espagnols et que les Espagnols ne peuvent jamais être entièrement heureux, une variété domestiquée et ivre de désespoir se penchait sur les commissures des lèvres, l'humidité des yeux, les arêtes du visage de ces hommes secs, consumés, épuisés par l'exercice constant de leur dureté, qui levaient un verre pour recommencer, l'un après l'autre, « morte la bête, mort le venin ». Ils avaient cependant le venin en eux, si accroché au cœur que, pendant qu'ils s'obligeaient à paraître heureux, ils savaient déjà qu'ils mourraient avant lui.

Raquel se souviendrait toujours de cette journée. Pas à cause de la miraculeuse transformation de sa grand-mère, qui avait soudain l'allure d'une femme très jeune car ses yeux, ses lèvres et ses cheveux brillaient, pendant qu'elle se déplaçait vite, avec une agilité inconnue, comme si elle flottait, comme si elle dansait, comme si son seul sourire suffisait à la maintenir au-dessus du sol. Pas à cause du regard de son grand-père dont les yeux, puits sauvages, sombres, suivaient sa grand-mère comme s'il allait tomber amoureux d'elle, trente-trois ans après qu'elle l'eut rendu amoureux pour la première fois. Ils s'embrassèrent tous deux longuement sur la bouche quand ils eurent fini de danser sur une place où d'autres Espagnols beaucoup plus jeunes et très différents, fruits amers de l'Espagne de Franco, étudiants et exilés volontaires de la dernière heure mêlés à de pseudo-aventuriers de gauche de bonne famille et à des travailleurs tout court, avaient improvisé une fête avec l'accordéon d'un Argentin qui savait jouer des paso dobles.

Ils étaient espagnols et ils buvaient du champagne. Ils étaient espagnols et c'était pour cela qu'ils dansaient, chantaient, et faisaient du bruit, invitaient à boire, à danser, à chanter, toute personne qui s'approchait pour les regarder. Mais leur joie était différente, beaucoup plus pure, totale et lumineuse, plus ordinaire peut-être que celle qui éclairait les joues creuses de ceux qui avaient payé un prix très élevé pour sourire cette nuit-là, mais surtout plus entière, plus proche du bonheur authentique. Ils les virent par hasard, en allant chercher leur voiture pour rentrer à la maison, et ils restèrent à les regarder par pur amusement, juste parce qu'ils étaient si jeunes, parlaient si fort et avec tant de joie.

« Vous êtes espagnols ? » demanda à la tante Olga celui qui les avait remarqués, et Olga but à la bouteille avant de répondre.

« Oui.

— Émigrants ? » insista-t-il.

Olga reprit une gorgée, hocha la tête, fit une pause pour prendre sa respiration et désigna le grand-père.

« C'est mon père, dit-elle. Ignacio Fernández Muñoz, alias l'Avocat, défenseur de Madrid, capitaine de l'Armée populaire de la République, combattant antifasciste lors de la Seconde Guerre mondiale, rouge et espagnol, décoré deux fois pour avoir libéré la France. »

Dans sa voix tremblèrent une émotion, un orgueil que Raquel ne put interpréter.

Elle avait si souvent entendu la même chose. C'était son grand-père, le père de son père, qui chantait j'en ai ras le pompon de la guerre civile, tandis qu'elle riait, et sa sœur, qui avait l'habitude de reprendre en chœur ses chants et ses éclats de rire, était maintenant très sérieuse, à tel point qu'elle ne cherchait même pas à essuyer la larme qui descendait lentement le long de sa joue. Mais cela n'était pas aussi surprenant que la réaction de l'inconnu, presque un adolescent, qui s'approcha de son grand-père et lui tendit la main. Très droit, la tête haute, il s'adressa à lui avec émotion et une allure d'homme adulte.

« Monsieur, c'est un honneur pour moi de vous saluer. »

Raquel, qui se rappellerait toujours cette journée, observa la scène comme si elle était en train de regarder un film. L'accordéon cessa de résonner, ceux qui dansaient s'arrêtèrent, ceux qui chantaient se turent soudain, et sur la petite place il fit soudain très froid. Un murmure entrecoupé, respectueux, presque liturgique résonna : capitaine, république, exilé, rouge ; paroles vénérables, prononcées à voix basse, délicatement, les lèvres frôlant l'oreille de leur destinataire, pour ne pas les blesser, pour ne pas les user, pour ne pas leur ôter un pouce de leur valeur.

Capitaine, république, exilé, rouge, mots précieux comme des joyaux, comme des pièces de monnaie, comme une source d'eau fraîche qui viendrait de jaillir en plein désert. Tous les regards convergèrent vers cet homme grand et bien habillé, qui ne se distinguait pas des Français parce qu'il était blond avec la peau claire, et vers la femme brune et petite qui se serrait contre lui. Elle semblait trop sophistiquée pour être espagnole avec ses cheveux courts, teints en rouge foncé, coiffés avec naturel, et un manteau très moderne qui lui arrivait aux pieds et l'enveloppait comme une cape. Ces garçons si jeunes, aux lunettes rondes à fine monture et aux cheveux longs, leur chemise dépassant du pull-over sous leur blouson ouvert, et ces filles aux cheveux lâches mais bien habillées – presque comme grand-mère Rafaela –, aux jupes longues et aux châles en laine sur les épaules, les regardaient d'un air grave et impatient, respectueux et ému, comme s'ils attendaient ce moment depuis toujours.

Au début, ses grands-parents n'éprouvaient que de l'étonnement, une stupeur si profonde qu'Ignacio ne trouva rien à dire quand il serra la main du premier. « Moi aussi, je veux vous saluer », dit le second, le troisième l'appela camarade, et la quatrième, qui était une fille, le remercia. « Nous devons tant à des gens comme vous », lui dit-elle. Alors sa grand-mère, qui avait retenu ses sanglots toute la journée, se mit à pleurer lentement, versant des larmes d'une douceur paisible. « Je suis très fier de vous connaître, monsieur, c'est un plaisir, un honneur pour moi », avant que le dernier, un mince jeune homme de petite taille aux cheveux noirs, tout frisé, ne se mette au garde-à-vous devant lui comme un soldat, à vos ordres, mon capitaine, et le grand-père ferma les yeux, les rouvrit et sourit enfin.

« Comment est-ce possible », murmura-t-il, en secouant la tête. Il répéta cette phrase si fréquente chez lui, qui n'était ni vraiment une interrogation ni totalement une exclamation. Comment est-ce possible ? C'était ce qu'il disait toujours lorsque quelque chose lui semblait impossible en bien ou en mal, prologue invariable d'effrois ou de surprises, de tristesses ou de joies inattendues. « Comment est-ce possible ? » répéta-t-il. Et au lieu de lui donner la main, il le prit dans ses bras.

La place tout entière sembla respirer, se détendre et se contracter dans un mouvement harmonieux, spontané. Les bâtiments et les corps retrouvèrent en même temps le son et le mouvement, et l'accordéon résonna de nouveau. La grand-mère prit son mari par le bras, « fais-moi danser, Ignacio », et ils dansèrent ensemble, seuls au centre de la place, puis ils s'embrassèrent longuement sur la bouche, comme s'ils étaient enfin vraiment heureux. Raquel les avait souvent vus s'embrasser sur la bouche ; mais jamais comme ça, et pourtant cela n'aurait peut-être pas suffi pour qu'elle se souvienne de cette journée toute sa vie.

Quand ils cessèrent de danser, tous applaudirent, les entourèrent, débouchèrent force bouteilles, trinquèrent à cette journée et à cette nuit. « Morte la bête, mort le venin », disaient-ils eux aussi. Puis, ils osèrent enfin poser des questions et répondre à celles des grands-parents. Il y avait un peu de tout, des Catalans, des Galiciens, une demi-douzaine d'Andalous, un Murcien, un couple de Ciudad Real, une jeune fille des Canaries, des Basques, deux Asturiens, un Aragonais de Saragosse, et quatre ou six Madrilènes, car deux d'entre eux, celui qui avait adressé le salut militaire au grand-père et l'autre, plus grand et très gros, précisèrent qu'eux étaient de Vallecas. Ils avaient l'air d'un groupe soudé, mais la majorité d'entre eux ne se connaissait que depuis le matin, quand ils s'étaient jetés dans la rue seuls ou par petits groupes de deux ou trois personnes, compagnons d'études ou de travail. Ils s'étaient rencontrés dans les bars, comme tous les Espagnols. Ils avaient passé la journée dans la rue, à boire et à chanter, à faire du bruit, et en chemin ils avaient recruté un certain nombre de Français, des filles surtout, deux Chiliens et l'Argentin joueur d'accordéon. Mais Raquel ne se rendit pas compte de grand-chose, car elle s'endormit sur un banc et on dut la réveiller pour les photos.

Elle se rendormit dans la voiture et émergea quand sa mère s'entêta à la déshabiller et à lui mettre une chemise de nuit malgré ses protestations. Elle ne parvint pas à retrouver le sommeil. Elle entendit des bruits de portes, de robinets, le murmure des adieux, et un silence partiel, troublé par l'écho discret de quelqu'un qui était réveillé mais comptait passer inaperçu. Cette nuit, Raquel se trouvait seule dans la chambre, Mateo dormait chez tante Olga. Elle se leva, sortit dans le couloir et vit la lumière du salon allumée. Son grand-père ne la gronda pas de s'être relevée. Au contraire, il sourit, la prit dans ses bras, et lui raconta qu'il avait failli mourir plus d'une fois.

« Et pourquoi est-ce qu'ils voulaient tous te tuer ?

— Parce que j'étais républicain, communiste, rouge, espagnol.

— Et tu étais tout ça ?

— Oui, et je le suis toujours. C'est pour cela que j'ai failli mourir si souvent, mais j'ai eu la vie sauve, et tu sais pourquoi ? » Raquel hocha la tête, son grand-père sourit à nouveau. « Pour rien. » Il fit une pause et répéta, comme s'il aimait l'entendre : « Pour rien. Pour danser cette nuit un paso doble avec ta grand-mère sur une place du Quartier latin, dans un froid terrible et devant une bande d'innocents. Très sympathiques, ça oui, de très gentils jeunes gens, généreux, amusants, formidables, mais des innocents qui ne savent pas de quoi ils parlent et qui n'ont aucune idée de ce qu'ils disent. Juste pour ça.

— Ça n'est pas rien.

— Non, tu as raison. Mais c'est très peu. Vraiment très peu. Presque rien. »

Son grand-père l'embrassa, la regarda. Il n'avait pas cessé de sourire et Raquel n'avait jamais vu, et ne revit jamais, un sourire aussi triste. Ce fut ce qu'elle se rappellerait toujours de cette journée, de cette nuit du 20 novembre 1975, la tristesse de son grand-père, une peine profonde, noire et souriante, le bilan de cette journée de rires et de cris, de champagne et de tortilla aux pommes de terre, de jurons féroces et d'honneurs imprévus, une fête espagnole, sauvage et sombre, heureuse et lumineuse, à vos ordres, mon capitaine, et cet homme las qui souriait à son dernier échec, une petite défaite, définitive, cruelle, cynique, ambiguë, impitoyable, insurmontable, œuvre du temps et de la chance, victoire de la mort et non de l'homme qui l'avait si souvent déjouée.

Ignacio Fernández n'avait pas versé une seule larme ce jour-là. Il avait vu pleurer sa femme, sa fille, sa belle-fille, nombre de ses amis, des hommes qui auraient pu mourir comme lui et qui comme lui avaient survécu pour voir passer devant leur porte le cadavre de leur ennemi. On va trinquer, disaient-ils, parce qu'on vient d'un pays de fils de pute, un pays de lâches, de misérables, d'estomacs reconnaissants, un pays de merde. Il avait entendu tout ça et n'avait pas versé une seule larme. Parce que en quarante ans, on n'a pas été fichus de le tuer, on va trinquer, et il n'avait rien dit, il n'avait rien fait d'autre que de lever son verre en silence à plusieurs reprises. Je veux mourir, Ignacio, lui avait dit un homme âgé qu'il avait serré très fort dans ses bras ce soir-là. Arrête tes conneries, Amadeo, avait-il répondu, ce n'est pas le jour pour mourir, et il souriait déjà, mais sa petite-fille n'avait pas encore compris ce sourire, elle n'avait pas démasqué la peine noire, profonde, qui affleurait maintenant sur les lèvres de son grand-père, tordues dans une grimace qui avait perdu de son efficacité pendant qu'ils étaient seuls, à s'étreindre enlacés, dans la maison endormie.

« Ne parle pas comme ça, grand-père », tenta de dire Raquel, et elle ne put en dire que la moitié, parce que les larmes sortirent de sa gorge, lui bouchèrent le nez pour atteindre sans difficulté la frontière de ses yeux.

« Allons bon... » Son grand-père l'écarta un peu, la regarda lentement, fronça les sourcils, l'étreignit à nouveau. « Et toi, qu'est-ce qui t'arrive ?

— Je ne sais pas. Je suis triste de t'entendre parler comme ça.

— Ne t'inquiète pas. Je suis content, même si je n'en ai pas l'air. Maintenant, je peux rentrer moi aussi. »

Le lendemain, Raquel ne se rappellerait pas comment elle s'était endormie, mais elle n'oublierait jamais cette conversation. Son grand-père l'avait prise dans ses bras, il s'était allongé à côté d'elle, il l'avait embrassée à plusieurs reprises. Le jour s'était très vite levé, maman était entrée dans la chambre en la pressant : « Lève-toi, Raquel, ma chérie, on va prendre le petit déjeuner. » Et elle l'avait habillée, coiffée. Puis sa grand-mère l'avait emmenée à l'école comme pour un matin normal, et c'en était un, hormis le fait qu'elle tombait de sommeil et s'endormit pendant la récréation. Et l'après-midi, quand tante Olga passa la chercher pour l'emmener au cinéma avec ses enfants, elle se rendormit et manqua le film. Ce fut en fait une chance, parce que lorsqu'elle rentra chez ses grands-parents elle était bien réveillée et reconnut sans hésiter l'homme jeune qui descendait d'un taxi, devant l'entrée, pour provoquer une nouvelle fête espagnole, privée et familiale, aigre, douce, amère, salée, humide et sèche, mais définitive.

« Je voulais être avec toi, papa, avec toi et maman. »

Son père n'ajouta rien, ce n'était pas nécessaire. Il distribua des cadeaux : une très grosse boîte pour Raquel, une autre plus petite pour Mateo, du parfum pour sa femme, de l'huile pour sa mère. Il fit une chronique différente, patiente et minutieuse, des événements de la veille exactement comme ils avaient été vécus de l'intérieur, récit que son père suivit avec attention, la mine sérieuse, sans sourire, pas même quand son fils passa de l'universel au particulier, avouant qu'il avait encore mal à la tête après la gigantesque cuite qu'il avait prise la veille. Car, après avoir trinqué le matin au bureau, il avait continué avec du cidre, du vin blanc, du rhum, du whisky. « Ce n'était pas de ma faute, résuma-t-il, on a dû faire des mélanges parce qu'à l'heure du déjeuner il n'y avait plus une goutte de champagne à Madrid. » Alors la grand-mère commença à faire des projets, à envisager des dates, à compter les chambres : « On peut aller vivre près de chez vous, non, qu'est-ce que tu en penses, Ignacio ? »

Son mari ne répondit pas tout de suite. Il but d'abord d'un trait son verre de cognac, se leva de sa chaise, fit des allées et venues dans la pièce, posa les poings sur la table et n'éclata qu'ensuite.

« De quoi est-ce que tu parles, Anita ? Tu peux me dire de quoi tu parles ? » La grand-mère baissa la tête et ne répondit pas, personne n'osa desserrer les lèvres, bien que l'oncle Hervé, qui était français et devait en avoir assez des passions espagnoles, ait ébauché une mimique de lassitude que son beau-père ne détecta pas. « Tu sais qui commande en Espagne ? Tu n'as pas vu pleurer ce fils de pute ? Tu ne sais pas qui c'est ? Appelle Aurelio, allez, appelle-le. Qu'il te le raconte, ou Rafaela, à Malaga on le connaît bien, tout le monde le connaît, là-bas.

— Mais l'autre jour, quand tu as vu Ramón, tu m'as dit...

— Je sais ce que je t'ai dit ! Que Ramón m'avait dit qu'Untel avait dit qu'Untel lui avait raconté qu'Untel avait appris qu'à une réunion secrète, dont personne ne sait où ni quand elle a eu lieu, quelqu'un qu'il ne connaît pas avait dit que cela n'allait pas se faire sans nous. Voilà, ce que je t'ai dit. Et tu sais ce que cela signifie ? Rien, absolument rien. Comment est-ce possible, Anita ! Comment est-ce possible... Moi, aujourd'hui, je ne suis même pas espagnol, je n'ai pas de passeport. Ni espagnol, ni français, putain ! Juste des papiers de réfugié politique et une carte du parti communiste espagnol, qui est bien sûr interdit en France. Où est-ce que tu veux que j'aille avec ça ?

— Eh bien, Aurelio...

— Aurelio était malade, pas moi.

— Ça n'a rien à voir.

— Bien sûr que si ! Aurelio est à la retraite, pas moi, j'ai cinquante-sept ans et je ne peux pas vivre de l'air du temps, Anita, je ne peux pas partir comme ça. Et toi non plus. Il va falloir que tu parles à ton associée, enfin, à mon avis, que tu décides ce que vous allez faire, si elle te rachète ta part ou si vous fermez la garderie, et que je trouve du travail, je ne peux pas...

— Mais tu en as déjà parlé à Marcel, et il...

— Rien du tout ! Il fera ce qu'il pourra, mais quand il pourra, et pour l'instant, il ne peut pas. Pour l'instant, il faut attendre et voir ce qui se passe, comment les choses évoluent. Enfin, c'est ce que je vais faire. Si tu veux rentrer avant, tu sais ce qu'il en est. Parles-en avec ton fils, il sera ravi.

— Qu'est-ce que tu es buté, Ignacio ! » La grand-mère secoua la tête, comme si après une longue course elle était arrivée à nouveau devant ce mur haut, lisse et familier, qu'elle ne pourrait jamais franchir.

« Je ne suis pas buté, répondit-il d'une voix presque douce, je suis réaliste.

— Non, pas réaliste du tout. Buté, buté, buté ! Voilà ce que tu es ! Je n'ai jamais connu personne d'aussi buté que toi. »

Son mari renonça à se défendre de cette accusation. Il se rassit sur sa chaise, remplit son verre, en goûta le contenu, joua avec, et personne n'osa parler. Raquel se rendait compte que son père souriait à sa mère, qui lui rendait son sourire en cachette pendant que l'oncle Hervé, définitivement lassé, cachait la tête entre ses bras croisés.

« Au fait... » Au son de la voix de son mari, la grand-mère se raidit, cependant il ne s'adressait plus à elle, mais à son fils. « Où as-tu dit que tu habitais ?

— Dans un lotissement avec un jardin commun, près d'Arturo Soria.

— Où est-ce que ça se trouve ?

— Eh bien, je ne sais pas comment t'expliquer... Au bout de la rue Alcalá, mais tout au bout, après les Arènes.

— Dans Ciudad Lineal ?

— Non, plus loin. Sur la route de Canillejas.

— Canillejas ? » Ignacio Fernández regarda son fils avec l'air effrayé d'un enfant, les sourcils haussés très haut, les yeux et la bouche grands ouverts. « Mais c'est très loin de Madrid...

— C'était, papa. C'était. Aujourd'hui c'est Madrid. La ville s'est beaucoup étendue depuis que tu es parti.

— Eh bien moi, je ne compte pas habiter à Canillejas, déclara-t-il en regardant sa femme, qui lui répondit par un sourire étrange, en secouant la tête comme si elle voulait se donner raison.

— Et qu'est-ce que tu veux ? demanda son fils qui souriait également. Je ne crois pas que tu puisses trouver quelque chose dans la *glorieta* de Bilbao.

— Eh bien, si ce n'est pas là, ce sera le plus près possible. »

« Comment s'appelle cette place ? » Un an plus tard, ce fut la première question que Raquel posa au concierge, pendant qu'elle l'aidait à enlever une pancarte bleue et jaune sur le balcon d'un appartement qui, semblait-il, n'était plus en vente. « Plaza de los Guardias de Corps », répondit-il. « C'est difficile à dire ! » estima-t-elle à voix haute, et l'homme, qui avait dit à sa maman qu'il savait que l'appartement était un peu cher mais que, dans ce quartier, elles ne trouveraient rien de mieux, le lui nota sur un bout de papier. « Et à quelle distance est-ce qu'il se trouve de la *glorieta* de Bilbao ? » demanda-t-elle ensuite. « À pied ? » s'enquit-il, et elle acquiesça. « Dix minutes, en marchant lentement...

— Ce n'est pas loin, n'est-ce pas ?

— Non, pas du tout. Moi, je dirais que c'est tout près.

« Tu vas l'adorer, grand-père, tu vas l'adorer », lui annonça-t-elle ensuite, quand elles rentrèrent à la maison et qu'elle se précipita sur le téléphone pour être la première à lui annoncer la nouvelle : « Tu n'imagines pas comme le ciel est grand vu d'ici. »

Ma mère satura ma boîte vocale dans l'heure et demie correspondant à mon deuxième cours de la matinée. Álvaro, mon petit, c'est maman, n'oublie pas de donner à Lisette l'argent pour le jardinier ; Álvaro, mon petit, pense à prendre le courrier, ne le laisse pas là-bas, tu es si distrait ; Álvaro, mon petit, quand tu iras, regarde bien et jette les publicités, s'il te plaît, je n'ai pas la tête à ces bêtises, en ce moment ; Álvaro, mon petit, au lieu de manger va savoir quoi à toute vitesse au bar de la faculté, demande à Lisette de te préparer quelque chose de rapide à la maison, tu sais qu'elle fait très bien la cuisine ; Álvaro, mon petit, appelle-moi en quittant La Moraleja, au cas où je serais sortie faire des courses avec ta sœur, ou une promenade, ou autre chose...

J'effaçai tous ses messages avant de sortir de la fac, en attendant au bar qu'on m'apporte une bière et deux sandwiches à la viande de porc, la spécialité de la maison, célèbre dans toute l'Autónoma même si les mauvaises langues racontent que la cuisinière ne nettoie jamais la plaque. Je laissai un message sur le portable de Mai, la plus distraite de nous deux, pour lui rappeler que cet après-midi je ne pouvais pas aller chercher notre fils à l'école, parce que c'était maintenant à moi de faire ce que ma mère appelait jeter un coup d'œil chez elle.

Il s'était écoulé un peu moins d'un mois depuis la mort de mon père et je déduisis sans peine qu'elle avait dû confier auparavant la même tâche à mes deux frères, rigoureusement par ordre d'âge, en excluant les femmes, selon son habitude. J'ignorais ce qu'ils avaient éprouvé en revenant dans une maison qui devait inévitablement conserver les traces de papa, sa façon de disposer les objets sur son bureau, l'angle de son fauteuil préféré devant la télévision, peut-être sa brosse à dents dans un verre de la salle de bains, parce que nous nous trouvions tous dans cette phase autiste et généreuse des deuils, où chacun évite aux autres la surcharge de sa propre douleur, et espère que ceux-ci lui épargneront leur part en retour. Nous allions presque tous les après-midi passer un moment avec ma mère, nous nous voyions donc beaucoup plus souvent, mais en vertu d'un pacte tacite, rigoureux, nous esquivions la mémoire récente et fragmentée de notre âge adulte pour nous installer dans les souvenirs communs d'une enfance partagée, plus douce et plus facile à digérer pour tous.

En temps de paix, quand aucun conflit extérieur ne perturbait les conversations convenues, le temps, le football, les enfants, lors de la routine banale et commode d'un déjeuner hebdomadaire où il en manquait toujours un, je m'entendais bien avec tous mes frères et sœurs. Mais ces derniers temps n'avaient pas été paisibles, et certains repas de famille, certaines fêtes d'anniversaire des enfants, et même la nuit de Noël 2003 s'étaient achevés en de monumentales disputes qui brisèrent le frein qu'avait toujours représenté la répugnance de mon père pour les discussions politiques reproduisant ainsi, à moindre échelle, les tensions qui agitaient le pays tout entier. Dans la salle à manger de sa maison, le rapport des forces reproduisait la composition du Parlement. La droite avait la majorité absolue, mais la gauche, ma femme, mon beau-frère Adolfo et moi – avec l'appui passif et presque toujours silencieux de ma sœur Angélica – était passionnée, batailleuse. Le radicalisme de nos positions s'alimentait mutuellement au point que moi, qui avais adhéré de nombreuses années auparavant à un syndicat uniquement pour appuyer mon ami Fernando, et avais adopté des positions politiques davantage par instinct que par nécessité, je me retrouvai à haranguer mes élèves contre le gouvernement avant l'appel à la grève générale de 2002. D'ailleurs, je ne m'étonnai même pas de mon éloquence. C'étaient des temps de guerre, et bien que le conflit ne fût que symbolique, idéologique, la nécessité affûtait les instincts. Les miens brillaient toujours tels des couteaux au premier jour de mars 2005, quand la mort de notre père souda tous ses enfants avec la colle rapide d'une seule souffrance divisée en cinq. Pourtant, on commençait déjà à voir les marques, les anciennes fissures et les nouvelles, plus sensibles encore à la structure conjoncturelle de l'adhésif.

Comme c'est le cas dans presque toutes les familles nombreuses, la nôtre était divisée depuis toujours en deux groupes classiques, celui des grands, Rafa, Angélica et Julio, et celui des petits, dont Clara et moi faisions partie. La différence d'âge n'avait pas grand-chose à voir là-dedans, mais au fil du temps d'autres facteurs transversaux surgirent, qui complétèrent cette division verticale par d'autres, horizontales, élaborant un diagramme plus complexe pour tous, excepté pour moi.

Rafa et Julio travaillaient ensemble. Ils s'étaient pliés aux désirs de mon père, qui suggéra au premier de faire des études de commerce, dirigea le second vers le droit, et espérait que je devienne architecte afin de pouvoir répartir les principales responsabilités de ses entreprises entre ses trois fils. Quand je lui annonçai que l'architecture ne m'intéressait pas et que j'envisageais des études de physique, il m'exposa avec insistance les avantages de son projet. Jamais, il ne me reprocha ma décision, ce qui ne m'empêcha pas de me sentir coupable pendant longtemps de l'avoir déçu. La vocation d'Angélica, médecin dans une famille sans antécédents sanitaires, lui plut bien davantage, et l'inconstance de Clara, qui commença deux fois des études sans rien finir, le surprit à un âge trop avancé pour qu'il se fâche.

Face à la très solide société professionnelle qui liait mes deux frères depuis l'université, mes sœurs construisirent peu à peu une alliance fondée exclusivement sur leur féminité et capable de dépasser avec une aisance croissante les onze ans qui les séparaient. Cependant, Angélica et Julio partageaient l'expérience du divorce et du remariage, et ils avaient des enfants de leurs deux mariages. Rafa et Clara, quant à eux, s'étaient mariés une seule fois, mais avec un partenaire d'un niveau social plus élevé que le nôtre, bien que dans le cas de ma belle-sœur, Isabel, aristocrate par ses deux parents, la maigre fortune familiale ternît considérablement l'éclat des noms de famille.

Au fil de ces avatars, je m'étais retrouvé en marge. Je ne travaillais pas dans l'entreprise paternelle, j'avais été le dernier à me marier, mon premier et unique mariage avait été civil, ma femme était fonctionnaire de la ville de Madrid, sa famille de classe moyenne peu argentée, et mon fils, le seul petit-fils de mes parents à fréquenter une école publique. J'étais en outre le seul Carrión à voter à gauche, jusqu'au moment où Angélica, la femme parfaite, capable de s'accoupler avec la discrétion sinueuse d'une orchidée tropicale au tronc de l'homme qu'elle avait près d'elle, inaugura le troisième millénaire en quittant inopinément son premier mari, un urologue assez niais qui l'avait quittée plusieurs fois, pour s'éprendre de celui qui deviendrait le deuxième, un oncologue beaucoup plus intelligent qu'elle, séduisant, sympathique, athée militant et encore plus radical que moi.

Depuis lors, Adolfo, mon nouveau beau-frère, m'appuyait dans toutes les discussions et ma sœur suivait notre rythme avec difficulté, parce que la politique ne l'avait jamais intéressée auparavant au-delà d'un penchant instinctif, voire pathologique à mon avis, pour la loi et l'ordre, qui consistait à rejeter toute faute sur les victimes. Cinq ans après son second mariage, elle avait du mal à le réprimer, et je suppose que ses efforts émouvaient beaucoup son mari. Ce qui n'était pas mon cas. Je lui étais cependant reconnaissant d'avoir introduit Adolfo dans la famille.

L'équidistance solitaire de ma position me permettait d'entretenir une relation semblable avec tous mes frères et sœurs, y compris ceux comme Rafa et Angélica, que j'aimais mais qui ne m'étaient pas sympathiques. Julio, qui, enfant, semblait condamné pour l'éternité à admirer et à vénérer l'aîné, s'était facilement démarqué de ce rôle pour devenir un homme très différent de celui qu'il promettait d'être, un personnage soumis à un jeu d'ombres et de lumières tout aussi violentes. Il était très sympathique, très amusant, il adorait ses enfants, même s'il ne pensait qu'à sauter sur tout ce qui bouge, et il savait profiter des plaisirs gratuits de la vie. Il était de surcroît beaucoup plus faible que Rafa, ce qui, pour moi, constituait plutôt une qualité. Même si beaucoup de choses nous séparaient, et à condition que la politique ne se mette pas en travers, c'était celui de mes frères qui ressemblait le plus à un ami.

Avec Clara, je partageais une intimité spéciale, vestige de toutes les années pendant lesquelles nous avions appartenu à une seule catégorie, celle des petits, même si je me rendais compte qu'elle me regardait parfois comme un Martien, comme si elle ne parvenait pas à comprendre tout à fait ce qu'était devenu Álvaro, son frère. Rien de tout cela ne m'avait dérangé jusqu'au jour où mon père eut un deuxième infarctus, et la gravité du pronostic se prolongea au cours d'une très longue nuit où les conjoints désertèrent, un par un, pour nous laisser seuls avec notre mère dans la salle d'attente de l'UCI. Alors, peut-être parce que je n'avais pas d'autre moyen de tromper les heures qui emmèneraient mon père jusqu'à l'aube, je les observai et m'observai parmi eux. Je pensai à ma famille, à ce que nous étions, à ce que nous avions été, à ces spécificités, qui nous unissaient et nous séparaient, à ce qui était resté et à ce que le temps avait emporté.

Mon père vécut jusqu'au lendemain et quelques jours encore, presque deux semaines. Depuis, ma mère et mes frères m'étaient mystérieusement devenus importants, voire nécessaires. Non seulement parce qu'ils étaient ma famille, mais aussi parce que chacun d'eux portait une part de moi. Et je savais que ce n'était qu'un effet secondaire de la douleur, une ruse de ma mémoire épuisée, surchargée par l'urgence du compte à rebours, l'exigence de fixer les dates, les lieux, les images de cet homme que nous ne pourrions plus jamais arracher à la mort, mais je ne savais même pas, je ne voulais ni ne pouvais me dérober à mes propres pièges. Me rappeler mon père, c'était penser à nous tous, lavés de frais, coiffés et habillés pour poser devant un appareil, à la photo dans les livrets de famille nombreuse successifs que maman conservait au grenier, où se trouvaient également les dossiers contenant les notes et le dossier scolaire de chacun. J'y pensais en conduisant sans enthousiasme, presque étreint par la peur, à la rencontre de l'absence de notre père, ses objets personnels encore sur son bureau, son fauteuil devant le téléviseur, sa brosse à dents peut-être, ou sa trace vide, et encore plus redoutable dans le verre de la salle de bains. Mais je ne songeais pas à Lisette.

« Álvaro ! » Elle avait ouvert la grille du jardin avec la commande à distance, mais elle m'attendait devant la porte comme si elle avait entendu la voiture arriver. « Je suis tellement contente de te voir ! »

Je la regardai un instant d'en bas, juste pour le plaisir. Puis, tout en gravissant la demi-douzaine de marches qui élevaient le porche au-dessus du niveau du sol, je me demandai comment elle allait me recevoir. Devant ma mère, Lisette me vouvoyait et m'appelait « le jeune monsieur Álvaro ». Devant ma femme, elle me tutoyait mais elle ne m'embrassait pas quand elle me voyait. Cet après-midi-là, comme toujours lorsque nous étions seuls, elle m'embrassa sur les deux joues avant de me prendre dans ses bras en me berçant, comme une mère qui console son jeune enfant.

« Comment vas-tu, mon petit ?

— Bien, répondis-je, mais mon sourire s'effaça en comprenant le sens de sa question. Enfin...

— Je sais... » Elle laissa glisser les paumes de ses mains sur mon cou avant de se détacher complètement de moi. « J'imagine. »

Elle me regarda d'un air si affligé que j'eus du mal à ne pas sourire à nouveau, et je la suivis dans la maison.

« Ta mère m'a appelée pour me prévenir de ta visite, dit-elle, tout en me précédant au salon. Je t'ai préparé des sandwichs, une salade...

— Merci, Lisette, mais j'ai déjeuné à l'université, avant de partir.

— Ah ! dit-elle avec déception. Tu ne vas même pas goûter un peu de flan, avec le mal que j'ai eu pour apprendre à le faire ?

— Bon, fis-je en souriant, malgré tout. Ça, d'accord. »

Lisette était aussi petite et ferme, sucrée et brillante, dense et douce que le dessert qu'elle m'offrait. Elle avait un visage de poupée exotique, des yeux en amande, savamment maquillés, des lèvres épaisses, écarlates, un corps compact, menu et svelte, aux courbes bien accentuées, et une peau splendide, moelleuse, de la couleur des bonbons au café au lait. « Tu as vu la nouvelle employée de maison de maman, celle qu'elle a ramenée de Saint-Domingue ? » m'avait demandé Julio à l'anniversaire d'un de ses enfants, et quand je lui répondis par la négative, il se prit la tête dans les mains : « Ouah, tu verrais le canon ! » Puis, il avait conclu en me passant un bras autour des épaules avant de conclure : « Ah, l'été va être très dur, Alvarito... »

À ce moment, je m'étais mis à rire, sans guère prêter foi à sa prophétie, car mon frère aimait tellement les femmes qu'il tombait sur un ou deux canons tous les jours, même s'il ne faisait que sortir de la maison pour promener le chien. Pourtant, quand je vis Lisette, je dus reconnaître que, au-delà des critères faciles et indifférenciés qui guidaient son penchant, cette fois il n'avait pas exagéré. Quand je le revis, du temps où mon père avait encore envie de nous emmener tous déjeuner le dimanche au restaurant, je lui glissai en chuchotant, bien que nous soyons seuls au comptoir avec Rafa et qu'aucune des femmes ne puisse nous entendre : « Ce que tu m'as dit sur les Caraïbes... – N'est-ce pas ? » répondit-il, enthousiaste. J'approuvai de la tête et ajoutai : « Super. – Je te l'avais dit », répliqua-t-il. « Mais incroyable », insistai-je. « Terrible », répliqua-t-il. « Vous allez arrêter de dire des conneries ? » intervint Rafa, qui, d'après Julio, n'était intéressé que relativement par les femmes, c'est-à-dire très peu. « On dirait deux collégiens en goguette ! – Collégiens, non..., dit Julio en riant, mais en goguette... »

J'aimais beaucoup plus les femmes que Rafa, mais je m'y intéressais beaucoup moins que Julio. Je ne recherchais pas leur compagnie, je ne leur courais pas après, je ne leur offrais pas de verre dans les bars et je ne les poursuivais pas d'un feu rouge à l'autre. J'avais toujours vu en elles une sorte de don, un bien extraordinaire qui flottait bien au-dessus de ma tête et se déversait de temps en temps sur moi sans que j'aie rien fait pour le mériter. Je n'ai jamais cru mériter la bienveillance de certaines d'entre elles, même si cela ne tient qu'au fait que j'ai toujours considéré que, hormis le fait qu'elles étaient belles, amusantes, douces et excitantes, les femmes demeuraient très étranges. Je n'ai jamais perdu de temps à essayer de démonter le mécanisme mystérieux de leurs raisonnements, et je n'ai jamais douté que ce soient elles qui choisissent. Je me suis donc borné à les voir venir, sans me plaindre que certaines soient hors de ma portée ni considérer que leur disposition soit une valeur en soi, en acceptant leur existence comme un cadeau, avec gratitude et sans poser de questions. Et puis, j'aimais ma femme.

Mai et moi étions ensemble depuis neuf ans et aucun de nous deux n'avait encore donné de signes de lassitude. Elle était toujours gaie, calme et patiente. Elle ne se mêlait pas trop des aspects de ma vie qui ne la concernaient pas, et préservait l'indépendance de la sienne. Je lui étais reconnaissant de son absence de revendications et je me réjouissais qu'elle ne regrettât pas l'exaltation aiguë et douloureuse d'autres amours, comme celles qui tenaient certaines de ses amies prostrées avant de les propulser sur une montagne russe qui débouchait nécessairement sur une nouvelle prostration. Des vies entières au bord de l'effondrement, avec le même éclair frappant de plein fouet le même paratonnerre pour faire trembler un édifice habitué aux secousses de ses fondations qui ne s'écroulaient jamais.

« C'est un comble, quelle idiote ! Tu ne vas pas croire ce qu'elle a fait, cette fois... », me prévenait-elle avant de raccrocher, indignée par ces excès qui, moi, m'amusaient, car ils me semblaient incroyables, invraisemblables tant ils étaient exagérés.

Puis elle se calait sur le canapé du séjour pour que je lui caresse les cheveux pendant qu'elle me racontait une de ces passions interminables – jalousie, disputes, soupçons, supplications, réconciliations, sexe brutal, voyages d'affaires, jalousie, disputes, soupçons à nouveau. Et je me doutais qu'elle devait éprouver de temps en temps un élancement de nostalgie profonde, malgré l'incompréhension de ces mécanismes qui annihilent la raison et l'expérience au profit d'un bonheur incertain, mythique, volatile et illusoire. Ou non. Peut-être pas.

Je l'ignorais, car je n'avais jamais eu accès à cette sorte de douleur, ou de joie. Aussi certains soirs, en écoutant Mai, me demandais-je si elle ne partageait pas mes doutes, si elle ne s'était jamais interrogée sur l'équilibre de notre propre vie, sur ce que nous perdions à gagner l'image de couple idéal, serein, stable, équilibré, qui semblait nous convenir à tous les deux. Mais je ne découvris jamais le moindre indice d'insatisfaction chez ma femme, pas même sur le plan hypothétique, théorique, imaginaire, sur lequel se situaient mes timides conjectures, cette stupide faiblesse qui cessait à l'instant où j'en avais conscience. Un seul instant suffisait à me rappeler que j'aimais Mai, qu'elle me plaisait, et que nous étions heureux ensemble. Cela avait toujours marché dans les situations à risque, et même si en de rares occasions ponctuelles j'avais cédé à la tentation, je ne lui avais été infidèle que loin de la maison, et fortuitement, avec des femmes qui ne me plaisaient pas tellement, ou du moins pas assez pour douter du caractère sportif et exceptionnel d'une nuit stupide. Quand je pressentais qu'une femme aurait pu me plaire, je relevais ma garde.

Aussi ne souffris-je pas le premier été que Lisette passa chez mes parents. J'avais désormais avec elle une relation particulière, un flirt inoffensif, intermittent et relativement agréable qui ne m'inquiétait absolument pas. J'étais un expert dans cette sorte de jeux ; et elles, les femmes qui me plaisaient le plus, Lisette, la secrétaire du musée, une collègue du département, s'en apercevaient. Parfois, surtout quand elles étaient très jeunes, mon manque d'ambition les offensait, mais généralement nous en plaisantions.

« Il est très bon, reconnus-je en finissant le flan. Tu les réussis de mieux en mieux.

— Merci, dit-elle avec un sourire. Et ta mère... comment va-t-elle ?

— Mal. Elle affirme le contraire, mais... De toute façon, ça lui fait du bien d'être chez Clara. Elle passe sa vie à tout organiser : les provisions, les placards, le débarras... » Lisette sourit à nouveau. « Ma sœur doit être désespérée, mais elle, elle s'amuse.

— Tu crois qu'elle reviendra, vraiment ?

— Bien sûr ! » Je forçai le ton pour répondre, car j'avais détecté une certaine angoisse dans sa voix, et je compris qu'elle craignait pour sa place. « Écoute, Lisette, on dirait que tu ne la connais pas... Elle s'entend toujours aussi mal avec Curro, et tôt ou tard elle se lassera de passer ses journées à ranger ce qu'elle a déjà rangé la veille. Clara arrive à terme le mois prochain et maman attendra la naissance de la petite, bien entendu. Mais à la mi-juin, dès qu'il commencera à faire chaud, elle viendra ici, c'est sûr. Tu sais qu'elle adore y emmener ses petits-enfants en été.

— Je pourrais aller là-bas, pour l'aider. » Elle plissa les lèvres dans une moue à la fois étonnée et douloureuse. « Je le lui ai proposé plusieurs fois, mais elle ne veut pas.

— Bien sûr. Parce qu'elle va revenir. Et elle a besoin que tu sois là à t'occuper de tout, de payer le jardinier, la femme de ménage... Ah, j'ai l'argent. » Je cherchai dans mon porte-documents une demi-douzaine d'enveloppes cachetées, que ma mère avait assemblées avec un élastique après y avoir porté des inscriptions de son écriture pointue et élégante, avec de longs traits à l'ancienne. « Et le courrier ?

— Sur le bureau de ton père. » Elle improvisa à contre-temps une grimace d'excuse. « Il le posait toujours là. Si tu veux, je te l'apporte...

— Non. Je t'accompagne. »

J'ignorais ce qu'avaient ressenti mes frères, mais je savais que moi, j'allais me sentir très mal, or je n'avais pas prévu la sorte de tristesse qui imprimait les objets, qui battait dans les plafonds et les murs, qui raréfiait l'air et imprégnait l'espace de cette maison d'une patine invisible et anachronique, comme ancienne, impossible nouveauté. Chaque pas que je faisais, chaque porte que j'ouvrais, chaque chose que je touchais étaient des pas, des portes, des choses qui existaient dans une réalité à laquelle mon père n'appartenait plus, et qui affirmaient son absence dans l'inévitable familiarité de mon regard, de mes mains, de mes pieds, pendant que je parcourais un chemin que j'aurais pu effectuer les yeux bandés.

La matière ne possède pas d'esprit, pourtant, mon corps sans âme souffrit de la mémoire implacable d'une pièce, d'un secrétaire ancien, d'un fauteuil en cuir couleur lie-de-vin, d'un tapis persan aux couleurs passées, de deux fauteuils et un canapé dans le fond, devant une table basse, tournant le dos à une grande bibliothèque en bois avec des vitrines en verre. Le bureau avait l'odeur de mon père, il conservait le toucher de ses doigts, le son de sa voix, l'habitude des yeux qui l'avaient parcouru sans surprise jour après jour, année après année, insouciants du moment où des doigts tremblants et aimants les cacheraient pour toujours sous la consolation stérile des paupières. Dans cette pièce s'étaient également déroulés des événements importants de ma vie. Adolescent, je m'y cachais pour téléphoner à mes petites copines ou lire des livres défendus, j'y déclarai mon intention de ne pas faire d'études d'architecture, j'y annonçai que j'avais obtenu une bourse pour entreprendre un autre doctorat dans une université américaine, j'y informai mon père que j'allais me marier avec Mai et avoir un enfant. Mais rien de cela n'avait plus de valeur maintenant, car la brutalité du reflet des meubles, le sol ciré de frais, la précision mathématique des angles que traçaient la table et le fauteuil, l'agrafeuse et le coupe-papier, l'agenda et le plumier affirmaient la disparition définitive de l'homme qui ne les utiliserait plus jamais. Pris dans l'image impossible, cadavérique, de cette pièce ordonnée et chatoyante comme une salle de musée, je succombai à nouveau à la certitude du définitif. Je me demandai combien de fois cela arriverait encore, et quand je pourrais commencer à me rappeler mon père par ma seule volonté, libéré de la pression des rites et des objets, de l'hostilité bien intentionnée des paroles et des cérémonies, des paysages et du calendrier.

J'aimais mon père. Je l'admirais, j'avais besoin de lui et il me manquait. Je savais que ce serait le cas toute ma vie, mais je n'avais pas encore appris à conjuguer au passé. Ce n'était pas facile. La mort rend les mortels égaux, leur donne un nom et une nature, mais leur misérable magnanimité démocratique se fracasse contre la conscience dépouillée des survivants. Tous les morts sont égaux, disons-nous, mais ce n'est pas vrai. Pas dans la mémoire de chacun. Mon père était un homme beaucoup plus extraordinaire que nous, ses enfants, ne l'étions devenus. Sa force, son énergie, son intégrité se reflétaient en nous pour nous garder entiers, unis, plus efficacement que les stratégies amoureuses de ma mère. J'étais celui qui le savait le mieux, car j'étais aussi celui qui s'était le plus éloigné de lui, le seul qui n'avait pas essayé de lui ressembler. Par-delà l'abîme qui séparait mes convictions des siennes, je déplorais maintenant cette distance, et la certitude qu'elle était infranchissable ne me consolait pas. Il avait toujours su que je l'aimais, que je l'admirais, que j'avais besoin de lui, mais cela ne suffisait pas non plus à déloger le soupçon lancinant de ma culpabilité, celle d'avoir été le fils qu'il n'aurait jamais voulu avoir. En cela, je ne ressemblais pas non plus à mes frères, et c'était ce qui me tourmentait.

Il n'était pas facile d'être le fils d'un homme tel que mon père : une machine à séduire, un conquérant inné, un magicien, un hypnotiseur, un génie dans la lampe de son propre enchantement. Je n'avais jamais connu personne qui ne le trouvât sympathique, personne qui ne l'aimât, qui ne recherchât pas sa présence, sa compagnie. Personne excepté moi, parfois, quand je me regardais en lui comme dans un miroir, et que je me sentais écrasé par la différence, diminué par sa supériorité, et prenais ombrage de sa chance. Je ne parvins même pas à être plus grand que lui, et les deux centimètres

qui me manquaient pour égaler sa taille prirent des proportions gigantesques dans ma conscience adolescente, telle une
métaphore de mon incapacité à être à sa hauteur.

Je me suis parfois senti fier de moi, mais je n'ai jamais
obtenu la réciproque de mon père. Cependant, et bien que je
sois le seul de ses fils à remettre en question son modèle, la
somme de ses vertus, il fut toujours plus généreux avec moi
que je ne l'étais avec lui, comme s'il avait deviné que mes dis-
sidences n'étaient pas un caprice, mais une nécessité née de
mon infériorité, l'option peut-être lâche, mais également sensée, qui me porta à essayer d'être un homme différent, au lieu
de suivre l'exemple de Rafa, celui de Julio, pour devenir la
troisième réplique défectueuse de notre père. Il n'était pas
facile d'être le fils d'un homme tel que lui, du moins cela ne
l'avait pas été pour moi, et cette difficulté presque oubliée,
enterrée dans le sable des jours qui s'étaient succédé sans
trêve et sans douleur depuis l'époque où il était la personne la
plus importante de ma vie, jaillissait à chaque seconde que je
consacrais à me souvenir de lui. La mort est atroce, elle est
sauvage et impie, elle est insensible, cynique et mensongère.
Savoir cela ne me menait nulle part.

« C'est tout ? » Lisette me le confirma d'un hochement de
tête pendant que je ramassais le paquet de lettres qui reposait
sur un coin de la table, comme un défi à l'actualité, la réalité
objective des deux calendriers et des horloges, dans cette
pièce où le temps ne s'écoulerait plus jamais comme avant.
« Je l'emporte dans le séjour », dis-je.

Je ne voulais pas m'asseoir dans son fauteuil, ni appuyer
mes mains sur la table, ou toucher ses affaires, mais en sortant je ne pus m'empêcher de voir les espaces vides sur le mur.

« Et les photos qui étaient là ? »

Je faisais allusion à trois photos encadrées, une de mon
père, en uniforme de l'armée allemande, posant à côté d'un
avion, une autre où ma mère et lui se regardaient de profil,
se souriant mutuellement, elle presque une enfant, lui un
homme déjà – le nom et l'adresse d'un photographe de la Gran
Vía figuraient dans l'angle inférieur droit – et un instantané
brûlé sur les bords où l'on voyait mon père entre mes deux
frères aînés, en tenue de l'équipe de football du collège.

« Rafa les a emportées. » Lisette eut une expression caute-
leuse, qui se transforma en sourire quand elle me vit sourire

à mon tour. « Julio a emporté la photo de ta mère qui se trouvait sur la table, dans un cadre en argent, je ne sais pas si tu t'en souviens... Les filles ne sont pas encore venues. Tu ne vas rien emporter ? »

Je pris quelques secondes pour méditer cette réponse, calculai à quel terrible degré la mort avait pu accroître le culte niais et inconditionnel que mon frère rendait à la personnalité de mon père, et je fis un signe de dénégation de la tête.

« Pas encore, finis-je par répondre. Je dois réfléchir. »

Il ne me fallut pas longtemps pour classer le courrier – une trentaine de lettres parmi lesquelles il y avait moins de publicité que de belles enveloppes carrées, manuscrites, que j'identifiai comme autant de condoléances tardives. Il y avait aussi quelques factures, que Lisette conserva pour les archiver avec les autres, et cinq lettres de différentes banques, quatre enveloppes courantes, à une fenêtre, et une enveloppe cachetée, que j'ouvris pour éliminer l'éventualité d'une offre de crédit, de ménagère en argent ou d'ordinateur portable. Quand je constatai qu'il s'agissait d'une lettre personnelle d'un conseiller en placements, je la rangeai avec les autres. Je quittai Lisette sur deux baisers distraits, silencieux, et repartis pour Madrid.

La route de Burgos était si embouteillée que, au niveau d'Alcobendas, j'eus le temps de constater que la façade du musée interactif, avec lequel je collaborais depuis quelques années, était maintenant débarrassée des banderoles orangées qui avaient annoncé pendant un trimestre l'exposition sur Mars que nous avait prêtée un musée allemand. La prochaine concernerait les trous noirs, et je l'avais montée tout seul. J'étais très content du résultat, mais cela ne m'empêcha pas, bien avant d'arriver à Madrid, de penser à la femme du cimetière, comme cela m'arrivait depuis presque un mois, chaque jour.

Je pensais à elle, à moi, et j'avais du mal à reconstruire l'état mystérieux dans lequel je m'étais trouvé quand je l'avais aperçue, cet excès subit de conscience qui l'avait pressentie, et qui la conserverait pour toujours dans ma mémoire comme un ingrédient posthume, sombre et occulte, de la figure de mon propre père.

Je n'osais en parler à personne, car je comprenais que mon obsession devenait pathologique que je ne parvenais pas non plus à m'expliquer. Toujours est-il que cette obstination m'avait conduit jusqu'à la mairie de Torrelodones pour m'y faire confirmer qu'aucun enterrement n'avait eu lieu le même jour, ni la veille. Le lendemain, en revanche, on avait enterré deux personnes, un motard de dix-neuf ans, mort dans un accident de la circulation, et une femme très âgée, née au village. La fonctionnaire qui me reçut, et qui accepta sans poser de questions mes explications embrouillées au sujet de la facture du corbillard, me raconta que le village s'était beaucoup développé, mais que la majorité des nouveaux arrivés étaient madrilènes et que leurs proches préféraient les ramener à Madrid à leur décès. « Pour ton père, c'est différent, bien sûr, il était d'ici », me dit-elle, avant que je ne prenne congé. Je partis car ma sœur Angélica était capable de me faire interner si une connaissance lui rapportait que j'étais retourné au village pour poser ce genre de questions.

Mon obsession devenait pathologique, je le savais. Mais cette visite écarta définitivement la consolation du hasard, car les accidents de la circulation ne se devinent pas et tous les descendants des personnes qui meurent de vieillesse sont parfaitement connus dans un village tel que celui-ci. La présence d'une femme inconnue à l'enterrement de mon père n'était pas une méprise, ni une confusion d'aucune sorte. J'aurais dû le déplorer, mais je me sentis étrangement réconforté, voire satisfait. Je n'en parlai à personne, pas même à Mai. Pourtant ce fut elle qui m'indiqua sans le vouloir une direction imprévue.

« Dis, Álvaro », fit-elle ce soir-là, quand Miguelito fut couché et que nous dînions tranquillement seuls tous les deux, dans la cuisine. « Je me demandais... Quel âge avait ton père quand il a épousé ta mère ?

— Eh bien, je ne sais pas. Voyons, attends... Il est né en 1922 et ils se sont mariés en 1956. Trente-quatre ans.

— D'accord..., acquiesça-t-elle lentement, comme si elle avait mâché le renseignement avec la salade. C'est ce que j'avais calculé.

— Pourquoi ?

— Je ne sais pas. C'est bizarre, non, un homme qui a vécu quatre-vingt-trois ans, qui ne s'est marié qu'à trente-quatre, qui a connu tellement de choses, une guerre civile, une guerre mondiale, ce genre de choses. Et on trouve ça normal, bien sûr, parce que c'était lui, et qu'on le connaissait, et qu'on connaissait son histoire depuis toujours. Mais en réalité, il y a de nombreux éléments de sa vie qu'on ne connaît pas, moi du moins, et que tu ne m'as pas racontés. Il a peut-être eu plein de fiancées avant, non ? En Russie, par exemple, imagine... Je ne sais pas, maintenant j'ai la sensation qu'on aurait dû lui poser beaucoup plus de questions, qu'on a perdu l'occasion de mieux se souvenir de lui, c'est difficile à expliquer. C'est peut-être juste parce qu'il me manque. » Elle me regarda, prit ma main par-dessus la table, la serra. « Je l'aimais beaucoup, Álvaro, tu le sais...

— Et il t'aimait beaucoup », lui répondis-je, pressant sa main à mon tour.

Mai avait été l'une des grandes conquêtes de mon père. Quand je la rencontrai, quelques mois après mon retour de Boston, j'étais encore en convalescence de fiançailles décousues et très compliquées avec une Américaine d'origine asiatique qui s'appelait Lorna. Cette dernière se révéla aussi insupportable qu'adorable, souvent le même jour, fréquemment dans la même heure, voire parfois en quelques minutes. Au début, je pensai que c'était ça, la fameuse passion, mais avec le temps, je fus convaincu qu'elle devait souffrir d'une sorte de dérangement nerveux. Lorsque je la quittai, elle s'employa à détruire ma vie. Je n'avais jamais songé à rester vivre aux États-Unis, mais Lorna constitua le facteur décisif de mon retour en Espagne. Quand je rentrai à Madrid, la dernière chose dont j'avais envie était de recommencer, et pourtant, trente ans, célibataire, fonctionnaire, autour de moi tout le monde conspirait sans relâche à me trouver quelqu'un. Mai ne faisait partie d'aucune de ces opérations, or elle coucha avec moi la nuit même où je la connus.

« Quel dommage ! me dit-elle le lendemain matin. Mais bon, c'est la vie, non ? J'ai passé des années à attendre l'arrivée d'un type intéressant, et maintenant que je suis à moitié fiancée, tu fais ton apparition... » Nous nous quittâmes avec un baiser languide et l'inévitable mélancolie inhérente aux adieux, mais il ne s'était pas écoulé huit mois que mon ami Fernando, qui avait épousé une cousine germaine de Mai, me réinvita à une fête.

« On ne m'a rien dit, mais je crains le pire, me prévint-il. Ouvre l'œil, car je trouve que ça sent la chasse, et j'ai l'impression qu'on t'a attribué le rôle du renard... »

Je me mis à rire et il me regarda d'un sourire moqueur. « Quoi, cette idée te plaît ? ajouta-t-il.

— Je ne sais pas, ce serait à toi de me le dire, c'est toi l'expert de cette famille.

— Bon, il y a pire, admit Fernando avant d'agiter sa main droite pour me bénir jusqu'au moment où nous éclatâmes de rire. Mais après, ne viens pas dire que je ne t'avais pas prévenu... »

« Qu'est-il arrivé, avec ton fiancé ? » demandai-je à Mai quand je la vis, bien que je l'aie déduit à son aspect, beaucoup plus sophistiqué, plus élaboré que la première fois. « Rien, me répondit-elle, c'est bien le problème, il ne m'arrive rien. » Elle était très jolie, avec une robe marron décolletée et courte, des mèches orangées dans les cheveux, le regard brillant, décidé, cet éclat sauvage qui brille dans les yeux des femmes qui partent en chasse. « J'en suis ravi, lui dis-je, j'ai beaucoup pensé à toi. » Cela n'aurait pas tout à fait été vrai dix minutes avant la démonstration de clairvoyance que m'avait accordée le professeur Cisneros dans son bureau à la faculté, mais ce le fut alors, pendant qu'elle inclinait légèrement la tête pour me sourire en biais, insolente, excitante, parfaite. Et je n'hésitai pas. Ni ce soir-là, ni le lendemain, ni quelques mois plus tard, quand elle m'annonça qu'elle songeait à venir s'installer chez moi puisqu'elle ne dormait plus jamais chez elle.

Le seul moment d'incertitude de tout le processus eut lieu peu après, quand j'eus épuisé toutes les excuses imaginables pour échapper à la curiosité de ma famille. Nous étions en juillet, il faisait très chaud, mais Mai ne voulut pas mettre de bikini sous ses vêtements, elle ne l'emporta même pas dans son sac. Et alors que nous passions la grille, assez imposante en soi, de l'imposante propriété de mon père dans l'une des zones les plus luxueuses de La Moraleja, Mai parut si inquiète que, l'espace d'un instant, j'en vins même à penser que notre histoire ne survivrait pas à cette paella. Mon Dieu, me dis-je, quand je garai ma voiture sur la place que m'avaient laissée mes frères et sœurs, déjà tous assis sous le porche, en formation autour de mes parents comme les membres d'un tribunal. Quand nous commençâmes à gravir les marches, mon père se leva, fit quelques mètres dans notre direction et nous adressa une version particulièrement charmante de son fameux sourire rayonnant. À cet instant, je pensai que ma fiancée, qui était très intelligente et beaucoup plus méfiante que moi, douterait de la sincérité d'une telle sympathie. Mais je me trompais.

Avec le temps, Mai allait devenir la belle-fille préférée de mon père, la seule qui mériterait jusqu'au bout une attention constante et ambiguë, l'affection en rien paternelle, mâtinée parfois de certains gestes d'une séduction nostalgique – dont j'ignore à quel point ils étaient conscients – à laquelle Julio Carrión avait toujours eu recours afin de conquérir les femmes de ses fils, tout comme la complicité virile, truffée de sous-entendus virils dont il usait aussi efficacement avec ses gendres. Les apartés entre mon père et ma femme me divertissaient fort, et encore plus la jalousie de ma mère, même celle de mes frères, qui ne pouvaient supporter le malheureux avantage que cette fille ordinaire, qui n'avait même jamais été un bon parti, me donnait soudain sur eux. Dans ma famille, on luttait pour les faveurs, pour l'amour de mon père, il en avait toujours été ainsi, et, contrairement à moi, Mai n'avait pas de concurrence. La femme de Rafa était plutôt laide, assez ennuyeuse, et surtout, très, très lente, incapable de suivre les jeux de mots, les calembours et le deuxième degré de son beau-père, qui perdait parfois patience et lui disait sur un ton d'exagération cocasse qui ne parvenait pas à masquer son irritation : « Mais enfin, Isabel, c'est à croire que tu es sotte. » La première femme de Julio, Asun, jolie, discrète, docile et très sensible à son charme, lui plaisait davantage, mais il la perdit prématurément. En 1999, quelques semaines avant leur dixième anniversaire de mariage, mon frère la quitta pour une autre, qui pour mon père ne cesserait jamais d'être précisément ça : l'autre.

« Tu l'as bien regardée ? me demanda-t-il quand j'osai amorcer une timide défense, alors que la voiture de Julio s'éloignait.

— Oui papa, répondis-je, en succombant à un rire niais qui n'aidait guère mes bonnes intentions. Je l'ai connue avant tout le monde. »

« J'ai un service à te demander, Álvaro... » Ce matin-là, j'avais décelé de la nervosité dans la voix de mon frère, comme si je l'avais eu devant moi et non au bout du fil, « c'est très important pour moi, tu ne peux pas me refuser ça... » Ce prologue, beaucoup plus solennel que l'habituel écoute, Alvarito, c'est Julio, tu déjeunes avec moi, il faut que je te parle boulot et il va se faire tard, non ?, le caractère exceptionnel de la situation m'alerta, mais ne me prépara pas à ce qui allait suivre. « Mai et toi, vous devriez dîner avec moi un de ces jours, je voudrais vous présenter ma fiancée.

— Quelle fiancée ?

— Eh bien, disons que... tu sais, j'ai divorcé...

— Pas encore », objectai-je. Cela ne faisait que deux semaines que nous avions appris qu'il allait se séparer.

« Enfin, je suis en train, c'est pareil, non ? » Je ne le contredis pas et il prit son élan : « C'est une fille géniale, vraiment, merveilleuse, elle me plaît beaucoup, je crois que je n'ai jamais été aussi amoureux. Et comme vous êtes les progressistes de la famille, Álvaro, vous êtes censés être de mon côté... » Je ne le contredis pas non plus sur ce point, il prit sa respiration et poursuivit, plus calme. « Verónica, elle s'appelle Verónica, eh bien... elle ne me fait pas confiance. » Ça ne m'étonne pas, me contentai-je de penser. « Et je suis sérieux, je te le jure, mais elle n'en est pas sûre, parce que je lui ai raconté que j'avais divorcé, que j'avais divorcé il y a longtemps, tu penses bien. Maintenant, elle est vexée, je dois lui présenter un Carrión, et je ne peux demander à personne d'autre. Pour vous, ce n'est pas un problème, non ? Vous ne vous êtes même pas mariés à l'Église. Álvaro, déconne pas, vous n'allez pas me dire maintenant que vous pensez que le mariage, c'est pour la vie... » Mai n'apprécia guère la précipitation de mon frère, mais elle fut d'accord avec moi sur le fait que nous ne pouvions nous dérober. En fin de compte, même si cela allait contre tous ses principes, elle s'amusa autant que moi.

Julio nous invita à dîner dans le restaurant le plus luxueux et sélect qu'il put trouver. Un étalage qui alla dès le premier instant à l'encontre des intérêts de sa fiancée, une fille de vingt-six ans, d'une beauté indiscutable, même si Mai trouva à y redire. Verónica, qui avait fait d'assez bonnes études – on ne l'aurait deviné au premier coup d'œil – portait un maquillage qui lui enlevait au moins dix ans, elle sortait de chez le coiffeur, s'était peint des pois pailletés sur les ongles et portait un ensemble veste et minijupe qui la comprimait, inférieur d'une ou deux tailles à ce que lui aurait conseillé n'importe quelle vendeuse, mais dont le tissu en jean, tout rapiécé, couvert de paillettes, de miroirs et de broderies colorées, suffit à Mai pour reconnaître de loin la griffe d'un designer italien sophistiqué et surtout, me précisa-t-elle, extrêmement coûteux.

Là, comme ça, elle ne se distinguait guère de toutes les autres filles de vingt ans – rares – et des trentenaires – assez nombreuses – qui dînaient au même endroit, à la même heure, avec des hommes riches, dont certains avaient largement l'âge d'être le père de leur fiancé quadragénaire. Mon frère Julio est comme ça. Il s'est toujours comporté comme si réfléchir n'était qu'une formalité ennuyeuse et superflue. Dans un restaurant normal, malgré les douze ans qui les séparaient, le couple qu'il formait avec Verónica n'aurait pas attiré l'attention au-delà de son décolleté, splendide. « C'est le soutien-gorge », me précisa Mai. Ce dernier, composé d'une sorte de corset noir, dont l'effet, certes troublant, ne suffisait pas à justifier la ruine d'une famille. Je n'en parlai bien sûr pas à ma femme, et si je me rangeai du côté de mon frère, ce ne fut pas à cause du décolleté de sa fiancée, mais parce qu'elle était intelligente même si elle n'en avait pas l'air. Et surtout parce qu'elle regardait Julio comme un dieu, tandis qu'il la contemplait avec des yeux de dieu païen, humain, tout-puissant dans sa petitesse de mortel gagné par la formidable attraction de sa poitrine. Un mois et demi plus tard, contre toutes mes recommandations de prudence et de patience, il débarqua avec elle au dîner d'anniversaire de mon père, qui ne se laissa cependant pas abuser par la modestie de son T-shirt.

« C'est une traînée, Álvaro, je te le dis, il suffit de la regarder ! » s'exclama-t-il en posant ses yeux scandalisés sur le corps de sa future belle-fille. « Bon, de ton frère, ça ne m'étonne pas, parce que Julio réfléchit avec sa queue, mais toi, tu es plus malin, enfin, je crois...

— Mais non, papa. Je vois ce que tu veux dire, l'interrompis-je avec douceur. C'est vrai qu'elle a l'air d'une traînée, mais j'ai l'impression que ce n'est pas le cas. Je crois que c'est une gentille fille, vraiment.

— Gentille, je ne dis pas le contraire... Pour ce qui est de le faire cocu, c'est sûr. D'ici un mois, il ne passera plus sous les portes.

— Tu verras que non, papa, insistai-je. Tu verras que ce sera le contraire. »

J'avais raison, et ça aussi, je le sus avant tout le monde. Écoute, Alvarito, c'est Julio, ton frère, tu déjeunes avec moi, il, faut qu'on parle boulot, et il se fait tard, non ? Il ne s'était pas écoulé un an depuis le mariage, et cependant Julio et Verónica s'entendaient toujours bien, heureux à leur façon déséquilibrée, élémentaire mais efficace. De temps en temps, et bien qu'ils aient eu deux enfants très rapprochés et encore si jeunes que leur mère les emmenait partout avec elle, elle s'habillait à nouveau comme avant et il la regardait comme un dieu de l'Olympe, prisonnier de sa toute-puissance inutile. Jusqu'au jour où mon père eut un grave infarctus qui nécessita une première hospitalisation de six mois, avant celle qui serait définitive, et où Julio arriva un après-midi à l'hôpital en pleurant comme un enfant, parce que Verónica l'avait surpris à deux reprises et que, sans esclandre, sans cris, sans menaces, elle avait commencé à faire ses valises.

Mon frère me raconta la scène entre deux sanglots : « Maintenant tu as la maison pour toi tout seul, lui avait-elle dit sur le seuil. Tu n'as plus besoin de monter des combines, de penser à effacer tous les messages de ton portable avant d'ouvrir la porte, de dissimuler les reçus des cartes de crédit. Je m'en vais. Maintenant, tu peux baiser ici avec qui tu veux. » Alors je me rendis compte que c'était la première fois que je voyais pleurer Julio depuis l'enfance, et je lui demandai si, au lieu de pleurer, il ne pourrait pas arrêter de coucher avec n'importe qui. Il me regarda comme s'il n'avait pas obtenu de réponse, haussa les épaules et continua à pleurer. Verónica quitta la maison avec les enfants, pendant presque deux mois, elle ne se plaignit pas, ne téléphona à personne pour dire du mal de son mari, n'alla pas voir un avocat, ne réclama pas d'argent et n'ourdit pas de vengeance. « Je suis très amoureuse de lui, mais je n'en peux plus », disait-elle simplement. Ce florilège de gestes dignes, sobres, solides, finit de vaincre les dernières résistances de ma mère et de Rafa, sans convaincre mon père pour autant.

« Je te l'avais bien dit, que c'était une traînée », fit-il sur le ton qu'il employait pour les choses sans importance, quand Julio eut suffisamment rampé pour que Verónica acceptât de regagner le domicile conjugal. « Je te l'avait dit, ou pas ? » répéta-t-il, et j'en fus glacé au point de ne rien trouver à répondre.

La glace de ces paroles resta en moi tel un éclat fragile mais résistant. Une de ces échardes qui se glissent sous la peau sans faire de mal, ne provoquent pas de blessure et ne font pas saigner, mais durcissent avec le temps jusqu'à devenir une callosité faisant partie intrinsèque du doigt, de même que le corps mou d'une crevette abandonnée sur un rocher s'y fossilise. Ainsi les paroles de mon père restèrent gravées dans mon esprit – cet espace idéal que nous identifions avec le cœur – et je n'ai jamais pu me les rappeler sans un frisson. Ce fut peut-être de ma faute, j'aurais sans doute dû lui demander pourquoi il les avait prononcées, à quels critères obéissait ce jugement aussi inconcevable pour moi. Ce fut peut-être ma faute, mais je ne posai aucune question, sans doute parce que j'avais peur d'entendre la réponse.

« Tu exagères, Álvaro. » Mai, comme toujours, se rangea de son côté. « Ton père est un homme très âgé, il va avoir quatre-vingt-trois ans, qu'est-ce que tu veux ? Il ne peut pas accepter qu'une femme quitte son mari, encore moins s'il s'agit d'un de ses fils et s'il le voit en aussi piteux état que nous avons vu ton frère... » C'était vrai, que Julio avait été très atteint. À tel point que j'en vins à trouver une certaine grandeur dans son humiliation méthodique et répétée, une noblesse tragique dont je ne l'aurais jamais cru capable. Je n'avais pas davantage mesuré, même de loin, l'intensité de cet amour qu'il trahissait régulièrement. Je songeai à nouveau que je n'avais jamais rien éprouvé de tel, mais je me sentis très proche de mon frère, de ses yeux rougis, de ses mains tremblantes, de son air désespéré de prisonnier affamé, le teint terne, les joues creuses, les os de plus en plus saillants sous l'élégance inefficace de ses costumes froissés. Je compris alors à son tour Verónica, qui avait quitté la maison et y reviendrait certainement un jour, ouvrirait la porte pour emmener les enfants à la garderie et découvrirait que son mari avait recommencé à dormir tout habillé, assis par terre dans l'entrée de son appartement. Quand cela se produisit, mon père venait de sortir de l'hôpital, mais il était encore très faible. Il lui restait quatre mois à vivre et pourtant, malgré le faible écho de sa voix, il trouva la force de prononcer ces mots : « Je te l'avais bien dit, que c'était une traînée. » Je ne fus pas capable de les dépasser.

Je les entendis une nouvelle fois quand ma femme me rappela tout ce que mon père aurait pu nous raconter et que nous n'avions pas voulu savoir. Je les retrouvai à mon insu dans l'embouteillage sur la route de Burgos, car l'étonnement de Mai s'était mêlé à la silhouette de l'inconnue afin de cultiver dans mon imagination une inquiétude que je n'étais pas sûr de ressentir vraiment et que je n'avais pas connue jusqu'alors.

Mon obsession devenait pathologique, je le savais, mais l'hostilité de mon père envers ma belle-sœur prenait des nuances différentes, plus sombres, plus secrètes, presque coupables, quand je la reliais à l'apparition fugace du cimetière. L'indifférence des autres ne m'apaisait pas, car l'unique réponse à mes questions était liée à de nombreuses autres auxquelles plus personne ne pourrait répondre pour moi. Je ne m'étais jamais demandé quelle sorte d'homme – d'hommes différents peut-être – mon père avait pu être avant de devenir lui-même, quelle sorte d'homme il aurait pu rester alors que ma conscience et ma mémoire l'enregistraient comme un être unique, intègre et sans fissures. Peut-être avait-il eu une fiancée en Russie, avait suggéré Mai. Et je m'étais amusé à tisser cette histoire et de nombreuses autres, plus étranges, mais aucune n'était parvenue à m'arracher au froid d'une demi-douzaine de mots prononcés d'un ton égal, ni à m'aider à comprendre le regard d'une jeune femme qui ne semblait pas à sa place et qui l'était pourtant, pendant qu'elle me regardait comme quelqu'un qui accomplit une mission sans hâte.

Mon intérêt, voire mon obsession, à me souvenir de données éparses – images, mots, accords discordants dans la silhouette mélodieuse de l'homme que j'avais connu – soumettait ma mémoire à une tension extrême aux résultats trompeurs, déloyaux avec la réalité, forçant à des interprétations complexes des faits les plus simples. La mort est atroce, cruelle, insupportable. Ce n'était peut-être que ça, la somme de ma douleur et de ma faute, une aversion morbide pour les enterrements qui n'avait d'autre justification que la nature même de ces cérémonies. Au-delà, il ne restait que le temps, qui gommerait les aspérités, remettant certainement chaque chose à sa place et mon esprit à l'horizon serein où mon père se réinsérerait dans le profil démesuré de la plus haute montagne. Car il avait été un homme beaucoup plus extraordinaire que nous, ses enfants, ne l'étions devenus.

Je rentrai la voiture au garage et me rendis à pied rue Argensola. Ma sœur Clara vivait là, dans un immense appartement, ancien et très joli, où nous avions tous habité étant enfants. J'adorais cette maison, et je me l'étais rappelée avec nostalgie quand mon père avait décidé de faire d'une pierre deux coups en faisant construire sur une de ses parcelles de La Moraleja une maison correspondant à sa position sociale et qui, par la même occasion, lui permettait d'échapper à l'agitation qui commençait à secouer ce qui avait été l'un des quartiers les plus tranquilles du centre de Madrid. Quand nous déménageâmes aux environs de la ville, j'avais quinze ans, et je passai les dix années suivantes à aller et venir entre les deux maisons. L'ancienne, que mon père avait renoncé à vendre face à la vibrante opposition de mes frères aînés, qui le persuadèrent qu'il était bien plus insensé de les obliger à prendre la voiture au petit matin après avoir bu, que de leur permettre de rester là-bas le vendredi et le samedi soir, et la nouvelle, où je cessai de dormir le week-end, quand j'accédai en même temps à la majorité et à la clé d'Argensola. Durant les cinq années suivantes, où je consacrai une bonne partie de mon temps libre à chercher où installer une nouvelle étagère pour les livres qui débordaient déjà les possibilités de mon minuscule mais très onéreux appartement de Boston, j'éprouvai une nostalgie encore plus grande pour Argensola, haut de plafond et aux pièces vastes. À mon retour, je découvris que je n'avais plus le choix. Clara, la dernière de la fratrie à se fiancer, avait déjà fixé une date pour son mariage et elle y faisait des travaux. Je me contentai de ce que je pouvais m'offrir de plus ressemblant dans le quartier, un appartement vaste et un peu délâbré de la rue Hortaleza me convint parfaitement après rafraîchissement, même si cela ne m'épargna pas tout à fait l'aiguillon de nostalgie qui me transperçait chaque fois que je franchissais l'entrée de l'immeuble de ma sœur.

« Vois comment tu es, Álvaro. » Ma mère m'ouvrit la porte, m'adressa un sourire éteint, m'embrassa fort sur les joues. « Je savais que tu ne m'appellerais pas avant de partir et pourtant, je te l'avais demandé.

— Mais maman, tu savais bien qu'il allait venir », intervint Clara, les lèvres gonflées, les chevilles encore plus – sans parler des jambes. Elle venait à ma rencontre, marchant derrière son énorme ventre et m'accueillit avec la joie d'un soldat encerclé qui voit arriver de loin les renforts. « Et puis Álvaro savait aussi que tu allais appeler Lisette pour lui demander à quelle heure il était parti, alors...

— Et comment j'aurais pu le savoir, dis-moi ?

— Parce que je te connais, maman. » Je lui rendis son baiser et elle me prit par le bras pendant que ma sœur riait. « Parce que je te connais.

— De toute façon, je ne vois pas pourquoi tu n'appelles pas ta mère, mon petit... »

Clara nous proposa de prendre un café et nous laissa seuls au salon. Je m'assis sur le canapé avec ma mère et contemplai avec tendresse une scène que je n'avais pas revue depuis mon enfance : elle dépouillait le courrier avec sa dextérité habituelle, ouvrant les enveloppes avec un coupe-papier dont la lame était aussi tranchante qu'un bistouri. En arrivant, je l'avais trouvée en bonne forme, bien meilleure que ce qu'elle ne le prétendait. En dépit de son air fragile, ma mère était une femme forte, qui n'avait jamais contracté de maladie grave, et s'était toujours remise rapidement des autres. Nous étions tous certains qu'elle résisterait bien au choc, cependant elle ne parvint pas à garder l'œil sec au-delà de la deuxième lettre de condoléances. À la dernière, elle se laissa choir sur le canapé, la tête tombant contre le dossier. Elle resta ainsi, absente, silencieuse. Lorsque Clara arriva avec le café et la regarda, à la fois inquiète et compatissante, elle reprenait très lentement ses esprits.

« Vous ne savez pas à quel point j'aimerais que tout cela soit fini.

— Si, on le sait, maman, ne t'inquiète pas », répondis-je en comprenant cette fatigue que j'avais moi-même éprouvée peu de temps auparavant, cette urgence à me rappeler mon père loin du poids des rites et des objets, de l'hostilité bien intentionnée des mots et des cérémonies.

Ma mère me prit la main en soupirant. Elle se redressa, et, ignorant la tasse que Clara avait posée devant elle, jeta un regard sur toutes les lettres, avant de s'arrêter sur l'enveloppe dont j'avais abîmé le revers en l'ouvrant avec un doigt.

« Et celle-ci, qu'est-ce que c'est ? me demanda-t-elle, en tenant le papier à en-tête de Caja Madrid que j'avais lu précédemment.

— Eh bien, une lettre apportée par coursier, de la part d'un banquier, qui veut te parler de fonds que papa avait engagés, je crois... Fais voir. » Je relus le texte par-dessus son épaule et le lui résumai. « Oui, papa avait placé de l'argent, on ne dit pas combien, dans des fonds exonérés d'impôt. Et ce monsieur veut savoir si ça t'intéresse de récupérer le capital ou de le réinvestir dans d'autres fonds aujourd'hui beaucoup plus intéressants d'après lui, etc. Je te laisse imaginer.

— Et comment s'appelle-t-il ?

— Ce monsieur ? » Ma mère acquiesça. « Eh bien, R. Fernández Perea. Je ne sais pas, Ramón, Ricardo, Rafael...

— Je ne le connais pas.

— Ou Roberto, intervint Clara.

— Ou Remigio », ajoutai-je. Ma sœur se mit à rire, mais le regard impatient de notre mère la dissuada de continuer le jeu.

« Non, ce nom-là ne me dit rien. Qu'est-ce que je suis censée faire, lui téléphoner ?

— Eh bien..., dis-je en consultant à nouveau la lettre. Il dit qu'il est à ta disposition pour un rendez-vous, mais que tu peux l'appeler, bien sûr. Voilà son numéro.

— Va le voir, maman, dit Clara en nous regardant tour à tour. Pour des questions financières, il vaut mieux, non ?

— Oui, l'approuvai-je distraitement. C'est possible. »

Alors ma mère but son café très lentement. J'en profitai pour demander à Clara comment elle se sentait : « Très mal, me répondit-elle, j'en ai marre de mon gros ventre, j'ai hâte de pondre... » Alors que le sujet semblait épuisé, il revint par surprise.

« Dis-moi, Álvaro, me dit-elle. Ces fonds, peu importe leur nom, dont parle cette lettre étaient-ils au nom de papa, ou de l'une de ses entreprises ?

— De papa, semble-t-il. C'est le seul nom qui figure.

— Alors vas-y, toi ! décréta-t-elle. Tu l'appelles, tu prends rendez-vous et tu te renseignes.

— Moi ? tentai-je de me défendre. Mais pourquoi ? Je n'y connais rien, maman, il vaut mieux que Rafa y aille. C'est lui qui s'y connaît en matière d'argent.

— Rafa s'y connaît pour l'argent du groupe, mais ton père n'a jamais mélangé les comptes. Ici notre argent, là celui des entreprises, disait-il toujours. C'est pour ça qu'il vaut mieux que ce soit toi qui y ailles. Et puis, tes frères sont toujours très occupés. Toi, ça ne te coûte rien de passer un moment, le matin, dans cette banque et...

— Maman, tu sais que je travaille, moi aussi ?

— Oui, enfin... Ne compare pas. Tu ne donnes même pas de cours tous les jours, mon petit.

— Mais... » J'inaugure une exposition sur les trous noirs dans deux semaines et je dois aller au musée presque tous les jours, m'apprêtai-je à dire, avant de retenir mes paroles. « D'accord. »

Je renonçai à m'épuiser dans une bataille vaine, comme toutes celles que j'avais déjà perdues en essayant de convaincre mes parents, mes frères et mes sœurs, que l'État ne me versait pas un salaire mensuel pour prendre des vacances – cause qui n'avait pas progressé d'un iota depuis mon embauche comme consultant pour un nouveau musée interactif des sciences. Je gagnais maintenant davantage qu'Angélica, l'autre Carrión fonctionnaire. Mais cet élément, loin de renforcer mon prestige, avait achevé de persuader ma famille de l'inutilité de ma profession. « Et tu dis qu'une banque vous a donné de l'argent pour organiser ça ? » me demanda ma mère le jour où elle m'accompagna au musée avec Guille, mon neveu, dont l'avis m'intéressait bien davantage car c'était alors l'enfant de dix ans le plus intelligent que je connaisse. « Des millions, maman », lui répondis-je, tandis qu'elle haussait les sourcils. « Eh bien, on dirait une salle de jeux, mon petit », conclut-elle. « Qu'est-ce que tu veux, qu'on mette des portraits de Newton aux murs et des vitrines avec des maquettes de catapultes médiévales ? » lui demandai-je, et elle me répliqua que comme ça, au moins, ça aurait l'air d'un musée. Nous n'échangeâmes plus un mot jusqu'au retour de mon neveu. « C'est incroyable, Álvaro, s'était exclamé Guille, putain, j'adore, vraiment... » Ma mère avait grondé son petit-fils de parler aussi mal, puis moi, de gâcher ma fameuse intelligence à des bêtises.

« Alors c'est toi qui vas au rendez-vous avec ce monsieur de la banque, non ? répéta-t-elle sur le seuil, au moment où je n'attendais plus que deux baisers d'adieu.

— Oui, maman, j'y vais. »

Ce fut tout. Ma mère n'envoya pas le bon fils à ce rendez-vous. Et rien ne fut plus jamais comme avant.

Cet après-midi-là, quand Raquel Fernández Perea alla réveiller son grand-père Ignacio, elle le trouva assis sur son lit, les lunettes sur le nez. Le regard vague, il contemplait le bleu du ciel de printemps qui n'est pas aussi bleu que celui d'hiver, ni aussi beau que celui d'automne, mais qui laisse flotter sur la ville une tendre promesse, qui se trouble de sentir le craquement de l'air et se renouvelle à chaque seconde.

« Il est 5 heures, grand-père », annonça la petite et, interprétant son sourire comme une permission, elle courut vers le lit et se laissa tomber à côté de lui, veillant à bien placer ses nattes pour éviter que sa grand-mère ne la gronde. « Tu n'as pas dormi ?

— Non, répondit-il, avant de se reprendre immédiatement, comme s'il n'avait pas voulu éveiller de soupçons. Enfin, un peu.

— Où est-ce qu'on va, aujourd'hui ? »

Grand-père Ignacio faisait la sieste comme s'il s'agissait d'une courte nuit au milieu de la journée : car il se déshabillait, mettait son pyjama, baissait toutes les persiennes et fermait toutes les portes avant de se mettre au lit. Grand-mère Anita préférait somnoler devant la télévision, assise dans un fauteuil à bascule, un coussin derrière les reins, un autre sous la tête, et quelque chose à lire entre les mains, un livre ou le journal qui tombait très lentement, suivant le rythme auquel ses lunettes glissaient le long de son nez pour s'arrêter au bout. Ouh, je crois que j'ai fait un petit somme ! disait-elle en se réveillant, et elle refusait d'accepter la version de sa petite-fille, qui l'avait vue dormir la bouche ouverte avant l'enlèvement de la femme du fermier ou de la fille du gouverneur, jusqu'à l'arrivée du septième de cavalerie ou quand les pirates sortaient victorieux de la dernière bataille du film sur la première chaîne. Comment est-ce que je pourrais ronfler, dis, faisait-elle ensuite, ici, le seul qui ronfle, c'est ton grand-père... C'était vrai aussi, car Raquel l'entendait parfois du milieu du couloir. La chambre du fond ressemblait à la tanière d'une famille de monstres féroces avec un seul poumon, qui s'évanouissaient sans aucune résistance quand elle ouvrait la porte, remontait les persiennes et disait à voix haute, il est déjà 5 heures, grand-père, où est-ce qu'on va, aujourd'hui ?

Ainsi commençait le meilleur moment du samedi, qui était le meilleur jour dans la vie de Raquel depuis que ses grands-parents étaient rentrés en Espagne. Cela n'avait pas été facile, mais cela en valait la peine. Cela n'avait pas été facile parce qu'ils avaient attendu longtemps, beaucoup plus que tous ne le pensaient. Ignacio Fernández Muñoz refusa de mettre les pieds à Barajas jusqu'en septembre 1976, et il expliqua très clairement qu'il venait en vacances.

Juste en vacances, répéta-t-il, après avoir embrassé ses petits-enfants sans aucune solennité dans la voix, aucun indice d'émotion ou d'incertitude, ni la pâle ombre d'un tremblement, comme s'il croyait vraiment à ce qu'il disait ou se sentait protégé par l'anonymat uniforme qui transforme tous les aéroports du monde en territoire neutre. Ses gestes, ses mouvements – depuis l'élégante indifférence de ses pas jusqu'à la curiosité courtoise des regards qu'il adressait aux voyageurs, à leurs bagages, et aux danseuses de flamenco en miniature qui lui rendaient son regard depuis les vitrines avec des yeux très maquillés, un chignon noir et une robe à volants – étaient aussi exacts et réservés, aussi indolents que s'il les avait répétés pendant plusieurs jours devant un miroir. Raquel se sentit déçue par son naturel, l'aplomb avec lequel il feignait d'arriver en Suisse, une attitude de sympathie distante et désintéressée qui aurait poussé un étranger à supposer qu'il se contentait d'accompagner sa femme. Car sa grand-mère, elle, embrassa l'encadrement de la porte par laquelle elle sortit du vestibule de l'aéroport, Anita, s'il te plaît, murmura-t-il, et elle refit la même chose en passant la porte qui la séparait de la rue, Anita, arrête tes bêtises, allez, s'il te plaît, je te le demande, et elle pleura, rit, et se couvrit le visage de ses mains tout en disant des choses étranges, des phrases toutes faites, des mots épars qui ne s'enchaînaient pas très bien, pensant à sa mère sans raison après les avoir pris dans ses bras chacun son tour en les serrant très fort. Cependant, quand ils arrivèrent à la voiture, y installèrent les valises et se serrèrent à l'intérieur, il dirigea sa propre cérémonie de bienvenue sans jamais en perdre le contrôle, sans jamais se soucier de cacher qu'il l'avait planifiée depuis longtemps. Le chauffeur mit le contact, appuya sur l'accélérateur et, au moment où il allait enclencher la marche arrière, son père l'arrêta d'une question :

« Où est-ce qu'on va ? »

Son fils le regarda, surpris. Il était 12 h 30, la journée était ensoleillée, et une chaleur bienveillante annonçait déjà l'aimable convalescence de l'automne.

« Eh bien, à la maison, pour y déposer vos affaires, non ?

— Pas question. » La voix de grand-père était ferme, mais étonnamment souriante à la fois. « Eh bien oui, il ne manquerait plus que ça, revenir à Madrid après trente-sept ans d'absence pour aller directement à Canillejas, c'est moi qui te le dis...

— Où est-ce que tu veux aller ?

— À las Vistillas. »

Son fils, qui avait souri à la détermination brusque et capricieuse du nouveau venu, tourna la tête et lui adressa un regard prudent, où la confusion ne pesait pas aussi lourd que l'intuition d'un ridicule imminent.

« À part dans les paroles des chotis... où c'est ?

— Où tu veux que ce soit ! Où ça a toujours été, au bout de la rue Bailén, enfin, d'après moi...

— Oui... » La voiture ne bougea pas, la tête du conducteur non plus. « Et par où je passe ?

— Enfin, Ignacio, comment est-ce possible... » Le père souriait, en agitant la tête avec satisfaction, comme si l'ignorance de son fils lui avait rendu une chose qu'il croyait avoir perdue de nombreuses années auparavant. « Voyons. La Puerta del Sol, ça te dit quelque chose ?

— Bien sûr, papa.

— Bon, eh bien tu y vas, tu prends la rue Arenal, tu débouches Plaza Isabel II, tu contournes l'Opéra, tu arrives Plaza de Oriente et tu tournes à gauche.

— Arenal... laquelle ? Il y en a deux, non ?

— Je te dirai, mon fils, je te dirai. »

Assise à côté de lui, Raquel l'entendait murmurer : ça a beaucoup changé, je ne l'aurais pas reconnu, parce que ça..., non, ça n'est pas possible, ou si ?, non, je ne sais pas, je suis perdu, Anita. Comment est-ce possible ? Jusqu'au moment où ils arrivèrent sur une très grande avenue, avec des arbres, des fontaines, et un nombre considérable de voitures qui allaient dans toutes les directions. Sa voix s'éleva, plus claire qu'avant, plus grave et plus sérieuse, plus triste et presque furieuse :

« La Castellana », dit-il. La grand-mère, qui était assise près de l'autre vitre, Mateo dans ses bras, chercha sa main, la porta à sa bouche et l'embrassa à plusieurs reprises. « Bon sang... Bon sang. »

« Je la prends, non ?

— Bien sûr, enfin, tu dois la prendre ! » L'hésitation de son fils le protégea de sa propre émotion. « Va à la fontaine de la Cibeles, ensuite, remonte la rue Alcalá jusqu'en haut... Mais alors, c'est dans un état, ils ont tout détruit... Regarde, Raquel, quand j'habitais ici, cette avenue était couverte de petits palais comme celui-ci, tu vois ? Certains sont tombés sous les bombardements, parce qu'on nous bombardait tous les jours, tu sais ? Mais j'ignore ce qui est arrivé après, parce que... Et tu vois ce bâtiment si grand, à gauche ? C'est la Bibliothèque nationale, elle, elle n'a presque pas changé, et par cette rue, qui s'appelle Génova, on va chez moi, ici, c'est l'avenue Recoletos, et le Café Gijón, oh, regarde cette fontaine !

— Oui ! » Incapable de comprendre que son grand-père l'utilisait comme bouclier contre lui-même, elle l'interrompit à nouveau : « La Cibeles. Je l'ai vue souvent. Maintenant, on habite ici, grand-père.

— Bien sûr, fit-il, bien sûr. »

Et pourtant, il l'emmena dans un endroit où elle n'était jamais allée, et il lui montra qu'une ville pouvait être davantage qu'un ensemble de maisons où vivent les gens.

« Pourquoi est-ce que tu voulais venir ici, grand-père ? » lui demanda Raquel quand elle fut fatiguée de rester debout à côté de lui, pendant qu'il observait tout sans prononcer un mot, comme s'il tentait de reconnaître chaque bâtiment, chaque toit, chaque pont, chaque côte, chaque colline, chacun des sommets de la sierra qui s'élevait dans le fond, se découpant sur l'horizon avec autant de netteté que si tout faisait partie d'un gigantesque décor.

« Eh bien, la vue est très jolie, non ?

— Oui, mais... » Raquel n'osa pas trop le contrarier. « Je ne sais pas, il y a beaucoup d'endroits plus jolis. Le parc du Retiro, par exemple. Ou la Plaza Mayor. Moi, je les préfère à ça.

— Oui, répondit son grand-père avec un sourire. Mais ça, c'est le dernier endroit de Madrid où je suis venu avant de m'en aller. C'est d'ici que je suis parti, et c'est ici que je voulais revenir... » Alors il se retourna vers sa femme, approcha la tête de la sienne, baissa le ton. « C'est ici que...

— Je sais. » Anita se serra contre lui, l'embrassa sur le visage. « N'y pense plus, on va aller boire quelque chose, viens. »

Raquel ne comprit pas le sens de ces paroles, mais elle devina que l'intérêt subit de sa grand-mère à les entraîner vers la terrasse la plus proche visait simplement à changer de sujet. Cela ne la surprit guère, cependant, pas davantage que le soudain filet de voix de son grand-père, qui s'éteignit comme un poste de radio mal réglé pendant que le serveur se penchait peu à peu vers lui sans parvenir à décrypter ce qu'il lui demandait. « Une bière ? » proposa-t-il, le grand-père secoua la tête, se racla la gorge, avala sa salive et répéta la question, pour que son interlocuteur finisse par acquiescer avec un sourire de soulagement : « Ah ! un vermouth, excusez-moi, je n'avais pas compris, un vermouth au robinet, oui, bien sûr, nous avons ça... » Raquel ne savait pas ce que c'était, mais si ça sortait d'un robinet et qu'on le servît dans ce bar, ça ne pouvait pas être très rare, ni très cher.

À Madrid, il y avait des milliers de bars, elle en avait été très étonnée à son arrivée, et dans chaque bar il y avait beaucoup, énormément de bouteilles, des centaines, des murs entiers, et au centre de chaque comptoir, une sorte d'engin en métal, doré ou argenté, avec des roulettes en métal et des leviers qu'actionnait un serveur silencieux, à l'air sérieux, comme si contrôler cette machine avait constitué une mission très délicate ou très importante, à tel point que personne ne lui parlait ni n'osait le déranger pendant qu'il inclinait un verre d'une main et tirait sur le levier de l'autre. À cet instant, on aurait pu penser qu'il allait se produire un événement grandiose, mais il ne sortait que de la bière du robinet, puis une écume blanche que le serveur arasait avec une spatule pour en jeter la moitié dans l'évier, remplir encore le verre puis le faire enfin résonner sur le comptoir. *Voilà*, disait-il alors avec un sourire, pas *voi-là*, comme à Málaga, mais *voilà*. Parce que, à Madrid, personne ne prononce comme ça. Le client lui rendait son sourire avant de le remercier, comme si le garçon avait accompli une très grande chose pour lui, et s'il connaissait son prénom, il l'ajoutait à la fin pour souligner sa gratitude, pour insister, la rendre plus intense.

Cela se passait toujours comme ça. Raquel avait souvent observé cette cérémonie, elle avait vu ses parents apprendre à dire merci à Andrés – c'était le nom du serveur du bar au coin de la rue où ils habitaient – et elle avait même remarqué que le percolateur, qui se trouvait généralement dans le fond, adossé au mur, ne faisait l'objet d'aucun respect. Les serveurs parlaient entre eux en le manipulant parce qu'ils agissaient sans regarder, sans se donner de l'importance, et les clients ne les remerciaient même pas quand ils posaient devant eux une tasse sans l'annoncer. Elle ne savait pas que des robinets des bars pouvait sortir autre chose que de la bière, mais ce matin-là on posa devant son grand-père un verre ordinaire rempli d'un liquide sombre, presque marron, avec un petit glaçon et une demi-rondelle d'orange, qu'il prit, regarda, renifla et retourna entre ses doigts comme une chose différente, un prénom, un nom, une piste précieuse, la carte d'un trésor ou un trésor en soi. Il ferma les yeux avant de boire, et quand il les rouvrit ils étaient plus grands, plus clairs et plus nets ; si étranges que Raquel prit peur.

Elle n'avait jamais vu son grand-père pleurer. Elle ne le verrait pas ce matin non plus, mais dans l'émotion qui faisait briller ses yeux secs, elle sentit que ce qui arrivait était très important même si elle ne le comprenait pas, même si tout lui semblait vulgaire, même si cela l'était. Il y avait tellement de bars à Madrid, tellement de comptoirs, de leviers, de robinets, de serveurs investis du sacerdoce suprême de l'écume et tellement de petits plats allongés en faïence blanche avec deux morceaux minuscules à l'intérieur, que celui-ci ne pouvait être spécial. Il ressemblait à tous les autres, et pourtant le grand-père prit l'une des deux pommes de terre frites surmontées d'un anchois au vinaigre qu'on avait posées à côté de son verre, la mangea et sourit. Ce fut la première fois que Raquel Fernández Perea vit sourire son grand-père, la première fois qu'elle contempla son véritable sourire, deux lèvres s'arrondissant de joie dans un visage sans ombres, sans réserves, sans peur et sans douleur. Il souriait comme un petit enfant, comme un adolescent heureux, comme un étudiant enthousiaste, un soldat courageux, un fugitif chanceux, un avocat tranquille, un lutteur résigné et un Madrilène loin de Madrid, semblable à tous les hommes qu'il avait été, et qu'il redevint à cet instant, à peine une seconde, juste assez pour penser que le moment de signer la paix avec lui-même était arrivé. Raquel n'y comprenait rien, mais elle savait qu'il se passait quelque d'important. Elle en eut la certitude quand le grand-père prit la main de sa femme, la serra. Alors, elle se mit à rire.

« Et s'ils n'avaient pas eu de vermouth au robinet, hein ? » La grand-mère était aussi contente que lui. « Il faut le voir pour le croire, Ignacio, qu'est-ce que tu es têtu... »

Ce matin-là, Raquel ne savait pas encore qu'à l'époque où Ignacio Fernández Muñoz était un jeune homme et faisait des études de droit rue San Bernardo, dans l'ancien et vénérable bâtiment qui abritait l'Université centrale, tous les jours, après les cours, il rallongeait son chemin du retour en s'arrêtant dans tous les bars, où il commandait toujours un vermouth au robinet et recevait une tapa en cadeau. Sa petite-fille ne l'avait jamais entendu raconter ça. Pendant de nombreuses années, la mer avait manqué à grand-père Aurelio. Pas l'immensité des vagues, ou le sable de la plage, ni la subtile fuite de l'horizon ou l'immensité du bleu en mouvement, mais un petit bout précis de mer, un mouchoir d'eau andalou, familier et intime, que l'on pouvait apercevoir à l'ombre d'une treille dans le patio d'une maison blanche et lumineuse, isolée en haut d'une colline et entourée de vergers, aussi loin du village que de la côte. Raquel le savait, et elle savait que deux choses avaient manqué à grand-mère Rafaela, les sardines grillées et la musique. J'ai toujours tellement aimé le chant, disait-elle, il faut voir, j'aime tellement la fête et là-bas il n'y avait pas moyen. Écoute, quelle folie, quand j'ai commencé à faire le ménage dans le cabinet d'un médecin, un camarade, un homme très bon, à Nîmes, après notre guerre, je chantais pour moi en travaillant, il me répétait toujours : ne chantez pas comme ça, Rafaela, s'il vous plaît, on dirait que vous avez mal quelque part, ne chantez pas comme ça. Bien sûr, eux, ils ne chantent pas, même pas dans les fêtes, là-bas, personne ne sort même une petite guitare...

Raquel avait souvent entendu cette histoire, et elle avait vu sa grand-mère heureuse, dans sa maison de Torre del Mar, la radio à fond, écoutant des chansons populaires et des rumbas en dansant seule dans la cuisine. Son sourire était semblable à celui qui illuminait le visage de grand-mère Anita quand celle-ci ouvrait le paquet qu'on lui rapportait d'Espagne tous les mois de septembre, et une demi-douzaine de boîtes d'anchois et un chapelet de piments devenaient bien plus importants qu'une demi-douzaine de boîtes d'anchois et un chapelet de piments. Comme si tout un pays, l'air, la terre, les montagnes, les arbres, les sierras, les plaines, les villes, les villages, les mots et les personnes, s'était installé dans les interstices d'une boîte en carton, en réservant son essence la plus pure, la meilleure, à la peau violacée des aubergines que la grand-mère caressait, année après année, comme ses petits-enfants, avec une sorte de révérence émue au bout des doigts et une allégresse tachée de nostalgie tremblante dans les paroles. Quelle joie, mon fils, quelle joie, il faut voir comme elles sont belles, mais quelle joie... Même Mateo, son frère, ne se réjouissait pas autant devant ses cadeaux de Noël que grand-mère Anita devant les aubergines. Raquel le savait, mais jamais avant ce matin de septembre, elle n'avait pensé que quelque chose manquât à grand-père Ignacio, qui ne laissait jamais passer une occasion de rappeler à sa femme que bien sûr qu'il y avait des aubergines en France et que bien sûr que les Français savaient les préparer.

« Le ciel, surtout le ciel », lui répondit-il ce même soir, quand elle pensa enfin à lui poser la question et l'entendit enfiler les arguments sans hésiter, comme s'il avait consacré les trente-sept dernières années de sa vie à mémoriser en secret cette leçon. « La lumière des matins d'hiver, cet air fin, si sec, qui te taillade le visage et te réveille de l'intérieur. L'eau du robinet, qui a meilleur goût ici que toute l'eau minérale du monde. Le printemps de février, pourtant si court et si trompeur, qui ne dure pas, dix jours, quinze au plus, mais cette joie de sortir dans la rue pour y prendre le soleil, sans parapluie, sans manteau, et les trottoirs soudain recouverts de terrasses, comme si le destin avait décidé de nous éviter le froid sans raison. » Il la regarda, sourit, agita la tête comme s'il n'était lui-même pas très sûr de comprendre ce qu'il allait dire. « J'ai souvent pensé au mois de février à Madrid, tu sais ? Même si ça paraît incroyable, j'y ai pensé tous les jours de tous les mois de février que j'ai vécus en France. Et puis les bars, la rue, sortir de chez soi très tôt le matin, quand tout le monde dort, acheter le journal et prendre le petit déjeuner dans un bar, à une table près de la fenêtre, un café au lait et une assiette de porras, ou deux, l'une après l'autre, et lire le journal pendant que les clients commentent les nouvelles à voix haute...

— Tu aimes ça ? l'interrompit sa petite-fille, très surprise.

— Bien sûr. » Il la regarda un moment avec attention et se mit à rire. « Qu'est-ce qu'il y a, tu trouves ça bizarre ?

— Très bizarre. Ce qui est bien, c'est de prendre le petit déjeuner à la maison, non ? En pyjama, bien au chaud...

— C'est exactement ce que dit ta grand-mère, mais moi, je n'ai jamais aimé prendre le petit déjeuner à la maison. Il y a bien sûr une chose que j'aime encore moins, ce sont les bars où on est pressé de te voir partir. C'est ce que je déteste le plus au monde, et c'est pour ça que je regrette tellement les bars d'ici, où on peut enchaîner tranquillement le petit déjeuner et l'apéritif... » Il marqua une pause, comme s'il devait pour la première fois s'arrêter pour réfléchir avant de poursuivre. « C'est dur, de s'habituer à vivre sans apéritif, tu sais ? Une habitude si bête, remarque, un repas de plus, si léger, si inutile, si mauvais pour la santé, disait ma mère. Parce que, au lieu d'ouvrir l'appétit, il te l'ôte, et c'est vrai, deux vermouths avec des anchois, des pommes de terre frites, des moules, et encore, et encore, et en arrivant à la maison on a mangé, mais on est tellement ivre, tellement bien, qu'on va directement au lit, une petite heure de sieste et on se sent ragaillardi, et à 9 heures du soir, prêt à recommencer. C'est ça, être riche, tu sais ? C'est ça, bien vivre, vivre dans les bars. Bon sang... Et encore, j'ai bien peu profité de cette vie, pratiquement pas, à peine trois ans, parce qu'ensuite il y a eu la guerre, et ça a mal commencé, les fascistes ont avancé très vite, ils ont pris Tolède, ont continué leur progression. Et une nuit où nous dînions tous à la maison, nous avons appris que le gouvernement comptait s'en aller, partir pour Valence, qu'il

était sur le point de nous abandonner, parce qu'il considérait
la ville comme perdue... »

À ce stade, Raquel avait compris que son grand-père ne
s'adressait plus à elle, une fillette de sept ans qui savait à peine
qu'il y avait eu une guerre en Espagne, que sa famille l'avait
perdue, que c'était pour ça qu'ils vivaient en France et heureusement, parce que ceux qui étaient restés avaient été tués. Elle
sentait aussi que cela avait un rapport avec les deux seules
manies de grand-mère Anita, qui ne mangeait jamais d'abricots et n'avait plus jamais prononcé à voix haute le nom de
son village, mais elle n'en savait guère plus. Cependant, elle
continua à écouter avec autant d'attention que si elle avait
compris ce qu'il disait, car les yeux de son grand-père brillaient à nouveau comme ceux d'un homme beaucoup plus
jeune, et ils étaient capables de lui transmettre leur chaleur
rien qu'en la regardant.

« Je n'oublierai jamais cette nuit, jamais. La nouvelle
n'était pas officielle, et dans la rue il y avait beaucoup de gens
qui n'y accordaient pas vraiment d'importance. Mais nous,
nous étions très politisés et nous vivions le départ du gouvernement comme une fuite et, surtout, comme une trahison, la
première... Mon père, qui était un républicain acharné et de
mauvaise humeur depuis deux semaines déjà, depuis que le
président Azaña avait fichu le camp le premier, était indigné.
Mateo, mon frère, celui qui avait appris que le gouvernement
avait réuni les partis politiques pour les informer qu'il était
impossible de défendre Madrid, était tellement furieux qu'il
n'excusa même pas Largo, le président du Conseil, qui était
socialiste, comme lui... Mais celui qui le vécut le plus mal, ou
le mieux, fut en réalité Carlos, mon beau-frère, le mari de
Paloma, ma sœur, la belle Paloma, comme nous l'appelions.
Tu te souviens d'elle, non ?

— Oui... » Raquel se souvenait d'elle, une femme mûre,
aux cheveux blancs, qui avait l'air d'être la mère de grand-
mère Anita et presque du grand-père aussi. Elle habitait chez
María, sa sœur, aux environs de Paris, elle avait une tête de
folle et ne sortait jamais de la maison. « Mais je ne la trouve
pas belle, ajouta la fillette.

— Eh bien elle l'était. Très belle. La plus belle femme que
j'aie connue de ma vie.

— Plus que grand-mère ? » lui demanda sa petite-fille,
étonnée car jusqu'à ce jour Anita Salgado Pérez avait porté,
sans aucune concurrence et en mesurant à peine plus d'un
mètre cinquante, le titre de beauté officielle de la famille Fernández Perea.

« Bon... C'était différent. En fait, grand-mère me plaisait
beaucoup. Elle était toute petite mais très jolie, on aurait dit
une miniature, parfaite, c'est vrai. Mais ma sœur était plus
femme, plus grande, plus... » Il réfléchit un instant, comme si
ce qu'il disait le surprenait lui-même, et il chercha une façon
de mieux s'expliquer. « C'est peut-être juste parce que nous
autres n'étions pas beaux, que Paloma se remarquait tant.
Mateo, mon frère... Enfin, il avait les oreilles collées au crâne,
c'est déjà quelque chose, et les yeux très bleus... Il avait aussi
le visage plat, le pauvre, et il était très têtu, mais je suppose
qu'il n'était pas trop mal. Pourtant, María et moi, on était
assez vilains.

— Tu n'es pas laid, grand-père.

— Non ? » Ignacio improvisa une expression scandalisée
qui déclencha le rire de sa petite-fille. « Avec mes oreilles en
feuille de chou et ce nez, et ce cou si long, tu ne trouves pas
que j'ai l'air d'une cigogne ?

— Ce n'est pas aussi grave..., protesta Raquel, quand elle
eut fini de rire. Tu exagères. Tu es très grand, bien bâti... Moi,
tu me plais. Ça ne me dérangerait pas d'être ta fiancée.

— Merci, dit-il en l'embrassant sur la tête. J'y penserai.

— Et le mari de Paloma ?

— Lui non plus, on ne peut pas dire qu'il était beau, mais
il était séduisant, très brun, très intelligent... Il avait du caractère. Il était très amoureux de sa femme, ça se voyait. Ma
mère disait qu'ils ressemblaient à des vedettes de cinéma, il
faut reconnaître que c'était un plaisir de les voir.

— Non, je veux dire : qu'est-ce qu'il est devenu ?

— Il a été fusillé après la guerre. Paloma s'est retrouvée
veuve à vingt-quatre ans.

— Non ! Pas ça non plus ! s'écria Raquel qui s'impatien-
tait. Je le sais, il a été fusillé, et Mateo, ton frère, aussi, n'est-
ce pas ? Vous me l'avez déjà raconté. Ce que je veux savoir,
c'est ce qui s'est passé ce jour-là.

— Ah... ! » Il marqua une pause et la regarda. « Tu veux
vraiment que je te le raconte ? » Raquel acquiesça avec une

telle véhémence, que son grand-père se rappela enfin qu'il parlait à une petite fille de sept ans. « Tu ne vas rien comprendre.

— Ça ne fait rien.

— C'est sûr ? Enfin, tu verras bien... Eh bien, ce qui s'est passé, c'est que cette nuit-là, on était tous à la maison, ce qui était déjà très bizarre, parce que Carlos et Mateo combattaient déjà depuis trois mois. Mon beau-frère avait une permission de deux jours, comme des vacances, tu vois. À cette période, on donna une permission à beaucoup de monde, pour que les gens soient contents, parce qu'on voyait se profiler ce qui allait nous tomber dessus. Mon frère s'était battu dans la sierra pendant tout l'été, mais son régiment avait reçu l'ordre de revenir défendre Madrid, parce que les fascistes s'y trouvaient. À la porte, au bout de la rue Princesa, pour te donner une idée... Lui aussi, il avait eu une permission pour aller voir sa famille, mais il devait rentrer dormir à la caserne. Et il se trouve que Carlos, qui était socialiste... » Il s'arrêta pour se tenir le menton avec la main et regarder au plafond, comme pour y chercher l'inspiration. « Voyons comment je vais t'expliquer ça ? Carlos était un de mes meilleurs amis, et même un peu plus, presque mon idole. Il m'avait donné des cours de droit civil à l'université, en première année. Ce n'était pas sa spécialité, mais il venait de commencer et il acceptait n'importe quoi, car il était très jeune, sept ans de plus que moi, bien sûr, mais très jeune pour un professeur, et très brillant, très fêtard. Je l'admirais beaucoup, beaucoup, alors je lui collai aux basques. On commença à sortir ensemble, je le présentai à ma sœur, ils se fiancèrent, et se marièrent tout de suite. Nous restâmes très amis par la suite. Cette nuit-là, je fus très impressionné de le voir, de l'entendre, parce que c'était d'ordinaire un homme très tranquille, tu sais, avec un grand sens de l'humour, professeur de droit pénal, un intellectuel, il écrivait un ouvrage qu'il ne publierait jamais. Mais cette nuit-là il était comme un fauve. J'ai fait deux guerres et je n'ai jamais revu personne aussi enragé, ni aussi convaincu, ni aussi en colère que lui – pas même ton grand-père Aurelio, même si son mauvais caractère est devenu célèbre dans tout le sud de la France, surtout le jour où on a pris le tank allemand... »

Raquel se mit à rire. Ça, elle pouvait l'imaginer, parce qu'elle l'avait souvent entendu raconter avec quelle fureur Aurelio avait saisi par le revers le maquisard français qui voulait détruire son tank, avec quelle force il l'avait promené en l'air dans la pièce, et ses cris, dans une langue que son interlocuteur ne connaissait pas mais qu'il comprit parfaitement cette nuit-là, avec ce tank je vais passer la frontière, tu m'entends, imbécile ? Dans ce tank, je rentrerai chez moi, alors attention, tu n'y touches pas...

« Et Carlos, avec qui s'est-il battu ?

— Ouh ! Avec personne. Ou avec tous, avec le monde entier. Franco n'entrera pas dans Madrid ! criait-il. Ils n'entreront pas, même en me passant sur le corps, croyez-moi, même en me passant sur le corps, parce que s'ils me tuent, je reviendrai de l'autre monde pour les descendre, je leur logerai une balle entre les deux yeux, un par un. Et quand j'en aurai terminé avec eux, je commencerai avec les héros qui partent à Valence, eux aussi ils verront si on peut défendre Madrid ou non, qu'ils se préparent. Mais non, ils n'auront pas cette chance parce qu'ils ne me tueront pas, j'aurai assez de vie et de couilles pour en finir avec eux, parce qu'on va en finir avec eux. Croyez-moi, on va le faire, ils ne passeront pas, non, non, et non, vous verrez... Tout ce qu'il disait, et la façon dont il le disait, m'impressionna tellement, que le lendemain je les rejoignis, et m'engageai comme volontaire.

— Pour aller à la guerre ? »

Et même si elle l'avait toujours su, même si elle avait vu de nombreuses photos de ses deux grands-pères en armes et en uniforme, elle eut si peur en l'entendant qu'il se mit à rire.

— Bien sûr, pour quoi d'autre... ? J'avais dix-huit ans, et quand je revins à la maison avec le fusil, mon père me passa une engueulade terrible, tu n'imagines pas... Eh bien, il ne manquait plus que ça, me dit-il, d'abord ton beau-frère, ensuite ton frère, et maintenant toi, Ignacio, maintenant, en plus, toi, qui ne tiendras pas deux jours, parce que tu n'es qu'un gamin irresponsable, et l'enfant gâté de ta maman... Voilà ce que me dit mon père. Mais quand le gouvernement prit la fuite et nous laissa seuls, quand Varela marchait sur le pont de Tolède, pour ainsi dire, j'étais déjà fusilier au Cinquième Régiment. Deux jours d'instruction et allez, au front, mais je tins bon, c'est moi qui te le dis. Et Madrid tint bon.

Et Mateo, et Carlos aussi, même s'il n'en parle guère, car il a sauté sur un obus et il est resté longtemps à l'hôpital. Mais il avait dit qu'il vivrait, et il a vécu. Il est resté boiteux, ça oui, et avec le bras droit entier mais inutile, le pauvre, il a dû apprendre à tout faire de la main gauche à trente ans. Ce n'est pas grave, disait-il, j'y arrive mieux qu'avec la main droite... Ensuite, les vermouths, c'était fini pour toujours. Pour toujours. Jusqu'à ce matin, ce fut long, ce matin précisément. Comment est-ce possible...

— Ah oui ? » Rien de ce qu'elle avait entendu dans l'après-midi ne l'avait surprise à ce point. « À Paris, il n'y en a pas ?

— Si mais ça n'est pas pareil... Quand je suis parti d'ici, je ne savais pas que je m'en allais vers un monde sans tapas, sans vermouth au robinet, sans ces semi-ivresses qui peuvent durer deux ou trois jours sans jamais terrasser, mais sans disparaître vraiment non plus, pendant que tu ris, encore et encore, tu ne fais que ça pendant des heures. Ça, je l'ai regretté, beaucoup, énormément, le bon et aussi le mauvais, le bruit, les cris, la saleté des trottoirs, même si ça semble incroyable, même ça, les femmes grossières et les serveurs qui nettoient toutes les tables avec le même chiffon. Moi, qui ne supportais pas le flamenco, qui le détestais plus que tout, parce que quand j'étais enfant il n'y avait pas un seul bar, pas un seul restaurant, ni aucun coin de Madrid où on n'entendait pas tous les jours, tous les soirs, à toute heure, j'ai fini par chercher cette musique, comme un fou, dans tous les programmes de toutes les radios que j'ai eues dans ma vie parce qu'elle me manquait. Mais surtout le ciel. Quand tu es né ici et que tu pars loin, tous les autres ciels te semblent aussi pauvres, aussi faux que des décors de théâtre. »

Raquel fut étonnée que tant de choses aient manqué à son grand-père et qu'il n'ait jamais voulu en parler, mais elle n'osa pas lui demander pourquoi. Il avait peur. Peur de ne plus appartenir à la ville, au pays auquel sa mémoire appartenait toujours, peur de ne pas se reconnaître dans les miroirs de son enfance, peur de s'être engagé définitivement dans le labyrinthe trouble et sans solution des citoyens provisoires de nulle part. J'ai perdu tant de choses dans ma vie que j'avais peur d'avoir tout perdu et de ne pas m'en être rendu compte, lui dit-il à la fin, après avoir chargé son fils de lui trouver une maison pour s'y installer définitivement à Noël. Sa grand-mère annonçait timidement, très rarement, les avantages de vivre sur la route de Canillejas : vous êtes vraiment bien, ici, sans bruit, sans voitures, avec toute la place pour vous garer, et le jardin, c'est formidable. Mais elle n'osa pas aller plus loin, et tout le monde comprit. Son mari aimait tellement sa ville qu'il aurait été plus que cruel, impardonnable, de la lui arracher maintenant. Pour lui, Canillejas ne serait jamais Madrid. Pour sa petite-fille non plus.

Pendant ces quelques jours de septembre, Raquel apprit à regarder la ville avec les yeux de son grand-père. Chaque après-midi, Ignacio Fernández empruntait la voiture de son fils et emmenait sa petite-fille dans l'un des quartiers du vrai Madrid, celui qui était, avait été et serait toujours. Parfois, s'ils n'avaient pas prévu de beaucoup marcher, grand-mère Anita venait avec eux, mais le grand-père annonçait presque toujours de longues promenades. Faute de quoi, disait-il à Raquel, ta grand-mère s'arrêtera devant chaque vitrine. Et la petite, qui se plaignait à chaque pavé quand ses parents l'obligeaient à aller à pied quelque part, acquiesçait de la tête, très souriante, et, tenant la main de son grand-père, elle montait et descendait les côtes comme si de rien n'était, ou comme si tout se résumait à marcher avec lui dans ces rues.

Le week-end était souvent gâché. Tous deux s'asseyaient sur le canapé du salon, en boudant, parce qu'ils voulaient aller au Rastro ou à la plaza Mayor, retourner à las Vistillas pour y boire un vermouth à une terrasse du Retiro, tandis que les autres s'entêtaient à les emmener en excursion – l'Escorial, Tolède, Ségovie, Avila, Aranjuez, Chinchón. Ah, non ! disait le grand-père, pas question, pas Chinchón, pour quoi faire ? Mais ils y allaient et admiraient la place, les rues, les bâtiments, et ils mangeaient du cochon de lait ou du mouton grillé, au choix, parce que grand-mère Anita n'était jamais allée au centre de l'Espagne, et elle voulait tout voir le plus vite possible.

« Il vous reste encore un week-end. » C'était son père qui conduisait pendant ces expéditions, et prenait calmement les embouteillages du dimanche soir. « Si tu veux, maman, on peut aller dans ton village. J'ai regardé sur la carte, et ça n'est...

— Pas question. » Elle interrompit son fils aussi vive-
ment que lorsqu'elle manipulait les couteaux de cuisine. « Je
ne retournerai pas dans mon village. Je ne veux plus jamais y
mettre les pieds, ni même m'en approcher, crois-moi. Et
quand je dis une chose, je m'y tiens, bien sûr. Pas comme ton
père.

— Parce que tu es têtue comme une mule, Anita, voilà
pourquoi.

— Tu peux parler !

— Moi ?

— Tu l'es encore plus. » Et au moment où les choses semblaient devoir en rester là, elle tourna la tête comme si le paysage l'intéressait brusquement, cligna des yeux et força la voix
au point de lui donner un ton différent, aigu et enjôleur,
presque enfantin. « Bien sûr, j'aimerais aller à la capitale,
Teruel, et à Saragosse aussi, surtout à Saragosse. Ma mère
m'y emmenait toujours quand elle allait voir mes grands-
parents, qui y habitaient, comme j'étais la plus jeune, elle me
gâtait beaucoup, la pauvre, ma mère...

— Bon, très bien. » Son fils s'empressa d'accepter la suggestion avant que la grand-mère ne se mît à pleurer, ce qui se
produisait invariablement chaque fois qu'elle pensait à sa
mère. « Le week-end prochain, je t'emmène à Saragosse.


« On n'est pas allés au Rastro, grand-père, se plaignit
Raquel ce soir-là, quand Ignacio vint l'embrasser dans son lit.

— Ne t'inquiète pas. Quand je reviendrai, on aura tout
notre temps, tous les week-ends, pour nous deux. »

Et cela avait été le cas. Aux vieilles habitudes qu'Ignacio
Fernández retrouva en janvier 1977, s'en ajouta une nouvelle.
Tous les samedis, entre 9 heures et 10 heures du matin, il
passait chercher Raquel dans son lotissement sur la route de
Canillejas et il l'emmenait chez lui, sur la place des Guardias
de Corps, face à ce qui avait été la caserne du Conde-Duque
de Olivares. Les matins étaient presque toujours les mêmes.
Ils laissaient la voiture au garage, faisaient le premier arrêt
au kiosque, le deuxième à la boutique de churros, et, munis
du journal et des porras, ils bavardaient avec le concierge
avant de monter à la maison. Grand-mère Anita, qui avait tou-

jours refusé de prendre le petit déjeuner dans les bars, les attendait avec le café tout frais, un bol de cacao et une grande envie de voir sa petite-fille. Puis elles partaient toutes les deux faire des courses. Raquel adorait pousser le Caddie et répondre aux questions de sa grand-mère, qui lui demandait des conseils sur les fruits ou le poisson comme à une adulte, avant de lui expliquer comment elle allait préparer telle ou telle chose. De temps en temps, un commerçant se trompait et lui disait : ah, c'est bien, quelle chance pour ta mère de t'avoir. Et cela les faisait beaucoup rire. Les samedis matin étaient toujours pareils, et très heureux, parce que sa grand-mère les lui réservait.

Avec l'argent que son associée française lui avait versé pour sa part de la garderie, Anita avait monté une affaire avec deux autres associées, cette fois minoritaires, même si cela restait en famille, puisque l'une était la mère de Raquel et l'autre une de ses tantes, la femme du frère aîné de sa mère, qui s'appelait Aurelio, comme son père. Elles avaient toutes les deux exercé le même métier, chacune dans un pays différent, et à elles deux, elles convainquirent sans peine Anita de monter un atelier d'encadrement où, en plus des commandes, elles vendaient des planches et des posters, des cadres et des objets-cadeau. La grand-mère n'avait jamais rien fait de tel, mais elle avait très bon goût pour combiner les tailles et les couleurs, et elle aimait recevoir les clients, les conseiller, choisir avec eux les bordures des cadres et le style des moulures. Elle ne s'occupait pas des encadrements parce qu'elle se disait trop âgée pour apprendre un métier, mais elle aimait beaucoup son travail, même ses associées savaient qu'elle ne pouvaient pas compter sur elle le samedi matin. Le samedi après-midi, en revanche, Anita ouvrait le magasin à 17 heures et laissait son mari seul avec sa petite-fille pendant trois heures, qui constituèrent les meilleures de la vie de Raquel jusqu'à ce soir de mai où elle trouva son grand-père éveillé, les lunettes sur le nez. Le regard vague, il contemplait le bleu du ciel.

« Où est-ce qu'on va, aujourd'hui, grand-père... ?

— Aujourd'hui, on va aller voir quelqu'un, dit-il avec un sourire, son sourire d'avant, le sourire de Paris, si semblable à un masque, un pieux mensonge avec les autres mais implacable avec lui-même.

— D'accord, mais qui ?

— Un ami.

— Ah oui ? » Raquel fronça les sourcils, parce que le samedi après-midi leur était réservé, juste eux, jamais personne n'était intervenu jusqu'alors. « Et ça va être amusant ?

— Sûrement. Il a beaucoup d'enfants, certains de ton âge. »

Mais cela n'allait pas être amusant, non. Ce fut un épisode étrange, mystérieux, sombre. Pas amusant. Raquel le devina tout de suite, avant que sa grand-mère n'ouvrît la porte pour les embrasser à toute vitesse et annoncer qu'elle partait en courant parce qu'elle était en retard. Son mari lui rappela qu'ils passeraient la chercher vers 20 h 30 pour aller dîner quelque part. Cela faisait également partie du programme habituel, celui du samedi, qu'elle reconstruirait à voix haute avec précision, fière d'avoir dîné au restaurant, quand ses parents viendraient déjeuner chez les grands-parents le lendemain, pour les ramener ensuite à la maison. Cependant, elle ne parlerait jamais à son père, ni à sa mère, ni à sa grand-mère Anita, de ce qui arriva ce samedi-là qui ressemblait aux autres et fut différent dès le début, à partir du moment où son grand-père choisit de mettre un costume gris et une cravate au lieu de la chemise et du pull qu'il portait toujours quand il partait se promener avec elle, avant de sortir d'un tiroir de son bureau qui était toujours fermé à clé un porte-documents en cuir brun, très ancien, aux coins décolorés par le temps.

« Qu'est-ce que c'est, grand-père ?

— Un porte-documents, dit-il en lui montrant à une distance prudente. Tu ne vois pas ?

— Si, mais... qu'est-ce qu'il y a dedans ?

— Des papiers.

— Quels papiers ? »

Non seulement le grand-père ne répondit pas à sa question, mais il fit comme s'il ne l'avait jamais entendue, et ce fut une autre nouveauté, car il ne se lassait jamais de sa curiosité, il ne lui demandait jamais de se taire, de le laisser tranquille, il ne murmurait pas entre ses dents : ce que tu es pénible, ma petite, comme ses parents. Grand-père Ignacio avait toujours répondu à toutes ses questions et, à la différence de sa femme, il ne s'était jamais soucié de l'allure de sa petite-fille. Cependant, cet après-midi-là, avant de sortir, il l'observa attentivement, des chaussures aux rubans en velours, les premières assorties bien sûr à la robe, les seconds assortis bien sûr à la veste, que sa grand-mère avait noués au bout de ses deux nattes parfaites.

« Qu'est-ce que tu regardes ?

— Rien, dit-il en l'embrassant sur le front. Comme tu es jolie ! »

Puis, comme pour démentir les nouveautés contradictoires de son indifférence et de son attention, il s'efforça de se comporter comme les autres fois, quand il s'amusait à lui expliquer les noms des rues ou à évoquer des épisodes de sa propre jeunesse, des anecdotes concernant des personnages pittoresques qu'il avait connus ou dont il avait entendu parler dans son enfance. Mais cet après-midi-là Raquel n'accorda guère d'importance à ses paroles, car elle se rendait compte qu'elles n'en avaient pas plus pour lui.

« On ne va pas sortir du quartier, tu sais ? On va plutôt le traverser, d'un bout à l'autre. Mon ami vit rue Argensola, qui se trouve au bout de la rue Fernando VI, on est déjà allés de ce côté pour rejoindre Recoletos, tu verras... »

Elle avait souvent entendu des paroles de ce genre. Cette fois, elle les écouta comme si elles étaient nouvelles et différentes, car leurs joyeux accents d'insouciance avaient laissé place à une émotion plus grave.

Son grand-père conservait une mémoire étonnante de la ville où il était né, des souvenirs si riches, si précis de l'emplacement des rues, de la façade des bâtiments, des fontaines et des statues, des magasins et des cinémas, que la grand-mère était persuadée qu'il s'était entraîné en secret au fil des ans. Il commença par le nier, puis, quand il se fut lassé de se moquer de sa femme, qui avait mis plus d'une heure à s'orienter à Saragosse, il reconnut que tous les soirs, en éteignant la lumière, il pensait à Madrid, à un lieu, à une église, à un carrefour particulier qu'il prenait comme point de départ pour reconstruire de mémoire la rue Viriato, la place Santa Ana ou la Carrera de San Jerónimo. Et s'il n'y parvenait pas du premier coup, le lendemain, il jetait un coup d'œil sur un plan pour réessayer. Raquel avait été la spectatrice privilégiée, et souvent unique, de l'enthousiasme avec lequel Ignacio Fernández fêtait la loyauté de sa ville envers sa mémoire, aussi perçut-elle immédiatement la mystérieuse indolence de sa voix mécanique, neutre, dépourvue de la vie, de l'énergie d'autres samedis.

Cet après-midi-là, son grand-père parlait pour parler, comme s'il s'était remonté lui-même juste pour s'occuper, et laissait ses phrases en suspens pour passer d'un thème à l'autre sans achever les histoires qu'il avait commencées. Il lui serrait fort la main, trop fort, tout en marchant très droit, la tête haute, ferme, presque raide, sur un cou qui avait renoncé à la souplesse, à tourner vers les côtés, et ses jambes avançaient à une vitesse constante, parcourant une distance identique à chaque pas. Raquel avait du mal à suivre son rythme, comme si elle avait été enchaînée à une machine, l'automate consciencieux qui avait investi le corps de son grand-père les derniers mètres silencieux où sa petite-fille commença à souffrir pour lui, quand elle fut sûre que cela n'allait pas être drôle et que l'homme que son grand-père venait voir ne pouvait être un ami.

« On est arrivés. »

Ignacio Fernández s'arrêta devant un grand portail sombre, et il se retourna pour regarder sa petite-fille différemment, pas comme à la maison, quand il inspectait ses vêtements, sa coiffure, ses chaussures, mais beaucoup plus à l'intérieur, au fond de ses yeux de fillette heureuse et très intelligente. Au point qu'à ce moment elle devina des choses qui étaient exactes, même si elle ne pouvait pas les comprendre toutes, que son grand-père était très nerveux, qu'il se demandait s'il ne vaudrait pas mieux faire demi-tour pour retrouver la joyeuse routine des flâneries de tous les autres samedi après-midi et qu'en cet instant sa compagnie était importante pour lui. Alors, comme elle ne savait comment réagir, elle imita ce qu'elle avait si souvent vu grand-mère Anita faire quand son mari se fâchait, était triste ou déprimé. Elle lui saisit la main droite de ses deux mains, la porta à sa bouche et l'embrassa à plusieurs reprises. Quand elle eut fini, son grand-père sourit de ce sourire triste que Raquel connaissait, il la prit dans ses bras et l'embrassa fort, trop fort, pendant qu'il lui rendait ses baisers sur le visage, les cheveux, la tête. Ensuite, il rajusta son costume, remit le porte-documents en cuir brun sous son bras gauche, lui donna la main, et ils entrèrent ensemble dans cette maison.

Au troisième étage, il y avait deux portes, très grandes et très hautes, en bois foncé, brillant, verni de frais. Il n'y avait qu'une plaque dorée au centre, mais Raquel se rendit compte que son grand-père l'aurait choisie même s'il n'y avait eu aucun nom inscrit dessus. Elle se rendit également compte que, en abandonnant la sienne pour appuyer sur la sonnette, sa main tremblait comme une feuille dans la tempête, alors ce fut elle qui la serra fort, quand elle la retrouva entre ses doigts.

« Bonjour. Que désirez-vous ? »

Son grand-père ne répondit pas à la bonne en uniforme qui ouvrit la porte, car il vit immédiatement apparaître une femme très élégante, très blonde, aux yeux très bleus et au teint très pâle, apprêtée comme pour sortir, avec une robe noire sans manches, des chaussures à talons hauts et de nombreux bijoux, aux doigts, aux poignets, une demi-douzaine de rangs de perles blanches et noires se mêlant autour de son cou. Pour Raquel, c'était comme voir une actrice de cinéma. Elle portait un parfum si pénétrant qu'il conquit le vestibule sans effort. La jeune femme leur adressa un sourire courtois, banal, qui serait la seule expression détendue que Raquel pourrait observer cet après-midi-là sur son beau visage.

« Laisse, María, dit-elle à la bonne. Je m'en occupe.

— Tu dois être Angélica », supposa le grand-père à voix haute en guise de salut, et cette fois sa voix, claire, ferme, sereine, était la voix d'un homme qui avait retrouvé le contrôle de son corps et de ses paroles, ses expressions, ses mouvements ; une métamorphose aussi mystérieuse que la précédente, qui aurait dû rassurer sa petite-fille, mais continua de l'inquiéter.

« Oui... » La femme hésita, regarda attentivement le visiteur et s'étira, élevant, en même temps que le rempart du vous, la voix et le menton. « Excusez-moi, mais je ne crois pas que nous nous connaissions.

— Bien sûr que si, répondit-il avec un faible sourire. Ce qu'il y a, c'est que tu ne peux pas te souvenir de moi, parce que la dernière fois que nous nous sommes vus, tu avais trois ans, pourtant je suis sûr que tu sais qui je suis. » Il marqua alors une pause plus longue, et aussi calculée que s'il jouait un rôle peut-être parce qu'elle se frottait les mains l'une contre l'autre, comme si elle devenait nerveuse. « Ta mère et moi étions cousins germains. Je m'appelle Ignacio Fernández. »

Allons-nous-en, grand-père, pensa alors Raquel pendant que l'actrice de cinéma devenait toute pâle, encore plus, pâle comme une infirmière, comme une statue, comme une flamme moribonde de sa propre pâleur. Allons-nous-en, grand-père, s'il te plaît... La jeune femme recula de quelques pas, soudain fanée et faible comme si plus rien ne la soutenait, comme si tous les os de son corps avaient fondu subitement pour l'abandonner au sort d'une poupée de chiffon, une pauvre marionnette aux mouvements maladroits, décousus. Ne souris pas comme ça... Raquel voulait parler mais elle n'y parvenait pas, ses lèvres se refusaient à bouger, et cette femme qui semblait blessée, foudroyée par un prénom, un nom qui aurait explosé en elle comme une bombe à retardement programmée longtemps à l'avance, avec beaucoup de patience, d'astuce, avait cessé de briller. Ses perles ne brillaient plus, ses bijoux ne brillaient plus, ses yeux ne brillaient plus, ni ses cheveux dorés, ni son parfum coûteux, allons-nous en, grand-père. Allons-nous-en, s'il te plaît. Mais il souriait, il avait les lèvres recourbées à l'angle exact de la tristesse, et il était tranquille, comme s'il venait de se débarrasser d'une très lourde charge, qui écrasait maintenant les épaules de la femme qui fermait les yeux et se tenait le front avec les doigts comme si sa tête allait se détacher de son corps d'un moment à l'autre, grand-père...

« Allons-nous-en, parvint enfin à articuler Raquel, d'une voix très basse, presqu'un murmure.

— Je suis venu voir Julio. Il n'est pas là ?

— Non... Non, il... Il est sorti... » Elle le regarda, regarda la fillette, tenta de gagner du temps, ferma les yeux, les rouvrit, regarda la pendule. « Il ne va pas tarder.

— Très bien. » Ignacio Fernández avança d'un pas, bien que personne ne l'eût invité à entrer. « Si ça ne t'ennuie pas, je préférerais l'attendre. Après tout ce temps...

— Bien sûr, bien sûr. » La maîtresse de maison réagit immédiatement, comme si elle avait redouté la fin de la phrase. « Entrez, s'il vous plaît... Qui est cette petite ?

— C'est Raquel, ma petite-fille.

— Comme elle est jolie ! » L'actrice de cinéma tenta de retrouver l'ampleur de son sourire et la caresse de ses doigts couverts de bijoux, mais l'angoisse transforma son visage en un masque, ternit ses yeux d'un reflet vitreux, inspirant à la petite une peine terrible, plus profonde que la peur. « Tu veux venir jouer un moment avec mes enfants ? J'allais les faire goûter... »

Raquel serra la main de son grand-père avec désespoir, car elle ne voulait pas le quitter un seul instant, mais d'un seul regard, elle sut qu'elle n'avait pas le choix.

« Bien sûr, quelle bonne idée, s'exclama son grand-père en l'embrassant sur la tête. Va les retrouver, allez.

— María, s'il te plaît..., dit-elle à la bonne qui n'était pas allée très loin. Accompagne ce monsieur dans le bureau. J'arrive tout de suite. »

La femme blonde la prit par la main et la conduisit dans un long couloir encombré de meubles sombres et de nombreux tableaux, certains de grande taille, anciens, d'autres plus petits, accrochés les uns à côté des autres. Les tapis étouffaient le son de ses pas, si fermes que Raquel tarda à identifier l'origine d'un bruit sourd et saccadé, urgent, qui n'était autre que le son de sa respiration. Cette femme haletait comme si quelqu'un la poursuivait, comme si elle s'était sentie prise au piège dans un lieu inconnu, étrange, dangereux, le couloir de sa propre maison. Au détour d'un coude, le couloir changea, perdit les meubles, les tableaux, les tapis, pour gagner la lumière que diffusaient deux fenêtres donnant sur une cour intérieure. Au bout, il y avait une double porte en bois, avec des battants comme dans les westerns. La femme les poussa et fit entrer Raquel dans une très grande cuisine avec des placards blancs, et, au centre, une table dressée pour le goûter.

« Bon. » La femme blonde lui lâcha enfin la main, lui adressa un sourire si crispé qu'il ressemblait à une grimace, et désigna deux enfants assis à table. « Voici mes deux plus jeunes, Álvaro et Clara. Les enfants, vous avez une invitée. Elle s'appelle Raquel, et c'est votre cousine, très lointaine... Ou pas. Non, non, c'est plutôt votre nièce, je crois, au deuxième ou au troisième degré, je m'y perds peut-être dans les liens de parenté. Bref... Assieds-toi là. Tu veux du chocolat ? Celui de Fuensanta est très bon... »

Elle était si nerveuse qu'en écartant la chaise elle tira sur une serviette, puis fit le tour complet de la table sans trouver

le tiroir des couverts. Une grosse dame souriante d'une cinquantaine d'années, vêtue d'un uniforme bleu que l'on distinguait à peine sous le tablier blanc, immaculé, lui tendit une
petite cuillère en lui assurant qu'elle s'occupait de tout.

« Merci, Fuensanta... Je vais à la salle de bains... Je dois...
Mais enfin, où ai-je laissé mes cigarettes ? »

Raquel regarda ces enfants qui ne se ressemblaient pas :
l'un, robuste, avec les cheveux très noirs, courts, de grands
yeux, sombres comme des puits sans fond ; elle, très blonde,
plus que sa mère, le teint rosé et les yeux dorés, plus petits
que ceux du garçon, mais clairs et transparents comme deux
gouttes de miel. Elle la trouva très jolie et même plus que ça.
Elle avait cette sorte de beauté des enfants qu'on voit à la
télévision dans les publicités pour les shampooings ou les biscuits, le charme très doux de ceux qui jouent toujours le rôle
le plus subtil dans les pièces de théâtre au collège, ce charme
inné, magnétique, qui établit la hiérarchie dans la classe et
aux récréations. Raquel n'aurait pas résisté elle non plus au
désir de l'admirer, d'être son amie, de l'inviter avant tout le
monde à tous ses anniversaires, si elle l'avait connue un autre
jour, dans un lieu où elle n'aurait pas ressenti le besoin de
mesurer ses paroles, de craindre pour son grand-père, de se
défendre des dames très blondes et très aimables qui l'invitaient à goûter avec leurs propres enfants. Le garçon retint
beaucoup moins son attention et ce fut pourtant lui qui s'intéressa le plus à elle.

« Tu es ma nièce ? fut la première d'une longue série de
questions.

— Je ne sais pas. »

C'était vrai, parce que jamais personne ne lui avait parlé
de cette famille.

« Quel âge as-tu ?

— Huit ans.

— Moi sept, intervint sa sœur.

— Et moi douze. » Il réfléchit un moment avant de
hocher la tête. « Tu ne peux pas être notre nièce. On est tous
trop petits. Tu dois plutôt être notre cousine.

— Je ne sais pas, répéta Raquel. Mais mon grand-père a
dit à votre mère qu'il était un cousin de sa mère, ou quelque
chose comme ça...

— Ça serait bien, si tu étais notre cousine, parce qu'on n'en a pas, lui expliqua la fillette.

— Non ?

— Non, confirma son frère. Papa et maman étaient enfants uniques. Tu en as, toi ?

— Oui, plein... Miguel et Luis, qui vivent à Málaga, Aurelio, Santi et Mabel, qui ont une maison à côté de celle de mes grands-parents à Torre del Mar, Pablo et Cristina, qui vivent ici, et puis ceux de Paris, Annette et Jacques.

— Tu as des cousins à Paris ?

— Oui. Avant, on habitait là-bas. Je suis née à Paris.

— Alors tu es française.

— Non. Je suis espagnole. Mes parents sont espagnols, et mes grands-parents aussi.

— C'est bizarre ! » Le garçon la regarda comme s'il ne croyait pas un mot de ce qu'elle venait de lui dire. « Ceux qui naissent en France sont français.

— Et tu as des frères et des sœurs ? demanda la fille.

— Oui, un. Il s'appelle Mateo, il a quatre ans. Mais je vais en avoir un autre en novembre.

— Nous, on est cinq. Clara est la plus jeune.

— Et toi le deuxième plus jeune ! Ne te vante pas, Álvaro... »

Alors Fuensanta servit le chocolat, qui était très bon, vraiment excellent, et déposa deux plats au centre de la table, l'un contenant des brioches et des ensaimadas, l'autre avec des croûtons tout juste frits.

« Ne mangez pas tout, leur recommanda-t-elle, vos frères vont arriver morts de faim, après le match... »

Quand elle fut rassasiée, Raquel se rejeta en arrière sur sa chaise et, à sa grande surprise, presque contre sa volonté, elle éprouva un instant de véritable bien-être, comme si le goût du chocolat et des croûtons avait effacé l'amertume et banni la peur, la sensation d'être encerclée en territoire hostile, plus dangereux que n'importe quel autre endroit où elle se serait trouvée auparavant.

« J'ai un train électrique, lui annonça le garçon. Si tu veux, je te le montre. »

Ils partirent dans le couloir, en file indienne, lui devant, Raquel au milieu, sa sœur derrière, en direction d'une pièce vaste et lumineuse, avec deux balcons donnant sur la rue, une porte fermée de chaque côté et un tas de jouets par terre.

« C'est ta chambre ?

— Non. C'est la salle de jeux. Moi, je dors là, précisa-t-il en désignant la porte située sur la gauche, avec mes frères. Les filles dorment en face.

— Tu veux voir mes poupées ? proposa Clara. J'en ai plein.

— Non, elle ne veut pas voir tes poupées. » Álvaro la traitait avec la supériorité méprisante des grands frères. « Elle est venue voir mon train. Regarde... »

Le train était monté sur un panneau, entre les deux balcons. Il était très joli parce qu'il était composé d'un pont, d'un tunnel, et d'une gare avec des petits personnages qui ressemblaient à des voyageurs, debout sur le quai ou assis sur les bancs, et même des petites montagnes avec un village dans le fond. Il y avait deux locomotives, une noire et ancienne, qui tirait trois wagons chargés de charbon, et une autre, moderne, aux teintes vives, accrochée à une longue file de wagons de voyageurs.

« Ce n'est pas ton train, Álvaro, il est à tous les trois ! » La fillette s'approcha de Raquel avec deux poupées presque identiques, vêtues de couleurs différentes, et les lui montra comme si elle voulait lui en faire choisir une. « Regarde, elles sont jumelles. Elles sont jolies, hein ? C'est les Rois qui me les ont apportées, prends-en une... »

Les locomotives avaient déjà commencé à rouler dans toutes les directions, à se croiser dans diverses directions opposées, à monter sur les ponts et à se perdre dans le tunnel, en prenant de la vitesse à chaque passage, quand un chœur de voix masculines entonnant le chant de la victoire, *on a gagné, on a gagné, l'équipe rouge a gagné*, résonna au milieu d'un couloir.

« Papa ! »

Ils crièrent tous les deux en même temps juste avant qu'un homme grand et corpulent, qui n'était plus jeune mais était resté athlétique, n'entrât dans la pièce, précédant un jeune homme blond et dégingandé et un autre plus âgé, identique au premier, et Raquel constata qu'Álvaro lui ressemblait autant que les autres à la femme très blonde.

« Trois-zéro ! »

Le père cria le résultat du match tout en l'indiquant avec les doigts, trois levés à la main gauche, le pouce et l'index de la droite dessinant un cercle, avant d'attraper chacun de ses plus jeunes enfants par un bras et de les chatouiller pendant qu'ils le chatouillaient à leur tour jusqu'à ce que les trois tombent par terre et roulent sur la moquette, transformés en pelote de corps et de rires, encore intacte quand ils s'arrêtèrent pour reprendre leur souffle.

« Et je ne vous ai pas encore raconté le meilleur, Julio en a mis deux, c'était génial, hein, Rafa ? Allez... » Alors, Álvaro accroché à son cou, Clara prisonnière entre ses jambes, il remarqua Raquel.

« Qui es-tu ?

— C'est une cousine, l'informa la fillette. Elle s'appelle Raquel. »

Il se mit à rire, embrassa sa fille, sourit à cette fausse nièce qu'il n'attendait pas. Et elle comprit que, malgré ses cheveux blonds, ses yeux couleur caramel, l'ovale parfait de son visage et la perfection rosée de sa peau, si Clara était aussi jolie, c'était parce qu'elle souriait comme son père.

« Voyons, voyons... »

En le voyant s'approcher à quatre pattes, les yeux si noirs, les dents si blanches avec l'expression juvénile d'un enfant espiègle sur le visage, Raquel éprouva une sympathie instantanée pour cet homme, comme s'il était différent de sa femme, de ses enfants, et qu'elle le connaissait depuis toujours et avait su depuis toujours qu'elle pouvait lui faire confiance.

« Dis-moi... » Il s'agenouilla à côté d'elle et lui parla avec douceur, sur un ton calme et séducteur, presque apaisant, comme si personne d'autre n'avait pu les entendre ou s'ils venaient de se retrouver seuls dans la pièce.

« Tu aimes les chupa-chups ?

— Oui, répondit Raquel en souriant sans savoir pourquoi.

— C'est sûr ? » Alors il lui montra sa main ouverte, la ferma tout près de son visage et improvisa un regard étonné. « Eh bien tu dois vraiment les aimer, parce que tu en as une dans l'oreille... »

Raquel le regardait bouche bée, comme hypnotisée, immobilisée par le plaisir, captivée par sa voix, ses paroles. Elle entendit des applaudissements nerveux et des éclats de rire des spectateurs de la scène avant de sentir le frôlement des doigts à côté de la mâchoire.

« Regarde, dit-il en tenant une chupa-chups enveloppée dans un papier orange. Prends-la, elle est à toi. Elle était dans ton oreille.

— Merci, répondit-elle avec un grand sourire.

— Bien sûr, tu préfères peut-être celles à la fraise. Laisse-moi regarder dans l'autre oreille... » Il renouvela l'opération avec l'autre main et trouva une friandise identique dans un emballage rose vif. « Ah, quelle chance ! Tu as des chupa-chups qui te poussent dans les oreilles. »

Alors, sans réfléchir, Raquel lui passa les bras autour du cou et l'embrassa sur les joues. Il lui rendit ses baisers, son étreinte, et l'espace d'un instant ce fut comme s'ils avaient toujours vécu ensemble, comme s'ils n'allaient jamais se séparer, comme si elle avait été une des filles de ce père qui savait encourager ses enfants aux matchs, se laisser chatouiller, se rouler par terre avec eux, marcher à quatre pattes et découvrir des chupa-chups dans les oreilles.

« Julio... » La voix de la femme blonde, plantée sur le seuil, les yeux grands ouverts, le teint très pâle, qui se frottait violemment les mains jusqu'à les écorcher l'une contre l'autre, défit en même temps l'étreinte et le sortilège. « Julio, nous avons de la visite.

— Je vois, dit-il en riant. Je viens de faire la connaissance de ma nièce.

— Oui, bien sûr, c'est... C'est la petite-fille d'Ignacio Fernández, le cousin de ma mère, tu sais. Il t'attend dans ton bureau. »

Il ferma un moment les yeux et les rouvrit pour regarder Raquel, et étudier son visage avec une expression ambiguë. Son sourire étrange ne reflétait ni plaisir ni sympathie, quand il se détacha doucement de la fillette. Puis il se leva lentement, arrangea ses vêtements, froissés par les chatouilles, et quitta la pièce sans un regard en arrière.

« Papa, papa, ne t'en va pas ! s'écria Álvaro, toujours par terre. J'ai accroché les deux locomotives, elles fonctionnent en même temps, il faut que tu voies ça...

— Tout à l'heure, mon petit. Je reviens très vite. »

Mais Raquel ne le revit pas. Ce fut la femme blonde qui revint la chercher quand, lassée de regarder les trains, elle jouait enfin avec Clara et ses poupées jumelles. « Je suis leur mère et toi, tu es leur tante, d'accord ? » lui avait-elle dit en lui montrant son imposante collection d'accessoires. Il y avait tout en double – le berceau, le landau, la chaise de bébé, l'armoire – excepté la baignoire. Elles leur avaient déjà donné deux bains, les avaient couchées, levées, fait manger, et elles étaient en train de les bercer quand la dame revint, toujours aussi pâle et nerveuse. Mais Raquel ne fut pas plus impressionnée, car elle ne l'avait jamais vue tranquille. Elle pensa qu'elle devait toujours être comme ça : hystérique, fuyante, incapable de garder les mains au repos.

« Ton grand-père t'attend, Raquel, tu dois partir.

— Ah non, maman, s'il te plaît ! protesta Clara. On s'amuse tellement bien, maintenant... »

Alors cette femme si étrange prit sa fille dans ses bras, la tint serrée contre elle, l'embrassa, sembla sur le point de parler à deux reprises, mais elle ne dit rien. Puis elle saisit la main de Raquel et elles refirent le chemin en sens inverse, du couloir vide et lumineux, par le couloir recouvert de tapis plein de tableaux où Ignacio Fernández, très grand, très raide, très seul, attendait sa petite-fille devant la porte. Clara les suivit pendant tout le trajet en pleurnichant, en protestant, en suppliant entre deux sanglots pour obtenir une prolongation impossible. Raquel le comprit, car la piteuse actrice marchait de plus en plus vite, et elle se retourna deux fois pour demander à sa fille de se taire, la dernière fois en criant, juste avant le tournant qui débouchait dans le vestibule.

« Raquel... »

Son grand-père l'appela par son prénom et elle se rendit alors compte qu'elle serrait toujours avec son bras gauche la jumelle rousse habillée en vert, et elle resta immobile sans savoir que faire, la main droite tendue vers son grand-père et l'autre vers Clara, qui accourait déjà pour récupérer sa poupée quand sa mère l'immobilisa dans ce qu'elle voulut faire passer pour une étreinte.

« Si elle te plaît, tu peux la garder.

— Non ! »

Sa fille essaya de lui échapper, mais elle la serra plus fort, les mains croisées sur celles de la fillette.

« Bien sûr que si, insista-t-elle avec un sourire forcé, comme s'il ne s'était rien passé. Nous te l'offrons.

— Mais maman, c'est une jumelle ! » La fillette leva la tête, chercha le regard de sa mère et se mit à pleurer pour de bon, avec de vraies larmes. « Tu ne comprends pas ? Elles sont deux, alors comment est-ce que je peux lui en donner une ?

— C'est vrai. » Raquel estima que Clara avait raison et elle tendit encore plus le bras vers elle. « Et puis, j'ai déjà beaucoup de poupées.

— Mais non, mais non, répliqua la femme blonde qui se montra inflexible dans le caprice arbitraire de sa générosité. « Prends-la. Je lui en achèterai une autre.

— Maman ! »

Soudain, Raquel se retrouva sur le palier. Son grand-père l'avait emmenée hors de cette maison et avait fermé la porte sans dire au revoir. Cela aussi, c'était bizarre, mais elle ne s'en soucia pas, car la scène dans le vestibule avait ressuscité la boule qui s'était installée dans sa poitrine lorsqu'elle était arrivée là – quand tout l'effrayait et qu'elle avait tant de mal à respirer comme si l'atmosphère de l'intérieur avait été plus pesante que l'air de la rue. Elle se rappela qu'elle avait su depuis le début que ça n'allait pas être drôle, qu'elle l'avait toujours su. Elle se demanda comment elle avait pu l'oublier, comment elle avait pu tellement s'amuser au goûter, avec le train électrique, les poupées et les chupa-chups, et pourtant se réjouir que son grand-père ait décidé de prendre l'escalier au lieu de l'ascenseur pour descendre, parce qu'à chaque marche les lumières, les ombres, les murs, les objets retrouvaient peu à peu leur aspect ordinaire, centimètre par centimètre, jusqu'au moment où ils se réapproprièrent tous les deux, toujours main dans la main, l'ampleur de cette entrée sombre où il faisait presque froid. Et derrière la porte, la récompense d'un après-midi ensoleillé et dégagé de mai, une brise légère agitant les feuilles des arbres, le soleil encore capable de les réchauffer.

« Quelle grande maison ils ont, n'est-ce pas ? » put-elle enfin dire alors qu'ils marchaient déjà sur le trottoir, au rythme lent et nonchalant des autres samedis. « Et comme elle est jolie. Ce sont de vrais riches, non ? »

Son grand-père ne répondit pas tout de suite, il ne s'arrêta pas, ne sourit pas et n'utilisa pas son commentaire comme point de départ à une autre histoire. Il ne la regarda même pas. Il continua d'avancer lentement, la tête droite, les yeux fixés sur l'horizon, le visage très pâle à la lumière du soleil. Un tremblement léger, mais constant vibrait à la frontière de ses lèvres closes.

« Ce sont surtout de vrais salauds. »

Voilà ce qu'il répondit, et il ne voulut pas le regarder non plus à ce moment-là. Ils étaient arrivés à une place cachée, rectangulaire, avec un très grand bâtiment dans le fond, derrière de nombreux arbres, un kiosque à journaux et quelques bancs. Son grand-père en choisit un qui était vide et s'assit. Raquel s'aperçut qu'il ne s'occupait plus d'elle. Il paraissait avoir oublié qu'elle était sa petite-fille, qu'elle avait huit ans et qu'elle était là, comme si tout lui avait désormais été égal. Il posa son porte-documents en cuir brun, très ancien, aux coins décolorés par le temps, et prit son visage dans ses mains. Pendant un instant, il ne se passa rien d'autre. Puis sa tête se mit à bouger de haut en bas, d'abord lentement, puis avec plus de rythme, plus d'intensité, transmettant son agitation aux épaules, aux bras, aux mains qui restaient fermes contre ses paupières, ses joues, comme si ses paumes s'étaient fondues dans son visage, comme si elles ne pouvaient plus s'en séparer. La fillette, debout sur le trottoir devant lui, le regardait et ne pouvait croire ce qu'elle voyait. Cela ne venait pas de son grand-père Ignacio, pas de lui, non. Et cependant, les sons rauques, gutturaux, visqueux, qui se faufilaient d'entre ses doigts, devinrent plus nets, encore plus invraisemblables et précis, ressemblant davantage à des sanglots, jusqu'au moment où elle ne trouva aucune porte par où s'échapper, aucune solution pour continuer à douter de la capacité de ses oreilles, de ses yeux ouverts et incrédules.

Ce fut la première fois de sa vie que Raquel Fernández Perea vit pleurer son grand-père. La première et la dernière, la seule, mais jamais elle ne se sentit privilégiée ni orgueilleuse d'avoir été le témoin de ses pleurs, comme elle avait si souvent été la spectatrice de sa joie, car son grand-père pleurait comme un jeune enfant, sans frein, sans pause, sans consolation, oublieux de sa petite-fille et de lui-même, de l'homme qu'il avait été et qu'il restait. Un homme qui aurait pu mourir souvent et qui avait préservé sa vie pour fêter la mort de son ennemi en dansant un paso doble avec sa femme sur une place du Quartier latin, bougeant à peine, par un froid terrible et devant une bande d'innocents. Ignacio Fernández Muñoz, alias l'Avocat, défenseur de Madrid, capitaine de l'Armée populaire de la République, combattant antifasciste de la Seconde Guerre mondiale, rouge, espagnol, deux fois décoré pour avoir libéré la France, et propriétaire d'une peine noire, profonde et souriante, que sa petite-fille n'oublierait jamais, pas plus qu'elle n'oublierait l'après-midi où elle l'avait vu pleurer, plus seul, plus angoissé, plus vaincu que jamais, incapable de retenir plus longtemps toutes les larmes qu'il avait gardées quand il toréait la mort à ses risques et périls, pendant qu'il s'évadait des prisons, des camps, des trains, et qu'il fuyait ceux qui voulaient le tuer seulement parce que c'était lui. Ou pendant qu'il s'habituait à l'échec perpétuel d'une vie prospère dans un pays étranger, et au rêve impossible de sa ville qu'il perdait à nouveau chaque matin, parce que nous sommes un pays de salopards, nous allons trinquer, parce que nous sommes un pays de merde, trinquons, il avait levé son verre, tous ses verres. Il avait également contenu toutes ses larmes pour les laisser couler maintenant, sans frein, sans pause, sans consolation, pour verser les pleurs d'une vie entière, lui, son grand-père Ignacio, qui souriait à la douleur, qui trompait la mort, lui qui ne pleurait jamais, l'homme qui aurait pu mourir plus d'une fois et avait vécu pour rentrer à la maison, pour la reprendre, pour régler ses dettes, à vos ordres, mon capitaine, pour rien, avait-il dit, pour rien.

« Ne pleure pas, grand-père, s'il te plaît... Ne pleure pas. »

Qu'est-ce qui s'est passé, qu'est-ce qu'on t'a fait, grand-père, qui, pourquoi, comment, quand, ça te fait très mal ? aurait-elle aimé lui demander. Elle ne put rien dire, pas même qu'elle l'aimait, que cet après-midi de mai, si chaud, si propre, si cruel, elle avait appris qu'elle l'aimait énormément, qu'il n'y avait personne au monde qu'elle aimât plus que lui. Ce qui te fait mal me fait mal, c'était ce qu'elle éprouvait, ce qu'elle aurait voulu lui dire, mais elle n'y parvint pas, parce qu'elle pleurait comme lui, comme la petite fille qu'elle était, elle, sans frein, sans pause, sans consolation. Elle ne prenait pas son visage entre ses mains car elle en avait besoin pour s'accrocher à son grand-père, pour le caresser, pour lui expliquer la vérité, lui dire qu'elle l'aimait tellement que les mots qui ne sortaient pas entiers de ses lèvres crispées lui faisaient mal, et que les sons se perdaient dans sa gorge étouffée par les sanglots. Elle ne connaissait pas l'origine, ni la raison des larmes qui mutilaient chaque syllabe qu'elle tentait de prononcer, mais elle sentait que ces larmes lui faisaient mal parce que c'étaient les siennes, parce qu'elle avait choisi de verser les pleurs de sa vie entière.

Ne pleure pas, parvint-elle enfin à répéter, au bout d'un moment. Elle s'accrocha à ses manches, cacha sa tête dans son cou et resta immobile. Cette fois, il répondit tout de suite. Il la serra fort, l'embrassa sur la tête et garda ses lèvres fermes contre ses cheveux jusqu'à ce qu'ils se calment tous les deux. Puis, la tenant entre ses mains, il l'écarta de lui, la regarda, sourit et l'embrassa à nouveau sur les deux joues. Il avait les yeux rougis, les paupières gonflées et la peau des pommettes très fine, soudain fragile comme du papier.

« C'est la place des Salesas », dit-il, tandis que sa voix, salie par les pleurs, adoptait l'accent et le rythme d'autrefois. « Elle s'appelle comme ça parce que, avant, il y avait un couvent, mais cette église, là derrière, s'appelle Santa Bárbara, parce qu'elle a été fondée par Bárbara de Braganza, une reine d'Espagne qui était la fille du roi du Portugal. » Il marqua une pause pour se frotter les yeux et sourit à nouveau. « Cette rue porte son nom. Là, en face, il y avait le tribunal où l'on condamna Carlos, mon beau-frère, tu te souviens ? Et l'immeuble gris adossé à l'église, tu vois ? C'est le Tribunal Suprême. Sa façade avant donne sur une autre place : celle de la Ville de Paris. »

Raquel se tut un instant, sans savoir comment interpréter ces mots à la fois froids et chauds, qui tendaient la main ou proposaient un pacte dont elle n'était pas très sûre de comprendre les termes. Aussi s'essuya-t-elle les yeux, se moucha-t-elle avant de dire ce qu'elle aurait dit s'il ne s'était rien passé cet après-midi-là.

« Et elles sont toutes les deux carrées, parce que si elles étaient rondes on les appellerait des ronds-points.

— Exact. » Les larmes affleurèrent à nouveau un instant aux yeux d'Ignacio Fernández Muñoz, mais il les tint à distance en l'honneur de l'intelligence de sa complice. « Ne dis rien à grand-mère, d'accord ?

— Je te le promets. »

Il sourit devant la solennité de sa petite-fille, qui avait levé la main droite en l'air et croisé les doigts pour renforcer son engagement, et la serra à nouveau dans ses bras.

« Ramasse la poupée, dit-il alors, en regardant par terre. Tu l'as laissée tomber.

— Je n'en veux pas. » Raquel la ramassa entre ses pieds, la coucha sur le banc puis chercha dans ses poches pour y trouver les chupa-chups, qu'elle posa à côté d'elle, celle à l'orange à gauche, celle à la fraise à droite. Elle était si jolie, pensa-t-elle en la laissant, avec ses cheveux roux et sa robe verte ornée de volants et de dentelles. « Je ne l'ai jamais voulue, ajouta-t-elle.

— On dirait une offrande, murmura son grand-père.

— Et qu'est-ce que c'est ?

— Rien. Une bêtise à laquelle je viens de penser... Mais elle fera le bonheur de la petite fille qui la trouvera. Allons-y. »

Alors, comme s'il ne s'était vraiment rien passé cet après-midi, il se leva enfin, plaça son vieux porte-documents sous son bras gauche, tendit l'autre main à sa petite-fille et se dirigea vers Recoletos du pas régulier, tranquille et détendu, des autres samedis.

« Tu veux une glace ? proposa-t-il en arrivant sur la promenade.

— D'accord. À la fraise, mais une petite, parce que j'ai eu un goûter... » – un gros goûter, allait-elle dire, mais elle se tut, parce qu'elle ne voulait rien se rappeler de bon de cet après-midi.

Le grand-père prit une grande à la vanille, *mantecado*, disait-il, et elle mangea la sienne lentement, sans parler, en appréciant vraiment son goût et la promenade, Recoletos rempli d'enfants en patins à roulettes, de mères avec des bébés, de couples d'amoureux qui s'embrassaient sur les bancs et de groupes d'amis qui rassemblaient les tables des terrasses en longues files couvertes de verres de bière. On entendait leurs voix, leurs rires, et l'écho des jeux des enfants, des chansons, d'interminables chapelets de phrases sans plus de sens que celui d'accompagner les mouvements des mains qui volaient en l'air, se trouvant et se séparant, s'entrechoquant pour composer une règle rythmique que Raquel connaissait très bien.

« Qu'est-ce qui s'est passé, grand-père ? » finit-elle par demander, alors que le cornet avait presque disparu entre ses doigts et que la joie tiède de l'air de mai et des gens de la rue tombait comme un baume compatissant sur son incertitude.

« Ouh ! C'est une très longue histoire. Très longue et très ancienne. Tu ne la comprendrais pas et puis... Je crois qu'il vaut mieux pour toi que tu ne la connaisses pas.

— Pourquoi ? »

Il la regarda à nouveau très lentement, très à l'intérieur, jusqu'au fond des yeux, de sa conscience de fillette de huit ans, et Raquel devina qu'il ne répondrait jamais à cette question. Mais elle se trompait.

« Eh bien..., hésita-t-il. On est rentrés, non ?, et ce qui est logique... Ce qui est le plus normal, c'est que tu vives ici pour toujours. Et pour vivre ici, il y a des choses qu'il vaut mieux ne pas savoir. Et même ne pas comprendre... » Il s'arrêta un instant et sourit devant l'air concentré de sa petite-fille, qui tentait vainement de déchiffrer ses paroles. « Demain matin, on peut aller au Rastro, si tu veux. Il fait très beau, et grand-mère aura sûrement envie de nous accompagner. Tu sais que, pour ce qui est d'acheter, elle... »

Ignacio Fernández aurait pu mourir plus d'une fois, mais il avait vécu pour s'assurer de ce que Raquel devait et ne devait pas savoir. De nombreuses années s'écouleraient avec leur cortège de changements, avant qu'elle ne comprît le sens de ce discours secret, qui était clair, lumineux et juste, comme les vérités nécessaires auxquelles on renonce à temps et par amour.

Elle avait alors cessé de penser à elle-même, à ses parents, à sa famille, comme à des Espagnols. La couleur, le soleil, la lumière, le bleu n'avaient pas besoin de noms dans un pays où les siens ne demandaient pas d'explications, ni de réflexion. Il s'écoula de nombreuses années avec leur cortège de changements, et Ignacio son frère, le troisième Ignacio Fernández consécutif de la famille, naquit à Madrid comme le premier. Mais il ne se sentit jamais spécial, ni différent pour autant, car ils vivaient déjà là ; c'était logique, normal. Un après-midi de juin ordinaire, grand-père Aurelio s'endormit en regardant la petite mer andalouse qu'il avait choisie pour mourir, et en allant à la maison blanche et lumineuse des étés de son enfance, Raquel ne se rendit même pas compte qu'elle avait oublié les années étranges, et l'époque précédente, qui lui paraîtrait beaucoup plus étrange à chaque retour à Paris, où était né Mateo, où elle était née, où il semblait incroyable qu'ils aient vécu tous les deux. Étrange qu'un dimanche des années 1980 ils aient trouvé sur la table de grand-mère Anita une salade d'endives assaisonnées avec du bleu et des cerneaux de noix qu'ils ne se rappelaient pas y avoir jamais vue, et qui était très bonne malgré son air flétri et un peu dégoûtant.

De nombreuses années s'écoulèrent en Espagne, avec leur cortège de changements, très vite au début, plus lentement par la suite, pendant que les désirs et la réalité apprenaient à s'ajuster à leurs moules flambant neufs, nouveaux mais étroits. Raquel ajusta sa vie aux étapes d'une vie ordinaire, la négociation laborieuse de ses propres désirs à l'exiguïté de la réalité disponible. Elle aurait voulu être une actrice de théâtre, mais elle finit par faire des études d'économie. Elle aurait aimé avoir un travail intéressant, mais elle trouva tout de suite un poste dans une banque, se maria, mais divorça, souhaita avoir un enfant, mais ne trouva ni le père ni le moment. Elle fut parfois malheureuse, mais parfois heureuse.

De nombreuses années s'écoulèrent, avec leur cortège de changements, mais Raquel Fernández Perea ne cessa jamais de regarder le ciel. Et elle n'oublia jamais le nom de l'homme qui avait fait pleurer son grand-père.

Humide et nuageuse, la journée avait mal commencé. Mais à 9 heures précises, quand je déposai mon fils à l'école, le ciel était dégagé, le soleil faisait mine de chauffer, et le printemps flottait dans l'air comme le voile d'une mariée qui veut arriver à l'heure à la cérémonie. Le mois de mars s'achevait le lendemain et avec lui mon dernier délai raisonnable pour esquiver une longue séquence de douloureux reproches téléphoniques, Álvaro, mon petit, pourquoi tu es comme ça ? Qu'est-ce que cela te coûte, d'aller voir ce monsieur, c'est un monde, pour une fois que je te demande un service, écoute, on croit rêver...

Ma mère ne comprendrait jamais que le nom de ce bureau m'inspirait une paresse proche du découragement et une indignation intime, difficile à expliquer, que j'avais toujours éprouvée devant les langages pour initiés, toutes ces expressions délibérément incompréhensibles qui cachent leur signification. On aurait pu l'appeler la Section de Conseil financier, voire Conseil financier tout court, mais non, bien sûr, cela aurait été trop vulgaire, on aurait pu comprendre. Le conseiller qui refusait de renoncer à l'argent que la mort avait déjà arraché à mon père appartenait au Département commercial de la Société de gestion des Institutions d'Investissements collectifs, SA, et cela ne constituait pas un but pour un matin de printemps.

Cependant, il faisait si bon que je cédai à un caprice d'adolescent oisif, et retournai au garage. J'y laissai la voiture avec ma veste à l'intérieur et partis à pied en direction de la place des Descalzas Reales. J'étais sûr que mon incompétence absolue en la matière et la certitude que ce ne serait pas moi qui prendrais de décision définitive contribueraient à réduire au minimum la durée de cet entretien. Et si tel n'était pas le cas, je pourrais prendre un taxi jusqu'à Recoletos puis un train de banlieue jusqu'à la faculté. Même si je m'étais promis que ma mère ne l'apprendrait jamais, je ne donnais pas de cours ce matin, mais j'avais rendez-vous à midi avec les membres de mon groupe de recherches.

J'arrivai à la banque de bonne humeur et relativement plus tard que je ne le pensais. Je m'adressai à la réceptionniste comme si j'avais une idée, même approximative, du nom de son lieu de travail.

« Bonjour. Je viens voir M. Fernández Perea. »

La femme très maquillée et assez forte – qui avait largement dépassé la cinquantaine – déposa sa cigarette dans un cendrier qui, malgré l'heure et l'interdiction de fumer juste au-dessus de sa tête, contenait déjà trois mégots, en m'adressant un regard hostile.

« Madame, dit-elle.

— Pardon ? fis-je, sans comprendre ce qu'elle me disait.

— Madame Fernández Perea, précisa-t-elle. En fait, elle n'est pas mariée, mais elle n'aime pas qu'on l'appelle mademoiselle. Je suis célibataire et je n'aime pas ça non plus.

— Ah ! Je suis désolé », dis-je, regrettant aussitôt de lui avoir demandé pardon. Je sortis la lettre de ma poche et la lui montrai. « Son nom complet ne figure pas dans cette lettre, et le texte ne m'a pas non plus permis de déduire qu'il s'agissait d'une femme.

— Bon, accepta-t-elle. Vous avez rendez-vous ?

— Non. La lettre n'indique pas que cela soit nécessaire.

— Sans rire. Et elle ne dit pas non plus que vous devez vous habiller le matin ? »

Je faillis tourner les talons, mais elle avait déjà appuyé sur le bouton de l'interphone avant de finir de m'insulter.

« Raquel... Tu as de la visite. Non, je ne sais pas comment il s'appelle. Non, il n'a pas téléphoné. Si, attends, la référence est JCG 32... Oui, je le lui dis tout de suite. » Elle relâcha le bouton de l'interphone, me rendit la lettre et me regarda. « Allez-y, elle vous attend. C'est le troisième bureau à gauche. Sur la porte, il y a une plaque à son nom. » Elle fit une grimace qui ressemblait à un sourire, soulevant à peine les commissures de ses lèvres.

Maintenant, je savais que cette femme s'appelait Mariví, qu'elle avait un ulcère à l'estomac, et qu'elle détestait les hommes en général parce qu'un en particulier l'avait abandonnée pour un garçon quand elle avait vingt-deux ans, qu'elle ne fumait pas et pesait cinquante kilos. Et je pensai souvent à elle comme à une frontière, une barrière. Le dernier témoin de ce que nous étions, ma vie et moi, le monde des autres et mon monde, avant Raquel. Mariví, si pénible, ne parvint pas à l'être suffisamment pour me pousser à la fuite. Ses réflexes me coupèrent la retraite avant que je ne puisse réfléchir aux conséquences. Si elle avait juste été un peu plus lente, un peu plus hostile, je serais parti, rentré à la maison, j'aurais pris ma voiture, me serais rendu à la fac, et de là j'aurais appelé ma mère pour l'informer du résultat de l'entretien manqué : je ne suis pas bon pour ça, maman, je te l'avais dit, j'ai perdu une matinée pour rien et je ne compte pas en perdre une autre. Elle aurait été scandalisée de ma réaction, bien sûr. Álvaro, vois comment tu es, on dirait un gamin, elle aurait un peu insisté, puis elle aurait appelé Rafa, pensant que c'était ce qu'elle aurait dû faire dès le début. Alors il se serait passé quelque chose, sans doute, mais je ne m'en serais même pas aperçu. Car Rafa aurait assumé le rôle en solitaire, avec la hardiesse et la générosité légendaires que je supposais héritées de notre père. Il avait passé sa vie à attendre ce genre d'occasion, à briguer l'opportunité de devenir le soldat martyr qui résout les conflits des autres et endosse toutes les responsabilités, toutes les fautes. Je ne l'aurais même pas su et j'aurais continué à habiter ma vie, une impassible étendue de terres cultivées qui n'exigeait pas d'excès à mes yeux, ni à ma conscience. Aussi pensai-je souvent à Mariví, par la suite, quand autour de moi le monde n'était qu'une étendue infinie de terre brûlée.

Cependant, ce matin-là, tandis que j'hésitais à frapper à la porte, je consultai ma montre et constatai avec satisfaction qu'il n'était que 9 h 25. Génial, me dis-je, maintenant je m'assieds, j'écoute son discours en acquiesçant de la tête et avec une grande politesse, je note trois chiffres, et à 10 heures, je suis dehors. Finalement, je frappai doucement, n'obtins pas de réponse, répétai la manœuvre plus énergiquement et entendis un « entrez » décidé et chantant. Je pénétrai dans un bureau assez vaste, carré et lumineux, avec deux ambiances, une table en pin aux dimensions considérables et au design simple, placée dans le fond, devant une paroi en verre qui donnait sur la rue et, au premier plan, deux canapés disposés autour d'une table basse. Je travaillais depuis si longtemps à l'université que je reconnus sans difficulté la catégorie professionnelle à laquelle appartenait mon hôtesse, ce n'était pas une huile – avec des meubles en bois noble, des tapis onéreux et plus de trois mètres de distance entre la table de travail et l'espace de réception – mais ce n'était pas non plus une employée ordinaire : petit bureau, table de taille moyenne, chariot pour l'ordinateur, deux fauteuils pour les visites et basta. Le lieu était agréable, décoré de plantes et de gravures abstraites de bon goût. Je vis tout cela, et tout cela me donna le temps de voir et de réfléchir en deux secondes, avant de relever la tête pour me trouver face à elle, face à Raquel Fernández Perea, la femme qui avait assisté à contretemps et sans raison à l'enterrement de mon père, face à cette inconnue qui venait de cesser de l'être.

Mon corps la reconnut avant moi et se contracta en un spasme incontrôlable, comme s'il s'agissait des bras d'un autre, qui tremblaient, des épaules d'un autre, qui frémissaient, et des jambes flageolantes d'un autre, incapable de se mouvoir soudain. Elle ne remarqua pas mon état, absorbée dans son propre étonnement, elle me considérait bouche bée, les bras tétanisés, les poings crispés contre le bureau. Nous restâmes ainsi, silencieux, chacun désorienté dans sa propre immobilité, dans son propre silence, pendant un temps qui me sembla durer une éternité. Puis elle ferma les yeux, avant de m'adresser un sourire forcé.

« Excusez-moi, mais... C'est votre mère, que j'attendais.

— Oui, je sais... » Qui es-tu, pourquoi est-ce que tu nous as appelés ? Pourquoi es-tu venue nous regarder à l'enterrement de mon père ? Qui es-tu, que fais-tu ici, qu'est-ce que je fais ici ? Les questions se bousculaient dans ma tête, cependant je dis quelque chose de différent, sans vraiment comprendre quoi, ni entendre ma voix étouffée, étrange, aiguë, subitement fragile. « Je suis venu à sa place. Comme votre si sympathique réceptionniste ne m'a même pas demandé comment je m'appelais...

— Oui. » Elle sourit à nouveau et cette fois ce fut plus réussi : sa grimace ressemblait davantage à un vrai sourire. « Mariví est très spéciale. Asseyez-vous, je vous en prie. »

Qui es-tu, pourquoi nous as-tu appelés ? Pourquoi es-tu venue nous regarder à l'enterrement de mon père ? Qui es-tu, que fais-tu ici, qu'est-ce que je fais ici ? Les mêmes questions s'enchaînaient dans le même ordre dans ma tête, encore et encore pendant qu'elle s'installait dans l'un des canapés, pendant que je m'asseyais, pendant que je la regardais, pendant que je découvrais que ses mains tremblaient, pendant que je les voyais presser un dossier cartonné vert avec la vaine prétention de les calmer, pendant qu'elle s'approchait de moi avec un sourire commercial, conventionnel et absent, pendant que j'occupais l'autre canapé, pendant qu'elle consultait les papiers du dossier, jusqu'au moment où elle leva la tête pour me regarder. Je compris alors que, quelle que fût notre situation commune, elle contrôlait tout, moi pas.

« Excusez-moi, je ne vous ai rien offert à boire, me dit-elle. Vous voulez un café ? »

J'acquiesçai d'un vague signe de la tête, et elle décrocha le téléphone, demanda deux cafés au lait, vous prenez du sucre, n'est-ce pas ?, oui, merci, et deux eaux minérales. Elle se mit à parler : « Je sais que c'est très dur de s'occuper des choses matérielles après la disparition d'un être cher, dit-elle, mais votre père était client de cette banque et notre engagement, notre obligation, est de veiller à ses intérêts aujourd'hui comme avant. » Elle était jolie, beaucoup plus qu'il ne m'avait semblé au cimetière, mon neveu, Guille, s'en était aperçu, pas moi. « C'est pour cela que nous avons pris contact avec vous, pour vous informer tout d'abord de la situation des fonds que votre père avait placés à travers notre société et dont les intérêts totalisent actuellement un solde digne d'être pris en considération par ses héritiers. » Il fallait la regarder de près avant de découvrir qu'elle était beaucoup plus jolie qu'elle n'en avait l'air. Une beauté secrète, énigmatique dans sa modestie, car il n'y avait rien de particulièrement beau dans son visage à part son visage lui-même : l'harmonie surprenante de ses yeux doux, mais ordinaires, un nez petit mais ordinaire, une bouche bien dessinée, mais ordinaire, un menton régulier, mais ordinaire, et une peau rose et lisse, veloutée comme celle d'une pêche dans un ensemble admirable, si beau qu'il se cachait des regards fortuits, des yeux qui ne le méritaient pas. « Je suppose que vous, c'est-à-dire, votre mère, vos frères et sœurs et vous-même, êtes les héritiers de votre père, et dans ce cas, c'est à vous qu'il revient de décider du devenir de ces fonds. Mais je dois vous informer que l'investissement dont nous parlons jouit d'un statut fiscal privilégié, dont les avantages cesseraient dès l'instant où vous choisiriez de récupérer le capital. » Elle contrôlait la situation, pas moi. Et son avantage augmentait au fil de ce discours élaboré avec sagesse et rodé devant bien d'autres héritiers qui, à en juger par le ton assuré de sa voix, avaient dû capituler avant moi. Elle ne savait pas que je n'étais pas le bon fils, le frère qui ne prendrait jamais la décision définitive. En outre, elle agissait comme si elle répugnait à tenir compte du fait que j'étais son seul témoin, le seul qui l'avait vue, qui pouvait donc se la rappeler. On frappa à la porte et un serveur entra avec les cafés et l'eau qu'il posa sur la table. Lorsqu'il partit, je me retrouvai à faire une plaisanterie à voix haute : « Heureusement que ce n'était pas Mariví qui les avait apportés. » Elle sourit, elle avait les dents du haut écartées, comme ma mère. « J'avais très peur », ajoutai-je, et elle se mit à rire, et elle était de plus en plus jolie quand elle riait, et je me sentis satisfait, presque fier d'avoir provoqué son rire, avant de me demander à quoi je jouais, ce qui m'arrivait. Tout était si bizarre, qui es-tu, pourquoi est-ce que tu m'as fait appeler, pourquoi es-tu venue à l'enterrement de mon père ? Qu'est-ce que je fais ici ? me répétai-je encore. Elle poursuivit sur le ton doux et précis d'une femme d'affaires rompue aux tentatives de drague de ses clients et habituée à s'en débarrasser efficacement. « C'est la raison pour laquelle j'ai pris contact avec vous, je comprends bien sûr que c'est une affaire délicate et qu'en ce moment vous n'êtes peut-être pas dans le meilleur état d'esprit pour prendre une telle décision mais ne vous pressez pas, il n'y a pas urgence, je vous demanderai juste, dans votre propre intérêt, d'y songer... »

À ce moment, elle commença à appuyer sur l'accélérateur, à sauter des chapitres entiers du discours qu'elle avait préparé. Je n'ai jamais cru être aussi intelligent qu'on le dit mais bien sûr, je ne suis pas idiot, et j'ai l'habitude de contrôler le temps. Dans mon travail, le temps est très important. Dans le sien aussi, supposai-je, car une expérience financière n'était pas nécessaire pour deviner que son intention était d'éviter que nous ne placions l'argent ailleurs. C'était pour cette raison qu'elle avait quitté le bureau pour se rapprocher de moi sur un territoire apparemment plus intime, plus neutre, et qu'elle avait proposé de prendre un café qui fumait encore ; pour me flatter, pour me convaincre du mieux possible, pour remonter sur moi une couverture de paroles bien étudiées. Et cependant, tandis qu'elle appuyait sur l'accélérateur et que je la laissais faire, je m'attendais à entendre des chiffres, des pourcentages, des comparaisons étonnantes : voilà ce que cela vous coûterait de retirer l'argent maintenant, voilà ce que vous gagnerez si vous n'y touchez pas d'ici un an, deux ans, dix. J'étais sûr que c'était la partie à venir, mais elle la sauta et je la laissai faire. Je ne posai pas de questions, je ne demandai pas de détails, n'exigeai pas de précisions. Je n'avais certes jamais contrôlé la situation mais elle non plus ne la contrôlait pas. Plus maintenant. Je ne savais pas pourquoi, quand, comment elle avait perdu cette assurance qui nous soutenait tous les deux, qui donnait l'apparence de la réalité à une scène qui semblait rêvée, inventée, impossible. « Je vous ai préparé une synthèse, me dit-elle, ces choses se voient bien mieux noir sur blanc. » Elle se leva et se dirigea vers la table. Elle portait un jean noir et un haut de la même couleur avec des motifs blancs, elle avait un joli corps malgré des hanches un peu plus larges que ce que sa taille semblait exiger, ou peut-être précisément pour cette raison, je ne savais plus. Qu'elle ait perdu son aplomb, son assurance du début me surprenait. À présent, elle semblait faible, plus vulnérable que moi. Qui es-tu, pourquoi m'as-tu appelé, pourquoi es-tu venue à l'enterrement de mon père, qu'est-ce que je fais ici ? « Voici », dit-elle, en me tendant un dossier qu'elle laissa ouvert pour que je puisse vérifier que toutes les données, toutes les comparaisons et les chiffres des impôts et intérêts qu'elle n'avait pas voulu m'énoncer étaient bien là. « Emportez-le chez vous et regardez-le tranquillement, ce fut un plaisir. » Sa main était douce, ses yeux me regardèrent avec un soulagement infini pendant que je la serrais. « Au revoir », dit-elle. « Au revoir », répondis-je, et je partis.

J'ignore comment je me retrouvai dans la rue. J'ai aussi pensé à cela par la suite, souvent. Je dus remonter le couloir, passer devant la réceptionniste, arriver à l'ascenseur, appuyer sur un bouton, puis un autre, et traverser le rez-de-chaussée, mais j'ignore comment je fis. Je me rappelle juste une lumière irréelle, le sol en marbre d'un gigantesque vestibule reflétant des néons allumés comme de nuit, comme si l'ascenseur m'avait débarqué dans un autre monde, dans un décor, un piège, un mirage. Je me rappelle la froideur de cette lumière et mon incapacité à la comprendre, jusqu'à ce que mes pieds glissent. Je faillis tomber puis remarquai les gens qui arrivaient de la rue, les cheveux mouillés, les vêtements trempés, une tristesse imprévue sur les pulls en coton aux couleurs pâles, roses, bleues, jaunes, mornes taches d'humidité comme un tribut de rancœur envers le printemps trompeur qui m'avait moi aussi abusé, ce matin.

C'était le déluge. Les gens se pressaient des deux côtés des portes en verre pendant que l'eau s'écrasait sur les pavés comme si elle entendait proclamer une colère ancienne et divine. Le ciel nous tombait dessus et le spectacle était si grandiose, et si terrifiant en même temps, que personne n'osait briser le silence humide, compact, qui reliait entre eux ceux qui ne formaient qu'une petite multitude d'inconnus. Quand le bruit des gouttes cessa, certains passants courageux partirent en courant en direction du centre commercial le plus proche, croisant deux vendeurs ambulants qui s'approchèrent pour nous proposer des parapluies à trois euros. Je n'achetai rien. Je mis le dossier dans mon porte-documents et traversai la place pour arriver au bar le plus proche.

Quand j'entrai, j'étais trempé moi aussi, mais ça ne me dérangeait pas. Je commandai un café-cognac et l'emportai à une table située à côté d'une fenêtre d'où l'on pouvait voir la façade du bâtiment que je venais de quitter. Le bar était plutôt désert, mais la machine à café faisait du bruit, et un jeu d'arcade entonnait sans discontinuer la chanson de *L'Arnaque*, tatatatata tata tatatata tata. Le café-cognac m'apaisa, mais je le bus d'un trait et continuai à grelotter de l'intérieur. Je n'avais pas bu d'alcool le matin depuis des années et je ne buvais jamais de bière avant l'heure de l'apéritif – mais je n'avais jamais vécu non plus ce genre de situation. Aussi retrouvai-je une vieille habitude de mes années d'étudiant et commandai un *sol y sombra*. Le pire qui pouvait m'arriver était de me saouler, et c'était beaucoup mieux que l'incertitude où je me trouvais.

Je bus mon verre très lentement et je ne fus pas soûl. À 10 h 45, la pluie avait cessé, dix minutes plus tard le soleil faisait briller les flaques comme si tout cela n'avait été qu'une plaisanterie, au bout d'un quart d'heure mon téléphone mobile sonna. En voyant le nom d'un de mes étudiants boursiers s'afficher, je rejetai l'appel. Un instant plus tard il sonna à nouveau et je l'éteignis.

J'avais déjà pensé que je pourrais aussi bien ne rien faire, ranger le dossier, dont j'avais lu l'innocent contenu à deux reprises afin de m'assurer qu'aucun détail étrange ou suspect ne m'avait échappé, prendre le train, aller à la fac, participer à la réunion, rentrer chez moi et aller faire une visite à Clara dans l'après-midi, pour déposer les documents à ma mère, ce n'était pas un homme, tu sais, maman ? Mais une fille, très sympathique et assez jolie, en fait ; et puis elle m'a tout très bien expliqué, tu trouveras tout résumé là, tu verras ce que tu fais, je n'ai pas d'avis, je serai d'accord avec ce que tu décideras.

J'avais déjà pensé que je pourrais aussi bien ne rien faire, classer le souvenir de cette matinée dans le registre des faits inexplicables d'une vie ordinaire, avec les pressentiments irrationnels et les souvenirs impossibles d'épisodes jamais vécus, les coïncidences étonnantes et les cagnottes de la loterie, les peurs des cauchemars et les mystères quotidiens de ces lumières qui semblent s'allumer seules jusqu'au jour où l'on s'aperçoit que son jeune enfant arrive déjà à l'interrupteur.

Tu n'as rien vu, Álvaro, me dis-je aussi, le jour de l'enterrement. Tu étais à moitié drogué, mort de fatigue et ravagé, ce qui est normal, et tu ne sais même pas si c'était cette femme-là, tu ne fais que le supposer. Mais à 11 h 30, je me levai et allai au comptoir pour payer. Et si c'était le cas, alors ? Et je retraversai la place, entrai à la banque, montai en ascenseur jusqu'au troisième étage, passai devant le bureau de la réceptionniste sans m'arrêter.

« Ne vous dérangez pas. Je connais le chemin. Merci !

— Hé ! cria-t-elle, derrière moi. Vous ne pouvez pas... Vous ne pouvez pas faire ça, hé... »

J'ouvris la porte sans frapper. Raquel Fernández Perea était à son bureau, elle parlait au téléphone tout en notant quelque chose sur une feuille de papier. Elle leva la tête, me regarda, et, comme un peu plus tôt, elle ferma les yeux ; mais

cette fois elle les garda clos pendant un instant : un geste précis et conscient. Elle ne cilla pas, ne contracta pas les paupières, se contenta de les fermer, de se protéger derrière
comme si elle avait voulu cesser de regarder, de me regarder,
de voir le monde, d'exister en lui. Quand elle les rouvrit, je
n'avais pas bougé. Elle prit congé de son interlocuteur, une
femme, en l'informant qu'elle avait une visite imprévue, l'assura qu'elle la rappellerait dès que possible. Puis, elle croisa
les bras et me regarda.

« Excusez-moi, dis-je, sans montrer le moindre remords
d'avoir fait irruption de la sorte dans son bureau, mais j'ai
quelques questions à vous poser. Il y a des choses que je ne
comprends pas.

— Je vous en prie, asseyez-vous. »

Elle désigna l'un des fauteuils qui se trouvaient de l'autre
côté de sa table d'un geste large derrière lequel je crus déceler
l'angoisse d'une femme sans défense, même si le ton de sa
voix, très courtois, démentait cette impression.

« Eh bien, ce que je ne comprends pas... Ça ne marche
pas comme une succursale, n'est-ce pas ? Je veux dire que ce
bureau au nom incompréhensible où vous travaillez n'est pas
un endroit où un client peut se rendre pour se constituer un
capital comme on ouvre un compte, n'est-ce pas ?

— Effectivement. »

Elle me sourit, mes paroles l'avaient rassurée. Manifestement, elle ne devinait pas où je voulais en venir, et la naïveté
de son regard excita un instinct que je ne croyais même pas
posséder qui m'inonda de l'enthousiasme féroce du chasseur
qui surprend sa proie par-derrière et se pourlèche lentement,
jouissant à l'avance du coup qu'il va lui assener. Ce fut ce que
j'éprouvai en la regardant, si jolie, si calme, si professionnelle,
si démunie, et je n'eus même pas conscience de ce qui m'arrivait, je ne remarquai pas l'intensité, le trouble de cet instinct
qui venait de naître en moi, et j'oubliai de me défendre.

« Par conséquent, poursuivis-je, mon père n'était pas un
de vos clients directs, n'est-ce pas ?

— Non, nous ne travaillons pas ici. » Elle se détendit et,
se calant dans le fauteuil pour retrouver le ton professoral
avec lequel elle s'était adressée à moi auparavant. « Je vais
vous expliquer. C'est la centrale de gestion des fonds de la
banque. Ici, nous gérons les investissements financiers des

clients de toutes nos succursales. Nous avons bien entendu un interlocuteur dans chaque bureau, qui agit à son tour comme interlocuteur du client. Je suppose que, dans le cas qui nous intéresse, votre père avait dû prendre contact avec le directeur de sa succursale pour placer son capital, et que le directeur nous a transmis l'information. Nous concrétisons l'opération, gérons l'argent et informons chaque bureau des résultats des opérations de chaque client, qui reçoit à son tour l'information de la personne qui s'occupe de ses comptes.

— Les clients ne viennent donc jamais ici, supposai-je à mon tour.

— Cela dépend. De la situation des placements, du volume d'affaires, des intérêts concernés par chaque période. Mais généralement, cela se passe comme vous le dites, nous ne voyons pas le visage de nos clients.

— Et vous vous occupez des comptes de mon père depuis longtemps ? dis-je en souriant avec un semblant de politesse. Vous êtes très jeune.

— Ne croyez pas ça... » Elle accueillit le compliment avec un petit rire gêné aussi professionnel que tout le reste. « Non, c'est vrai. Celui qui s'occupait de votre père... enfin, mon superviseur actuel... Bref, quand il a obtenu une promotion, il a réparti son portefeuille entre quelques élus. J'en faisais partie et depuis, entre autres clients, j'ai pour ainsi dire hérité de votre père.

— Qui n'a jamais eu le plaisir de venir vous voir dans ce bureau.

— Non. Enfin... nous nous sommes rencontrés un jour, dans le bureau de mon superviseur. »

À ce moment, elle se rembrunit et son sourire s'effaça. Elle est futée, pensai-je, elle a compris. Trop de politesse pour un simple et innocent héritier qui vient lui casser les pieds. Maintenant, elle me regardait différemment, le dos raide contre le fauteuil, la tête droite, les mains tranquilles, la jambe droite croisée sur la gauche, tressautant avec une telle violence que je pouvais en suivre le rythme de l'autre côté du bureau. C'est fini, me dis-je. Et le chasseur excité qu'il y avait en moi le regretta brièvement.

« Cependant, vous connaissiez un peu mon père, car vous êtes venue à son enterrement. » Je me tus, la regardai, elle me renvoya un regard inexpressif mais ne put ralentir sa respiration. « Je vous y ai vue. »

Elle ne me répondit pas. Elle soutint mon regard en silence, pendant un moment. Puis elle se mit à fixer les papiers qui se trouvaient sur la table, à sa droite. La diagonale la favorisait. La lumière du soleil l'éclairait de l'arrière, soulignant avec précision la ligne de sa mâchoire, son menton, la perfection verticale et tendre de son long cou. J'avais rarement vu de profils semblables, mais je n'allais pas m'en contenter.

« À moins que dans cette banque, vous n'ayez pour habitude d'envoyer quelqu'un aux enterrements de vos clients, bien sûr », ajoutai-je, me délectant de ma propre sérénité, du rythme lent, calme, irritant, que j'imprimais à mes paroles et à mes silences. « Ce n'est pas le cas, n'est-ce pas ?

— Non, finit-elle par lâcher, presque dans un murmure.

— Aussi, quand vous m'avez vu entrer, vous m'avez dit que c'était ma mère que vous attendiez. Parce que vous nous connaissez, parce que vous nous avez tous vus au cimetière. Sinon, votre supposition serait inexplicable. Je ressemble beaucoup à mon père, comme je suis sûr que vous le savez parfaitement, mais presque n'importe qui ressemble plus à ma mère que moi. Vous, par exemple. Elle a elle aussi les dents écartées, je ne sais pas si vous vous en êtes rendu compte.

— Non, répéta-t-elle.

— Non quoi ? »

Elle leva la tête pour me regarder d'un air différent, presque de défi, et elle s'agita dans son fauteuil d'un air furieux, comme une fillette qui vient de recevoir une punition qu'elle trouve injuste et qu'elle se sait incapable d'éviter. Quand elle parla, sa voix avait également changé. À présent, elle était dure, sèche et tranchante, différente de tout ce que que j'avais pu entendre précédemment.

« Je n'avais pas remarqué que votre mère avait les dents écartées. » Le téléphone sonna. « Et oui, je suis allée à l'enterrement de votre père.

— Pourquoi ?

— Un instant, s'il vous plaît, dit-elle, avant de décrocher. Oui, oui, tu as raison, non, je n'avais pas oublié, je t'assure, excuse-moi, j'ai pris du retard, mais... Oui, attends juste une seconde, une seconde, s'il te plaît, je te le promets. » Elle couvrit l'écouteur avec sa main et me regarda à nouveau. « Je ne peux pas vous recevoir pour l'instant. J'ai beaucoup de travail. Demain, j'ai une réunion très importante qui durera toute la journée, mais lundi, si vous voulez, nous pouvons nous voir. Je finis à 15 heures. »

Elle découvrit le combiné, fit pivoter son fauteuil, et se mit à parler au téléphone en prenant des notes, comme si je n'existais pas. Elle ne se retourna même pas quand je lui assurai que je reviendrais lundi, à 15 heures, sans faute.


J'avais le cœur au bord des lèvres.

Ce fut ce que j'éprouvai quand je la vis passer les portes en verre, mon cœur était remonté à mes lèvres, si bien qu'il ne parviendrait pas à retrouver seul le chemin du retour, à reprendre sa place, à battre lentement, suivant le rythme ancien et régulier qu'il avait perdu ces trois derniers jours.

Tu exagères, Álvaro. Voilà ce que m'aurait dit Mai, aussi n'en parlai-je pas, ni à elle, ni à personne. L'aspect pathologique de mon obsession, loin de s'évanouir après l'identification de l'inconnue, s'accentuait à chaque minute, pendant que quelque chose que je ne parvenais pas à qualifier – peut-être juste l'instinct – luttait contre toute raison pour me convaincre que cela n'était pas une fin mais un début, le bout d'un fil qui dépasse à l'entrée d'un labyrinthe. Maintenant, j'étais sûr que cette femme avait eu un lien précis avec mon père et je savais de surcroît qu'il s'agissait d'un lien difficile, de ceux qu'on ne peut expliquer en quelques minutes, en quelques mots, un lien qui avait dû être en partie sentimental, et qui pouvait justifier la présence de Raquel Fernández Perea à un enterrement, cérémonie aussi émouvante que déprimante. La perspective d'obtenir dans un délai de trois jours une réponse à toutes mes questions ne me rassurait pas, bien au contraire. Le vendredi après-midi, quand j'allai voir ma mère avec Mai et Miguelito, j'étais déjà dans un état lamentable, mais personne ne s'en était rendu compte. « Ce n'était pas un homme, tu sais, maman, dis-je en lui mettant le dossier vert dans les mains, mais une fille, très sympathique et assez jolie, en fait, et puis elle m'a tout très bien expliqué mais tu as tout résumé, là. » Tu dois la connaître, fus-je tenté d'ajouter. Ce nom te dit sûrement quelque chose. Je retins mes paroles.

Cette nuit-là, je ne pus dormir. Je ne cessai de me retourner dans le lit en essayant de me rappeler, de relier mes souvenirs, de fabriquer des hypothèses raisonnables avec les données du problème. Raquel Fernández Perea, trente-cinq ans environ, jolie, intelligente, les dents écartées, employée de Caja Madrid ; Julio Carrión González, R.I.P., quatre-vingt-trois ans, homme d'affaires au succès et à la réputation irréprochables, propriétaire d'un groupe immobilier, client de Caja Madrid entre autres banques. Je tentai de me souvenir, d'ajouter d'autres données, de combiner de toutes les façons possibles celles que je possédais. Je fus audacieux, puis timoré, à nouveau audacieux, et m'endormis finalement à 6 heures du matin.

Mai me réveilla quatre heures plus tard.

« Tu vas bien, Álvaro ? Tu as mauvaise mine.

— C'est parce que j'ai très mal dormi, mais je vais bien, ne t'inquiète pas », répondis-je.

Elle suivit mon conseil mais, ce soir-là, Fernando Cisneros me prit par le bras, m'emmena hors du séjour où sa femme, la mienne et quelques amis prenaient un verre tout en regardant un match de foot à la télévision, et au milieu du couloir il me demanda ce que j'avais.

« Rien, lui répondis-je, ne t'inquiète pas parce que tout est arrangé. José Ignacio va signer, et María...

— Non, ce n'est pas ça, Álvaro. Tu es très bizarre en ce moment... »

Il me gratifia d'un regard souriant et prudent à la fois, et je songeai à nouveau qu'il me connaissait mieux que personne, mieux que Mai.

À la fac, on nous appelait le drôle de couple, car nous ne nous ressemblions absolument pas, mais nous faisions toujours tout ensemble, c'était pour cela que je faisais campagne pour sa liste où je figurais comme numéro deux. Fernando avait déjà été chef de département, vice-doyen, doyen, il était sur le point de devenir vice-recteur et, avec un peu de chance, il finirait par devenir recteur d'ici moins de dix ans. La politique l'intéressait beaucoup plus que la physique. Ça, c'est ton domaine, me disait-il, mais même la tension due aux prochaines élections n'avait pas réussi à l'égarer.

« Tu as un problème, insista-t-il. Qu'est-ce que c'est, une nana ? »

Je faillis lui dire la vérité. Je l'aurais fait si l'histoire n'avait pas été d'une telle complexité, aussi lui répondis-je que je ne savais pas.

« Tu ne sais pas ? se moqua-t-il.

— Un autre jour, lui promis-je. Il y a bien une nana, mais ça n'est pas ce que tu crois, c'est une histoire très longue et très bizarre, vraiment. Et elle a un rapport avec mon père, parce que... Bon, il vaut mieux que je te la raconte un autre jour.

— Bon, comme tu voudras », se résigna-t-il.

Nous allâmes dans la cuisine pour y chercher des glaçons et revînmes au salon. Javier commençait à rouler un pétard. Je lui dis que je dormais mal depuis un certain temps, il m'en roula un autre pour moi tout seul que je fumai après leur départ. Dimanche, je me réveillai à 13 h 30.

« Tu dois couver quelque chose, dit Mai.

— C'est possible, répondis-je avant de mentir, je ne me sens pas bien du tout.

— Je te l'avais dit hier », répliqua-t-elle. Elle partit déjeuner seule avec Miguelito chez ses parents pendant que je restais au lit, perfectionnant mes deux hypothèses principales, la première économique et désagréable en soi, la seconde génétique et désolante pour de nombreuses raisons, dont une que je ne m'autorisai même pas à considérer. Je n'avais pas avancé d'un pouce. Le lundi matin, je simulai une convalescence aussi fausse et spectaculaire que ma maladie, et j'annonçai à Mai que je devais aller à un déjeuner que donnait le doyen puis passer au musée, qu'elle ne m'attende pas. Il était 8 heures et j'avais déjà le cœur au bord des lèvres.

« Bonjour. » Elle m'avait aperçu quand j'étais encore au milieu du vestibule, sans presser le pas bien qu'il soit déjà 15 h 10. « Je suis désolé pour le retard.

— Ça ne fait rien. »

Mais si, ça faisait. Elle s'était maquillé les lèvres avant de sortir, une nuance presque invisible, très proche de celle de sa peau, et elle avait cherché le même effet pour les yeux. Le rouge aux joues aurait pu sembler naturel et contribuait par un manque de vivacité calculé à l'éclat d'un visage qui brillait sans raison apparente. À l'enterrement de mon père, je ne m'étais pas trouvé près d'elle, mais le jour de notre entretien elle était venue le visage nu. Elle pouvait se le permettre, elle pouvait se permettre n'importe quoi, et pourtant, aujourd'hui, elle s'était fardé les lèvres avant de sortir. C'était une fille intelligente, me rappelai-je, et son maquillage, non content de confirmer son intelligence, présentait une donnée sérieuse, inquiétante.

« J'ai réservé une table dans un restaurant qu'on aime beaucoup, à la banque. » Elle se dirigea vers la rue Arenal, m'indiquant le chemin du bras. « Tout petit, très tranquille, très classique, à côté, rue Escalinata. En fait, j'avais envie d'aller dans un japonais, mais je ne savais pas si tu étais un adepte du poisson cru... »

Je ne répondis pas, je ne trouvai rien à dire, et je m'arrêtai au milieu du trottoir. Elle se retourna pour me regarder, et elle interpréta mon air déconcerté à sa façon.

« Tu n'as pas déjà déjeuné, n'est-ce pas ? »

Son ton, son regard, son expression, étaient aussi innocents que ceux de mon fils quand il me découvrait de l'autre côté de la porte de l'école. J'étais si stupéfait que je fus incapable de répondre à une question aussi simple. Je sentais que tout, et je ne savais même pas ce que ce mot signifiait exactement, avait débordé avant même de commencer, et je ne savais même pas ce qui allait commencer.

« J'aurais dû t'en parler avant, mais je n'ai pas ton numéro, reprit-elle.

— Non, ce n'est pas ça..., finis-je par articuler. Je n'ai pas déjeuné. C'est que j'ignorais qu'on allait déjeuner.

— Bien sûr. » Elle reprit son chemin et je la suivis comme un chien dressé, sans être très conscient de ma docilité. « C'est pour ça que je dis que j'aurais dû te prévenir. Bien que ce ne soit pas si étrange, ajouta-t-elle avec un sourire. En Espagne, les gens déjeunent à ces heures. Moi du moins, je meurs de faim quand je sors de la banque. Mais si tu n'as pas encore déjeuné, c'est génial, non ?

— Eh bien..., fis-je, pour dire quelque chose.

— Ne t'inquiète pas, continua-t-elle en riant, je n'attends pas que tu m'invites, hein ? On partage l'addition, et voilà. Après tout, c'est une sorte de déjeuner d'affaires.

— Et puis, j'aime la cuisine japonaise, ajoutai-je au bout d'un moment.

— C'est bon à savoir. Pour la prochaine fois. » Elle me regarda comme si elle savait déjà que ce n'était que la première. « Ça ne te dérange pas que je te tutoie, n'est-ce pas ?

— Non, me déranger, non. Mais j'ai trouvé ça bizarre. En fait, je ne m'en suis toujours pas remis.

— Oui, j'imagine. »

Nous étions presque arrivés place Isabel II, attendant que le feu passe au vert pour traverser la rue Arenal. Elle m'adressa un sourire énigmatique, et nous nous tûmes jusqu'au restaurant.

Le trajet ne fut pas long, à peine trois ou quatre minutes, mais il suffit à me faire comprendre certaines choses. La première, que la femme qui marchait à mes côtés n'était pas la même que celle avec qui je m'étais entretenu dans son bureau le jeudi précédent. Elle avait le même visage, les mêmes cheveux, le même corps, cette fois-ci vêtu d'une robe en coton imprimé qui lui allait mieux que le jean – même si elle ne dissimulait pas ses hanches légèrement disproportionnées. Il lui restait aussi peu de la femme très professionnelle que j'avais cru rencontrer dans son bureau, que de la fillette rageuse, incapable de soutenir le regard de l'adulte qui faisait pression sur elle. Elle n'avait conservé aucune de ses hésitations ni son allure lisse de ce jour-là, mais je n'étais pas non plus très certain de la condition de son naturel soudain, de cette franchise instantanée, teintée d'ironie, qui se voulait séduisante – et l'était – mais demeurait trop ronde, trop éloquente, et ressemblait trop à un rôle bien répété dont les tirades sont récitées d'un trait, sans le soulagement des pauses ; des phrases toutes faites, des points de suspension.

Ma deuxième découverte avait un rapport avec moi-même, avec le chasseur excité par le manque de vigilance de sa proie qu'elle avait éveillé en moi, ce que je n'avais jamais été auparavant. Ce sentiment avait donc disparu mais pas entièrement, car je m'en souvenais encore, même si je pouvais en sentir le fourmillement du bout de ses doigts dans les miens, sa salive dans ma bouche, sa férocité dans le soin qu'elle mettait à la dissimuler. Quelqu'un qui nous aurait vus en cet instant, pendant que nous descendions par le perron qui donnait son nom à la rue qui l'accueillait, n'aurait pu croire que moi, l'homme à l'air si paisible et méfiant qui marchait en surveillant ses pas, j'avais pu traquer quatre jours plus tôt, derrière une table, la femme tank qui était en train d'aplanir le terrain devant moi avec une assurance implacable dans la puissance de ses chenilles. Car l'excitation de cet homme était en moi, et elle seule l'éveillait.

La troisième chose que je découvris durant cette promenade découlait des deux précédentes. Cependant il ne s'agissait pas d'un fait, mais d'une intuition qui nous touchait tous deux de la même façon. Parce qu'en fait aucun des deux n'était ce qu'il voulait faire croire à l'autre.

« On est arrivés. »

Elle poussa une porte en bois vitrée et me regarda. J'agitai la main en l'air pour lui faire signe de passer la première, elle inclina la tête d'un air gracieux et souriant avant d'entrer. Le restaurant n'était pas plein mais toutes les tables libres étaient réservées. Celle que l'on nous attribua ne convint pas à Raquel et elle demanda au maître d'hôtel de nous placer dans un coin, près de la fenêtre.

« On va commander tout de suite, tu veux bien ? » Elle continua à parler en étudiant la carte, sans attendre ma réponse. « À cette heure, c'est à moitié vide, mais à 15 h 30, quand ceux qui travaillent rue d'Alcalá arrivent, c'est plein à craquer, tu n'imagines pas, et le service ralentit. » Elle leva la tête de la carte et me regarda. « Tu veux qu'on partage quelque chose, pour commencer ? »

Tout était si absurde : ces paroles, ce lieu, ce repas. Tous les deux assis à la même table, nous regardant mutuellement comme si nous nous connaissions, comme si nous avions souvent déjeuné ensemble et seuls, comme si nous étions unis par un peu plus qu'une seule question et une seule réponse, que sa dernière phrase – une proposition habituelle et innocente mais en même temps si intime – prit un tour grotesque. J'éclatais de rire. J'étais très nerveux. Pas elle.

« Je veux dire, à manger, précisa-t-elle en souriant.

— Oui, oui... J'avais compris. » Elle ouvrit la carte et je regardai par-dessus la liste des entrées. « Bon, on peut partager quelque chose.

— Qu'est-ce qui te fait envie ? me demanda-t-elle, sur le ton qu'elle avait déjà employé pour vérifier si je voulais bien commander tout de suite.

— Qu'est-ce qui te fait envie à toi ? lui demandai-je à mon tour, plus réaliste.

— Les anchois sont très bons, excellents, vraiment... Et les fleurs de courgette... Tu en as déjà mangé ? Ah, alors tu dois les goûter. »

Elle commanda finalement ce qu'elle voulut, choisit le vin, le goûta et me tendit son verre.

« Pour moi, il est bon, dit-elle, mais tu vas peut-être le trouver trop froid.

— Non, il est très bon », reconnus-je, parce que c'était vrai. Cette nouvelle agression était une autre preuve de l'efficacité guerrière d'une fausse intimité. « Mais pour l'instant, je préférerais boire dans mon verre, si ça ne te dérange pas.

— Bien sûr, bien sûr. » Elle sourit, récupéra son verre, remplit le mien, posa les coudes sur la table et me regarda. « Tu veux que je te dise pourquoi j'ai décidé de te tutoyer ?

— Oui, s'il te plaît.

— Eh bien, d'abord à cause de ton père. » Elle se tut pour juger de l'effet de ses paroles, mais je ne cillai même pas. « Je le tutoyais et tu es son fils, beaucoup plus jeune, alors ça n'aurait pas tellement de sens que je continue à te vouvoyer. Et puis... Quand je me suis rendu compte que je n'avais pas d'autre solution que de déjeuner avec toi, parce que je ne peux absolument rien faire en sortant du travail, même parler, j'ai pensé... Je ne sais pas. J'ai toujours pensé que manger était une chose qu'il serait plus logique de faire en privé, parce que déjeuner avec quelqu'un, aussi discret soit-on, aussi bien élevé, lui montre forcément l'intérieur de ton corps, des organes visqueux, des cavités, des muqueuses, c'est-à-dire, la langue, les dents, le palais... » À ce moment, j'eus la certitude que nous jouions une scène que je n'avais pas écrite, et je me sentis plus flatté par la passion qu'elle mettait dans son rôle qu'inquiet de la nature du mien. « Tu n'y avais jamais pensé ? En fait, c'est terrible. La personne qui mange avec toi te voit mâcher, avaler, déglutir la nourriture, t'étouffer peut-être, par malchance, t'essuyer les lèvres, bref... J'ai toujours trouvé très étrange de manger avec quelqu'un que je ne pouvais pas tutoyer, de me permettre l'intimité de manger devant lui, ou elle, si je ne peux même pas lui dire tu. J'y suis souvent obligée, bien sûr, pour des raisons professionnelles, mais je n'aime pas ça. »

Elle fit une nouvelle pause, plus brève, me regarda. Bon sang, quel danger tu représentes, ma jolie, pensais-je, et elle sourit comme si elle m'avait entendu songer.

« En fait, je ne déjeune pas avec n'importe qui.

— Moi non plus. C'est pour ça que je ne m'habitue pas à être ici, à déjeuner avec toi. »

Après cette déclaration mutuelle, nous nous installâmes dans un silence gênant pour moi mais confortable pour elle, qui trouva diverses façons de le combler. Elle prit son sac, l'ouvrit, en étudia le contenu, sortit un paquet de cigarettes, un briquet, un téléphone, un agenda électronique. « Excuse-moi un instant », dit-elle. Elle joua pendant un bon moment avec l'écran, regarda le téléphone, appuya sur des touches, puis le reposa sur la table.

« Quoi ? J'ai l'air de Barbie femme d'affaires avec tous ses accessoires ? » me demanda-t-elle en riant. Mais je ne la suivis pas, ça suffit, pensai-je, ça suffisait. « Je le sais, j'ai une nièce qui me le répète tout le temps, mais je n'ai pas d'autre solution...

— Pourquoi est-ce que tu es venue à l'enterrement de mon père, Raquel ?

— Oh, mon Dieu, Álvaro, quelle fougue ! » Elle me regarda comme si j'avais fait quelque chose d'étrange, d'inattendu, de plus surprenant que la question que je venais de formuler. « Ne sois pas impatient. Tu t'attends à une révélation truculente, mais non, je te préviens que tu vas être déçu. C'est une histoire ordinaire. Nous les humains, nous sommes ordinaires, très simples, en fin de compte. Nous avons une demi-douzaine de choses en commun.

— Lesquelles ?

— Ne te précipite pas, je t'assure... » Elle fit claquer ses lèvres, improvisa une expression de lassitude et se pencha pour me parler sur le ton d'une mère obligée de répéter une fois de plus les recommandations les plus évidentes à son jeune fils. « Nous avons commandé, ils vont donc nous apporter les plats et nous allons devoir les manger, n'est-ce pas ? C'est un bon restaurant, mais cher, et ce serait dommage de gaspiller l'argent. On a une heure, peut-être une heure et demie devant nous, et ce que j'ai à te dire ne me prendra pas plus de deux minutes. Je ne veux pas que tu te fâches trop tôt contre moi. On vient de se rencontrer et je te trouve sympathique. Parle-moi de toi, plutôt. Tu sais beaucoup de choses sur moi, mais moi, je ne sais rien de toi. Je trouve ça injuste. »

À ce moment, je cessai d'être nerveux, inquiet, de la surveiller, de la redouter, de l'observer, car je commençai à me sentir comme un imbécile, pas un imbécile ordinaire, mais le plus naïf et présomptueux, le plus incapable, et fier de tous les imbéciles. La conscience de mon imbécillité me paralysa, me laissa vidé, fatigué, furieux contre moi-même. Va-t'en, Álvaro, parvins-je enfin à me dire, avec la dernière fibre de compassion qu'il me restait. Putain, que quelqu'un d'autre lui fasse la conversation. Je ne bougeai pas, pourtant. Je soutins son regard et ne bougeai pas. Elle m'avait abusé, elle m'avait attiré par des mystifications, elle m'avait fait une promesse qu'elle ne tiendrait peut-être jamais, tout cela pour s'amuser avec moi, pour me diriger avec le même naturel despotique avec lequel elle avait décidé où je déjeunerais ce jour-là, de ce que j'allais manger, et avec qui. Va-t'en, Álvaro, pensai-je, qu'elle paie seule tout ce qu'elle a commandé. Et pourtant je ne bougeai pas, parce qu'elle s'était maquillé les lèvres avant de sortir du travail, parce qu'elle avait la réponse à toutes mes questions, et parce que je ne me lassais pas de la regarder.

« Qu'est-ce que tu veux savoir ? »

Avant de me répondre par des mots, elle le fit d'un sourire radieux, comme si elle arrivait au bout de ma négociation intérieure et qu'elle voulait célébrer son triomphe.

« Eh bien, je ne sais pas... » Elle réfléchit, je savais qu'elle faisait semblant. « Raconte-moi des choses sur l'entreprise de ta famille. Quel poste est-ce que tu occupes, exactement ?

— Aucun, répondis-je, et je me sentis beaucoup mieux.

— Aucun ? » Cet instant marqua le début des pauses, des phrases toutes faites, des points de suspension. « Mais tu...

— Moi, pas du tout. » J'esquissai mon premier sourire. « Je suis le seul de mes frères et sœurs, des garçons, je veux dire, à ne pas travailler dans les entreprises de mon père. Mes sœurs non plus. L'aînée est médecin en soins intensifs. La petite ne fait rien, enfin, je suppose qu'elle dirait qu'elle est femme au foyer.

— Ah ! » Elle essaya de masquer sa déception. « Et... qu'est-ce que tu fais ?

— Je suis professeur. » Malgré tout, et malgré ses efforts pour la dissimuler, l'expression de son visage me fit rire. « Ce n'est pas si mal, tu sais ? Ni si étrange. On est des millions à travers le monde.

— Oui, oui, c'est que, je ne sais pas... Oui, bien sûr, c'est pour ça que tu trimballes toujours cette serviette, qui ressemble à... oui, enfin, à celle d'un professeur. Et où est-ce que tu enseignes, dans un collège ?

— Non, à l'université. » Cela lui semblait déjà mieux. « À l'Autónoma. La fac de physique.

— De physique... De physique des leviers, tu veux dire, non ?

— De physique. La seule qui existe. » Maintenant c'était à mon tour de m'amuser, et je me permis d'être condescendant. « Des leviers, oui. Des puissances, des vitesses, des densités, des poids, et des lois immuables de l'univers.

— Et ça te plaît ?

— J'adore.

— J'étais nulle en physique, au collège... Alors que j'avais toujours mention très bien en maths...

— Tu devais avoir de mauvais profs. »

On apporta les entrées qu'elle s'appliqua à servir avec une diligence extraordinaire. Elle essaie de se reprogrammer, devinai-je, de trouver un autre système, un autre itinéraire qui la conduise au but qui l'intéresse, mais ça n'est pas facile. Cependant, alors que j'étais sur le point de m'apitoyer sur elle, la question suivante me révéla qu'elle n'était pas disposée à s'avouer vaincue en quoi que ce soit.

« Et qu'est-ce que tu enseignes exactement ? »

On aurait dit que ça l'intéressait vraiment de le savoir.

« Eh bien, cette année, une matière du tronc commun de première année qu'on appelle principes de physique, deux quadrimestrielles de deuxième année et un cours de doctorat.

— Tu as donné des cours, aujourd'hui ? » Je hochai la tête. « Et de quoi est-ce que tu as parlé ?

— Du tout. Et de sa relation complexe avec les parties. » Je pris l'un des toasts qu'elle avait posés dans mon assiette et mordis dedans. « Oui, les anchois sont bons...

— Je ne te comprends pas, me dit-elle. Comment la relation entre le tout et les parties serait-elle complexe ? Il n'y en a qu'une, et elle est évidente. Le tout est la somme des parties, un enfant de primaire le sait. Et cela n'a rien à voir avec la physique.

— Ah non ? dis-je avec un sourire hautain, encore incapable que j'étais de calculer la perte que provoquerait ma future chute. Tu en es sûre ? »

À ce stade, il était évident qu'elle ne cherchait qu'à gagner du temps, car ses plans, quels qu'ils fussent, avaient échoué. Un instant plus tôt encore sa maîtrise de la situation était telle qu'elle avait omis de dissimuler son jeu. Ses cartes étaient à présent toutes devant moi, comme si elle les avait étalées sur la table. Elle comptait me soutirer des informations que je ne pouvais lui donner ; mais le mécanisme était en marche, elle l'avait conçu elle-même, l'avait remonté. Elle avait tout juste disposé du temps nécessaire pour assimiler sa trahison, pour avaler le discours qui s'était retourné contre elle. Parce que tout ce qu'elle avait dit était vrai : nous avions déjà commandé, on allait nous apporter les plats et nous allions devoir manger, nous avions une heure devant nous, il fallait la remplir de paroles, de gestes, d'actions et moi seul pouvais le faire. Je me proposai donc de profiter de la situation, je calculai que maintenant elle ne pouvait pas se sentir moins imbécile que moi quelques minutes plus tôt. Aussi décidai-je de me distinguer.

« D'après ce qu'on peut déduire de tes paroles, je suppose que tu as étudié cette sorte de pseudo-science, vile au sens littéral et extrêmement limitée sur le plan théorique, qu'on appelle l'économie, n'est-ce pas ? » Elle se mit à rire et fit un signe de tête affirmatif. « Bien sûr. Votre problème à vous, les économistes, c'est que vous êtes d'une arrogance extraordinaire. Vous manquez totalement de l'humilité intellectuelle que l'on acquiert en travaillant avec de vastes horizons. Je ne vais pas contester l'éclat du discours de Marx – que l'économie dirige le monde – mais tu devrais tenir compte du fait que le monde est une chose, très petite, certes, et l'univers une autre, beaucoup plus grande – au point qu'il contient non seulement le monde, représente tout juste un brin d'herbe insignifiant – et nous ne connaissons pas encore sa totalité. Et en dehors du champ très limité de l'économie, qui s'inscrit dans le champ insignifiant du monde, le tout n'a pas besoin d'équivaloir à la somme des parties. En fait, nous pourrions dire que le tout n'est que le résultat de la somme des parties quand les parties s'ignorent entre elles.

— Tu parles aussi le sanscrit ? »

Elle s'amusait, et moi aussi.

« Ce n'est pas si difficile, je vais t'expliquer, tu verras... Je vais te donner un exemple classique, facile, qui a trait à la vie quotidienne, que j'ai cité à mes élèves ce matin. C'étaient des élèves de première année, alors, bien que tu sois une économiste, essaie de suivre.

— D'accord.

— Supposons deux pièces communiquant par une porte. Dans la première, il y a un enfant qui pleure. Nous l'appellerons A. Dans la deuxième, il y a un autre enfant qui pleure aussi. Nous l'appellerons B. Pendant que la porte est fermée, la somme de A et B, que nous appellerons X, équivaut effectivement au total des pleurs que nous pouvons entendre. » Je me tus pendant que le serveur apportait nos plats, dorade pour elle, filet de veau pour moi. « Voyons maintenant ce qui arrive si nous ouvrons la porte, c'est-à-dire, si nous permettons aux parties d'être reliées entre elles. Là, la situation se complique, elle devient beaucoup plus complexe qu'il ne semble, car il est possible que A et B décident de continuer à s'ignorer, qu'ils se tournent le dos et continuent à pleurer comme avant. Mais il se peut également que A éprouve une soudaine curiosité envers les pleurs de B, et cesse de pleurer pour le regarder. Et il est possible que ce soit l'inverse qui arrive, que ce soit B qui cesse de pleurer en entendant les pleurs de A. Avec un peu de chance, A, ou B, passera la porte pour jouer avec son camarade, et s'il parvient à le convaincre, alors les pleurs cesseront complètement. Si la chance est exclue, A, ou B, rendu furieux par la crise, attaquera l'autre, ils se lanceront tous deux dans une bataille, se frapperont, se feront mal, et leurs pleurs augmenteront, deviendront plus violents, plus désespérés et, par conséquent, plus sonores. Tu comprends ?

— Oui. Tu es un bon professeur.

— Bien sûr, fis-je en souriant. C'est pourquoi j'espère que tu as compris que X peut être égal, supérieur ou inférieur à la somme de A et B. Cela dépend des correspondances entre les parties. Pour cette raison, nous pouvons juste affirmer avec certitude que le tout est égal à la somme des parties quand les parties s'ignorent entre elles.

— D'accord. Et à quoi ça sert ?

— Tu n'es pas supportable. » Elle éclata de rire, elle était beaucoup plus jolie quand elle riait. « À quoi ça sert ? Eh bien, à comprendre comment se produisent les choses. Tu trouves que c'est peu ? À tenter de formuler des règles qui soulagent l'insupportable angoisse de notre existence dans ce misérable brin d'herbe de la trop vaste immensité de l'univers qu'est le monde. Et, si l'on rejoint le plan primaire, élémentaire et vil auquel se bornent les intérêts des économistes, à définir les catastrophes naturelles, par exemple. Une urgence, sans aller plus loin, est ce qui arrive quand le tout est plus important que la somme des parties.

— Très joli, dit-elle en m'applaudissant silencieusement.

— Bien sûr. Beaucoup plus joli que le travail de n'importe quel de mes frères et sœurs. Mais beaucoup moins utile pour toi, je le crains. »

À ce moment, une cloche symbolique annonça le début du troisième assaut, définitif. Le premier, c'était elle qui l'avait gagné. Le deuxième, moi. Le troisième serait beaucoup plus long que ce que nous pouvions estimer en cet instant. Il n'y aurait aucun gagnant et il transformerait nos vies pour toujours.

« Parce que tu penses que je t'ai amené ici pour vérifier des choses sur l'entreprise de ton père, avança-t-elle enfin, prudemment. Des choses que tu ne sais pas et que tes frères auraient pu me raconter.

— Je ne pense pas, répondis-je, me réjouissant qu'elle ait décidé d'affronter ma curiosité une fois pour toutes. Je sais. Tu me l'as dit tout à l'heure.

— Pas exactement. » Elle paraissait calme.

« Mais ta relation avec mon père a un rapport avec ses affaires.

— C'est ce que tu crois ? répondit-elle en souriant.

— C'est une des deux possibilités que j'envisage. » Son sourire m'avait déconcerté, mais je ne pouvais plus revenir en arrière. « Que mon père ait fait des affaires louches et que tu y aies participé dans une certaine mesure. Comme agent, complice, ou peut-être simplement comme témoin. »

Elle soupesa mes paroles pendant quelques secondes, sans cesser de me regarder, sans cesser non plus de sourire.

« Tu veux un dessert ? » Je secouai la tête. « Un café ? J'espère que tu ne vas pas le laisser, comme le dernier que je t'ai offert... » Elle appela un serveur, lui demanda deux cafés et me regarda. « Ton père faisait des affaires louches, Álvaro, toutes les entreprises de son niveau en font. J'en connais quelques-unes, et elles sont très louches, je t'assure. Tu n'imagines pas à quel point. Mais ma relation avec lui n'a aucun rapport avec ses affaires, ni les sales, ni les propres.

— Alors...

— Alors ? » demanda-t-elle.

« Alors... »

J'essayai pour la deuxième fois, et pour la deuxième fois je renonçai avant l'heure. Certes, j'envisageais maintenant une autre hypothèse, car j'étais si convaincu que la première était la bonne, que la deuxième n'avait été qu'une sorte d'exercice de masochisme intellectuel. Une pure spéculation sans autre fondement que sa compatibilité avec les données du problème, et dont les conséquences, sans être exactement terribles ni échapper aux limites du possible, y compris du fréquent – surtout dans ce pays, à cette époque – seraient au minimum amères, et très difficiles à traiter pour tous les membres de ma famille. Cependant, il était vrai que j'étudiais une autre hypothèse, l'élaboration d'un soupçon qui était né le jour où je l'avais découverte au cimetière de Torrelodones, quand je ne l'avais pas encore vue de près, quand je n'étais pas encore capable de mémoriser son visage et qu'il me sembla repérer un trait familier sur son profil, un éclat flou, fuyant qui se perdait en la regardant de face. Maintenant qu'elle était devant moi, de l'autre côté de la table, cette impression s'évanouit subitement, comme une bulle de savon. Pourtant, elle m'avait poussé à demander à ma mère si cette inconnue n'aurait pas pu être une lointaine parente, et cette question ne lui avait pas plu, je m'en étais rendu compte. Puis j'avais remarqué les dents écartées, mais cette caractéristique ne la reliait pas à mon père, mais à sa veuve. Et cette idée qui s'était déjà installée en moi ne me quittait pas. C'est absurde, impossible, me dis-je. Ça n'est pas possible. Pourtant, je continuais à relier les données du problème.

« Alors, dis-je enfin, nous sommes peut-être parents.

— Ah oui ? » Elle commença par sourire, avant de retrouver son sérieux. « À quel degré ?

— Ne te fâche pas, mais... J'ai pensé... Sans aucune raison, je dois dire, nuançai-je, juste pour spéculer, mais... » Je

retins ma respiration puis soufflai d'un coup. « Est-il possible
que tu sois la fille de mon père ? »

Elle était en train de boire, et sa première réaction, à mi-
chemin entre la surprise et le rire, fut de la laisser échapper
dans une sorte de cascade explosive qui ravagea tout, les
assiettes, les verres, la nappe, et moi-même.

« Je regrette. » Elle riait tout en s'essuyant le visage avec
sa serviette, et elle m'observa et se remit à rire, jusqu'aux
larmes. « Tu vois ? Ce sont les risques que l'on court en déjeunant avec quelqu'un qu'on ne connaît pas très bien, excuse-
moi, je suis vraiment désolée...

— Tu n'es pas ma sœur, conclus-je avec soulagement,
pendant qu'elle tendait la main pour m'essuyer le menton
avec un coin sec de sa serviette. À ce moment précis, malgré
la tension qui flottait sur l'apparente bonne humeur de cette
scène, j'eus parfaitement conscience que, hormis les poignées
de main protocolaires du jeudi précédent, c'était la première
fois que Raquel Fernández Perea me touchait, ne fût-ce qu'à
travers du tissu.

— Non, bien sûr que non. Et puis, je suis une fille bien
élevée. Je suis vraiment désolée, ce qu'il y a... » Elle se remit
à rire. « C'est que j'ai pensé à mon père, le pauvre, et... Mon
père s'appelle Ignacio, il est ingénieur des télécommunica-
tions et il a vingt ans de moins que le tien. Ils ne se ressemblent pas du tout, vraiment. Mais vraiment pas. Ce sont les
deux hommes les plus différents que tu puisses imaginer. Ma
mère s'appelle Raquel, elle a fait des études d'histoire de l'art,
elle tient une boutique d'encadrement et, pour autant que j'en
sache, elle a toujours été une épouse exemplaire, la pauvre. Je
ne sais pas comme tu as pu avoir ce genre d'idée... »

Je ne desserrai pas les dents. Elle rit encore un moment,
secouant la tête en un geste qui révélait un étonnement
proche de l'indignation. Mais sa réaction, qui me semblait
excessive, ne me prépara pas à ce qui allait me tomber dessus.

« En fait, pour quelqu'un qui travaille avec un horizon
scientifique aussi vaste, tu es très romantique. Pour un physicien, tu as beaucoup d'imagination.

— Les physiciens en ont beaucoup, protestai-je, même si
j'avais conscience d'avoir perdu ma plus infime autorité. Sans
elle, nous n'aurions pas pu avancer.

— De toute façon... Enfin, ça ne devrait pas me surprendre, parce que je redoutais quelque chose comme ça
depuis le début – elle leva la main et écrivit en l'air pour
demander la note au serveur. Je t'ai dit que c'était une histoire
ordinaire, qui allait te décevoir. Les êtres humains sont
simples, ordinaires, voire monotones, non ? Nous avons tous
les mêmes intérêts, qui se répètent régulièrement, toujours
les mêmes chapitres des mêmes histoires, nos vies sont très
semblables... Et puis, tu l'as expliqué toi-même et très bien, je
n'aurais pas mieux fait. Le tout n'est égal à la somme des parties que lorsque les parties s'ignorent entre elles. Tu es un très
bon professeur, je te l'ai déjà dit... » Elle fit une pause pour
me regarder. « Toi et moi, jusqu'à présent, nous avons été
deux parties d'un tout qui se sont mutuellement ignorées, rien
d'autre. »

Le garçon apporta la note, elle la regarda, posa deux billets sur le plateau, remit dans son sac l'agenda, le téléphone,
le tabac, le briquet, et sortit une grande clé moderne, spectaculaire – de celles qui ouvrent les portes blindées – accrochée
à un porte-clés ordinaire, un anneau métallique avec une
plaque en plastique bleu qui contenait une petite étiquette
manuscrite.

« Ton père et moi étions amants, Álvaro. » Elle lança la
clé sur la table. « Ceci vous appartient. L'adresse est inscrite
sur le porte-clés. »

Puis elle me jeta un dernier regard, se retourna et partit.

## II

# LA GLACE

« Le programme du Front populaire commençait par ces mots : *La République conçue par les partis qui constituent le Front populaire n'est pas une république régie par des motifs sociaux ou économiques de classe, mais un régime de liberté démocratique, inspiré par des motifs d'intérêt public et de progrès social.* »

Constancia de la Mora, *Doble esplendor*
(New York, 1939 – Mexico, 1944 – Madrid, 2004)

« Un soir, au café Gayango, Juan Tomás, chef des "flèches" à l'époque, les aviateurs Treviño et Bergali et le capitaine Martínez, de la Division, prenions un café. Arriva Díaz Criado [...] Quelques instants plus tard, un policier que j'avais souvent vu au commissariat arriva dans une voiture, avec un dossier. Il s'assit à côté de lui, ouvrit le dossier, en sortit quelques papiers et commença à lire des noms. Díaz Criado acquiesçait : "Oui, oui. Bien. Non, non, pas celui-ci ; celui-ci peut-être demain." Je me rappelle parfaitement que le policier, pour qu'il s'en souvienne, lui précisait : "Il a un frère boiteux en prison lui aussi." "Oui, celui-ci." "Celui-ci, vous l'avez vu l'autre jour, il est gros et chauve." "Non, pas celui-ci. On va attendre... Sinon, lui aussi." [...]

Il disait que, une fois qu'il avait commencé, pour lui cela revenait au même de signer cent sentences que trois cents, que ce qui était intéressant était de "bien nettoyer l'Espagne des marxistes". Je l'ai entendu dire : "Ici, depuis trente ans, personne ne bouge." »

Antonio Bahamonde, *Un año con Queipo de Llano*
*(Memorias de un nacionalista)*
(Barcelone – Buenos Aires, 1938 – Séville, 2005)

Elle a aussi de jolies jambes. C'est ça, elle avait de jolies jambes, ce fut ma première pensée quand elle me laissa seul, alors que je la regardais s'avancer, saluer le maître d'hôtel, ouvrir la porte et disparaître.

Quel salaud, mon père, fut ma deuxième pensée, une seconde avant que ma tête ne se remplisse de paroles, d'idées, d'images, de souvenirs, de soupçons, de sensations contradictoires. Calme-toi, m'intimai-je, calme-toi. J'appelai le garçon pour lui commander un double whisky.

Après en avoir bu la moitié, je me souvins que je n'étais pas Julio, Rafa, mes frères. Pas de scandale, me dis-je, pauvre papa, c'était sa vie, je n'ai pas le droit de le juger, mais quel salaud, à quatre-vingt-trois ans, on croit rêver... Je me mis alors à rire, et je succombai à une sorte d'euphorie déléguée, nuancée d'étonnement, une stupeur très pure. C'était la seule réponse que je pouvais donner à cette nouvelle plus qu'inattendue, aussi incompatible avec tout ce que je savais qu'avec l'expression brisée et fragile du visage de ma mère tandis qu'elle répétait qu'elle et son mari avaient dormi ensemble pendant quarante-neuf ans, quarante-neuf ans dans le même lit, et maintenant... ? Ce souvenir fut douloureux jusqu'au moment où je compris que je n'avais aucune raison, aucune légitimité pour l'invoquer.

Enfin qu'est-ce que j'en sais ? me demandai-je. Je pensai à mon propre fils, Miguel. Il n'avait pas encore quatre ans, quand, en novembre 2004, je partis trois jours à La Corogne, à un congrès qui me faisait aussi envie que de me jeter d'un balcon, car mon père venait de sortir de l'hôpital et j'étais soucieux et, surtout, très fatigué. Je partis pourtant à La

Corogne, sans enthousiasme, mais j'y allai. L'organisateur était un ami, je ne voulais pas le laisser en plan.

Je vais essayer de m'arranger pour ne passer qu'une nuit là-bas, dis-je à Mai avant de partir, peut-être peuvent-ils avancer la table ronde du troisième jour ? Je parlai à la secrétaire dès mon arrivée mais ensuite, au dîner, je rencontrai une enseignante de Valence. Je ne l'avais jamais croisée mais j'en avais beaucoup entendu parler par mes collègues, en mal par certaines femmes, en bien par les hommes en général, et même mieux pour certains. Je me rangeai évidemment du côté de la branche masculine de la profession : elle était non seulement jolie, mais aussi intelligente, amusante, mariée et très sûre de ce qu'elle voulait.

« Moi, les congrès me perturbent terriblement, tu sais ? me dit-elle ensuite, dans le bar où certains d'entre nous allèrent boire un verre. C'est un phénomène curieux, je pars de chez moi en forme, tranquille, mais quand j'arrive, je ne peux pas m'en empêcher... Je vous regarde tous comme ça, de loin et je réfléchis, voyons, voyons..., avec qui est-ce que je vais baiser cette nuit ? C'est le bon côté de la physique, il y a tellement, tellement, tellement d'hommes, et si peu de femmes, n'est-ce pas ? Je ne sais pas comment font les historiennes d'art, ajouta-t-elle à la fin, j'imagine que ça se termine à coups de couteau... »

Elle fut si directe que je pensai qu'elle avait sans doute déjà couché avec tout le reste du congrès, mais cela m'était égal. Dans ces circonstances cela ne m'a jamais dérangé de savoir que je n'étais qu'une encoche sur un revolver. De plus, même si cela devenait de plus en plus rare, j'étais le deuxième plus jeune de tous les participants, elle comprise. Le lendemain, au petit déjeuner, je m'aperçus que je m'étais trompé, que les appelés avaient été nombreux. Ils avaient beau être suffisamment pour former une équipe de foot – remplaçants compris, il n'y avait pas eu tellement d'élus. Je restai lucide mais cela me mit de bonne humeur, un état d'esprit qui se consoliderait définitivement devant l'air peiné de la secrétaire du congrès quand elle m'annonça que je pourrais changer l'horaire de mon intervention, mais pas son jour, parce que l'un des invités à ma table ronde arrivait le vendredi matin. Ah, bon, alors tant pis ! lui répondis-je, je reste jusqu'à vendredi après-midi, comme prévu, ne t'inquiète pas. Mai me dit une chose similaire, pas de problème, Álvaro, comme ça tu t'amuseras, ça te fera du bien.

Je m'amusai assez, je dois dire, à tel point que je n'eus pas le temps de chercher un magasin de jouets où acheter un cadeau pour mon fils. À l'aéroport, j'achetai finalement un camion à benne, avec des phares, qui faisait du bruit, plutôt bien. En partant, j'aperçus dans la vitrine un châle imprimé dans des tons de rouge, avec une doublure en velours et des franges en soie très longues, qui semblait fait spécialement pour ma femme. Persuadé qu'il allait lui plaire, je le lui achetai malgré le prix, plus de la moitié de la somme que j'avais touchée pour la conférence et la table ronde réunies. En payant, j'étais très calme, très sûr, des raisons pour lesquelles je le faisais, sans aucune mauvaise conscience. J'avais souvent rapporté des cadeaux à Mai, au retour de voyages où je n'avais jamais songé à draguer qui que ce fût. Souvent aussi, je ne lui avais rien acheté, entre autres lors d'un symposium à l'université de La Laguna où je n'avais même pas défait le lit de ma chambre d'hôtel, même si je ne m'étais pas autant amusé qu'à La Corogne. Ma femme ne regrettait pas les cadeaux qu'elle ne recevait pas et me remerciait pour ceux que je lui rapportais. Aucun n'avait égalé ce châle.

Aussi, ce soir-là, quand Raquel me laissa seul avec un double whisky et cette étonnante révélation, je songeai à Miguelito. Il n'avait pas encore quatre ans quand il vit sa mère défaire un emballage de papier rouge, brillant, crier d'abord, tenir ensuite le châle entre les doigts comme s'il s'agissait d'un miracle, se jeter sur moi pour me couvrir de baisers, courir se placer devant un miroir et s'y regarder un bon moment. Mon fils ne se souviendrait pas de cette scène, il était trop jeune, mais peut-être l'image de ce châle se graverait-elle dans sa mémoire, car Mai en prenait davantage soin que d'elle-même et elle le portait toujours pour les grandes occasions. Mon fils saura tôt ou tard que c'est un cadeau de ma part, choisi avec soin, très spécial, très cher. Jamais il ne pensera que son père, qui aimait tant sa mère qu'il ne pouvait pas passer comme ça devant une vitrine où il avait vu quelque chose qu'elle désirait, avait consacré les trois jours précédents à baiser avec une enseignante de Valence qui connaissait toutes les ficelles. Une enseignante de Valence qu'il s'était empressé d'oublier, comme elle l'avait chassé de sa mémoire.

Je ne sais rien, me dis-je, Miguel ne saura jamais rien. Jamais il ne pourra entendre la voix pacifique de sa mère, cet accent serein, objectif, presque dédaigneux des rites qu'elle traversait en me tenant la main, en me disant que le monde était un lieu immense, et la vie courte, mais aussi très longue. La première fois, ces mots qu'elle prononça pénétrèrent en moi, dans ma mémoire torturée par le supplice asiatique de la jalousie de Lorna, comme un baume parfumé et rafraîchissant.

« Je sais qu'un jour tu tomberas sur une autre femme qui te plaira, Álvaro. » Elle semblait tranquille, contente, sûre de ce qu'elle disait. « Il y a tellement de femmes, tellement d'hommes aussi, tellement de gens... Et pourtant, ce que nous vivons est important, non ? Pour moi, c'est très important, trop pour le perdre pour une bêtise, tu ne crois pas ?

— Eh bien, je ne sais pas, si..., répondis-je, sans bien comprendre où elle voulait m'emmener avec ce discours, je suppose que si.

— C'est ça, dit-elle en souriant à nouveau. J'ai toujours pensé que les bêtises devaient être faites, si on les garde en soi, elles deviennent beaucoup plus graves qu'elles ne le sont en réalité. La seule chose que je te demande, c'est d'être loyal avec moi, de m'aimer, de ne pas m'humilier, de ne pas me mépriser. Les bêtises sans importance que tu pourrais faire avec d'autres me seront égales. »

La première fois, je reçus ces paroles comme un baume parfumé et rafraîchissant, mais la deuxième, elles me plurent moins, et la troisième, je lui demandai pourquoi elle parlait toujours de moi, pourquoi elle ne prononçait jamais ce discours à la première personne.

« Tu ne vas pas me dire que tu es jaloux, maintenant ! » s'exclama-t-elle avec amusement. J'étais incapable de deviner si l'idée lui plaisait ou lui semblait inadmissible.

« Non, je ne crois pas, répondis-je. Je ne pense pas être jaloux, mais je préférerais garder le doute intact. »

Mai se mit à rire et ne revint jamais sur la question. Et quand son fils, mon fils Miguel serait un homme, il ne trouverait pas dans sa mémoire le moindre indice des conditions nébuleuses du pacte que sa mère proposa à son père. De ce pacte qu'il accepta avec une confiance, une tranquillité croissantes. Tant et si bien que, la vie étant bizarre, il acquit non seulement la certitude que la deuxième personne du singulier était la seule qui s'ajustait avec précision au discours de sa femme, mais, même à partir de cet instant, il se débarrassa sans aucune raison concrète de ce doute qu'il prétendait préserver. Il n'avait vraiment pas envie de se demander si Mai allait réellement dîner avec ses amies chaque fois qu'elle sortait seule le soir. Miguel n'en saura jamais rien, je n'en sais rien, me rappelai-je à moi-même. Je parvins à m'en convaincre sans grand effort.

Quand je ne trouvai plus à mon verre un autre goût que celui du glaçon fabriqué avec l'eau du robinet, je regardai autour de moi pour découvrir que j'étais sur le point de me retrouver seul avec les serveurs, les convives de la seule table occupée étaient en train de se lever. Je réglai la note et partis rapidement. Une fois dans la rue, je dus m'arrêter pour réfléchir à ce que j'allais faire par la suite. J'allumai mon portable et trouvai huit appels en absence, autant de messages, deux de Mai, trois de ma mère et trois de mes frères et sœurs, un de Clara, deux de Rafa. Ils disaient tous la même chose.

« Je viens de sortir du restaurant, dis-je à ma femme, qui répondit à la première sonnerie, en rallumant mon téléphone j'ai découvert que j'étais l'homme le plus recherché de Madrid.

— Oui, confirma-t-elle en riant. C'est ta mère, qui veut savoir si tu peux aller chez le notaire avec elle et tes frères et sœurs jeudi soir, à 18 heures, pour ouvrir officiellement le testament de ton père.

— Zut, protestai-je, et pourquoi ? Elle doit en avoir un double, je suis sûr qu'elle est au courant de tout...

— Ah ! Je n'en ai aucune idée. Elle est comme ça, tu sais bien.

— Jeudi ?

— Moi, je n'ai pas été invitée, Álvaro. Seuls les enfants y vont. Les gendres et les brus ne vont pas hériter, on peut s'en douter.

— Elle a dit ça ?

— Dans ces mêmes termes.

— Élégant. » – Nous nous mîmes à rire tous les deux en même temps. – « Bon, je me débrouillerai »

À cet instant, je sus que je ne pouvais pas parler à ma mère, affronter sereinement sa voix fluette mais ferme, cette pointe d'impertinence douloureuse avec laquelle elle me piquerait certainement pour me reprocher le mal qu'elle avait toujours à me joindre, mais enfin, Álvaro, mon petit, où étais-tu ?, je passe ma vie à te courir après ! Ma mère était une femme dure, mais je ne savais pas non plus à quel point, ni comment, ni pourquoi. Je ne connaissais que cette pratique inflexible de la discipline qu'elle nous avait imposée dans notre enfance, sans cesse alternée avec des accès intenses de tendresse. Mon père semblait beaucoup plus faible, mais aussi plus insouciant que sa femme, sauf lorsqu'il se mettait en colère, se laissant aller à des explosions de fureur qui nous terrifiaient tous. Profitant de mon silence, Mai me raconta sa journée, l'institutrice de Miguelito était très contente de son travail, moins de son tempérament bagarreur pendant les récréations. Je me demandai si ma mère savait quelque chose, si Raquel était la dernière d'une longue série de maîtresses dont elle avait pu connaître l'existence, ou pas, si les infidélités de son mari lui avaient toujours été douloureuses, peut-être jamais, si elle les avait acceptées comme une contrepartie inévitable de son mariage ou si elle en avait souffert toute sa vie.

« ... et je lui ai dit non, poursuivait ma femme, bien sûr que non, nous ne stimulons absolument pas l'agressivité de notre enfant, même si tu sais bien ce que j'en pense, Álvaro. C'est de ta faute, dans le fond ça t'amuse qu'il soit si brutal, et tu ne lui achètes que des dinosaures ou ces robots couverts de missiles...

— Oui, admis-je, sans m'arrêter à discuter les critères pédagogiques archi-rebattus de l'éducatrice la plus niaise que j'ai connue de ma vie. J'y penserai... Dis, Mai, tu peux me rendre un service ?

— Appeler ta mère. » Je perçus son sourire sans le voir. « C'est ça, non ?

— Oui, merci, c'est que..., j'ai beaucoup à faire, tu sais ? Je dois encore passer au musée, je ne sais pas à quelle heure je vais rentrer à la maison... Appelle-la et dis oui à tout, qu'elle se calme et me laisse tranquille une fois pour toutes. »

Je devrais vraiment passer au musée, pensai-je en hélant un taxi. Je demandai au chauffeur de me conduire rue Jorge Juan, avant de consulter le numéro sur le porte-clés que je serrais dans ma main gauche depuis que j'avais quitté le restaurant. Ça doit se trouver entre la rue Velázquez et Núñez de Balboa, à peu près, non ? supposa-t-il à voix haute. Je lui répondis que je n'en avais aucune idée, que c'était la première fois que j'y allais.

Je me trompais.

En reconnaissant le porche, je sentis une sueur froide, instantanée, comme un avertissement humide et glacé au milieu du dos.

C'est vrai, pensai-je alors, c'est vrai ! À aucun moment pourtant je n'avais envisagé l'éventualité d'un mensonge, mais tout avait été si étrange : ma rencontre avec Raquel, le déjeuner de ce jour-là, la nouvelle qu'elle m'avait annoncée, sa façon de procéder... Je n'avais en fait pas cessé de le voir comme une nouvelle hypothèse, une autre version de mon père, d'abord étonnante, imprévue et souriante, peut-être amère, douloureuse par la suite. Une version plus émouvante de toute façon que celle que j'avais moi-même élaborée pour m'expliquer ce mystère. Ce mystère cessait maintenant définitivement de l'être pour se révéler comme une histoire simple, ordinaire, mille fois entendue. L'image de ce vieillard fort, puissant jusqu'à la fin, s'obstinant à prendre le dernier train qui passerait par sa dernière gare, s'accrochant à la vie avec des forces qu'il n'avait plus. Le souvenir des mains décharnées, de son teint congestionné, des mâchoires tendues par l'effort, charria à ce moment d'autres idées, d'autres images, pas seulement le visage de sa femme, mais aussi de son éternelle insatisfaction, son incapacité à accepter la réalité, les humiliations prévisibles que les quatre-vingt-trois ans de son corps avaient dû décréter sur la vigueur incorruptible de son esprit. Alors, en passant le porche, en traversant le vestibule et en attendant l'ascenseur, je ne pensai à rien de tout ça. Juste à mon père, au fait qu'il avait été un homme beaucoup plus extraordinaire que nous, ses enfants, ne l'étions devenus. Et je fus ému de calculer à quel point.

La clé que m'avait donnée Raquel ouvrit sans difficulté la porte blindée comme un coffre-fort, de l'appartement E, qui partageait avec le F l'aile droite du bâtiment. Dans l'aile gauche, pour la même surface, on comptait deux fois plus d'appartements. Mon cœur recommença à s'emballer quand j'entrai dans un grand vestibule carré. Dans le fond, j'aperçus un gigantesque salon, et beaucoup plus loin encore, une terrasse qui semblait se précipiter en l'air, comme si elle avait été sur le point de s'envoler dans la ville. Alors je souris, et éprouvai à nouveau un sentiment proche de l'euphorie.

« Bon Dieu, papa, quel salaud tu fais, dis-je à voix haute, au présent et juste pour moi, comme s'il était absent, mais encore vivant. Quel salopard... »

Car ce dernier étage n'était pas plus luxueux, mais deux fois plus grand que celui que Rafa, mon frère, avait tenté de me refiler deux ans plus tôt.

« On vient d'achever la réhabilitation d'un bâtiment très ancien, magnifique, dans la meilleure partie du quartier de Salamanca, m'annonça-t-il au téléphone. C'est une maison très spéciale, j'aimerais te la montrer.

— Pourquoi ? Je ne compte pas acheter un appartement.

— Eh bien, c'est ce que tu penses pour l'instant, attends de voir... »

Son insistance me vexa beaucoup, je ne me fiais absolument pas à lui ni à ses initiatives fantasques d'entrepreneur masqué. Malheureusement, un soir, ce fut Mai qui décrocha le téléphone.

« Moi, j'ai envie d'aller voir, Álvaro, me dit-elle ensuite, ne serait-ce que par curiosité. Ça ne coûte rien, non ? On prend rendez-vous avec Rafa un samedi matin et on le visite, c'est tout. »

Ce que nous vîmes ressemblait beaucoup plus à une suite de ces hôtels de luxe qu'on voit dans les films qu'à un appartement où une personne normale aurait pu vivre. Il y avait un salon gigantesque, une immense chambre en forme d'abside, une salle de bains avec plus de marbre qu'un mausolée perse, un jacuzzi de la taille d'une piscine moyenne, et une cuisine américaine, ridicule, cachée dans un placard.

« Il est impressionnant, bien sûr, conclut Mai, en ponctuant son affirmation de la tête comme si elle parlait sérieusement.

— Impressionnant ? » demandai-je, mais mon frère ne voulut pas accuser mon scepticisme.

« Vous pourriez le prendre pour vous, suggéra-t-il.

— Pour nous ?

— Oui, répondit Rafa, vous pouvez vous le permettre... »

Il me passa un bras autour des épaules. Mauvais, pensais-je, quand il commença à essayer de m'entourlouper par un début des plus évidents.

« Tu mets bien de l'argent de côté, Álvaro ? »

Effectivement. À mon retour des États-Unis, j'avais découvert que mon père avait pris l'habitude de répartir une partie de ses bénéfices entre nous, une quantité considérable en soi qui, divisée en cinq, oscillait généralement entre deux et trois millions de pesetas par enfant. Il avait préservé ce qui me revenait, car il mettait un point d'honneur à ne jamais léser un frère au bénéfice d'un autre. J'investis tout dans la maison. Ensuite, jusqu'au moment où Mai tomba enceinte, je dépensai cet argent au fil des années, dans de très longs et magnifiques voyages que ma future paternité interromprait nécessairement en quelques mois. Je pensai alors qu'il serait beaucoup plus sensé d'acheter quelque chose près de la plage, un appartement ou une petite maison quelque part, qui deviendrait avec le temps le paradis d'enfance du bébé qui allait naître, et je demandai à mon père de me garder ma part jusqu'à nouvel ordre.

Nous prenions les choses calmement. Mai aimait le nord, pas moi. Miguelito était encore tout petit et la vaste maison de mes parents à La Moraleja, avec son grand jardin, beaucoup d'employés, sa grande piscine, était trop pratique pour y renoncer déjà. J'économisais depuis trois ans, et je touchais au but. Cette année-là, mon père avait réparti la même somme que les autres années, mais il nous avait prévenus qu'il y en aurait plus. Il venait de vendre ses parts dans une entreprise qui ne l'avait jamais intéressé, à des conditions tellement avantageuses qu'il avait décidé de répartir les bénéfices à parts égales entre ses enfants. Nous le savions tous, mais Rafa était le seul à connaître le montant exact de la somme que nous allions recevoir.

« Tu sais, me dit-il en sortant, avant de s'entêter à nous offrir un verre, entre ce que tu as économisé et ce que papa te donnera un de ces jours, tu as largement ce qu'il faut pour l'apport initial. Tu l'achètes, tu le revends, tu en tires le double de ce que tu l'auras payé, parce que je te le laisserai à prix coûtant, bien entendu, et avec la plus-value, tu paies le reste et tu achètes ce que tu voudras sur la plage que tu voudras.

— Oui, mais je, je ne..., tentai-je de refuser.

— D'accord, tu n'y connais rien en affaires, me devança-t-il, je sais, c'est la chose la plus facile et rapide qu'on te proposera de ta vie. Clara va en prendre un, tu sais, et Julio, c'est parce que Verónica ne veut pas, sinon...

— Écoute, Rafa, oublie-moi.

— Très bien, accepta-t-il d'un air peiné, comme s'il nous plaignait sincèrement. Tu es libre, comme tu voudras... »

Il ne dit plus rien, si ce n'était qu'il nous invitait quand même à boire un verre. En arrivant à la maison je pensais déjà que j'avais peut-être fait une bêtise.

« Écoute, j'en ai ras le bol de Rafa, tu n'imagines pas à quel point, brama mon père à l'autre bout du fil. Et ce n'est pas faute de le lui avoir dit, hein ? Ce n'est pas la première fois, j'en ai assez de lui répéter d'arrêter de vous entortiller, de magouiller, putain... Rien à faire, il ne m'écoute pas. Il doit avoir besoin d'argent, comme toujours. Il est sûrement dans trente-six affaires en même temps, et il ne m'a pas parlé de la moitié d'entre elles... Je n'ai jamais vu quelqu'un aimer autant l'argent que ton frère, et puis il ne sait même pas bien le dépenser.

— Mais alors..., intervins-je, un peu surpris par sa véhémence, ces appartements ne valent rien...

— Une fortune, m'interrompit-il, bien sûr, une folie, voilà ce qu'ils valent, c'est pour ça qu'il les a gardés sous le coude. Il en a vendu trois, deux petits à un distributeur de cinéma américain, qui s'en servira pour y loger les stars qui viendront présenter des films à Madrid et pour blanchir de l'argent au passage, j'imagine, et un autre à un directeur de la banque de Santander. Lui veut y coucher avec sa maîtresse. Si tu as vu les appartements, tu as dû t'apercevoir que c'est surtout pour ça qu'ils ont été conçus.

— Eh bien, tu sais... je n'y avais pas pensé, mais maintenant que tu le dis...

— Total, il a déjà gagné de l'argent, mais il en a encore trois et ça ne va pas être facile de trouver un acheteur en peu de temps. À la longue, oui. À la longue, il les vendrait et gagnerait une fortune, mais il doit être pressé, va savoir pourquoi, et les millionnaires poussent pas dans les arbres, bien sûr... C'est pour ça qu'il a pensé à vous, à Curro, ton idiot de beau-frère, qui lui a dit oui avant que j'en parle à ta sœur, et à toi. Avec Julio, il n'ose pas, et Angélica doit encore rembourser la moitié de son crédit, mais Clara, et toi, eh bien... Alors il garderait tout ce que je vais vous donner, et il toucherait progressivement le reste jusqu'à ma mort, bien sûr, donc, vous n'avez encore sûrement pas trouvé d'acheteur..., souffla-t-il, comme s'il était las de répéter ce discours, ce qui était certainement le cas. Écoute, appelle-le et dis-lui de ma part que pour la rue Jorge Juan c'est non, mais que tu lui achètes à prix coûtant un de ces pavillons qu'il fait construire à Arroyomolinos pour des familles normales, avec deux salaires, deux enfants et un chien, tu verras qu'il ne voudra même pas en entendre parler. Et tu verras qu'à la fin c'est moi qui vais devoir me retrouver avec un de ces fameux appartements, je le vois comme si j'y étais... »

Je n'appelai jamais mon frère pour acheter un pavillon à Arroyomolinos, mais mon père dut lui parler, car Rafa ne me proposa plus d'occasion mirifique quand je fus en mesure de mettre personnellement un terme à cette conversation.

C'est pour ça que tu ne voulais pas qu'on achète ici, n'est-ce pas, papa ?

Je parcourus l'immensité de ce salon à moitié vide en reconnaissant les meubles, trois canapés en cuir blanc, une table basse en verre, une autre dans la salle à manger qui semblait naviguer avec ses huit chaises dans une zone séparée du reste par trois marches, et les transats en teck sur la terrasse, identiques à ceux que j'avais vus dans l'appartement que mon frère nous avait fait visiter. Tu as gardé les meubles de l'appartement témoin, conclus-je, tu as bien fait, pourquoi dépenser plus... Je retrouvai cependant d'autres détails reconnaissables, les plantes bien développées, bien entretenues, et les gravures, abstraites et encadrées avec bon goût, qui décoraient les murs. Il était évident que personne n'habitait là, ces logements n'avaient pas été conçus pour ça, me rappelai-je, mais sur une étagère, au-dessus de la télévision, il y avait quelques livres qui avaient été lus, et sur la table basse, un cendrier en cristal propre mais usagé.

La salle de bains fut beaucoup plus révélatrice. Sur des crochets chromés, à côté de la porte, je trouvai deux peignoirs, l'un blanc, plus grand, et l'autre couleur saumon, plus petit. Sur le plan de travail dans lequel étaient encastrés les lavabos, il y avait deux brosses à dents, un tube de dentifrice, plusieurs pots contenant différentes crèmes, une bombe de mousse à raser et un paquet de mouchoirs en papier. Au-dessous, dans les tiroirs, je trouvai une boîte de tampons, une autre d'analgésiques, une trousse pleine de cosmétiques, un paquet de disques en coton et deux sortes de rasoirs jetables, des roses et des bleus, le tout normal, comme les gels, les shampooings et un gant en fibre végétale, très usagé, que j'aperçus à travers la cloison qui isolait la douche du reste de la pièce. Tout allait bien jusque-là, mais quand je m'approchai du jacuzzi, qui était plus grand que celui que Rafa nous avait montré et à moitié entouré par une paroi en verre qui offrait une vue spectaculaire, je découvris que le bord était recouvert de bougies à moitié fondues, toutes blanches, petites et enfermées dans de petits photophores transparents. Quelle horreur, pensai-je en les voyant, c'est tellement cucul, ringard, et avant d'avoir fini d'y penser, je sentis que j'avais le visage en feu.

Cette chaleur n'était qu'un pâle reflet de l'incendie qui venait de se déchaîner en moi, une catastrophe fulgurante, instantanée, où la pudeur attisait l'excitation et était à son tour implacablement alimentée par elle, me permettant d'entendre le craquement des branches qui se détachaient des arbres, le crépitement des écorces résineuses, le murmure des piquants en flammes, et de sentir le feu, de le voir avancer sur les flancs d'une montagne imaginaire, qui était moi et brûlait d'une faute innocente que je n'avais rien fait pour mériter, et d'une honte infinie qui n'était cependant pas capable d'éteindre tous les foyers. Asseyez-vous, s'il vous plaît, excusez-moi, je ne vous ai rien offert, vous voulez un café ? Raquel Fernández Perea, qui était beaucoup plus jolie qu'elle n'en avait l'air, allumant la dernière bougie avant de plonger nue dans l'eau avec son corps de trente-cinq ans et sa peau de pêche, ces jambes si jolies et les hanches légèrement plus larges que ne semblait l'exiger la finesse de sa taille, pour que mon père l'enlace tout en pensant qu'Álvaro, son fils, était un imbécile qui n'avait aucune idée de ce qui était horrible, cucul ou ringard en ce monde. Cette sensation nouvelle, la conscience de n'être qu'un moineau, le spectateur naïf et fortuit d'une complexité au-delà de ma portée, se superposa à l'excitation et à la faute, à la honte et à l'étonnement, sans atténuer la formidable confusion à laquelle se trouvait irrémédiablement réduit tout ce que j'étais un instant auparavant. Et cela n'est rien, me dis-je, cela n'est sûrement rien. La chambre ne présentait cependant à première vue aucun signe particulier. Elle avait des murs en stuc au ton jaune orangé et une forme d'abside aplatie qui donnait au lit, carré, de deux mètres sur deux, une apparence inconvenante d'autel, renforcée par la présence de deux niches recouvertes de moulures en plâtre blanc, très prétentieuses et assez laides à mon goût, situées juste au-dessus des tables de chevet. Leur profil incurvé et leurs lignes simples me plurent ainsi que la commode assortie adossée à un mur latéral. Le seul élément perturbateur du mobilier était une télévision à écran plat, immense, fixée au mur du fond à la bonne hauteur pour la regarder au lit. Au-dessous, sur un chariot métallique à roulettes, il y avait un magnétoscope, un lecteur de DVD et une pile de films en ordre parfait.

Tu vas voir, Alvarito, songeai-je en les regardant. Tu vas voir.

Mais je ne vis rien encore. En m'asseyant sur le lit, je constatai qu'il n'y avait pas de matelas à eau et éprouvai une joie absurde et considérable en sentant sa vulgaire structure à ressorts. Je m'autorisai à nouveau à penser que les riches étaient très ringards, sans rien éprouver de spécial en formulant une idée si fortement soutenue par l'espace qui m'entourait. Puis je me demandai quel pouvait être le côté de mon père, j'en conclus que le plus logique aurait été qu'il se soit réservé le même que dans le lit conjugal. Sur la table de droite reposaient deux télécommandes, je commençai par les tiroirs de l'autre, sans rien trouver qu'un mode d'emploi du radio-réveil digital.

Il indiquait la bonne heure, et l'alarme était activée. J'appuyai sur le bouton par curiosité et constatai que l'appareil était programmé pour s'allumer à 7 heures du matin. Donc, elle reste dormir ici de temps en temps, en déduisis-je, et cet indice de normalité, l'image d'une femme jeune qui se levait pour aller travailler du lit qu'elle avait partagé quelques heures plus tôt avec un homme qui aurait pu être son père, voire son grand-père, me sembla monstrueux. Je me souvins à temps que Raquel Fernández Perea n'était pas une pauvre orpheline abandonnée, sans défense, mais une fille intelligente qui touchait un salaire sans doute considérable, dans une institution au nom labyrinthique qui se consacrait à faire fructifier l'argent des autres. Parmi les raisons qui avaient pu la pousser à avoir une liaison avec un de ses clients, la misère ou le besoin de protection n'étaient pas envisageables. En fait, pour quelqu'un qui travaille avec un si vaste horizon scientifique, tu es très romanesque, Álvaro, me rappelai-je, tu as beaucoup d'imagination, pour un physicien.

Dans le premier tiroir de la table de nuit il y avait trois objets. Le plus petit était une boîte à pilules carrée en argent, à la surface rayée, très semblable, sinon identique, à celle que mon père avait toujours sur lui. Il en allait de même pour le portemine en acier, très simple, très stylisé, comme tous ceux qu'ils portait accrochés à la poche de sa veste dans toutes les images de lui que je pouvais me rappeler. Le troisième était un godemiché en caoutchouc mauve, qui semblait rempli d'une sorte de gel, et sentait le savon, le plastique bien lavé.

Eh bien, papa...

Raquel Fernández Perea, qui est beaucoup plus jolie qu'elle n'en a l'air, nue sur une pile d'oreillers, ses jolies jambes grandes ouvertes, offre une perspective insolite, obscène et charmante de son corps légèrement disproportionné, la peau parfaite. Asseyez-vous, s'il vous plaît, excusez-moi, je ne vous ai rien offert, vous voulez un café ? Son ventre tremble à peine, certes moins que les mains du vieil homme qui saisit un cylindre en caoutchouc mauve qui disparaît lentement en elle pour qu'elle le remercie de cette attention d'un sourire qui découvre ses dents écartées.

Le sang se pressait à mes tempes comme s'il allait faire exploser mes veines. Ma respiration ne faisait qu'injecter de l'oxygène dans un feu dont je ne pouvais plus distinguer que la chaleur, les flammes qui m'encerclaient, qui s'accrochaient à mes vêtements, qui m'asphyxiaient de leur fumée avec une minutie et une précision implacables. Je vais te décevoir, Álvaro, c'est une histoire ordinaire, simple. Nous autres, êtres humains, nous sommes très simples. Elle avait raison, à tel point que j'allumai d'abord la télévision, puis le lecteur de DVD, pour y trouver exactement ce à quoi je m'attendais. La femme était brune et portait un corset rouge et noir qui découvrait sa poitrine ; les hommes – car ils étaient deux – portaient un costume sombre et une cravate, mais ils avaient tous deux la braguette ouverte et leur engin à l'air. Incapable d'en voir davantage, j'éteignis les deux appareils dans l'ordre inverse dans lequel je les avais allumés, d'abord le lecteur de DVD, ensuite la télévision, pour m'éviter les excès sordides et mécaniques des scènes qui devaient suivre. Je ne pus éviter de faire une plaisanterie, du porno pour cadres, papa, pensai-je en mon for intérieur, en me rappelant combien ma réticence à mettre une cravate l'énervait, a toujours été ton truc. C'était une plaisanterie, mais elle ne me fit pas rire.

Je n'avais pas envie de rester là plus longtemps, à fureter dans l'intimité de ce vieil homme qui me semblait maintenant aussi faible, aussi fragile, aussi déshérité qu'un animal des rues, abandonné, un pauvre homme qui était mort et seul, nulle part. Pour la première fois de ma vie, je me sentis responsable de mon père, plus adulte que lui, plus à décider, à résoudre, à défendre et à le protéger comme il l'avait fait avec moi. Il a fallu que tu meures, papa, pensai-je, il a fallu que tu meures pour avoir besoin de moi. La dureté de cette conclusion me fit frissonner.

Dans la boîte à pilules, il y avait un comprimé blanc, petit, d'autres ronds et un peu plus gros, blancs aussi, et deux bleus. Ils me semblèrent bizarres parce que je ne me rappelais pas en avoir vu de cette couleur. J'en mis un dans ma poche, replaçai la boîte dans le tiroir de la table de nuit, le fermai, et tentai de tout laisser dans l'état où je l'avais trouvé, même si avant de partir je me rendis compte que j'allais devoir revenir bientôt. Je ne pouvais partager ce secret avec mes frères et sœurs, et encore moins ma mère. En fin de compte, nous avions tous eu de la chance que ce soit moi qu'elle ait envoyé ce matin, précisément moi, le mauvais fils, au rendez-vous avec la dernière maîtresse de son mari. Je me rappelai alors la réunion qu'elle avait fixée au jeudi suivant. Il fallait que je me débarrasse de tout, jeter les films, le godemiché, les bougies, le réveil, les produits de beauté, les livres. Cela m'apparut comme un travail laid, sale, et je sentis un élancement de tristesse sur le seuil de cette porte par laquelle j'allais devoir repasser. Je me demandai quand il avait pu la franchir pour la dernière fois, comment il se sentait, combien de temps il lui restait avant de mourir.

Quelle vacherie, papa, quelle vacherie, que tu sois mort comme ça, avec une maîtresse de trente-cinq ans et tellement d'envie de vivre, quelle vacherie. L'air du dehors me fit du bien, mais n'adoucit pas la croûte glacée de ma mélancolie, ni ne solidifia l'état gazeux qui maintenait toutes mes terminaisons nerveuses au bord de l'ébullition. La rue Villanueva était de surcroît étonnamment dégagée.

« Miguelito ! »

Mon fils arriva en trottant dans le couloir, s'écrasa contre moi avec la joie insouciante d'un taureau qui voit la porte du toril ouverte, et cela me fit rire. Il était très brutal, c'est vrai, mais cela m'amusait tant.

« Tu as été sage, aujourd'hui ? » lui demandai-je, après l'avoir pris dans mes bras, couvert de baisers pour humer le parfum de sa tête, un mélange de craie, de gomme et de ketchup. Il fit un signe de tête affirmatif, très sérieux. « On m'a raconté que ta maîtresse dit que tu travailles bien mais que tu te bats souvent.

— C'est pas moi, répliqua-t-il sans se départir de son sérieux. C'est Adrián, et Tito aussi, à la récréation, pif, paf...

— Ils te tapent et tu te défends, n'est-ce pas ? lui demandai-je. Alors tu vas mériter un prix, parce que tu travailles si bien, je veux dire... Ou non ? »

Mai était dans la cuisine, remuant le contenu d'une poêle avec une cuillère en bois.

« Álvaro, tu arrives bien tôt !

— Oui, reconnus-je en fermant la porte.

— Le petit est...

— Le petit est en train de regarder *Peter Pan*, l'interrompis-je, me plaçant derrière elle. C'est son film préféré, tu sais, ça ne peut pas être dangereux ; les pirates sont très sympathiques.

— Mais, tu ne l'avais pas caché... ? Álvaro..., souffla-t-elle en laissant échapper un petit rire nerveux. Álvaro, qu'est-ce que tu fais ?

— Rien » J'avais la main droite dans son soutien-gorge, la gauche sous sa jupe, et je l'embrassais dans le cou, très lentement. « J'ai levé sa punition, pauvre petit...

— Pourquoi ?

— Quoi, pourquoi ? répétai-je en l'imitant, pendant que je me serrais contre elle. À ton avis ?

— Álvaro... je suis en train de faire des croquettes pour le dîner... Et la béchamel va être pleine de grumeaux... »

Ce soir-là, nous dînâmes d'une pizza quatre saisons avec du pain à l'ail, et je m'aperçus que mon fils interprétait ce menu imprévu comme une partie du prix que, dans un élan de magnanimité amusant et injustifié, j'avais décidé de lui accorder. Tu vas voir, me dis-je en le regardant avec une pointe de compassion anticipée, tu vas voir, la prochaine fois que tu peindras sur le mur et que je devrai recommencer à cacher ton film. Il se tint très bien, mangea tout ce qu'il y avait dans son assiette et se laissa mettre au lit sans broncher par un père écrasé par son arbitraire.

Quand je revins au salon, Mai était en train de regarder un film. Je servis deux verres et m'assis à côté d'elle. Elle se cala contre moi, comme d'habitude, et je parvins à rester tranquille pendant dix minutes.

« Álvaro ! » Elle avait le T-shirt remonté jusqu'aux aisselles, le soutien-gorge dégrafé, la jupe froissée à la taille. Son ton mi-indécis, mi-scandalisé me fit comprendre qu'elle était aussi contente qu'étonnée. « Qu'est-ce qui t'arrive, aujourd'hui ? Tu es vraiment impossible...

— Je ne sais pas, répondis-je, en l'asseyant sur moi. Ce doit être le printemps. »

Mais ce n'était pas le printemps. Et quand j'eus fini, je n'étais pas plus calme qu'en arrivant à la maison.

Le tout peut être plus grand, moins grand ou égal à la somme de ses parties, tout dépend de l'interaction qui s'établit entre ces dernières. Réfléchissez bien à ce que je viens de dire, c'est une phrase très importante. En soi, mais aussi parce qu'elle débouche sur cette autre : nous pouvons juste affirmer que le tout est égal à la somme des parties quand les parties s'ignorent entre elles.

C'était ce que je disais à mes élèves, qui le notaient avec beaucoup d'enthousiasme et une ombre de scepticisme dans le regard. Sans doute se demandaient-ils où je voulais en venir et pourquoi je leur racontais tout ça puisqu'ils ne faisaient pas des études de philo, enfin ! À la moitié du cours, cependant, les plus malins avaient découvert que la physique était aussi un système de pensée, qu'elle avait ses propres règles, et que celles-ci ne pouvaient se développer uniquement avec les outils de l'arithmétique. Parce que deux et deux ne font pas nécessairement quatre, pas toujours, pas en toutes circonstances, pas forcément, pas à tout prix. Quand vous le comprendrez, leur disais-je, vous serez à même de comprendre beaucoup d'autres choses. Cependant, l'habitude d'obtenir un quatre pour la somme de deux et deux était trop enracinée dans le mécanisme de leurs connaissances pour qu'ils parviennent à la déloger sans résistance, je le comprenais, et j'essayais de ne pas être trop sévère avec eux. Je ne le fus pas avec moi non plus quand je retournai à la garçonnière de mon père et eus la sensation que tout cela était un montage.

Je travaillais depuis deux jours et demi avec une méthode radicale, une surcharge volontaire d'effort. Cela m'avait réussi : depuis que je connaissais Raquel, je n'avais fait qu'élaborer des hypothèses déçues, et après avoir passé l'après-midi entier au musée, à discuter avec les ouvriers et à superviser le montage de mon exposition, j'arrivais à la maison à la nuit, et assez fatigué pour que Mai retrouve son calme. Pour moi, c'était différent, simple épuisement physique et, peut-être, le soulagement d'en savoir un peu plus.

Je profitai du premier intercours du mardi matin pour appeler Adolfo, mon beau-frère.

« J'ai une question à poser à ta femme, mais je crois que c'est à toi que je préfère parler.

— D'homme à homme ?

— Eh bien... oui.

— Voyons... » Le ton moqueur, malicieux, derrière lequel il se protégeait, me fit sourire. « Il ne faut pas que ce soit très difficile. Ni très masculin, si possible.

— Eh bien, je crains que ce soit masculin, mais pas difficile... Voilà, la semaine dernière, un de ces jours où il pleuvait tellement, j'ai dû aller à La Moraleja pour y prendre le courrier de ma mère. J'étais sans manteau, avec un pull, je me suis trempé, et Lisette m'a donné un imperméable de papa. Dans une poche il y avait une de ces boîtes à pilules en argent qu'il avait toujours avec lui, qui contenait un comprimé blanc, rond, petit...

— Cafinitrina, m'interrompit-il, ignorant qu'il ne me disait rien que je ne sache pas déjà. Ton père devait toujours en avoir sur lui, parce qu'il avait déjà eu un infarctus et, avant, quelques alertes.

— D'accord. Et puis il y avait d'autres comprimés, blancs eux aussi, et ronds, mais un peu plus gros, je ne sais pas ce que c'est.

— Moi non plus, dit Adolfo en riant, va savoir... Ça peut être du paracétamol, pour les maux de tête. Ou non. S'ils sont ronds, c'est sûrement une sorte d'estatine, pour le cholestérol. Ton père avait un taux de cholestérol élevé, pas énormément, certes, mais suffisamment pour le surveiller.

— Je vois... Et puis il y avait d'autres comprimés, qui m'ont intrigué, d'une couleur bleu ciel intense. » Je regardai le cachet et tentai d'être plus précis. « Je ne sais pas si tu vois ce que je veux dire, enfin, pas exactement bleu ciel...

— Et en forme de losange, compléta-t-il.

— Oui, admis-je.

— Viagra.

— C'est sûr ?

— Eh bien, je ne suis pas pharmacien, mais avec ces caractéristiques... Presque.

— Et mon père... » Je m'y attendais depuis le début, mais le naturel de mon beau-frère me déconcerta un instant. « Mon père pouvait prendre du Viagra ?

— Ce n'est pas qu'il pouvait, Álvaro. Il en prenait, tu es en train de me le dire.

— Et ce n'était pas dangereux ?

— Eh bien... » Il s'arrêta un instant, comme s'il commençait à me prendre au sérieux et avait besoin de trouver un ton différent pour continuer à me parler. « C'est comme tout, je ne sais pas que te dire. Bien sûr, celui qui a conçu le Viagra ne pensait pas à un patient présentant ses caractéristiques, mais... Ton père était un homme très solide, Álvaro. Ça te semblera sans doute paradoxal, parce qu'il est mort d'un infarctus, mais c'était aussi un malade du cœur privilégié, parce qu'il ne souffrait ni d'hypertension, ni de diabète... Et malgré tout, les dispensaires regorgent de grands-pères de l'âge de ton père, malades du cœur, qui souffrent de diabète, voire d'hypertension, et qui se bourrent de Viagra, et joyeusement, en plus, de leur propre chef, sans aucun contrôle, parce qu'ils savent que leurs médecins ne leur en prescriraient pas, même si c'est en train de changer, bien sûr, ce n'est que le début. Les spécialistes se sont aperçus que ça ne servait à rien de le leur interdire, qu'ils continueront à en prendre de la

même façon et voilà, va leur enlever ce qu'ils ont ! S'ils renon-
çaient au Viagra peut-être, peut-être seulement, pourraient-ils
vivre plus longtemps ? Bien sûr. Ils pourraient courir moins
de risques, être moins fatigués, moins souffrir d'arythmie ?
Bien sûr. Ils pourraient avoir une meilleure qualité de vie ?
Plus maintenant. Ça dépend de ce que chacun entend par qualité de vie, et moi, bien sûr, je conserve la définition des
grands-parents. Moi, quand mon heure sera venue, je compte
en prendre. La vie est si courte, et puis plus rien, et si je me
trompe, s'il s'avère finalement que la chair ressuscite, je préfère ressusciter en bandant, si je n'ai pas la veine de me
retrouver par erreur au paradis musulman avec trente vierges
pour moi seul.

— Eh bien, tu sais, je n'y avais pas pensé, reconnus-je
quand j'eus cessé de rire.

— C'est parce que tu as dix ans de moins que moi, mais
ça viendra, tu sais... Maintenant, parlons sérieusement,
Álvaro. La première conversation disons, intime, que j'ai eue
avec ton père portait là-dessus. Je commençais à sortir avec
ta sœur, c'était la troisième ou la quatrième fois que j'allais
chez lui, il en a parlé et cela m'a paru normal. Il allait avoir
quatre-vingts ans dans les deux ans, c'était un homme solide,
sain, il éprouvait de la curiosité, logique, non ? En tout cas,
moi, je trouvais ça logique. Il ne m'a pas demandé s'il pouvait
en prendre, mais c'était dans l'air et j'ai anticipé. Si tu veux
essayer, Julio, ne serait-ce qu'une fois, lui ai-je dit, préviens-
moi. Ce n'est pas dangereux, ça ne te fera pas de mal, mais il
faut bien calculer la dose, c'est très important, et à ton âge il
vaut mieux bien faire les choses. Bien sûr, me répondit-il, bien
sûr. Et il ne m'a jamais prévenu, mais ça aussi c'est normal,
non ? J'étais le fiancé de sa fille, puis son mari, et il ne savait
pas quel degré de confiance il pouvait avoir avec moi sans y
inclure Angélica. Peut-être n'avait-il pas du tout envie que ça
se sache, il devait avoir ses raisons.

— Oui, admis-je, oui, tout ça, je le comprends, mais... le
Viagra aurait pu provoquer l'infarctus ?

— Le Viagra ne provoque pas d'infarctus, Álvaro. Il permet, c'est vrai, de faire un effort physique qui peut se révéler
insurmontable pour un cœur malade, mais je ne crois pas que
cela ait été le cas de ton père, je dois dire... » Il marqua une
pause, comme s'il avait besoin de mesurer ses paroles avant

de poursuivre. « Il a eu son infarctus un vendredi après-midi et le matin il s'était levé en bonne forme, non ? Quand il a commencé à se sentir mal, il était à son bureau, au calme, il ne s'était rien passé, et puis... Il a eu le temps d'arriver chez lui, de se mettre au lit, ta mère est arrivée tout de suite... Je ne sais pas, Álvaro, mais je ne crois pas. Et puis, si ça avait été le cas, quoi ? Ne te torture pas. Son cœur aurait pu accuser n'importe quel autre effort, un travail des plus innocents, je ne sais pas, tondre la pelouse, jouer avec ses petits-enfants, monter rapidement l'escalier, se fâcher plus que de raison ou s'énerver. Et même pas ça. Il aurait pu être épuisé, lessivé, et sa mort n'aurait pas été plus douce, ni plus pure, ni meilleure. La mort est une saloperie, Álvaro, celle de ton père et celle de tous les autres. S'il prenait du Viagra et qu'il ait dépassé la dose, personne n'a rien à lui reprocher. Il en avait le droit. C'était sa vie, et ce fut sa mort, son risque. Pas le tien.

— Ça, je le sais. Merci, Adolfo. Vraiment.

— De rien. Dis, autre chose... tu as très bien fait de m'appeler. Il vaut mieux que tu n'en parles pas à Angélica. Elle rit beaucoup quand je raconte à haute voix l'histoire des houris, mais je pense qu'elle ne trouverait pas ça drôle du tout.

— Ne t'inquiète pas. » En raccrochant, je ne me demandai même pas comment il se faisait qu'un homme aussi charmant ait pu tomber amoureux d'une femme aussi insupportable.

Deux et deux font quatre, c'est la tradition, le prestige, l'habitude, la vérité absolue, légendaire, qui ne se laisse pas déloger sans résistance. Deux et deux font quatre, et les contes sortaient, lançaient un chiffre parfait, rond, entier, sans l'ennui fastidieux des décimales. Deux et deux font quatre et mon père n'était plus un salaud, un fils de pute, un héros, un prodige, un champion, mais un pauvre homme dépendant des pièges bienveillants mais peut-être mortels de la chimie. Encore un pauvre homme, pensai-je, et je frissonnai à nouveau en comprenant que je n'aurais jamais osé penser cela de lui auparavant, du géant qui avait été beaucoup plus extraordinaire que nous, ses enfants, ne l'étions devenus, le magicien, le sorcier, le charmeur de serpents que j'admirais tant et qui avait maintenant diminué, avait eu peur au point de devenir insignifiant dans un fauteuil de la salle d'attente de n'importe quel médecin privé et très onéreux auquel il ne pourrait jamais payer entièrement le prix de ce qu'il était venu chercher.

Il avait été exceptionnel en cela aussi, mais la certitude de son ambition ne parvenait pas à expulser de ma mémoire les images de son corps, les genoux décharnés, la peau si blanche, craquelée, la flaccidité de la chair qui plissait autour des côtes, le duvet clairsemé, épuisé, de sa poitrine et de ses cuisses. C'était le corps de mon père, mais ma mémoire ne le lui aurait jamais assigné si Raquel Fernández Perea n'avait pas croisé mon chemin. Or, sa faiblesse m'attendrissait, la modestie de son pacte avec le démon des laboratoires, cette profonde angoisse qui était plus forte que la peur de mourir, et son orgueil, la magnifique détermination pour décider ses propres délais dans l'étroit empan de terrain qu'il pouvait encore marchander au destin. Être le fils d'un homme tel que lui avait été difficile. Maintenant qu'il avait dû mourir pour avoir besoin de moi, il ne m'était pas plus facile de me comporter comme si j'étais son père. Je savais qu'Adolfo avait raison, que ce n'était pas juste, que je n'avais rien à lui reprocher, aucun droit de le juger, cela aussi je le savais, mais je ne pouvais pas contrôler ma tristesse, la tentation de penser que pour lui l'important n'était pas de tirer un coup, mais de savoir que le prochain ne serait pas encore le dernier, un combat si inégal, si disproportionné, si perdu d'avance. Mon père n'aurait pas été d'accord avec moi, mon beau-frère non plus, ce n'était peut-être qu'une question d'années, quinze, vingt-cinq, trente, et la mort avec un visage de plus en plus défini, mieux éclairé, moins ambigu, et laid, si laid, horrible, atroce. Peut-être alors, quand je contemplerais de près le visage de la mort, deux et deux feraient-ils plus que jamais quatre.

Mais en attendant ce n'est pas toujours le cas, pas en toutes circonstances, pas forcément, pas à tout prix. J'en avertissais mes élèves chaque année, pour qu'ils le notent avec beaucoup d'enthousiasme et une ombre de scepticisme dans le regard. Mais enfin, on ne fait pas des études de philo, protestait toujours l'un d'entre eux. C'est ce que tu crois, lui répondais-je, tu n'es pas sur la bonne voie. Le tout est égal à la somme des parties quand celles-ci s'ignorent entre elles, et Raquel Fernández Perea et Álvaro Carrión Otero avaient cessé de s'ignorer. Pour cette raison, et parce que je retrouvai à temps la conviction que deux et deux ne doivent pas nécessairement faire quatre, en pénétrant à nouveau dans cet appartement, j'eus la sensation que tout était un montage.

Juste une sensation. Même pas une idée, ni une impression, une déduction ou même une intuition, mais une simple sensation, une de ces révélations trompeuses, dangereuses, fragiles et précaires comme un cheveu sec, qui s'appréhendent avec la pointe de ces nerfs illusoires de ces résidus imaginaires d'instinct animaux, de cette capacité surhumaine que nous considérons comme perdue pour toujours excepté dans les moments d'extrême désespoir. Alors, quand il est plus important de croire que de penser, fleurissent les hommes qui flairent les mines, les femmes qui trouvent de l'eau dans le désert, les enfants qui font tomber la pluie ou les fillettes qui voient la Vierge Marie juchée sur un arbre. Je n'avais jamais pu supporter la crédulité des gens, la ferveur avec laquelle ils s'abandonnent aux supercheries religieuses ou scientifiques, le gaspillage impardonnable de leur foi, qui pour moi, non croyant, est un bien si onéreux, si rare, si indispensable. Je n'étais pas désespéré non plus, et j'eus pourtant une sensation, je flairai une mine, je sentis trembler la baguette sur la terre, je pressentis la pluie, je perçus une présence inexplicable. J'eus beau chercher, je ne trouvai aucune preuve, pas le moindre argument pour l'étayer.

Il était 15 h 30, je n'avais pas déjeuné et j'étais debout, dans ce salon si grand et si vide où les meubles laissaient suffisamment d'espace pour danser une valse entre eux. Armé de grands sacs-poubelles, je m'étais arrêté à un point précis entre la salle à manger et le séjour. Subitement, j'avais besoin de comprendre ce que je voyais, comme un chien qui refuse d'avancer en découvrant la trace infime d'une piste douteuse, qui n'est pas celle qu'il cherche mais qui parvient cependant à exciter son odorat. Il y avait dans ce lieu une chose que je n'étais pas parvenu à saisir trois jours plus tôt, une chose qui n'était pas précisément une erreur, conclus-je, après avoir tout étudié avec plus d'attention que lors de ma première visite. Cette fois, j'ouvris le placard, vidai les tiroirs, examinai le contenu du frigo, trouvai beaucoup d'autres choses logiques, ordinaires, prévisibles : robes de chambre, pantoufles, pyjamas, chemises de nuit, couvertures, draps, nappes, serviettes, lingerie provocante, canettes de Coca, chocolat, café instantané, lait condensé, presse-agrumes électrique, une cafetière, un seau à ordures, six verres à eau, quatre à whisky, assiettes, tasses, couverts, journaux périmés, une boîte de chocolats ouverte et à moitié vide, le numéro de mars d'un programme de télévision digitale, une boulette de haschisch déballée, un carnet de papier à cigarettes, un paquet de filtres.

Je pris ces trois derniers objets, qui se trouvaient dans le tiroir du bas de la commode, et les rangeai dans ma poche. Deux secondes plus tard, ils doivent appartenir à Raquel, pensai-je, et j'allais devoir les lui rendre. Alors je me rendis compte que je ne devais pas tout jeter, comme je l'avais d'abord envisagé, mais tout donner à Raquel. Elle était, depuis la mort de mon père, la propriétaire naturelle de tout ce qui se trouvait dans l'appartement qu'ils avaient partagé. Il vaudrait donc mieux remplir deux sacs différents, un avec tout ce qui partait à la poubelle : la nourriture, les vieux journaux et les pots entamés de la salle de bains, et un autre avec tout le reste. Je portai la main droite à mon visage dans un mouvement instinctif, presque inconscient, que je ne fus pas capable de reproduire ensuite. J'ignore si je me frottai les yeux, le menton ou le front, mais je sentis l'odeur du haschisch qui imprégnait encore mes doigts et découvris soudain que c'était là ce qui ne cadrait pas.

Cet endroit n'avait pas d'odeur. Même si les livres avaient été lus, le cendrier et les brosses à dents utilisées, et les bougies à moitié consumées, l'air était net, dépourvu de tout parfum différent de la neutralité des espaces inhabités. Personne n'habitait cet appartement, il n'avait pas été conçu pour cela. On ne pouvait pas non plus dire que Raquel habitait à son bureau et là-bas je n'avais pas eu cette sensation de respirer dans le vide. Je ne pouvais pas me rappeler son odeur, sûrement un mélange de cigarette et de café, d'encre d'imprimante et de son parfum, mais j'étais sûr que cette odeur existait, car sinon j'aurais perçu son absence, comme je percevais celle-ci sans l'avoir cherché. Cette découverte me stupéfia à tel point que je restais assis un bon moment sur le lit, cherchant des arguments suffisants pour la rejeter.

Le plus évident était ma montre, qui indiquait déjà 16 h 25. Je n'avais plus de temps à perdre, et cela signifiait que le problème appelé Raquel Fernández Perea n'avait plus qu'une heure et demie à vivre. Pendant que je bourrais non pas deux, mais trois sacs, avec la surprenante quantité d'objets que contenait cet appartement qui semblait vide, je ne pus éviter la même sensation d'incongruité, de mensonge impeccablement masqué, qui m'avait assailli en entrant. J'étais persuadé que plus rien n'avait d'importance, que la séquence frénétique de secrets et de hasards qui m'avait étouffé pendant une semaine allait expirer très prochainement, dans le délai imparti. Dès mon retour dans la paisible plaine de terres cultivées qu'était ma vie, elle s'évanouirait progressivement, perdrait de la couleur, du relief, de l'intensité, afin de prendre sa place dans la liste des petits mystères d'une vie ordinaire. Mon père avait eu une maîtresse, très bien, à quatre-vingt-trois ans, très bien, je l'avais rencontrée, parfait, elle m'avait plu, bien sûr. Elle me plaisait même beaucoup mais ma femme plaisait aussi à mon père, nous avions les mêmes goûts, et alors ? Alors rien, je m'étais rendu là où ils se voyaient, j'avais effacé toutes leurs traces, je lui avais rendu ses affaires, point final, adieu, avec cette inévitable mélancolie des plus jamais. Quand je partis à 17 h 45, je pensai avoir rendu à ce lieu son premier état, l'avoir débarrassé du superflu, mais je refusai d'insister sur ce paradoxe. Ça n'a plus d'importance, maintenant, me dis-je, c'est fini.

C'était ce que je croyais, que tout était fini. Mais cet appartement ne figurait pas dans l'inventaire des biens de mon père que je trouvai devant ma chaise, réservée par Julio et Clara, entre les leurs, devant une immense table dont l'autre bout était occupé par Rafa, Angélica et ma mère.

« Je suis désolé, maman, dis-je en entrant. Je n'ai pas pu arriver avant.

— Ça ne fait rien, Álvaro, concéda-t-elle. Nous n'avons pas encore commencé. Mais tu aurais pu faire l'effort de mettre un costume et une cravate, enfin, ce que j'en dis...

— Oui..., dis-je en souriant. Pour ça aussi, je suis désolé. »

Je n'avais pris que dix minutes de retard après avoir déposé un sac-poubelle dans un conteneur, mis les deux autres dans le coffre de ma voiture, et parcouru à pied la distance qui me séparait d'une adresse rue Príncipe de Vergara dont j'aurais juré qu'elle se trouvait plus près. Je m'arrêtai dans une pâtisserie pour y acheter deux croissants, que je mangeai dans la rue, goûtant chaque bouchée avec le plus de plaisir : ce soulagement de savoir que la clé que j'avais en poche était sur le point de disparaître, de s'évanouir dans l'air comme le souvenir d'un rêve agité, pour ressusciter dans la réalité qui m'entourait avec la garantie de sa nature propre et innocente, juste une clé qui ouvrait la porte de l'une des nombreuses maisons qui avaient appartenu à mon père. Ce soir, elle ne manquerait à personne. La prochaine fois que ma mère m'enverrait à La Moraleja, je la mettrais dans un tiroir et quelqu'un l'y trouverait, l'adresse était écrite sur le porte-clés, regarde, c'est amusant, il y en a une autre qu'on n'avait pas vue. Je souris en l'imaginant, mais à ce moment je ne savais pas que cet appartement n'existerait jamais pour une autre personne dans la famille.

« Ce n'est pas possible... », murmurai-je après avoir lu la liste pour la première fois.

Je la relus plus lentement, en pointant avec un crayon, et je ne l'y trouvai pas là non plus. Ce n'est pas possible, enfin, ce n'est pas possible, ça ne peut pas m'arriver à moi, il ne m'arrive jamais rien et tout allait prendre fin, tout avait déjà dû prendre fin... Or j'étais là, de plus en plus irrité, nerveux, fatigué de porter mon père sur le dos. Arrête de m'emmerder, papa, ronchonnai-je en mon for intérieur, arrête, mon problème, c'est que mon fils se bat à l'école, que les ouvriers montent mes panneaux à l'envers, et que mes élèves se plaignent de ne pas être des étudiants en philosophie, ce n'est pas possible... J'étais très irrité, très nerveux, et si fatigué que je le répétai à haute voix sans m'en rendre compte.

« Ce n'est pas possible.

— Qu'est-ce qui n'est pas possible, Álvaro ? » Ma sœur Angélica n'était pas seulement méfiante, susceptible, pointilleuse et autoritaire. Elle était également dure d'oreille quand ça l'arrangeait.

« Rien. » Passant par-dessus ses sourcils froncés, je m'adressai directement à mon frère aîné : « Dis, Rafa, papa n'avait pas un appartement comme celui que tu m'as montré ? Tu sais...

— À Jorge Juan, affirma-t-il. Si, si, il en avait un. Et un des grands, en plus. Il l'a vendu.

— Quand ?

— Mais enfin, Álvaro ! intervint ma sœur sur le ton supérieur qui lui était habituel. C'est le comble. Qu'est-ce que ça peut te... ?

— Écoute, Angélica ! criai-je, sentant une violence d'un genre inconnu s'échapper de moi comme un jet d'eau qui crève un tuyau. Je ne vais pas me faire opérer, tu sais ? Je n'ai pas de fièvre, ni mal aux dents, et je ne prends pas d'antibiotiques, d'accord ? Alors tais-toi et fous-moi la paix.

— Álvaro ! » La voix de ma mère tarda à s'élever, comme si l'étonnement pesait plus lourd que la nécessité de blâmer mon comportement. « Ne parle pas comme ça à ta sœur ! »

Dans le silence qui s'ensuivit, Julio posa une main sur mon épaule, Rafa me jeta un regard halluciné et Clara osa me défendre.

« Ce n'est pas si grave, maman, enfin, je crois...

— Bien sûr que si. » Ma mère l'interrompit, et elle se retourna contre moi. « Je n'ai pas l'intention de tolérer ce genre de scènes, Álvaro. Je ne sais pas ce que tu as, mon petit, mais je n'aime pas ça du tout. Ton caractère a changé.

— C'est possible », admis-je. J'étais si irrité, si nerveux, si fatigué de porter mon père sur le dos. « Il est possible que mon caractère ait changé, maman, et je regrette, je regrette beaucoup, mais bon, je ne peux pas poser une question à Rafa sans qu'Angélica se mette au milieu ? »

Elle prit son temps pour répondre, mais avant, elle acquiesça de la tête, indiquant qu'elle allait se prononcer en ma faveur.

« Sur ce point, uniquement sur ce point, tu as raison. Et tu fais bien, en plus. » Puis elle nous regarda tous, un par un. « C'est le moment de demander tout ce que vous voulez savoir.

— Très bien, alors... » Ma sœur, qui fixait ses ongles depuis un certain temps, leva la tête à cet instant. « Je suis vraiment désolé, Angélica. Ces derniers temps, je suis très nerveux, très stressé, je ne me supporte même pas, je t'assure. Excuse-moi, s'il te plaît. » Je ne poursuivis que lorsqu'elle acquiesça de la tête. « Quand papa a-t-il vendu cet appartement, Rafa ?

— Je ne m'en souviens pas précisément, mais il y a très peu de temps, en fait, je ne sais pas, deux ou trois mois. Il n'a pas voulu me dire combien il en avait tiré, mais sûrement un bon prix, il a toujours eu beaucoup de chance pour ça, tu sais. » Il réfléchit et se souvint de quelque chose qui lui fit beaucoup de peine. « Moi, il m'en reste encore un, alors... »

Ces mots me renvoyèrent à celui qui n'avait pas cessé d'être mon véritable père, le vieillard astucieux, fort, puissant, qui s'était révélé être un homme bien plus extraordinaire qu'aucun de ses enfants n'était parvenu à être. Tu avais raison, papa, me dis-je, toujours, et non seulement cette pensée me tranquillisa, mais me conduisit par la main à une conclusion plus aimable, moins problématique que celle qui était prévue. S'il n'était pas à nous, l'appartement devait appartenir à Raquel, il avait dû le lui offrir, le mettre à son nom, le lui laisser en héritage à sa façon. Il doit être à elle, pensai-je, il n'y a pas d'autre explication. Il n'y en avait pas, et cette certitude provoqua deux sensations simultanées et contradictoires, une de soulagement, en calculant que le secret de mon père se préserverait de lui-même, et une autre d'ennui, en comprenant que j'aurais pu m'épargner les deux visites et le travail laid, sale, de l'après-midi. Je ne pus décider laquelle des deux était la plus forte, car ma mère qui, une fois résolue la crise de ma mauvaise éducation, semblait plus animée que jamais, sortit un carnet de son sac, y jeta un coup d'œil et réclama notre attention.

« Bon, vous avez eu le temps de tout voir, non ? S'il n'y a plus de questions, je vais vous expliquer ce que je compte faire. Comme vous avez vu, j'ai hérité des deux tiers, mais je vais répartir entre vous la moitié du total. Je vais liquider tous les investissements de papa, obligations, actions, sans toucher aux entreprises, bien entendu, et je vais vous donner tout l'argent, à parts égales. Les propriétés, pour l'instant, je les garde pour moi, car il est beaucoup plus compliqué de les partager, et je ne veux pas de fâcheries. Je préfère que vous vous disputiez entre vous quand je serai morte, et avec les assurances-vie et les bénéfices du groupe, j'ai largement de quoi vivre. L'argent que te réservait papa, Álvaro, je vais te le donner maintenant, avec le reste, parce que je ne crois pas que tu aies besoin de continuer à faire des économies. » J'acquiesçai en souriant et elle me rendit mon sourire. « Autre chose, pour ta dette, Rafa... Si tes frères et sœurs n'y voient pas d'inconvénient, j'ai pensé la partager en deux. Je t'en prélève une moitié maintenant, sur ta part. L'autre, c'est à moi que tu la devras, comme tu l'aurais payée à ton père, d'accord ?

— Merci, maman. » Mon frère aîné se pencha vers elle et l'embrassa sur la joue.

« De rien, mon petit. Bon, si tout cela vous convient, nous pouvons maintenant en parler au notaire... »

Je n'avais pas imaginé que mon père eût autant d'argent. Je devais certainement être le seul de ses enfants dans ce cas, car mes frères et sœurs ne cillèrent pas pendant que le notaire officialisait l'opération en mentionnant de temps en temps des chiffres que je trouvais si gros que je n'arrivais même pas à les retenir. Tout cela se passait en même temps et trop vite, dans une proportion qui débordait la discipline de mon intelligence, de ma mémoire. En fait, à la fin de cette réunion, je ne savais pas encore exactement de combien j'allais hériter, et je ne cherchai pas non plus à m'en informer. Je savais que c'était plus que je ne m'y attendais, mais aussi la moins importante de toutes les choses que j'avais en tête.

Je dis au revoir à ma mère devant la porte avec deux baisers, une forte étreinte et la surprise de constater que tout ce que j'avais découvert lors de ces derniers jours ne parvenait pas à modifier notre relation. On aurait dit que l'inquiétude, la compassion, et un certain degré de culpabilité diffuse qui était née de ma complicité posthume, forcée voire fantasmagorique avec son mari, n'avaient pas la force suffisante pour s'interposer entre elle et moi, pour altérer la façon d'être mère et fils que nous avions tous deux développée en même temps au cours de ces quarante dernières années. Comme je savais qu'elle attendait que je loue sa générosité, je lui demandai pardon une fois de plus, la remerciai à l'oreille et elle me renvoya en échange un sourire radieux. Quand je la vis s'éloigner entre Rafa et Clara, soudain si menue, si mince, aussi fragile que si elle avait été sur le point de se briser, il me sembla impossible qu'elle ait quelque chose à voir avec cet appartement rue Jorge Juan, avec les comprimés bleus, les bougies du jacuzzi, et l'anxiété profonde, plus forte même que la peur de mourir, qui avait animé l'homme avec lequel elle avait dormi dans le même lit pendant quarante-neuf ans.

« Tu es pressé ? » demandai-je à Julio quand nous eûmes dit au revoir à Angélica, qui partit dans la direction contraire, sans faire aucun commentaire sur ma sortie.

« Non, me répondit-il. Pourquoi ?

— Je ne sais pas, je n'ai pas envie de rentrer à la maison... Ça te dirait, d'aller prendre un verre ?

— Bien sûr. Et même deux. » Il passa un bras autour de mes épaules, comme s'il avait voulu me rassurer, me consoler, ou peut-être me garantir qu'il était de mon côté, et je compris qu'une pointe du secret avait inévitablement affleuré en moi. « Et, si tu veux, après on va aux putes et on met le feu à Madrid. Puisqu'on est riches.

— Non, répondit-je en riant, il vaut mieux laisser Madrid comme elle est.

— Très bien, mais je fais remarquer que ça n'est pas moi qui me suis dégonflé. »

En fait, ce ne furent pas deux verres, mais quelques-uns de plus, et quelque chose qui n'était pas la ville brûla définitivement en moi.

« Dis, Julio... » commençai-je quand le serveur nous laissa seuls, renonçant à un préambule impossible à trouver, « tu crois que papa avait des maîtresses ?

— Pourquoi ? » Il voulait éviter la question. « Je suis l'expert de la famille ?

— Non. Tu es le seul de la famille à qui je peux parler, ce n'est pas la même chose. »

Cela lui plut déjà davantage, car il avait toutes les raisons de me croire. Je n'avais pas prévu d'en parler à l'un de mes frères et sœurs, cependant, lorsque nous étions tous assis chez le notaire, autour de ma mère, je me rendis compte que chacun d'eux devait avoir sa propre version de notre père, et peut-être la capacité d'éclairer des zones, des coins, des ombres que je n'aurais même pas été capable de distinguer. Cependant Julio était le seul avec qui je pouvais parler, ça, c'était vrai.

« Eh bien, je ne sais pas... » Il se tut un moment avant de poursuivre. « J'y ai souvent pensé, tu sais, mais je ne sais que te dire. D'un côté... ça lui irait bien, non ? Je veux dire que les hommes riches de sa génération faisaient fermer les bordels et avaient des maîtresses régulières, à l'ancienne, à qui ils achetaient un appartement, et qu'ils entretenaient, tout ça.

C'était la tradition, et puis, ça cadre avec le personnage, sa façon de se comporter, d'agir... Avec son pouvoir. Il aimait le montrer, tu sais, il n'était pas croyant, et il n'avait pas telle-

ment de scrupules, et pourtant... Je ne sais pas. D'un autre
côté, il était si sérieux, si parfait à la fois...

— Oui, mais il aimait beaucoup les femmes. » Mon frère
acquiesça très lentement de la tête, comme s'il hésitait à me
donner raison. « Souviens-toi, il en parlait chaque fois que le
sujet revenait, et le samedi soir, il jouait même avec nous à
noter les danseuses de la télévision.

— Oui, oui, c'est vrai. Je ne nie pas qu'elles lui plaisaient,
ce n'est pas ça, mais... Enfin, je ne sais que te dire, c'est
comme si d'un autre côté il n'y avait pas tenu plus que ça,
comme si ça ne l'intéressait pas de se compliquer la vie. Même
si on l'a connu très âgé, ça aussi, à la naissance de Clara il
avait presque cinquante ans, et il en avait peut-être marre de
tout. Mais je suppose qu'il devait bien faire quelque chose, au
moins, non ? Tout le monde a une histoire de temps en temps.
De toute façon, on ne peut plus le savoir. Papa nous était cent
fois supérieur, c'est sûr. Il était plus malin que moi, que nous
tous réunis. S'il avait eu des maîtresses, ce dont je ne suis pas
sûr, je suis sûr qu'il ne se serait jamais fait pincer.

— Pas de son vivant.

— Qu'est-ce que tu veux dire ?

— Papa prenait du Viagra, Julio. »

Il sourit un instant, comme s'il n'avait pas compris immédiatement. Puis il ouvrit la bouche, haussa les sourcils, se pencha en avant et me regarda droit dans les yeux.

« Papa ? Du Viagra ?

— Papa, confirmai-je. Du Viagra.

— Bon sang ! » Il fixa un point indéfini derrière moi,
comme s'il avait besoin de se donner du temps pour accepter
la nouvelle. « Arrête, je vais finir par le trouver sympathique...
Comment est-ce que tu l'as su ? »

Je lui redis ce que j'avais déjà raconté à Adolfo et lui expliquai les considérations de notre beau-frère sur les risques liés
au médicament, l'intérêt que notre père avait montré pour lui
six ans auparavant, son avis sur l'état de santé dans lequel il
se trouvait quand il subit l'infarctus définitif.

« Lui, ça ne l'étonne pas, finis-je par dire.

— Moi si.

— Moi aussi, reconnus-je, mais peut-être que, dans ce
genre de cas, ce n'est pas la même chose d'être un fils qu'un
gendre. Adolfo voit peut-être les choses plus clairement que

nous uniquement parce qu'il est plus loin, parce qu'il a plus de distance, une perspective meilleure, plus complète.

— Bien sûr... » Julio me regardait, affirmait de la tête, très lentement. « C'est pour cela que tu es aussi hystérique, que tu penses que... »

Je confirmai ses soupçons afin que nous n'ayons ni l'un ni l'autre à passer par là.

« Tu sais ce qui arrive, Álvaro, du moins ce qui m'arrive à moi ? C'est comme si papa avait été plusieurs hommes au lieu d'un seul, parce que... Je ne sais pas, chaque fois que je parle de lui avec Rafa, et dernièrement on en a beaucoup parlé bien sûr, on se souvient de choses très différentes, parfois opposées, contradictoires, comme si on n'avait pas eu le même père... Vero dit que c'est normal, que c'est ce qui arrive toujours quand quelqu'un meurt. Je ne suis pas d'accord avec elle, je suis sûr que si c'était maman qui était morte, par exemple, nos souvenirs ne divergeraient pas, du moins pas autant...

— Mais Rafa a toujours eu une image déformée de papa, me risquai-je à dire, presque infantile, non ? Pour lui, il est comme Superman, son modèle, son idole, son héros.

— Tu as raison sur ce point, mais il n'y a pas que ça... Même s'il y a peut-être un rapport, tu sais. Rafa n'a jamais pu supporter, après avoir fait du zèle toute sa vie, que le préféré de papa ce soit toi et pas lui.

— Moi ? » Après tout ce que j'avais vu et entendu cette semaine, rien ne m'avait autant étonné que ces paroles. « Mais qu'est-ce que tu racontes ? Je ne l'ai jamais écouté, je n'ai pas fait les études qu'il voulait que je fasse, je suis parti alors qu'il voulait que je reste, j'ai fait un mariage civil...

— Et alors ? m'interrompit Julio. Ça n'a rien à voir. J'ai passé ma vie à l'entendre parler de toi : Álvaro est comme moi, Álvaro est le plus malin, Álvaro ne donne aucun motif de contrariété... Tu étais son préféré. Toi et les filles, particulièrement Angélica, on ne le croirait pas, elle est tellement dure, mais il la préférait à Clara, ne me demande pas pourquoi... Moi, il ne pouvait pas me voir parce qu'on avait des caractères très semblables, on s'accrochait beaucoup, mais c'était réciproque, tu sais, et puis, j'ai toujours été le préféré de maman, alors ça m'était égal, et à Clara aussi, en fin de compte, quoi qu'il arrive, elle sera toujours la petite. Mais Rafa ne le vit pas bien du tout, je t'assure.

— Je ne comprends pas, protestai-je, aussi bien pour lui que pour moi. En fait, je ne comprends pas, et puis, ça ne m'était jamais venu à l'idée...

— Tu vois ? Tu vois pourquoi je dis que ce qui concerne papa est très bizarre ? m'interrompit Julio.

— Mais de toute façon..., Rafa était son bras droit, n'est-ce pas ? Il savait tout, c'était son confident... »

À ce moment, ma perplexité commença à se briser, à céder à la pression de ce qui semblait invraisemblable une seconde plus tôt et avait déjà commencé à s'encastrer dans les limites du raisonnable. Je pouvais voir les crevasses, les fissures par où pénétrait la lumière. C'était d'abord une faible lueur, puis des lignes isolées, minces, douteuses, qui s'élargissaient sans me laisser de détails précis, de mots, ou d'images. Elles éclairaient avec efficacité une scène sur laquelle je n'avais jamais cru me trouver et qui me semblait cependant de plus en plus commode, familière, voire crédible.

Mon père aimait danser avec ma sœur Angélica. Ils le faisaient si bien qu'on aurait dit un couple de danseurs professionnels. Avec Clara, je ne l'avais vu danser qu'une seule fois, le jour de son mariage. Ton frère Julio pense avec sa queue, ton frère Rafa me casse les pieds... De moi, il ne m'avait jamais rien dit de tel, tu es plus malin, Álvaro, enfin, je crois. Il ne m'avait jamais donné non plus d'indices de sa prédilection. Jamais nous n'étions parvenus à une certaine intimité. Nous ne nous disputions pas, nous ne nous battions pas, et nous nous aimions. Ça oui, bien sûr, je l'aimais, c'était mon père, il m'aimait, cela allait jusque-là, pas plus loin. Je pensais toutefois qu'avec les autres, du moins avec son fils aîné, c'était différent, je n'avais pas pensé qu'il maintenait la même distance avec tous ses enfants. Je ne parvenais pas encore à l'accepter.

« Et puis... » C'est pour cela que j'insistai à nouveau. « Rafa faisait des affaires avec papa, non ? Tu as entendu maman, tout à l'heure.

— Des affaires ? » Julio haussa les sourcils et se mit à rire. « Ce que Rafa faisait avec papa, c'étaient des dettes, pas des affaires. Des dettes, Álvaro, parce qu'il lui demandait de l'argent en permanence, sans cesse. Papa ne lui donnait pas le quart de ce qu'il demandait, et je trouve cela bien, je dois dire, parce que l'autre s'agitait beaucoup, mais en fin de compte... On connaît l'histoire, tant va la cruche à l'eau... » Il fit une pause et sourit. « Écoute, tout à l'heure, quand maman a demandé si on n'y voyait pas d'inconvénient, j'ai failli intervenir. Parce qu'il va continuer, tu sais ? C'est sûr, il va même continuer de plus belle. Avec maman, c'est plus facile, elle est beaucoup plus faible que papa. Il aura beau avoir hérité, être en fonds, il essaiera quand même de lui soutirer ce qu'il pourra, je le sais, j'ai failli le lui dire... Et puis, j'ai réfléchi, qu'est-ce que ça peut me faire ? Je ne gagne rien à emmerder Rafa, je ne serai pas plus heureux en étant plus riche... Tu as déjà demandé de l'argent à papa, Álvaro ?

— Non. J'y ai pensé, quand j'ai acheté la maison, mais l'emprunt était exonéré d'impôts, alors... Je n'étais pas encore marié, je n'avais pas beaucoup de frais... »

Il acquiesça de la tête, se tut un moment, me regarda, finit son verre, en réclama un autre avec la main et me regarda à nouveau, comme s'il méditait, sur le point de prendre une décision au sujet de quelque chose que je ne pouvais pas évaluer. Mais je le connaissais très bien. C'était mon frère.

— Et toi ?

— Je lui en ai demandé une fois, dit-il en levant l'index de la main droite, pour qu'il n'y ait pas de doutes. Une seule fois. Et il n'a rien voulu me donner.

— Pourquoi ? demandai-je.

— Ça, je n'ai toujours pas compris. Ou plutôt, je préfère ne pas comprendre. » On lui apporta un autre verre qu'il vida à moitié avant de poursuivre. « Mais je vais te dire une chose. Papa était un homme admirable, qui s'était fait à partir de rien, sans l'aide de personne, d'accord. C'était un homme adorable, si sympathique, si séduisant, si intéressant, si intelligent, d'accord aussi. C'est ce que vous pensez tous, ce que tout le monde pense, et c'est vrai, je ne dis pas le contraire. Mais papa était aussi un homme très dur, très salaud quand il voulait. Et écoute ce que je te dis, parce que je ne suis pas comme toi, Álvaro, je ne pense pas comme toi, je ne parle pas comme toi. Et je ne dis pas que c'était un conservateur, vieux jeu, puritain, réactionnaire, mais un salaud, un authentique salaud.

— Verónica, me rappelai-je alors à voix haute, parce que je n'avais jamais pu l'oublier.

— Non, répondit-il en secouant la tête. Ou plutôt si, mais non. Ce fut la première saloperie, de toute façon, mais celle-là, je la lui ai pardonnée, parce que c'était un homme âgé, qui avait vécu dans un monde très différent, qui avait une autre conception des choses, je ne sais pas... Quand je lui ai dit que j'allais quitter Asun, il a été très surpris. Vous ne vous entendiez pas bien ? m'a-t-il demandé, et je lui ai répondu que si. En plus c'était vrai, et ça l'est toujours, en fait, je me suis toujours bien entendu avec Asun, même aujourd'hui, on ne se disputait jamais, on ne se battait jamais, enfin, pas le tiers d'avec Verónica, que dis-je ? pas le dixième... » Il me regarda en souriant et dit une chose étonnante avec un naturel qui me sembla enviable. « Bien sûr, Vero est l'amour de ma vie et pas Asun, et ce n'est la faute de personne. C'est la première chose qu'il n'a pas pu comprendre. Ce n'est pas ça, papa, lui dis-je, c'est que je suis tombé amoureux d'une autre femme... Quoi ? m'a-t-il demandé, avec un petit sourire qui, sur l'instant, me fit l'effet d'un coup de pied dans les parties, je dois dire. Je suis tombé amoureux d'une autre, répétai-je, alors il se mit à rire. Amoureux, amoureux, dit-il, en m'imitant, quelle sottise, et quel est le rapport avec ce dont on parle ?

— Mais..., l'interrompis-je sans savoir ce que j'allais dire ensuite.

— Mais non, Álvaro, me coupa-t-il à son tour. Ne t'y trompe pas. Papa n'était pas mécontent que je sorte avec Verónica. Ce qu'il trouvait stupide, c'était que je quitte Asun pour aller vivre avec elle. Mais bon, ça m'a semblé presque normal, c'est pour ça que je t'ai dit avant que je lui avais pardonné... Il y a eu autre chose, une autre fois, et je ne lui ai jamais pardonné. »

Il se tut, et je me rendis compte qu'il ne se sentait pas à l'aise, mais il trouva à temps un moyen de continuer.

« Je suis peut-être un mauvais mari, Álvaro, mais je suis un bon père. Un père génial. Et je ne le dis pas pour m'envoyer des fleurs, je n'ai aucun mérite, parce que ça ne me coûte pas, je dois dire... J'adore mes enfants. J'aime être avec eux, j'en ai besoin, je m'amuse bien, beaucoup, avec les enfants, et si je n'en ai pas plus, c'est parce que ma femme ne veut pas, parce que moi... C'est pour ça que je ne sors pas le samedi soir, et que je ne pars pas en week-end, sauf si je les emmène tous les quatre avec moi. Vero le sait, je l'ai prévenue avant même de commencer, quand notre histoire était encore un adultère de guide Michelin avec hôtels de luxe. Mes enfants et moi, on forme un tout, je suis désolé, si tu viens vivre avec moi, à partir de maintenant je peux juste t'emmener dîner à Paris le mardi.

— Et elle a accepté, bien sûr, dis-je en souriant.

— Oui, elle a accepté. Mais elle accepte aussi le reste, et elle aime beaucoup les jumeaux, c'était ce qui m'inquiétait le plus, vraiment. Je n'aurais pas pu vivre avec elle si elle n'avait pas aimé mes enfants. Et le samedi... surtout maintenant, parce que Asun a trouvé un fiancé et tout d'un coup les enfants sont de trop, elle me les laisse souvent des week-ends entiers. Alors à 21 heures, tout propres, en pyjama et empestant l'eau de Cologne, on s'assied tous les cinq sur le canapé du salon. Moi au centre, les garçons à ma gauche et les filles à ma droite, deux pizzas devant nous. On regarde le film sur Disney Channel, tu n'imagines pas les horreurs que je me tape...

— Bien sûr que si, j'imagine, protestai-je. J'ai un enfant, qu'est-ce que tu crois ?

— Eh bien voilà ! Lucía est celle qui crie le plus, mais quand elle boit son biberon, elle s'endort dans mes bras. Et Julia, qui est beaucoup plus âgée, bien plus grande que son frère, très jolie, et qui joue à être amoureuse de moi, qu'on est fiancés, appuie sa tête sur mon épaule, me prend par la main et on regarde le film en se faisant des câlins. Ensuite, celui qui s'endort c'est Pablo, sur Enrique, parce qu'il l'adore, c'est son frère aîné, il ne s'occupe pas de Julia. Finalement, il n'a que onze ans. Il est jaloux de sa jumelle qui se prend pour sa mère. Alors, il s'approche aussi de moi, peu à peu, jusqu'au moment où je passe mon bras gauche autour de lui. Je finis de regarder le film, avec les têtes des jumeaux sur les épaules, Lucía sur la jambe droite, Pablo à moitié en travers de la gauche, le corps endormi de haut en bas. Verónica reste dans un fauteuil, on ne lui laisse jamais de place sur le canapé. Elle dit toujours la même chose, c'est incroyable, Julio, quelqu'un qui te verrait ne le croirait pas. Elle a raison, mais ça ne m'empêche pas d'être l'homme le plus heureux du monde, je te le jure...

— Je te crois, Julio. »

Car je l'avais souvent vu, mon frère. Cet homme qui était non seulement l'homme le plus voyou, le plus grand coureur de jupons que j'aie connu de ma vie, mais aussi un patron implacable, guère plus compatissant ni plus scrupuleux que Rafa, je l'avais vu s'occuper de ses enfants, les faire manger, surveiller leurs devoirs, jouer avec eux. Il faisait preuve d'une patience infinie, sans jamais perdre son calme, ses forces, son envie de tirer un autre penalty, le dernier, papa. C'était un phénomène étonnant et émouvant, du moins pour moi, qui n'avais qu'un enfant et même pas la moitié de la résistance de mon frère.

« Alors tu vas comprendre le reste... Écoute, quand je me suis séparé d'Asun, il était très clair pour moi que j'allais essayer de continuer à bien m'entendre avec elle parce que, à ce stade, c'était surtout une question d'argent. Elle allait mal, bien sûr, et c'était de ma faute, mais il n'y avait plus rien à faire de ce côté. Alors quand son avocate m'a dit qu'il fallait évaluer la souffrance de sa cliente, je lui ai dit d'accord, tout sauf les enfants. Je l'ai emmerdée et elle veut m'emmerder. Très bien, je trouve ça juste, mais on va laisser les enfants en dehors de ça... Je ne voulais pas aller en justice, je voulais tout arranger à l'amiable, arriver chez le juge avec un accord privé auquel il ne pourrait pas s'opposer. Et j'y suis parvenu. C'était du boulot, crois-moi, j'ai négocié pendant plus d'un mois, parce que je voulais qu'on propose d'un commun accord la garde partagée et un régime de visites particulier. Je voulais partager tous les week-ends en deux au lieu d'avoir les jumeaux un week-end sur deux. Ça va être impossible, me dit l'avocate. Ah oui ? je réponds, combien ? Et elle adopte une intonation différente, insolente, comme un jeune premier de série B. Combien quoi ? me demanda-t-elle. Combien est-ce que ça va me coûter pour que ce soit possible... Elle m'a regardé, d'un air outré. Je ne vous comprends pas ! Bien sûr que si, ma jolie, je lui dis, moi aussi, je suis avocat, alors on va arrêter les bêtises...

— Je n'en savais rien, Julio », l'interrompis-je, amusé par le ton de ses confidences mais aussi ému par leur nature, le givre de ce processus dont il n'avait jamais parlé, dont il ne s'était jamais plaint pendant qu'il regardait Verónica comme le plus maladroit des dieux de l'Olympe. « Tu ne me l'avais jamais raconté.

— Non, dit-il avec un sourire, ni à toi ni à personne. Pourquoi ? Essentiellement parce que j'ai fini par obtenir gain de cause même si cela impliquait la ruine, ça oui... Asun, qui s'était très bien comportée, beaucoup mieux que son avocate, me dit le moment venu qu'elle ne voulait pas de prestation compensatoire tous les mois, mais une quantité raisonnable à l'avance. Elle avait déjà dans l'idée d'ouvrir la boutique et je trouvais ça génial et très sensé. La meilleure solution pour nous deux et même pour les enfants. Bref, je ne signai même pas la moitié de ce qu'elle avait commencé par demander, mais le double de ce que j'avais commencé à proposer, et j'avais été généreux depuis le début. Elle savait que je ne pouvais pas aller plus loin, elle savait de combien d'argent nous disposions. Mais cela m'était égal, parce que, qu'est-ce que l'argent, dis-moi ? »

Il me regarda comme s'il attendait de moi une bonne réponse et je secouai la tête tout en la cherchant vainement.

« Eh bien, je ne sais pas..., risquai-je au bout d'un moment. Le pouvoir ?

— Non. » Il repoussa mon hypothèse avec véhémence. « Rien. L'argent, quand on n'en a pas, peut être tout, mais quand on en a, ce n'est rien, Rien, tu comprends ? Il ne fabrique rien, il ne sert à rien, juste à le dépenser, pour acheter des choses agréables, pour obtenir du plaisir. Et moi, il allait me donner beaucoup plus que ça. J'avais la chance d'avoir un père riche, non ? » Alors je compris ce qu'il voulait dire, et qu'il avait raison. « Un père qui m'offrait douze mille euros tous les ans, comme ça, un père qui passait sa vie à prêter de l'argent à mon frère aîné afin que celui-ci l'investisse dans la dernière connerie qu'il avait en tête, les centrales hydroélectriques portugaises, les stations-service dans la province de Tolède, des participations dans des cimenteries et ce genre de choses, alors quand on parvint à un accord, je signai. C'étaient mes enfants, et j'ai signé. Le couteau sous la gorge, mais j'ai signé. J'ai signé d'abord, puis je suis allé voir papa.

— Eh bien, tu aurais peut-être dû faire l'inverse... » Et je me mis à rire, parce que je ne savais pas encore de quoi nous parlions. Puisque tu comptais lui demander de l'argent...

— Oui, je sais. Je sais que j'aurais dû lui en parler avant, que tu vas me dire la même chose que d'habitude, que je suis trop impulsif, que je ne réfléchis pas. D'accord, tu as raison. Mais c'était si évident, si sérieux, tout était si clair, que je signai d'abord, puis allai le voir. Et je lui racontai tout. Quand j'eus fini, il n'ouvrit pas un tiroir, il ne sortit pas un carnet de chèques, il ne resta pas là à me regarder et à me demander combien est-ce qu'il te faut, mon petit ? comme je le croyais. Non. Quand j'eus fini, il était toujours adossé à son fauteuil, les bras croisés. Je ne te comprends pas, Julio, me dit-il. En fait, je ne te comprends pas, mon petit, je ne comprends pas comment tu as pu faire une telle bêtise, te ruiner pour les jumeaux, comme une poule... Tu aimes les enfants ? Très bien, eh bien fais-en d'autres, maintenant tu as une femme très jeune. »

Il avait parlé très vite, sans sourire, sans s'arrêter, sauf pour respirer, comme si cela l'avait angoissé de se rappeler ce qu'il était en train de me raconter, comme s'il avait voulu arriver plus vite au bout, à ce bar où nous étions tous les deux ensemble, seuls, beaucoup plus proches que nous ne l'avions jamais été. Et enfin il leva les yeux de son verre où il les avait plongés pour évoquer sa conversation avec notre père, il me regarda et me sourit. Et je compris qu'il était maintenant en sécurité, très loin de tout cela. Mais il ne pouvait savoir l'effet que me faisait le trou parfait, creux et rond, que la chignole de ses derniers mots avait ouvert au centre de mon corps.

« Arrête tes conneries, lui demandai-je, et je sentis ce vide dans ma voix également.

— Je te le jure – la sienne était ferme.

— Arrête tes conneries, répétai-je, comme si j'étais resté bloqué, incapable de trouver d'autres mots pour me défendre de cette énormité.

— Je te le jure, Álvaro. » Il me regarda et sourit à nouveau. « Moi non plus, je ne pouvais pas le croire. Je te jure qu'à ce moment je ne l'ai pas cru. Je ne m'étais jamais senti aussi mal, aussi humilié, et je suis resté immobile, cloué à mon fauteuil, à attendre qu'il se passe quelque chose, que le plafond s'effondre, qu'il me dise que c'était une plaisanterie.

— Et que s'est-il passé ? » Parce que ça n'a pas pu se terminer comme ça, m'encourageai-je moi-même. Papa a dû rectifier, changer d'attitude, faire quelque chose...

« Rien, dit mon frère, brisant ainsi mes espoirs. Il ne s'est rien passé, il n'a rien ajouté d'autre. Très bien, ai-je dit à voix haute, et je gardai le reste pour moi, pour les affaires de Rafa oui, pas pour mes enfants. Très bien, papa. Je me levai, me retournai et partis. Qu'il aille se faire foutre pour toujours !

Ma femme avait tout gardé excepté deux choses, une jeep qu'on venait de nous livrer et qui se trouvait encore chez le concessionnaire parce qu'on devait lui faire installer tout un tas d'options, et un tout petit appartement, à Miraflores de la Sierra, que nous avions acheté pour le louer en été, à un moment où Asun avait eu envie d'investir. Eh bien je le vends, pensai-je, je vends la jeep, pendant ce temps, je demande un crédit et, le temps qu'il soit en place, je demande six mille euros à Rafa pour arriver à la fin du mois... C'était comme ça, et c'est ce que j'ai fait... Ça, et parler à maman, qui m'appelait toutes les heures pour me dire que je me trompais, que je n'avais pas compris, qu'il était crevé, que je savais parfaitement à quel point il aimait mes enfants, qu'il était impossible qu'il m'ait dit ce que je croyais avoir entendu...

— Et c'était sûrement vrai, Julio. » Une fois de plus, j'intercédai pour mon père sans enthousiasme. « Tu l'as peut-être vu à un mauvais moment, soucieux, déprimé, voire inquiet, non ? Il avait pu connaître un revers dans ses affaires ou penser qu'il ne pouvait pas faire plus pour toi que pour les autres... » Je me rendis compte que je disais des sottises, mais je poursuivis, bravant l'air patient de mon frère. « C'était un homme très âgé, et il n'aimait pas Verónica, c'est pour ça... Je ne sais pas... J'ai du mal à croire que... Je ne sais pas.

— Moi si. » Le sourire de Julio n'avait pas cédé d'un millimètre, et ses convictions non plus. « Je sais ce qu'il a dit et comment il me l'a dit, Álvaro. Il était à la même distance que toi aujourd'hui. Et je n'ai pas cédé. Ce samedi-là, je ne suis pas allé à La Moraleja. C'était vache pour les jumeaux, bien sûr, parce que, après la séparation, ne plus voir leurs cousins, leurs oncles et tantes, leurs grands-parents... C'était vache, mais je n'y suis pas allé. Et la semaine suivante j'ai appelé maman : j'emmène les enfants au cirque, tu veux que je te prenne une place ? comme ça tu pourras les voir... Noël était tout proche, et elle s'est mise à pleurer au téléphone. Et le samedi, elle a continué à pleurer, m'a prié, supplié... Mais je ne pouvais pas céder, Álvaro. Je suis trop orgueilleux et cela avait été très dur à avaler, trop dur.

— Et pourtant... » Je pensai à mon père, à mon frère, à ma famille réunie autour de lui pendant sa maladie, son agonie, sa mort. « Tout a fini par s'arranger, non ?

— Oui, mais parce qu'il a fini par venir me voir. Le lundi après le cirque, il est entré dans mon bureau, s'est assis en face de moi et a posé devant moi un chèque certifié du double de la somme que je lui avais demandée. Ensuite, il a dit quelque chose qui m'a beaucoup plus impressionné. Pardonne-moi, mon petit, et ne m'humilie pas. Voilà ce qu'il m'a dit : ne m'humilie pas plus longtemps. Il était très malin. Il avait très bien choisi ses mots, parce que s'il me l'avait présenté autrement, je ne lui aurais peut-être jamais pardonné, je n'aurais pas pu. Mais il avait choisi ce verbe, il m'avait demandé de ne pas l'humilier plus longtemps, et je le connaissais, je savais comment il était, aussi orgueilleux que moi, peut-être plus encore. Et je l'ai regardé, je l'ai vu si âgé, si vaincu en me demandant pardon, en me demandant de ne pas l'humilier plus longtemps... Je l'aimais, Álvaro, comme ne l'aurais-je pas aimé ? C'était mon père. Alors je me suis levé, je l'ai pris dans mes bras et ce fut comme s'il ne s'était jamais rien passé. Je vendis l'appartement, la jeep, déménageai pour un appartement à louer et lui rendis l'argent dans les deux ans. On n'en a jamais reparlé, mais je ne l'ai pas oublié. Je ne l'oublierai jamais. C'est pour ça que cette histoire avec papa est très bizarre. Pour parler sincèrement, je ne sais pas très bien quel genre d'homme il était en réalité. »

Il finit son dernier verre, demanda la note, et je cherchai en vain quelque chose à dire :

« Je ne sais pas moi non plus. » Mais mon frère trouva avant moi. « Je m'en fous », soupira-t-il.

Le 24 juin 1941 il faisait chaud, une chaleur sèche, africaine et indécente, capable de provoquer un mirage au ras du trottoir. Il était midi et l'on pressentait déjà le long orage d'un autre jour sans fin, la cruauté du soleil se prolongeant au-delà de la tombée du jour pour affirmer sa suprématie sur une nuit éternelle de sueur et de mouches, les draps chauds, tenaces comme des bâillons, et le rêve absent de la blancheur implacable des sens engourdis, poussés à ne plus percevoir que la chaleur. Il était midi et Madrid n'était que le prélude de l'enfer, pourtant Julio Carrión González se changea avant de sortir dans la rue.

« Quel idiot tu fais, mon garçon... »

Son chef, qui était également le propriétaire du local et gagnait beaucoup d'argent, secoua la tête avec une mine amusée quand il vit Julio revenir, propre et coiffé, avec le pantalon et la chemise qu'il portait en arrivant à l'atelier ce matin-là. M. Turégano était venu travailler avec ce qu'il appelait sa salopette d'été, de deux tailles trop grande, qu'il mettait en hiver, pour que l'air circule, disait-il. Peu lui importait d'être vu dans ce bleu de travail avec le nom de son garage brodé sur le côté gauche, la fermeture ouverte jusqu'au nombril. Parce que tu es le chef, on croit rêver ! pensa Julio en l'entendant. Mais il ne dit rien ; ça ne l'intéressait pas d'avoir des problèmes avec cet homme et pas seulement parce qu'il lui versait un salaire chaque semaine. Son étrange conception du travail et de la paresse lui convenait aussi fort bien ! Son obsession de tout contrôler sans quitter le garage une seconde permettait à son employé préféré de s'échapper de la fosse sale, graisseuse et malodorante où il changeait l'huile des voitures, pour faire de temps en temps un tour au centre-ville. Julio, en revanche, se souciait de ne pas être vu vêtu d'une salopette couverte de taches, plus noire que bleue et brillante de saleté, même si dans ce quartier personne ne le connaissait – aucun de ces messieurs bien habillés qui donnaient le bras à ces dames élégantes qui foulaient si fort le sol, comme si elles avaient voulu briser de leurs talons les trottoirs de la rue Alcalá ou de la Gran Vía. Parfois, on aurait dit qu'elles les brisaient vraiment, il l'avait vu, il avait senti le sol trembler sous ses pieds. Il s'était écarté pour les laisser passer et il était resté là à les regarder, pariant que celle-ci allait se retourner pour lui rendre son regard. Aucune ne l'avait jamais fait. Mais un jour, pensait-il, l'une d'elles se retournerait, et elle ne le verrait pas en salopette de mécanicien, comme s'il avait été fou, pour ainsi dire. Pour cette raison, et parce qu'il faisait davantage confiance à son ambition qu'à sa chance, chaque fois que le chef l'envoyait faire une commission, il se changeait avant de sortir.

« Avec la chaleur qu'il fait dehors, Julio, tu as déjà envie de transpirer, mon petit... »

Il était vrai que le garage, installé dans la cave d'un vieil immeuble sorti indemne des bombardements, était frais et sombre comme une grotte. Mais il sentait aussi mauvais, il était sale, et surtout il était hors de la vraie vie, de la vérité des rues élégantes et des vitrines de luxe, des belles femmes et de l'argent, comme si la rampe qui le séparait de la rue de la Montera symbolisait la frontière entre ce que possédait Julio Carrión et ce qu'il désirait. Et il n'était pas le seul à éprouver la sordide désillusion de cet exil. Pendant que le chef lui expliquait ce qu'il devait faire ce matin-là, Julio sentait sur sa nuque l'envie de ses collègues, tous trois plus âgés que lui, tous trois ayant plus d'ancienneté. Aucun d'entre eux, en revanche, n'était capable de lui disputer la préférence de M. Turégano qui, un an plus tôt, alors que personne ne lui faisait confiance à Madrid, l'avait engagé sans le connaître.

« Je cherche du travail, monsieur. Ce qu'il y a, n'importe quoi...

— Quel âge as-tu, petit ? » lui avait demandé cet homme mûr, chauve et grassouillet, qui avait plus de cinquante ans, trois filles et la secrète contrariété de ne pas avoir eu de fils. « Dix-huit ans, monsieur », et il avait souri comme il savait sourire, des yeux et des lèvres à la fois, en montrant ses dents régulières, si blanches. « Eh bien, je n'ai besoin de personne, mais... » Le patron hésita, « d'où es-tu ? » Julio prit sa respiration et lui raconta quelques vérités et quelques mensonges : « De Torrelodones, mais je suis venu à Madrid avec mon père avant la guerre, un hasard, vous savez, ma mère était malade, une tuberculose osseuse, on la soignait ici, le 18 juillet elle était à l'hôpital et après, entre une chose et l'autre... Bref, ils sont retournés au village l'année dernière, ils ont tout récupéré, la maison, les terres, mon père est un homme très croyant, très ami avec le prêtre, tout le monde le connaît, mais moi... J'ai vécu ici avant, monsieur, j'ai déjà connu ça, la guerre, la faim, tout, et je dois avouer que je n'aime pas les moutons. » L'homme se mit à rire : « Je suis d'un village de la province de Ségovie, lui dit-il, et je ne les aime pas non plus. »

À ce moment, Julio Carrión González sut qu'il avait eu de la chance ; il le sut avant que M. Turégano ne songe à l'engager. Cela avait souvent été le cas : certains naissaient riches, beaux, géniaux et princes, lui était né sympathique ; il le savait, il avait appris à exploiter ce don. « Moi, en réalité, ce que je veux c'est être magicien, ajouta-t-il. Magicien professionnel, vous savez ? Je connais tout un tas de tours... » « Voyons ça », dit le patron. Et il regarda ses tours, celui des pièces de monnaie, celui des mouchoirs, ceux avec un jeu de cartes. « Tu es très bon », déclara-t-il à la fin. « Oui, c'est vrai, admit Julio sans arrogance, mais je ne peux pas en vivre, pas encore, j'ai besoin d'un travail, n'importe quoi, pour commencer, et ensuite... » « Je ne peux pas t'offrir grand-chose », abdiqua sans trop de résistance M. Turégano. « Ça ne fait rien, tout m'ira. » Et avant que le propriétaire du garage ne fasse une proposition, il lui raconta la blague des Mexicains et du gros chien, s'appliquant à imiter les voix, et il le vit pleurer de rire. Depuis lors, Julio Carrión ne se contentait pas de travailler dans ce garage de la rue de la Montera. Il était aussi l'homme de confiance de son patron, qui lui confiait toute sorte de tâches parallèles à son propre travail, certaines aussi agréables que d'aller chercher, puis ramener les voitures des clients qui n'avaient pas le temps de passer par l'atelier ou d'accompagner une de ses filles au cinéma, et il lui donnait ensuite un bon pourboire, tiens, lui disait-il, pour boire une bière à ma santé, comme s'ils ne connaissaient ni l'un ni l'autre le prix d'une bière.

« Écoute, tu vas à la banque, tu parles à Gutiérrez, tu déposes ces deux chèques, tu récupères le reçu, n'oublie pas. Et tu me rapportes la monnaie de deux cents pesetas, lui dit-il ce matin-là. Les voici.

— Très bien, répondit Julio. Vous voulez aussi que je vous rapporte quelques bières ?

— Oui, essaie d'en trouver des glacées. Des glacées, hein ? Prends-en six, et reviens en marchant à l'ombre, pour éviter qu'elles se réchauffent. Allez, vas-y et qu'il ne t'arrive rien. »

Avant de commencer à remonter la rampe, Julio regarda Paquito, le collègue qui se tenait le plus près de lui, et lui adressa un clin d'œil pour recevoir en échange un sourire paisible et sincère. Tous deux savaient que sur les six bières ils en auraient au moins une par tête de pipe, et que le mérite en reviendrait à Julio. Il se ferait ainsi pardonner le privilège d'être resté presque une heure dans la rue, entre l'aller, le retour, la queue à la banque et la lenteur avec laquelle travaillait Gutiérrez, dirait-il à M. Turégano, quelle horreur, quel idiot, cet homme, et il imiterait les gestes si obséquieux du caissier, sa façon de se frotter les mains, son sourire de lapin et cette manie de remonter en permanence ses lunettes avec l'index de la main droite, pour que le chef meure de rire avant de penser à regarder la pendule.

Il faisait chaud dehors, c'était vrai. L'air était aussi torride que si la ville entière était devenue un gigantesque wagon de métro et le soleil faisait mal à la tête tellement il brûlait. Mais Julio sourit et regarda autour de lui comme si on ne respirait que dans la rue. Quand il arriva à la Red de San Luis, il s'arrêta devant une vitrine, décoiffa la mèche qu'il aimait porter en boucle pendant sur le front, déboutonna deux boutons de sa chemise, remonta les manches, l'arrière du col, et se suspendit une cigarette à la lèvre inférieure de façon à obtenir l'air insolent et un peu canaille avec lequel il se sentait le plus sûr de lui. Il avait pensé parader un peu, descendre par la Gran Vía en faisant de l'œil aux serveuses des terrasses, mais avant d'arriver au carrefour il entendit les premiers cris et distingua une marée de chemises bleues contenue entre les deux trottoirs.

« Quelle malchance, bon sang, la journée s'annonçait si bien », murmura-t-il entre ses dents, pendant qu'il se retournait avec une lenteur calculée pour que son changement de cap ne ressemble pas à une fuite...

Il hésita un instant avant d'exclure la rue Caballero de Gracia et de s'éloigner un peu plus pour prendre Jardines, une rue sombre et déserte, telle une parenthèse de calme, ou de désolation, au cœur bigarré du brouhaha. Quelle malchance, se répéta-t-il tout en parcourant le trottoir vide, repoussant d'un mouvement de tête la proposition de deux prostituées matinales habituelles, qui se cachaient dans les entrées pour guetter les clients qu'elles abordaient auparavant en pleine rue, une habitude qui n'était plus possible sous le carcan traditionaliste du nouveau régime. À cette époque, il y avait beaucoup de choses qui n'étaient plus possibles. Les prostituées, qui avaient appris à montrer leur corps sans laisser voir leur visage, au cas où elles devraient partir en courant pour s'échapper par la terrasse, le savaient, et Julio Carrión, aussi, lui qui le matin même avait revu Mari Carmen, la fille du Peluca, en sortant de sa pension à 7 h 40.

Elle est là, avait-il pensé en la voyant, on croit rêver, et il s'était rencogné dans l'entrée, comme une prostituée des rues, pour qu'elle au moins poursuive son chemin sans remarquer sa présence. Caché derrière le battant de la porte, il la vit passer, l'air endormi mais les jambes éveillées, belles, magnifiques. Les jambes de Mari Carmen Ortega avaient été le premier monument que Julio Carrión González avait admiré en arrivant à Madrid, cet après-midi de juin 1937 où son père le pressait dans le labyrinthe de la ville immense et inconnue comme si Julio avait été le chien qu'il emmenait avec lui pour garder les moutons.

« Julio, allez, viens, vite, tu es ahuri, par ici, suis-moi... »

Le camion qui les avait amenés de Torrelodones les laissa rue Mayor. Mais comme il avait fait le voyage à l'arrière, entouré de sacs et de caisses de munitions, il n'avait presque rien pu voir, presque rien : des morceaux fugaces de bâtiments très hauts, certains en ruine, d'autres pas, des poutres en bois étayant les façades, des trous dans le sol et des gens, beaucoup de gens. Il n'en avait jamais vu autant, qui marchaient vite, comme s'ils étaient en retard pour arriver quelque part, des femmes avec des paniers, des hommes en uniforme d'une demi-douzaine de styles différents, des enfants livrés à eux-mêmes, jetant des bâtons, de grosses planches, une latte de persienne, courant et se poursuivant comme si l'autre guerre, la véritable, ne les concernait pas.

« Merci, mon lieutenant. »

Quand il sortit de là, son père prenait déjà congé de l'homme qui restait assis à côté du chauffeur.

« De rien, Benigno. » Et il regarda Julio d'un air peiné, le même que celui de la veille, lorsqu'il lui avait passé la main dans les cheveux en lui disant, eh bien, à demain, mon garçon. « Vous savez où aller ?

— Oui, je vais essayer d'aller dans la pension tenue par une femme de mon village, rue de la Sal. Sa sœur m'a assuré que c'est toujours ouvert, qu'elle n'est pas partie. On verra... »

Le lieutenant, qui était très jeune, leur dit au revoir à tous les deux. Julio était déjà chargé de paquets jusqu'aux yeux, une valise dans la main gauche, une autre dans la droite, un paquet de linge enveloppé dans un couvre-lit en bandoulière et, accrochée au petit doigt, la cage de la perruche – la maudite perruche de son père. Celui-ci n'était pas moins chargé, mais il connaissait le chemin, et il marchait avec une vigueur que son fils ne lui avait jamais vue. Une énergie, une rage inutile, qui rendait vigueur à son corps et robustesse à ses jambes tandis qu'ils traversaient la plaza Mayor sur un rythme si soutenu que Julio ne pouvait suivre sans trébucher.

« C'est ici », lui dit-il en désignant une entrée. Il regardait dans toutes les directions comme s'il pouvait embrasser d'un simple coup d'œil les visages de tous les hommes, de toutes les femmes qui parcouraient la ville. Vous êtes fou, papa, pensa le fils, mais il garda ses pensées pour lui. « Maintenant il faut monter au troisième. »

La patronne de la pension les accueillit comme si elle les attendait. Julio la reconnut dès qu'il la vit, mais le souvenir d'un voyage plus heureux ne le contraria pas autant que la compassion de cette femme – qui le fixa avec la même expression que dix minutes plus tôt le lieutenant. Car, à quinze ans, Julio Carrión González ne supportait plus la pitié de personne.

« Ma sœur m'en a déjà parlé, Benigno, mais... bon, qu'est-ce que tu vas faire ?

— Ce que je dois faire », répondit le père de Julio, refusant l'aide de sa payse, qui se contenta de délivrer le garçon de son fardeau de vêtements et de la cage.

« Mais c'est de la folie ! insista-t-elle. Madrid tout entier est une folie. Tu ne trouveras rien, on n'a rien, ni nourriture, ni calme, ni l'assurance d'être vivants demain matin... Ils sont ici, ajouta-t-elle en indiquant le salon de sa propre maison, là, en face. Tout le monde s'en va. Et toi tu arrives maintenant, alors que tout le monde s'en va ? Pourquoi ? Même elle, elle a dû partir aussi, qu'est-ce que tu crois ? La faim, les ruines et les bombardements, voilà tout ce que tu vas trouver ! Retourne au village, Benigno, écoute-moi... Fais-le pour ton garçon.

— Bon, Pilar, tu as une chambre libre, oui ou non ? » Elle acquiesça, impressionnée par le ton du nouveau venu, qui la regardait avec des éclairs dans les yeux. « Eh bien tais-toi, donne-moi la clé et laisse-moi tranquille. »

Elle le sait, songea Julio. Elle le sait, elle a dit que sa sœur lui en avait parlé, elle a dû l'apprendre le même jour que moi, la salope... La pension se trouvait dans un grand appartement délabré, très propre mais avec peu de meubles – On pouvait voir sur les murs les traces sales, sombres, laissées par ceux qu'il avait fallu brûler l'hiver précédent pour se chauffer. Doña Pilar ne leur avait pas menti. À Madrid non plus il n'y avait pas de charbon, ni de bois, mais cela, Julio ne l'apprendrait qu'au retour du froid, lorsque lui et son père seraient devenus les hôtes uniques de la pension et que la patronne aurait tellement de peine pour elle-même, pour son fils qu'on lui avait tué sur le front et pour l'autre, prisonnier à Huelva, qu'il ne lui resterait plus une goutte de compassion à verser sur eux. En ce chaud après-midi de juin 1937, cependant, Madrid était encore la tombe du fascisme, et ses habitants les orgueilleux héros qui se suffisaient à eux-mêmes pour partager faim, ruine, bombardements et le reste, et pour avoir au passage pitié d'un pauvre villageois devenu fou au pire moment. Et ils le savaient. Tandis qu'il suivait son père dans le couloir, qu'il le voyait ouvrir la porte, poser les valises par terre, s'asseoir sur le lit, ôter sa casquette, se frotter le front de ses doigts tremblants – pour le regretter immédiatement –, levant la tête pour le regarder d'un air de désespoir furieux, Julio songeait qu'ils le savaient, que tous le savaient. Le lieutenant, la patronne, tous ceux qu'ils avaient vus dans la rue, ceux qui étaient restés au village, tous savaient que sa mère était partie, qu'elle les avait abandonnés pour ficher le camp à Madrid avec l'instituteur de Las Rozas.

« Qu'est-ce qu'on va faire maintenant, père ?

— Pour l'instant, défaire nos valises, lui répondit-il. Ensuite... Je dois réfléchir. »

Julio n'avait jamais beaucoup aimé son père. Il le craignait davantage qu'il ne le respectait, et celui-ci semblait lui être reconnaissant de la distance que cette crainte impliquait. À la naissance de son premier enfant, Benigno Carrión était déjà un homme mûr, qui avait largement l'âge d'être le père de sa deuxième femme, Teresa, qu'il avait connue peu après la mort de la première. L'idée que son père ait eu une autre femme avant d'épouser sa mère inquiétait beaucoup Julio. Il ne cessait de regarder en cachette ses portraits, et surtout la photo de ce mariage, de cette dame vêtue de dentelle noire, aux cheveux noirs, aux yeux noirs et à la mantille noire, qui ressemblait à un corbeau prêt à avaler le gamin aux lèvres entrouvertes et au regard perdu qu'il avait du mal à reconnaître comme son père. Benigno n'avait jamais su l'étrange attraction que ces vieilles photos exerçaient sur Julio. Un jour, pourtant, sa femme l'avait découvert.

« Allez, Julio, laisse ça ! » Elle lui avait repris les photos avec délicatesse. Elle les remit dans leur enveloppe en papier couleur manille, et les rangea sous les vêtements, dans le tiroir où l'enfant les avait trouvées. « Ton père pourrait se fâcher... »

Et il ne se passa rien de plus. Avec sa mère il ne se passait jamais rien de plus. Certes, elle le grondait, le punissait, elle l'envoyait parfois se coucher sans dîner ou passait une journée entière sans lui adresser la parole, mais jamais elle ne lui criait dessus, ni ne l'humiliait, ni ne le frappait pour lui faire du mal. Pourtant, elle prenait toujours soin de lui, veillait à ce qu'il fasse ses devoirs, ne manque pas l'école, apprenne bien ses leçons, étudie le français. Teresa González était fille d'instituteurs et avait commencé des études à l'École normale elle aussi. Elle aurait continué si sa mère n'était pas morte brutalement et son père tombé malade de chagrin, disait-elle, avant de partir à Torrelodones pour ce qui serait sa dernière affectation. Teresa, la fille cadette et la seule célibataire, suivit son père, pour s'occuper de lui et l'aider avec ses élèves. Ce fut là qu'elle connut Benigno Carrión, qui chaque soir, sans faute, se tenait devant la porte de l'école bien qu'il n'ait pas d'enfant, pas même un neveu à aller chercher. Il venait là juste pour la regarder, et son père s'en aperçut avant elle.

« Ah, papa, arrête, s'il te plaît », dit-elle quand il lui en parla, en agitant les mains devant son visage comme si elle pouvait dissoudre la nouvelle dans le vent. « C'est un vieux réac, une grenouille de bénitier, qui joue toute la journée aux dominos avec le curé et le sacristain...

— Mais c'est un homme bon », objecta don Julio, qui considérait l'évidence de son engagement républicain comme établie en se définissant lui-même comme un modeste libre penseur, précisant ensuite que la modestie devait être appliquée à l'indigence de ses connaissances, non à la fermeté de ses principes. « Ah oui ? Et comment est-ce que tu le sais ? s'étonna sa fille.

— Parce que chaque fois que je vais au café il quitte la partie, le prêtre et le sacristain, il vient s'asseoir à côté de moi pour me faire la conversation. Tôt ou tard on finit par parler de toi, par dire que tu es jolie, que tu as l'air bon, qu'il pourrait t'aimer beaucoup.

— Eh bien ! conclut Teresa. Et moi qui n'en savais rien... »

Le lendemain, quand elle sortit de l'école et le trouva là, debout, le béret à la main, elle le regarda avec davantage d'attention qu'elle ne lui en avait jamais consacré. Il lui sembla très âgé – ça, elle l'avait vu depuis le début –, mais aussi très solide pour son âge. C'était un homme corpulent, de grande stature, tout le contraire des jeunes premiers sveltes et délicats dont elle tombait amoureuse sur les écrans de cinéma. Mais bon pour s'y réfugier, pour se protéger, pour chercher de la chaleur les nuits où il gelait. Rien de plus, se dit Teresa, rien de plus. Il n'était pas laid mais pas beau non plus, même si dans sa jeunesse il avait dû être séduisant : un visage si carré et des yeux très noirs, très brillants, un nez pointu, une bouche en revanche curieusement molle, aux lèvres épaisses. Il ne lui plaisait pas, mais elle commença à le regarder autrement, et, à partir du moment où elle affronta son regard dense et sombre, chargé de désir et de mélancolie, elle ne put l'éviter.

Un soir, il osa s'approcher, et les raccompagna chez eux. Cette audace devint une habitude, l'habitude un goûter. Ainsi, tous les soirs, quand elle s'asseyait avec lui et son père pour prendre un chocolat, Teresa sentait l'amour de cet homme silencieux et maladroit, qui trouvait au fond de lui-même une fibre d'éloquence inattendue pour lui parler avec une douceur mesurée et tendre chaque fois que don Julio les laissait seuls – de plus en plus souvent, de plus en plus longtemps. Je t'adore, Teresa, je t'adore, je t'aime plus que tout autre chose en ce monde, plus que Dieu, plus que moi-même. Et elle, qui lisait beaucoup, de la poésie et aussi des romans, qui pleurait immanquablement la mort de Fortunata chaque fois qu'elle la retrouvait agonisant dans sa mansarde, et celle de la belle et malheureuse Anna quand le train lui passait dessus, ou celle que connaissait Heathcliff chaque fois que le fantôme de Catherine frappait à sa fenêtre, qui chantait très bien, des chansons tristes, aux amours inégales, déchirantes, la fleuriste et le marquis, encore des trains, encore des mansardes, des fantômes, de la douleur, qui jouait du Schubert et du Chopin, très mal, sur un piano bon marché et mal accordé, elle frémissait en entendant ces paroles qu'elle aurait voulu entendre d'autres lèvres plus jeunes, plus libres, plus semblables aux siennes. Or elle l'épousa, sans penser qu'elle ne l'aurait jamais fait si son père n'était pas mort si tôt, lui laissant pour tout héritage une trentaine de livres, son stylo et deux brosses en argent qui avaient appartenu à sa mère.

L'adoration perpétuelle survécut à peine à la noce, mais la déception de la jeune mariée ne parvint même pas à longer les limites du malheur. Pendant de longues années – car elle n'avait pas encore vingt et un ans quand elle devint la femme de Benigno Carrión –, Teresa accepta sa vie. Son mari était un homme bon, très travailleur, autoritaire, respectueux, à sa façon, qui l'aimait et avait confiance en elle. Depuis la naissance de son premier enfant, qui s'appela Julio en souvenir de son grand-père et avec l'aide d'une bonne qui effectuait les tâches domestiques les plus pénibles de la maison ils vivaient bien, sans aucun luxe mais avec plus d'aisance que n'en avait jamais connu la fille de l'instituteur. Teresa se sentait néanmoins un peu coupable, parce que même si elle travaillait beaucoup, se consacrait au jardin et aux poules, son mari était seul pour s'occuper des moutons. Il se levait la nuit et revenait

à la nuit, et cela, pensait-elle, justifiait sa fatigue et son
manque de tendresse, l'indifférence envers ses enfants, l'ex-
tinction de l'éloquence et l'exercice silencieux et sec d'un
amour mesquin, qui se contentait de sa petitesse et du sexe
domestiqué, canonique, de certains samedis soir où aucun des
deux ne songeait à ôter ses vêtements avant de commencer.

Pendant de longues années, Teresa accepta sa vie. Mais
elle était née avec le siècle, elle n'avait pas encore vingt et un
ans quand elle épousa Benigno, et personne, pas même lui,
ne fut responsable de ce qu'elle vécut comme son éveil à la
vraie vie et son mari comme leur perdition à tous les deux.
Personne ne put éviter que le temps passât, ni que les années
fussent héroïques, intenses, décisives, et que quelques jours
eussent la valeur d'une vie entière. Ce ne fut la faute de personne quand ce matin de novembre 1933 arriva ; quand
Teresa González entra dans sa chambre après avoir dressé la
table du petit déjeuner familial pour réapparaître peu après
endimanchée, comme lorsqu'elle allait à la messe pour faire
plaisir à son mari, avant la campagne électorale.

« Où est-ce que tu vas si tôt, Teresa ? lui demanda Benigno, bien qu'il le sût parfaitement.

— Voter », répondit-elle. Et elle embrassa son fils, puis
sa fille, et passa le long du chevet.

« Voter ? » Il serra les poings, et les dents, mais ne parvint
pas à contenir toute son indignation. « Si je t'en donne la permission.

— Je n'ai pas besoin de ta permission. » Teresa acheva
de mettre son chapeau, saisit la poignée de porte, se tourna
vers eux et Julio pensa qu'elle n'avait jamais été aussi jolie
qu'en cet instant. « J'ai le droit de voter, et je vais l'exercer.

— Et pour qui est-ce que tu vas voter, si on peut savoir ?

— Pour qui j'en aurai envie. Je n'ai pas à te le dire, ça
aussi tu le sais. »

Le bruit de la porte qui claqua fut recouvert par le fracas
du verre et de la vaisselle, des bols et des assiettes que Benigno brisa sur le sol sans se soucier des pleurs de sa fille, du
silence de son fils, qui retenait sa respiration, comme il avait
appris à le faire durant ces deux derniers mois, depuis ce soir
d'octobre où tout commença à s'effondrer.

« Ne sois pas si orgueilleux, Julio. » Sa mère était assise
près de lui, à la table de la cuisine, et l'aidait à faire ses devoirs

de mathématiques. « Il n'y a rien de pire qu'un ignorant orgueilleux, et tu es un enfant de onze ans très intelligent. C'est-à-dire que tu ne sais pas tout, il te reste beaucoup à apprendre. Laisse-moi te montrer comment on fait...

— Mais je sais déjà ! protesta le garçon, avec davantage d'orgueil que de conviction.

— Non, tu ne sais pas, parce que ça ne marche pas bien, tu ne vois pas ? Et si tu n'apprends pas maintenant, tu ne sauras jamais. »

À ce moment, le père passa la tête par la porte de la cuisine, comme tous les soirs, mais au lieu de la refermer, il s'approcha de la table et s'assit avec eux.

« Teresa...

— Pas maintenant, Benigno. » Elle sourit néanmoins à son mari et l'embrassa sur la joue avant de se pencher à nouveau sur le cahier. « Attends un moment, on a presque fini. »

Ce soir-là, Julio Carrión González apprit à extraire des racines carrées et diverses autres choses, qu'il ne fut pas capable de comprendre pendant qu'il peinait sur ses calculs et qui pourtant ne seraient plus jamais un problème, ni une réussite dans ce qu'il lui restait d'enfance.

« Écoute, Teresa, dit enfin son père, je viens de parler avec don Pedro et il a pensé... Tu sais que les élections du mois prochain sont très importantes...

— Extrêmement importantes. » Et sur les lèvres de sa femme, cette approbation ressemblait à un défi.

« Eh bien, nous avons pensé... Comme il se trouve maintenant que les femmes vont voter... C'est le curé qui en a eu l'idée, tu sais, et je ne lui ai rien promis, mais j'aimerais... » Julio regarda son père du coin de l'œil et pensa qu'il ne l'avait jamais vu aussi nerveux, ni aussi petit devant la majestueuse sérénité qui imprégnait la raideur de sa mère, le dos droit contre le dossier de la chaise, les mains croisées sur la table, le menton bien haut pour l'écouter. « Il ne s'agit pas de faire campagne, ce n'est pas ça, mais si tu voulais... Tout le monde te trouve sympathique, Teresa. Les femmes du village t'admirent, elles t'aiment beaucoup, et elles sont très bigotes, tu le sais, ce n'est pas la faute des curés, ni de personne... Enfin bref, si tu acceptais de leur parler, de leur dire qui les défend... Je sais que tu n'es pas croyante, mais tu dois être en faveur de leur droit à l'être, non ? Tu es toujours en faveur des droits de tout le monde. Et moi...

— Je n'en crois pas mes oreilles, Benigno. » Teresa González passa son bras droit autour des épaules de son fils, comme si elle avait besoin d'une force pour s'élever vers les hauteurs d'où son mari la contemplerait à partir de ce soir-là.

« Je t'en serais très reconnaissant, Teresa.

— Je n'en crois pas mes oreilles, je suis sérieuse. Que tu me demandes, à moi, de faire campagne pour la CEDA[1]...

— Ce n'est pas ça.

— Bien sûr que si ! » Elle se leva si brusquement que sa chaise tomba en arrière. Elle ne se retourna pas pour la ramasser. « Qu'est-ce que tu crois, que je suis idiote ? Eh bien non, je ne suis pas idiote, Benigno, je suis plus intelligente que toi et le prêtre réunis, au cas où ça t'intéresse. Et tu devrais le savoir, parce que tu me connais bien, tu sais parfaitement qui je suis, et qui était mon père. Je ne ferai rien qui l'obligerait à se retourner dans sa tombe pour me maudire.

— Tu feras ce que je te dirai ! » La voix de Benigno gronda avec une autorité qui fit se contracter les épaules de son fils.

« Non ! s'exclama-t-elle en haussant le ton. Non ! Tu m'entends ? Non ! Ce ton-là, c'est pour quand le dîner est froid ou quand j'oublie de donner à manger aux poules, mais pas pour ça. Non, Benigno, non. Je préférerais quitter cette maison, je te le dis. »

Julio Carrión n'avait jamais beaucoup aimé son père, mais à partir de ce jour il l'aima à la fois plus et moins qu'avant, car il découvrit sa faiblesse, son incapacité à imposer sa volonté à sa propre famille, et les racines de son impuissance, qui n'était que de la peur. La peur que sa femme ne parle, n'explique là, au marché, dans les boutiques, à la Maison du Peuple qu'elle fréquentait de plus en plus, ce qui se passait à la maison, maintenant que le divorce existait, maintenant que les femmes votaient, maintenant que le monde basculait, maudit soit-il.

Vous êtes une chiffe molle, père, pensait Julio. Quand il le voyait se taire, avaler, retenir son envie de crier, de pleurer, de se cogner la tête contre le mur chaque fois que sa femme

---

1. Confédération espagnole des droits autonomes.

sortait de la maison en claquant la porte, il sentait croître en lui un mépris mâtiné d'une vague solidarité, qu'il n'arrivait pas à associer à la tendresse. Et tout ça pour que ça ne se sache pas, pour qu'on n'en parle pas au cercle, pour que sa femme ne le quitte pas. Même pas pour elle. Mais pour les autres, le prêtre, le sacristain, les connaissances qui le saluaient dans la rue avec un respect auquel il n'était pas disposé à renoncer. L'honneur, disait-il, mon honneur, quand il se disputait à grands cris avec Teresa dans la cuisine. Ton honneur ? Ne t'en fais pas pour ça, Benigno, je ne couche avec personne, mais avec personne, tu entends ? Avec personne, tu le sais parfaitement, et cette ironie faisait mal à son fils, ces sarcasmes flamboyants de femme qui n'avait besoin de rien, qui n'avait besoin de personne, ni d'honneur, ni de mari, ni même de l'ombre d'un homme à son côté. Vous n'êtes qu'une chiffe molle, père, pensait Julio, en comprenant qu'il aimait aussi sa mère plus et moins qu'avant, plus parce qu'il était impossible de ne pas l'aimer, moins parce que maintenant c'était elle qui lui faisait peur.

Julio ne pouvait expliquer ce qu'avait Teresa, il ne connaissait pas les mots justes pour définir sa transformation : une métamorphose antinaturelle, une croissance inversée, prodigieuse, impossible, comme si le temps passait à l'envers sur son visage, sur son corps, sur son esprit. Cela ne suffisait pas à tout expliquer, mais c'était suffisant. Julio se rappelait sa mère avant : une femme âgée pour un enfant aussi petit qu'il l'était alors, une dame bien habillée, bien coiffée, aux mouvements lents et au corps lourd, un peu plus que rond, qui était toujours fatiguée et se couvrait la tête quand elle venait le chercher à l'école, qui soufflait en s'asseyant sur une chaise pour attendre le retour de son mari et servir le dîner. Cette dame avait disparu, elle s'était évaporée, détachée comme une peau morte du corps agile, élastique et infatigable d'une nouvelle femme au visage de jeune fille ; les rides qui s'insinuaient sur son front, sur ses paupières, étaient incapables de combattre l'éclat de ses yeux, la fermeté de sa bouche, le désordre de ses cheveux sombres, et épars, encore plus beaux.

Cette femme n'était plus celle d'avant, et pourtant c'était toujours sa mère. Elle dormait de moins en moins et travaillait de plus en plus, au jardin, à la maison, avec les poules.

Elle aidait ses enfants à faire leurs devoirs, puis, quand son mari se couchait, elle s'asseyait dans une chaise à bascule pour lire, ou à la table de la cuisine, avec le stylo de don Julio et des feuilles de papier, pour travailler pendant des heures à des textes qu'elle raturait et réécrivait maintes fois et qui commençaient toujours par le même mot : camarades. Elle n'était plus jamais fatiguée. Plus maintenant. C'était pour cela qu'elle lui faisait peur, et parce qu'il ne comprenait pas ce qui lui arrivait, personne ne l'aurait compris. C'était comme si Teresa González était née une deuxième fois. À l'intérieur, mais aussi à l'extérieur. Maintenant elle n'avait plus le temps de se préparer et elle sortait de la maison habillée n'importe comment, tous les soirs elle oubliait de se maquiller les lèvres, elle ne s'était jamais moins souciée de son apparence. Cependant, même si elle ne l'était pas avant, elle était de plus en plus jolie, et de plus en plus jeune, de plus en plus forte. C'était sa mère, de plus en plus courageuse, parlant en public, organisant des collectes, faisant front dans les manifestations, éveillant les mêmes murmures de sympathie et d'admiration chez les hommes et les femmes du village quand elle se promenait avec ses enfants dans la rue, les mêmes murmures de mépris scandalisé chez d'autres hommes, d'autres femmes, qui ne la saluaient plus. Eh bien, quel dommage, murmurait-elle en passant à côté d'eux la tête très droite, même s'ils continuaient à traiter son mari avec respect.

« Écoute-moi bien, Teresa ! C'est fini. » La première fois qu'il vit le nom de sa femme, – pour comble c'était le seul nom de femme, écrit en caractères petits mais très nets, parmi les orateurs qui allaient intervenir lors d'un meeting du Front populaire –, Benigno Carrión se plaça devant sa porte le fusil à la main, appuyé contre le mur. « Aujourd'hui, tu ne sortiras de cette maison que les pieds devant.

— Tu veux le divorce, Benigno ? répliqua-t-elle sur un ton moqueur, pendant qu'elle finissait, cette fois oui, de se préparer devant le miroir de l'entrée. Je te l'accorde de tout mon cœur.

— Non, non, ce n'est pas ça ! » cria-t-il. Il se crispa, devint nerveux, puis se calma. « Je ne veux pas divorcer, je ne consentirai jamais à ce que tu divorces de moi, tu le sais.

— Eh bien arrête de dire des sottises... Et écarte-toi de la porte, s'il te plaît, je ne veux pas arriver en retard. »

Teresa González, très tranquillement, avança pour se placer devant son mari, qui leva le bras droit comme s'il allait lui donner une gifle, jusqu'à ce qu'elle l'oblige à le baisser à nouveau, s'y accrochant de toutes ses forces.

« Ne lève pas la main sur moi, Benigno ! » s'exclama-t-elle alors, en le fixant au fond des yeux, ses narines frémissant à chaque syllabe, une colère sombre et contenue glissant très lentement sur ses lèvres. « Ne lève pas la main sur moi, parce que je te jure que tu vas le regretter !

— Qu'est-ce que tu vas faire ? » La voix de son mari tremblait. « Prévenir tes amis les tueurs pour qu'ils viennent m'assassiner ?

— Ha ! » Teresa sourit, et faillit se mettre à rire. « Maintenant c'est moi qui ai des amis flingueurs ? Il faut voir... Tu n'as pas honte, Benigno, vraiment pas ! Ôte-toi de là. »

Elle repoussa son mari, ouvrit la porte et sortit. Julio, qui avait tout vu, entendit résonner ses talons sur le pavé. Puis plus rien. Les sanglots de son père étaient moins que rien parce qu'il ne voulait pas les entendre, moins que rien parce qu'il ne voulait pas les voir, ni les comprendre, ni devoir s'en souvenir ensuite. Ce vieux pleurnichard, son père, qui passait tout le jour à tourner avec son fusil, à le nettoyer, à le charger, à l'exhiber, à faire le clown avec, pour terminer assis par terre, comme en ce moment, tordu, fini, insupportable à la vue de son fils de quatorze ans. Ce fils qui ne voulait pas que les choses soient telles qu'elles étaient, qui voulait que tout redevienne comme avant, que sa mère soit comme avant, une femme âgée et responsable, l'épouse d'un homme capable d'inspirer de la peur, du père d'un garçon qui ne comprenait pas comment sa vie avait pu s'effondrer ainsi et qui ne savait pas quoi faire pour arranger les choses, car ce fils n'était plus un enfant qui n'avait pas encore commencé à être un homme, parce qu'il n'avait que quatorze ans et une immense confusion sur les épaules.

« Père ! » cria-t-il cependant, pour que celui-ci réagisse. Mais il ne récolta qu'un regard insensible, étourdi. Un regard bovin dans un visage d'un vieillard sans avenir, se dit Julio. « Mais pourquoi ne faites-vous rien, père ? »

Il le regarda sans comprendre, détourna les yeux, fit une grimace, le regarda à nouveau.

« Me tirer une balle, voilà ce que je vais faire, murmura le vieil homme d'une voix brisée, stupide.

— Vous n'êtes même pas bon à ça », grommela Julio, qui pendant un instant ne sut où aller.

Mais cela ne dura pas. Son père ne s'était toujours pas relevé quand Julio Carrión González songea soudain à une issue possible. Il arriva à la Maison du Peuple en courant, cinq minutes avant l'heure annoncée sur les affiches. Il y avait tellement de monde qui poussait qu'il crut qu'il ne pourrait pas entrer, et il faillit faire demi-tour quand l'un de ceux qui surveillaient la porte l'apostropha :

« Attends, mon garçon ! cria-t-il. Tu es le fils de Teresa, non ?

— Oui, monsieur.

— Ne m'appelle pas monsieur, dit l'homme en riant. Pourquoi es-tu venu ? Pour écouter ta mère ? » Julio acquiesça. « Et tu fais très bien, il n'y en a pas beaucoup comme la tienne. Allez, entre, par ici... Il y avait des places réservées au premier rang, elles doivent déjà être toutes occupés, mais ça ne fait rien. Dis aux camarades que tu es le fils de ta mère, qu'ils te laissent arriver là-bas, et tu t'assieds par terre, même si... »

Jamais de sa vie, Julio Carrión González ne s'était senti aussi important. Jamais non plus, sa mère ne l'avait regardé comme ce jour-là, quand elle le vit se frayer un passage parmi les gens qui s'entassaient dans le couloir pour arriver au pied de l'estrade qu'elle semblait présider, avec deux hommes à sa gauche, reproduisant sans doute l'ordre dans lequel ils allaient prendre la parole. Elle n'avait jamais essayé de se gagner son fils aîné par des récompenses ou des pièges, comme son mari, qui ne lui donnait son argent de poche que le dimanche, juste à la sortie de la messe. Elle ne parlait même pas politique avec lui, à moins que son fils ne lui en parlât. Elle justifiait cette infime lâcheté, en s'obligeant à être consciente que le simple fait d'être ce qu'elle était et d'avoir épousé Benigno compliquait déjà suffisamment la vie des enfants. Mais ce n'était pas toute la vérité, ni même l'essentiel. Au fond de son cœur, Teresa González se sentait coupable. Elle avait beau parfaitement identifier les vestiges de la tradition réactionnaire et cléricale, qui se nichent dans le subconscient féminin, tels des oiseaux ennemis qu'il faut éliminer à tout prix, elle se sentait beaucoup plus à l'aise à l'extérieur de la maison qu'à l'intérieur. Plus elle était loin de sa famille, mieux elle se portait. Aussi fut-elle tellement émue quand elle vit Julio assis par terre, prêt à l'écouter. Elle était si convaincue de sa cause qu'elle ne chercha pas d'autres raisons pour s'expliquer la présence de son fils. Ce soir-là, il avait quitté la maison parce qu'il avait décidé d'être à ses côtés – non plus qu'elle le tienne par la main, ou qu'il s'accroche à ses jupes, mais simplement d'être à ses côtés ; quelque chose de beaucoup mieux, de précieux. J'espère que je ne vais pas faire de gaffe, se dit-elle ensuite. Je ne dois pas être nerveuse parce que le petit m'écoute. Et pour une fois qu'on me laisse monter ici, et avec deux candidats de Madrid, en plus...

« Comme tu as bien parlé, maman ! » déclara Julio à la fin du meeting, pendant qu'elle le serrait dans ses bras, et l'embrassait sur la tête, sur le front, les yeux, les joues, les lèvres.

« Vraiment ? » lui demanda-t-elle, même si elle savait déjà que oui, qu'elle avait été très bien, qu'elle avait été la plus applaudie. « Ça t'a plu ?

— Énormément. Ça a plu à tout le monde. Certains m'ont félicité moi, tout ça...

— Et pourtant, ils ne m'ont pratiquement pas laissée parler, dix minutes, m'ont-ils dit en arrivant, tu te rends compte ? Dix minutes ! » Comme tu es jolie, pensa Julio. Comme tu es jolie mais comme tu me fais peur. « Mais bon, c'est comme ça, je ne m'étais guère fait d'illusions non plus. Tu sais, on m'a invitée à participer parce que je suis une femme, juste pour ça, ils apprécient qu'il y en ait une à tous leurs meetings, à cause du vote féminin, et ils auraient voulu qu'il en vienne une importante, mais elles étaient occupées. Bien sûr. Il y en a si peu, c'est pour ça qu'ils m'ont demandée, j'étais sous la main... Et pour parler des femmes, juste du thème des femmes, ils m'ont dit, quel ennui, c'est toujours pareil, comme si je n'avais pas d'idées sur tout, comme eux... C'est pour cela que j'ai parlé deux fois plus longtemps et de ce que j'ai voulu. Eh bien oui, il ne manquait plus que ça : après avoir supporté ton père à la maison, d'être obligée de continuer à supporter encore ici. Je le leur ai dit au début, je parle de ce que je veux, ou je ne parle pas... Mais ils, tu sais, n'ont pas trouvé que c'était une mauvaise idée. J'ai eu beaucoup de succès, c'est vrai. »

C'était vrai. Pendant qu'ils sortaient dans la rue, ils reçurent des tapes dans le dos, des caresses, des félicitations et des paroles d'encouragement, elle pour être comme elle était, lui pour être son fils. Jamais Julio ne s'était senti aussi important. Aussi fier de sa mère. Il n'avait jamais senti non plus le bord de l'abîme sous ses pieds aussi proche que ce soir-là, quand il comprit qu'une fin inévitable approchait. Car cela ne pouvait durer, sa maison ne pouvait durer, sa famille ne pouvait durer, sa vie ne pouvait durer. Il n'était plus un enfant mais il n'était pas encore un homme. Il comprenait les choses mais il ne pouvait pas prendre parti pour sa mère, il ne pouvait pas parce que la seule chose qu'il voulait, c'était vivre comme avant ses onze ans.

« Mais bon, poursuivait-elle en apercevant sa maison au bout de la rue, l'important maintenant, ce n'est pas ça, la seule chose importante, c'est de gagner les élections... » Elle s'arrêta brusquement, obligea Julio à s'arrêter près d'elle et le regarda. « Et ton père ?

— Il est resté là-bas.

— Ne crois pas que je ne le regrette pas, mon petit, vraiment. Ne crois pas que je ne le regrette pas, mais je ne peux pas faire autrement. Je ne peux vraiment pas. Pas maintenant. » Elle le prit à nouveau dans ses bras, l'embrassa encore, le tint serré contre elle pendant un long moment. Et Julio crut qu'elle n'avait plus rien à dire. « Ou je continue, ou je meurs. Je n'ai pas le choix. »

Julio le comprit aussi le lendemain soir, quand il revit son père, silencieux et taciturne, transformé en vieillard écrasé par la honte, incapable de regarder son fils en face. Pourquoi faut-il que vous soyez une telle chiffe molle, père ? pensa-t-il. Il se répéta que c'était un malheur d'avoir une mère comme la sienne, et il ne remarqua pas qu'il n'accordait même pas à cette dernière le bénéfice de la question. À partir de ce jour, son propre père confirma peu à peu ses certitudes, car il décida de s'effacer, de s'absenter, de s'enfermer en lui-même, d'assister à sa propre ruine dans l'immobilité du silence. Et ce fut sa mère qui se mit à crier, quand le Front populaire gagna les élections, quand les généraux traîtres se soulevèrent contre la République, quand le village demanda des armes pour se défendre, quand apparurent les premières directives : tous les hommes au front, toutes les femmes dans les usines, tout l'effort de tous pour gagner la guerre, ils ne passeront pas.

« Demain, je commence à travailler. » Teresa informa sa famille au petit déjeuner, le dernier matin de septembre 1936. « J'ai été habilitée comme institutrice à l'école maternelle, les plus petits... J'espère m'en tirer. Le titulaire s'est enrôlé et il part cet après-midi pour Madrid. »

Benigno Carrión ne dit rien, ni même quelques semaines plus tard, quand la véritable guerre arriva à Torrelodones d'une façon imprévue, au-delà des uniformes des soldats en permission, des convois militaires passant sur la route à toute heure, du poste de commandement où se rendaient agriculteurs et éleveurs de bétail pour vendre leurs productions, et des avions allemands qui sillonnaient le ciel déjà deux fois par jour – la première quand ils allaient bombarder Madrid, la seconde au retour. Jusqu'alors, telle avait été la guerre au village, mais des gens commencèrent à arriver – des gens, encore des gens, des familles sans hommes et avec des enfants, chargés de meubles, de matelas, de vêtements, de casseroles, parfois une chèvre, une vache attachée avec une corde, et des vieux qui portaient leurs anciens outils au cas où ils trouveraient un travail, quelque chose à faire là où on les emmenait. Le gouvernement avait évacué les villages les plus proches de la capitale, Pozuelo, Aravaca, Húmera, Las Rozas. Las Rozas aussi.

« J'ai une nouvelle pour vous. » Une nouvelle fois, Teresa choisit de les mettre devant le fait accompli, lorsqu'elle apparut à l'heure du dîner avec un homme brun et mince, d'une quarantaine d'années, qui portait une valise dans chaque main. « Nous avons désormais un pensionnaire. Il s'appelle Manuel Castro, et c'était l'instituteur de Las Rozas. Il est venu avec les gens du village et il va faire la classe aux enfants évacués. On a demandé si quelqu'un avait de la place pour le loger, et j'ai dit que oui, bien sûr, puisqu'on a la chambre du grenier... Benigno, tu m'écoutes ?

— Oui, bien sûr, soyez le bienvenu. » Et Julio vit son père se lever, serrer la main à l'inconnu, et sourire d'un coin de la bouche, avant d'ajouter dans un murmure quelque chose que sa femme n'entendit pas. « De toute façon, pour le temps que tu vas rester... »

Le jour qui s'achevait avait été le 13 novembre et les insurgés allaient entrer dans Madrid d'un moment à l'autre. Ils tardaient trop. En fait, don Pedro, le prêtre, avait raconté à son ami Benigno, il y avait déjà deux semaines, avec de petits rires, qu'un journal de Séville avait publié que Franco était à quatre pesetas et demie en taxi de la Puerta del Sol. Julio le savait parce que son père lui avait assuré que tout allait s'arranger. Tu verras, quand on aura gagné la guerre, je réglerai son compte à ta mère, tu verras...

Julio n'aima pas ce que son père dit, ni sa façon de le dire. Il n'aima pas la nature mesquine et sinistre de sa ténébreuse résurrection, il n'aima pas la férocité imprévue du sourire qui découvrait ses dents, ni la texture opaque et dense de son regard. Franco a dû venir vous tirer les marrons du feu, père, pensa-t-il alors. Et il le méprisa plus que jamais. Mais il le crut ; il crut que son père avait la chance des lâches, et il craignit pour sa mère, non pour sa cause, ni pour ses amis, ses camarades, ceux qui lui avaient mis ces idées dans la tête, ceux qui la lui avaient prise et l'avaient sorti de sa propre vie ; sa vie à lui, celle d'un enfant tranquille à l'ombre d'une dame bien coiffée, bien habillée, qui était toujours fatiguée et soufflait en s'asseyant sur une chaise, pour attendre le retour de son mari et servir le dîner. C'était la seule opinion de Julio, la seule chose qu'il voulait : revenir à sa vie d'avant, avec son père et sa mère d'avant, et la peur, la distance et la tendresse d'avant. Et pourtant, en entendant Benigno, il eut peur pour elle. Il ne tarda pas à découvrir qu'il souffrait en vain, parce que son père était une lavette même pour ça.

C'est une question d'heures, de jours, de semaines, disait-il. Et les heures, les jours, les semaines s'écoulaient, et il ne se passait rien. Quand ils voudront, lui disait-il, ils entreront dans Madrid. Tu parles ! pensait Julio. Ils sont en train de purifier la ville, ils doivent la raser, l'humilier, la détruire pour qu'elle puisse resurgir, pure, neuve, propre. Tu parles ! pensait à nouveau Julio. Ce n'est pas qu'ils aient renoncé à Madrid, non, mais ils veulent d'abord prendre l'Escorial, c'est logique, en fin de compte, c'est le centre spirituel de l'Empire. Tu parles, tu parles, tu parles ! Quand ils voudront, disait Benigno. Je ne sais pas ce qu'ils attendent, mais eux, ils doivent le savoir, c'est sûr, et l'Espagne n'est pas que Madrid, je ne sais pas qui a décidé que c'était si important...

« Voyons, père ! » Julio l'interrompait quand il n'en pouvait plus, un jour de cette année qui commençait avec les fascistes mangeant le raisin à la Puerta del Sol. « L'Escorial est tombé ?

— Non, mais...

— Eh bien, taisez-vous, bon sang ! Ils ne passent pas parce qu'ils ne peuvent pas. Point final.

— Comme tu te trompes, mon fils, comme tu te trompes... »

À cette époque, janvier 1937, la vie de Julio avait encore changé. Non dans la direction qu'il souhaitait, mais par les détours d'un chemin de traverse qu'il ne pouvait prévoir, pendant que le rêve impossible de son enfance se perdait définitivement dans un foyer où son père s'était résigné à l'exercice privé et patient d'une rancœur qui semblait encore condamnée à l'échec. Pendant que les jours, les heures, les semaines emportaient sa vengeance vers un horizon très lointain que sa foi était incapable de rapprocher, Benigno Carrión disparut du quotidien de sa femme et de ses enfants pour devenir une sorte de fantôme, une apparition en chair et en os qui sortait très tôt le matin et ne rentrait qu'une fois tout le monde couché, ivre d'anis et des directives de la radio de Burgos, qu'il écoutait en cachette à la maison paroissiale. Et il ne se rendit même pas compte que chez lui, il ne manquait à personne. Pas même à Julio.

« Regardez bien... La main est plus rapide que le regard. »

Alors Manuel déchirait très lentement une feuille de papier journal, coupait la partie la plus petite en morceaux, les leur montrait en dessinant des arabesques en l'air avec ses doigts. Ensuite, il cachait le tout dans sa main, soufflait dessus puis, avec des gestes encore plus lents, chargés d'intelligence et de mystère, il dépliait la feuille qu'il avait froissée dans son poing pour montrer la feuille de journal du début, entière, flambant neuve, magique, pour que Teresa et ses deux enfants, seuls spectateurs de ce prodige, partagent un seul étonnement plein de joie, et applaudissent à en avoir mal aux mains.

« Comment est-ce que tu fais ? lui demandait Julio.

— Ça, je ne peux pas te le dire. Les magiciens ne révèlent jamais leurs trucs. Voyons, choisis une carte, mais ne me la montre pas, montre-la à ta mère et à ta sœur. Ça y est, très bien, remets-la dans le paquet. Où tu voudras, je ne regarde pas, d'accord ? »

Et les deux Teresa, la grande et la petite, apercevaient le valet d'or avant que Julio ne le cache bien. Manuel tournait la tête vers l'arrière, même s'il lui était impossible de distinguer la carte, car sa victime la serrait contre sa paume et la recouvrait de l'autre main avant de la remettre dans le paquet.

« Voyons..., disait alors Manuel, tout en examinant les cartes le sourcil froncé pour inaugurer le jeu des confusions. C'est difficile, ne crois pas, je ne sais pas... C'est peut-être l'as des épées, non ? Non, non, ce n'est pas lui. C'est peut-être le sept des bâtons. Mais non, je ne suis pas convaincu non plus... Et si ça n'est pas non plus le trois des ors, ni le cinq des coupes, ni le cavalier des épées... Ce doit être le valet d'or, non ? »

Manuel Castro était de León, de La Bañeza, mais il avait quitté son village avant ses six ans, quand son père, un cheminot, avait été affecté à Las Matas comme chef de gare. En arrivant à Torrelodones et dans la vie des Carrión, il venait d'avoir trente-neuf ans, était socialiste depuis presque vingt. Quand il devenait sérieux il semblait plus âgé, parce qu'il avait un visage grave, allongé et osseux, mais quand il souriait, son visage s'éclairait comme celui d'un enfant excité et gourmand lorsqu'il déballe un bonbon. Plus mince que svelte mais très résistant, convalescent d'une tuberculose osseuse qui avait failli l'emporter – c'est pour ça que je suis là, précisait-il toujours, avec la précipitation des explications transcendantales, parce qu'on ne m'a pas permis de m'engager – sans laisser de traces visibles sur son corps fibreux, flexible, plus résistant que le bacille qui l'avait attaqué, il avait de nombreux sujets de préoccupation. Pourtant Julio le voyait sourire tous les jours. Sa femme et ses filles étaient parties à Valence et lui écrivaient de temps à autre de longues lettres détaillées auxquelles il répondait en de moins en moins de lignes. Pour ne pas être triste, pensait-il, pour ne pas s'assombrir, pour conserver le moral et le sourire qui avaient rendu sa maison de nouveau habitable. Julio aimait Manuel, il aimait sa force parce qu'elle était intérieure, sans les fanfaronnades et les simagrées ridicules qui masquaient la faiblesse de son père. Il aimait son calme, sa façon de penser lentement qui parvenait à apaiser la véhémence de son père et même à s'y imposer. Et surtout il aimait sa maîtrise, sa capacité à dominer en même temps ses propres réactions et celles des autres, sans besoin d'élever la voix ni de tendre davantage de pièges que nécessaire pour que la main continue à être plus rapide que la vue.

« Où est-ce que tu as appris à faire de la magie ?

— C'est mon beau-père qui m'a montré. C'était un vrai magicien, tu sais ? Il a travaillé dans un cirque italien, un bon. Il est allé dans le monde entier, jusqu'en Amérique, qu'est-ce que tu dis de ça ? Mais ensuite il est retourné dans son village, il a connu ma belle-mère, ils se sont fiancés et il est resté à Madrid. Moi, je l'ai connu avant d'avoir connu sa fille. J'ai assisté à l'un de ses spectacles, un soir, dans un théâtre. Il m'a beaucoup impressionné et je l'ai attendu dans la rue, pour le saluer. Je n'ai jamais pensé abandonner mon métier pour me consacrer à ça, mais cela me plaît beaucoup, depuis l'enfance. J'ai commencé à faire des tours pour moi, mais sans lui je ne serais pas allé très loin, tu sais.

— Tu pourrais m'apprendre ?

— Tu veux vraiment ? » Julio le fixa et acquiesça d'un signe de tête fervent presque solennel. « Très bien, on va faire une chose, comme mon beau-père a fait avec moi. Je vais te laisser approcher, te placer devant, tout près. Et je vais y aller un peu plus lentement, mais juste un peu et juste pour quelques tours que je ne t'indiquerai pas. On va faire ça pendant, disons... une semaine. Si tu es capable de voir quelque chose, de deviner un truc, je te montrerai. Sinon, rien. D'accord ?

— Tope-là. »

Ce soir-là, Julio s'appliqua au point d'en avoir mal aux yeux, mais il ne vit rien. Le lendemain, cependant, il observa la position d'un pouce de Manuel, qui n'était pas toujours visible lorsqu'il remuait les doigts en l'air comme s'il y en avait eu dix – alors qu'il n'y en avait que neuf. Il lui fallut deux séances supplémentaires pour bien comprendre ce qu'il voyait. S'il ne découvrit pas tout, ce fut toutefois suffisant.

« C'était ce que j'avais vu », lui révéla Manuel, très souriant, le premier après-midi où ils s'enfermèrent ensemble dans le grenier.

La main est plus rapide que la vue, surtout quand on abuse les yeux des spectateurs, quand on attire leur attention sur un détail banal, quand le magicien sait orienter le regard des autres à sa guise. Ce n'est que ça, de l'ingéniosité, un piège, de l'astuce, une pure illusion, apprit Julio ce soir-là, en fait, les yeux sont toujours beaucoup plus rapides que les mains, ne l'oublie jamais. Le garçon ne l'oublia pas, et progressa rapidement. Tu es meilleur que moi, commença par dire Manuel, tu deviendras sûrement meilleur, et il lui proposa de travailler avec lui, de lui donner un coup de main d'abord à la maison, pour répéter, puis de lui servir d'assistant ensuite, lors des représentations qu'il donnait à la Maison du Peuple, le samedi soir, au collège, quand ils faisaient des fêtes improvisées pour sortir les enfants de l'horreur quotidienne, et dans les casernes, quand il jouait devant les soldats de l'Armée populaire.

Julio accepta avec enthousiasme, il s'efforça de bien faire son travail, et pendant quelques mois il fut heureux, plus et moins qu'avant, plus parce qu'il aimait bien Manuel, parce qu'il admirait sa force, sa sérénité, sa capacité à tout contrôler, et parce que cela l'amusait de partir avec lui, avec sa sœur et sa mère, dans les villages des alentours, où les jeunes filles l'admiraient ouvertement et s'approchaient de lui à la fin de la représentation pour lui demander comment il s'appelait, comment il faisait, quand il reviendrait. Moins parce qu'il découvrit la vérité, le fondement précaire de ce bonheur qui ne parvenait pas à prendre racine en lui, qui fabriquait une illusion rose, aérienne et traîtresse, qui le poussait à oublier son nom et son prénom, son destin et la réalité, comme si son père était mort, comme si Manuel avait été son père, comme si sa mère n'avait jamais été la dame fatiguée qu'il souhaitait retrouver plus que tout.

Teresa regardait son hôte avec une dévotion fascinée, avide, intérieure, chargée d'admiration, de complicité, que Julio n'avait jamais vue dans ses yeux. Manuel veillait toujours à l'avoir près de lui, à la protéger, à ne pas la perdre en traversant le tumulte des rues. Tous les jours, au petit déjeuner, il lui fabriquait une cocotte en papier qu'elle recevait avec un sourire et une gratitude exagérée, comme si elle devait lui être reconnaissante de bien davantage. Julio les voyait, les entendait ; camarade, ce mot commun, innocent, presque trivial, qui sur ses lèvres débordait toutes les significations qu'il connaissait, et même celles qu'il était capable d'imaginer. Et il aurait pu s'abandonner, choisir cette version facile, fausse et aimable, en accord avec la guerre, avec les temps, avec la terrible structure convulsée du paysage qui les entourait, mais il ne voulut pas le faire parce qu'il était trop orgueilleux, trop fier pour renoncer à ce qui lui appartenait, pour accepter une part d'un gâteau étranger, pour se contenter d'un rôle secondaire dans un rêve postiche qui ne lui appartenait pas. Manuel lui donna cette opportunité à plusieurs reprises, mais jamais il ne voulut l'accepter.

« Qu'est-ce que tu as ? » lui demandait-il. Et Julio comprenait qu'il le traitait comme un homme, mais là encore il était incapable de lui en être reconnaissant.

« Rien.

— Tu veux qu'on parle ?

— Non. »

S'il avait parlé, tout aurait été différent. S'il avait parlé, on ne l'aurait pas laissé en arrière. Mais la main restait plus rapide que la vue dans ce pays sans règles où Julio Carrión vivait. La main fut plus rapide que la guerre, plus rapide que la peur, que la confusion, que la honte, pendant très longtemps, et Manuel avait les mains vides, les manches remontées jusqu'au coude tout en agitant les doigts en l'air comme s'il y en avait eu dix ; et ils semblaient être dix mais ils étaient neuf et tout le reste n'était qu'ingéniosité, piège, astuce. En fait les yeux sont beaucoup plus rapides que les mains, Julio, ne l'oublie jamais. Et jamais il ne pourrait l'oublier après ce soir de mai où ses yeux percutèrent de plein fouet la réalité qu'ils étaient jusqu'alors parvenus à esquiver.

Il était sur la place, en train de flirter avec les filles, quand il s'aperçut qu'il avait perdu le foulard vert. Il le chercha partout, demanda à Teresita qui jouait à côté avec ses amies. Elle l'aida à le chercher, mais ils ne le trouvèrent pas. En fait, il n'en avait pas besoin, il pouvait effectuer le tour avec quatre foulards, mais il y en avait cinq ; cinq, et il avait perdu le vert. Je vais prendre celui de Manuel, dit-il, je reviens tout de suite. Sa maison était tout près et il partit en courant, cria en entrant. Bonjour, c'est moi, il y a quelqu'un ? Personne ne lui répondit. Il n'y comptait pas. À cette heure, sa mère était généralement occupée par l'un des innombrables comités

dont elle faisait partie et Manuel dans la rue. Son père avait
disparu, comme toujours. Il monta l'escalier quatre à quatre,
parce qu'il avait peur de se retrouver sans spectatrices. Je ne
serai pas long, leur avait-il dit. Et il ne fut pas long, il arriva
au grenier très vite, si excité qu'il pensa tout d'abord que
c'était lui qui faisait les bruits qu'il entendait. Mais ce n'était
pas lui. L'espace d'un instant, il pensa s'en aller, partir ; il
avait quatre foulards, le rouge, le blanc, le bleu et le jaune, le
tour était aussi bon, aussi voyant avec quatre qu'avec cinq.
Il ne le fit pas. Le grenier comportait une petite fenêtre qui
communiquait avec le palier de l'escalier et était placée très
haut. La lumière du soleil la traversait entièrement, aucun
rideau, aucun voilage. La main est plus rapide que la vue et
Julio trouva tout de suite un tabouret pour grimper dessus.
Les yeux sont plus rapides que les mains et les siens le furent
enfin, pour toujours, tandis qu'il contemplait sa mère, nue et
souriante au zénith de cette beauté qui ne cessait de croître,
de contredire obstinément le temps, montée sur Manuel, qui
la regardait et souriait, nu lui aussi, les doigts de ses deux
mains, dix cette fois, sans piège ni carton, lui caressant la
taille, les hanches, juste avant de la saisir pour l'attirer vers
lui et la faire rouler sur le lit. La main n'est pas plus rapide
que la vue. Tout est pure illusion, ingéniosité, truc, astuce. Tu
parles, pensa Julio Carrión González. Tu parles !

« Julio, mon petit, mais tu es encore là ? » Sa mère le
chercha dans toute la maison avant de le trouver allongé sur
le lit. Ce soir-là ils donnaient une représentation. « Dépêche-
toi, vite, on va être en retard.

— Laissez-moi tranquille, mère.

— Mère ? » Teresa s'assit au bord du lit, le regarda, tenta
de le caresser, renonça quand la main de son fils interrompit
la sienne. « Depuis quand est-ce que tu m'appelles comme ça ?

— Vous êtes ma mère, non ? répliqua-t-il, avec une
sécheresse qu'il n'avait jamais éprouvée auparavant. Entre
autres choses. C'est pour ça que je vous appelle comme j'en ai
envie. »

Ce fut lui qui les mit dehors. Ensuite, quand il commença
à les regretter, quand il tomba dans la tentation de se sentir
abandonné, trahi, rejeté par eux, il tenta de s'expliquer les
choses d'une manière différente, mais il sut toujours que la
vérité était autre, que c'était lui qui les avait mis dehors. Ils

lui faisaient mal. Ils lui faisaient si mal qu'il préférait les perdre plutôt que de s'immerger dans la douleur d'une autre perte, celle de sa propre vie ruinée, déchirée, foulée aux pieds par leur trahison. Parce que c'était lui qu'ils avaient trahi, pensait Julio. Lui, qui les aimait, lui, qui les admirait, lui, qui était heureux avec eux même s'il n'était pas de leur côté. Il ne pensa jamais à voir les choses autrement. Il était trop fier, trop orgueilleux, trop égoïste, et il ne savait pas tout.

Dans cette maison il y a un homme, et ce n'est pas mon père, osa-t-il se dire à lui-même. Dans cette maison il y a un homme et cet homme c'est moi, vous allez apprendre ce que cela signifie. Ensuite, quand il fut trop tard, il comprit que cela avait été son erreur, puis, quand il n'y eut plus de chemin de retour, quand ses calculs, ses plans, le projet féroce de sa tyrannie, échouèrent contre une valise en carton et une enveloppe écrite de la main de sa mère, *Pour Julio*. C'était le 2 juin et on n'entendait pas un bruit dans la maison. Il ne restait plus personne pour faire du bruit dans la maison de Julio Carrión.

« La soupe est froide, mère ! lui avait-il dit deux soirs plus tôt, laissant retomber sa cuillère dans l'assiette après l'avoir goûtée.

— Ce n'est pas vrai, maman, était intervenue Teresita. Dis que non, elle n'est pas froide, pourquoi est-ce que tu dis ça à maman, Julio ?

— Tais-toi, morveuse ! » À ce moment Manuel cessa de manger, se cala sur sa chaise et adressa à son disciple un regard d'avertissement que celui-ci soutint avec toute l'arrogance qu'il fut capable de trouver en lui-même. « Si je dis qu'elle est froide, c'est qu'elle est froide. Faites-la-moi réchauffer, mère.

— Va te la réchauffer toi-même ! répliqua Teresa, sur un ton ferme que trahissaient ses yeux humides.

— Non ! » Julio se leva, Manuel aussi, mais il ne lui faisait pas peur, pas encore. « Vous allez me la faire réchauffer, parce que c'est votre obligation. Vous êtes la maîtresse de maison, n'est-ce pas ? Eh bien, tâchez que cela se voie ! Gardez les apparences, même si tout le monde sait que vous êtes une moins que rien.

— Ne parle pas comme ça à ta mère ! »

À peine eut-il fini d'entendre ces paroles que Julio était déjà par terre et Manuel très haut, à la hauteur de la gifle qu'il venait de lui donner. Le visage de Julio lui cuisait, de rage et de douleur, pendant qu'il se levait pour charger Manuel, qui n'était peut-être pas très fort, mais s'était battu beaucoup plus souvent. Il le rejeta sur le sol avant qu'il ne soit parvenu à l'atteindre une seule fois. Alors Julio n'eut pas d'autre choix que de continuer à essayer. Manuel se jeta sur lui, l'immobilisa de la main gauche, et de la paume de la droite, ouverte, il le frappa à nouveau ; un coup humiliant, chargé de supériorité, de mépris.

« Mais qu'est-ce que tu t'imagines, imbécile ! Pour qui tu te prends ? Tu n'es qu'un lâche, Julio, un rien du tout, ni plus ni moins. Le fils de ton père.

— Laisse-le. » Teresa s'approcha, les sépara. « Il n'a que quinze ans, Manuel, laisse-le, s'il te plaît... S'il te plaît. »

Ce fut la dernière fois qu'il leur parla. Quand il le put, Julio se releva sans rien dire, partit en courant, fit le tour de la maison, arriva dans une impasse étroite et sale par laquelle jamais personne ne passait, s'assit par terre et se mit à pleurer. Tu vas voir, murmurait-il, surpris par sa propre voix, brisée par les larmes, par la rage, par la même impuissance trouble et stérile que son père déchiquetait avec les dents chaque fois qu'il sortait son fusil pour le nettoyer. Tu vas voir qui je suis, mon salaud, tu vas comprendre, c'est moi qui te le dis, je vais te régler ton compte... Le garçon mit très longtemps à se calmer et ce ne fut qu'ensuite qu'il rentra à la maison, s'assit sur le banc devant la porte, décida d'attendre son père en veillant. Il n'y parvint pas. Il s'endormit et le froid le réveilla avant le retour de Benigno. Le lendemain, il ne le vit pas non plus, car il resta au lit jusqu'à ce qu'il fût certain de se trouver seul. Il resta dehors toute la journée et quand il arriva, le soir, il prit un morceau de pain et un peu de fromage qu'il emporta dans sa chambre. Il ne leur adressa pas la parole et eux non plus. Il ne s'en rendit compte que le lendemain, quand il se réveilla dans une maison vide, avec pour toute compagnie celle d'une valise en carton pleine de foulards, de gobelets, de jeux de cartes truqués et de boîtes à double fond, et les derniers mots que lui adresserait jamais sa mère. *Très cher fils de mon cœur, pardonne-moi tout le mal que j'ai pu te faire sans le vouloir, au nom de tout l'amour que j'ai eu pour*

*toi, au nom de l'amour que je conserverai pour toi jusqu'à ma
mort. Essaie de me comprendre, et un jour, quand tu seras un
homme, que tu tomberas amoureux d'une femme, et que tu
souffriras par amour, que tu sauras ce que c'est...*

« Maman ! » Julio ne put continuer à lire. « Maman ! »

Sans savoir que faire ni vouloir y penser, il se leva à toute
vitesse, s'habilla sans regarder ce qu'il enfilait et partit à leur
recherche dans toute la maison. Il ouvrit toutes les portes,
toutes les armoires, tous les tiroirs, et ne vit que le visage nu
du bois, un papier de soie sale, froissé, et de vieilles chaussures jetées dans un coin. Puis il sortit dans la rue pour les
chercher à l'école, sur la place, à la Maison du Peuple et chez
leurs amis. Mais personne ne lui dit quoi que ce fût, personne
ne semblait savoir quoi que ce fût et il n'osa pas raconter ce
qu'il savait. « Ce soir ils doivent venir, au moins ta mère, lui
dit une institutrice, à 19 heures on a une réunion du comité
de soutien aux familles évacuées, et elle est la présidente,
alors... » À 19 h 45, le comité se réunit sans Teresa González,
mais Julio, son fils, continua de l'attendre jusqu'à ce que cette
femme sorte la dernière. « Rentre chez toi, lui dit-elle, elle est
peut-être malade ou il lui est arrivé quelque chose et elle est
rentrée directement. » Il savait déjà qu'il ne l'y trouverait pas,
mais il suivit son conseil, et il contempla à nouveau le visage
nu du bois, le papier de soie sale et froissé, les vieilles chaussures jetées dans un coin.

Il ne ressentait rien. Tout en déambulant dans la maison
vide, il ne ressentait rien, et n'avait même pas conscience de
son insensibilité. La journée entière s'était écoulée comme
l'espace d'un instant, il était presque 23 heures et il avait faim.
La faim fut la première sensation qui revint. Puis tout revint
pêle-mêle : la rage, la nostalgie, la douleur, la culpabilité, la
fureur, le désespoir, l'infériorité, le ressentiment, l'orgueil, la
rancœur, la solitude et la tristesse, avant de comprendre qu'il
avait à nouveau un seul chemin devant lui, et que cette fois
encore il ne l'avait pas choisi.

Plus jamais, se répéta-t-il à chaque pas qu'il fit vers la
maison du prêtre. Plus jamais, quand il sonna et que personne
ne voulut lui ouvrir, quand il insista et entendit des pas, des
murmures, le claquement du judas que l'on tirait. Plus jamais,
en saluant doña Consuelo et en lui annonçant qu'il venait
chercher son père. Plus jamais, en suivant la sœur du prêtre

jusqu'à la cave, plus jamais. Et ils étaient tous là, autour de la
radio, don Pedro, le sacristain, le pharmacien, deux de ces
messieurs qui ne saluaient plus sa mère quand ils la croisaient
dans la rue, et son père, Benigno Carrión, sombre, vieilli,
bovin. Plus jamais Julio Carrión González ne retournera
auprès de ceux qui perdent, se promit-il à cet instant. Jamais,
plus jamais.

Toute sa vie, il serait fidèle à cette promesse mais il ne le
savait pas encore. Il ne pouvait pas savoir non plus qu'il se
tromperait trois fois, avant de mettre dans le mille et pour
toujours. Le 24 juin 1941, en fuyant par les rues obscures et
étroites la marée de chemises bleues qui déferlait sur les trottoirs de la Gran Vía, il était aussi déterminé qu'avant, mais il
ne pouvait plus douter de sa maladresse. Et il n'était pas le
seul. Tu me dégoûtes, Julio Carrión, lui avait dit Mari Carmen, la fille du Peluca, presque deux ans plus tôt, en prononçant très soigneusement son prénom et son nom comme une
annonce, une menace.

« Je te cherchais, Julio, où étais-tu passé ? » lui avait-elle
demandé ce matin. Il n'avait pas songé à l'éviter, parce que
c'était déjà dimanche, en mai 1939. Lorsqu'il la vit sortir de
l'église avec un voile sur la tête, tenant sagement le bras de sa
mère, il dut la regarder deux fois avant de la reconnaître. « Je
suis allée deux fois à la pension demander de tes nouvelles. »

Cela faisait presque deux mois que Franco était entré
dans Madrid, et il se trompa en calculant qu'il n'y avait qu'une
façon d'interpréter un si grand intérêt. Maintenant je ne suis
plus insignifiant pour toi, n'est-ce pas, Mari Carmen ? Les
héros du peuple sont passés à la postérité... Cette seule idée
le fit se fendiller de plaisir intérieur, mais elle lui plaisait tant
qu'il repoussa immédiatement la tentation de la faire souffrir,
et lui adressa un sourire radieux avant de lui raconter la
vérité.

« Eh bien, je suis toute la journée dans la rue. Je cherche
du travail.

— Oui, comme tout le monde... » Elle lui rendit son sourire avant de bousculer tous ses espoirs dans un murmure
prudent mais ferme. « Ce que je voulais te dire, c'est qu'on a
une réunion jeudi, chez Virtudes, pour se réorganiser. Pour
l'instant, on ne peut pas faire grand-chose, on ne sait pas
combien on est. Beaucoup sont en prison et il y a ceux qu'on

n'a pas encore pu retrouver, on verra... » Elle fit une pause pour le regarder puis, constatant que pas un muscle de son visage n'avait bougé, elle sourit à nouveau, prenant sa stupéfaction pour le courage serein qu'elle aurait aimé trouver. « Tu sais où habite Virtudes, non ? Le parti va nous envoyer un responsable. On ne sait pas qui c'est, mais je suppose qu'il saura ce qu'il faut faire, il s'agit surtout d'aider les prisonniers, c'est la priorité...

— Mais qu'est-ce que tu racontes, Mari Carmen ? l'interrompit-il, pendant qu'il expérimentait une sorte de peur différente de toutes celles qu'il avait connues. Vous êtes devenus fous, ou quoi ? »

Il s'agissait d'une sensation solide, épaisse, physique : la peur comme seule condition de tous ses muscles, de tous ses os, de ses cinq sens, qui ne purent trouver autre chose qu'un miroir pour leur propre peur sur le visage de cette belle insensée, dont les jambes interminables, belles, magnifiques, lui avaient appris, dès son arrivée à Madrid, que le souvenir de Teresa González survivrait pour toujours en son fils. Parce que lui, qui n'aurait jamais d'autres idées que celles qui lui conviendraient à chaque instant, n'aimait, n'arrivait à aimer vraiment, que les femmes courageuses jusqu'à la stupidité.

« Ne comptez pas sur moi », dit-il pourtant, bien que les cils de Mari Carmen soient toujours aussi épais, aussi longs et aussi sombres derrière le voile de dentelle noire. « Ne m'attendez pas, ne m'appelez pas, ne venez pas me chercher », insista-t-il, bien que sous la blouse monacale, grise et boutonnée jusqu'en haut, il puisse encore pressentir la puissance du décolleté immaculé qu'il avait parfois vu, entre les revers d'une vareuse fantaisie qu'elle ne consentait à ouvrir que devant les revers des véritables vareuses. « Et ne parlez pas de moi, c'est clair ? Ne dites à personne que vous me connaissez, parce que mon père est facho, tu le sais, tu l'as toujours su, n'est-ce pas ? Demande à ma patronne, si tu veux, elle le connaît et elle est des vôtres. Je ne veux pas d'ennuis, tout ce que je veux, c'est vivre tranquille, mais si vous me gênez, je peux vous faire beaucoup de mal. Alors tu le sais. Après, tu ne viendras pas dire que je ne t'avais pas prévenue... »

Il prononça ces paroles dans un murmure pressé, frénétique, indifférent au miracle géométrique des genoux qui ne ployèrent pas d'un millimètre tandis que la fille du Peluca se déployait, mettait les poings sur les hanches, bombait le torse au point d'en imprimer la toile informe de sa blouse, et lui crachait son mépris dans une demi-douzaine de mots justes :

« Tu me dégoûtes, Julio Carrión. »

Elle dit cela avant de tourner les talons et de s'éloigner sans un regard. Elle prononça très distinctement son prénom et son nom et n'ajouta rien de plus. Ce n'était pas la peine. Elle savait qu'il allait comprendre et il comprit. Il comprit parce qu'il la connaissait. Et elle était toujours là, au même endroit, la salope, ce matin où il l'avait vue deux mois plus tôt. Et ça ne faisait pas trois semaines la dernière fois qu'il l'avait revue. Et encore ce dimanche de mai 1939.

Pendant ce temps, ils étaient tous tombés. Tous. Ceux qui étaient allés chez Virtudes les premiers, puis beaucoup d'autres. On en a réchappé de peu, Mari Carmen et moi, lui avait raconté peu après Isidro, elle parce que le métro s'est arrêté et qu'elle a dû y aller à pied, et moi parce que je n'y étais jamais allé et que j'avais mal noté l'adresse. Quand on est arrivés, ils les avaient déjà emmenés... Quelqu'un avait prévenu la police et ce n'était pas lui. Mais le traître, s'il était toujours en vie, ne devait pas dormir plus mal que Julio Carrión, partagé entre la peur qu'on arrête Mari Carmen et la peur de continuer à la croiser dans la rue, sans oser décider ce qui serait le pire – qu'elle tombe et puisse choisir le moment le plus propice pour le dénoncer en donnant son prénom et son nom, ou que les semaines, les mois, les années continuent de s'écouler, tremblant à chaque minute de ce qui devrait arriver tôt ou tard. Mais pour l'instant elle ne s'était pas fait prendre. Elle qui était la plus bavarde, la plus imprudente, la plus courageuse. Juste elle.

Tous les autres avaient été arrêtés. Ils en avaient descendu beaucoup, énormément, plus de cinquante en août 1939, d'un seul coup, en une seule matinée, devant le même mur ; et la somme de l'âge de chacun ne devait guère dépasser les mille ans. Il en connaissait pas mal, presque tous de vue, les hommes et les femmes ; parce qu'ils fusillaient aussi les femmes, même mineures. Toutes sauf elle. Elle était incroyable, impossible, inexplicable. Dans le quartier tout se savait, et ce qu'on ne savait pas, c'était Isidro qui le lui racontait, lui qui ne perdit jamais l'espoir de le récupérer, qui continua à le traiter comme un ami jusqu'à ce qu'on le prenne lui aussi, la quatrième ou la cinquième fois, Julio ne s'en souvenait pas. Ces niais, ces imbéciles, ces suicidaires avaient tenté de s'organiser à nouveau. S'organiser, parce qu'ils appelaient ça comme ça, et on les tuait tous. Tous sauf elle.

S'il s'était agi d'une autre, Julio aurait pensé qu'elle avait fini par se réveiller, qu'elle avait cherché un arrangement, un protecteur, un amant phalangiste. D'autres, plus laides, l'avaient fait. Pas elle. Dans le quartier, tout continuait à se savoir bien que de nombreux mois se fussent écoulés depuis qu'Isidro avait adressé son dernier vivat à la République devant un peloton. Dans le quartier, tout se savait, qu'elle allait à la prison toutes les semaines pour voir son mari, et qu'elle vivait toujours au même endroit, avec sa mère, sa sœur et une seule machine à coudre pour trois, avec le souvenir héroïque et inutile de son père mort et l'incertitude de ne pas savoir pendant combien de temps Juan Ortega – le coiffeur de la place de Pontejos, qui, le 6 novembre 1936, ne savait pas se servir d'un fusil et, qui, le lendemain, résista avec acharnement à la Casa de Campo jusqu'à ce qu'un Arabe le tue à la tombée du jour – resterait encore le seul héros inutile de la famille.

Mais pour l'instant Mari Carmen était dans la rue, il l'avait vue ce matin, et il avait pensé à retourner à Torrelodones, à quitter Madrid, à se résigner aux moutons, à cette vie qui n'était pas pour lui mais qui valait mieux que la prison, que le tribunal des Salesas, que les murs du cimetière de l'Est. Son père interviendrait, il parlerait à don Pedro, ils le sauveraient, ou pas, on ne sait jamais, puis il resterait marqué pour toujours, pour toujours hors du monde de ses rêves, de la vraie vie de ceux qui ne se trompent pas en choisissant un parti. Mari Carmen était dans la rue, certainement organisée – quoi que cela signifiât, à ce stade – et lui en danger. C'était pour cela qu'il n'aimait pas les phalangistes, il ne pouvait pas les voir en peinture, sans autre raison qu'un frisson instinctif qui l'obligeait à se souvenir, à se souvenir de lui-même dans un monde, une ville, des rues qui étaient différents, comme s'il avait épuisé une vie entière en quatre ans seulement – le temps qui s'était vraiment écoulé depuis qu'il avait fini de vider sa valise dans la chambre de cette pension où il avait dormi une fois avec sa mère, quand Teresa l'avait emmené à

Madrid avec elle, dans un camion bondé, pour y fêter le triomphe du Front populaire.

« Ne touche pas au fusil. » Ce soir-là, ce fut Benigno Carrión, non sa femme, qui lui désigna le lit où il allait dormir. « Le fusil, c'est moi qui m'en occupe. »

Et pour ne pas le voir, pour ne pas l'entendre, pour ne pas s'écraser à nouveau, pour la énième fois, contre le mépris que lui inspirait ce vieil homme qui était resté ivre pendant trois jours avant de tomber encore plus bas en prétendant jouer le rôle du mari offensé et disposé à laver cet affront dans le sang, juste pour ne plus avoir honte, Julio partit faire un tour.

En sortant dans la rue, il avait encore frais dans la mémoire, aux joues, au palais, la chaleur étouffante de la veille, ce si jeune lieutenant qui invita son père à passer dans un bureau quand il entendit les raisons pour lesquelles il demandait un sauf-conduit pour se rendre à Madrid. Calmez-vous et venez avec moi, lui avait-il dit, ne continuez pas à parler comme ça devant votre fils... Puis il s'adressa au soldat de garde, emmène ce garçon à la cantine et donne-lui à goûter. Quoi ? Je n'en sais rien, une barre de chocolat, un verre de lait, quelque chose... En disant cela, le lieutenant lui avait adressé un regard de commisération dont il ne voulait se souvenir, qu'il ne pouvait supporter. Aussi, quand il eut fini de ranger ses vêtements dans l'armoire, laissa-t-il son père à la pension, avec son fusil, et suivit-il la direction que semblaient indiquer pour lui seul des jambes infinies, jolies, magnifiques, prises dans une jupe très moulante assortie à une vareuse courte, aux immenses revers et à l'air insolite, vaguement militaire. En les suivant, il arriva aux arcades de la plaza Mayor, où leur propriétaire, brune, élastique et très jeune, retrouva un groupe de jeunes de son âge, parmi lesquels un garçon sympathique, au visage constellé de taches de rousseur, qui s'appelait Isidro et racontait très bien les histoires drôles. Ce serait le premier ami de Julio Carrión à Madrid, et un peu plus, qui lui expliqua où ils allaient tous les jours et qui l'emmena au siège de la JSU[1].

« Et Mari Carmen ? » osa-t-il lui demander le jour où il alla chercher sa carte d'identité. Il se sentait enfin rassuré, l'un des leurs.

---

1. Jeunesse socialiste unifiée.

« Mari Carmen... » Isidro lui sourit. « Quoi ?

— Je ne sais pas... » Le sourire de son ami lui déplut, mais il ne trouva pas non plus le moyen de reculer. « Elle est fiancée ?

— Écoute, je vais te donner un conseil, continua-t-il en riant. Oublie-la, fais comme si tu ne la voyais pas, regardes-en une autre, vraiment... C'est ça, ou tu t'engages comme volontaire et tu deviens conducteur de char ou pilote de chasse comme il y en a peu. À toi de voir.

— Qu'est-ce qu'il y a ? » Julio, qui avait un grand succès auprès des filles, enveloppa sa déception dans une question dont il avait déjà deviné la réponse. « Elle n'aime que les soldats ?

— Et pas tous. Enfin, elle est forte... Tu aurais dû la voir l'année dernière, en novembre, quand elle allait à la Moncloa avec sa mère, tous les matins, pour y chasser les déserteurs... Lâches, salauds, fils de pute ! Vous n'avez pas honte ? C'est pour ça, que mon père est mort, pour que je vous voie partir en courant ? Retournez au front vous battre comme des hommes ! Bon sang... Un vrai spectacle, et elle ne s'était pas encore confectionné l'uniforme qu'elle porte maintenant.

— Et il est comment ?

— L'uniforme ? Il ne correspond à rien, c'est-à-dire que c'est le sien, elle l'a inventé. Tu ne vois pas qu'elle est modiste ? Elle a fait tout un tas d'essais jusqu'à ce qu'elle trouve celui qui lui allait le mieux, et depuis, elle ne le quitte pas. Bien sûr, en novembre, elle n'en avait pas besoin non plus. Elle se mettait à crier comme une bête sauvage, elle les saisissait aux revers, les regardait dans les yeux et les insultait à voix basse. Lâche, pédé, retourne au front tout de suite ou alors donne-moi ton fusil et c'est moi qui irai. Ensuite, s'ils étaient jeunes, et beaux, elle les embrassait sur la bouche.

— Et ils y retournaient ?

— Tu parles, qu'ils y retournaient ! » Isidro éclata de rire. « Comment faire autrement... Ils avaient plus peur d'elle que des Arabes. »

Il ne s'était écoulé que quatre ans depuis cet après-midi-là, et Isidro n'existait plus, ni la Jeunesse socialiste unifiée, ni cette ville, ni ce monde et ces rues qui étaient pourtant les mêmes, et aussi dangereuses qu'à l'époque, car Mari Carmen continuait à y montrer ses jambes. C'était pour cette raison qu'il n'aimait pas les phalangistes, il ne pouvait pas les voir en peinture, mais ce matin-là il dut avaler des couleuvres. Ils descendaient par la rue d'Alcalá et la Gran Vía, en uniforme, recoiffés, foulant la chaussée d'un pas ferme avec leurs bottes, insensibles à la chaleur, au soleil et au feu des rues, et à toute inquiétude, à toute préoccupation, à la peur, car ils avaient gagné la guerre et étaient les maîtres de la vie et de la mort, de la loi et de la force, des prisons et des poteaux d'exécution, du ciel et de la terre. Car c'était pour cela qu'ils avaient réussi, pensa Julio, alors qu'autour de lui les piétons couraient au bord du trottoir pour lever le bras, ou dans la direction contraire pour gagner des instants de paix précaire, insuffisante, dans les rues sombres ou dans les tunnels du métro. Tout le monde courait, dans tous les sens, mais il resta immobile, il n'avait pas d'autre solution, car il n'était qu'un employé d'un garage de la rue de la Montera, le garçon de confiance de M. Turégano, client de la banque qui se trouvait juste de l'autre côté d'Alcalá, car il avait deux chèques à déposer et deux cents pesetas à retirer, car il n'était personne, juste un moineau qui avait été incapable de distinguer les idées qui lui convenaient vraiment. Aussi resta-t-il immobile, tout en attendant que le courant faiblisse, que la turbulence se dissipe, que les retardataires réintègrent la tache compacte, bleutée et redoutable qui débordait la confluence des deux axes principaux du centre de Madrid. D'où sortent-ils tous ? se demandait-il en calculant qu'eux – ceux qui étaient restés en ville depuis le temps qu'il y vivait – devaient se poser la question inverse. Où ont-ils tous pu passer ? Mais il ne pensa pas à Mari Carmen, parce que, à ce moment, pendant que les boutiques rouvraient leurs portes et que les piétons les plus audacieux osaient enfin traverser la rue, il distingua un phalangiste isolé, qui avançait seul en boitant, le visage contracté par la douleur, au bord du trottoir.

Il était très jeune, maigre et paraissait fragile, pas tant à cause des lunettes, grandes et carrées, avec une monture en plastique noir, épaisse, qui soulignait la pâleur de son teint, que parce que son sternum avançait en forme de bec depuis l'insignifiance de sa poitrine, projetant des deux côtés de la chemise ouverte un relief visible, difforme, que l'arrogance de son uniforme rendait plus pénible. Il avait le visage luisant de sueur, les lèvres entrouvertes et, la jambe droite contractée, le pied en l'air, et peu de forces désormais pour surmonter sa souffrance. Julio le regardait. Il le regarda lui aussi, pendant un instant, avant de se rendre.

« Que vous est-il arrivé ? » L'employé de M. Turégano s'adressa à lui avec le respect que lui inspirait la couleur de sa chemise quand il le trouva assis sur le rebord, à côté de lui. « Vous avez besoin d'aide ?

— J'ai glissé le pied dans une bouche à incendie, lui répondit le phalangiste, qui n'était pas plus âgé que lui, quelle malchance, mon vieux. J'étais avec mes frères, mais ils ne m'ont pas attendu. Si ça se trouve, ils ne s'en sont même pas aperçus...

— Vous avez la cheville enflée ?

— Je ne sais pas, on va voir. » L'accidenté se déchaussa, baissa la chaussette et regarda sa cheville droite, rougie, enflammée, molle. « Nom d'un chien ! Eh bien... Et il a fallu que ça m'arrive aujourd'hui, précisément aujourd'hui...

— Vous devriez la bander, lui conseilla Julio. Si vous voulez, je vais vous chercher un taxi, vous devriez rentrer chez vous.

— Non, pas question, qu'est-ce que tu racontes... ? » Il l'interrogea d'un haussement de sourcil, pour lui demander son nom.

« Julio, répondit-il, en lui tendant la main. Julio Carrión.

— Enchanté, fit le jeune homme en la lui serrant. Je m'appelle Eugenio Sánchez Delgado, le plus jeune des frères Sánchez Delgado, tu sais... » Julio ne savait pas, mais n'osa rien dire. « Et je ne peux pas rentrer chez moi, Julio, pas aujourd'hui... Je dois aller avec les autres, les soutenir, être avec eux. C'est notre chance, la grande œuvre de notre génération, tu ne te rends pas compte ? Nos parents, nos frères aînés ont vaincu à la croisade. Maintenant c'est notre tour, notre devoir, notre défi. L'Espagne n'a été que le début, nous avons encore le monde devant nous. La civilisation a besoin de notre jeunesse, de notre force. L'Occident est en danger et nous appelle, il nous appelle. Écoute sa voix...

Ce gringalet pâle et contrefait, qui savait parler, qui croyait à ce qu'il disait, qui était animé par une force que lui, Julio, ne connaîtrait jamais, aussi larges ses épaules fussent-elles, aussi puissants fussent ses bras, et aussi compact et massif que fût le corps qu'il avait hérité de son père, l'observa

à travers ses épais verres de lunettes et Julio reconnut ce
regard. Maman, pensa-t-il, Manuel, Mari Carmen, Isidro. Il
avait déjà vu cette lueur, la couleur de la conviction, l'acier
des mots pour lesquels mourir vaut la peine, et il hésita, pas
longtemps, à peine un instant, le temps qu'il lui fallut pour se
souvenir de la fille du Peluca. Après tout, se dit-il, ils sont tous
pareils, celui-ci a l'air plutôt bête dans son discours, mais
pour le reste... Julio Carrión González, qui s'était une nuit
promis qu'il ne reviendrait jamais auprès de ceux qui perdent,
s'était déjà trompé une fois. Quand Eugenio Sánchez Delgado
se leva, mordant sa douleur, pour lui presser l'épaule de la
main gauche avant de s'appuyer sur lui, il ne savait pas encore
qu'il allait commettre sa deuxième erreur, celle qui le conduirait à la troisième, et, à travers elle, à la réussite définitive.

« Allez, Julio. Si tu m'aides, on peut y arriver. On va
défendre l'Europe face à l'Orient. N'en doute pas. Allez, on y
va... »

Je voulais vraiment savoir quel genre d'homme avait été mon père.

Je ne croyais pas à l'indifférence de Julio, mon frère, mais à sa version, à son indignation, à sa colère. L'histoire qu'il m'avait racontée relevait du niveau d'invraisemblance instantanée et apparente, de vraisemblance essentielle et laborieuse, où il s'était situé avant l'annonce de la prédilection que mon père éprouvait pour moi sans que je m'en sois jamais aperçu. Le tout n'est égal à la somme des parties que lorsque celles-ci s'ignorent entre elles. Les parties s'étaient ignorées trop longtemps, pensai-je, et le tout devenait trop grand, trop contradictoire et abrupt pour échapper à la loi qui affecte les urgences dans des systèmes dotés de nombreuses composantes. Mon père était un système doté de nombreuses, trop nombreuses composantes. Je ne savais pas combien il en possédait, pourtant je me rappelai à temps que les catastrophes se produisent quand le tout est plus important que la somme des parties.

Je ne parvenais pas à me rappeler précisément la date, mais il faisait très chaud et Miguelito était encore un bébé, ce devait être une nuit de juin, peut-être juillet 2001, quand nous nous réveillâmes en même temps, mon fils se retournant dans son berceau les yeux encore clos, avec sur ses lèvres une faible plainte, à peine des pleurs. Mai dormait allongée sur moi, et j'étais en sueur, je la repoussai doucement mais n'en fus pas soulagé tant il faisait chaud. Miguel transpirait lui aussi. En le prenant dans mes bras je sentis que sa peau blanche et souple, si tendre et si douce, était humide. Je sentis également l'émotion de son apaisement soudain, l'émotion de savoir que mon fils reconnaissait mes bras, qu'il se taisait en appuyant sa tête contre mon épaule, qu'il percevait la sécurité, la tranquillité d'un lieu sûr. Il était 5 h 40, et il se jeta comme un désespéré sur le biberon à la camomille pendant que je lui en préparais un vrai dans la pénombre de la cuisine. Je ne voulus pas allumer la lumière du plafond pour ne pas le gêner, et pour épuiser le plaisir surprenant de cette intimité facile et immense en même temps, un père et son fils, sa peau contre ma peau, ce contact nouveau, insolite, émouvant, qu'il ne se rappellerait pas et dans lequel j'avais encore du mal à me reconnaître, car il ne s'était pas écoulé plus de trois mois et Miguelito était là, il avait faim et soif, si faible, si incapable de faire quoi que ce fût par lui-même, dans mes bras, à ma merci, une responsabilité énorme, une solution très simple, sortir le biberon en verre du micro-ondes, ajuster la tétine, laisser tomber deux gouttes sur le revers de la main, approcher le biberon de sa bouche, et la paix.

Cela m'impressionnait beaucoup d'avoir un fils. Je n'avais jamais pensé à lui comme à un dessein, à un but, ni même à une étape de ma vie. Non pas que je n'aie pas voulu l'avoir, mais si Mai n'avait pas insisté, je n'aurais pas eu l'idée de le lui proposer. Je vécus la grossesse de ma femme comme un processus étranger et mystérieux, quasi redoutable, sans éprouver la moindre émotion de sentir ses coups de pied, d'écouter les battements de son cœur, ni de le voir grandir au fil des échographies – ces brouillons grisâtres avec des taches de lumière et des zones d'ombre où la gynécologue, ravie, identifiait des poumons, des reins, des bras et des jambes. Moi je ne voyais rien, juste des taches, des ombres et des lumières qui mettaient inexplicablement Mai au bord des larmes. Pendant ce processus, j'étais à l'extérieur, en marge, dans un lieu où je ne voyais rien, où je n'attendais rien. À la naissance de Miguel, ce fut différent.

J'y pensais, chaque fois que j'étais seul avec lui ; j'y pensais, tout en l'emmenant vers le porche. Cela m'impressionnait beaucoup d'avoir un fils, et davantage de constater comment ce mot, fils, était passé de n'être rien à être tout en une seconde, dès l'instant où il commença à respirer avec ses propres poumons, à être lui, et moi son père. À partir de cet instant, Mai cessa en quelque sorte de compter. Une seconde, une minute, une heure avant, l'enfant dont nous savions déjà qu'il s'appellerait Miguel était son affaire. Plus maintenant. Elle était toujours au même endroit mais moi, je venais de me trouver un nouvel endroit, et cela me plaisait.

Quand je pris mon fils dans mes bras pour la première fois, je ressentis soudain toute l'émotion que je n'avais pas ressentie en remarquant ses coups de pied, en écoutant les battements de son cœur, en le voyant d'une échographie à l'autre. Avec le temps, cette émotion intense, resplendissante, hérissée de surprises et de peurs, de responsabilités énormes et de plaisirs insolites, aussi difficiles à définir que la qualité de la peau d'un bébé, se transformerait en un amour différent, constant et quotidien, moins pointu et plus souriant, à mesure que Miguelito cessait d'être comme tous les enfants de son âge pour commencer à être lui-même – avec son propre visage, son propre corps, sa propre technique pour déranger et sa façon d'être insupportable parfois, adorable d'autres fois, sans jamais cesser d'être tout. D'être Miguel Carrión, mon fils. Mais cette nuit de juin, peut-être juillet 2001, quand je sortis avec lui sous le porche et y trouvai mon père, qui ne pouvait pas dormir lui non plus, j'étais encore incapable de le prendre dans mes bras sans être conscient à chaque instant que nous existions, moi, mon fils et mes bras.

Il ne pouvait pas le savoir quand il me vit arriver, quand je m'assis à côté de lui et que, sans cesser de m'occuper du bébé, du biberon, je lui dis qu'il semblait impossible que même dans le jardin, même à 6 heures du matin, cette chaleur monstrueuse ne se relâchât pas. Mais il ne voulut pas parler du temps avec moi. « Où est Mai ? » me demanda-t-il à brûle-pourpoint, sans chercher à dissimuler sa surprise. « Elle dort », répondis-je, et il agita la tête, comme s'il ne parvenait pas à traiter ce mot. « Tu dois beaucoup aimer ta femme, mon petit, dit-il au bout d'un moment. – Oui, je l'aime, reconnus-je, mais je ne me suis pas levé pour elle, je l'ai fait pour moi. – Pour toi ? insista-t-il. – Pour moi, j'aime beaucoup m'occuper du petit. » Il me regarda à nouveau d'un air halluciné et fut enfin d'accord sur le fait qu'il faisait très chaud, trop.

Julio parti – si on ne va pas aux putes, je préfère arriver à la maison à temps pour voir les enfants avant qu'ils soient couchés, dit-il, et il sourit moins pour moi que pour lui –, je décidai de rester dans ce bar, de prolonger le dernier verre seul. Je n'avais toujours pas envie de rentrer à la maison ; les raisons de ma paresse ne venaient pourtant pas de là mais du coffre de ma voiture. Avant de voyager vers ce qui ressemblait de plus en plus à un décor et de moins en moins à la paisible plaine de terres cultivées qu'était habituellement ma vie, j'aurais dû regagner ce dernier étage de la rue Jorge Juan qui ne m'appartenait pas et défaire le travail laid et sale auquel je m'étais obstiné dans l'après-midi. J'avais eu beau décider que ma dernière intervention dans cette affaire se bornerait à déposer deux sacs-poubelles dans l'entrée, j'étais toujours las, nerveux, et de plus en plus fatigué d'avoir mon père sur le dos. Et puis, de surcroît, il y avait Raquel, parce que j'allais devoir l'appeler, lui rendre la clé, la voir, l'écouter, contrôler l'excitation féroce du chasseur que je n'avais jamais cru être avant qu'elle le réveille en moi, minimiser l'état d'alerte consciente qui commencerait à l'instant même où elle pourrait me toucher à nouveau, me débattre avec ses silences, ses pauses, l'impeccable représentation du rôle qu'elle se serait préparé et la confusion de ses points de suspension, me demander à quelle sorte de jeu elle jouait, passer ou non sur le fait que cette jolie fille – d'une beauté si discrète qu'il fallait la regarder attentivement à deux fois, avant de la découvrir – avait été la dernière maîtresse de mon père.

Mon père. Ces deux mots n'avaient jamais été un problème pour moi, pas même dans les moments les plus difficiles, ni dans ces décisions par lesquelles je m'étais écarté de ses projets, de ses désirs, du modèle du fils qu'il aurait aimé avoir. Mon père. Cela avait toujours été si facile d'y penser, de le dire, de l'assumer, que le prestige originel de ce concept m'avait gêné pour comprendre l'homme qui en bénéficiait. Un pauvre homme, me dis-je. Un salopard, ajoutai-je, me rappelant mon frère. Un père et ses enfants. C'étaient les nouvelles données du problème. Moi, d'abord fils puis père ; Julio, qui avait choisi d'être père quitte à renoncer à être un fils ; Miguelito, qui n'était qu'un bébé de trois mois qui avait faim et soif, une peau blanche et souple, si tendre et si douce, cette nuit où son grand-père nous observa tous les deux, moi le père, lui le fils, avec un étonnement très pur ou peut-être contaminé par un mépris supérieur à l'incompréhension qui m'avait suffi pour isoler l'inconnue dans l'équation de ses yeux grands ouverts.

Tu exagères, Álvaro, aurait dit Mai, en se rangeant comme toujours de son côté. C'est un homme très âgé, il y a des choses qu'il ne peut pas comprendre, il n'a certainement jamais songé à se lever la nuit pour donner un biberon, mais cela ne signifie pas qu'il ait été moins sensible, qu'il vous ait moins aimés. À cette époque, la façon d'être père était différente, voilà tout. Ma femme n'avait jamais prononcé ces mots, je ne les avais jamais entendus, mais à cette occasion je pus le faire et même les réfuter – tu as peut-être raison, mais prêter de l'argent à un fils qui est en train de divorcer pour lui éviter des problèmes avec la mère de ses enfants n'est pas la même chose que de se lever pour donner un biberon, Mai, et ça, ça a un rapport avec le fait d'être père depuis toujours. Dans le calme de ce bar à moitié vide où persistait encore l'odeur de la poudre, des charges successives de dynamite que les paroles de mon frère avaient fait exploser dans ma conscience, ma mémoire se trouvait torturée par l'obligation de me souvenir dans une direction différente, car il ne s'agissait plus de fixer chaque date, chaque acte, chaque image de cet homme que je ne pourrais plus jamais arracher à la mort, mais de chercher des significations nouvelles, secrètes, dans les images de l'homme que j'avais cru connaître. Et cela faisait de moi un traître, pensai-je, un misérable. Le fils astucieux, déloyal, qui prête attention aux murmures chargés de sens, aux insinuations malignes et fondées, à la version sincère de l'ennemi. Mais l'ennemi était mon frère et il avait raison, et aucun de nous deux n'avait choisi d'être le fils de notre père, nous n'avions pas eu d'autre choix, d'autre voie. Ce qui était en jeu était plus que la mémoire de Julio Carrión González. Voilà ce que je pensai, et je ne me sentis pas mieux mais plus juste.

À ce moment, je songeai également que je pourrais ne rien faire, tout oublier et vite, laisser chaque chose en l'état, à la merci du temps qui avait déjà commencé à passer, à enterrer mon émotion, mes émotions anciennes et nouvelles. Il n'y avait plus de solution, car mon père était mort. S'il n'était plus l'homme que j'avais aimé, admiré, il ne serait plus jamais aucun autre. Et il n'aurait plus la possibilité de se défendre, d'expliquer les mots de Mai avec ses mots à lui, de me convaincre qu'il exagérait. Cependant, dans ce bar tranquille et élégant du quartier de Salamanca, je sentais toujours la poudre, le whisky avait un goût de poudre, les tables et les chaises, les lampes, le comptoir, mes vêtements, mes mains avaient encore la couleur, l'odeur, le goût de la poudre. Je n'avais pas du tout envie de rentrer à la maison. Si j'avais exagéré, je n'aurais pas pu accepter la colère de Julio. Si j'avais exagéré, je n'aurais pas retrouvé instantanément et malgré moi cette aube d'été étouffante où ni moi, ni mon fils, ni mon père n'avions pu dormir. Si j'avais exagéré, j'aurais perçu un jour cette prédilection de mon père pour moi qui faisait tellement souffrir mon frère Rafa.

Tout en payant, sortant et marchant dans la rue sans enthousiasme vers la voiture où se trouvaient les preuves selon lesquelles Raquel Fernández Perea, loin d'avoir cessé d'être un problème, était devenue un facteur multiplicateur des miens, je fus très surpris de penser que malgré l'histoire de Julio, cette énormité qu'il avait résumée en quelques mots que je ne pourrais jamais, jamais oublier – pour les affaires de Rafa oui, mais pas pour mes enfants –, ce qui m'avait le plus affecté lors de cette conversation était sa surprenante intuition sur la multiplicité de notre père ; cette difficulté à se le rappeler d'une façon unique qui avait affleuré aussi entre nous, cet après-midi aussi, juste avant qu'il ne parte, quand je lui avouai que ce que je venais d'apprendre me semblait encore plus dur, plus laid, injuste et difficile à accepter, en le comparant à mes souvenirs d'enfance.

« Parce que papa a toujours été un bon père », lui dis-je, et j'étais tout à fait sûr de moi. « Il jouait avec nous, il était attentif à nos besoins, nous aidait, nous consolait...

— Tu crois ? hésita mon frère. C'est exactement ce que dit Rafa, mais moi, je n'ai pas ce souvenir-là. C'est vrai, qu'il nous faisait des tours de magie, ça oui – surtout quand on recevait des visites –, mais c'était parce qu'il aimait ça, il adorait se faire mousser, tu sais bien. Et il venait aux matchs de foot, ça aussi, mais pour le reste... » Il hocha la tête en faisant une moue sceptique. « Je crois qu'il n'était pas tout à fait comme ça, qu'il jouait au père quand ça l'arrangeait, quand ça figurait dans son agenda, quand il n'avait rien de mieux à faire, mais je ne me souviens pas qu'on ait pu faire appel à lui sans conditions, comme avec maman. D'ailleurs, un soir où on en parlait chez Clara, elle nous a rappelé que papa n'était jamais venu la voir à un récital qu'elle donnait au collège, il ne l'a jamais entendue jouer. »

C'est vrai, pensai-je, avant de le reconnaître à voix haute. C'était vrai et ça ne l'était pas et je me souvenais encore des déceptions récurrentes de ma sœur. Chaque année, maman, Angélica et moi, parfois aussi Rafa, parfois aussi Julio, parfois tous excepté mon père, nous applaudissions debout dans la salle des fêtes du collège de filles. Clara ne jouait pas très bien, elle n'eut jamais d'avenir en tant que pianiste, mais c'était la meilleure de son niveau, elle jouait toujours lors des représentations de fin d'année, et nous allions tous la voir, l'applaudir. Tous sauf mon père, qui ne vint jamais.

« Elle a raison sur ce point, finis-je par admettre, mais je crois que papa ne voulait pas la voir jouer du piano parce que ça lui rappelait sa mère.

— Sa mère ? fit Julio avec étonnement.

— Oui, sa mère. Grand-mère Teresa jouait du piano.

— Du piano ? » Il me regarda, les yeux ronds. « C'est la première fois de ma vie que j'entends ça... Elle n'était pas institutrice ?

— Si, mais elle jouait aussi du piano. Très mal, mais elle en jouait. Ils en avaient un à la maison. Il semble que grand-père le lui ait offert pour leur mariage, papa me l'a raconté un jour.

— Moi, jamais. Je n'en avais aucune idée. » Il resta songeur un moment. « Une autre chose très étrange est que papa n'aimait pas raconter des histoires sur sa famille, parler de son père, de sa mère...

— Oui, ça aussi c'est vrai. Mais même si on savait tout, le souvenir de la grand-mère ne l'excuserait pas non plus de ne jamais être allé voir Clara.

— Non. » Julio était d'accord. « Bien sûr que non. »

Les sacs-poubelles pesaient moins lourd que dans mon souvenir, mais quand je les remis dans l'appartement du dernier étage, je transpirais déjà. Mon frère avait raison, il était difficile de se mettre d'accord en se souvenant de mon père, du moins dans les détails. Mais c'était moi qui aurais dû y penser, en avoir l'idée, me dis-je, moi qui suis au fait du secret que tous les autres ignorent, las d'entrer et de sortir de cette maison qui n'existe pas pour eux. Ce n'est peut-être pas l'unique secret, pensai-je ensuite, mais j'étais fatigué, très fatigué.

Avant que Julio eût formulé cette question à voix haute, j'avais songé souvent à l'étrange structure de ma famille – un groupe uni, compact, et en même temps suspendu au-dessus du vide ; rien derrière, rien sur les côtés, ni grands-parents, ni oncles ou tantes, ni cousins, ni parents d'aucune sorte ; juste nous sept, mon père, ma mère, mes frères et sœurs et moi. Pourquoi en vouloir davantage ? nous avait-on toujours dit. Grand-père Rafael était mort très jeune, avant la guerre, avant même la naissance de sa fille Angélica, et grand-mère Mariana, sa femme, quand mon frère Julio ne marchait pas encore. J'avais vu quelques photos d'elle – très peu – tenant mes trois frères aînés dans ses bras ; une femme sombre, vêtue de noir, qui habitait loin, dans un village de Galice. Elle n'était pas jolie et faisait un peu peur, comme grand-père Benigno, le père de papa, auquel son fils – puis nous – ressemblait comme deux gouttes d'eau. Grand-mère Teresa, sa femme qui jouait si mal du piano, aurait pu être sa fille ; sur la seule photo qui existait d'elle – c'était celle de leur mariage –, elle regardait, l'objectif en face souriante, ce qui tranchait avec l'air sérieux, farouche, du profil de son mari. Elle aussi était morte très jeune l'été 1937, en pleine guerre, sans avoir eu d'autres enfants. Benigno, lui, s'était éteint à la fin des années 1950, à plus de soixante-dix ans ; il n'avait pas connu Rafa, mon frère, que ma mère attendait à sa mort. Je n'avais jamais eu de grands-parents, ni d'oncles et tantes, ni cousins, aucun parent, aucune histoire ancienne à écouter, à peine quelques nouvelles éparses, des fragments qui ne coïncidaient pas toujours avec les informations de mes frères et sœurs. C'était pour cette raison que Julio n'avait jamais su que grand-mère Teresa jouait du piano. Pour cette raison, peut-être, qu'il était si difficile de se souvenir de mon père d'une façon unique, car il n'existait aucune autre version avec laquelle comparer nos souvenirs, aucune source au-delà de la mémoire capricieuse d'un homme qui aimait toujours nous raconter la même chose, son enfance au village, sa jeunesse dans les glaces de Russie, de Pologne. Un homme qui avait eu une vie très dure, qui d'après ma femme expliquait la dureté de son cœur ; une dureté que, d'ailleurs, je n'avais pas été capable d'établir avec certitude avant sa mort. Peut-être

Raquel n'était-elle pas son unique secret ? J'étais fatigué. Très fatigué.

« Que s'est-il passé, Álvaro ? me demanda Mai, quand j'arrivai à la maison, en me prenant dans ses bras d'un air modérément soucieux.

— Rien, répondis-je. J'ai bu un verre avec Julio et j'ai laissé passer le temps. Je t'ai appelée, mais...

— Non, je ne le dis pas pour ça. J'ai parlé avec Clara. Elle a appelé pour savoir comment tu allais et elle m'a dit que tu t'étais disputé avec Angélica, chez le notaire.

— Bah ! Ce n'était rien, tu sais comment elle est, elle me fait sortir de mes gonds... » Je fis une pause et lui souris. « Au passage, je t'informe qu'on est riches.

— Oui, Clara m'en a aussi parlé. »

Ma femme en savait plus que moi sur l'héritage, car ma sœur avait calculé, avec une précision qui se révélerait étonnante dans un peu moins d'un mois, la somme qui revenait à chacun. À tout autre moment, son intérêt soudain et avide pour l'arithmétique m'aurait semblé aussi surprenant que l'euphorie de Mai, qui s'obligeait à dissimuler sa bonne humeur, comme si elle avait trouvé de mauvais goût d'être aussi contente, mais mon père continuait à peser trop lourd sur mes épaules ankylosées, épuisées.

Tout se passait en même temps et tout se passait trop vite, avec une intensité, une rapidité que je ne parvenais pas à contrôler. Aussi, quand je pris rendez-vous avec Raquel je trouvai incroyable d'avoir un jour pensé à associer ma femme à ce rendez-vous. Pourtant j'y avais pensé, j'avais retourné cette idée pendant tout le week-end, depuis que le soir même de notre fortune j'avais trouvé un ressort utile pour exploiter sa joie d'heureuse héritière, de conjointe légitime d'un héritier pris dans un glissement de terrain, du survivant douteux d'une catastrophe aussi raide que le versant des montagnes qui avaient commencé à accidenter sans logique, sans pitié, la plaine tranquille qu'avait été sa vie, jusqu'à ce que le tout se révélât plus grand que les parties. Mai ne pouvait le savoir, elle ne pouvait même pas l'imaginer quand nous nous assîmes pour dîner ce soir-là.

« Ah, à propos... » Je pris mon ton le plus innocent pendant qu'elle servait la salade. « Tu ne connaîtrais pas par hasard un fonctionnaire du cadastre ?

— Moi ? fit-elle, surprise. Eh bien, non. Pourquoi est-ce que je devrais ?

— Je ne sais pas, comme tu es fonctionnaire de la commune... » Avant de lui laisser le temps de me rappeler qu'elle travaillait au ministère de la Santé, je lui racontai une histoire compliquée et fausse qui me permit de constater au passage que je mentais de mieux en mieux. « C'est une idée de Rafa, parce que... enfin, en sortant de chez le notaire, il a eu un aparté avec Julio et moi pour nous raconter qu'une des propriétés de mon père – un de ces attiques qu'il nous avait montrés, tu te souviens ? – ne figure nulle part. Il semble que papa lui ait dit qu'il avait l'intention de l'offrir à la fille d'un de ses associés, qui s'est mariée il y a peu, mais Rafa est inquiet. En fait, personne ne sait ce qu'est devenu cet appartement et on ne veut pas que ma mère se fasse des idées. Alors... Je ne sais pas, il a pensé que ce serait plus discret que ce soit quelqu'un qui ne s'appelle pas Carrión qui pose la question.

— Bien sûr. » Mai se montra très compréhensive. » Ne t'inquiète pas. Je peux appeler directement, de mon bureau, comme si c'était une question professionnelle. Je ne crois pas que cela pose un problème... »

Cela n'en posa pas. Le vendredi après-midi, en rentrant à la maison, Mai me donna la feuille sur laquelle elle avait noté en majuscules, pour éviter les confusions, le nom de Raquel Fernández Perea et, à côté, le mot donation. « Génial, dis-je, alors Rafa avait raison, problème réglé. » Mai me sourit avant de me suggérer que la première chose qu'on devrait faire serait de changer les meubles du salon, de tout remettre à neuf, du sol au plafond. « En commençant par peindre les murs en couleur, ajouta-t-elle, tout ce blanc, ça ne se fait plus. » De la couleur que tu voudras, acquiesçai-je, en calculant qu'il était trop tard pour appeler une banque. Je me sentis misérable d'avoir menti à ma femme sur cette question innocente qui ne m'avait jamais laissé d'autre rôle que celui de l'intermédiaire le moins fiable entre les deux visages d'un homme qui, pour la dignité de sa propre mémoire et celle des gens qui l'avaient aimé, devrait continuer à n'en avoir qu'un seul, lumineux et public. Pour cette raison, je faillis tout lui raconter depuis le début, de la stricte coïncidence de la date qu'un conseiller en placements avait choisie pour mettre à la boîte une lettre qu'auraient pu trouver Julio ou Rafa ; mais ce fut moi, le seul témoin de la présence de Raquel Fernández Perea à l'enterrement de mon père.

C'était tout, une pure coïncidence, une succession d'événements triviaux, fortuits, une série d'accidents sans aucun rapport logique entre eux que la fatale nécessité de ma présence dans chacun d'eux. Ni Mai ni personne ne pourrait me reprocher ce que j'avais fait tout seul et avec une dose d'abnégation considérable, car rien n'aurait été aussi facile ni aussi reposant pour moi que de lui parler d'abord, puis d'appeler tous mes frères et sœurs pour partager le secret de mon père en cinq. Mais je ne dis rien, ni à elle ni à personne, et le lundi matin j'appelai Raquel pour lui dire qu'on devait se voir.

« Ah oui ? me demanda-t-elle sur un ton enjoué, que je démontai aussi vite que je pus.

— Oui, me bornai-je à confirmer, il y a du nouveau.

— Du nouveau ? » Sa voix avait changé. « De quel genre ?

— Eh bien... » Je cherchai une bonne manière de tout résumer et ne la trouvai pas. « Ce n'est pas une chose qu'on peut raconter au téléphone. Il va falloir qu'on se voie de toute façon, alors je préfère attendre, mais sache que l'appartement de la rue Jorge Juan n'est pas à nous mais à toi.

— À moi ? répéta-t-elle, manifestement interloquée. Tu en es sûr ?

— Oui. C'est pour ça que je dois te rendre la clé. Mais je ne sais pas quand on va pouvoir se voir, parce que je suis très pris. Vendredi, j'inaugure une exposition et le montage a pris du retard, comme toujours...

— Une exposition ? » Au silence qui suivit, je compris qu'elle était encore plus déconcertée. « Ah ! Tu peins ?

— Non, répondis-je avec un sourire, je ne peins pas, mais ça aussi c'est long à raconter. Écoute, on va se donner rendez-vous dans l'après-midi...

— Plutôt le soir. » Elle me devança alors que je n'avais pas encore eu le temps de choisir une date. « Comme ça, on peut aller dîner dans un japonais et je te promets que je ne t'arroserai pas une seconde fois.

— Dîner. »... J'étudiais sa suggestion, sans l'accepter, quand elle me devança à nouveau :

« Mercredi.

— Non, objectai-je, sans me rendre compte que l'idée du dîner était déjà acquise. Mercredi, je serai encore très pris. Plutôt jeudi, et pas trop tôt.

— 22 heures ?

— 22 heures », approuvai-je, tout en cherchant le meilleur japonais que je connaissais. Car cette fois je voulais choisir le restaurant.

« Super ! fit-elle quand elle connut mon choix. Je suppose que tu sais qu'il est hors de prix.

— Je sais, mais ne t'en fais pas pour ça. C'est moi qui invite. Tu sais que j'aime me sentir au-dessus des économistes... »

Je faisais ce que je devais faire, je jouais un rôle que je n'avais pas choisi. Je portais mon père sur le dos et son souvenir était si gênant, si lourd, que mes épaules étaient déjà ankylosées, épuisées. Personne ne pourrait me le reprocher – Mai non plus – et pourtant un sentiment semblable à la culpabilité s'était désormais installé en moi, car je mentis à nouveau à ma femme ce soir-là et j'éprouvai un chagrin plus grave que ma faute quand elle accepta sans poser de questions la nouvelle selon laquelle mes élèves de cinquième année avaient décidé d'avancer d'un mois et demi le dîner de fin d'année. Je ne lui racontai rien, ni alors ni jamais, mais cela me sembla être un mensonge d'avoir pensé un jour à l'associer à ce rendez-vous pendant que je trouvais toujours un fil imprévu, acéré, au bord de mes dents.

Quand j'arrivai au restaurant, je m'étais proposé de l'ignorer, de protéger à tout prix ma langue de sa menace. Il n'était pas encore 22 heures, et je restai au comptoir. J'avais calculé que Raquel arriverait tard exprès et j'avais prévu juste. J'avais prévu qu'elle ne viendrait pas habillée en femme d'affaires et j'avais prévu juste à nouveau. J'avais estimé que rien de ce qu'elle pourrait faire ou dire ne m'affecterait, et je me trompais.

Je la vis venir de loin, avec une robe à bretelles en tissu brillant et très clair, qui ressemblait à une combinaison d'autrefois, car elle était bordée de dentelle au décolleté et au bas. C'était un vêtement audacieux, presque dangereux, mais ses effets les plus évidents se trouvaient neutralisés par la compagnie d'une veste en tricot à moitié boutonnée et avec des manches très longues, qui conférait à l'ensemble un aspect semblable à celui que pouvait avoir une jeune fille qui essaie les sous-vêtements de sa mère et découvre soudain qu'elle a froid, ou une mère à moitié habillée qui ne trouve rien d'autre pour se couvrir que la veste encore rose, à l'air encore enfantin, de sa fille adolescente. Elle est maligne, pensais-je, mais je n'avais pas envisagé ça. Je ne m'attendais pas plus à ce qu'elle s'approche très près de moi et qu'elle m'embrasse très lentement sur les deux joues, presque avec soin, pour que je sois parfaitement conscient que c'était la première fois de ma vie que Raquel Fernández Perea m'embrassait.

« Bonjour », dit-elle seulement après. Lorsqu'elle vit mon visage, elle se mit à rire. « Qu'est-ce qu'il y a ? Ça n'a rien d'étonnant. En Espagne, les gens qui se connaissent s'embrassent quand ils se voient, non ?

— Et ils déjeunent à 15 heures, en sortant du travail, ajoutai-je.

— Effectivement. » Elle hocha la tête et me regarda avec une expression qui se voulait sérieuse sans tout à fait y parvenir. « Dis, je regrette aussi beaucoup pour les baisers, vraiment. Je l'ai fait sans réfléchir. » Elle sourit à nouveau, comme si elle voulait m'assurer qu'elle savait bien que j'étais incapable de croire qu'elle pût faire quelque chose sans en avoir prévu minutieusement les effets. « Excuse-moi, je ne voulais pas te gêner. »

Elle portait des sandales à très hauts talons avec lesquelles elle devait me dépasser de deux centimètres. En l'embrassant sur les joues, d'abord la gauche, puis la droite, lentement moi aussi, et très soigneusement, je me rendis compte qu'elle sentait très bon et m'aperçus que sa veste portait encore un brin de plastique transparent auquel devait être suspendue une étiquette peu de temps auparavant. C'est la première fois qu'elle la met, pensai-je, elle l'a peut-être même achetée pour venir dîner avec moi. Cette éventualité m'inspira une joie qui finit de me mettre l'eau à la bouche.

« Tu ne m'as pas gêné », lui dis-je. Elle était jolie, si jolie maintenant que j'avais appris à la regarder. « L'attache de l'étiquette est restée accrochée. Je te l'enlève ?

— Non, non, tu pourrais l'abîmer, elle est neuve... Je l'ai achetée cet après-midi, précisa-t-elle avec tout le naturel du monde, comme si elle ne se souciait pas de ce que je pouvais en penser. Je ne supporte pas de ranger mes vêtements neufs dans l'armoire, je dois les étrenner tout de suite, pas toi ?

— Non, dis-je, enfin, je ne sais pas. Je m'en fiche un peu, en fait.

— Très masculin.

— Eh bien... ça doit être, je ne sais pas... » Soudain je me rappelai la bière que j'avais laissée au comptoir. « Tu bois quelque chose ?

— Très masculin aussi. » Elle se mit à rire. « Non, je préfère aller m'asseoir. J'ai faim. De sushis et de nouveautés. Tu as réservé une table ? C'est plein.

— Raquel...

— Ah, je ne sais pas ! Tu es venu me voir sans rendez-vous. »

Elle s'engagea dans le couloir et je la suivis. Je ne me sentais plus comme un chien docile, ni comme son maître – ce chasseur excité par l'inconscience de sa proie – mais comme moi-même comme lorsque j'étais avec elle. La distance immense, presque astronomique, qui m'éloignait de l'image de Raquel quand je pensais à mon père, avait été mystérieusement annulée par sa présence. Pendant que nous nous dirigions vers notre table, tandis que nous nous asseyions et que nous nous observions un moment sans rien dire encore, j'avais en tête l'attique de la rue Jorge Juan, les bougies du jacuzzi, les comprimés bleus et ce godemiché mauve qui semblait rempli d'une sorte de gel. Mais en même temps je sentais que la femme que j'avais en face de moi, la tête inclinée, ignorante du pouvoir de son profil, de la ligne de sa mâchoire, du menton, de la courbe parfaite et tendre de son long cou, n'était pas la même que celle qui se glissait nue dans une baignoire ou s'adossait contre une pile de coussins et souriait, entrouvrant ses lèvres sur ses dents écartées ; comme si la Raquel de mon père et la mienne étaient différentes, deux incarnations distinctes de la même personne, deux moitiés jumelles, égales, mais pas identiques, de la même femme. C'était peut-être pour cela que je me sentais très calme, sûr de ne pas devoir jouer un rôle différent de mon propre personnage, et disposé à contrôler pour une fois la situation.

« On ne commande rien avant ? proposai-je, sans pouvoir éviter de sourire à la fin.

— À quoi est-ce qu'on joue ? » Elle souriait elle aussi. « Ça s'appelait ce que fait la mère, les enfants le font, non ?

— Oui, mais tu n'es pas ma mère...

— Heureusement.

— ... et puis... » Je passai sur son dernier commentaire. « ... ce soir, j'ai vraiment beaucoup de choses à te dire. »

Nous choisîmes rapidement, des sushis pour tous les deux. Raquel commanda en donnant le nom japonais de chaque plat, moi en les désignant du doigt sur la carte – ça, ça, ça. C'était ma façon habituelle de commander dans les restaurants orientaux, mais elle croyant à une plaisanterie, elle éclata de rire – elle était encore plus jolie quand elle riait. À tel point que je regrettai qu'elle redevienne sérieuse pendant que je lui racontais tout dans un ordre stratégique, différent du véritable, en commençant par le testament, la réunion chez le notaire, ma surprise de constater que l'attique ne faisait pas partie de l'inventaire des biens de mon père, la constatation qu'elle était la propriétaire des lieux depuis presque trois mois.

« Il me l'a dit un jour, se contenta-t-elle de commenter avec un mystérieux accent nostalgique, mais je ne l'ai pas cru. C'est la vérité, je ne l'ai pas cru.

— Eh bien il t'a dit la vérité. L'appartement était inscrit à ton nom au registre de la propriété.

— Comment est-ce que tu l'as appris ?

— Ma femme a vérifié. » À ces mots, elle fronça les sourcils. « Elle est fonctionnaire de la ville de Madrid, elle travaille au ministère de la Santé.

— Ta femme ? répéta-t-elle, comme si elle n'aimait pas le son de ces deux mots. Je ne savais pas que tu étais marié, tu ne m'as jamais parlé d'elle.

— Eh bien, *jamais* en l'occurrence ne signifie pas grand-chose. C'est la troisième fois que je te parle.

— Oui, c'est vrai, mais de toute façon... » Elle essaya de mieux s'expliquer, n'y parvint pas. Et les deux choses m'émurent davantage qu'il ne convenait. « Je ne sais pas, tu ne ressembles pas à un homme marié. Et qu'est-ce qu'elle fait, elle est médecin ?

— Non, elle est... » Je marquai une sorte de pause que j'avais apprise de mon père. « ...économiste.

— Oh !... » Elle recommença à rire puis secoua la tête juste après, comme si ma femme ne l'intéressait plus. « Tu veux que je te dise, Álvaro ? Tu me rappelles beaucoup ton père. Pas seulement physiquement – même si tu lui ressembles comme deux gouttes d'eau, tu le sais –, mais aussi sur d'autres points. Il y a un moment, pendant que tu allongeais ce *s*, j'ai eu l'impression que j'allais entendre des timbales, comme au cirque. Tu fais de la magie, toi aussi ?

— Non, je suis trop maladroit. J'ai essayé d'apprendre, mais j'ai arrêté tout de suite.

— La première fois que j'ai vu ton père... » Elle me regarda avec une intensité spéciale, une émotion que je n'avais jamais détectée dans ses yeux jusqu'alors. « Il a sorti deux bonbons de derrière mes oreilles. D'abord un orange, ensuite l'autre couleur fraise. Je ne l'oublierai jamais.

— Je te crois.

— Jamais. » Elle détourna alors le regard, comme si elle ne pouvait pas continuer à parler et à me regarder à la fois. « J'ai trouvé que c'était un homme charmant, spécial, adorable, je ne sais pas comment l'expliquer, un homme en qui je pouvais avoir confiance, et tellement sympathique... Je n'ai jamais connu personne d'aussi séduisant que ton père. Il inspirait la tendresse, n'est-ce pas ? On avait envie de l'embrasser, de le prendre dans ses bras, d'être à côté de lui. Et quand il te prenait dans ses bras, il te donnait de l'assurance, de la confiance. Je ne sais pas comment te l'expliquer, mais ce n'était pas un homme comme les autres. »

Elle fit une pause, me regarda un moment et continua à dessiner en silence avec le doigt sur la nappe. Je ne dis rien. J'avais chaud et froid, j'étais à la fois très près et très loin d'elle, j'étais perdu, je naviguais sans carte, sans boussole, sur sa voix émue mais tendue, douce et violente à la fois. Je venais de faire naufrage dans ses paroles, dans ses adjectifs démesurés et précis, exacts et pourtant ambigus, justes pour qualifier l'homme qu'ils évoquaient mais injustes pour moi, car j'étais incapable de les interpréter, je ne parvenais pas à ajuster leur sonorité à leur signification, je ne savais pas détacher leur contenu chaud, aimable, de leur enveloppe dure et sèche. Pendant que Raquel parlait, je ne voyais pas ses yeux, elle ne m'avait pas permis de les contempler, mais j'avais vu ses lèvres, sa bouche de femme qui sait rire, qui sait que rire lui va bien, et, sur elles, un gris âpre, un engrenage évident, un sourire trivial et mécanique derrière chaque point et tout de suite, à chaque syllabe, à chaque verbe, à chaque éloge décidé et sincère d'un homme qui les méritait, mais dont le souvenir n'était pas capable d'illuminer un aussi beau visage, sa peau lisse s'éteignant soudain comme celle d'une pêche flétrie, ordinaire.

Raquel Fernández Perea leva enfin les yeux de la nappe, me regarda à nouveau ; et je sus ce que je devais lui demander.

« Tu l'aimais ?

— Non. »

Elle parla d'un coup, sans hésiter, sans se cacher, en me fixant dans les yeux. Sa réponse ne me surprit pas, même si je n'aurais su dire pourquoi. J'avais chaud et froid. J'étais très loin, très près d'elle.

« Ce n'était pas exactement ça, ce n'est pas si facile... », ajouta-t-elle. Elle fit une nouvelle pause et sourit enfin. Un sourire indéniable, véritable, juste pour moi. « Disons que, quand il voulait, ton père était irrésistible. Il lui suffisait de sourire.

— Oui, c'est vrai. C'est le seul point sur lequel on ne se ressemble pas.

— Non, tu as raison. Mais je préfère ta façon de sourire, plus retenue, plus contrôlée, moins agressive... Quand il souriait, ton père ressemblait à ces soleils que peignent les petits enfants, une boule jaune, coloriée jusqu'à déchirer le papier, et pleine de rayons. Il était irrésistible, oui, mais aussi excessif, voire brutal... Non. Brutal n'est pas le mot... » Elle réfléchit un instant, jusqu'à ce qu'elle le trouve : « Humiliant. Le sourire de ton père était humiliant, Álvaro. »

J'acquiesçai lentement en la regardant, tout en comprenant que c'était la première fois que je la voyais. Je venais de rencontrer Raquel Fernández Perea, sous les gestes plastifiés d'une femme d'affaires habituée aux tentatives de drague de ses clients et à les esquiver avec efficacité, au-delà d'une franchise élaborée teintée d'ironie, aussi séduisante que trop éloquente, en marge des rôles bien répétés et du soulagement des points de suspension, sans pièges, sans ornements, sans excuses ; une femme seule, astucieusement maquillée avec des couleurs proches de celles de sa peau, et rien de plus, sauf peut-être une beauté plus belle que ses masques. C'était Raquel Fernández Perea et elle me regardait. Elle se rendait peut-être compte que je venais de la rencontrer, peut-être pas. Je ne pouvais pas savoir si elle s'était débarrassée consciemment, voire délibérément, du dernier des voiles épais, opaques comme des murs en pierre, qui la dissimulaient, ou si elle avait succombé sans le vouloir aux effets de sa propre sincérité, mais cela m'était égal. Je venais de la voir, je la contemplais pour la première fois, et même l'air que je respirais était superflu. Elle sut elle aussi me voir en me regardant, ou peut-être fut-ce l'autre motif qui éteignit l'étincelle de férocité qui dansait dans la tristesse soudaine de ses yeux.

« Je regrette, Álvaro.

— Quoi ?

— Je n'aurais pas dû te dire que je ne l'aimais pas. » Elle me regarda, et je soutins son regard. Coupe-toi les veines avec un couteau, Álvaro, aurait-elle pu me dire, et j'aurais pensé que ce n'était pas une mauvaise idée. « Après tout, c'était ton père. »

Je ne trouvai rien à répondre. J'eus soudain envie de fuir, d'aller aux toilettes, de mettre la tête sous le robinet, et de confier à l'eau froide la résolution du tumulte intolérable qui avait pris possession de mes sens, le bruit qui ne me laissait sentir que la pression cannibale de mes dents. Cela ne dura qu'un instant, celui que je mis à me rappeler qui elle était, qui j'étais, pourquoi nous dînions ensemble ce soir-là, quelle avait été la question qui nous avait unis et quelle en était la réponse. Je n'étais pas un enfant, un adolescent désarmé, égaré dans la confusion de son désir et je savais depuis le début qu'il finirait par arriver quelque chose de ce genre, et que je préférais ne pas le savoir. Ce fut pour cette raison que je réagis, que je parvins à me nier moi-même avec succès et que je me proposai d'oublier en même temps cet instant et le fait que je n'en avais jamais vécu de semblable.

« Tu ne m'as pas offensé, Raquel, repris-je, la voix indemne. Je n'ai pas d'autorité sur tes sentiments, et puis... je te remercie de m'avoir dit la vérité.

— Oui... » Elle baissa les yeux, regarda son assiette, puis la mienne. « Tu ne manges rien.

— Non, reconnus-je. Je n'ai pas faim.

— Eh bien, tu devrais faire un effort... » Elle sourit, sélectionna un morceau après avoir observé attentivement ceux qu'elle n'avait pas encore mangés, l'attrapa en manipulant les baguettes avec une dextérité admirable, bien supérieure à la mienne, le trempa dans la sauce au soja qu'elle avait assaisonnée avec tout ce qui lui tombait sous la main, et l'introduisit dans sa bouche, laissant échapper un soupir de satisfaction avant d'achever sa phrase. « ...car ce dîner va te coûter une fortune.

— Ça ne fait rien. Je viens d'hériter, tu le sais. Au fait... » Je sortis la clé que j'avais dans ma poche et la posai sur la nappe. « Toi aussi. Et autre chose... Je suis allé là-bas.

— Oui ? » Elle me regarda, sourit, regarda la nappe, réprima un rire, puis désigna mon assiette avec les baguettes qu'elle tenait dans la main droite. « Bon, puisqu'on en arrive à ce degré d'intimité, et étant donné que tu n'as pas faim... tu peux me donner celui aux œufs de saumon ? C'est mon préféré.

— Bien sûr. » Je souris moi aussi. « Prends-le. Moi, je le détruirais, tu as vu.

— Merci... » Elle mangea lentement, sans soupirer, avant de reprendre : « Ça aussi, je regrette, Álvaro. Tu vas devoir me pardonner beaucoup de choses, je le crains. Je suppose que j'aurais dû y aller pour ranger avant de te donner la clé, mais, je ne sais... Tout s'est passé si vite, tout a été si bizarre, non ?

— Peu importe. » Je n'avais pas envie de la revoir dans cette maison, à la merci de la luxure éteinte de mon père, quand je pouvais profiter de sa gloutonnerie en temps réel. « Je m'en suis chargé. C'est ce que je voulais te raconter, que...

— Toi » ? m'interrompit-elle, les yeux écarquillés. Sur sa bouche flottait le sourire d'une petite fille qui voit au moins passer le défilé des Rois mages. « C'est toi qui as rangé l'appartement, ouvert les placards, vidé les tiroirs, qui as tout enlevé ?

— Oui, moi. Et alors ? » Elle ferma les yeux et, sans cesser de sourire, elle les rouvrit. « Ce n'est pas si étonnant, non ? Je ne voulais pas que ma mère ou mes frères et sœurs... Je ne sais pas, j'ai pensé que c'était ce qu'il fallait faire.

— Álvaro ! » Elle me regarda à nouveau comme si j'étais un billet de loterie gagnant. « Bien sûr, que c'était ce qu'il fallait faire, mais je n'attendais pas... Tu es si mignon ! » Elle se mit à faire de grands gestes avec les mains comme si elle avait voulu effacer cette expression de joie si enfantine. « Non, non, je suis désolée, ce n'est pas ce que j'ai voulu dire... Je voulais dire... enfin, merci.

— De rien. Et je ne suis pas si mignon que ça, ne te fais pas d'illusions, parce que j'ai tout laissé dans deux sacs-poubelles dans l'entrée. » Elle haussa les sourcils d'un air étonné. « Comme tu m'avais dit que l'appartement était à nous, lui expliquai-je, j'ai tout mis dans deux grands sacs-poubelles. Au début, je pensais les jeter, mais ensuite je me suis rendu compte que je devrais te les donner, j'ai pensé que c'était mieux, plus juste, et que tu déciderais ce que tu voulais faire de tout ça. Pourtant, quand je suis sorti de chez le notaire convaincu que l'appartement était à toi, il m'a semblé stupide de prendre les sacs pour te les donner quand je te reverrais, alors je les ai laissés là-bas, comme ça, parce que je n'avais pas le temps de remettre les choses à leur place. De toute façon, avant d'aller chez le notaire, j'ai jeté pas mal de choses. De la nourriture non périmée – désolé ! –, des flacons de gel douche et de shampooing à moitié pleins, des revues, les bougies de la salle de bains... Tout le reste est là, en vrac, j'espère que rien n'a été cassé.

— Ça non plus, ça ne me dérangerait pas tellement. » Son sourire s'effilocha lentement. « Presque tout ce qu'il y avait appartenait à ton père ou, du moins, c'est lui qui l'avait acheté.

— La boulette aussi ? » Je connaissais la réponse, mais son rire me manquait.

— Non ! s'esclaffa-t-elle. La boulette était à moi.

— Heureusement, parce que, à ce stade je ne sais plus... Enfin, je pourrais croire n'importe quoi. »

Alors je pris mon assiette, presque pleine, et je la posai sur la sienne, vide. Mais elle remarqua à peine ce détail.

« Et ça ne te fait pas peur ? me demanda-t-elle en revanche en me fixant avec la même intensité que j'y avais vue avant, pendant qu'elle évoquait sa première rencontre avec mon père.

— Quoi ? » Tu me fais peur, pensai-je. Je me fais peur.

« De pouvoir croire n'importe quoi. »

Plus tard, je me rappellerais souvent ces paroles, quand elles se mirent de mon côté et quand elles me firent mal, quand elles me soutinrent et quand elles m'écrasèrent, quand je me retrouvai seul et le restai au milieu des vivants, et quand seuls les morts me tinrent compagnie. Le verbe croire est plus large et plus étroit qu'aucun autre, je l'apprendrais, et je me rappellerais souvent ces paroles, quand je pus et voulus croire, quand je découvris ce que pouvaient, ce que voulaient croire les autres, quand cela importait plus que tout et quand tout importait plus que ça. Quand j'eus tout, quand je me retrouvai sans rien, je me rappelai souvent ces paroles. Et ce soir-là, quand Raquel les prononça, je perçus leur gravité, leur transcendance, mais je ne les interprétai pas correctement. J'avais beau ne pas vouloir le savoir, ni même y penser, je la désirais déjà trop pour pouvoir séparer sa question de mon propre désir.

« Ça devrait me faire peur ? » demandai-je avec un sourire. Je croyais qu'on flirtait, mais elle ne me suivit pas et je renonçai à lui demander si c'était vraiment une femme si dangereuse.

« Je ne sais pas. Je ne suis pas la fille de ton père, tu le sais. » Je n'attendais pas cette réponse et elle s'en rendit compte. « De toute façon, en fait... en fait, tu me plais beaucoup, Álvaro. J'aime ta façon d'être, de penser, ce que tu fais, ce que tu dis, et comment tu le dis. Je ne m'attendais pas à ce que ton père ait un fils tel que toi.

— Maintenant si, je vais commander un verre... »

C'était une fille intelligente, je le savais, c'était une fille intelligente et déconcertante, une femme compliquée, imprévisible ; beaucoup de femmes en une ou la plus étrange que j'aie jamais connue si toutefois j'étais parvenu à la connaître, car je doutais maintenant de mon aplomb, de mon assurance précédente. Je restais convaincu d'avoir vu ce soir-là, pour la première fois, Raquel Fernández Perea, sans pièges, sans ornements, sans excuses, peut-être une beauté plus belle que ses masques, mais cela ne signifiait rien, cela ne me servait à rien si je ne la comprenais pas, et je ne pouvais pas la comprendre, j'étais incapable d'interpréter ses paroles, d'ajuster leur sonorité à leur signification. Tu sais beaucoup de choses sur moi et j'en sais très peu sur toi, m'avait-elle dit le jour où nous avions déjeuné ensemble. Et je ne savais rien d'elle alors, mais j'avais appris, je m'étais entêté, je m'étais épuisé dans un apprentissage qui venait de se révéler inutile.

La professionnelle rodée, la petite fille hésitante, la femme tank qui écrasait le trottoir de la rue Arenal avec ses chenilles, la curieuse désorientée, l'astucieuse fabricante d'intimités fictives, et son corps nu se glissant dans un jacuzzi entouré de bougies allumées où l'attendait un vieil homme qui aurait pu être son grand-père, et avait été mon père, ne m'aidaient pas à la comprendre, ne l'expliquaient pas, ne la justifiaient pas. Elles ne lui appartiennent pas, pensai-je, elles ne sont pas elle, et pourtant elle est, elle existe, elle est là, devant moi, je peux la toucher et j'ai dû la voir, l'entendre, je l'ai embrassée, mais je ne sais pas qui, je ne sais pas laquelle de toutes elle est.

« Ton frère aîné, par contre, ne me plaît pas du tout, finit-elle par dire en me rendant une assiette où il restait encore deux de ces rouleaux qu'elle savait désigner par leur nom. Tu ne vas pas le croire, mais je n'en peux plus.

— Tu es humaine, me réjouis-je, en levant mon verre en l'air comme si je voulais trinquer à sa condition.

— Eh bien, personne n'est parfait... » Elle désigna mon verre d'un doigt. « J'en prendrais bien un comme celui-là.

— Bien sûr. » Je le commandai et découvris qu'elle avait retrouvé l'envie de jouer. « À moi non plus, il ne me plaît pas.

— Quoi, le whisky ?

— Non. Rafa, mon frère.

— Ah, oui, on parlait de lui ! Il est venu me voir, tu sais ? » Je m'en doutais, mais je me bornai à acquiescer de la tête. « La semaine dernière. Bien sûr, lui, il a pris rendez-vous » – je souris – « et il a été extrêmement ponctuel, ça aussi, bien sûr. Dès qu'il est arrivé, il m'a dit qu'il était très pressé, il m'a prévenue que rien de ce que j'allais lui dire ne pourrait le faire changer d'avis, m'a annoncé que la décision de récupérer le capital était un accord unanime des héritiers et il a clos tous les fonds d'investissement. Il m'a traitée comme une vendeuse de bijouterie – et je dis ça parce que j'imagine que celles des boulangeries, il commence par les tutoyer. Je l'ai trouvé suffisant, antipathique, et, je ne sais pas... prévisible. Le typique imbécile qui, tous les matins, en se regardant dans la glace, se répète : Tu es un homme riche et puissant, ne l'oublie pas.

— Oui, c'est une bonne description.

— Et pourtant... Je ne sais pas. Figure-toi que ton père n'était pas du tout comme ça. Ça non, il était charmant, vraiment sympathique, et très intelligent, à tel point qu'il traitait tout le monde avec amabilité, il savait dire à chacun ce qu'il voulait entendre. Mais ton frère ne m'a pas surprise comme toi. Parce que ce n'est pas la même chose de créer une fortune que d'en hériter, et c'est normal que ton père ait des enfants comme ton frère. Tu ne comprends peut-être pas...

— Si, si, je comprends, la rassurai-je. Ce qu'il y a, c'est que, dès le départ, tu as dû traiter avec l'anomalie de la famille, à savoir moi. Il aurait mieux valu que ce soit Julio, qui est aussi riche et puissant que Rafa, mais aussi fêtard, amusant et sympathique, presque autant que mon père. Et puis... » Ma voix monta d'elle-même pendant que mon imagination se remontait toute seule. « Julio aurait déployé tous ses charmes rien qu'en te voyant.

— Ah oui ? » Elle sourit et me posa une question dont elle connaissait déjà la réponse : « Pourquoi ?

— Pour te mettre dans son lit. Il ne perd jamais une occasion.

— Et toi ?

— Quoi, moi ? » Elle ne voulut pas me répondre, elle riait. « Je ne ressemble à aucun des deux. Mais j'ai des points communs avec Julio, bien entendu... »

L'un des derniers jours de l'année scolaire de mes onze ans, peut-être douze, la cour du collège s'était mise à rétrécir avant la sonnerie de 9 heures précises, pour se retrouver réduite de moitié à l'heure du déjeuner. Les camions dont quelques hommes déchargeaient des briques et des sacs de ciment ne cessèrent d'aller et venir de la matinée, pour la distraction des élèves assis à côté de la fenêtre, parmi lesquels je n'avais pas la chance de figurer, au désespoir des professeurs en général. L'année s'achevait, il ne restait même pas deux semaines de cours, et le père directeur s'était enfin décidé à faire construire ce qu'il appelait une salle omnisports, avec une emphase qui n'eut guère de rapport avec le terrain de basket couvert, flanqué de trois tristes gradins, que nous trouvâmes au retour des vacances. Pour moi, cette construction fut beaucoup moins mémorable que l'énorme montagne de sable humide qui poussa d'un jour à l'autre, telle une dune fantôme, dans l'angle le plus éloigné de la cour, près du mur. L'idée de l'escalader revint à Roberto – mon meilleur ami depuis le jardin d'enfants – mais alors que nous étions déjà au sommet, ce fut moi qui restai très tranquille, très droit, très près du bord, les bras écartés et la tête haute, regardant devant moi. Mais qu'est-ce que tu fais, Álvaro ? me demanda-t-il. Tais-toi, lui répondis-je, attends et tu verras... La première fois fut la meilleure, car le sable venait d'être entassé, serré, compact, et il supporta mon poids pendant longtemps, peut-être une minute, voire plus. Je pressentis le mouvement dans la plante des pieds avant le début de l'effondrement, je gardais le corps dressé, les bras écartés, la tête haute. Au début tout était lent, presque improbable, puis très rapide, frénétique, vertigineux, mais je ne me contractai pas et je me sentis glisser sur le sable comme si j'avais été de l'eau, les jambes tendues, les bras écartés, le cœur au bord des lèvres ; un plaisir risqué, téméraire, difficile à décrire, de chaque centimètre de mon corps. La première fois fut la meilleure, mais il lui manqua l'émotion de la deuxième, de la troisième, de la quatrième, car l'expérience ajoutait un ingrédient nouveau à chaque répétition. Glisser le long de la montagne était fabuleux, mais rester sur le fil, la respiration contrôlée et les sens en alerte, savourant par anticipation le moment où je me retrouverais une nouvelle fois sans sol sous les pieds, était une sensation beaucoup plus intense. Je le savais bien parce que je le refis plusieurs fois ce matin-là, pendant que le père Sebas, bigleux, indulgent et chargé de surveiller la récréation, me regardait avec un sourire insouciant. Puis, quand les ouvriers protestèrent parce qu'ils devaient rassembler le sable que nous répandions, et, afin de s'assurer que je les écouterais, ils prévinrent notre surveillant que nous courions le risque de nous casser une jambe. Alors il nous défendit de recommencer et Roberto se dégonfla, mais pas moi. J'aimais tellement ça, que le jour où l'on nous remit les prix, je me désintéressai un moment de mes parents et de mes frères et sœurs afin de me jeter une dernière fois du tas. Puis, dans la salle des fêtes, quand je montai sur l'estrade pour y recevoir le prix du concours de calcul mental, je laissai un sillage de grains de sable digne du conte du Petit Poucet. Ma mère fut très fâchée contre moi, mais ça m'était égal, parce que c'était l'une des plus grandes choses que j'aie jamais faites. Pourtant, j'oubliai vite cette montagne, j'oubliai mon corps glissant comme de l'eau sur le sable, le vide sous la plante des pieds, l'émotion due au risque, sa valeur, son prix. J'oubliai tout cela pendant presque trente ans, jusqu'à ce que Raquel Fernández Perea se lasse de jouer à faire s'entrechoquer les glaçons dans son verre, lève la tête et me regarde.

« Eh bien, vous êtes donc une famille des plus intéressantes.

— Si tu savais... »

Alors le compte à rebours commença. Dix, neuf, huit, je tombe, je tombe, je vais tomber. Je le souhaitais, mais elle ne me le permit pas, pas encore. Au moment où j'allais lui proposer de prendre un verre ailleurs, elle posa le sien sur la table d'un air décidé, catégorique, et elle consulta sa montre.

« Une heure moins le quart, quelle horreur, et demain je me lève tôt... » Elle me regarda d'un air indécis, nerveux, à mi-chemin entre le soulagement et le regret, comme si elle n'était pas très sûre d'avoir fait le bon choix. « La soirée a passé à toute vitesse.

— Oui. » Cela vaut peut-être mieux, me dis-je. Cela vaut mieux, mais je n'y croyais pas. « Pour moi aussi. »

Je m'appelle Álvaro Carrión Otero, en novembre j'aurai quarante et un ans, je suis le fils de Julio Carrión González, et un pauvre homme dépendant des pièges bienveillants et peut-être mortels de la chimie, la femme que j'ai devant moi s'appelle Raquel Fernández Perea, elle a environ trente-cinq ans, un âge raisonnable pour être la fille, voire la petite-fille de mon père, mais elle était sa maîtresse, la maîtresse d'un vieil homme qui a succombé à la faiblesse de croire que l'important n'était pas de tirer un coup, mais de savoir que le prochain ne serait peut-être pas le dernier, un combat si inégal, si disproportionné, si perdu d'avance, que seule la victoire de la mort pouvait le couronner. Et la mort triompha, mon père est mort, pas moi. Je suis vivant, j'ai un métier que j'aime, une maison que j'aime, un fils que j'aime, une femme que j'aime, j'ai beaucoup de chance. Ma femme s'appelle Mai, elle a trente-sept-ans mais elle ne les fait pas, elle ne s'appelle pas non plus Maite, María Teresa, comme tout le monde le croit, elle s'appelle Inmaculada, mais elle a elle aussi beaucoup de chance, car sa petite sœur n'arrivait pas à dire son nom et elle avait inventé un diminutif qu'elle aime bien plus. J'aime ma femme, j'aime mon fils, j'aime mon travail, mon métier, ma vie, qui n'est pas ça, qui ne ressemble pas à cette succession de jours chargés de nuages et de fautes, de surprises et de mensonges, ce n'est pas ma vie, ce n'est qu'une pure coïncidence, une succession d'événements ordinaires, fortuits, une série d'accidents sans aucun rapport logique entre eux. C'est tout, c'était tout, cela m'a conduit ici, mais ce n'est pas moi, je ne ressemble pas à un homme affecté, écrasé, exacerbé, épuisé, étreint par un désir violent et pervers, absurde et gigantesque, cet instant qui ne ressemble à aucun autre que j'aie vécu auparavant, je ne suis pas comme ça, ce n'est pas ma vie, je m'appelle Álvaro Carrión Otero, en novembre j'aurai quarante et un ans, je suis le fils de Julio Carrión González...

Je commençai à me le dire, à m'en faire la remarque en demandant la note, et je me le répétai à de nombreuses reprises pendant que je suivais Raquel jusqu'à la porte, que je lui demandais si elle était en voiture, que je me demandais où elle habitait, qu'elle me disait qu'elle habitait en face de la caserne du Conde-Duque, que nous découvrions que nous étions presque voisins, que nous décidions de partager un taxi, que je proposais de la déposer chez elle avant d'aller chez moi, qu'elle refusait en alléguant que ma maison était plus près que la sienne, que le chauffeur attendait en double file, que je l'embrassais à nouveau avec encore plus de soin qu'auparavant, que j'ouvrais la porte, entrais chez moi, me déshabillais, brossais mes dents pointues, me couchais et ressentais de la chaleur, Mai endormie, sa peau douce, parfumée, et ensuite, pendant que je n'arrivais pas à dormir, je continuai à m'en remettre à ce discours, en répétant régulièrement la même leçon, mais ce fut inutile.

Je m'appelais Álvaro Carrión Otero, bien sûr. Julio Carrión González, bien sûr aussi, était mon père. Désirer Raquel Fernández Perea, qui avait été sa maîtresse, était certainement une monstruosité, mais je m'en moquais.

Le lendemain, tout était plus clair. L'exposition plut à tout le monde. J'étais assez sûr que ce serait le cas. Malgré l'air humble de circonstance avec lequel j'acceptai tous les éloges sans faire de distinction entre la qualité des opinions – c'est incroyable, me dit la femme d'un cadre de la banque qui portait des brillants à tous les doigts, même moi j'ai compris, c'est dire... Je dois reconnaître que j'avais rarement connu un rapport aussi satisfaisant entre le travail investi, qui n'avait pas été si important, et le résultat obtenu, qui était spectaculaire. José Ignacio Carmona, qui, avant d'accepter la proposition de diriger le musée et de m'engager comme assistant, avait été mon maître, mon gourou, et celui qui m'avait le plus influencé lorsque j'étais étudiant, était ravi.

« En réalité, le mérite nous en revient à tous les deux, tu sais, lui dis-je en aparté.

– Va te faire voir ! » me répondit-il. Et je compris qu'il se sentait même un peu fier de moi. La réaction de Fernando Cisneros, qui arriva en retard et en courant, avec une allure d'ours échauffé que lui donnaient le costume et la cravate, me surprit davantage.

« Félicitations, Álvaro ! C'est génial, vraiment. »

Pendant nos études, Fernando avait été l'autre enfant gâté de José Ignacio. Et même si nous étions tous trois restés très amis – lui et moi intimes, notre ancien professeur à un degré différent, qui nous imprégnait de sa vénérable autorité –, il se laissait de temps à autre emporter par une jalousie presque infantile devant ce qu'il considérait comme une alliance qui l'avait laissé sur la touche. Non, non, c'est vous, les apôtres de la science, disait-il, vous les scientifiques, pas moi. Mais non, je ne suis qu'un humble fonctionnaire de l'administration de l'État... Je ne prenais pas les choses au sérieux, mais José Ignacio cédait de temps en temps à la tentation de la culpabilité et je lui proposais des projets qu'il repoussait invariablement, même s'ils le rassuraient pendant un certain temps. Les trous noirs avaient constitué la dernière de ces propositions, et je la lui avais faite moi-même, quelques jours après le deuxième infarctus, définitif, de mon père. J'étais très avancé dans mon travail, mais un peu d'aide pour l'achever aurait été la bienvenue. Fernando ne me dit pas non, mais il calcula à voix haute le temps qu'il restait avant l'élection du recteur et je lui dis d'oublier, pour l'instant, que je ferais appel à lui si je m'apercevais que je ne pouvais pas tenir les délais. Je les avais respectés, mais je connaissais très bien Fernando Cisneros, c'était mon meilleur ami. Je savais qu'il se sentait coupable de ne pas m'avoir aidé, mais je savais aussi que même cette faute n'aurait pas suffi en soi pour justifier un éloge aussi chaleureux d'une exposition qui, de par sa nature même, n'appartenait pas à la catégorie de succès qu'il appréciait.

« Mais qu'est-ce que tu as, dis-moi ? » me demanda-t-il quand je lui racontai que j'avais accepté la proposition de Carmona. « Tu es devenu fou toi aussi, ou quoi ? » Je ne répondis pas. Pour pouvoir le faire, j'aurais dû comprendre les raisons qui sous-tendaient ses questions et je ne parvenais même pas à les imaginer. « C'est-à-dire, poursuivit-il de son côté, que d'abord c'est José Ignacio qui disjoncte, et maintenant, comme si ça n'était pas suffisamment grave, il te déconnecte... – Mais qu'est-ce qui est grave, Fernando ? protestai-je finalement. Je ne te comprends pas... – Ce qui est grave, condescendit-il à m'expliquer, c'est qu'un physicien de l'importance de José Ignacio ait consacré une partie de son temps à monter un musée pour laisser bouche bée les enfants de dix ans. C'est du gaspillage, ajouta-t-il, une absurdité. – Non, ce n'est pas vrai, objectai-je. Premièrement, José Ignacio ne va rien arrêter pour se consacrer au musée, il en sera le directeur, le coordonnateur, et quand tout fonctionnera, ça ne lui prendra que quelques instants par semaine. Et deuxièmement, ce genre de musée est tout sauf du gaspillage, Fernando. C'est incroyable, que tu dises ça, on passe notre vie à pleurer sur notre sort de scientifiques dans un pays non scientifique et maintenant tu me sors ça... – Écoute, Álvaro, contre-attaqua-t-il, ça n'est pas bon pour toi de perdre ton temps à des sottises. José Ignacio d'accord, José Ignacio est déjà là où il doit être, mais toi... tu devrais songer à t'assurer le poste de première chaire et abandonner la physique récréative. » Alors je me mis à rire. Le principal obstacle à la carrière politique de Fernando Cisneros était la paresse que lui inspirait tout ce qui ne concernait pas la politique. Ce n'était pas faute de faire des recherches ou de publier, c'était qu'il lisait de moins en moins. À côté de lui, j'étais le roi Midas des tronçons de la recherche, la reine des abeilles des curriculums. « C'est toi qui devrais bien t'assurer le poste de première chaire, Fernando, tu veux être recteur, lui dis-je, et puis... Le travail au musée est pris en compte dans le cursus académique. – Vraiment ? – Bien sûr », affirmai-je, même si je ne savais pas que c'était vrai à l'époque, ni que José Ignacio obtiendrait de la direction du musée qu'elle signe un accord avec notre département qui finirait par financer une bonne partie des projets de recherche.

« Et surtout il me plaît beaucoup. – On est arrivé là où on voulait, tu vois, me répliqua-t-il. Toi et tes petits caprices... »

« Écoute, je suis en train de te faire des compliments, insista-t-il, en me prenant par les épaules, après que j'eus répondu à ses félicitations initiales par un simple mouvement de tête. Des com-pli-ments, tu comprends ? Je suis en train de reconnaître à voix haute que je me suis peut-être trompé. Si ça n'est pas suffisant, tu me diras ce qu'il faut faire pour attendrir ta vanité...

— Si, je suis content, et je t'en suis très reconnaissant, vraiment, lui répondis-je. Comment marche la campagne ?

— La campagne ? » Il fronça les sourcils et se caressa le menton, tout en me regardant comme une mère préoccupée par l'accès de fièvre de son fils unique. « La campagne marche très bien, on va sûrement gagner, mais toi, tu as très mauvaise mine, Alvarito.

— Oui, c'est vrai. Je ne vais pas bien du tout. »

Je regardai autour de moi et aperçus Mai, dans le fond, en train de s'amuser et de bavarder au milieu d'un groupe. Il était probable que je n'allais pas lui manquer pendant un bon moment, aussi pris-je Fernando par un bras et l'emmenai-je dans un coin, derrière les panneaux.

« Tu ne vas pas le croire, mais... »

Il m'observa d'un air sérieux, soucieux, très différent de la mine espiègle qu'il avait adoptée pour me demander si j'avais une liaison quelques semaines plus tôt, chez moi, dans le couloir. Il attendait certainement une révélation grave, dramatique, la nouvelle d'une maladie ou l'arrivée d'un problème insoluble. Avec les années, Fernando avait développé un pessimisme méthodique qui s'imposait à son véritable caractère, fort, courageux, pour le conduire à de longues périodes monotones de mélancolie, si intenses qu'elles l'obligeaient à brancher une sorte de pilote automatique qui le transformait en son propre double, un homme de son âge – son visage, son corps continuait à parler de la même voix tonitruante, riait avec les mêmes éclats de rire, donnait ses cours avec la solvabilité mécanique d'un automate, et tuait le temps dans son bureau sans rien faire, les mains croisées sur la table et le palais amer à force de répéter que tout était dégoûtant. Jusqu'à ce que l'ombre du moindre contretemps se profile à l'horizon et alors oui, alors il réagissait avec une passion, un dévouement et une capacité de travail étonnants même pour moi, et peut-être supérieurs à ceux dont il était capable à vingt ans. À cette époque, je lui avais dit un jour, pour plaisanter, que la nécessité de conspirer était son principal trait de caractère, qu'il était né conspirateur, comme il aurait pu naître artiste, sourd, ou adroit. Le temps m'avait donné raison. Fernando ne savait pas rester tranquille, il n'avait pas voulu, il n'avait pas pu apprendre à laisser passer les heures, les jours, les semaines, dans les niveaux d'activité soutenue, routinière, qui définissaient pour les autres la maturité et n'étaient pour lui qu'un autre nom de l'inactivité. Depuis que nous nous connaissions, il avait beaucoup plus changé que moi, peut-être parce qu'il avait eu plus de raisons de le faire, parce qu'il lui était arrivé davantage de choses, bonnes et mauvaises. Il conservait le souvenir de chacune et pour cette raison, même plongé dans la frénésie d'une campagne électorale – qui était ce qu'il préférait dans ce monde –, l'expérience de son pessimisme l'avait déjà préparé au pire avant que je trouve une façon de commencer.

« Bon, pour résumer... » Je finis par sauter sans parachute. « Mon père avait une maîtresse.

— Putain, eh bien je m'en réjouis pour lui, tu m'as fait peur, crétin... » Il se frotta le visage et me regarda avec un sourire malicieux. « Alors comme ça, ton père avait une maîtresse, tu m'en diras tant... Depuis toujours, ou plus jeune que lui ?

— Plus jeune que moi. » Je le regardai, et optai pour une répétition emphatique. « Plus jeune que nous, Fernando.

— Quoi ? » Cette précision le déconcerta à tel point qu'il devint sérieux, silencieux, avant de passer par toutes les étapes d'un processus que je connaissais fort bien et qui culmina par un fou rire. « Sacré don Julio, quel salaud, il avait l'air si correct, quel faux-cul...

— Oui, enfin... » Je récupérai ma première joie dans la sienne et ris avec lui. « Et ça n'est pas le plus grave.

— Mais..., reprit-il, soudain ébahi. Tout le monde est au courant ? Je veux dire, ta mère... ?

— Non, même pas Mai. Il n'y a que moi. Et toi, maintenant. »

Je lui racontai le plus brièvement possible tout ce qui s'était passé depuis le jour de l'enterrement jusqu'à la veille, sans m'arrêter pour résoudre ses doutes, répondre à ses questions, nous n'en avions pas le temps et je le lui dis, et que rien de ce que je racontais n'était aussi important qu'il n'en avait l'air.

« Et ce n'est pas le plus grave ? » finit-il par me demander, plongé à présent dans une confusion complète qui m'était aussi familière que son rire précédent. « Eh bien, je ne sais pas comment ça va être.

— Le plus grave... » Je pris ma respiration, le regardai et décidai d'aller jusqu'au bout. « Le plus grave, c'est qu'hier soir j'ai failli coucher avec elle. Failli, vraiment. Tu vois ce que c'est ? Comme ça. Parce qu'elle s'en est rendu compte et soudain elle a regardé sa montre et elle a dit qu'il était très tard. Juste pour ça, parce que, autrement... Tu ne vas pas le croire, mais il y avait longtemps qu'une nana ne m'avait pas autant plu, et puis... » Je fis une pause, je renonçai à le regarder, et je pris une autre décision sans savoir si c'était la meilleure, ni même si elle était bonne. « Je ne sais pas si une nana m'a jamais autant plu. Et je sais que tout ça est absurde, une sottise ou pire, mais... c'est comme ça. »

Je relevai la tête et découvris son visage, dépourvu de toute expression, le regard fixe, les sourcils à leur place, la bouche ouverte.

« Tu parles sérieusement ?

— Oui.

— C'est vrai ? » Je hochai la tête et il fronça les sourcils, ce qui signifiait qu'il sortait de sa stupéfaction. « C'est-à-dire que tu ne me racontes pas n'importe quoi, que tu n'inventes pas, que ce n'est pas une plaisanterie.

— Non. Vraiment pas.

— Nom d'un chien ! » Le volume de sa voix augmenta jusqu'à frôler les limites du hurlement pendant qu'il se frottait le visage au point de le recouvrir entièrement de ses mains. « Putain ! » Il découvrit son visage, se mit à partir d'un grand éclat de rire dans lequel il m'entraîna. « Et après, on ira dire que l'héritage génétique est une sottise. Qu'est-ce que tu comptes faire ?

— Eh bien... » Je méditai un instant avant de répondre : « Rien. Le plus probable est que je ne ferai rien, parce que le plus probable est que je ne la reverrai pas. On a déjà tout réglé, il n'y a plus d'affaires en cours.

— Sauf ça.

— Oui, mais ça ne touche que moi.

— Ça, tu n'en sais rien, Álvaro. » Il pensait déjà à autre chose. « On n'en sait jamais rien. »

Elena Galván avait les cheveux très noirs, les yeux très noirs, le nez long, les lèvres fines, un air tragique, affûté sur lequel elle plaisantait plus que quiconque. Je ne pouvais pas m'appeler autrement, non ? disait-elle en se présentant, tout en se désignant d'un doigt moqueur. Avec ce visage si grec... Quand elle finissait de parler, le sourire avait adouci son visage de telle sorte qu'il semblait autre. Je ne fus pas son professeur, mais à mon retour des États-Unis, son dossier était encore légendaire et ressortait impitoyablement parmi les autres boursiers car sa grande intelligence ne l'empêchait pas d'être très futée, un paradoxe apparent qui ne l'est pas tant chez les jeunes brillants et ambitieux. Elena Galván remplissait les deux conditions et elle était de plus charmante, généreuse, amusante et aimable avec tout le monde. Elle avait les idées très claires, c'était un plaisir de travailler avec elle et elle éprouvait de la dévotion envers José Ignacio. Aussi ne fus-je pas étonné quand, l'année suivante, nous commençâmes à être toujours quatre, au bar, à la cantine, pour prendre un verre après les cours. Au début, je pensai que le professeur Carmona avait décidé de prendre un nouveau poussin sous son aile ; il l'avait fait avec de nombreux élèves de moindre valeur qu'Elena, mais un jour il ne put nous accompagner à déjeuner, et quand elle se leva pour aller aux toilettes, j'avais compris que je m'étais trompé. Tu ne m'avais rien dit, mon salaud, fis-je. Et Fernando se mit à rire. Je n'ai rien à dire, répondit-il ensuite, il ne s'est encore rien passé. Mais ça ne va pas tarder, prédis-je, et il croisa les doigts.

Ce qui se passa dura presque deux ans et fut terrible. Si Elena Galván eut vraiment l'air grecque un jour, ce fut le matin où elle entra dans mon bureau pour dire au revoir, la peau tendue, pâle comme un parchemin, deux cernes sombres sous les yeux. Ne me plains pas, me dit-elle pendant que je la prenais dans mes bras. Occupe-toi de ton ami, il va plus mal que moi, et il ira encore plus mal, tu sais... C'était une femme amoureuse, lasse et pleine de dépit, mais ses paroles prirent une résonance métallique, particulière, avant de parvenir à mes oreilles, comme si sa voix avait soudain abrité l'inexorable haleine de la sibylle. À cet instant, je sus que cette prédiction s'accomplirait. Et elle s'était accomplie.

Pars avec elle, avais-je dit à Fernando la nuit précédente – une parmi tant de nuit semblables, les nuits d'Elena, le même bar, les mêmes verres, la même conversation avec une proportion identique de doutes et de certitudes, d'intentions et d'incertitudes, avant et après son départ, quand il en avait encore le temps et quand le temps s'était écoulé. Pars avec elle, répétai-je au bout d'un moment, et je n'avais pas oublié Nieves, qui ressemblait un peu à Mai, parce qu'elles étaient cousines germaines, et qui était plus jolie qu'Elena, et beaucoup moins attirante sur tout autre point, mais aussi aimable, affectueuse et bonne dans le meilleur sens du terme – une femme bonne pour son mari, une bonne amie pour ses amis. Nieves ne méritait pas ça, elle ne l'avait jamais mérité, j'en étais sûr parce que je la connaissais depuis des années, nous n'avions pas achevé notre troisième année qu'elle devint la fiancée de Fernando et je l'avais toujours trouvée sympathique, je l'aimais bien. Je pars avec elle ? me demanda-t-il ce soir-là, quand je lui eus dit deux fois de le faire. Qu'est-ce qui se passe, Álvaro ? Mai m'avait posé une autre question régulièrement pendant de longs mois. Tu dois le savoir... Tant que je le pus, je lui répondis que non, que je n'en avais aucune idée, ensuite je lui demandai de ne plus me poser la question. Ne me demande pas de te raconter ça, Mai, ne me le demande pas, parce que tu sais que je ne peux pas le faire.

Nous ne vivions pas ensemble depuis longtemps, nous n'étions pas encore mariés. Ton ami compte plus pour toi que moi, me dit-elle enfin, quand les choses eurent atteint leur limite, c'est ça, non ? Non, ce n'est pas ça, réfléchis un peu, non, je ne veux pas, je n'ai pas envie d'y penser, bon, eh bien débrouille-toi... Je pars avec elle, Álvaro ? me redemanda Fernando cette nuit-là, la dernière, le même bar, les mêmes verres, la même conversation. Elena ne mérite pas ça, pensai-je, elle ne l'a jamais mérité, et lui non plus, ils sont deux contre une, moi aussi, j'en étais sûr, que Nieves ne gagnerait jamais vraiment, que Fernando et Elena gagneraient ou perdraient ensemble, et pourtant je ne lui répétai pas de partir avec elle, je n'osai pas. Qu'est-ce que j'en sais, répondis-je en revanche, parce que je le lui avais déjà dit deux fois et il ne

semblait pas m'avoir écouté. Si tu hésites autant... Je ne sais
pas. En fait, je ne sais pas... Mais je savais.

À cet instant, Fernando Cisneros se mit à penser que la
plus grande erreur de sa vie était de ne pas être parti avec
Elena Galván. Ce n'est pas vrai, tu ne peux pas le savoir, je
finirais par connaître par cœur ce discours à force de le répéter, tu ne peux pas savoir ce qui se passerait maintenant si tu
vivais avec Elena, ce n'est pas la même chose de coucher avec
une femme et de vivre avec elle, peut-être que vous vous jette-
riez les assiettes à la tête tous les jours, tu ne peux être sûr de
rien, tu penses qu'elle est la grande erreur de ta vie rien que
pour ça, parce que tu ne sais pas. Il m'écoutait avec beaucoup
de patience, et j'acquiesçais en silence juste pour répéter à la
fin que la plus grande erreur de sa vie avait été de ne pas
partir avec Elena Galván, et je me retrouvais sans forces pour
continuer parce que j'étais plus d'accord avec lui qu'avec mes
propres paroles, même si je ne le lui dirais jamais, et je ne lui
dirais jamais que je l'avais prévenu.

La prophétie d'Elena s'était accomplie depuis le début, et
elle continuait à tout moment, chaque jour. Je l'avais revue
des années plus tard, un soir de décembre, rue Preciados. J'y
étais allé avec Miguelito pour voir les illuminations de Noël,
elle faisait des courses avec son mari, un homme de son âge,
avec une bonne tête et dans un porte-bébé une fillette d'un
an, sanglée dans un vêtement coloré. Ce fut Elena qui me vit.
Au début j'eus du mal à la reconnaître parce qu'elle avait un
peu grossi, elle s'était fait couper les cheveux et elle avait meilleure allure qu'avant, plus jolie, sans cette tension dramatique, exsangue, qui avait marqué ses yeux d'un masque
tragique au cours des derniers mois qu'elle passa avec Fernando. Je repensai alors à José Ignacio le matin des adieux,
quand il entra dans mon bureau en criant cinq minutes après
son départ : Mais enfin, qu'est-ce qui se passe, ici ? On est
devenus fous, ou quoi ? Je ne sais pas de quoi tu parles, lui
dis-je, parce que je ne me sentais pas d'affronter des questions
rhétoriques. Elena Galván vient de me dire qu'elle s'en va,
m'expliqua-t-il, qu'elle a accepté une proposition de l'université de Castilla la Mancha, et je dois dire que je ne comprends
pas... Est-ce que ce département peut se passer des merles
blancs, comme ça, tranquillement ? Ce n'est pas possible, il
faut faire quelque chose, lui établir un meilleur contrat, lui

trouver un poste, n'importe quoi, elle ne peut pas partir, on ne peut pas... Ce n'est pas ça, José Ignacio, l'interrompis-je enfin, ce n'est pas ça. Elena et Fernando ont une liaison depuis deux ans. Ce n'était pas une histoire ponctuelle, ni une bringue de congrès en congrès, c'était quelque chose de plus sérieux, très sérieux, je dirais. Il ne s'est pas décidé à quitter sa femme et elle a choisi de partir loin, ça n'a rien à voir avec son contrat, elle ne restera pas, même si tu l'améliores. José Ignacio me regarda comme si je venais de lui révéler que nous étions deux extraterrestres. Puis il se plaignit à voix haute : Qu'est-ce que j'ai...? Comment est-il possible que je n'en aie jamais rien su ? Je me contentai de sourire tandis que la stupeur se peignait sur son visage. Eh bien je vais te dire quelque chose, tenta-t-il de conclure quand il se secoua. Après tout, pour ce qu'il fait... Non, ne le dis pas, lui demandai-je. Je ne le dis pas, non ? Non, s'il te plaît. Eh bien il va falloir emmener cet imbécile déjeuner. D'accord, j'ai déjà pris rendez-vous avec lui...

Après tout, pour ce qu'il fait, il pouvait partir, lui, et nous laisser Elena, aurait dit José Ignacio si je le lui avais permis. Ensuite il l'aurait regretté au point de vouloir s'arracher la langue. Je le connaissais bien, pas autant que Fernando, qui se rappela la même chose que moi, et dans le même ordre, pendant la pause que sa méditation ouvrit dans ma confession. Presque sept ans s'étaient écoulés depuis la dernière fois où il l'avait vue, presque six depuis qu'il n'avait plus parlé d'elle sauf pour la mettre en tête de sa liste d'erreurs, il s'entendait aussi bien qu'avant avec Nieves, comme toujours, il ne lui avait plus été infidèle, pour autant que je sache, mais Elena Galván faisait encore partie de ses réflexes automatiques. Peut-être ne les abandonnerait-il jamais complètement.

« Je ne suis pas le mieux placé pour donner des conseils dans ce domaine, Álvaro, tu le sais.

— Personne n'est bien placé pour ça », répondis-je, et je ne voulus pas ajouter que je ne l'avais pas été moi non plus.

« De toute façon... » Il réfléchit pendant un moment, il fit claquer ses lèvres et regagna enfin l'endroit qu'il avait quitté. « Tu parles d'une intention, non ? Ou même pas ça, plutôt d'une impulsion. Il vaut mieux ne pas forcer les choses, il ne s'est rien passé, et s'il se passait quelque chose, où est le problème ? Pas de problème. Ce ne serait pas de l'inceste ni rien de tel, ce serait... Une curiosité... » Sa définition me fit sourire. « ... un détail exotique, une rareté dans ta biographie, qui est jusqu'à présent assez banale, à propos. Je suppose que tu as de surcroît conscience que le fait qu'elle ait couché avec ton père a beaucoup à voir...

— Non, Fernando, ce n'est pas ça, l'interrompis-je. J'y ai déjà réfléchi et je suis sûr que ce n'est pas ça. Je ne suis pas morbide, au contraire, quand je suis avec elle...

— Personne n'est morbide, m'interrompit-il sur le ton d'un juge qui rend sa sentence, jusqu'au jour où il trouve des raisons de le devenir. Et pourtant, je vais te donner raison sur un point. Tout ce que tu m'as raconté est très étrange, Álvaro. Non seulement l'histoire de cette femme, qui l'est aussi, mais celle de l'enterrement, la lettre, la visite à la banque... Je ne sais pas comment l'expliquer mais... ça ne te va pas. Ça n'est pas compatible avec toi, avec ce que tu es, avec ce qu'est ta vie, je ne sais pas, c'est très étrange, et il ne t'arrive générale-ment pas de choses étranges, non ? Tu es l'homme auquel il n'arrive jamais rien qui ne soit plus ou moins programmé, l'homme qui ne conçoit même pas cette possibilité, tu ne perds jamais le contrôle, on en a déjà parlé. Et il est clair qu'on ne peut pas choisir des éléments déterminés, tomber amoureux, se détacher, devenir veufs, orphelins, chômeurs, on ne peut pas contrôler le hasard, mais tant de hasards ras-semblés et toi au milieu de tout ça... C'est curieux, mais cette histoire ne me surprendrait pas autant si c'était un autre qui me la racontait, quelqu'un de moins sensé, de moins équilibré que toi, avec les idées moins claires ou plus faible, plus inconstant. Elle ne me surprendrait pas autant si elle m'arri-vait à moi, qui une semaine sur deux en ai ras le bol de tout : de ma maison, de ma femme, de mon travail, de l'université, de ma chienne de vie. Mais à toi ? D'un autre côté, il est égale-ment vrai que je te connais presque mieux que personne, c'est pour ça que, bon, je t'ai dit depuis le début que je ne saurais pas te l'expliquer, mais... Bref, ça ne te va pas, je ne sais pas si tu vois ce que je veux dire.

— Si, je vois. Et puis tu as raison, ça ne me va pas du tout.

— Mais ça t'est arrivé. » J'acquiesçai de la tête et il me sourit. « Elle est bonne ?

— Super bonne.

— Comment elle s'appelle ?

— Raquel.

— Je vois... » L'instant d'après il changea d'attitude, d'expression, de posture. Sa voix s'éleva, ses bras s'agitèrent, son corps se pencha vers moi et ses paroles n'accusèrent pas mon sourire. « Et c'est ce que j'ai dit à Raquel, pas question, ce type est un fasciste, écoute, à ce stade, on ne va pas tolérer une manœuvre de débarquement de l'Opus pour le poste de doyen, eh bien oui, il ne manquerait plus que ça...

— Et qu'est-ce qu'elle t'a répondu ? » Je ne voulus pas me retourner, mais je savais déjà que ma femme approchait dans mon dos et qu'il la voyait venir.

« Raquel ? Eh bien...

— Quoi ! » Je ne me retournai qu'en entendant la voix de Mai. « Vous conspirez encore si tard ?

— Qu'est-ce que tu veux ? » Fernando haussa les épaules. « C'est ma nature, tu le sais.

— Ta mère a appelé, Álvaro, me dit Mai en m'enlaçant par la taille. Clara est en train d'accoucher. Curro l'a emmenée à l'hôpital et les enfants sont très énervés. Elle, bien sûr, elle ne veut rien perdre, et elle m'a demandé si ça me dérangerait qu'ils dorment chez nous, parce qu'ils ne veulent pas rester seuls avec la femme de ménage. Je lui a dit oui, bien sûr.

— Eh bien, appelle la baby-sitter de Miguelito.

— Je l'ai déjà fait, et elle est terrifiée. Elle a dix-neuf ans, Álvaro...

— Mais je ne peux pas partir tout de suite, dis-je. Je dois dîner avec tout un tas de gens.

— Je sais. » Elle me donna un baiser sur la joue. « J'y vais, mais je dois prendre la voiture. Ton dîner est à Madrid ?

— Je te le ramène, Mai, intervint Fernando. Sain et sauf, ne t'inquiète pas. »

Ce soir-là, quand je rentrai à la maison, tout était beaucoup plus clair. Partager le secret m'avait fait du bien, non seulement parce que je me sentais plus léger, plus reposé maintenant que je disposais d'un témoin et d'un peu plus que ça – un confident disposé à être aussi partial qu'il le faudrait – mais parce que pendant que je racontais mon histoire à voix haute, chaque épisode, chaque scène, chaque détail difficile à croire avait acquis un sens nouveau et solide, comme si ce qui

était vraiment arrivé ne pouvait acquérir la catégorie définitive de certitude jusqu'à ce que je sois capable de le raconter, de l'ordonner et de le relier entre soi pour construire un
récit vraisemblable dont la principale qualité était de me
convaincre moi plus que quiconque. En parlant, je m'étais
rendu compte que les mots qui ne me semblaient pas suffisants pour décrire avec exactitude mon état construisaient
cependant un récit cohérent que, après l'étonnement initial,
Fernando put accepter sans difficulté, peut-être parce que les
émotions personnelles ne le sont jamais autant pour les
autres, ou parce que pour lui, la figure de mon père était à
peine un ornement, le décor devant lequel se jouait le véritable conflit de la femme qui m'avait fait perdre le contrôle.
La violence d'une impulsion qui n'était pas parvenue à s'accomplir était ce qui l'avait le plus impressionné, ce qui le
déconcertait et le surprenait le plus dans cette histoire
trouble, compliquée, où je m'étais comporté comme on l'attendait de moi, en homme normal, fils responsable, bon
citoyen, sous tous les aspects.

« L'histoire de ton père n'est pas si étrange, Álvaro,
malgré ce que tu crois, me dit Fernando en me reconduisant
après dîner. Chaque famille a une armoire fermée, pleine à
craquer de péchés mortels. »

Ses paroles me rappelèrent celles de Raquel, nous les
êtres humains sommes ordinaires, simples, nos vies sont très
semblables, il y a une demi-douzaine de choses que nous
avons tous en commun. C'étaient deux façons différentes de
dire la même chose, et à un autre moment j'aurais été d'accord avec les deux, mais ce soir-là, même si je n'avais pas
d'autre solution que d'accepter que mon propre désir avait
inauguré une phase différente, une histoire qui n'était pas la
même que celle qui s'était déroulée dans cet attique de la rue
Jorge Juan – peut-être même pas son prolongement –, je ne
pouvais pas faire abstraction de mon père.

« Álvaro, mon petit, j'ai besoin que tu me rendes un service... »

L'accouchement de Clara s'était si bien passé que le
samedi soir, quand nous allâmes la voir, nous la trouvâmes
assise, tranquille et souriante, le bébé endormi dans les bras.
Ses deux aînés, Íñigo et Fran, qui s'étaient bien mieux
conduits que Mai et moi ne nous y attendions, se jetèrent sur

elle dès qu'ils l'aperçurent, créant enfin une occasion propice pour que ma mère, un peu ennuyée de ne pas avoir de péripéties à raconter aux visiteurs, se sente enfin utile. Mais avant de les emmener goûter, elle me réclama d'un geste et m'offrit la possibilité de me rendre un service à moi-même.

« Écoute, ton frère Julio est si occupé par les droits de succession que, la semaine prochaine, il ne pourra même pas prendre deux heures pour aller faire un tour à la maison à La Moraleja, et comme maintenant tu as inauguré ta fameuse exposition, je lui ai dit que j'étais sûre que ça ne te dérangerait pas d'échanger ton tour avec le sien, m'expliqua-t-elle.

— Non. » Je souris devant le débordement d'autorité que ma mère confondait avec une demande de service. « Bien sûr que non.

— Bon. Je t'ai apporté l'argent et tout ce qu'il faut, voilà... » Elle trouva tout de suite dans son sac la liasse habituelle d'enveloppes cachetées et réunies par un élastique. « Appelle Lisette et prends rendez-vous avec elle n'importe quel jour sauf mercredi après-midi, parce qu'elle va à des cours de danse de salon. Elle m'a demandé la permission, bien entendu, et je la lui ai donnée, bien sûr, comme maintenant elle est seule, là-bas, elle n'a rien à faire et elle s'ennuie, la pauvre... Elle n'arrête pas de me proposer son aide, mais je lui ai dit qu'elle considère cela comme des vacances anticipées, un acompte sur le bazar qu'elle aura cet été, parce que je compte revenir à la fin mai et ensuite, quand les enfants seront en vacances, tu imagines... Mais pour l'instant, je ne peux pas bouger de chez Clara, tu vois bien... »

Avant qu'elle ait achevé de me raconter sa joie d'avoir – enfin ! – une petite-fille qui s'appelait Angélica, comme elle, j'avais déjà décidé que j'irais à La Moraleja le mercredi après-midi. Je comptais de toute façon fouiller le bureau de mon père à ma prochaine visite, mais l'absence de Lisette m'épargnerait en même temps des limites et des explications. Je l'appelai donc, pris rendez-vous avec elle pour le mardi, la rappelai le soir même pour lui dire que j'étais coincé dans une réunion très importante et que je ne pouvais pas bouger de la faculté, je lui demandai de ne pas en parler à ma mère pour qu'elle ne soit pas fâchée contre moi, et je la prévins que je n'avais pas d'autre possibilité que d'y aller le lendemain, le jeudi et le vendredi je suis très occupé, Lisette, mais ne t'inquiète pas, tu me laisses le courrier dans le bureau de mon père, et moi, en le récupérant, je dépose l'argent au même endroit, d'accord ? Mais je sors de mon cours à 19 heures, je peux être à la maison à 19 h 30. Très bien, acceptai-je, eh bien on se donne rendez-vous à 19 h 30, ça va me faire un peu tard, mais bon... Et à quelle heure tu commences ? À 17 heures, mais si tu veux, je n'y vais pas aujourd'hui, parce que laisser l'argent sur une table, comme ça, quand je n'y suis pas, je ne sais pas... Non, non, va à ton cours, la rassurai-je. Il ne manquerait plus que ça, on se voit à 19 h 30.

Il n'était pas prévisible que je mette moins de temps à l'aller qu'au retour, mais je n'ouvris pas la porte de la maison de mes parents avant 16 h 45 et à ce moment je ne m'étonnai même pas de la froideur de mes calculs, de la précaution méthodique de l'escroc professionnel qui m'était de plus en plus familière et complétait de façon naturelle la brillante opacité de mes excuses. J'étais en train d'apprendre à mentir, et à dominer la technique consistant à raconter les choses à moitié, en omettant les vérités que je connaissais, ce qui n'est en définitive pas autre chose qu'une variété raffinée du mensonge. Mais quand j'entrai dans le bureau de mon père, je me souvins de moi la dernière fois où je m'y étais trouvé, encore intègre, encore étreint par la douleur, par la certitude d'une douleur loyale et transparente, le souvenir d'un homme admirable, beaucoup plus extraordinaire que nous ses enfants ne l'étions devenus.

Cet après-midi-là, je me voyais avec le masque et le sac des voleurs des dessins animés, je ne doutais pas que mon père ait été un homme exceptionnel, mais je n'étais plus certain de la signification de cet adjectif. Et je ne doutais pas que je faisais ce que je devais faire, mais je ne savais pas si je cherchais des preuves pour le sauver ou pour le condamner. Pendant un instant, je me sentis à nouveau misérable, le fils traître qui écoute la version de l'ennemi, et cela continuait à me faire du mal, à tel point que je m'arrêtai un moment sur le seuil, et pourtant je ne pensai plus que je pourrais aussi ne rien faire. Je n'avais plus de marge pour y réfléchir.

Je revins sur mes pas, allai au salon, me servis un verre et retournai dans le bureau en essayant de me sentir différent, de m'isoler de moi-même pour bien comprendre, concentrer toute mon attention sur les données du problème. C'était la meilleure technique que je connaissais et cet après-midi non plus elle ne me déçut pas. Voyons, pensai-je, il y a un secrétaire que je connais, deux colonnes avec quatre tiroirs et un tiroir central. Ce dernier est probablement fermé, mais les autres doivent être ouverts, ils l'ont toujours été. Deux murs de la pièce sont couverts d'étagères, six au total, et dans la partie inférieure de chacune d'elles il y a un placard bas, à deux portes. Ces placards sont fermés, mais leurs clés, avec celle qui ouvre le tiroir central du secrétaire et quelques clés supplémentaires, doivent se trouver dans une boîte en argent allongée qui se trouve devant les tomes centraux de l'encyclopédie Espasa, à une hauteur inaccessible pour les enfants...

Dans les tiroirs du secrétaire, il n'y avait rien d'intéressant mais cela ne me surprit pas. Certains étaient vides, d'autres pleins d'enveloppes de différentes tailles, de papier à lettres, une boîte de cartes de visite récentes, de stylos, de trombones, une agrafeuse, quelques photos éparses des petits-enfants et des chéquiers utilisés, son écriture régulière, nette et minuscule, identifiant en détail le destinataire, le montant et la date de tous les chèques qu'il avait libellés. J'examinai le tout dans l'ordre et très soigneusement, refermant chaque tiroir avant d'ouvrir le suivant après avoir remis chaque chose à sa place. J'étais aussi devenu un expert en fouilles et pour cette raison, quand je pris la boîte en argent pour vérifier que les clés étaient toujours à l'intérieur, je la remis en place après avoir identifié celle qui ouvrait le tiroir central du secrétaire. Je n'y trouvai rien de surprenant ou d'inattendu non plus. Des chéquiers qui seraient certainement restés valides si Rafa n'avait pas fermé les comptes auxquels ils correspondaient, les livrets de caisse d'épargne que leur grand-père avait ouverts pour mon fils et mes neveux, les passeports de mon père et de ma mère, et certaines lettres d'information émanant de divers organismes officiels, de l'Agence fiscale à la Direction générale des Transports, sans autre objet que de rappeler les obligations fiscales ou administratives. Je ne me décourageai pas, parce que je m'y attendais également.

Je n'avais pas tellement d'espoir de trouver autre chose, mais si mon père avait conservé un indice d'une autre vie, ce ne devait pas être dans sa table, qu'il ouvrait et fermait sans la moindre précaution devant ses enfants, ni dans le coffre-fort de sa chambre, où je ne comptais même pas jeter un coup d'œil, parce que ma mère le laissait ouvert, et vide, avec le même naturel, chaque fois qu'elle en sortait son coffret à bijoux. Cependant, je n'avais jamais vu ouverts les placards situés sous les étagères. Cela ne signifiait pas nécessairement quelque chose, ou pouvait être dû à des raisons innocentes, mais si mon père avait eu un coffre dans une banque, je l'aurais su à sa mort, et tôt ou tard mes frères auraient trouvé à son bureau ce qu'il aurait pu y conserver. Rafa ne m'aurait rien dit, mais Julio l'aurait fait. Pour cette raison, et malgré la faiblesse de mes espoirs, je croyais que ces placards étaient ma seule possibilité.

Je décidai de me déplacer de gauche à droite et la première chose que je trouvai fut un placard vide. Dans le deuxième, qui s'ouvrait avec la même clé, il y avait bon nombre des cadeaux que Julio Carrión González avait reçus de ses enfants adolescents, petits bonshommes, diplômes et trophées miniature « au meilleur père du monde », si à la mode à l'époque. Je reconnus certaines de ces horreurs comme émanant de moi et je souris. C'était pour ça qu'il n'ouvrait jamais les placards devant nous, pensai-je, avant d'identifier d'autres cadeaux différents, stylos plume et pendules de bureau non utilisés dans leurs étuis respectifs et flambant neufs, plaques d'hommage offertes par ses employés, et divers objets, qui arrivaient généralement à la maison à Noël, enveloppés dans du papier de cellophane et parsemés de chocolats à la liqueur. Les cadeaux d'entreprise occupaient une partie du troisième placard et la totalité du quatrième, car les deux douzaines de livres de photos, énormes, renversés là, la tranche en vue, ne pouvaient avoir d'autre origine. Il y avait là un peu de tout, de la faune ibérique au trésor des cathédrales, en fonction des goûts personnels de qui les avait choisis, certainement une secrétaire qui ne pouvait pas tenir compte de ceux de leur destinataire, un service rendu à son chef qu'elle n'avait jamais dû rencontrer, mais entre le musée du Prado et le Parc national d'Aigüestortes il y avait une tache bleue et allongée qui ne correspondait à aucune tranche.

Je dus sortir plusieurs livres pour découvrir une chemise ordinaire, en carton bleu, très ancienne. À l'intérieur, il y avait une douzaine de lettres envoyées en Russie de Saragosse entre 1941 et 1943 par une certaine mademoiselle María Victoria Suárez Mena, tout un tas de photos anciennes et ce qui ressemblait à un livret militaire parmi d'autres documents semblables. Je refermai le dossier sans m'arrêter à étudier son contenu et le posai par terre, à côté de moi, avant de remettre les livres en place. C'est déjà ça, me dis-je, mais c'était peu. Le cinquième placard était vide, comme le bas du sixième. Dans la partie supérieure, il y avait cinq classeurs à archives en carton, portant l'écriture de mon père avec la date des cinq dernières années. Je les ouvris tous, un par un, et n'y trouvai que des déclarations de revenus et sur le patrimoine avec les reçus correspondants, le tout classé dans des dossiers en plastique transparent, très nets, très ordonnés, très innocents. Derrière, il y avait une boîte métallique de couleur grise à la forme étrange. Allongée, oblongue, les coins arrondis, elle ressemblait davantage à une boîte à outils qu'à autre chose, mais elle avait une serrure au centre et je ne parvins à l'ouvrir avec aucune des clés que mon père conservait dans la boîte en argent.

Je réfléchis un instant et examinai à nouveau le tiroir du secrétaire qui était toujours fermé. Là, dans un coin, j'avais vu un anneau avec trois petites clés. Deux étaient semblables et elles ouvraient toutes les deux le tiroir, mais aucune n'entrait dans la serrure dorée, minuscule, du petit porte-documents en cuir qui se trouvait à l'intérieur. Il était long, étroit, et de par sa taille il semblait conçu pour y ranger des chèques, mais je n'avais jamais vu mon père utiliser quelque chose de ce genre. La boîte ne contenait rien d'autre. Je la fermai, la remis à sa place, plaçai les classeurs devant, puis refermai le placard, vérifiai que tout était en ordre et disposai mon butin sur le bureau de mon père.

Je manipulais la serrure du porte-documents, assez faible et avec le jeu suffisant pour la faire sauter avec un tournevis et deux coups de marteau, quand j'entendis le bruit d'une porte qui s'ouvrait. Il n'était que 18 h 25, mais tous mes frères et sœurs avaient les clés de la maison. Je rangeai le porte-documents dans la chemise bleue et celle-ci, à toute vitesse, entre les livres et les cahiers qui remplissaient ma mallette, avant de dire bonjour à voix haute. Quand Lisette entra dans le bureau, les battements de mon cœur galopaient encore à une vitesse très supérieure à la normale, mais elle ne pouvait pas le savoir en me voyant classer le courrier avec les gestes lents, parcimonieux, de qui se résigne à perdre son temps.

« Álvaro ! se plaignit-elle avec son accent doux et chantant. Mais... En fait, ta mère a raison, tu es impossible. Voyons, on n'avait pas rendez-vous à 19 h 30 ?

— Si. » Je me levai de la table pour la saluer. « Mais à 17 heures j'avais déjà fini tout ce que j'avais à faire, qu'est-ce que tu veux ? je n'allais pas ronger mon frein pendant deux heures, seul au bar de la fac...

— Heureusement que je ne suis pas restée pour la deuxième heure, comme tu disais que ça te faisait tard... Tu veux boire quelque chose ?

— J'ai déjà pris un verre, lui dis-je, lui montrant le verre vide.

— Alors un autre. Non ?

— Non, Lisette, merci beaucoup. Ce n'est pas que je n'en aie pas envie, mais je dois conduire. » Je commençai à rassembler le courrier et désignai le coin de la table où je l'avais trouvé. « Voilà l'argent. »

Elle improvisa une grimace de reproche puis me sourit, tout en prenant les enveloppes que m'avait données ma mère.

« Mais quel homme responsable ! »

Je suivis jusqu'à la porte son corps menu et compact, plus sucré et svelte que jamais dans ses vêtements de danse, un maillot ajusté en tissu noir, brillant, et une jupe assortie, qui virevoltait à chacun de ses pas. En la quittant, je remarquai qu'elle était fendue devant et que l'ouverture arrivait à la naissance de sa cuisse droite. Alors les mots accoururent à mes lèvres d'eux-mêmes, sans que j'aie conscience du souvenir qui les avait convoqués.

« Dis, Lisette, je voudrais savoir... » Mais au même instant je retrouvai le sens commun. « Rien, rien.

— Quoi ? » Elle m'adressa un sourire chargé d'intention, comme si elle pouvait deviner le genre de question que je n'oserais jamais formuler.

« Rien, vraiment, dis-je en l'embrassant sur les deux joues avant d'ouvrir la porte. Une bêtise. »

Je voudrais savoir si mon père t'a fait des avances un jour, Lisette, s'il te regardait, s'il te désirait, s'il te faisait des cadeaux sans raison, s'il a rêvé à haute voix de t'inviter à dîner un jour ou s'il t'a même invitée. C'était là ce que j'aurais aimé savoir, mais je n'osai pas le lui demander, parce que j'étais Álvaro Carrión Otero, j'étais encore Álvaro Carrión Otero, un bon garçon, un bon fils, un bon citoyen, un homme normal, voire ordinaire, sans autre extravagance qu'une aversion morbide pour les enterrements, un professeur de physique qui éludait les problèmes, qui ne concevait même pas qu'il puisse lui arriver des choses qui n'aient été un tant soit peu programmées, qui n'aurait jamais posé de questions délicates, risquées, équivoques, à l'employée de maison de sa mère.

Cet homme, c'était généralement moi. Si ce n'était plus le cas, pensai-je en conduisant vers Madrid, je continuais du moins à lui ressembler, et cette ressemblance ne me consolait pas encore.

La dernière fois où Ignacio Fernández Muñoz vit Mateo, son frère, cela faisait longtemps qu'il n'avait pas vu son propre visage. Dans les camps de concentration, il n'y a pas de miroirs. S'il avait vu son reflet, ce matin-là, il n'aurait peut-être pas hésité à reconnaître les yeux de son frère dans un masque sec à la peau pâle, sèche, qui semblait tenir par la seule volonté des pommettes, brusques, proéminentes, abruptes comme des clous et oublieuses de leur apparence moelleuse d'autrefois. Mateo avait toujours eu le visage rond « en face de galette », comme on disait à la maison. Il était aussi très vaniteux. Ignacio ne l'avait jamais vu avec de la barbe, aussi hésita-t-il en contemplant ses yeux si bleus dans le visage d'un étranger, un homme mûr qui avançait laborieusement comme un vieillard, marquant à chaque pas un rythme forcé, difficile, avec ses épaules tombantes.

La dernière fois où il vit son frère, Ignacio Fernández n'avait déjà plus de désirs, il avait abdiqué la condition humaine pour inaugurer une nature inférieure et différente, une existence élémentaire qui n'était pas la vie mais était organisée autour d'un unique verbe. Ce n'était plus l'homme qui avait volé un camion pour s'échapper de Madrid un mois et demi auparavant, plutôt une version squelettique et primaire de lui-même, un corps qui n'existait que par et pour ce dont il avait besoin, comme si le reste de ses capacités, celle de penser, celle de sentir, celle de créer, celle de s'émouvoir, s'était dissous dans la férocité de quatre nécessités de base : mâcher et avaler un quignon de pain noir et dur quand il y en avait, boire sans regarder, ôter les pierres d'un coin de terre pour s'asseoir ou, avec de la chance, s'allonger pour dormir quand il avait sommeil, et avoir toujours sa couverture avec lui pour qu'on ne la lui vole pas. Vers la mi-mai, il faisait chaud dans la campagne d'Albatera, mais tous pensaient à l'hiver suivant. Nul ne savait s'il parviendrait à voir un autre hiver, mais tant qu'ils vivraient en se souciant d'une couverture, ils n'auraient pas à réfléchir, ils n'auraient pas à penser, ils n'auraient pas à ressentir, ni ne seraient émus par d'autres choses. Ils parlaient beaucoup, c'était tout ce qu'ils pouvaient faire, et parfois quand ils se réunissaient à plusieurs pour se rappeler ou imaginer des histoires à voix haute, il leur arrivait même de s'amuser.

Ignacio n'en était pas conscient, il ne le serait pas avant de redevenir vivant, humain. Et quand il retrouva la raison, la sensibilité et la foi avec sa nature véritable, il eut du mal à l'accepter. Les humains sont des êtres de désir, et le désespoir leur arrache leur propre essence, les dessèche, les étripe, les ruine, les expulse d'eux-mêmes par le chemin modéré et trompeur qui conduit au destin des choses, à la fatigue des végétaux poussiéreux, des minéraux enterrés et inertes. Au port d'Alicante, où expira l'espoir, résonnaient les tirs un jour après l'autre, un corps après l'autre, parfois très rapprochés, parfois espacés d'heures longues comme l'éternité. Lui regardait la mer, l'eau immobile, vide, désertée par des bateaux qui n'arriveraient jamais, le salut que n'osaient plus espérer ceux qui n'auraient même pas la possibilité de goûter à l'amertume de l'exil. Ils étaient les derniers restés loyaux, trahis par tous, de la chair de poteau d'exécution, le butin de guerre convoité des vainqueurs.

Au port d'Alicante s'étaient réunies des milliers de personnes, mais aucune n'avait envie de parler. Personne n'osait plus répéter : non, non, non, ils ne nous livreront pas, ils ne nous laisseront pas ici, ils ne peuvent pas nous faire ça, ils vont venir nous chercher, pas Blum, pas les Français, les Anglais non plus, à l'heure de vérité, les démocraties, les Européens, ne peuvent pas nous faire ça... Plus personne ne parlait, pas même les plus sombres, ceux qui ne disaient pas au revoir et cherchaient discrètement leur arme avec leurs doigts, ceux qui appuyaient le canon sur la tempe et faisaient résonner les tirs, ceux dont les corps tombaient sur le sol tels des paquets, des arbres élagués à contretemps. Lui regardait la mer, l'eau immobile, vide, écoutait les tirs, entendait tomber les corps et il ne tournait pas la tête, ne regardait pas, ne voyait pas, ne voulait pas savoir. On entendait parfois des cris, des plaintes, des sanglots d'enfants ou d'adultes qui pleuraient comme des enfants. Les adultes ne savaient pas pleurer autrement au port d'Alicante. Lui regardait la mer pour ne pas voir, pour ne pas regarder, pour ne pas savoir qu'un autre Espagnol avait préféré mourir plutôt que de continuer à vivre en Espagne, sur la terre où il était né, où il avait grandi, où il était tombé amoureux et où il avait vu naître ses enfants, dans le pays pour lequel il s'était battu pendant trois ans, pour lequel il avait eu faim, et peur, et froid, et ressenti la solitude insupportable d'une longue guerre, dans la patrie pour laquelle il avait tout risqué, pour laquelle il avait tout perdu, pour laquelle il venait de mourir. Ignacio Fernández Muñoz regardait la mer traîtresse et ne tournait pas la tête pour ne pas voir, pour ne pas regarder, pour ne pas compter le nombre de suicidés. Ils préféraient mourir plutôt que vivre en Espagne, eux qui étaient l'Espagne. Mieux valait ne pas savoir, ne pas penser, ne pas les pleurer, ne pas s'interroger sur leurs raisons de ne pas trouver de raisons qu'il ne voulait pas chercher. Il était très jeune, il avait vingt et un ans, peu lui importait de mourir, peu lui importait de vivre aussi. Il préféra le désespoir au suicide et devint ainsi un autre, sec, inerte, poussiéreux mais vivant, presque inhumain jusqu'à ce qu'il reconnaisse les yeux de Mateo, son frère, dans le visage d'un étranger, et il souhaita, de toutes les forces qu'il n'avait plus depuis longtemps, s'être trompé, lui qui avait renoncé aux désirs.

Il se fraya un passage comme il le put dans la foule d'hommes seuls qui contemplaient en silence le seul spectacle qui troublait la monotonie de la vie du camp. Deux soldats au fusil chargé ouvraient la procession macabre des condamnés, ceux qui sentaient la mort, ceux qui étaient déjà morts, ces morts qui marchaient, qui respiraient, qui avançaient avec le poids de leurs mains entravées et de la chaîne qui les unissait à d'autres vivants aussi morts qu'eux en un cordon ombilical sinistre, ultime. Ignacio souhaitait de toutes ses forces s'être trompé, mais il avait raison, car c'était Mateo, émacié, épuisé, aussi pâle que s'il ne lui restait pas une seule goutte de sang dans le corps, mais c'était bien Mateo, son frère, le bleu des yeux encore vivant dans son visage de cadavre prématuré.

Où les emmènent-ils ? À Madrid, pour les fusiller. Ils ont été jugés ? S'ils ont été jugés ? Mais dans quel pays crois-tu vivre, mon garçon... ?

Ignacio entendait les murmures, ce murmure de la peur qui courait de bouche en bouche, l'aplomb de ceux qui feignaient de savoir pour dissimuler leur propre incertitude. Et pourquoi est-ce qu'on ne les fusille pas ici ? Je ne sais pas ; moi si, Franco n'ose pas aller vivre à Madrid, il trouve que ce n'est pas sûr, il est encore à Burgos et il veut manifestement donner une bonne leçon avant de partir. Qu'est-ce qu'ils vont faire, les pendre aux lampadaires de la Gran Vía ? N'importe où, ils s'en fichent, les salauds... La peur faisait également circuler les insultes de bouche en bouche, les vaincus baissaient la tête en les prononçant, dissimulaient leurs lèvres aux regards fortuits, dangereux, tout était dangereux pour eux, les salauds, Ignacio ne voulut pas les imiter mais il n'osa pas non plus crier le nom de son frère quand il fut devant lui. Mateo l'entendit, reconnut sa voix et le chercha du regard seulement, sans presque tourner la tête. Quand il le trouva, il ébaucha un mouvement de négation presque imperceptible, sa tête oscillant tout d'abord très légèrement d'un côté, puis de l'autre. Il ne répéta ce geste qu'une fois, mais cela suffit à Ignacio pour le comprendre. Ne me regarde pas, ne me dis pas bonjour, ni au revoir, ne me reconnais pas, ne dis à personne que tu es mon frère, sauve-toi.

« Eh bien ! Quand est-ce que tu as été promu capitaine ? »

À peine trois mois plus tôt, le 19 février 1939, quand la famille Fernández se réunit pour la dernière fois à son domicile de Madrid, Ignacio arriva le dernier. Il arrivait du Pardo et il était très fatigué, nerveusement et physiquement. Mateo, qui semblait plus écroulé qu'assis dans un fauteuil du salon, le salua par cette question, mais Ignacio prit dans ses bras Casilda, Carlos, ses frères, avant de répondre.

« Avant-hier.

— Nom de nom ! » Mateo, qui était toujours brigadier, étira les jambes, accrocha ses pouces aux passants de sa ceinture et poursuivit sur un ton ironique, presque philosophique, comme s'il avait réfléchi à voix haute : « Dans cette armée, on ne fait monter en grade que les communistes.

— Bon sang, Mateo, tu en es encore là ! Ignacio a été promu parce qu'il a été promu, tu le sais très bien, tu n'as pas le droit de lui dire ça ! » María Fernández Muñoz, qui avait adhéré au PCE en même temps que son fiancé et seulement quelques mois après Ignacio, souffla d'indignation avant de regarder son frère aîné. « Vraiment, plus personne ne supporte ça. »

Casilda choisit ce moment pour se caler contre le bras du fauteuil où était assis le brigadier, mais celui-ci ne sembla pas avoir entendu sa sœur, ni perçu le mouvement apaisant de sa femme, et il continua à être suspendu aux paroles d'Ignacio, qui avança pour se placer devant lui.

« Peut-être, répliqua-t-il sur le même ton. C'est parce que nous les communistes, on tue les fascistes, au lieu de les inviter à prendre le café pour négocier la façon de partir en courant en laissant tomber les autres. »

À ces mots, Mateo se leva. Ignacio avait volontairement offensé son frère, il était très conscient que son commentaire était blessant. Lui-même, qui n'était pas communiste, n'avait pas aimé l'entendre parfois de la bouche des anarchistes, et même, ces derniers temps, de ses propres camarades. Et s'il avait réfléchi un instant à la question, il aurait deviné sa réponse, le commentaire qui venait de lui exploser à la figure comme une offense réciproque, car c'étaient les rumeurs qui circulaient à Madrid. Mais il était fatigué lui aussi, nerveusement et physiquement, et quand il s'approcha d'Ignacio, sa femme l'enlaça par-derrière sans parvenir toutefois à le faire reculer.

« Je vais peut-être te casser la figure !

— C'est peut-être être moi qui vais te la casser !

— Ça suffit ! » Leur beau-frère s'interposa, arrêtant Mateo du bras gauche et pressant son épaule droite contre Ignacio au moment où ils allaient commencer à se battre. « Vous êtes devenus fous, ou quoi ? Il ne manquait plus que ça, vraiment...

— Taisez-vous tous, maman arrive. »

L'avertissement de Paloma, qui courut vers son mari, n'arriva pas à temps pour les séparer complètement, et María Muñoz, qui n'apprendrait jamais la discussion qui avait provoqué cette scène, eut les larmes aux yeux en voyant ses enfants s'empoigner au milieu du salon.

« Mais qu'est-ce qu'il se passe, ici ?

— Rien. » Mateo, qui était parvenu à saisir Ignacio par le revers, glissa vite une main sur les épaules de son frère et passa l'autre autour de la taille de sa femme. « Ton fils a été promu capitaine et il va tous nous inviter à dîner, pour fêter ça. »

Ignacio se laissa étreindre tout en souriant à sa mère.

« J'avais pensé à Lhardy[1], mais si vous préférez aller ailleurs, il suffit de le dire. On a encore le temps.

— Ce n'est pas une question de restaurant ! intervint María, la petite, qui n'y allait pas souvent, et tout le monde se mit à rire.

— Il faut voir... » Leur mère riait elle aussi. « Quel caractère vous avez, mes enfants ! »

María Muñoz, qui avait passé vingt ans de sa vie au régime, avec des résultats plus que discrets, pouvait maintenant fermer les jupes que portaient ses filles avant la guerre. Elle les embrassa rapidement et repartit à toute vitesse à la cuisine, pour ne pas se mettre à pleurer et tout gâcher. Elle croyait que cela allait être la pire nuit de sa vie, mais elle se trompait. Il ne s'écoulerait que quelques mois avant qu'elle ne s'accroche à ce souvenir comme au dernier des temps heureux, des temps de famine et d'angoisse, d'inquiétude et d'incertitude, d'indignation, d'impuissance, d'amertume, de peur, de colère, mais aussi d'enfants en bonne santé, jeunes, vivants. Il ne s'écoulerait que quelques mois, mais cette nuit, la veille de leur départ, de la fuite qu'elle et son mari avaient repoussée jusqu'aux limites du raisonnable, elle ne pouvait pas savoir qu'elle ne reverrait jamais Mateo, ni Carlos, ni Casilda, et qu'elle souffrirait du sort d'Ignacio pendant des années. Qu'elle souffrirait dans ce pays étranger où Paloma, sans trouver la mort, renoncerait progressivement à être vivante.

Parfois, quand elle regardait en arrière, les bouleversements de ces dernières années lui semblaient impossibles, incroyables. Elle en était elle aussi venue à haïr, sans rien regretter, mais elle ne comprenait pas non plus très bien comme cela s'était produit, ce qu'était devenue cette enfant solitaire qui semblait devoir connaître un destin si différent : l'ennui placide, conventionnel, confortable, pour lequel elle

---

1. Restaurant réputé de cuisine traditionnelle fondé en 1839, situé près de la Puerta del Sol.

avait été élevée. Sa mère était morte en couches et son mari, dont leur unique fille conserverait à peine un souvenir flou, presque mythique, car il passait la majeure partie de son temps à Madrid, avait succombé à une épidémie de typhus avant le septième anniversaire de la fillette. María avait vécu chez les deux sœurs célibataires de son père dans une ferme perdue au milieu de la province de Jaén, une bâtisse immense comme un château, très ancienne et entourée d'oliviers, d'oliviers, d'oliviers...

Quand on la laissait monter sur le toit, les collines couvertes d'arbres se mêlaient avec la fluidité de l'eau dans d'autres collines identiques pour faire onduler suavement l'horizon. Elles créaient l'illusion d'un océan verdâtre, avec des reflets ocre, argentés, sur lequel la maison semblait naviguer comme un coffre scellé et isolé du monde. C'était un spectacle grandiose, mais sa beauté effrayait María, car elle renfermait la malédiction de la solitude. De la terrasse, les oliviers brillaient comme les sommets heureux de la richesse, sans qu'aucun bâtiment ne vienne perturber cette béatitude que ne pouvait pas goûter une fillette seule, sans personne avec qui parler, jouer. Quand elle était petite, elle jouait avec les enfants des propriétaires, deux garçons un peu plus âgés qu'elle, très rustres mais très amusants. Ils lui apprirent à trouver des nids et à couper la queue des lézards. Tout cela prit fin le jour où l'une de ses tantes prononça ces mots fatidiques : « jeune fille. » Elle était une jeune fille et devait apprendre à se comporter comme telle. Il y eut une institutrice, puis une autre, puis l'internat dans un collège de religieuses de Jaén. Sa voix, enfin.

María, qui de nombreuses années plus tard ferait vivre sa famille en donnant des cours de chant à des enfants aussi peu doués qu'argentés, fut sauvée par sa voix. Au moment où il semblait que son sort était décidé, qu'elle ne pouvait aspirer à un autre avenir qu'une succession monotone de jours semblables, sans variété, sans émotion, sans aucune aventure, sa voix extraordinaire, pleine de puissance, de nuances, lui ouvrit la porte vers un monde différent. « La voix de María est un trésor, déclara la mère supérieure devant ses tantes alors qu'elle allait avoir quinze ans, et ici, nous ne pouvons pas l'exploiter davantage. Ce serait dommage qu'elle ne la polisse pas, qu'elle ne la travaille pas, qu'elle n'étudie pas le chant... »

Ses tantes se regardèrent, perplexes. « Pour quoi faire ? » demanda Amparo, la plus âgée. Elle était restée célibataire par choix, après que son père eut refusé de la laisser entrer au couvent. « Elle ne va pas devenir chanteuse, elle va hériter largement de quoi vivre de ses rentes, non ? » Elle cherchait en vain l'appui de sa sœur cadette. Margarita, qui ne s'était pas encore consolée de ne pas avoir trouvé de mari, et se réveillait la nuit en pensant que sa pauvre nièce courait le risque de finir comme elle si elle ne quittait pas à temps le désert social de la ferme, la contredit très doucement. « Bien sûr, qu'elle ne va pas devenir chanteuse, reconnut-elle, mais bien chanter est très bien vu en société, tu le sais, et María a de la famille à Madrid, notre sœur, les frères de sa mère, et elle devra tôt ou tard se faire des relations, des amis, elle ne va pas rester toute sa vie ici, avec nous, et même si elle est riche, si elle se détache en plus parce qu'elle chante bien, il lui sera plus facile de trouver un bon parti, enfin, d'après moi... »

María avait un joli visage, rond, à la peau douce et velou-tée, sans la moindre imperfection, qu'elle semblait avoir héri-tée de sa mère. Ses cheveux, châtains et brillants, épais et ondulés, qu'elle ne relevait jamais entièrement, pas tant pour les montrer que pour dissimuler ses oreilles qui s'entêtaient à s'éloigner de son crâne alors qu'elle les avait collées tous les soirs pendant des années à sa tête avec du sparadrap, avant d'aller se coucher. Elle pensait que ces atouts lui seraient plus utiles que sa voix, mais elle se contenta de croiser les doigts sans oser demander si elle était laide. Elle n'avait jamais telle-ment aimé sa tante María Pilar, ni ses filles, Pili et Gloria, ces cousines madrilènes tellement snobs que cinq minutes après leur arrivée à la ferme, elles avaient déjà envie de partir. Pour-tant, quand Amparo consentit à lui demander si elle voulait venir vivre avec elles, elle les aurait toutes embrassées sur la bouche. Et elle partit à Madrid, étudia le chant, cessa de trou-ver ses cousines snobs, devint très amie avec Gloria, s'amusa comme jamais, et se fit des amis. Elle apprit que, sans être une beauté, elle n'était pas laide non plus, et elle brilla en société, sans embrasser personne jusqu'à ce que, un soir de juin 1911 – elle avait dix-sept ans –, un garçon qui était tombé amoureux d'elle en l'entendant chanter *La Traviata* ne l'embrasse. Il s'appelait Mateo Fernández Gómez de la Riva, venait d'une très bonne famille, ami du fiancé de sa cousine, de sept ans plus âgé qu'elle, ingénieur des ponts ou quelque chose comme ça.

« Ne compte pas sur moi, tu sais que je suis républicain. » Alors, Gloria, qui connaissait la fille d'une femme de chambre de Victoria Eugenia [1] et passait sa vie à faire des projets pour le jour où son amie l'emmenerait enfin à l'une des fameuses réunions informelles que tenait le roi au Tir au Pigeon de la Casa de Campo, se mit à rire.

« Allez, Mateo, ne dis pas de sottises, s'il te plaît ! Républicain, avec un grand-père comte ! Il faut toujours que tu attires l'attention ! »

Ils étaient assis et prenaient un rafraîchissement au kiosque qu'ils fréquentaient lors de leurs promenades quotidiennes sur la Castellana, l'un des endroits préférés des gens élégants quand la chaleur devenait insupportable. Ce n'était pas le lieu idéal pour ce genre de déclaration, mais l'hérétique semblait si sûr de lui qu'il se contenta de sourire pendant que les autres se moquaient, et il ne se laissa pas impressionner par les plaisanteries, les rires des autres. María savait qu'il s'intéressait à elle, car elle ne l'avait jamais vu avant que le fiancé de Gloria ne les présente chez son oncle ; depuis lors il les accompagnait très souvent. Elle le regarda attentivement et en conclut que s'il ne se défendait pas, c'était parce qu'il se sentait très supérieur à ses cousines, à ses amis, trop pour perdre son temps et ses paroles en ce lieu, en cette compagnie. Mateo Fernández Gómez de la Riva, avec ses cheveux blonds, sa peau blanche, son nez très long, son cou trop long, avait une tête d'oiseau. Cependant, il était aussi grand, mince, élégant à sa façon, et il plaisait à María depuis qu'il avait levé en l'air le verre symbolique de Verdi pour découvrir dans ses yeux une émotion sincère, fervente, qui l'élevait au-dessus des applaudissements polis, presque indifférents, des autres invités de sa tante María Pilar. Cet après-midi-là, pendant qu'elle le voyait sourire aux plaisanteries sottes, infantiles, de ceux qui lui semblèrent soudain n'être qu'une bande d'imbéciles, il lui plut bien davantage, car elle le trouva intéressant, mystérieux, presque dangereux.

---

1. Victoria Eugenia de Battenberg, épouse d'Alfonso XIII d'Espagne, qui régna de 1886 à 1931.

Aussi, sur le chemin du retour, se plaça-t-elle à côté de lui, et laissa-t-elle ses cousines prendre l'avantage.

« Tu es républicain ? » La petite fille riche du village, qui avait grandi seule au milieu des oliviers et avait vécu son départ pour un collège de religieuses de Jaén comme une aventure incomparable sentit un frisson dans le dos en prononçant ce mot ardent et acéré, interdit, clandestin.

« Oui, répondit-il d'un ton égal.

— Vraiment ? insista-t-elle.

— Vraiment », dit-il en souriant.

María sourit à son tour, elle s'immobilisa, le laissa approcher.

« Pourquoi ?

— Parce que je crois que tous les hommes sont égaux. » Elle se rendit compte qu'il était sérieux même si l'expression de son visage restait souriante

« Parce que je crois qu'on devrait tous avoir les mêmes droits. Parce que j'ai honte de ce qui se passe en Afrique. Parce qu'il n'est pas juste que les pauvres tombent comme des mouches pendant que les riches paient pour ne pas aller à une guerre dont ils sont les seuls bénéficiaires. Parce que ce pays est mal fait et qu'il faut le refaire entièrement, de la cave au grenier.

— C'est vrai, que ton grand-père est comte ? » Il hocha la tête. « Tu ne trouves pas ça bien ?

— Si, je l'aime beaucoup. Il te plairait à toi aussi, il est très mélomane, un homme remarquable, intègre, généreux, presque un libre penseur, même s'il ne le sait pas et ne voudrait jamais le reconnaître. Ce que je trouve très mauvais, c'est qu'il existe des comtes, des ducs et des marquis. Mais c'est le père de ma mère et, malheureusement, je n'hériterai pas le titre.

— Mais..., fit María en fronçant les sourcils, je ne comprends pas. Tu es républicain et ça te plairait d'être comte ?

— Oui, j'adorerais ça. » Il fit une pause mesurée, souriante, pour se concentrer. « Parce que à ce moment-là je pourrais solliciter une audience, on me l'accorderait, j'irais voir Alfonso[1] et je lui dirais : tiens, mon salaud, mets-toi le comté où je pense.

---

1. Alphonse XIII (1886-1941), roi d'Espagne.

— Eh bien ! »

María rougit à son insu, prit son visage dans ses mains, se mit à rire, et ne parvint pas à empêcher ses pieds d'entreprendre de leur côté une série de petits sauts ridicules. Dans cette séquence d'actions spontanées, presque infantiles, elle retrouva une sensation ancienne, oubliée, une queue de lézard qui s'agitait seule sur un rocher pendant que son sang bouillait dans l'effervescence d'un million de toutes petites bulles, la réponse de son corps à une soif instinctive et téméraire de plaisirs obscurs, secrets, dangereux.

« Excuse-moi, dit-elle quand elle recouvra ses esprits, les joues encore en feu, c'est que... C'est que je n'avais jamais entendu personne parler comme ça. Je n'avais jamais entendu personne tutoyer le roi, ni l'insulter, ni... On dirait un blasphème, non ? » Il sourit, comme si ce qu'il entendait lui plaisait. « Enfin, je ne sais pas, tu es le premier républicain que je rencontre.

— Et ça te fait peur ?

— Non, ce n'est pas ça. Ça ne me fait pas peur, au contraire, je trouve ça très... » Et au moment où elle allait le dire, elle se tut, réfléchit, évalua le risque, le poids du mot qu'elle allait prononcer, chercha en vain un synonyme plus doux, moins fort, regarda Mateo, sentit qu'elle rougissait un peu plus et osa enfin. « C'est très romantique. »

Alors il l'embrassa, posa à peine ses lèvres sur la joue de María, comme un acompte, une promesse, la garantie des baisers véritables, ceux qui ne mettent pas en péril la réputation d'une jeune fille d'excellente famille sur la promenade la plus fréquentée de Madrid, et ce baiser fugace et réservé, si conventionnel en comparaison des mots qui sortaient de ces mêmes lèvres, la rassura, et eut en même temps si peu de goût, qu'elle lui prit le bras, à une distance plus que prudente, pour rentrer chez elle.

Puis ses cousines entrèrent dans le séjour en chantant que María avait trouvé un fiancé et ce fut elle qui dut supporter avec un sourire stoïque sa propre session de plaisanteries et d'histoires drôles.

« Ah, je vais écrire tout de suite à ma sœur Margarita, s'exclama sa tante María Pilar, aussi amusée que ses filles par la nouvelle pour qu'elle arrête d'apporter des œufs aux religieuses de La Carolina... Bon, maintenant soyons sérieuses. J'en suis ravie, María, on m'a dit que c'était un jeune homme très prudent, très bien élevé, et qui a déjà fini ses études, non ? Il est ingénieur, je crois... Pour te dire que je l'aime bien, je l'aurais adoré, souligna-t-elle en regardant sa fille aînée, pour une de mes filles. »

Pili, qui était follement amoureuse d'un officier de l'armée dont sa mère avait entendu dire qu'il entretenait une femme à Alcalá de Henares, contre-attaqua immédiatement : « Eh bien, au moins, mon fiancé n'est pas républicain.

— Et Mateo, si ? » María Pilar regarda sa nièce avec un grand sourire, comme si elle venait d'entendre une plaisanterie. « Vraiment ? Quelle frivolité !

— C'est la famille de sa mère, les Gómez de la Riva, intervint son mari, qui avait jusque-là feuilleté le journal sans guère prêter attention à la joie féminine. Dans cette maison, ils sont tous à moitié fous, très excentriques. Des gens bien, amusants, très cultivés, ça oui, mais trop originaux, je dois dire, et son père est comte... Je ne sais pas comment le pauvre Fernández les supporte. Il mène sa femme à la baguette, mais ses beaux-frères, ouh ! Le petit s'entête à construire une de ces machines volantes et il s'est déjà brisé tous les os, on m'a raconté qu'une de ses sœurs est médium, alors... comment pourraient être les neveux ? Eh bien, républicains, comme peu de gens.

— Ne t'inquiète pas, María, dit sa tante en riant, ce n'est qu'un enfantillage, c'est sûr, et puis... Il vaut mieux qu'il soit républicain que noceur, joueur, coureur, comme d'autres que je connais. Sinon les vices du corps, les maladies infantiles, quand ce sont celles de l'esprit, se soignent avec l'âge.

— Et avec les héritages. »

La sentence du chef de famille liquida le conflit des idées politiques de Mateo Fernández, qui ne resurgit même pas quand, en septembre 1912, Gloria fut finalement invitée au Tir au Pigeon avec quelques amis sûrs et que María déclina la proposition de l'accompagner. Il faut voir comme la sottise est contagieuse, avait dit sa cousine... À l'époque, Mateo était son fiancé et l'avait embrassé sur des parties du corps auxquelles n'avait encore même pas eu accès le plus voyou des officiers de l'armée espagnole, mais il avait une bonne place au ministère du Développement et il jouissait toujours d'un prestige irréprochable dans la famille de sa fiancée. En marge de cette nouveauté, la vie de María ressemblait beaucoup à celle de ses cousines, et cette similitude perdura après son mariage, qui eut lieu en mars 1913 en présence du comte de la Riva et de tous ses enfants, bien que l'unique excentricité de la cérémonie ait tenu au fait que le fiancé refusa de communier. Le 14 avril 1931, quand sa cousine Gloria et elle se disputèrent pour la première fois, elles partageaient les mêmes plaisirs et les mêmes préoccupations, elles s'occupaient de leurs enfants, se retrouvaient à l'opéra, au théâtre, et accompagnaient leurs maris à des dîners et à des réceptions semblables, même si les amphitryons, les participants, étaient ennemis. Gloria soutenait des œuvres de charité, des quêtes paroissiales, des cantines publiques, des écoles pour les enfants pauvres. María faisait partie de comités pour la défense du vote féminin, de la scolarisation obligatoire, des subsides en faveur des mères ouvrières. Ses enfants fréquentaient des collèges modernes, mixtes et laïques, aussi select que les collèges religieux et traditionnels où étudiaient ses neveux, et cela suffisait pour que leurs vies diffèrent radicalement bien avant qu'elles ne se retrouvent à lutter dans deux armées opposées. Pourtant, avant de décrocher le téléphone ce jour-là, María n'avait pas conscience d'être devenue une femme si différente de sa cousine.

« Alors c'est ça ? » Gloria était si indignée qu'elle ne lui dit même pas bonjour. « Vous avez réussi à renverser le roi. Vous devez être contents !

— Contents non, très contents. » C'était tellement vrai qu'elle se mit à rire en le disant. « Mateo prétend que c'est le jour le plus heureux de sa vie. J'ai été obligée de me fâcher et...

— Quelle horreur !

— Comme je te le dis. Et le jour où tu m'as épousée, alors ? lui ai-je rappelé.

— Et qu'est-ce que vous allez faire, maintenant ? » Gloria, encore plus irritée par le ton joyeux et badin de sa cousine, prononçait chaque syllabe comme si elle la déchiquetait avec les dents avant de la recracher. « Si on peut savoir, bien sûr. Ou plutôt, si vous les républicains vous avez une idée de ce que vous allez faire de ce pays, à part le faire couler, ce qui est la seule chose qu'on peut attendre, je crois.

— Eh bien, écoute ce qu'on va faire. » Le ton de María s'était durci à tel point qu'elle avait elle-même du mal à le reconnaître. « On va descendre dans la rue pour fêter ça. J'ai déjà mon chapeau sur la tête.

— Dans la rue ! C'est ça, avec la racaille... Allez, vous aurez bien mérité tout ce qui vous arrivera.

— Avec la racaille ? » María Muñoz découvrit que l'indignation était orangée, froide et chaude à la fois, douce en remontant dans sa gorge, sèche en éclatant contre le palais. « Non, Gloria, non. Pas avec la racaille. Avec le peuple de Madrid. La racaille est en train de traverser la frontière, en ce moment précis. Si tu les préfères à nous, tu connais le chemin. »

Elle lui raccrocha au nez et regarda le téléphone comme si elle ne pouvait pas comprendre, ni croire ce qu'elle venait de faire. Pendant ce temps, son mari, qui avait écouté la conversation derrière la porte, les enfants habillés, prêts à sortir, se dirigea vers elle et la prit par l'épaule, mort de rire.

« Bon sang, María..., lui dit-il, en embrassant l'une de ses oreilles décollées, tu vas finir par être plus républicaine que moi. »

Mais elle ne rit pas, et descendit dans la rue, inquiète, alarmée par sa façon d'agir, par cette rage qu'elle n'avait pu contrôler, et par la réaction de sa cousine, le fracas du verre brisé, ridicule, inquiétant, ténébreux, mais surtout injuste, très injuste, qu'elle avait perçu dans ses paroles, dans ses silences, dans sa façon de respirer comme si elle se noyait en l'écoutant. Ce n'est pas juste, elle n'a pas le droit de parler, de penser comme ça, ils n'ont pas le droit de dire ces choses-là. Elle aurait cependant préféré ne pas être à la maison, ne pas décrocher le téléphone, ne pas avoir entendu, ne pas avoir parlé, ne rien avoir risqué. Elle aimait beaucoup Gloria, elles s'étaient toujours bien entendues, et même s'il y avait des années qu'elles se voyaient moins, et que leurs maris, qui avaient été inséparables, se disaient à peine bonjour, elle la comptait toujours parmi ses amies. Et il était vrai qu'elle s'était radicalisée plus vite que Mateo. Le jour de ses noces, elle ne voyait toujours en la République qu'une idée romantique, et pendant que son mari travaillait, conspirait, se réunissait avec les uns et les autres au ministère, dans les cafés, ou dans des maisons dont elle ne connaissait pas l'adresse,

María avait continué à jouir d'une vie tranquille de femme heureuse en ménage. Elle avait dû deviner le changement, le pressentir, le caresser du bout des doigts, pour comprendre que la République pouvait être autre chose, une tâche, un objectif, la possibilité de vivre et d'élever ses enfants dans un pays différent. Mais elle n'était pas aussi forte que son mari, qui, le jour le plus important de sa vie, ne regretta rien ni personne.

« Tu vas arrêter de penser à cette idiote ? bougonna Mateo quand ils arrivèrent à la Puerta del Sol. Regarde autour de toi, regarde ce qui se passe, tu ne vois pas ? C'est merveilleux, bon sang ! C'est génial, et toi, tu penses à ton idiote de cousine... »

C'était merveilleux, mais cela changea son destin pour toujours, ouvrant une fissure imprévue dans la routine de ses plaisirs et de ses préoccupations, l'obligeant à choisir un chemin qu'elle n'aurait même pas pu imaginer, et sema en elle un orgueil, un amour, une douleur inconnus. Par la suite, quand elle regarderait en arrière, le bouleversement de ce jour-là lui semblerait incroyable, mais elle ne regretterait rien, elle ne se soucierait de rien ni de personne qui ne fût important, ne s'accorderait pas la faiblesse d'éprouver la moindre nostalgie pour cette vie qu'elle avait été obligée d'abandonner. Elle apprendrait à être heureuse autrement, car elle serait elle aussi parvenue à haïr.

« Nous sommes ce que nous sommes, María, quoi qu'il arrive. Et nous devons être à notre place, auprès des nôtres. »

Son mari avait raison, à tel point que le soir même il aurait honte de s'être fâché devant leurs filles. Mais ce ne fut qu'après que la voisine du dessous ne lui eut pas ouvert la porte, quand elle eut un moment pour s'asseoir seule dans la cuisine, pour réfléchir. C'étaient des jours durs, terribles, plus qu'ils n'en avaient l'air, plus qu'elle ne l'avait cru quand Mateo lui annonça que Paloma venait d'arriver, et lui demanda de l'accompagner dans le séjour.

« Voyons, les filles... »

La dernière semaine de 1936, leur fille aînée, âgée de vingt et un ans, était mariée depuis plus de deux ans, et la cadette venait d'avoir dix-sept ans. Pourtant, leur père les traitait toujours comme des petites filles, et elles adoraient ça. Aussi lui sourirent-elles toutes les deux pendant qu'il cherchait ses mots avec autant de soin que s'il n'avait pas été sûr qu'elles allaient toutes les deux décliner sa proposition.

« Votre mère et moi nous avons discuté, et... Enfin, vous savez que le gouvernement possède un programme d'évacuation pour que les civils qui le souhaitent puissent partir vers la province du Levant. » À cet instant précis, Paloma commença à secouer la tête. Mateo agita la sienne en sens inverse, comme pour se donner raison. « Je ne vais pas vous mentir, nous ne partirons pas. Si je demandais une mutation au ministère, ils me la refuseraient certainement, et ils auraient raison, mais je préfère travailler pour la Junta que pour le gouvernement parce que c'est ce que je connais. Je suis autrement plus utile ici qu'à Valence. Je ne suis pas parti le mois dernier, je ne vais pas partir maintenant, et je ne pense pas partir un jour, parce que c'est ma ville, parce que mes fils la défendent, et parce que c'est comme ça, merde ! » Sa femme lui posa une main sur le bras mais il ne s'arrêta pas. « Je n'arrive pas à comprendre qu'un salopard de général veuille me chasser de Madrid. S'il doit m'arriver quelque chose, ce sera ici. Pourtant, maman me dit depuis un certain temps que vous, peut-être...

— Pas question, l'interrompit Paloma. Je ne pars pas, c'est évident. Ma belle-mère me l'a déjà proposé quand elle est partie pour Almería, et je lui ai déjà dit non. Je veux rester avec mon mari.

— Ton mari est au front, ma fille.

— Mais le front est à la Moncloa, maman. On peut y aller à pied d'ici. Les soldats peuvent rentrer chez eux, avec une permission. Et quand Carlos en aura une, je veux être à la maison pour dormir avec lui.

— Paloma ! Ne parle pas comme ça devant ta sœur.

— Mais maman, elle a dit dormir... »

Mateo Fernández se mit à rire en écoutant sa cadette. Elle n'était pas aussi jolie que l'aînée, mais très vive, très maligne ; c'était sa préférée. Il se doutait bien que sa femme trouverait ça moins amusant : elle s'était penchée au-dessus de la table pour désigner l'audacieuse du doigt.

« Eh bien, c'est toi qui vas aller à Valence, tu sais !

— Moi ? » Elle se pencha elle aussi en avant, jusqu'à ce que son nez touche celui de sa mère.

« Oui, María, toi, qui es très désinvolte, toi, qui crois que la guerre est une fête, tu te trompes lourdement...

— Je ne pars pas, n'y pense même pas. Je ne veux pas et je ne peux pas partir. » Elle se détendit peu à peu avant de s'appuyer contre le dossier de sa chaise. « Moi aussi, j'ai un fiancé au front.

— Ce n'est pas un fiancé, ma fille, c'est une sottise, déclara sa mère.

— Ah oui ? Eh bien peut-être, mais c'est ma sottise.

— Enfin il ne te plaisait pas du tout, tu le traitais très mal..., fit remarquer sa sœur.

— Qu'est-ce que tu en sais, Paloma ? Qu'est-ce que tu en sais, s'il me plaisait ou non ?

— Tu parles ! » Paloma Fernández Muñoz, la plus jolie fille de l'immeuble, de la *glorieta* de Bilbao, du quartier de Maravillas, du centre de Madrid, se mit à rire, et elle était encore plus jolie quand elle riait. « On le sait tous. Tu ne te souviens pas du jour où papa a dit à la femme de ménage de descendre le chercher, parce que la porte d'entrée était fermée et que le pauvre t'attendait depuis une demi-heure dans la rue, trempé et frissonnant de froid ? Tu as oublié cette pluie ? Et ce que tu nous as dit, tu l'as oublié aussi ? » Elle adopta l'accent plaintif et chantant d'une enfant gâtée pour imiter María. « Vous l'aimez plus que moi, vous l'aimez plus que moi... Dans cette maison vous aimez Esteban plus que moi... Tu étais insolente avec lui ! Ignacio lui a dit de t'envoyer promener ! Jusqu'au jour où il est venu prendre congé en uniforme et alors, oui, alors, du jour au lendemain, ça a été le comble de l'amour et de la passion. N'est-ce pas, maman ? Qu'est-ce que je t'ai dit ce soir-là ?

— Que ce qui plaisait à ta sœur, ce n'était pas Esteban, mais son uniforme. » Elles éclatèrent de rire.

« Reconnais-le, María. Paloma a raison.

— Laisse-la tranquille ! » intervint Mateo. Face à l'éternelle alliance de sa femme et de sa fille aînée, il se rangeait systématiquement du côté de la cadette.

« C'est elle qui sait si elle a un fiancé ou non... »

Elle le savait. Sa mère et sa sœur auraient préféré ne pas devoir l'apprendre, ne jamais devoir le reconnaître, mais elles l'apprirent un soir d'automne 1938, quand le brigadier Fernández, qui aurait dû être à son poste dans les tranchées du front d'Usera, arriva soudain, sans prévenir. À ce moment, tous se levèrent en même temps, mus par le même ressort, mais, pour une fois, il n'était rien arrivé à Ignacio, qui collectionnait les blessures avec le même enthousiasme que quand il collectionnait les soldats de plomb.

« C'est Ignacio qui m'inquiète. L'autre, pas tant, parce qu'il est plus calme, plus sensé, mais Ignacio, il est tellement ahuri... », avait dit Mateo Fernández à sa femme aux pires moments du pire mois de novembre de leur vie. Cependant, Ignacio se débrouillait bien sur le front. Il ne le comprenait pas lui-même, mais il le découvrit tout de suite, un sale matin, de plomb et de froid, pendant que ses bottes s'enfonçaient dans la boue de la Universitaria et qu'une bruine glacée, insupportable, lui cinglait le visage. On leur avait ordonné d'avancer pour sécuriser une colline, mais une balle faucha le sergent qui commandait le détachement avant qu'il ait eu le temps de les organiser. Quand il regarda devant lui, il vit les réguliers arriver en courant, criant comme des bêtes nuisibles, armés de leur fureur épouvantable et légendaire. Ce fut alors que cela se produisit. Ses compagnons se mirent à trembler, mais Ignacio Fernández Muñoz, étonnamment calme, pensa à son père. Il revit leurs parties d'échecs, quand les sourcils froncés et une concentration impassible dans les yeux son père ne lui donnaient qu'une seule règle : tu dois regarder tout l'échiquier, Ignacio. Je sais que ce n'est pas facile, mais tu dois essayer, t'efforcer de tout voir, tes pièces et les miennes, tu dois le balayer entièrement, comprendre d'un seul coup d'œil avant même d'analyser. Si tu n'y arrives pas, tu ne sauras jamais jouer correctement. Son père était un joueur habile, et pour prouver que l'autre roi, le vrai, n'était qu'un homme comme les autres, il employait toujours le même argument : si tu le piques, il saigne. Ignacio se rappela tout cela en regardant l'échiquier pour la deuxième fois de sa vie. Ce n'était plus des pièces en bois mais des hommes de chair et de sang. Pourtant la révélation, l'enthousiasme, l'étonnement furent semblables. Ils sont plus nombreux, mais nous sommes en hauteur ; ils savent se battre, mais ils doivent monter, et ils ne peuvent pas courir et tirer en même temps car ce ne sont que des hommes : si tu les piques, ils saignent. Cela lui traversa l'esprit en moins de temps qu'il ne lui en avait fallu pour le dire. Son sang se glaça dans ses veines et des yeux lui poussèrent derrière la tête, sur les tempes, les oreilles. Soudain il voyait tout, il englobait tout, il comprenait tout et il n'entendait rien dans la blancheur éblouissante d'une certitude absolue.

En retournant son fusil contre ses propres compagnons, il les regarda, un par un. Ils étaient presque tous plus âgés que lui, mais il n'eut pas besoin d'élever la voix pour leur faire comprendre qu'il parlait sérieusement.

« Celui qui part en courant, je le descends. »

Voilà ce qu'il leur dit. Ils le regardèrent comme s'il était devenu fou, mais la stupéfaction prit le pas sur la panique. Les Arabes criaient, couraient. Ils se rapprochaient de plus en plus et Ignacio continuait à parler avec une tranquillité qu'il n'avait jamais éprouvée de sa vie, qui refroidissait tout, rendait tout plus facile, plus lent, plus fluide, même s'il ne savait pas pourquoi, ni d'où cela venait.

« On va les attendre. On va se mettre à couvert et attendre ces fils de pute. On est peut-être moins nombreux mais on est en hauteur et on a un avantage. Ils doivent monter, et quand ils monteront, on les tuera comme si on tirait à blanc dans une baraque de foire, vous comprenez ? » Il s'arrêta, les regarda, se rendit compte qu'ils commençaient à le comprendre. « Ça sera facile puisqu'ils ne peuvent pas tirer et courir en même temps. Ce sont des hommes comme nous, si on les pique, ils saignent. Mais il faut attendre, il faut tenir. Avec nos tripes. Que personne ne tire avant que je l'aie ordonné, c'est clair ?

Les Arabes criaient, couraient. Ils se rapprochaient de plus en plus, mais au sommet de la colline personne ne bougeait. Personne n'osait même respirer jusqu'au moment où le sergent, qui avait été blessé à l'épaule deux minutes plus tôt, trois tout au plus, se redressa comme il put sur le coude de l'autre bras.

« Écoutez le gamin, bordel ! Écoutez le gamin, il sait ce qu'il dit... » Avant de se laisser retomber sur le sol, il le regarda. « Je ne sais pas comment, mais il sait... »

Ignacio sourit, se mit à couvert, puis il eut une autre idée, celle qui le rendrait célèbre.

« Autre chose... Quand on tirera, on se mettra à hurler comme si on nous arrachait une dent. S'ils hurlent, nous aussi, il n'y a pas de raison ! »

Deux lui échappèrent, mais les autres lui obéirent sans très bien savoir pourquoi, ils hurlèrent jusqu'à perdre la voix, tirèrent comme s'ils tiraient à blanc dans une fête foraine, et les réguliers se replièrent sans prendre la colline.

Ce jour-là, on cessa d'appeler Ignacio Fernández Muñoz, le gamin. Dans l'après-midi, on soigna sa première blessure, une égratignure spectaculaire mais superficielle au bras gauche. Sur le rapport du lendemain, on mentionna son nom pour la première fois. Il n'était au front que depuis une semaine.

« Ignacio ?

— Quoi... »

La première fois où leurs permissions coïncidèrent, quand le pire était passé et que ce n'était en même temps que le début, son frère lui parla dans l'obscurité, de son lit, comme lorsqu'ils étaient enfants. Le temps ne comptait pas. Au cours des derniers mois, aucun des deux n'avait pensé à autre chose, à Madrid il n'y avait eu aucun autre motif de réflexion en novembre, en décembre 1936. Pour cette raison, ils allèrent tous deux chez leurs parents, partagèrent la chambre où ils avaient dormi pendant des années, dont ils regrettaient le lit, le pyjama, le matelas moelleux, la douceur rèche des draps. Ils n'arrivaient pas à croire qu'il s'agissait de leurs lits, de leur chambre, de leurs armoires, et de leurs bureaux, de leurs livres. Ils se sentaient aussi démunis l'un que l'autre, sans le fusil que leur mère les avait obligés à déposer prudemment dans le porte-parapluies du vestibule. Aucun d'entre eux ne savait que c'était la dernière fois

Mateo avait déjà rencontré une jeune fille brune et véhémente, très jeune et très passionnée, qui organisait des meetings éclairs sur le paseo del Prado. Elle s'appelait Casilda García Guerrero et choisissait les arrêts des stations de métro, et tous les coins de rue où il y avait un groupe de civils arrêtés, en train de discuter. Alors elle s'approchait, les haranguait, les encourageait à résister, leur indiquait où ils pouvaient aller, ce qu'ils pouvaient faire, où on avait besoin d'eux s'ils étaient disposés à lutter autrement, à enterrer le fascisme en creusant des tranchées ou en cousant des uniformes. Elle était mignonne, jolie, rondelette, et les pantalons de milicienne lui allaient aussi bien que si elle n'en portait pas.

« C'est bien ce que tu fais. » La deuxième fois qu'il la vit, en constatant qu'elle n'avait pas oublié le soldat qui l'avait suivie de réverbère en réverbère quelques jours plus tôt, Mateo osa l'aborder : « Pour nous, il est fondamental de savoir qu'il y a des gens pour s'occuper de remonter le moral de l'arrière-garde... »

Casilda le regarda en souriant, et le remercia.

« Je peux t'accompagner un moment ? » demanda Mateo en risquant un pas en avant. Elle accepta d'un geste et sourit à nouveau. « Et ton fiancé, qu'est-ce qu'il pense de tout ça... ?

— Qu'est-ce qu'il devrait en penser ? répliqua-t-elle d'un ton goguenard.

— Je ne sais pas, tu es trop jolie pour rester seule dans la rue toute la journée.

— Je ne suis pas seule. Ce garçon là-bas et celui-là, dit-elle en désignant deux jeunes gens à l'air inoffensif. Ce sont mes camarades. On est venus ensemble, mais on s'est séparés pour pouvoir convaincre plus de gens.

— Ouh ! s'exclama Mateo en fronçant les sourcils sans cesser de sourire. C'est bien pire... Moi, je serais distrait tout le temps, je me ferais du souci pour toi, dans la rue, avec tes camarades, j'oublierais de tirer, et les fascistes me tueraient.

— Je vois... » Casilda se mit à rire et elle leva vers lui un regard orgueilleux, insolent. « Mais je suis une femme libre. Depuis que mon père est parti au front, je vis seule à la maison, c'est merveilleux. Et je n'ai besoin ni d'un fiancé, ni d'un homme qui veille sur moi. »

Mateo hocha la tête, comme s'il venait d'entendre quelque chose d'admirable. Puis il l'embrassa sur la bouche avant de recevoir en échange une gifle bien peu révolutionnaire.

« Hé, qu'est-ce que tu crois ? Non mais quel culot, ce type !

— Tu tapes dur, hein ? » cria-t-il en la regardant s'éloigner.

Mais ce fut quelques jours avant que la Légion, Yagüe, Varela, les Arabes, les bombes larguées par les avions italiens et allemands ne leur tombent dessus. Quelques mois plus tard, quand on avait presque aussi peur dans la rue qu'au front et que rester en vie était un miracle semblable des deux côtés des tranchées, Mateo la retrouva un matin à Cuatro Calles.

« Alors, tu ne t'es pas encore fait tuer ? »
Casilda l'accueillit avec un sourire.

« Non, comme je n'ai pas pu veiller sur toi... »

Alors ce fut elle qui s'approcha, et elle se pendit à son cou, l'embrassa sur la bouche avec le même élan, la même passion dont elle faisait preuve dans ses meetings.

« Allez, viens », lui dit-elle ensuite, le prenant par la main, et il maudit le sort avant de résister.

« Tout de suite, je ne peux vraiment pas. Je dois repartir en courant à Usera[1] pour y apporter une dépêche à mon commandant, cette voiture, là-bas, m'attend... »

Casilda la regarda et hocha de la tête.

« Espoz y Mina 5[2], se contenta-t-elle d'ajouter, troisième gauche. Et essaie de ne pas te faire tuer. »

Ce jour-là, Mateo Fernández Muñoz tenta par tous les moyens d'obtenir un permis, un laissez-passer, une charge, n'importe quelle mission de liaison avec une autre position, en vain. Il insista le lendemain, puis le surlendemain, avec les mêmes résultats, et enfin, quand la nuit tomba et qu'il se mit à pleuvoir, il alla voir son commandant, le seul officier de métier loyal à la République à combattre dans ce secteur où il y avait un peu de tout : des restes de bataillons syndicaux, voisins, instituteurs, brigadistes, volontaires de tous les partis. Parmi eux, Mateo Fernández Muñoz, à qui il ne manquait que deux matières pour obtenir sa licence de philosophie, qui s'était enrôlé au PSOE[3] en 1935 pour des raisons strictement idéologiques, le seul homme sous ses ordres à savoir véritablement ce qu'était le marxisme. Le commandant avait pris en affection ce garçon sérieux et cultivé, pas un héros à proprement parler. En le voyant arriver à minuit, il sourit. Il l'attendait depuis trois jours, depuis que Mateo était hébété, faisait tout à l'envers et tentait d'acheter un permis à tout prix. Il l'attendait depuis trois jours et ne le laissa pas réciter le discours qu'il avait préparé.

« Alors ta mère est malade, récapitula-t-il tandis que Mateo acquiesçait. Très, très malade.

— Oui, malheureusement, mon commandant.

---

1. Quartier périphérique situé au sud-ouest de Madrid.
2. Rue située dans le quartier central de la Puerta del Sol.
3. Parti socialiste ouvrier espagnol.

— Dis-moi, Fernández... » Cet homme dur et narquois, qui fumait sans arrêt et criait même lorsqu'il était de bonne humeur, leva un doigt pour désigner sa propre tête. « Tu trouves que j'ai l'air d'un imbécile ?

— Non, mon commandant, répondit-il sans parvenir à réprimer un sourire.

— Ah, bon ! Tu m'inquiétais... » Il prit un bout de papier sur la table, remplit un formulaire, et le tint en l'air, l'exhibant comme un bonbon devant un enfant gourmand. « Très bien, alors va où tu dois aller, tire un coup, un seul, tu comprends ?, un, deux si tu es rapide, et reviens sans traîner... Je veux te voir ici à 5 heures du matin. Tu sais ce que ça veut dire ? Je vais t'expliquer. Cela veut dire que si tu arrives à 5 h 01, je te défère devant le conseil de guerre et je te fais fusiller pour désertion. C'est clair ?

— Oui, mon commandant. Merci, mon commandant.

— Et on va voir si on finit par foutre dehors ces fils de pute. Et si on nous envoie dans le désert de Burgos, vous allez apprendre ce que c'est que la guerre à cinquante kilomètres du village le plus proche, personne ne peut supporter ça, putain, et je vais t'en raconter une autre... »

Mateo était déjà parti en courant, et il ne put entendre la fin de la phrase. Il ne savait pas comment il allait s'arranger pour être ponctuel mais il trouva de la place dans un camion sans même demander et eut la même chance pour tout le reste.

« À vos ordres, mon commandant. »

À 4 h 45, Mateo Fernández Muñoz était au garde-à-vous devant son supérieur. Celui-ci le regarda attentivement, lui donna une tape dans le dos et se mit à rire.

« Ta mère va bien, pas vrai, Fernández ?

— Mieux que jamais, mon commandant.

— Eh bien, tu ne peux pas savoir à quel point je m'en réjouis. L'important, c'est qu'elle ne rechute pas.

— Ne vous inquiétez pas, mon commandant... »

À partir de ce jour, Mateo ne dormit plus dans la chambre qu'il avait toujours partagée avec son frère et qu'Ignacio abandonnerait un an et demi plus tard. « Tu t'en vas toi aussi ? » Sa mère ne se résigna jamais à les perdre si tôt. « Mais où est-ce que tu vas dormir ? Ton frère vient de partir, je ne vous vois plus, ni toi ni Mateo. Vous venez, vous partez, et je ne sais jamais où vous êtes, ni avec qui, enfin, façon de parler, mais écoute ce que je te dis, mon fils, un de ces jours, vous allez me tuer de contrariété... » En l'entendant, Ignacio se mit à rire. « Tant que c'est nous qui te tuons, maman, lui dit-il en l'embrassant sur la tête comme une petite fille, et tant qu'il s'agit de contrariété, c'est que tout va bien... » Mais plus rien n'allait bien. Les choses allaient si mal que parfois, dans leurs lits différents, avec des femmes différentes, les deux frères regrettaient leurs conversations nocturnes, comme celle-ci, la dernière, où ils se racontèrent certaines choses qu'ils n'auraient pas osé se dire de jour.

« Tu es réveillé ?

— Non, Mateo, je me suis endormi, c'est pour ça que je te réponds.

— Je voulais te demander... Tu n'as pas peur ?

— Non », répliqua-t-il aussitôt. Mais ce qu'il venait de dire lui sembla si bizarre qu'il s'obligea à y réfléchir un instant. « Enfin, si, qu'est-ce que je raconte. Bien sûr que j'ai peur, mais jamais sur le moment, jamais quand je suis en train de me battre. Avant, oui, et après aussi. Après, je pense..., enfin, je pense que je pourrais être mort, non ? Et je sais bien que j'aurais dû y penser avant, mais ça ne me vient pas, je dois dire. Quand le raffut commence, je vois tout autrement, comme si mes yeux devenaient ceux d'une mouche, comme si rien ne pouvait m'échapper. Je ne sais pas comment l'expliquer, mais je le vois, je vois la bataille, je vois tout et je reste froid, tranquille, avec une rage furieuse à l'intérieur, alors je me jetterais contre les tanks et je les déchirerais à coups de dents... Ça ne t'arrive pas ?

— La rage, si. Rester froid, non. » Mateo sourit et son frère le perçut dans le noir. « Et pour ce qui est de déchirer les tanks à coups de dents... eh bien, non plus. Mais j'ai peur. Toujours. Ça ne fait rien, parce que je le supporte et personne ne s'en rend compte. C'est vrai que, parfois, aux pires moments, la rage est plus puissante. Mais j'ai toujours peur.

— Tant mieux pour toi, mentit Ignacio. Tu vivras plus longtemps que moi. »

Pendant que Mateo, son frère, passait la guerre dans une tranchée, Ignacio Fernández Muñoz fut de toutes les batailles de Madrid et de certaines sur d'autres fronts. Dans presque toutes, il reçut deux décorations, des mentions, des promo-

tions, des honneurs et des blessures. Il se rappelait chacune
d'elles, pouvait les citer, les raconter, les ordonner dans une
séquence chronologique, quand il fut blessé gravement pour
la première fois, à Madrid, peu avant la fin de la guerre. Ses
parents vinrent le voir à l'hôpital de San Carlos, et María
Muñoz eut les larmes aux yeux en le voyant nu, recousu de
partout.

« À la guerre, les lâches meurent avant les braves,
maman, lui dit-il, comme si cela pouvait la consoler de ses
cicatrices.

— Ne dis pas de sottises, Ignacio.

— Mais c'est vrai ! Demande à n'importe quel militaire,
tu verras, il te dira que j'ai raison... »

Alors son père sourit. Il ne comprenait que trop bien l'angoisse de sa femme, mais, de manière inexplicable, il était très
fier de ce fils pour lequel il avait toujours eu si peur. Mateo
Fernández Gómez de la Riva avait toujours été un homme
pacifique. La guerre lui semblait être une calamité inégalable,
et celle-ci, le plus grand malheur de sa vie, mais chaque fois
que la presse mentionnait le nom d'Ignacio, il éprouvait une
satisfaction qu'il ne pouvait dissimuler même quand sa
femme parlait seule dans le couloir, clamant un journal à la
main le malheur d'avoir donné le jour à cet insensé.

Même le commandant de l'État-Major pour lequel il travaillait comme conseiller lui parlait de temps en temps
d'Ignacio.

« Si ton fils était du côté des rebelles, Mateo, les Arabes
se battraient pour être à ses côtés, pour obéir à ses ordres. Ils
sont très superstitieux, et croient que certains soldats destinés
à survivre, des élus à qui il ne peut jamais rien arriver de
grave, ils ont même un nom pour ça... Nous sommes tout
aussi superstitieux mais nous l'expliquons autrement. La
guerre est capricieuse. Combien de fois ont-ils blessé ton fils ?
Souvent, non ? Mais ils ne l'ont jamais envoyé à l'hôpital,
ils ne lui font que des égratignures, des blessures légères,
quelques points de suture et allez... Je ne me ferais pas de
souci pour lui. Je l'ai vu souvent, énormément, dans ma vie.
Crois-moi, je sais de quoi je parle. Ignacio a de la chance. »

Pourtant, et même si le fait de se promener avec son fils
rue Fuencarral, de passer d'une embrassade à l'autre, parmi
les murmures admiratifs de voisins à qui il semblait encore le

voir jouer au ballon dans les jardins de l'Hospice, était devenu le seul moment agréable de temps très amers, Mateo Fernández, qui n'avait jamais fait confiance à la chance, n'oublia jamais non plus que la guerre est une calamité inégalable. Et, comme sa femme, comme ses filles et son gendre, il pensa à Ignacio quand son aîné entra au salon, chez eux, ce soir d'automne 1938. La guerre est elle aussi capricieuse, Mateo alla droit sur María, la prit dans ses bras, colla sa tête à la sienne et lui demanda pardon.

Esteban Durán n'avait pas encore vingt ans quand une balle perdue, aventureuse, lui traversa le crâne. Il était trop jeune, et il s'ennuyait dans une tranchée profonde comme les douves d'un château abandonné, dans cette guerre tranquille où certains jours l'ennemi semblait avoir renoncé sans prévenir, comme si les fascistes au complet avaient déserté par pure lassitude. Au début, tout avait été différent. Au début, le front d'Usera avait été l'enfer, puis la gloire, et enfin l'ennui. Ils n'étaient pas passés mais ils n'étaient pas partis non plus, ils les avaient arrêtés mais ils restaient là en face, installés comme une bande de vautours aux aguets, un jour, un autre, et puis un autre. Certains matins ils tiraient pour prouver qu'ils n'étaient pas partis, de temps en temps ils attaquaient sérieusement, sans grand élan, sans grands espoirs, mais ils attaquaient, et les repoussaient, et tout recommençait, l'enfer, la gloire, la fatigue.

« La tête ! »

Les caporaux criaient comme des caïds de cour de récréation, les sergents les houspillaient comme de vieilles tantes de mauvaise humeur, et les officiers essayaient de ne pas oublier l'âge, l'imprudence de leur troupe, même s'ils ne maudissaient plus le sort qui leur avait alloué un bataillon d'étudiants désireux de s'enrôler. Après deux ans de guerre, les survivants étaient devenus des hommes mûrs même s'ils avaient tardé à supporter la passivité d'une bataille en suspens.

« Baisse la tête, imbécile, ils vont te la faire sauter ! »

Dans son dos il y avait Madrid, les rues, les immeubles, l'arrêt du tramway qui n'arrivait plus aussi régulièrement que les premiers mois mais qui arrivait toujours. Certains après-midi, quand il savait que le front était tranquille parce que Mateo, son frère, était rentré à la maison avec une permission, María Fernández Muñoz prenait le tramway. Elle se lavait les cheveux, mettait des talons et une jupe étroite pour aller à la guerre. Je suis la sœur du caporal, puis sergent, puis brigadier Fernández, et j'apporte un message important pour Esteban Durán, pourriez-vous le prévenir, s'il vous plaît ? Le soldat de garde souriait en l'entendant. Que quelqu'un aille dire à Esteban que sa fiancée est là ! Quand il s'agissait d'un caporal compréhensif, c'était du bon temps et ceux d'en face n'avaient pas envie de tirer, Esteban emmenait María dans l'un des bâtiments en ruine qui bordaient les tranchées. Pendant une demi-heure, tout s'arrêtait : le combat, la peur, la fatigue, l'incertitude, les mauvaises nouvelles des autres fronts, les cris qui brisaient le silence des jours immobiles.

« Baisse la tête, putain, tu es idiot, ma parole ! »

Esteban Durán, qui était amoureux de la meilleure amie de sa sœur depuis que sa mère l'accompagnait à la sortie du Lycée-École, appréciait plus les visites de María que les permissions. Il s'en souvenait comme d'instants lumineux, de brins d'un miracle ou de gouttes d'un bonheur intense, concentré, qui flottaient dans l'étendue vaste et désolée d'une mer de jours maladroits, lourds comme des pierres. Il n'était pas le seul à avoir le privilège de se réveiller le matin avec l'illusion de dépendre du tramway, beaucoup d'autres partageaient le malheur d'être aimé par des femmes prudentes. Imprudentes, pensait-il, car il sentait que chaque baiser de María le retenait, le réclamait, le renforçait dans le monde des vivants, le défendait de l'ennemi, le rendait immortel.

« Je vois des têtes ! »

La guerre était longue, laide, dure, ennuyeuse, à tel point qu'il semblait parfois que ceux d'en face s'étaient lassés, qu'ils s'étaient rendus en silence et de leur côté, qu'ils avaient fait demi-tour sans prévenir. Les visites de María étaient la vie, la beauté, la joie. Tout ce que la guerre n'était pas. Ce soir-là, Esteban pressentit son arrivée. Cela lui était arrivé d'autres fois, de nombreux soirs ; parfois il avait raison, d'autres non. Au début, quand l'angoisse, les bombes, la faim, la terreur constituaient une nouveauté insupportable et sanglante, María, qui était folle mais pas sotte, n'allait jamais le voir si elle courait le risque de croiser son frère. Mais les Madrilènes n'avaient plus peur de la peur, et à l'automne 1938 la guerre était l'unique réalité existante, avec la faim, l'angoisse, les bombes, la terreur, le pain qu'ils cessaient chaque jour de manger dans chaque maison. María ne venait plus le voir quand elle voulait, mais quand elle pouvait, et il gardait tous les jours la moitié de sa ration au cas où il ait de la chance, Esteban, sors, tu as de la visite, dans ce monde à l'envers de la ville encerclée où les soldats mangeaient plus et mieux que les civils.

« Tu veux baisser la tête une fois pour toutes ? »

La petite sœur ne cherchait plus à dissimuler devant son frère aîné, et pour lui non plus cela n'avait pas de sens de regarder, de demander, de se faire du souci. Ils ne s'en aimaient pas moins, mais plus qu'avant, autrement, car la seule chose qui existait était la guerre, et ils étaient en train de la perdre. Esteban Durán perdait la guerre tous les jours où sa fiancée ne venait pas l'arrêter avec ses talons, avec cette jupe étroite qui devenait si large, avec sa chevelure propre et brillante. Cet après-midi-là, ce ne fut pas la première fois qu'il entendit le bruit. Il s'étira, et vit passer au loin le tramway, le camion, la voiture dans lequel María pouvait venir ou non. Ce ne fut pas la première fois qu'il sortit la tête, et il ne lui était jamais rien arrivé de plus grave que la déception de ne pas l'étreindre. Dans le silence de la guerre tranquille, ces jours où il ne se passait jamais rien, l'écho d'un véhicule lointain, aussi faible soit-il, parvenait à assourdir ses oreilles, par la joie des bonnes nouvelles qu'il attendait en vain, il était si jeune, il s'ennuyait tant dans cette tranchée profonde comme le fossé d'un château abandonné. María était la vie, la beauté, la joie, tout ce que la guerre n'était pas.

« Esteban, baisse la tê... ! »

Mateo Fernández Muñoz, qui avait promis à sa sœur qu'il veillerait sur son fiancé, acheva cette phrase, mais son desti-nataire ne l'entendit pas en entier.

La dernière semaine de 1936, María était déjà amoureuse d'Esteban Durán. Ce n'était pas l'uniforme, qui lui était trop grand, mais ce qu'il représentait, le courage du fils du juge, cet étudiant en médecine si bien élevé, si timide qu'il ne lui manquait que de demander la permission de l'embrasser, qu'il bégayait pour arriver à l'inviter à danser, cet entêté qu'elle n'était pas parvenue à faire changer d'avis en le maltraitant mais qui était monté seul, avec une détermination, une fureur que d'autres – qui avaient bien moins à perdre – n'avaient pas eue. Il ne savait pas qu'il s'agissait du même élan romantique

qui avait poussé sa mère à tomber amoureuse de son père. Il
ne savait pas qu'elle devrait payer un prix beaucoup plus élevé
pour l'affronter.

Quand ils l'ont tué, ils me l'ont tué, disait-elle, et ce pos-
sessif se fichait dans la mémoire de sa mère, de Paloma, sa
sœur, comme une épine qu'ils ne parviendraient jamais à ôter.
Elle l'aimait beaucoup plus. Mateo, qui pleura Esteban avec
elle, ne lui raconta jamais que la mort de son fiancé avait été
stupide. La première chose que l'on apprend dans une guerre
est qu'aucune mort n'est stupide, qu'elles sont toutes aussi
héroïques, inutiles et malheureuses. En les voyant pleurer,
s'étreignant, unis par la douleur et par la culpabilité, sa mère
se rappela l'admiration qu'elle avait éprouvée envers María
l'après-midi où elle l'avait vue parler avec Paloma sur le même
canapé, comme si elle était l'aînée des deux, quand elle
comprit qu'elle était devenue une femme mûre, sa petite, qui
un an plus tôt ne se souciait que de robes, de fêtes, de fiancés,
de réussir ses examens de maths, de ne pas rater ceux de
français.

Carlos était toujours à l'hôpital même s'il était hors de
danger. 1937 avait commencé dans l'attente de sa mort, mais
un mois et demi plus tard, Paloma le pleurait comme si elle
l'avait oublié.

« Les médecins m'ont dit qu'il ne retrouverait jamais
l'usage de son bras droit, ce sera comme s'il ne l'avait pas, et
qu'il souffrira toute sa vie...

— Et alors ? » María l'encourageait, la secouait, lui tenait
le visage à deux mains pour l'obliger à relever la tête. « Et
alors ? Il est vivant, Paloma, et il va le rester. Il restera boiteux ? Il peut marcher ! Manchot ? Il lui reste un bras, non ?
Pour faire la classe, il n'a pas besoin des deux. Il a vingt-six
ans ? C'est vrai ! Et laisse-moi te dire que l'année prochaine,
il aura vingt-sept ans, puis vingt-huit, et vingt-neuf, parce qu'il
ne peut plus rien lui arriver d'autre, tu ne comprends pas ? »
María caressait les mains de sa sœur, les serrait pour lui
transmettre sa foi en un avenir joyeux, aussi souriant que son
accent. « Ils ne l'ont pas encore tué et ils ne le tueront pas
maintenant, il ne retournera pas au front. On va à présent lui
donner une affectation tranquille, à l'arrière, un secrétariat,
un bureau comme celui de papa, il va rester à Madrid, il ira
travailler tous les matins et il rentrera dormir tous les soirs à

la maison. Réfléchis bien, Paloma, réfléchis... Tu n'auras plus peur, tu ne comprends pas ? Tu ne te réveilleras plus à l'aube avec un mauvais pressentiment, tu ne souffriras plus autant que les autres. Si seulement Esteban pouvait devenir manchot, si seulement... »

En l'écoutant, sa mère comprit à quel point elle s'était trompée, et alors qu'elle ne s'était pas encore remise de sa peine de voir Ignacio avec un fusil, elle sentit un élan de tendresse semblable pour cette fille qui avait elle aussi mûri avant l'heure, et elle regretta à nouveau d'avoir douté d'elle, d'avoir douté de tout ce soir de la dernière semaine de 1936.

« Eh bien, avec ou sans fiancé. » Elle croyait alors qu'il lui restait encore. « Au moins, María, je crois que tu devrais partir pour le Levant. Et c'est moi qui vais te regretter le plus, remarque, mais je serais beaucoup plus tranquille.

— Mais non, maman, je ne vais pas partir. » Elle était encore calme et parlait lentement, sans élever la voix mais avec une fermeté que sa mère ne lui connaissait pas. « Ce n'est pas juste à cause d'Esteban. J'ai trouvé du travail dans une garderie du gouvernement. Ils ont besoin de monde et je ne vais pas rester à la maison, les bras croisés, pendant que dehors il se passe ce qu'il se passe.

— Je trouve ça très bien. » Mateo Fernández approuva de la tête, sans remarquer que sa femme le regardait comme si elle ne pouvait pas en croire ses oreilles.

« Mais... » Elle se retourna d'abord vers son mari. « Tu veux arrêter de dire des sottises, s'il te plaît. » Puis elle tint tête à sa fille. « C'est hors de question, María. Comment est-ce que tu pourrais travailler ? Tu es étudiante, tu dois suivre tes cours, tu... Tu es une gamine, tu as seize ans, ma fille.

— Dix-sept, maman, je les ai eus en octobre. Ignacio n'a que quatorze mois de plus que moi, et il est sur la route de La Corogne, à tirer des coups de feu. La nièce de la concierge, qui a son âge, s'est inscrite pour qu'on lui apprenne à conduire des tramways. Et moi, je ne peux pas aller donner à manger et raconter des histoires à des enfants qui se retrouvent seuls parce que ces fils de pute... » Elle éleva la voix, et le bras, et désigna le balcon d'un doigt comme si les pilotes allemands l'écoutaient de l'autre côté de la vitre.

« ... ont bombardé leurs maisons et ont tué leurs mères, et... ?

— María ! Je ne te permets pas de parler comme ça !

— Et comment veux-tu que je parle, maman ? Comment veux-tu que je parle ? »

Son père leva ses mains avant d'intervenir avec une grande tranquillité. « Ta mère veut que tu parles bien. Que tu appelles assassins ces fils de pute, par exemple.

— Très amusant, Mateo, lui reprocha sa femme en réprimant un sourire. Eh bien justement pour cette raison, María, pour cette raison. Parce que c'est très dangereux...

— Tout est dangereux, maman. » María se détendit, et opta pour un ton doux plus persuasif, essayant d'ignorer ce qui allait lui tomber dessus si sa mère apprenait qu'elle allait sur le front en tramway pour y retrouver son fiancé. « Je ne sais pas si tu es au courant que Madrid s'arrête maintenant à la *glorieta* de San Bernardo, à deux pas d'ici. Ils ont bousillé tout le reste, tu sais ? Et en entrant en ligne droite depuis la sierra, d'où ils viennent, nous sommes les prochains, alors... C'est un miracle si on a toujours un toit. La garderie est au-delà de Cuatro Caminos, mais une bombe peut tout aussi bien me tuer ici qu'à la Corredera, quand je vais faire les courses. Ces... assassins (son père la remercia d'un sourire) ne respectent que El Viso et le quartier de Salamanca, tu le sais bien, et là-bas, on n'a rien perdu... Et puis, je n'irai pas seule non plus. Charito commence avec moi après-demain, et Emilia est en train d'y penser. Je comptais en parler à Dorita, aussi. Elle a beau être facho, elle aime bien les enfants. Mais je l'ai croisée dans l'escalier et on a eu une dispute incroyable... » Elle fit une pause et reprit avec un accent semblable à celui que sa sœur avait choisi pour l'imiter auparavant : « Je suis ravie de te voir, María, parce que j'ai une commission pour Ignacio, ton frère, et comme je ne le vois jamais parce qu'il doit être très occupé à tuer des gens... Je lui ai demandé : À tuer des gens ? Mais oui, à la guerre, m'a-t-elle dit, cette sal... » Et juste après s'être mordu la langue, María regarda sa mère. « Excuse-moi, maman. Eh bien, elle m'a demandé de dire à Ignacio qu'elle le quitte, déjà, que quand elle lui a dit oui, elle ne pouvait imaginer qu'elle allait devenir la fiancée d'un rouge et qu'elle n'était pas disposée à le rester une minute de plus. Dis-le-lui, toi, comme ça il n'aura pas besoin de se déranger, elle m'a dit. Eh bien oui, écoute, c'est bien mieux. Il vaut mieux que mon frère n'ait pas à se déranger à venir parler à une conne comme toi, je lui ai dit. » Sa mère poussa à nouveau les hauts cris, mais cette fois María passa outre. « Parce que, à propos, il n'arrive pas à se débarrasser de toutes les femmes qui lui tombent dans les bras quand il marche dans la rue. Et tu sais pourquoi ? Eh bien parce que mon frère est un vrai homme, un héros du peuple, pas comme les tiens, qui sont des lâches, si tu t'imagines qu'on ne sait pas que vous les cachez à la maison dans une malle, salauds !

— María ! s'exclama sa mère qui sentait l'air lui manquer.

— C'est ce que tu lui as dit ? demanda Paloma, les yeux brillants. Excellent !

— Paloma ! Mais enfin, qu'est-ce qui se passe, ici, est-ce qu'on est tous en train de devenir fous ? » María Muñoz frappa des mains contre la table, se leva et regarda sa famille. « Comment est-ce que tu as pu faire ça, María, comment est-ce que tu as pu ? Avec ce qui se passe dans la rue, tous ces assassins en liberté, tous ces morts, cette horreur...

— Mais tant qu'ils ne font rien de mal, je ne compte pas les dénoncer, maman, qu'est-ce que tu t'imagines ? » Sa jeune fille semblait soudain aussi étonnée qu'elle, et elle la regardait comme si elle ne comprenait pas ses reproches. « Tant qu'ils se contenteront de rester là, cachés, je t'assure que je ne les dénoncerai pas. Je n'y ai même pas songé, je te le promets.

— C'est pareil ! Tu ne comprends pas que c'est pareil ? Ils ne le savent pas, eux... Pauvre doña Adoración ! Elle doit être morte de peur, la pauvre, je ne veux même pas penser...

— Ils feraient la même chose avec nous s'ils le pouvaient, maman. » Paloma fut beaucoup plus dure.

« Mais nous ne sommes pas comme eux !

— Bien sûr que non ! » Sa fille aînée lui donna raison avec une véhémence qui les éloigna encore plus. « Ce sont eux qui ont commencé, ce sont eux qui ont voulu que tout ceci arrive. Nous ne faisons que nous défendre.

— Non, ce n'est pas ça ! » Sa mère la regarda, regarda son mari. Elle se sentit soudain très fatiguée, les larmes lui brûlaient le bord des yeux comme des gouttes acides ; une amertume contre laquelle elle n'avait pas la force de lutter. « Ce n'est pas ça, répéta-t-elle en s'asseyant beaucoup plus triste, plus tranquille aussi. Nous n'avons jamais été comme eux, nous n'avons jamais fait ce qu'ils font, nous avons toujours été le contraire de ce qu'ils sont. Ton père te le dira... »

Mateo Fernández aimait sa femme. Peut-être jamais autant qu'en cet instant. Tandis qu'il s'approchait d'elle et la prenait dans ses bras, la soutenant avec la tendresse d'un père qui berce son nouveau-né, il était plus sûr de lui que jamais, de la femme qu'il aimait, de la sorte d'amour qui est la seule à prospérer dans les temps difficiles.

« Votre mère a raison, dit-il en la tenant serrée contre lui. Ce qui s'est passé dans la rue est une honte, c'est notre honte. Et nous ne pouvons pas regarder ailleurs, car nous ne sommes pas comme eux. Vous savez ce que j'en pense. Je l'ai dit souvent et je le répéterai, je préfère voir vos frères morts que traîtres. » Il regarda sa fille aînée, puis la cadette. « Aussi fascistes, dangereux et coupables soient-ils. C'est le travail des juges pas celui des barbares. Mais la Junta a fermé les comités de la police secrète, María, et tes filles ont elles aussi raison... » Il écarta doucement la tête de sa femme de sa poitrine, lui ôta les cheveux du visage et la regarda. « C'est une guerre et nous ne l'avons pas commencée. Ils nous ont attaqués, nous nous défendons, et tu as tes enfants au front, María, deux fils, le mari d'une de tes filles, le fiancé de l'autre. Tu dois être fière d'eux parce qu'ils ne font que leur devoir, ils ne sont pas là pour séquestrer des marquis et les tuer d'une balle dans la nuque. Ils se battent pour toi. Tes fils se battent pour toi, et pour moi, pour ce que nous sommes toi et moi, pour ce que nous avons toujours été. Nous sommes tous impliqués, tu ne comprends pas ? C'est ta famille, toute ta famille, qui joue sa vie. Nous la jouons tous, chacun à notre tour. Par malheur, ce n'est plus de la politique. C'est la guerre, María. »

Ella se leva très lentement, arrangea ses vêtements, se recoiffa, regarda autour d'elle comme si elle s'était perdue dans sa propre maison et, sans réfléchir, elle embrassa son mari avant de partir.

« Je vais descendre un moment pour parler avec doña Adoración... » Une fois sur le seuil, elle se retourna pour regarder ses filles. « Quelle horreur, mon Dieu.

— Laisse Dieu tranquille, maman ! souffla Paloma dont la voix se perdit dans le couloir. Il n'est pas des nôtres. »

Doña Adoración ne voulut pas lui ouvrir la porte. María entendit le bruit de ses talons, peut-être ceux de ses filles, elle frappa, essaya de s'expliquer, avant d'entendre à nouveau le son de talons qui s'éloignaient rapidement. Puis elle rentra chez elle, s'assit dans la cuisine et y resta seule un instant, à réfléchir. Son mari s'assit en face d'elle, lui prit les mains et lui dit cette phrase qu'elle n'oublierait jamais : « Nous sommes ce que nous sommes, María, quoi qu'il arrive, et nous devons être à notre place, avec les nôtres. » Le 19 février 1939, quand elle vit tous ses enfants réunis dans sa maison de Madrid pour la dernière fois, rien n'avait changé. Pour cela aussi, elle pensait que cela allait être la pire nuit de sa vie.

Ignacio, toujours plus fatigué, nerveusement et physiquement, avait toujours beaucoup aimé son frère et ne voulait pas encore se battre avec lui. Il suivit sa mère jusqu'à la cuisine. « Quel banquet ! Si j'avais su, je ne vous aurais pas invités à dîner chez Lhardy... »

María Muñoz sourit, et elle contempla le festin qui les attendait, une tortilla aux pommes de terre avec quatre œufs, quelques piments frits, deux quarts de poulet grillé – découpé en tranches fines, pour donner l'impression qu'il y en avait plus – trois oignons coupés en rondelles et assaisonnés d'huile, du sel et un peu de poivre – la seule chose dont elle n'avait jamais manqué – et un demi-pain noir pour neuf personnes, dix en comptant la fille de sa nièce. Même si elle avait acheté un peu de lait pour lui faire de la béchamel, la pauvre Angélica avait beau manger de tout, elle n'avait même pas quatre ans.

« C'est le dernier soir où nous allons dîner ensemble pour longtemps, non ? Je n'allais pas vous faire des lentilles, on en a tous assez d'en manger... Pourtant, tout est de plus en plus difficile. Ça m'a coûté une fortune et, tu vois, les oignons sont encore ceux que tu nous as envoyés, les derniers, et l'huile aussi... » María Muñoz se tut, elle regarda son fils, hésita, osa enfin. « Tu es toujours avec cette femme ? Fais très attention, mon fils.

— Bien sûr, que je fais attention, maman. » Ignacio soupira, secoua la tête et jeta à sa mère un regard las. « À ce qu'on ne me tue pas. C'est de ça que tu dois te soucier et non de la pauvre Edu. Elle ne va pas me faire de mal.

— Oui, je sais, mon fils, pardonne-moi... »

Mateo avait épousé Casilda quelques mois plus tôt, quand le père de sa fiancée avait été tué à la bataille de l'Èbre. « Je ne veux pas qu'elle soit abandonnée, comme ça, s'il m'arrive quelque chose à moi aussi... Elle sera toujours mieux mariée que célibataire, non ? Les choses seront plus faciles pour elle, je crois. » La noce avait été célébrée dans l'urgence, sans invités, elle avait duré le temps nécessaire pour apposer deux signatures sur un document. La cérémonie aurait été très différente s'il n'y avait pas eu guerre, et encore plus différente s'ils ne s'apprêtaient pas à la perdre. La noce avait été triste, mais María Muñoz était maintenant habituée à la tristesse, comme elle était habituée à Casilda, fille aînée d'un typographe et d'une brodeuse que son père avait fait entrer dans une imprimerie avant ses quatorze ans – rien à voir avec le genre de jeunes filles parmi lesquelles son aîné aurait choisi une fiancée si les choses avaient continué comme avant. Mais Mateo était très amoureux de sa femme, Casilda était digne de cet amour, et les choses n'étaient pas comme avant. Elle le savait parfaitement, et cependant, elle ne se faisait pas à l'idée que son jeune fils vive avec une femme mariée de dix ans son aînée, qui parlait comme les personnages d'Arniches [1]. Ce soir-là, elle regretta immédiatement de l'avoir mentionnée, car Ignacio avait raison. Il était toujours vivant, tout le reste était sans importance.

« Tu sais d'où sort le dîner de ce soir ? demanda-t-elle en se forçant à sourire. Ton père a acheté des duros [2] en argent à sept pesetas, à sept cinquante... Il est sûr que c'est la seule chose qui ne va pas se dévaloriser, il ne fait absolument pas confiance aux Français. Je le comprends, tu sais. Après tout ce que nous avons traversé, on ne peut plus faire confiance. Pourvu qu'il ne se trompe pas sinon, quelle affaire... Nous avons vendu quelques bricoles et tout échangé contre des duros, je ne voulais pas vous le dire pour que vous ne le traitiez pas de défaitiste, mais... Tu sais bien qu'il ne l'est pas, il ferait tout ce qui est en son pouvoir, pour... Enfin, j'ai acheté le dîner avec ce qui restait des conversions, des centimes, encore des centimes, tu aurais dû me voir... » Son sourire s'effaçait peu à peu. « Je ne sais pas quand nous dînerons à nouveau tous ensemble, alors ne te dispute pas avec lui, Ignacio, je t'en prie. Je l'ai déjà dit aux autres, ne vous disputez pas

---

1. Carlos Arniches Barreda (1866-1943), dramaturge madrilène auteur de nombreuses pièces mettant en scène les classes populaires.
2. 1 duro = 0,3 €.

sur ce qui a été, bien ou mal fait, sur ce qui aurait pu être fait et ce qui ne l'a pas été, et si la faute de ne pas avoir fusillé Sanjurjo revient à Azaña. Pas ça, Ignacio, ne parlez pas de politique, s'il te plaît. Ce que vous devez faire, c'est l'encourager, lui donner confiance, lui dire que nous pouvons encore gagner la guerre, que nous allons la gagner. Promets-le-moi, mon fils, parce que papa est... » La voix brisée, María Muñoz hésita, perdit le contrôle, sentant ses yeux s'emplir de larmes. « Ton père est malade, Ignacio, il va très mal, pire que mal, il devient fou, il va mourir de chagrin. Tu ne sais pas... tu ne peux pas savoir, mon fils. La République était tout pour lui, il a passé sa vie à se battre pour elle, depuis que je le connais et cela fait presque trente ans ! Il aurait donné n'importe quoi pour la sauver, n'importe quoi. Je crois parfois qu'il aurait préféré mourir à... J'ai un pressentiment, María, m'a-t-il dit hier soir, au moment où nous nous couchions, j'ai le pressentiment que je ne remettrai plus jamais un pied dans ce pays de merde. Voilà ce qu'il m'a dit, et nous nous sommes mis à pleurer, alors j'ai pensé à ma cousine Gloria, à ce qu'elle m'a dit le 14 avril, et... C'est horrible, Ignacio, c'est injuste, c'est si injuste... » Elle leva la tête pour le regarder et il frissonna, car jamais auparavant il n'avait vu un tel désespoir dans ses yeux. « Tu ne sais pas à quel point je les déteste, tu ne le sais pas. Je n'ai jamais autant détesté quelqu'un. Je n'ai jamais détesté quelqu'un à ce point. »

María Muñoz enfouit son visage dans la poitrine de son fils et il l'accueillit, l'étreignit de toutes ses forces, s'abandonnant aux symptômes d'une impuissance qu'il connaissait bien, la même fièvre noire et épaisse, le rythme du sang accumulé qui lui avait frappé les tempes, qui lui avait enflammé les gencives, la blancheur insoluble d'une rage très pure, inutile, qui lui avait blessé les yeux pendant que sa jeune sœur le suppliait, le secouait, lui donnait un ordre qu'il ne pouvait exécuter, même s'il l'avait voulu. « Tue-les, Ignacio, tue-les, tue-les, tue-les tous, Ignacio, tous, tous, tue-les, tue-les, tue-les tous... » María criait, le frappait, avait les bras raides, les yeux grands ouverts. Elle était à la fois très différente et semblable à elle-même dans ce seul mot, ce seul cri : « Tue-les, Ignacio, tue-les, tue-les, tue-les tous ! » Le lendemain de l'enterrement d'Esteban Durán, sa mère la lui avait arrachée, l'avait tenue entre ses bras jusqu'à ce qu'elle puisse pleurer.

Le jour où elle craqua, Ignacio n'eut besoin de l'aide de personne pour réagir. Il suffit de l'apparition de sa cousine Mariana à la cuisine.

« Ce n'est pas fini, maman, la guerre va durer encore longtemps. » Il regarda sa cousine dans les yeux et elle soutint son regard. « Nous avons encore la moitié de l'Espagne, un demi-million d'hommes. Encore. Il leur faudra beaucoup de temps pour nous tuer tous. »

Mariana Fernández Viu était la fille du frère aîné de son père, Lucas. À vingt ans, Lucas s'était fait imprimer de jolies cartes de visite, frappées de sa couronne de comte, pour se consacrer à ce qu'il appelait ses affaires. Il n'avait jamais travaillé de sa vie sauf pour administrer son héritage avec suffisamment d'astuce pour épouser une femme riche. Celle qui lui sembla convenir le mieux fut une demoiselle de Pontevedra qui aimait se faire remarquer autant que lui, ce qui, après réflexion, ne convenait donc pas tant que ça. Quand Mariana, leur fille, fut en âge de chercher un mari, ses parents vivaient déjà reclus dans une maison à la campagne, en Galice, la seule propriété qu'ils avaient conservée. Rafael Otero, un jeune homme délicat et ambitieux, qui n'avait pas fait d'études mais avait des contacts politiques, la sortit de là et l'emmena à la capitale en décembre 1933. Son protecteur, un député de droite, lui avait proposé un poste dans un ministère. Le climat de Madrid ne lui fut pas clément. Ce qu'il avait prévu comme son accession au pouvoir déboucha sur une longue série de crises d'asthme qui eurent prématurément raison de lui, avant la naissance de leur fille unique, Angélica, qui n'avait pas encore un an quand les ennemis de son père gagnèrent les élections. Depuis lors, et jusqu'à ce qu'Argüelles cesse d'être un quartier pour devenir un immense terrain à bâtir encombré de gravats, Mariana avait vécu chichement avec la petite, dans un immeuble de la rue Blasco de Garay. Il semblait avoir résisté aux bombardements mais il s'effondra tout seul, presque par surprise, le jour où les poutres en bois qui l'étayaient lâchèrent d'un coup. Alors, son oncle Mateo lui proposa sa maison. Elle aurait donné n'importe quoi pour ne pas être obligée d'accepter cette proposition, mais elle n'avait pas le choix. Quand ses yeux croisèrent ceux de son cousin dans la cuisine, elle vivait déjà depuis plus d'un an en territoire ennemi.

Ignacio fixa longuement Mariana, tandis que sa mère pleurait en silence, sans savoir que sa nièce la voyait. Elle la regarda et vit quelque chose de différent dans ses yeux, un éclat métallique, serein, froid, patient. Il y avait de la patience dans le regard de sa cousine, de la patience et non de la résignation, de la patience et non de l'humiliation, de la patience et une sérénité facile, commode, presque impartiale, voire insensible, et donc impitoyable. La sérénité du paysan qui ne prête pas attention à la douceur de la pluie qui trempe ses champs très lentement, la sérénité de la cuisinière qui tord le cou à un dindon vivant tout en compatissant aux rhumatismes de sa patronne, la sérénité du fossoyeur qui travaille en pensant à ces haricots si bons que sa femme a promis de lui faire à déjeuner. Voilà ce qu'Ignacio Fernández Muñoz contempla dans les yeux de sa cousine, une froideur qu'il se rappelait à peine en cette époque de chaleur qui faisait fondre le métal.

Il la fixa longuement, et emporta ce regard avec lui pour ne jamais l'oublier. Il se passa beaucoup de choses cette nuit-là, des mots, des gestes, des silences qu'il se rappellerait toute sa vie, le tremblement dans la voix de son père, qui avait vieilli de plusieurs décennies en un mois, pendant qu'il lui disait qu'il avait honte de partir, le tremblement dans les doigts de sa mère serrant la main de Casilda, un instant après y avoir enfermé son bracelet de fiançailles, et le son de sa voix éteinte, suppliante : prends-le, s'il te plaît ; je l'ai gardé pour toi, je ne pourrai plus jamais rien faire pour vous, si les choses empirent encore, quand l'enfant naîtra il te sera bien utile, et si tu n'as pas besoin de le vendre, et que c'est une fille... Il n'oublierait jamais ces paroles, ni la force impeccable et souriante de sa sœur María : mais tu es folle, maman ? Ne dis pas des choses pareilles, allez, tu n'as pas assez mangé, n'est-ce pas ? Non, mais qu'est-ce que tu crois, qu'on s'en va pour toujours ? On sera tous réunis d'ici peu, maman, en France, ou au Mexique, et tout de suite ici, à nouveau, on parie ? Tu verras naître ton petit-fils à Madrid, crois-moi...

Il se passa beaucoup de choses cette nuit-là, des paroles, des gestes, des silences qu'il se rappellerait toute sa vie. Avant d'entrer dans la salle à manger, son frère le retint à ses côtés jusqu'à ce que les autres sortent dans le couloir, le regardant dans les yeux. « Excuse-moi, Ignacio, je regrette, s'il y a quelqu'un qui mérite de monter en grade dans cette armée...

— Non, toi, excuse-moi, Mateo, je n'aurais pas dû te dire ça... Moi aussi je regrette. » Ils s'étreignirent sans rien ajouter, et celui qui survécut se rappela toujours cette étreinte, la conserva parmi les instants les plus précieux de sa vie, l'évoqua avec la cupidité de l'avare qui compte son argent sans se lasser et le revécut souvent, dans les périodes les plus dures et dans les meilleures, entre l'éblouissement de l'amour et l'attente de la mort, entre la rapidité de l'infortune et la lenteur de la prospérité, entre l'odeur de peur que dégageaient les wagons des trains, celle des nuits à la belle étoile et l'oubli inconscient de l'odeur de la peur, et après, avec les émotions et les désirs, avec les dimanches et les jours ouvrables, avec la chaleur du corps de sa femme les nuits d'hiver où il fallait s'emmitoufler et les rires de leurs enfants qui grandissaient sans le fardeau épuisant de la mémoire, Ignacio Fernández Muñoz conserva toujours le souvenir de cette étreinte comme un trésor sans prix, le sauf-conduit qui lui permit de rester vivant, d'arriver à être heureux dans un monde où Mateo, son frère, n'existait plus. Cependant cette nuit-là, quand il descendit dans la rue, il se rappela surtout le regard de Mariana, cet éclat métallique, serein, froid et patient, impitoyable, qui serait la lumière de son avenir.

« Elle part avec vous ? demanda-t-il à Paloma tout en adaptant sa marche à la boiterie de son beau-frère.

— Qui ? » Paloma, qui marchait à droite de son mari, se pencha en avant pour le regarder. « Ce Crapaud ?

— Paloma ! » Carlos Rodríguez Arce regarda sa femme d'un air scandalisé qui laissa vite la place à un sourire.

« C'est comme ça que vous l'appelez ? demanda Ignacio qui riait ouvertement. C'est un très bon surnom.

— N'est-ce pas ? C'est María qui l'a trouvé. » Elle regarda son mari, le vit rire et elle sourit. « On dirait un crapaud, ne me dis pas le contraire, toute la journée à ruminer, à gonfler et à dégonfler les joues, la salope, les bras croisés sous la poitrine, regardant tout sans rien dire... Elle me dégoûte tellement... Eh bien non, elle ne vient pas, bien sûr, et pourtant papa le lui a proposé, à cause de la petite, surtout, elle est si jeune, la pauvre... Mais non, penses-tu. Maintenant que les siens gagnent, pourquoi elle viendrait ?

— Ça, on verra », conclut Ignacio. Il évita le regard de son beau-frère, qui leva les yeux au ciel d'un air sceptique. Sa femme préféra également l'ignorer.

« Eh bien pour l'instant, elle reste toute la journée dans l'appartement du dessous, à écouter la radio de Burgos, j'imagine. Quand elle monte, tellement fière d'elle, je lui flanquerais bien... » Elle serra le poing pour éviter de finir sa phrase. « Ah, et puis, elle est devenue l'amie intime de Dorita. Elle n'a que son nom à la bouche, elle est adorable, quel dommage que vous ne vous voyiez plus...

— Ne t'en fais pas pour ça, la coupa Ignacio. S'il y a une chose d'avant-guerre que je ne regrette pas, mais vraiment pas, c'est Dorita... »

Si elle n'avait pas porté ce chemisier, il l'aurait vue de la même façon. Ses cheveux roux, si rares, ses hanches rondes ou l'expression de son visage, qui semblait être revenu de tout sans avoir perdu l'envie d'aller plus loin, auraient tout autant attiré son attention, mais la première chose qu'il vit, ce furent ses épaules nues, blanches et parfaites, ornées de belles taches de rousseur. Elles lui plurent tant qu'il s'appuya contre un arbre, alluma une cigarette et la fuma en la regardant, surveillant l'élastique du décolleté qui se relâchait et se tendait au rythme de sa respiration, sans rien révéler de plus inquiétant que sa propre intermittence. Il leva les yeux et vit qu'elle lui souriait d'une façon si impudique qu'elle aurait fait peur au fiancé de Dorita et l'aurait obligé à fuir, le visage écarlate. Heureusement, pensa-t-il, que je ne suis pas le fiancé de Dorita, il s'approcha donc et s'empara du panier qu'elle portait. « Donne-moi ta carte de rationnement, dit-il, et attends-moi sur ce banc, je reviens tout de suite... »

Les femmes qui faisaient la queue pour acheter du lait lui adressèrent des regards noirs, certaines protestèrent, c'est tous les jours pareil, ça suffit, vous n'avez pas le droit, vous devriez avoir honte, mais il ne leur accorda même pas un regard. On le servit tout de suite, il n'était pas lieutenant pour rien. Il lui tendit le panier contenant le bidon de lait. « Merci », répondit-elle. « De rien, avec cette chaleur et au soleil, l'enfant aurait attrapé une insolation... », dit Ignacio en minimisant son rôle.

Elle habitait tout près, rue Viriato, et le panier était aussi vide que tous les paniers de Madrid. Pourtant, il proposa de l'accompagner, pour que tu ne marches pas en étant aussi chargée, lui précisa-t-il. Elle fit signe qu'elle acceptait et, quand elle se leva, elle rajusta le châle dans lequel elle portait l'enfant endormi, comme couché dans un hamac autour de son corps. Elle s'arrangea pour attraper l'élastique de son décolleté, qui laissait maintenant voir la ligne de ses seins blancs, grands, parés de taches de rousseur.

C'était une femme puissante, certainement grosse avant la guerre, maintenant seulement ronde, charnue, et à qui la sveltesse de la faim, qui avait éliminé ce qui dépassait en laissant le reste à sa place, allait bien. Elle s'appelait Eduvigis, tu vois, c'est amusant, tordant, elle avait trente et un ans, deux enfants qui étaient dans le village de ses beaux-parents. « Mon mari les a emmenés là-bas, en janvier, ils y sont bien, je le sais par un beau-frère qui fait des aller et retour depuis Guadalajara, je les laisse et je reviens, m'a dit leur père, mais je l'attends toujours, et elle s'occupait du fils d'une voisine qui s'était placée comme contrôleuse de tramway, avec ce qu'elle gagne on mange toutes les deux, enfin, manger, c'est une façon de parler...

— Et ce chemisier ? lui demanda Ignacio.

— Ça ? On me l'a donné au syndicat un jour où ils distribuaient des vêtements. Il paraît qu'il vient d'une pièce de théâtre, l'alcalde de je ne sais où...

— Zalamea[1] ? suggéra-t-il.

— Eh bien, oui, ça doit être de Zalamea, si tu le dis... » Elle avait peu à peu ralenti le pas. « J'habite ici, au dernier étage.

— Je t'accompagne, proposa-t-il, comme ça je monterai le panier... »

Elle ne le lui réclama pas quand ils arrivèrent. « Je vais coucher le petit », murmura-t-elle. Ignacio n'eut pas besoin de l'attendre plus de deux minutes. « Tu veux entrer ? »

Puis il resta plus d'un mois hors de Madrid. « Eh bien, on est arrivés », lui dit le chauffeur en s'arrêtant devant le Café Commercial, à la porte de la maison de ses parents. Il réfléchit

---

1. *El alcalde de Zalamea* (« L'alcade de Zalamea »), pièce de Calderón de la Barca (1600-1681)

un instant. « Tu vas à Estrecho[1] ? Allez, laisse-moi à Queve-do[2]... » Quand elle le vit, elle se mit à rire et lui ouvrit la porte sans poser de questions.

« Eh bien, le jour où Edu est venue, dit Paloma en sou-riant, le Crapaud était à la cuisine, et tu peux imaginer... Comme elle est vulgaire ! a-t-elle dit après son départ. Il faut voir, je ne sais pas comment Ignacio a pu tomber aussi bas, Dorita.

— Eh bien, pas si bas... » Carlos interrompit sa femme sur un ton très calme. « Edu est plutôt mieux que Dorita. Très jolie dans l'ensemble, même.

— Oui, répliqua Paloma en le frappant d'un coup de poing mou et jaloux sur ce bras mort, nécrosé, qui ne ressen-tait rien, mais je ne crois pas que le Crapaud ait pris en compte tes instincts dégénérés, Carlitos... Bien sûr, cela n'avait pas d'importance, car maman lui a cloué le bec. Tu connais maman, en cas de nécessité elle sait toujours ce qu'il faut dire, María tient d'elle pour ça, moi, j'en suis incapable, bien sûr... Deux choses, Mariana, lui a-t-elle dit. La première, c'est que dans cette maison on ne parle pas mal des femmes de mes fils. La deuxième, c'est que j'aimerais savoir si les pro-visions que nous a apportées la femme d'Ignacio te semblent aussi ordinaires qu'elle. Parce que cette fille doit avoir une mère, des frères, une famille qui a sûrement aussi faim que les autres, et elle aurait pu devenir riche en vendant ça au marché noir, et Ignacio ne l'aurait peut-être même pas su. Mais elle est venue ici, dans toute sa vulgarité, pour nous apporter ce dont nous avons le plus besoin. Si cela te semble peu élégant, je ne vois aucun inconvénient à ce que tu renonces à ta part. Ça en fera plus pour les autres. Préviens-moi à temps, s'il te plaît.

— Elle a été bien, non ? » Ignacio se sentit fier de sa mère un instant avant d'imaginer l'atmosphère, les dialogues, les détails de cette scène.

« Bien ? répéta Paloma en haussant les sourcils. Bien, non, beaucoup mieux que bien, et le Crapaud était... Enfin, tu aurais dû la voir, elle est passée par toutes les couleurs...

---

1. Station de métro située au nord de Madrid.
2. Station de métro plus centrale, située à proximité du Café Commercial.

— Pauvre maman ! » Ignacio hocha la tête à plusieurs reprises, s'apitoyant sincèrement sur son sort avant de se mettre à rire. « Les connaissant toutes les deux, ça a dû être terrible.

— Eh bien oui, je dois dire... » Paloma partit d'un éclat de rire qui gagna son mari. Lui connaissait déjà cette partie de l'histoire. « Un petit moment, madame, je vais tout vous expliquer, mais j'ai envie de faire pipi, vous savez ? Ce fut la première. Mais maman tint bon, tu aurais dû la voir. Comment s'appelle-t-elle, Eduarda ? me demanda-t-elle tout bas, non, Eduvigis, maman, répondis-je, ah bon, un prénom allemand, eh bien, ce n'est pas si mal... Hier, votre fils a saccagé la boutique d'un de ces salauds d'accapareurs et m'a demandé de vous apporter ça, il ne peut pas venir, a-t-elle dit ensuite. Et maman en a eu les larmes aux yeux. C'est vrai, avec ça, on a de quoi manger pour plus d'une semaine sans compter la carte...

— Ah oui ? s'étonna Ignacio. Eh bien, il n'y avait pas de quoi...

— C'est ce que tu crois. Maman collectionne les recettes de *La Fidèle Cuisinière*, tu sais, mayonnaise sans œuf, béchamel sans farine, viande sans viande, je dois dire qu'elle fait des miracles... On ne sait jamais ce qu'on mange, ça non, mais on le mange, très lentement, en mâchant chaque bouchée, vingt fois car elle a lu dans *El Socialista* que de cette façon on est plus vite rassasié, donc, on le mange, et parfois c'est même bon. C'est pour cela que l'autre jour, quand elle ouvert le sac... Tu aurais dû la voir. Des pommes de terre, des oignons ! criait-elle. Ce qui est emballé, c'est le sucre et la farine, parce que comme ils sont entrés en tirant des coups de feu, les sacs se sont déchirés, ils ne pouvaient pas les donner, alors ils se les sont répartis entre eux, lui dit Edu. Bien sûr, le meilleur fut le saucisson. Quand María l'a vu, elle a dit : et ça, pourquoi est-ce qu'on ne le met pas au-dessus du garde-manger pour l'adorer quelques jours avant de le manger ? Qu'est-ce qu'on a ri, je dois dire ! Ça paraît fou, ce qu'on a ri, on était tellement contentes, je crois que c'est la première fois qu'on a ri depuis qu'Esteban... Et puis maman était très émue. Et toi, ma fille ? a-t-elle demandé à Edu, tu ne prends rien ? Elle lui a dit de ne pas s'inquiéter, que vous n'étiez que deux et nous beaucoup, mais elle a demandé la recette des perdrix évacuées,

parce qu'elles te manquaient beaucoup. Oh, c'est très facile !
Maman était ravie de pouvoir aider, tu la connais, c'est
comme de faire des perdrix à l'étouffée mais sans perdrix,
c'est pour ça qu'on dit qu'elles sont évacuées, attends un
moment, je vais te noter ça... Non, madame, ne vous dérangez
pas, c'est que moi, je ne comprends pas... Tu ne sais pas lire ?
lui a demandé maman, non, a-t-elle répondu, très gênée, je
dois dire que l'Ina a essayé de m'apprendre, mais je ne suis
pas douée... » À ce moment du récit, Paloma retint un éclat
de rire, et Ignacio, qui avait compris avant, se joint à elle.
« L'Ina ? Maman a réfléchi, qu'est-ce que c'est ? La pauvre
imaginait que c'était un bureau du gouvernement, l'Institut
national d'Alphabétisation, ou quelque chose dans le genre,
elle pensait déjà s'y présenter comme volontaire, et soudain,
Edu s'est étirée, a bombé la poitrine, mis les mains sur ses
hanches et l'a regardée. Mais enfin, madame ! a-t-elle dit. Que
voulez-vous que ce soit, l'Ina ? c'est votre fils...

— Ina ? » Carlos riait avec eux d'un enthousiasme qui
semblait s'être éteint, dissous dans les vapeurs constantes du
désespoir. Il répéta la question que les éclats de rire avaient
couvert. « Elle t'appelle Ina ?

— Oui. D'*Inacio*... Qu'est-ce que tu veux ? Je l'aime beaucoup, mais je dois dire qu'elle est très rustre.

— Bon sang, ta pauvre mère ! »

Ils étaient arrivés depuis un moment au coin de la rue
Hartzenbusch, et il se faisait tard pour Ignacio. Il regarda
donc sa sœur, lui posa une main sur l'épaule, sourit.

« Bon, Palomita, pour toi du moins, la faim est terminée. »

Elle les regarda tous les deux et secoua la tête.

« Je ne veux pas partir.

— Écoute, Paloma, dit Carlos avec une expression aussi
lasse qu'impatiente, on en a déjà beaucoup parlé. Et on a pris
des décisions.

— Casilda reste, protesta-t-elle. Et elle est enceinte.

— Casilda vient d'apprendre qu'elle était enceinte,
Casilda a une mère et des frères et sœurs qui vivent à Carthagène, Paloma, tu le sais très bien. Elle va aller les rejoindre la
semaine prochaine, Mateo leur a déjà trouvé un transport. Tu
viens de l'entendre, bon sang ! Oui ou non ? Alors laisse tomber, s'il te plaît... Tu pars demain avec tes parents parce que

cela vaut mieux, et c'est tout. On verra bien ce qui se passe ici, quand il se passera quelque chose, tu reviendras ou c'est moi qui irai où il faudra.

— Je ne veux pas partir.

— Paloma... »

Pour Carlos Rodríguez Arce, qui avait été le professeur, l'idole, le modèle de son beau-frère, avant de devenir le mari de sa sœur, et l'homme le plus amoureux d'une femme qu'il ait jamais connu, ces adieux ne pouvaient être faciles. En les précipitant, Ignacio pensa à Carlos, mais aussi à lui-même. Il étreignit Paloma, lui demanda de manger pour lui, et il étreignit aussi son beau-frère, je te reverrai un de ces jours, non ? Alors, sans le lâcher entièrement, sa seule main utile encore sur un bras d'Ignacio, Carlos lui adressa un regard grave.

« Prends soin de toi. Fais très attention et n'aie confiance en personne... » Il secoua la tête, regarda autour de lui comme si quelqu'un d'autre écoutait. « J'entends des choses... Je ne sais pas, il y a quelque chose dans l'air qui ne me plaît pas du tout. »

Ignacio sourit et pensa que c'était une chance de ne pas se battre depuis un bureau, de ne pas supporter à tout moment le bombardement constant de nouvelles, alarmes, rumeurs, proclamations, querelles et pronostics qui maintenaient Carlos en haleine depuis qu'il avait été grièvement blessé. Lui, il n'avait pas de temps à consacrer à ces choses-là. Non qu'il n'écoutât pas les nouvelles, les alarmes, les rumeurs, surtout depuis la rupture du front de l'Est, la chute de la Catalogne. Nous avons perdu la guerre, disaient certains. Des clous, répondait-il. La guerre ne serait pas perdue avant que les fascistes n'entrent dans Madrid, et ils n'entreraient pas. S'ils entraient, Ignacio ne le saurait pas, car ils auraient dû le tuer d'abord. C'était la seule chose qu'Ignacio Fernández Muñoz voulait savoir, la seule chose qui lui importait plus que de rester en vie. Non qu'il n'écoutât pas les nouvelles, les alarmes, les rumeurs, surtout depuis le départ d'Azaña, la débandade des politiques, le sauve-qui-peut que chacun interprétait à sa façon, se jetant mutuellement au visage une défaite qu'ils n'avaient pas encore subie ou se plaignant que dans l'Armée populaire seuls les communistes montaient en grade. Les anarchistes répétaient la même chose depuis des mois, pleurant comme des enfants capricieux. Avant, ils détestaient les socialistes. Maintenant ils les détestaient eux, car il fallait toujours détester quelqu'un.

Il n'avait pas de temps à consacrer à une autre haine que celle de l'ennemi, le vrai, le réel, celui qui était en face. En face et non à l'intérieur, en face et non ici, en face et hors de Madrid : ils n'étaient pas passés et ils ne passeraient pas. C'était la seule chose qu'Ignacio Fernández Muñoz voulait savoir, la seule chose qui lui importait plus que de rester en vie. Non qu'il n'écoutât pas les nouvelles, les alarmes, les rumeurs, ses parents s'en allaient, ils emmenaient ses sœurs, eux, qui avaient refusé de partir quand les choses étaient tout aussi difficiles à l'intérieur mais beaucoup plus faciles à l'extérieur, ils s'en allaient maintenant, ils profitaient de l'occasion, une voiture, un bateau, Oran puis la France. L'ami qui avait organisé le voyage comptait poursuivre jusqu'à Mexico, pas eux. Mateo Fernández Gómez de la Riva avait un autre bon ami à Toulouse, un républicain bien placé qui lui avait offert ses contacts avec la gauche française pour l'aider à s'installer. Il avait accepté cette offre et il allait rester en France pour être plus près de ses fils, pour mettre moins de temps à revenir. Mais c'était pire en novembre 1936, pensait Ignacio, quand personne ne donnait un centime de notre peau, et tu vois, on est toujours là. Sinon, qu'ils demandent à ceux d'en face. Cela valait plus que toutes les nouvelles, toutes les alarmes, toutes les rumeurs réunies. Si vous la voulez, venez la chercher, je vous attends. C'était la seule chose qu'il voulait savoir, la seule chose qui lui importait plus que de rester en vie.

Il regarda sa montre et pressa le pas en remontant la rue Fuencarral, parce qu'il devait être au Pardo [1] à minuit mais il pouvait encore passer chez lui, chez Edu, et y rester un quart d'heure, une demi-heure s'il courait. En arrivant, il tourna la tête et vit Carlos et Paloma s'embrasser au coin de la rue où il les avait laissés. Ils n'étaient même pas entrés sous le porche, qui se trouvait à deux pas. Ignacio sourit sans savoir que c'était la dernière fois qu'il voyait son beau-frère. Il ne se rappela pas non plus son avertissement avant le 6 mars 1939, quand il fut éveillé à l'aube par un bruit qu'il ne parvint pas à identifier. Il était arrivé à la maison avec une permission, très

---

1. Résidence traditionnelle des rois d'Espagne et de Franco, connue également sous le nom de Palais royal de la Zarzuela.

tard, et si fatigué qu'il s'était jeté sur son lit sans même se déshabiller. Edu lui ôta ses vêtements, ses bottes. Attends, je reviens tout de suite, le prévint-elle, mais quand elle revint, il dormait déjà. À 6 heures du matin, c'était elle qui dormait pendant qu'il essayait d'identifier ce son. Au début il pensa que c'était un flic, mais il entendit des cris, des ordres, des rafales de mitraillette. Ils sont passés, pensa-t-il. Non, non, putain, comment est-ce qu'ils seraient passés, c'est impossible... Il était au front à peine huit heures plus tôt et rien n'avait changé, non, ce n'est pas possible, ils ne sont pas passés, ils ne peuvent pas passer... Qu'est-ce que tu dis ? Edu se retourna, ouvrit les yeux, le regarda, les referma. Rien, répondit Ignacio, qui ne s'était pas rendu compte qu'il parlait à voix haute, je dois retourner au Pardo. Il se leva, s'habilla rapidement, prit son fusil et sortit sans s'être rasé. Il se leva tôt pour vivre la pire journée de sa vie.

« Les mains en l'air ! »

Ce cri lui éclata dans la nuque. Ignacio Fernández Muñoz leva les bras très lentement, tourna progressivement sur ses talons et contempla quatre miliciens de la FAI[1], couverts d'insignes, qui le mettaient en joue avec leurs fusils chargés. Alors il sourit et baissa les bras.

« Putain, vous m'avez fait une de ces peurs...

— J'ai dit les mains en l'air. » Celui qui commandait le groupe s'adressa à un homme plus âgé, qui regardait le prisonnier avec un air de haine presque comique. « Désarme-le, Facundo.

— Mais je ne comprends pas... » Ignacio faisait la guerre depuis assez longtemps pour saisir qu'ils parlaient sérieusement. « Vous êtes...

— Pas de ton côté, salopard. » Pour souligner son affirmation, celui qui s'appelait Facundo le frappa avec la crosse de son pistolet.

« Allez, les mains sur la tête, que je les voie bien, lui ordonna l'autre.

— Qu'est-ce qui s'est passé ? » Ignacio Fernández Muñoz, prisonnier des siens, avançait rue Bravo Murillo sans frayeur, convaincu que tout cela n'était qu'un caprice, un malentendu,

---

1. Fédération anarchiste ibérique.

une erreur absurde. « Vous n'allez même pas me dire pourquoi vous m'arrêtez ?

— Parce que tu es communiste. Ou, ce qui revient au même, ennemi du peuple, bourgeois, contre-révolutionnaire et pédé. C'est tout ce que vous êtes, les communistes, une bande de pédés... Mais vous ne commandez plus et toute cette merde de résistance et de front populaire, la litanie selon laquelle la révolution peut attendre parce que l'important est de gagner la guerre. Le peuple vous a percés à jour, et il ne tolère pas la trahison de Negrín[1]. »

Ces mots le blessèrent davantage que le coup qu'il avait reçu sur la tête, ils lui firent si mal que, même arrêté, désarmé, il se retourna pour nier.

« C'est faux !

— Je vais te dire, moi, ce qui est faux ! » Ignacio sentit à nouveau le canon du pistolet de Facundo au sommet de son crâne mais il ne montra pas sa douleur.

« Il s'est formé une autre assemblée de défense à Madrid, poursuivit le chef, un gouvernement du peuple, vraiment révolutionnaire. Sans communistes. Sans bourgeois. Sans lâches. »

Ce n'est pas possible, se dit Ignacio, ce n'est pas possible, ça ne peut pas être vrai, ça ne peut pas m'arriver à moi, pas aujourd'hui, pas maintenant... On le fit monter dans un camion avec une demi-douzaine d'hommes tout aussi déconcertés, aussi indignés et perplexes que lui, et on les enferma dans un cachot de la Puerta del Sol où s'entassaient les prisonniers.

Que s'est-il passé ? Ils se sont soulevés ? Qui ? Casado[2] ? Les anarchistes l'appuient et les socialistes aussi, Casado ! Mais pourquoi ? Contre le gouvernement ? Contre nous, ils nous ont trahis, un coup d'État comme celui de 1936, mais pourquoi ? Qu'est-ce que j'en sais, je ne comprends pas pourquoi. On dit que l'armée, c'est nous qui la commandons, que seuls les communistes obtiennent de l'avancement, eh bien, qu'ils protestent, mais est-ce une raison pour se soulever ?

---

1. Juan Negrín (1889-1956), chef du gouvernement de la seconde République puis du gouvernement en exil.
2. Segismundo Casado López (1893-1968), militaire républicain, participa à la défense de Madrid, créa le Conseil national de Défense qui, le 5 mars 1939, se souleva contre le XXVIe gouvernement de la République.

C'est ce qu'ils disent, eh bien, ils ne le disent pas depuis long-temps. Et est-ce que c'est vrai ? Eh bien, je vais te dire quelque chose, si c'était nous qui avions commandé à l'armée depuis le début, ça n'aurait pas été la même chanson, maintenant ça n'a plus d'importance, ce qui est vrai, ce qui est faux et quelle est la chanson, c'est ce qu'ils disent et c'est pour ça qu'on est là, et qu'est-ce qui va se passer maintenant ? J'ai entendu qu'on allait être jugés. Nous ? Oui, pourquoi ? Je ne sais pas, ils disent qu'on est des insurgés. Nous ? Oui, comme les fachos en 1936 ? Pareil, mais j'étais au lit quand j'ai entendu des coups de feu dans la rue, comment est-ce que j'aurais pu me soulever, et contre qui ? J'en sais rien, mais on n'avait pas dit que c'étaient eux, qui s'étaient soulevés ? Si, eh bien je n'y comprends rien, moi non plus, et Franco qui se frotte les mains, bien sûr, ils vont nous livrer aux fascistes avec une corde autour de la tête, non, ils vont nous fusiller eux-mêmes, c'est Franco qui en sort gagnant, mais putain, qu'est-ce qui s'est passé ? Personne ne peut comprendre, et Miaja[1] ? Jus-qu'au cou, avec eux ? Bien sûr, et Negrín ? Qu'est-ce que j'en sais, personne ne sait...

Heureusement que mon père ne voit pas ça. À 23 heures, la porte s'ouvrit sur quelqu'un qui savait enfin. Heureusement que mon père ne voit pas ça. C'était un journaliste de *Mundo Obrero*[2] qui vivait rue Divino Pastor[3], Ignacio le connaissait pour l'avoir vu dans le quartier. Enfants, ils avaient parfois joué au football ensemble. Heureusement que mon père ne voit pas ça.

« Ils sont venus me chercher chez moi il y a un instant, commença à raconter l'homme, mais j'ai eu le temps de tout entendre. C'est une trahison, une putain de trahison, un soulè-vement militaire comme l'autre. Casado ordonne, Besteiro endoctrine et Mera se met au garde-à-vous, mais il semble que ce soit García Pradas, le directeur du *CNT*, qui écrive les discours... Cette nuit-là, ils ont tous parlé à la radio, ils ont dit qu'après la démission d'Azaña le gouvernement de Negrín n'est pas légitime, ce n'est pas vrai qu'il est décidé à résister, ils fuient comme des lâches...

---

1. José Miaja Menant (1878-1958), militaire républicain qui participa au soulèvement avec Casado.
2. Monde ouvrier.
3. Rue située dans le quartier de Malasaña.

— Negrín, un lâche ! » Parmi les détenus s'éleva un chœur de protestations rageuses, inutiles.

« Bien sûr, on croit rêver.

— Putain, ils n'ont pas honte...

— C'est ce qu'ils disent. C'est pour ça qu'ils ont formé un Conseil de défense. Ils appellent ça la Junta, ça oui, pour rappeler l'autre, l'héroïque, la vraie. Presque tous les conseillers sont socialistes, mais les anarchistes y participent aussi, et avec enthousiasme. Plus que les socialistes, même. Les partisans de Negrín se sont élevés contre, bien entendu, et les autres sont très divisés, il suffit de marcher dans la rue pour s'en rendre compte. Beaucoup de gens ne comprennent pas ce qui se passe. Je veux parler de la base, bien sûr, pas des dirigeants. Ce sont les dirigeants qui ont tout organisé, et les anarchistes... enfin, vous pouvez imaginer, ils croient que ce sont eux qui ont mené à bien le coup d'État pour faire leur saloperie de révolution de merde, mais ils nous détestent tellement qu'ils ne voient pas plus loin que le bout de leur nez, parce que ce que fait vraiment Casado, c'est de négocier avec Burgos. Même Mera l'a dit, hier, son objectif est d'obtenir une paix honorable, sans représailles, c'est-à-dire qu'ils vont capituler, parce que, voyons... Comment Franco va-t-il accepter de négocier la paix, alors que nous, on s'entretue ? Quelqu'un comprend ? Quel salaud... Maintenant qu'on lui sert la victoire sur un plateau, il va négocier ? Il a négocié dans les Asturies en 1934, après avoir pris Badajoz, quand il a ordonné aux Allemands de bombarder les réfugiés qui allaient de Málaga à Almería à pied ? Eh bien, ces salauds disent qu'il va négocier avec eux, qu'il est en train. Tu parles ! Personne ne le croit, et s'ils le croient c'est pire, car en plus d'être mauvais ils sont bêtes. C'est bien pour ça qu'ils nous ont arrêtés. Parce que nous, on ne capitulerait jamais, nous, on ne détalerait jamais après avoir offert à Franco la moitié de l'Espagne, et ils le savent. Ils peuvent bien nous traiter de lâches jusqu'à en perdre la voix, ça ne change rien. Nous, on ne se rend pas, ils le savent si bien que ce salaud de Casado dit partout que les arrestations de communistes sont une mesure préventive pour anticiper notre résistance prévisible au changement de situation dans la capitale. Et quel changement il pourrait y avoir, à part se rendre ? Ils vont leur ouvrir les portes de Madrid, vous devez le savoir, ils vont la lui offrir, sinon qui vivra verra. Ils vont passer sans tirer un coup de feu et c'est pour ça qu'on nous a mis là, pour qu'ils passent une bonne fois pour toutes, pour se faciliter les choses, pour ne pas nous laisser la possibilité de résister jusqu'au bout. C'est la seule chose qui a du sens, parce que sinon... Dites-moi un peu ! Ils disent qu'ils veulent économiser des victimes inutiles mais pour l'instant ils ont demandé des renforts pour écraser ceux qu'ils n'ont pas pris, vous m'entendez ? Ils dégarnissent les fronts pour concentrer les troupes ici, à Nuevos Ministerios, à Fuencarral, à Chamartín, où les nôtres se battent. Ils les traitent d'insurgés parce qu'ils ne se sont pas laissé arrêter, parce qu'ils ne se sont pas rendus pour qu'on les mette en prison comme nous, sans avoir rien fait. Et pourquoi ? Pour eux, nous les communistes, on est des victimes utiles, sinon... Vous aurez beau retourner la chose dans tous les sens, vous ne trouverez aucune autre explication. Il vaut mieux que vous vous fassiez à l'idée. Nous sommes le cadeau de Casado à Franco pour lui faire plaisir. C'est aussi simple que ça. »

Heureusement que tu ne vois pas ça. Ignacio Fernández Muñoz pensait à son père, abattu, les joues creuses, la barbe négligée, le regard éteint, refusant de manger, buvant de l'eau par petites gorgées, le dernier soir où ils dînèrent ensemble, quand il lui dit qu'il avait honte de partir. Heureusement que tu es parti, papa. Ignacio ne pouvait penser à rien d'autre. Heureusement que tu ne vois pas ça, que tu ne l'entends pas, que tu ne l'éprouves pas, que tu ne le sais pas, le véritable désastre, la véritable défaite, la véritable et insupportable honte. Heureusement que tu es parti, papa... Et le pire restait à venir. Ils ne l'apprirent que le lendemain. Le pire arriva à un lieutenant qui s'était retranché dans sa maison de la rue Ríos Rosas, jusqu'au moment où il s'était retrouvé sans munitions.

« On est foutus, leur annonça-t-il en guise de salut, maintenant on est vraiment foutus. Je l'ai su par ceux qui m'ont arrêté, ils ont eu le courage de me le dire en m'amenant ici. Franco a ordonné aux siens de laisser passer les anarchistes de la XIVe Division, qui se trouvaient à Guadalajara. Il les a laissés passer, comme ça. Il leur a demandé de ne pas tirer pour les laisser venir en courant. Le problème, c'est qu'ils n'avaient pas les partisans de Durruti pour arrêter les Arabes à la Casa de Campo, ceux de Mera les auront pour venir nous tuer maintenant. Tout ça grâce à Franco, ça oui.

— Putain, les lâches !

— Quels salauds !

— Ce sont des traîtres !

— Les fils de pute ! »

Après ça, plus personne ne parla. Tout était dit.

En le comprenant, Ignacio Fernández Muñoz s'appuya contre le mur, se laissa glisser lentement jusqu'au sol, et frappa sa tête endolorie contre les briques une, deux, trois fois.

Heureusement que tu ne vois pas ça, papa, et heureusement que tu ne le vois pas, maman... Ignacio pensait à lui, à elle, l'euphorie et les larmes, ce bonheur suprême qui avait si peu duré. Heureusement que vous ne savez pas qu'on a arrêté le fascisme pour ça, qu'on s'est battu comme des bêtes pour ça, qu'on a tellement travaillé, tellement crié, qu'on a creusé tellement de tranchées, ravalé tellement de peurs, supporté tellement de bombes, eu tellement faim, qu'on a enterré tant de morts pour ça, pour ça, pour ça. Madrid, comme tu résistais bien, pendant que les autres mangeaient, dormaient, se rendaient, nous, on était là pour ça, en train de résister. Maudits, maudits soient-ils, maudits soyez-vous...

Ignacio criait les lèvres fermées, les yeux et les oreilles fermés à la clameur d'une multitude aux silences identiques. Ma famille a arrêté le fascisme. Ce que Rome et Berlin n'ont pas obtenu, nous, les Fernández Muñoz, nous l'avons obtenu. Nous avons arrêté le fascisme en face d'Usera, à la Moncloa, à la Universitaria et dans notre salle à manger, *La Fidèle Cuisinière*, de la mayonnaise sans œufs, de la béchamel sans farine, de la viande sans viande et ces conseils que maman lisait dans *El Socialista*, il faut manger très lentement, bien mâcher chaque bouchée, c'est comme ça qu'on trompe l'estomac, croyez-moi... Dans d'autres villes, il n'était pas nécessaire de le tromper. Dans d'autres villes, il y avait de la nourriture, il l'avait vue, des fruits, des salades et des pains au lait. Sur les marchés de Valence il y avait de petits pains, et sur le front d'Aragon, une ligue de football, on disait que les soldats y jouaient parce qu'ils s'ennuyaient. On s'ennuie, quand on est à la guerre et qu'on ne se bat pas, il le savait, mais à Madrid, même l'ennui était différent, tendu, sombre, dangereux. Le fiancé de ma sœur a été tué parce qu'il s'ennuyait, parce qu'il ne pouvait pas s'amuser à jouer au football. Nos femmes s'ennuyaient dans la queue pour le lait, dans celle pour le pain, pour le charbon. Mais ici ce n'était qu'une autre façon de se battre, parce qu'il fallait le faire et on le faisait, sans cesser, sans se lasser, sans se plaindre, tout ça pour ça... Heureusement que tu ne vois pas ça, papa, heureusement que tu ne le vois pas, maman, parce que vous ne méritez pas ça, Madrid ne mérite pas cette fin, si sale, si laide, si triste et indigne, et pourtant, il vaut mieux être ici qu'à l'extérieur. Ignacio Fernández Muñoz criait sans bouger les lèvres, il mettait les bras autour de ses genoux, cachait la tête dans le trou humide et tiède de son corps recroquevillé, vaincu. Je préfère te voir mort que traître, lui avait dit son père plus d'une fois, dans la période sombre de la terreur. Je préfère te voir mort plutôt que traître. Et il avait raison, Ignacio le comprit alors et y pensa à nouveau le jour où la honte se déversa sur lui. Mieux valait en finir ici que continuer à l'extérieur, mieux valait mourir victime d'une trahison que vivre comme un traître.

Il était devenu communiste parce qu'il voulait gagner la guerre, par instinct, par intuition, pour des raisons très différentes des lectures qui avaient conduit Mateo à devenir socialiste. Il voulait sauver Madrid, arrêter le fascisme, gagner la guerre. Aussi s'engagea-t-il dans le Cinquième Régiment, et il fut fier d'y être admis parce qu'on n'acceptait pas tout le monde. Ils refusaient les miliciens de l'arrière-garde, les tchékistes, les petits malins, tous ces gens bien renseignés qui dirigeaient la guerre depuis les tables des cafés. Ils ne recrutaient que des soldats, des hommes comme lui, Ignacio Fernández Muñoz, qui savaient ce qu'ils voulaient. Il savait ce qu'il voulait et il choisit d'être l'une des abeilles de la ruche, travailler, combattre, obéir et commander sans penser à soi, un écrou dans une vis, une vis dans un engrenage, un engrenage dans une machine qui n'avait qu'une mission, une fonction, un destin : gagner la guerre, arrêter le fascisme, sauver Madrid. Et quand il y parvint il se sentit bien là où il se trouvait. D'autres discutaient les ordres, les votaient, se refusaient à intégrer la discipline d'une armée, pas eux. Il combattit sous les ordres de Modesto[1], le vit de près et il éprouva un tel éblouissement,

---

1. Juan Modesto Guilloto León, l'un des créateurs et premiers commandants du Cinquième Régiment.

admira tellement son courage, son instinct, son autorité, son sang-froid, qu'il devint communiste pour être comme lui, pour obéir aux ordres d'hommes comme lui, pour arriver à commander des hommes comme lui, des hommes prêts à tout. À tout sacrifier, à tout perdre pour gagner la guerre, sans s'arrêter, sans se lasser, sans se plaindre. Et il se battit, se battit, se battit, à dix-huit ans, à dix-neuf, à vingt et à vingt et un, il se battit pour gagner, avec ceux qui voulaient gagner, avec ceux qui ne partaient pas en courant, avec ceux qui ne se rendaient pas, avec ceux qui criaient comme lui, les lèvres fermées, dans ce cachot de la Puerta del Sol.

Mieux vaut en finir ici que de continuer à l'extérieur, mieux vaut mourir maintenant que vivre comme un traître, mieux vaut être fusillé demain matin que de devoir se rappeler, expliquer, justifier, cacher éternellement la noirceur de cette trahison plus dure que la défaite. Alors, le pire moment du pire jour de sa vie, Ignacio Fernández Muñoz se sentit fier d'être communiste, et il pensa que rien, rien, pas même l'image de Francisco Franco saluant depuis le balcon du bâtiment où on le gardait prisonnier ne pouvait être pire que ça. Rien. Ce fut la dernière chose qu'il pensa, la dernière chose qu'il éprouva avant longtemps.

Quand il entendit son nom, il pensa qu'il allait mourir et cela lui fut égal. Il n'était plus capable de désirer, d'éprouver, de croire en quoi que ce fût, il était défait, étripé, sec, vidé de l'intérieur. Mais on ne le tua pas.

« Tu as un petit beau-frère très courageux, n'est-ce pas ? De ceux qui travaillent dans les bureaux. C'est manifestement le chouchou de son général, et il n'arrête pas de demander de tes nouvelles. » Le milicien qui l'avait fait sortir du cachot regarda ses compagnons et leur fit un clin d'œil. « Tu dois lui rappeler sa femme, non ? Enfin, ce que j'en dis... »

Ils restèrent un bon moment à se moquer de lui, et peu lui importa. Il n'était plus capable de désirer, d'éprouver, de croire en quoi que ce fût.

« Je suis libre ? demanda-t-il, même si la réponse ne lui importait pas davantage.

— Des clous ! Comment est-ce que tu pourrais être libre ! À vingt ans, tu n'es pas capitaine ? Vous n'aimez pas tellement commander, monter, mener les autres à la baguette ? »

On le transféra dans une autre cellule, avec les huiles, lui dit-on. Mais il n'y avait pas d'huiles, juste son camarade Vicente Dalmases, qui venait d'être nommé capitaine et affecté au Pardo, comme lui, et une poignée d'inconnus, des hommes seuls, défaits, étripés, secs, vidés de l'intérieur. Le geôlier qui les surveillait le matin ne leur adressait même pas la parole. Celui qui venait le soir s'appelait Rogelio, il était de l'UGT[1] et leur donnait des cigarettes parce qu'il ne supportait pas de les voir là, Ignacio s'en rendit compte.

« Demain, on vous transfère à la prison de Porlier », leur dit-il un soir. Ça ne lui était pas égal, cette fois-ci.

« Ne me fais pas ça, Rogelio. » Il se cramponna aux barreaux avec les mains et le regarda dans les yeux. « Tue-moi, toi. Je préfère que ce soit toi, pas Franco. Tue-moi ou dis à l'un des tiens de le faire, mais pas Franco, Rogelio. Ne nous livre pas, que ce ne soient pas eux qui nous tuent, qu'ils ne nous prennent pas vivants, qu'ils ne nous trouvent pas là, prisonniers dans nos propres prisons... Ne leur donne pas cette joie, Rogelio. Tue-nous, toi, pas Franco. Ou donne-moi ton arme et je me tue tout de suite. »

Il l'aurait fait sans problème, mais il vécut, car Rogelio le regarda sans rien dire, les yeux pleins de larmes. Il partit, revint au bout d'un moment, ouvrit la porte du cachot sans faire de bruit et la remit dans l'encadrement comme si elle était fermée.

« Attendez vingt minutes et tirez-vous, leur souffla-t-il. Dans le placard de l'entrée il y a des armes, j'ai laissé la porte ouverte. Jetez vos insignes et ne dites à personne que vous êtes communistes... » Il baissa la voix, approcha sa tête de celle d'Ignacio. « À cette heure, à las Vistillas, il y a des camions... »

Il ne le remercia pas. Il ne pourrait jamais se le pardonner, il ne pourrait jamais s'en consoler, mais il ne le remercia pas, tout fut si rapide, si triste, si sombre, et il n'était plus lui-même, il n'était plus capable d'éprouver, de croire en quoi que ce soit. Il fut toutefois capable de voler un camion. Il fut capable de s'approcher de son chauffeur sans faire de bruit, comme une bête nuisible furtive, impie, nocive, un animal dépourvu de conscience, de scrupules. « Les mains en l'air »,

---

1. Union générale des travailleurs, syndicat affilié au Parti socialiste ouvrier espagnol (PSOE).

dit-il cette fois, et il se souvint de Facundo, son chef. L'homme du camion fit un mouvement bizarre avec les mains et il le tua, et cela ne lui fit rien non plus, parce qu'il n'était plus un homme, et il ne pensait pas, il ne croyait pas, il n'éprouvait pas, il n'était plus capable de rien désirer.

Trois ans plus tard, dans le garde-manger d'une maison de Toulouse, il y avait un lit, et, dedans, une petite femme aux cheveux très noirs, les yeux très noirs et très grands, beaux comme ses mains, comme son corps, comme le visage qu'elle souleva de sa poitrine pour le regarder.

« Qu'est-ce que tu as, Ignacio, pourquoi est-ce que tu pleures ? »

Il la regarda avec un amour qu'il n'avait jamais éprouvé pour personne, l'amour qui lui avait permis de renaître, homme à nouveau, dans le cœur d'une pierre qui tournait avec de nombreuses autres qui ne pensaient pas, qui n'éprouvaient pas, qui ne croyaient pas, qui ne se souvenaient même pas de quand elles avaient renoncé à désirer.

« J'ai tué un homme, Anita.

— Un seul ? dit-elle en souriant. Tu as dû en tuer beaucoup, non ?

— Non. Les autres, c'est la guerre qui les a tués, mais cet anarchiste, c'est moi... Je l'ai fait parce que je l'ai voulu. On m'avait sauvé la vie deux fois de suite, et en peu de temps. D'abord Carlos, mon beau-frère, puis un socialiste qui s'appelait Rogelio. Ils m'ont sauvé la vie et je ne les ai pas remerciés, je n'ai pas été capable de pardonner à cet homme... C'est peut-être pour ça que je suis ici. Il m'aurait peut-être tué, parce qu'il a fait un geste bizarre avec les mains, il a essayé de bouger la droite vers la gauche, je ne savais pas s'il était désarmé, il ne l'était pas, il avait un pistolet dans sa vareuse, je l'ai vu quand il est tombé. Il m'aurait peut-être tué, mais je ne saurai jamais s'il l'aurait fait, s'il aurait tiré sur moi. Je l'ai tué parce que je l'ai voulu, parce qu'ils nous avaient trahis, parce qu'ils nous tuaient, parce que je le haïssais sans le connaître, j'aurais pu viser le bras, la jambe, mais j'ai visé la tête et je l'ai tué. Je n'ai pas épargné sa vie, je ne le connaissais même pas et je n'ai pas été capable...

— ... Ne pleure pas, Ignacio. » Anita se serra contre lui, le prit dans ses bras, le consola, lui dit ce que Raquel, sa petite-fille, lui dirait de nombreuses années plus tard, avant de promettre qu'elle ne dirait jamais rien à sa grand-mère. « Ne pleure pas, Ignacio, s'il te plaît, ne pleure pas. »

Elle ne parvenait pas à comprendre pourquoi il pleurait et il ne le lui expliqua pas.

À la mi-mai, au camp d'Albatera, il faisait chaud, mais son sang se figea quand Mateo, son frère, monta dans un camion, le chercha du regard, le trouva, porta à sa bouche la main qui n'était pas menottée, en embrassa la paume et la retourna vers lui pour lui dire au revoir.

À ce moment, Ignacio Fernández Muñoz s'aperçut que son cœur venait de se briser.

Et que ce cœur n'avait plus rien d'humain.

La première chose que j'appris ce matin-là fut que María Victoria Suárez Mena, une demoiselle de Saragosse affiliée à la Section féminine, s'était proposée pour être la marraine de guerre de mon père en ne connaissant de lui qu'une photo de journal. Jeune fille mince et dégingandée, au profil d'oiseau de proie, les cheveux ramassés sous son béret – rouge, supposai-je, bordeaux, aurait corrigé sa propriétaire –, elle lui avait envoyé une photo d'elle avec sa première lettre, au camp de Grafenwöhr, en Bavière. L'image était magnifique, très patriotique, un grand ciel dégagé avec quelques nuages décoratifs dans le fond, une mince bande de terre desséchée, dépourvue de végétation ; la composition se terminait par un drapeau au premier plan et elle, se tenant à côté, en chemise bleue et jupe informe, jambes nues. Malgré son long nez, elle n'était pas laide, mais elle n'avait pas beaucoup de poitrine non plus. En tout cas, son aspect était en tous points moins stimulant que sa prose, empreinte d'une rhétorique aussi niaise que sanguinaire. Au nom des mères d'Espagne, toutes ces bonnes vieilles qui cousent près du feu sans révéler à personne l'inquiétude qu'elles éprouvent pour ces fils qu'elles ont remis à la patrie avec un orgueil légitime, elle proclamait la nécessité urgente d'écraser, d'exterminer, d'extirper, de raser, de pilonner et de tuer tous les habitants de la Russie criminelle, canaille et coupable.

Bon sang, quel pays, pensai-je, quand la répétition commença à m'ennuyer, comment pouvait-on être si fascistes et si snobs à la fois, tant de bras amoureux, de poitrines bombées, d'odeur de bon pain, de petits enfants accrochés au tablier de la femme-mère, qui pleure intérieurement en disant au revoir au fils-homme avec un sourire héroïque, sensible mais fort, roche nourricière, primitive. Puis la Vierge Marie – ça oui, pensai-je, me souvenant du père Aizpuru – sans faute, notre maman du ciel, sans tablier mais avec la détermination d'étendre son manteau protecteur sur les tanks allemands, gloire à l'Europe, gloire à l'armée invaincue, gloire au caudillo germain, gloire à son bras de fer, gloire aux champions de la civilisation, mort à l'Asie, mort au marxisme assassin, mort à la bête tyrannique, mort à la barbarie tartare, en cette heure glorieuse, l'Humanité nous oblige...

La marraine de mon père ne devait guère avoir plus de dix-sept ans, dix-huit tout au plus, et une orthographe chancelante, incompatible avec les fioritures qu'elle copiait soigneusement dans ses premières lettres et une écriture aussi infantile que les recommandations finales, émouvantes d'ingénuité : n'oublie pas de bien te couvrir, il paraît qu'il fait très froid en Russie. Jusqu'au jour où elle se fâcha, et ses lettres devinrent beaucoup plus amusantes : cher Julio, je n'ai pas eu de réponse depuis longtemps, j'ai eu peur parce que tu ne m'écris pas et j'ai demandé de tes nouvelles, cher Julio, si mes lettres te dérangent, tu pourrais me le dire, c'est la dernière lettre que je t'écris, Julio, et, effectivement, il n'y en eut pas d'autres.

Les lettres de María Victoria Suárez Mena inaugurèrent ce matin oisif, tranquille et ensoleillé. J'étais seul à la maison et la lumière pénétrait jusqu'au centre de la pièce que mon fils appelait « la chambre des livres de papa ». C'était un studio tapissé d'étagères, plus grand que le salon, mais avec une forme si irrégulière que Mai n'eut pas de meilleure idée d'utilisation quand elle vint vivre avec moi. La chambre me plaisait parce qu'elle était biscornue, avec deux fenêtres qui donnaient sur une cour intérieure, silencieuse. Il n'y avait qu'un seul étage, ce qui me laissait voir le ciel. Cette pièce était perdue au bout du couloir, très loin du salon, de la chambre de Miguelito et de la cuisine. Elle me plaisait aussi parce qu'il y avait deux tables, nombre qui intriguait fort la femme de ménage qui venait tous les jours mais n'osait jamais entrer quand je m'y trouvais. Je débarrassai de tous ses livres et papiers celle que n'occupait pas l'ordinateur, et j'y plaçai le dossier en carton bleu fermé par des élastiques et ce petit porte-documents dont la serrure m'avait résisté la veille, avant que l'irruption de Lisette ne m'oblige à l'emporter. Je décidai de commencer par le début, j'aurais voulu t'y voir, en Russie, en Pologne.

Le dossier contenait tous les papiers du divisionnaire Julio Carrión González, son livret militaire, avec la date d'enrôlement, la mention qu'il était mineur mais avec une autorisation paternelle, sa description physique, taille, stature, couleur des yeux, vaccins, date et lieu de naissance, profession, le tout en double, un document allemand pour chaque document espagnol, les visites médicales, des fiches de paie, des certificats d'admission à l'hôpital espagnol pour convalescents de Riga et l'autorisation de reprendre du service qu'on lui remit à sa sortie. Il y avait aussi de nombreuses photos, mon père en uniforme espagnol, allemand, au garde-à-vous et au repos, de la neige, de la boue jusqu'aux genoux, s'amusant devant un poteau de signalisation où deux flèches indiquaient par deux directions contraires ce qui semblait à l'époque être des distances triomphales – Berlin, 1 485 km, Saint-Pétersbourg, 70 km –, s'amusant encore dans un bar, son sourire irrésistible d'homme séduisant entre deux femmes nordiques, blondes, attirantes et très puissantes, affichant beaucoup plus de patriotisme que la pauvre demoiselle Suárez, pensai-je. Ensuite, la fête finie, on le voyait couvert d'un imperméable ou enveloppé dans des couvertures qui ne laissaient voir que des yeux qui pouvaient être ceux de n'importe qui, à l'entrée d'une tranchée, montant la garde pendant qu'il tombait une neige si épaisse qu'on pouvait compter les flocons. Sur de nombreuses photos apparaissait également son ami Eugenio, un garçon mince, avec des lunettes et un air intellectuel. Mon père nous racontait qu'il avait échoué aux épreuves physiques mais fut admis sur pression de sa famille, tous phalangistes sauf son père, sa mère étant la plus virulente.

Je ne vis pas Eugenio à l'enterrement, mais à la messe de funérailles, toujours aussi mince, encore droit, élégant et d'une politesse exquise au moment de nous présenter ses condoléances, d'abord à ma mère, ensuite à sa filleule, ma sœur Angélica, puis aux autres, en nous prenant dans ses bras avec une affection peu protocolaire pendant qu'il murmurait des paroles justes pour chacun. Je l'avais toujours trouvé sympathique, et j'avais beaucoup de mal à me l'imaginer en train de répéter à tue-tête les consignes que la marraine de guerre de mon père avait notées dans ses lettres avec tant de ferveur. Pourtant il en fut ainsi, il aurait dû en être ainsi, parce qu'il continua à porter le joug[1] et les flèches au revers de sa veste jusqu'à une nuit d'hiver de l'année de ma naissance. On aurait dit une nuit comme les autres jusqu'à ce que le téléphone sonne et qu'il entende la voix de Romualdo, son frère. Ce fut lui qui l'informa, en cinq minutes à peine, que sa fille était communiste, qu'on l'avait arrêtée ce matin-là très rapidement à Moncloa, qu'elle avait été conduite à la Direction générale de la Sûreté pour y être interrogée, qu'un policier dont il n'obtiendrait jamais le nom lui avait fait éclater la rate d'un coup de pied, qu'on l'avait sortie de là nue parce qu'on n'avait pas trouvé ses vêtements à temps, et qu'on était en train de l'opérer au Clínico avec un pronostic très réservé. Elle en réchappa ; lui aussi.

« Un malheureux, disait mon père, ses enfants ont fait de lui un malheureux. Vous savez, s'il y eut jamais une personne honnête dans ce pays, ce fut Eugenio Sánchez Delgado. S'il y eut une personne qui pouvait grimper mais ne l'a pas fait, qui pouvait voler mais ne l'a pas fait, qui pouvait dénoncer mais ne l'a pas fait, qui croyait vraiment en ce qu'il faisait, ce fut Eugenio. Et pour quoi ? Eh bien pour que quelques imbéciles mal élevés et ingrats saccagent sa vie le moment venu d'en récolter les fruits, quelle classe... »

Quiconque l'aurait écouté aurait pensé que le militantisme clandestin de ses enfants lui avait valu une destitution foudroyante, mais ce fut lui qui partit, qui abandonna, qui ne put supporter que le régime qu'il avait soutenu avec tant de ferveur arrêtât sans garanties des filles de dix-huit ans et les déshabillât avant de leur faire éclater la rate à coups de pied pour qu'ensuite deux policiers viennent s'excuser – parce que, bien sûr, avec ce nom si courant, Sánchez, comment auraient-ils pu savoir que c'était sa fille et la nièce de don Romualdo... Tant qu'il put ne pas l'apprendre, il fit comme s'il ne savait rien. Quand il ne lui resta pas d'autre solution que de l'apprendre, il ne tenta pas de se recycler, de se recaser comme

---

1. Le joug provient des *Géorgiques*, de Virgile, où il symbolise les travaux des champs. Le -i de *iugum* (joug, en latin) représente la reine Isabel la Catholique, dont le prénom commence par la même lettre.

d'autres, de devenir un dissident du jour au lendemain. Pas lui. Il rentra chez lui, et il y resta.

Le dimanche suivant la légalisation du Parti communiste, il vint déjeuner chez nous avec sa femme. Nous habitions encore rue Argensola, j'avais douze ans, mais je me souviens très bien de l'expression de son visage, de la sérénité patiente, voire souriante, avec laquelle il affrontait les plaintes de mon père, à qui tout ce qui se passait en Espagne semblait acceptable, même souhaitable, tout sauf ça.

« La démocratie ? se demandait-il avant de se répondre à lui-même. D'accord. Des élections ? Très bien, je trouve ça formidable, tu le sais. Des syndicats ? Bon, s'il n'y a pas d'autre solution. Des socialistes ? Pourquoi pas, il faut bien une gauche, non ? Jusque-là, tout va bien, mais ça ? Pas ça, putain, pas le Parti communiste ! Pourquoi ? Tout sauf ça, putain, parce que, voyons..., il n'y a pas de démocratie, aux États-Unis ? Et en Angleterre, alors ? Il n'y a pas de démocratie ? » Son ton montait, prenait une couleur, une tension passionnée, dramatique, tout en cherchant dans les yeux de son ami une confirmation qu'il ne trouverait jamais. « Et qu'est-ce qui se passe aux États-Unis, en Angleterre, il y a un Parti communiste, là-bas ? Eh bien non, bien sûr que non, naturellement que non ! Mais je ne peux pas le croire, Eugenio ! » s'exclama-t-il à la fin, quand il se lassa de poser des questions auxquelles lui seul voulait bien répondre. « On dirait que ça t'est égal.

— Parce que ça m'est égal, Julio, répondit son vieux camarade d'un ton aussi serein que son regard. Je n'aime pas le communisme, mais j'ai deux enfants communistes, et eux, je les aime. Ils sont jeunes, passionnés, et ils croient vraiment à ce qu'ils défendent. Ils se trompent peut-être, mais moi aussi je me suis trompé à leur âge. Alors je n'ai pas de raisons d'être content, pas plus que je n'en ai de me faire du souci. Je ne dois rien à personne, tu le sais. »

Alors mon père se tut mais ma mère changea tout de suite de sujet, et on ne parla plus de politique jusqu'à leur départ, à la suite duquel mon père les plaignit à haute voix : « Pauvre Eugenio, ses enfants en ont fait un malheureux. Celui qui fait de la politique, je le jette dehors, je ne vous en dis pas plus », conclut-il avec cette menace habituelle.

Ses deux aînés auraient pu participer aux derniers épisodes de la résistance à la dictature, parce que Rafa commença ses études quelques mois avant la mort de Franco, et Angélica un an plus tard. Pourtant, le premier passa par l'université comme si de rien n'était, et pendant plusieurs années – le temps qu'il lui faudrait pour quitter son premier mari –, le seul souvenir que conserverait Angélica de cette période était la panique paralysante qui la saisissait chaque fois qu'elle voyait un graffiti, une affiche ou une convocation de l'organisation de jeunesse où avait milité un étudiant appelé Adolfo Cerezo jusqu'à la fin de ses études. Mon frère Julio, qui était né en 1961, était beaucoup plus attiré par la politique, mais dans la direction opposée. Ce fut lui qui montra le plus d'intérêt pour l'aventure russe que mon père, au-delà des rigueurs du climat, n'aimait pas rappeler.

« Tu es allé à Possad, papa ? Tu as traversé la Volkhov ? Tu as marché sur le lac Ilmen, quand... ?

— Oui, j'y suis allé, et j'ai traversé la rivière plusieurs fois, mais je n'ai pas marché sur l'Ilmen, ça non, heureusement. »

Julio, qui avait appris par cœur le vocabulaire de guerre allemand et profitait de la moindre occasion pour laisser échapper des mots que sa prononciation fantaisiste avait définitivement rendus incompréhensibles, n'obtenait généralement pas de réponses plus éloquentes chaque fois qu'il attaquait avec tout son chargement de Kommandanturs, Oberkommandos, Heeres, Luftwaffes, Wehrmachts, Sturmbannführers, Oberführers et Stableiters.

« Et tu n'as pas gelé, papa ? On ne t'a pas décoré ? On ne t'a pas remis la Croix de Fer, même collective ?

— Mais tais-toi donc, bon sang ! Ce que tu peux être pénible, mon fils... »

De quatre ans plus jeune que Julio, j'assistais en silence à ces luttes dont mon frère sortait convaincu que notre père avait été un héros. Un samedi soir, après avoir vu un film sur la guerre du Pacifique, j'osai poser mes propres questions.

« Et toi, pourquoi est-ce que tu étais avec les méchants, papa ? »

Il me regarda d'un air alarmé qui fondit en un sourire devant cet interlocuteur d'une douzaine d'années.

« Qui t'a dit que c'étaient eux, les méchants ? me demanda-t-il à son tour.

— Eh bien, ils jouent les méchants dans tous les films, non ? Et puis ils ont perdu. À la fin, ce sont toujours les bons qui gagnent, non ?

— Non, me répondit-il. Ceux qui gagnent à la fin, ce sont les plus forts, pas forcément les bons. Ils gagnent, ça va mieux pour eux, ils ont plus d'argent et ils le dépensent pour faire des films, et comme ce sont eux qui les font, eh bien les méchants sont toujours les autres.

— Oui, mais il y a aussi les juifs, insistai-je.

— Oui, tu as raison, acquiesça-t-il. Il y a les juifs, mais nous n'avons rien à voir avec ça. Et beaucoup d'Allemands aux côtés desquels nous avons combattu, non plus.

— Alors les nazis n'étaient pas mauvais ?

— Si, bien sûr. Mais les autres aussi. Et pourtant, il y avait des bons des deux côtés, des gens bien. Alors il est très compliqué de savoir qui étaient vraiment les méchants et qui étaient les moins méchants, tu comprends ?

— Non, répondis-je avec sincérité. Je ne crois pas.

— C'est parce que tu es tout petit, Álvaro. Tu comprendras plus tard. »

Mais je ne compris pas.

Le temps passa, mon frère Julio ôta un beau jour toutes les croix gammées de la chambre que nous partagions et il n'y pensa plus jamais. Je décidai d'étudier l'allemand pendant quelques années, j'appris à prononcer des mots que je n'eus jamais la tentation de dire à voix haute. Je sentis deux frissons successifs en lisant, d'abord en allemand, puis en espagnol, le serment reproduit sur une feuille de papier perdue entre les photos de ce dossier bleu. Vous jurez devant Dieu et sur votre honneur d'Espagnols une obéissance absolue au chef de l'armée allemande, Adolf Hitler, dans la lutte contre le communisme, et vous jurez de combattre en vaillants soldats, prêts à donner votre vie à chaque instant pour respecter votre serment ? Au-dessous, d'abord en allemand, puis en espagnol, figurait la réponse que mon père, parmi des milliers d'autres Espagnols, dut crier un jour de 1941 : « Oui, je le jure ! » Puis le temps avait passé, beaucoup de temps, mais cette matinée ensoleillée et tranquille du mois d'avril 2005, dans la solitude de ma maison, le bruit de l'aspirateur que la femme de ménage passait dans le couloir pour seule compagnie, je continuais à ne pas comprendre.

« Le père d'Álvaro était dans la Division Azul [1], tu sais ? »
Fernando Cisneros le comprit mieux que moi. Quand je
commençai mes études et que je rencontrai ce grand garçon
barbu qui avait l'air d'un ours, parlait de la guerre civile à la
première personne du pluriel et était capable de synthétiser,
avec une précision et une force exemplaires, les idées solides
mais décousues, je commis l'erreur de lui avouer le passé de
divisionnaire de mon père. C'était le plus beau cadeau qu'il
recevrait jamais de moi.

« Laisse Álvaro t'en parler, son père est parti en Russie se
battre aux côtés des nazis... », disait-il aux filles.

Puis, au début des années 1980, la poussière de la dictature encore collée à la semelle de ses chaussures, la fille en
question se taisait et me lançait un regard incrédule ; avec
une ombre de compassion si j'étais chanceux, de répugnance,
parfois. Fernando en profitait alors pour placer l'histoire de
son admirable grand-père.

« Bon, Fernando, ça suffit, non ? me plaignais-je de temps
en temps.

— Quoi, ça suffit ? se défendait-il. Qu'est-ce qu'il y a, c'est
faux peut-être ?

— Non, ce n'est pas faux. Je ne tiens pas non plus à ce
que toutes les nanas de la fac le sachent. Moi aussi, j'aime
draguer, tu sais, et tu ne me facilites pas la tâche.

— Pourquoi ? répondait-il en feignant un étonnement
trompeur, souriant. Il te restera toujours les phalangistes.
Elles sont très bien fichues, non ? C'est ce qu'on dit.

— Oui, mais à part le fait qu'on n'en connaît aucune, les
phalangistes ne sont pas mon genre. Pour ce qui est des filles
bon chic bon genre, j'en ai suffisamment avec ma sœur
Angélica.

— Eh bien, va te faire foutre, disait-il en riant. Tu n'avais
qu'à pas avoir un père nazi. »

Je connus Máximo Cisneros et sa femme, Paula, non
moins admirable, le jour où Fernando, leur petit-fils, soutint sa
thèse de doctorat. J'avais soutenu la mienne deux ans aupara-

---

1. Division Bleue, corps composé de 18 000 volontaires espagnols et de
quelques centaines de Portugais, créé fin juin 1941 par Franco. Il fut mis
à la disposition de la Wehrmacht pour combattre sur le front de l'Est,
envoyé dans le secteur de Novgorod pour compléter l'encerclement de
Leningrad.

vant en l'absence de tous les membres de ma famille, bien que mon père ait payé le dîner dans un restaurant hors de prix. Les membres du jury furent très impressionnés en me voyant simplement signer la facture avant de la remettre à un maître d'hôtel aussi guindé que complaisant : merci beaucoup, don Álvaro, au plaisir de vous revoir. Pour la thèse de Fernando, en revanche, toute la famille Cisneros vint. Ses grands-parents paternels frôlaient les quatre-vingts ans, le grand-père maternel les avait déjà. Pourtant, ils montèrent tous trois à un bon rythme les marches de la salle, et ils avalèrent la séance sans ciller. Ils ne comprenaient rien de ce qui se disait là, pas plus que les parents de Fernando, mais ils restèrent tous jusqu'à la fin à ses côtés, et quand il me présenta Máximo, dont je connaissais par cœur l'admirable histoire à force de l'entendre comparer à celle, méprisable, de mon pauvre père, je pensai que cela avait valu la peine d'avancer de cinq jours mon voyage depuis Boston. Le changement de billet m'avait coûté une fortune, mais il lui en avait coûté beaucoup plus d'arriver jusqu'à la salle où son petit-fils reçut de cérémonieuses félicitations du jury qui le rendirent beaucoup plus heureux que leur véritable destinataire. Je fus ému de le rencontrer, et je le lui dis, à tel point que je renonçai à lui demander s'il imaginait la quantité de coups que Fernando avait tirés aux dépens de sa souffrance.

« Ah ! Alors c'est comme pour Álvaro. Parce que son père était dans la Division Azul. Tes grands-parents aussi, non ? »

La dernière fois où il le fit, nous avions déjà plus de trente ans, j'étais rentré des États-Unis, lui s'était marié, son grand-père était mort, nous venions de sortir de la fac, José Ignacio Carmona n'avait pas pu nous rejoindre pour déjeuner, et Elena Galván nous racontait que le tiers de son salaire passait dans la location de son appartement à Tres Cantos parce que ses parents vivaient à Getafe, à l'autre bout de la banlieue de Madrid. « Je suis d'une famille de militaires », ajouta-t-elle. Quelques années auparavant, j'aurais deviné que Fernando se lancerait immédiatement, mais je manquais désormais d'entraînement.

« Non, répliqua le professeur Galván en souriant, dans l'ignorance absolue de ce qui l'attendait, mes grands-parents sont restés en Espagne. La guerre d'ici leur a suffi. »

— Bien sûr... C'est pour ça qu'ils l'ont commencée, non ? Parce que si ton père est devenu colonel, je suppose qu'ils s'étaient soulevés tous les deux. » Elle hocha la tête, sans se départir de son sourire. « Où ?

— Eh bien... le père de mon père était au Maroc, et mon grand-père maternel à Santander.

— On l'a fusillé ?

— Non, vous ne l'avez pas fusillé. Mais il a fait presque un an de prison.

— Je vois... » Fernando fixa la nappe un instant, dans un silence théâtral, il chercha le regard de son interlocutrice et hocha légèrement la tête en arborant une moue nostalgique. C'était comme un protocole officiel, je l'avais vu si souvent que je pouvais anticiper chaque geste, chaque soupir, chaque mouvement. « Le mien, seize.

— Seize... » Elena devint soudain sérieuse, Fernando la regardait avec une supériorité empreinte de tendresse, ce jour-là il fignolait, le salaud. « Seize ans, tu veux dire ?

— Eh bien, quinze, plus exactement. Quinze ans, neuf mois et trois jours. » Il fit une autre pause, plus longue, et respira profondément avant de se lancer, comme un avant-centre qui voit un gardien tout petit dans ses buts immenses un instant avant de prendre son élan pour taper dans le ballon. « Il aurait pu sortir avant, tu sais ? Il lui aurait suffi de demander grâce. Il était journaliste, autodidacte, son père travaillait aux ateliers d'un journal et il le plaça à la rédaction à douze ans, comme coursier, mais il apprit vite le métier, et il écrivait très bien. Il devint le rédacteur en chef d'*Abc* [1], celui d'ici, le républicain, pendant la guerre. Puis il fut condamné à mort ; sa peine ramenée à trente ans de prison, on lui refusa la rédemption par le travail, bref, il alla vaille que vaille de prison en prison jusqu'à ce qu'il revienne à Madrid. Alors il eut l'idée de fonder un journal à l'intérieur, plutôt une revue. Il faisait presque tout et sortait un numéro par mois. Ce n'était pas grand-chose, tu peux imaginer, mais ça lui plaisait, c'était son métier et il avait beaucoup de succès parmi les prisonniers. Pour cette raison, le directeur de la prison de Yeserías lui proposa un marché. S'il se repentait, c'est-à-dire, s'il écrivait plusieurs éditoriaux de suite reconnaissant ses erreurs, vantant les mérites de Franco, demandant pardon, on lui garantissait qu'il serait dehors en moins d'un an. Mon

---

1. Journal conservateur fondé en 1903.

grand-père, qui était enfermé depuis neuf ans, lui dit qu'il avait besoin de temps pour y réfléchir. Il écrivit à sa femme et lui raconta tout. Elle, qui se retrouvait seule avec deux enfants et travaillait comme une mule, lui répondit en quinze mots : Cher Máximo, ne fais rien pour moi que tu ne ferais pas pour toi, Paula. Et il se tapa sept ans de prison de plus pour ne rien avoir regretté.

— Nom d'un chien... »

Elena Galván, fille très, très progressiste d'une famille très, très fasciste – c'est-à-dire le sujet idéal de ce que j'avais baptisé de nombreuses années auparavant « l'expérience Cisneros » –, était aussi impressionnée que toute personne qui aurait entendu pour la première fois cette histoire espagnole, émouvante et terrible, propre et romantique, qui nous appelait chacun par notre prénom, par notre nom de famille. C'était ce que j'avais ressenti en l'entendant pour la première fois et ce que ressentait Elena tout en regardant Fernando avec de très grands yeux, très doux, mais encore capables d'absorber ses paroles, de subir les derniers spasmes d'une douleur jouissive, les coups de couteau amoureux et chauds qu'il continuait à lui appliquer avec une astuce infinie.

« Alors on lui a retiré le journal, tu sais ? On l'a donné à un autre détenu disposé à écrire les éditoriaux qu'ils voulaient lire, mais ils ont laissé son nom. » Elena ferma les yeux, et quand elle les ouvrit, ils étaient encore un peu plus grands, un peu plus doux. « Pour l'humilier, pour l'obliger à le lire, "fondé par Máximo Cisneros", et dessous "Vive Franco, Vive l'Espagne", mais il ne lâcha pas, ils ne purent rien contre lui. Personne ne put rien contre lui avant qu'il ne sorte de prison et ne s'écroule. Je ne sais rien faire, Paula, dit-il à ma grand-mère, je sais juste écrire, si seulement j'avais appris un métier, si seulement... » Fernando parlait comme s'il avait vécu la même expérience et que chaque syllabe fût douloureuse. « Il figurait sur toutes les listes noires, bien sûr. Il ne parvint plus jamais à publier un article dans un journal. Enfin, il publiait dans la presse clandestine du parti mais sous un pseudonyme. À l'époque, il était déjà employé dans une quincaillerie, il y resta toute sa vie, à vendre des clous et des vis... »

Elena le regardait comme s'il n'y avait rien autour d'elle, rien, personne d'autre, comme si au-delà des yeux, des mains, de la voix de Fernando, tout avait disparu, le sol, les murs, la table sur laquelle elle appuyait ses bras, la chaise sur laquelle elle était assise, et bien sûr moi. J'étais là pourtant, à ne penser qu'à une chose, il la baise, il la baise, il la baise, ce salopard va la baiser dès ce soir...

« Pourquoi est-ce que tu ne lui racontes pas aussi l'histoire de ton autre grand-père ? suggérai-je, en lui donnant un coup de pied sous la table. Lui aussi a fait de la prison.

— Ne m'interromps pas, Alvarito », dit-il en m'écrasant le pied à son tour.

Deux ans plus tôt, lors d'un moment de faiblesse qu'il regretterait par la suite, Fernando me raconta une histoire sur laquelle je l'avais souvent interrogé en vain depuis qu'il avait laissé échapper que son autre grand-père, Pepe, n'était pas le père de sa mère. « Malheureusement, mon véritable grand-père s'appelait Florencio Jiménez, finit-il par avouer, et il n'était ni facho ni rien, c'était juste un connard... Il avait une épicerie à Legazpi [1], et il fit fortune pendant la guerre avec le marché noir, protégé par le prestige de sa famille, rouge depuis toujours. Ses frères et sœurs – socialistes irréprochables – ne se doutèrent jamais de rien car il prenait toujours la précaution de faire ses affaires hors de son quartier. Mais à Legazpi tout le monde le connaissait, et pour cette raison, au lieu de se tenir tranquille, le 1er avril 1939 il sortit sur son balcon en chemise bleue pour chanter le *Cara al sol* [2]. Quand les phalangistes l'arrêtèrent, il resta en prison le temps nécessaire pour négocier sa liberté en dénonçant tous les rouges qu'il connaissait, en inventant certains au passage. Puis il attendit la nuit, alla dans son magasin, y prit les bijoux, l'argent, les montres qu'il avait acceptés en échange de victuailles et de médicaments, tout sauf l'argent, qui ne valait plus rien, il ne monta même pas chez lui pour dire au revoir, partit, et personne n'eut plus jamais de nouvelles. Sa femme avait reçu Pepe, son beau-frère, le seul survivant des Jiménez irréprochables. Quand elle sortit de prison, elle avait presque trente ans, deux enfants, et vivait avec lui. Elle demanda enfin le divorce et apprit alors que son mari se trouvait à Majorque, qu'il avait une villa avec piscine, une très jeune fiancée et était

---

1. Quartier situé au sud de Madrid.
2. Hymne de la Phalange devenu celui des nationalistes durant la guerre d'Espagne et un des symboles du franquisme.

propriétaire de deux hôtels. La seule condition qu'il posa au divorce fut que cela ne lui coûtât pas un sou.

L'histoire de Florencio Jiménez était non seulement pire que celle de mon père, mais elle était aux antipodes de l'histoire du seul père qu'aurait sa fille, et de celle de l'homme qui deviendrait son beau-père. Cela n'aurait sans doute pas découragé le professeur Galván, qui, au café, les yeux plus grands, plus noirs, plus grecs que jamais, semblait sur le point de fondre, de se liquéfier, de se laisser tomber à terre, de se traîner à genoux devant Fernando Cisneros, et de s'offrir à réparer coûte que coûte les péchés de ses ancêtres. Ce fut plus ou moins ce qu'elle fit. « Ça vous dit, de venir prendre un verre à la maison ? » proposa-t-elle. Fernando ne me laissa même pas le temps d'inventer une excuse. « Álvaro ne peut pas, mais moi, ça me dit bien », se contenta-t-il de dire.

Je pensai à cette histoire, et à celles des grands-parents de Fernando, tout en lisant les lettres que mon propre grand-père, Benigno Carrión, avait envoyées à son fils Julio, depuis Torrelodones. Il n'y en avait que cinq, très banales, avec des fautes d'orthographe et une syntaxe pauvre, schématique, truffée de phrases toutes faites. *Mon cher fils, j'espère qu'en recevant la présente tu seras en bonne santé, moi aussi, grâce à Dieu.* Mais cela n'attira pas autant mon attention que l'absence quasi totale de réflexions politiques, aucune référence au marxisme assassin, à la bête tyrannique, à la canaille russe. À la place affleurait la véritable idéologie, très profonde, d'un homme plus soucieux du salut de l'âme de son fils que de sa survie. *Ne manque pas la messe quotidienne, ne recherche pas la compagnie des femmes, évite les tentations, n'aie pas honte de prier, car prier c'est parler à Dieu, porte toujours sur toi les images que je t'envoie, pense que la mort te guette et que tu ne sauras jamais quand elle t'attrapera, essaie d'être préparé à mourir dans la grâce de Dieu...* Quelle joie, me dis-je, pauvre papa, aller à la guerre pour qu'on t'écrive ce genre de lettres, tu parles d'une rigolade...

Je ne m'attendais pas à ce que la bigoterie de mon grand-père soit aussi intense, mais cela ne me surprit pas non plus, car mon père l'avait souvent évoquée. Son fils n'en avait pas hérité, comme il n'avait jamais pu assumer, du moins pas devant moi, l'idéologie qui avait apparemment dû le pousser dans l'enfer russe. Mon père n'était pas fasciste – des clous, disait Fernando chaque fois que j'essayais de le lui expliquer – car sa position politique avait beaucoup plus à voir avec ce qu'il détestait qu'avec l'aspiration à transformer la réalité dans une direction quelconque. Il était anticommuniste, bien sûr, bien que sa bête noire fût Largo Caballero [1], mais, par-dessus tout, il détestait la politique et les politiciens, davantage les femmes que les hommes. Celle-ci ? disait-il quand il croisait une candidate dans les espaces électoraux de la télévision, elle n'a pas de ménage à faire chez elle, de repas à préparer ni d'enfants à s'occuper, au lieu de venir crier ici ? Et pourtant, il s'entendait formidablement bien avec tout le monde.

Bien qu'il ait commencé à s'enrichir bien avant, mon père devint vraiment fortuné lors des dernières années du franquisme et, surtout, après avoir supporté la crise de l'énergie, les premières années de la démocratie. Pour un homme aussi sympathique, les équipes de militaires et de technocrates de l'Opus Dei, aussi peu sensibles les uns que les autres aux tours de magie et aux plaisanteries, étaient de mauvais clients. Les démocrates jeunes, inexpérimentés, fraîchement sortis de l'université, lui convenaient davantage. Il racontait à chacun ce qu'il voulait entendre, il se qualifiait lui-même d'antifranquiste avec plus ou moins d'intensité, choisissait les anecdotes de son répertoire en fonction des goûts de son interlocuteur, et devenait sans grandes difficultés le roi du pot-au-feu, des lentilles, ou de la spécialité appropriée grasse et populaire qu'offrait la maîtresse de maison influente de la saison. Ensuite, le matin, quand je descendais prendre le petit déjeuner, je le trouvais dans la cuisine avec une très mauvaise mine, un verre avec deux alka-seltzers à moitié fondus dans la main et un grognement entre les lèvres, quelle folie, je sors trop, on dirait que la démocratie consiste à passer la nuit dehors ! Celle d'hier elle aurait pu faire du poisson, la nana, mais non, un potage aux pois chiches et à 11 heures du soir, on croit rêver... Ma mère, qui retournait se coucher dès que Clara et moi prenions l'autobus, était ravie, en revanche. Et

---

1. Francisco Largo Caballero (1869-1946) un homme politique et un syndicaliste espagnol, membre du Parti socialiste ouvrier espagnol (PSOE) et de l'Union générale des travailleurs (UGT) dont il fut l'un des dirigeants historiques.

pourtant, quand Tejero[1] entra en tirant des coups de feu au Congrès, elle semblait beaucoup moins soucieuse que lui, qui fit une centaine de fois le tour du salon les mains sur la tête en répétant : ce n'est pas possible, ce n'est pas possible, ces salopards vont venir m'emmerder maintenant, ils me font chier, putain, putain... Il était à la fois si désolé et si furieux que ma mère n'osa même pas le prier de ne pas jurer devant nous. Ce fut la raison pour laquelle nous apprîmes que, pendant les six longues heures qu'il fallut au roi pour préparer son discours devant les caméras de télévision, il ne souffrait qu'à cause d'un contrat, fabuleux si l'on tenait compte de la crise du secteur, qui n'était qu'à moitié conclu et qu'il finit par obtenir.

À l'époque, j'étais très jeune, et le cynisme de mon père m'amusait. Cette attitude, qui influait sur nos relations, faisait de lui l'autorité idéale, souple, patiente, généreuse et bienfaisante. Cela à condition de ne pas avoir de problèmes, tant qu'aucun de ses enfants ne pensait qu'il agissait comme un imbécile. Mon père nous interdit très peu de choses car il parvenait presque toujours à nous persuader à temps. C'était un homme brillant. Cependant, et même s'il était impossible de ne pas l'aimer, de ne pas l'admirer, de ne pas rechercher sa compagnie, cette pointe de froideur calculée qui m'avait tellement amusé dans l'adolescence m'éloigna de lui par la suite plus que toute autre chose. Et puis, cela confirma mon intuition selon laquelle Julio Carrión n'avait jamais été fasciste, malgré de nombreux indices qui prouvaient le contraire.

Ceux que j'avais devant moi étaient indéniables, mais ils ne m'impressionnaient pas tant par leur nature que par leur propre existence. Que mon père ne les ait pas détruits, qu'il ait entassé dans le même dossier les plus graves et les plus insignifiants, qu'il ne se soit même pas donné la peine de bien les cacher, me sembla d'abord invraisemblable, puis raisonnable. Ces doutes ne faisaient qu'accroître l'invraisemblance de ce sujet dans la biographie de Julio Carrión González. J'étais sûr qu'il n'éprouvait aucune nostalgie de cette époque, qu'il ne l'avait pas éprouvée pendant les trente dernières

---

1. Antonio Tejero Molina (1932),) ancien colonel de la Guardia Civil espagnole, nostalgique du régime franquiste, fut l'un des principaux organisateurs de la tentative de coup d'État du 23 février 1981, connu en Espagne sous le nom de 23-F.

années de sa vie. Je l'avais souvent vu se débarrasser de Julio, mon frère, esquiver sa curiosité par des feintes plus ou moins laborieuses, répondre à ses questions par des monosyllabes et un air de contrariété plus intense que la fatigue au bord des lèvres. Nous n'osâmes jamais lui demander pourquoi il n'aimait pas parler de la Division Azul. Nous savions tous qu'il n'aimait pas ça, et pourtant il n'avait pas non plus éliminé les preuves, il ne les avait pas cachées ni enterrées. Son silence, qui m'avait toujours semblé compréhensible, plaida en faveur de l'invraisemblance de ma découverte jusqu'à ce que je la contemple comme si le prénom inscrit sur les documents que mon père conservait dans ce dossier n'était pas le sien, comme si tous ces papiers appartenaient à une autre personne, un Espagnol quelconque. Je compris alors que, si Julio Carrión González ne s'était pas donné la peine de s'en débarrasser, ce n'était pas par nostalgie, ni même par négligence, mais par laisser-aller. Parce que ces papiers n'étaient pas dangereux.

Ce pays, comme vous le savez certainement tous, eut un jour une chance – ainsi commença le premier cours que José Ignacio Carmona me donna jamais –, il l'eut et on la lui vola. Alors les poètes, les scientifiques, les physiciens, les chimistes, les biologistes, les médecins, les mathématiciens, s'exilèrent... Et alors ? Le temps a fait son œuvre, me direz-vous, et vous aurez raison, mais nous portons tous encore la poussière de la dictature sur les chaussures, vous aussi, même si vous ne le savez pas. Il faut plus de temps pour que les déserts fleurissent et, malheureusement pour tous, la science ne récupère pas aussi vite que la littérature. C'est la raison pour laquelle je préfère que vous le sachiez maintenant, pour que vous ne me disiez pas ensuite que je ne vous ai pas prévenus de la difficulté d'être physicien en Espagne. Tenez-en compte au cas où vous voudriez vous réorienter, car il en est encore temps...

Quand il eut achevé son discours, il nous regarda, fronça les sourcils, se retourna, prit une craie et commença à nous expliquer son programme au tableau. Il n'y eut aucune désertion, aucune réponse, même si certains se moquèrent un peu, sans faire de bruit, de ce professeur si jeune qui semblait en même temps si vieux, si décalé, si peu digne de la joie de ceux qui devaient être les siens, de cette euphorie qui éclatait en l'air à la veille du retour de la gauche au pouvoir. Mais José Ignacio Carmona avait raison et nous ne tardâmes pas à le découvrir, à nous pencher sur une faille profonde aux bords sales, mal dentelés, dans laquelle toute tradition, tout progrès avait un jour basculé. « Tu fais toujours le même discours aux étudiants de première année ? » lui avais-je demandé au début de ce même cours. — Non, je suis devenu un peu plus optimiste, me répondit-il, mais je continue à leur parler de la chance et des déserts, ça oui. Ce qui est amusant, c'est qu'à la fin, les élèves m'applaudissent ! — C'est bien, relevai-je, ça veut dire qu'ils sont plus intelligents que nous. — Non, ils ne sont pas plus intelligents, ce qu'il y a, c'est qu'ils ont davantage de recul. L'optique est une science paradoxale, tu sais. »

Les paradoxes de l'optique dirigèrent également mon regard vers un point situé beaucoup plus loin que les bords de ce dossier bleu, un horizon que je n'avais jamais contemplé avec la netteté, la clarté qui s'en dégageait aujourd'hui. Ce pays eut un jour une chance, me rappelai-je, ce fut un jour le pays d'hommes et de femmes admirables, mais ils ne conservent pas leurs scories dans un dossier bleu, ils ont brûlé les papiers, les ont jetés, déchirés, mangés. Pour eux, ils étaient dangereux, pas pour mon père. Parce que face aux hommes, aux femmes admirables, dans ce pays il n'y a que des hommes et des femmes que nous devons comprendre, de petites gens, d'un pays petit, d'un pays pauvre, en retard, qui s'est efforcé de survivre, pour arriver à vivre un jour dans un pays grand, riche, développé, content de lui, où ce qui arrive se produit comme par magie.

Les mains sont plus rapides que la vue, disait mon père. Il le savait bien, il l'avait vécu. Et ici, un beau jour, il y eut une guerre ; et ici, un beau jour, elle prit fin, et ici, un beau jour, petit à petit, avec beaucoup de travail, beaucoup d'efforts de quelques-uns, l'herbe commença à pousser dans un coin du désert et ce fut le mérite de tous, car les mains sont plus rapides que la vue et l'optique une science paradoxale. Comment ne pas comprendre, comment ne pas accorder le bénéfice de la compréhension à toutes ces petites gens, obstinées à survivre dans un pays petit, dans un pays pauvre, en retard, où les lois physiques n'ont pas cours, où l'arithmétique est discutable, malléable comme la pâte à modeler, où le mérite de quelques-uns se partage entre tous et où la responsabilité de quelques-uns est multipliée par tous pour que personne n'ait jamais aucun mérite ni responsabilité, car les choses arrivent seules, comme par magie ou parce qu'elles n'ont pas d'autre choix que d'arriver. Mon père compta toujours sur cet avantage, la spécificité de l'Espagne, cette exception à la loi de la cause et de l'effet, le pays où personne ne voit jamais une pomme qui tombe d'un arbre. En Espagne, toutes les pommes sont déjà par terre depuis le début et c'est plus pratique, plus sage, plus commode, mieux pour tous, tant que les mains sont plus rapides que la vue, tant que les paradoxes les plus élémentaires de l'optique jouent en faveur de celui qui manipule les lentilles, tant que le prestige moderne des petites gens qui s'efforcent de survivre oppose sa transparence au prestige caduc des hommes et des femmes admirables, si vieux jeu, si inutiles, si ennuyeux dans leur abnégation, dans leur entêtement, dans la stérilité de leur sacrifice. Ils auraient été tranquilles s'ils s'étaient avoués vaincus, s'ils n'avaient pas joué leur vie en vain tant de fois, il ne se serait rien passé non plus. Ils ne seraient pas admirables, mais nous les aurions compris de la même façon. Comment ne les aurions-nous pas compris, puisque la loi de la gravité ne nous concerne pas en Espagne.

Ils n'étaient pas dangereux, alors mon père ne s'était pas donné la peine de détruire ces papiers, ni de les cacher. L'optique est une science paradoxale, et la magie un art inconsistant, pur trucage, un artifice qui s'effondre tôt ou tard sous l'inexorable pression des lois physiques. Les lentilles se fixent, se dissimulent, se salissent, semblent se couvrir de la poussière de l'oubli, et les branches du pommier sont nues, les fruits à terre, disposés soigneusement, une astuce avantageuse et mesquine qui plaît au scénographe habitué à travailler sans témoins. Mais les déserts fleurissent très lentement, l'herbe grandit dans le sol avant de grandir dans le regard de ceux qui la contemplent, et pour cela le temps doit passer, beaucoup de temps, pour que quelqu'un se rappelle un beau jour que les pommes ne poussent pas par terre, qu'elles tombent des arbres. Les jeunes de première année applaudissent José Ignacio Carmona, sans vraiment savoir pourquoi, mais moi, je le sais. Je le sais, papa, pas toi. Tu as conservé jusqu'au bout le bénéfice de la compréhension, le privilège de ne pas devoir manger tes papiers.

Je refermai alors le dossier, le mis de côté et ressentis une poussée de froid soudaine, une nausée morale, la tentation d'abandonner. J'avais prévu d'aller à la fac après avoir suivi les traces de Raquel Fernández Perea dans les succinctes archives secrètes de son amant, mais ce que j'avais trouvé dans le dossier bleu ne me donna guère envie de continuer. Soudain, j'avais besoin de respirer l'air de la rue, d'échapper à ces uniformes, à ces lettres, au serment bilingue et à mes propres conclusions. Je faillis obéir à cette impulsion, mais me rappelai à temps que je n'aurais plus de matinée libre jusqu'au mardi suivant. La serrure ne résista pas à deux coups de marteau.

L'un suffit à la détacher, cabossée mais intacte, de ce petit porte-documents en cuir qui ne contenait pas de chéquiers, juste un compartiment rempli de papier de soie, une feuille de papier écrite à la main que quelqu'un avait déchirée avant de la recoller avec du scotch, et une photographie. Elle représentait la plus jolie femme que j'aie jamais vue, dans une rue inconnue et devant une terrasse bondée. Les raisons de mon étonnement figuraient au verso, à travers une écriture féminine et élégante, à grands traits pointus. *Pour que tu ne m'oublies pas, Paloma.* Et au-dessous, *Paris, mai 1947.* En lisant ces mots, je, compris que cet homme n'était pas moi, et que ce que j'avais trouvé bizarre était la forme ronde des guéridons, si différents des tables carrées des terrasses de ma ville. Je ne compris que ça.

Paloma, me dis-je, Paris. Et je le répétai à voix haute : Paloma, Paris. J'aurais voulu vous y voir en Russie, en Pologne, disait mon père quand nous étions petits et que nous nous plaignions du froid qu'il faisait dans son village. Il était allé en Russie, en Pologne, et aussi en Lettonie, deux fois, comptais-je, la première quand il avait été blessé, et la dernière avant de rentrer en Espagne. Riga avait été la dernière étape de son voyage, le chemin de retour ne passait pas par Paris, il n'avait pas duré trois ans. Je me levai, cherchai l'encyclopédie du regard, et me rassis avant de la trouver. Mais tu es con, ou quoi ? me demandai-je. Je savais parfaitement quand s'était terminée la Seconde Guerre mondiale et que les dernières troupes de la Division Azul étaient rentrées en Espagne plus d'un an auparavant. Le problème n'était pas là. Le problème avait les yeux clairs et les cheveux foncés, bril-

lants, avec des ondulations très marquées qui entouraient son
visage d'une auréole d'eau sombre, une illusion de mouvement qui disparaissait au-delà des oreilles sans perturber les
lignes de son cou long et élégant, majestueux en se fondant
avec le menton dans un angle précis, splendide. Son visage
était si beau qu'il était difficile de le décrire, de choisir un
trait essentiel, de se décider entre le relief des pommettes et
la souplesse des lèvres, entre la douceur des yeux et la propreté nue des mâchoires, entre la grâce parfaite du nez et la
parfaite décision de l'arc des sourcils. Elle posait de face, avec
un sourire à peine esquissé, un air de joie incomplète, et pourtant ses yeux illuminaient l'image tout entière, le fond, les silhouettes, les détails, avec cette lumière brutale et irrésistible
qui allume les yeux des femmes en chasse. Ce jour-là, elle
s'était habillée en conséquence. La robe, en toile légère et brillante, moulait son corps avec une docilité effrayante sur les
épaules, la poitrine, la taille, pour se décoller après avoir
marqué la juste force des hanches. Elle laissait deviner de jolis
bras et de si belles jambes que j'oubliai l'espace d'un instant
tous les jugements que j'avais pu formuler sur la beauté féminine. Elle était aussi resplendissante que ces anciennes
actrices de cinéma dont de vieilles photos en noir et blanc
semblent affirmer que de telles femmes n'existent plus. Tout
cela ne m'impressionna pas autant que de me voir à ses côtés,
un instant avant de comprendre que ce jeune homme qui
posait avec mon visage, mon air sérieux et concentré, mes
yeux sombres et mes lèvres fermes, oubliant le sourire charmant qu'elles savaient soutenir comme personne, n'était pas
moi, mais mon père.

Mon père s'était trouvé à Paris, en 1947, avec une Espagnole qui s'appelait Paloma, la plus jolie femme que j'aie
jamais vue. À ses côtés, il paraissait vulgaire, plus petit, plus
fragile qu'il ne l'était en réalité. Peut-être aussi parce qu'il était
plus jeune. Calculer l'âge de très jolies femmes n'est pas chose
facile mais elle semblait avoir plus de trente ans, et lui venait
d'en avoir vingt-cinq. Il portait un pantalon foncé et une chemise blanche, aux manches retroussées, avec plusieurs boutons ouverts, pas trace de veste, de cravate ; une négligence
insolite chez l'homme que j'avais si souvent vu en uniforme,
ce matin même, et bien plus chez le monsieur qu'il deviendrait par la suite. Debout derrière elle, on aurait dit un

homme à tout faire, un garçon de course, le domestique de cette femme élégante, magnifique, qui posait assise sur un tabouret haut, les jambes presque de profil, le torse presque de face, la tête légèrement abandonnée en arrière, appuyée contre la poitrine de son compagnon. Et cela ne tenait pas qu'aux vêtements. Il y avait quelque chose d'étrange dans cet homme, dans l'expression orgueilleuse, insolente de ses lèvres, dans la détermination de ses yeux sombres. Une férocité douteuse ou peut-être la trace d'une émotion, de l'amour, pensai-je, ou peut-être la fierté d'avoir été choisi parmi beaucoup d'autres, peut-être tous.

Les Espagnols qui vivaient à Paris en 1947 n'y étaient pas arrivés par esprit d'aventure, je ne pouvais pas savoir qui elle était, où elle vivait, de quel côté elle se rangeait, à quel endroit, à quel moment et dans quelles circonstances elle avait rencontré Julio Carrión González. Je savais juste que cette photo était importante pour lui, car il ne l'avait pas détruite, et qu'elle était dangereuse, car il avait pris la peine de la cacher soigneusement. Je savais aussi que cet homme était mon père. Sinon, si j'étais tombé par hasard sur les papiers d'un inconnu, j'aurais pensé qu'il s'agissait d'un frère jumeau, identique mais différent du soldat allemand qui souriait à une croisée des chemins, Berlin 1 485 km, Saint-Pétersbourg 70 km. J'étais sûr qu'il s'agissait de la même personne et pourtant, je consultai à nouveau le dossier bleu, choisis certaines photos afin de les comparer à celle-ci, cherchai des ressemblances, des différences, je vis la même cicatrice, comme un point rond, plus clair, au-dessus du même sourcil, et je continuai à ne pas comprendre. Je ne trouvai aucun document pour justifier le séjour de mon père dans un pays hostile, à une époque difficile, pas même une facture, une note, rien d'écrit en français. Il n'y avait pas non plus d'autre photo de cette femme. Alors, pour en savoir plus, je sortis la vieille lettre, recollée, que j'avais trouvée dans le même compartiment du porte-documents et la plaçai soigneusement sur la table.

*Très cher fils de mon cœur*, mais malgré la calligraphie, très semblable, ancienne aussi, et féminine, c'était une lettre de Teresa, ma grand-mère, *pardonne-moi pour tout le mal que j'ai pu te faire sans le vouloir, au nom de tout l'amour que j'ai eu pour toi*, et au début je le regrettai, parce que la beauté de cette femme appelée Paloma était plus puissante, *au nom de l'amour que je conserverai pour toi jusqu'à ma mort,* et je continuais à penser à elle, à évaluer son âge, son origine, les raisons qui avaient pu la pousser à se faire photographier avec mon père en mai 1947, les raisons qu'il avait dû avoir pour conserver cette photo pendant tant d'années. *Essaie de me comprendre, et un jour, quand tu seras un homme, que tu tomberas amoureux d'une femme,* je me rendis compte que cette lettre était un adieu, *et que tu souffriras par amour, que tu sauras ce que c'est,* un adieu aussi incompatible avec ce que je savais de mon père qu'une photo prise à Paris en 1947, *pardonne-moi si tu peux, pardonne cette pauvre femme qui s'est trompée en choisissant un mari,* mais tu es morte d'une tuberculose osseuse, *mais pas en ayant deux fils que j'aimerai toujours plus que tout au monde,* mais tu n'as pas eu d'autre fils que mon père, *tu ne le comprendras pas maintenant, tu ne peux pas,* mais cette lettre est datée du 2 juin 1937, la date de ta mort, grand-mère, *mais tu vas grandir, tu deviendras plus âgé, et tu auras tes idées, les miennes ou celles de ton père,* qu'est-ce que les idées ont à voir avec ça, *et tu te rendras compte qu'elles sont beaucoup plus importantes qu'elles ne le paraissent,* mon père disait toujours que le sien était très religieux, *qu'elles sont une façon de vivre, une façon d'être amoureux et de comprendre le monde, les gens, toutes les choses,* mais tout ce qu'il m'a dit de sa mère était qu'elle jouait très mal du piano, *n'aie pas peur des idées, Julio, car les hommes sans idées ne sont pas tout à fait des hommes,* qu'elle était très bonne, qu'elle était institutrice, qu'elle aimait beaucoup son mari, *les hommes sans idées sont des pantins, des marionnettes, ou pire,* une femme ordinaire, comme tant d'autres, *des personnes immorales, sans dignité, sans cœur,* mais ce n'était pas la voix d'une personne ordinaire, *tu ne peux pas être comme eux, tu dois être un homme digne, bon, courageux,* ma grand-mère n'était pas une femme ordinaire et mon père me l'avait volée, *sois courageux, Julio, et pardonne-moi,* ce fut ce que je ressentis, que ce n'était plus sa mère qui écrivait, *nous n'avons pas eu de chance, mon fils, nous n'en avons pas eu,* c'était ma grand-mère et elle me parlait à moi, *mais la guerre finira un jour, et la raison vaincra, la justice, la liberté, la lumière pour laquelle nous nous battons vaincront,* mon père avait toujours eu peur des idées, *et quand tout cela sera fini, je reviendrai te chercher, et nous parlerons,* ou du moins se comporta-t-il toujours comme si elles lui inspiraient une sorte de redoutable répugnance, *et peut-être alors penseras-tu autrement,* je n'avais jamais su ce que pensait mon père, *et tu me comprendras, pourvu que tu me comprennes,* simplement, il ne supportait pas les discussions politiques, *je me trompe peut-être mais je sens que je fais ce que je dois faire, et je le fais par amour,* « celui qui fera de la politique je le jette dehors », *par amour pour Manuel, par amour pour moi-même, par amour pour mon pays, pour mes idées et pour vous aussi, pour que vous ayez une vie meilleure,* « la politique, c'est le pire, il n'existe rien de plus bas, de plus vil, de plus répugnant », *pour que vous viviez une vie plus libre, plus juste, plus heureuse,* « celui qui voudra détruire sa vie, la jeter à la poubelle, qu'il fasse de la politique », *je sais qu'aujourd'hui tu ne le comprends pas, que tu ne peux pas,* c'était ce que nous disait mon père, le fils d'une femme capable d'écrire une lettre comme celle-ci, *mais je t'aime, j'ai confiance en toi, et je sais que tu seras un homme digne, bon, courageux,* tu as été bon, papa ? me demandai-je, tu as été digne, et courageux ? *courageux au point de pardonner à ta mère,* autant qu'elle, papa, sans l'avoir jamais mentionnée, sans nous avoir jamais raconté quel genre de femme elle était en réalité ? *qui t'aimera toujours et qui ne pourra donc jamais se pardonner totalement,* ta grand-mère jouait du piano, très mal, terriblement, mais elle adorait ça, la pauvre, *à toi et au socialisme,* à moi et au socialisme, *maman,* c'était ta mère, papa, c'était ta mère, putain, c'était ta mère. Ta mère !

*Très cher fils de mon cœur,* quand je commençai à la relire, depuis le début, mes mains tremblaient, *pardonne-moi pour tout le mal que j'ai pu te faire sans le vouloir, au nom de tout l'amour que j'ai eu pour toi,* mes jambes, mes lèvres, ma conscience tremblaient, *au nom de l'amour que je conserverai pour toi jusqu'à ma mort,* je t'aurais aimée, grand-mère, *essaie de me comprendre, et un jour, quand tu seras un homme et que tu tomberas amoureux d'une femme,* j'aurais été un homme meilleur si j'avais pu t'aimer à temps, *et que tu souffriras par amour, que tu sauras ce que c'est,* si seulement j'avais pu lire cette lettre sans avoir dû la voler auparavant, *pardonne-moi si tu peux, pardonne cette pauvre femme qui s'est trompée en choisissant son mari,* mais tu as quitté le mauvais mari parce que tu as dû en trouver un meilleur et ton fils t'a condamnée à mort, il t'a enterrée vivante, il t'a fabriqué une vie comme celle que tu n'as pas voulu vivre, *mais pas en ayant deux fils que j'aimerai toujours plus que tout au monde*, et il annula son frère, le nia, le détruisit, l'arracha pour toujours de sa mémoire parce qu'il était parti avec toi ou parce que tu l'avais emmené, *tu ne le comprendras pas maintenant, tu ne peux pas,* « je te l'avais dit, que la femme de ton frère était une traînée, oui ou non ? », *mais tu vas grandir, tu deviendras plus âgé et tu auras tes idées, les miennes ou celles de ton père,* il avait déchiré la lettre en quatre morceaux et l'avait rafistolée, *et tu te rendras compte qu'elles sont beaucoup plus importantes qu'elles ne le paraissent,* c'est ça, la déchirer, la scotcher et la cacher soigneusement, c'était tout ce que mon père avait fait de cette lettre, *qu'elles sont une façon de vivre, une façon d'être amoureux, de comprendre le monde, les gens, toutes les choses,* comme si à quatorze ans il avait déjà choisi une façon de vivre, sa propre façon d'être amoureux, de comprendre le monde, les gens, toutes les choses, *n'aie pas peur des idées, Julio, car les hommes sans idées ne sont pas tout à fait des hommes,* c'est peut-être la raison pour laquelle il ne partit pas avec toi, *les hommes sans idées sont des pantins, des marionnettes ou pire,* mais il devint beaucoup plus qu'un homme, *des personnes immorales, sans dignité, sans cœur,* c'était un magicien, un sorcier, un charmeur de serpents, le personnage le plus sympathique du monde, le plus charmant, le plus irrésistible, *tu ne peux pas être comme eux, tu dois être un homme digne, bon, courageux,* et quand il souriait, on aurait dit un de ces soleils que dessinent les jeunes enfants, une boule jaune, coloriée jusqu'à en trouer le papier et plein de rayons, *sois courageux, Julio, et pardonne-moi,* il ne t'a jamais pardonnée, mais il n'a jamais eu non plus le courage de nous le raconter, *nous n'avons pas eu de chance, mon fils, nous n'en avons pas eu,* lui, si, grand-mère, il est devenu riche, grand, puissant, *mais la guerre finira un jour, et la raison vaincra, la justice, la liberté, la lumière pour laquelle nous nous battons vaincront,* mais nous n'avons pas eu de chance, ce pays n'a pas eu de chance, tu n'en as pas eu, la raison n'en a pas eu, ni la justice, ni la liberté, ni la lumière, juste Dieu, l'ordre, l'obscurité, les uniformes, *et quand tout cela sera fini, je reviendrai te chercher, et nous parlerons,* est-ce que tu as pu revenir, grand-mère, est-ce que tu as pu échapper à leur victoire, à la prison, à la paix des fosses communes et aux fossés sur les routes ? *et peut-être alors penseras-tu autrement,* je ne sais ce qu'il pensait alors, ni même ce qu'il pensait ensuite, *et tu me comprendras, pourvu que tu me comprennes,* mais je sais que tu n'as pas eu de chance jusqu'à aujourd'hui, grand-mère, aujourd'hui tu en as et tu ne le sais pas, si seulement tu étais ici pour t'en rendre compte, *je me trompe peut-être mais je sens que je fais ce que je dois faire, et je le fais par amour,* tu ne peux pas savoir ce que représente ton amour pour moi, tu ne peux pas évaluer la fierté que je ressens d'être ton petit-fils, le fils de ton fils, je t'ai tellement aimée avant de te connaître, Teresa, j'ai tellement admiré les gens comme toi, *par amour pour Manuel, par amour pour moi-même, pour mon pays, pour mes idées et pour vous, pour que vous ayez une vie meilleure,* ce pays, comme vous le savez sans doute tous, a un jour eu une chance, ainsi commença le premier cours que José Ignacio Carmona me donna, il l'eut et on la lui vola, on te la vola, Teresa González, on la lui vola à lui, à moi, *pour que vous viviez une vie plus libre, plus juste, plus heureuse,* et je sais bien que cette victoire posthume, symbolique et tardive, ne te consolera jamais de cette défaite, mais toi, aujourd'hui, tu as gagné la guerre, grand-mère, *je sais qu'aujourd'hui tu ne le comprends pas,* pour toi c'est un triomphe inutile, pas pour moi, *que tu ne peux pas,* toi non plus tu ne le comprendrais pas, tu ne pourrais pas, parce que les enfants croient que les bons sont toujours ceux qui gagnent à la fin des films, et il faut beaucoup de temps pour que fleurissent les déserts, pour apercevoir la fin d'un chapitre de la fin de l'histoire, *mais je t'aime, j'ai confiance en toi, et je sais que tu seras un homme digne, bon, courageux,* ce pays est étrange, grand-mère, un pays capable du meilleur et du pire, et c'est pour cela que je ne sais pas quel genre d'homme fut ton fils, *courageux au point de pardonner à ta mère,* je sais juste qu'il fut pire que toi, *qui t'aimera toujours et qui ne pourra donc jamais se pardonner totalement,* parce que les gens comme lui, tout le monde les comprend, *à toi et au socialisme,* à moi et au socialisme, toi, Teresa González, qui étais institutrice et jouais si mal du piano, *maman,* grand-mère, *très cher fils de mon cœur,* et je relus cette lettre, *pardonne-moi pour tout le mal que j'ai pu te faire sans le vouloir, au nom de tout l'amour que j'ai eu pour toi,* je la relus souvent, je l'appris par cœur pour être sûr de ne jamais l'oublier, *au nom de l'amour que je conserverai pour toi jusqu'à ma mort,* jusqu'à ce que mes yeux soient secs, moi, qui pleure si peu, très peu, presque jamais, *essaie de me comprendre, et un jour,* jusqu'au moment où je pus analyser ce que je lisais, jusqu'à ce que je parvienne à en faire un problème, *quand tu seras un homme, et que tu tomberas amoureux d'une femme,* alors je la relus, et je m'efforçai de le faire avec les yeux de mon père, *et que tu souffriras par amour, que tu sauras ce que c'est,* je tentai d'adopter le regard d'un enfant de quatorze ans, abandonné par sa mère, *pardonne-moi si tu peux, pardonne à cette pauvre femme qui s'est trompée en choisissant son mari,* et pour être juste avec cet enfant, je répétai souvent ce verbe si laid, si sale, abandonner, *mais pas en ayant deux fils que j'aimerai toujours plus que tout au monde,* mais ce matin-là j'avais aussi connu Benigno, mon grand-père, *tu ne le comprendras pas maintenant, tu ne peux pas,* l'homme qui demandait juste à son fils d'être toujours prêt à mourir dans la grâce de Dieu, *mais tu vas grandir, tu deviendras plus âgé, et tu auras tes idées, les miennes ou celles de ton père,* et je m'appelais Álvaro Carrión Otero, et j'avais grandi, j'étais devenu plus âgé, *et tu te rendras compte qu'elles sont beaucoup plus importantes qu'elles ne le paraissent,* j'avais mes propres idées et elles ressemblaient beaucoup à celles que je lisais, *qu'elles sont une façon de vivre, une façon d'être amoureux et de comprendre le monde, les gens, toutes les choses,* elle avait écrit mes idées de son écriture ancienne et féminine, de grands traits pointus, élégants, *n'aie pas peur des idées, Julio, car les hommes sans idées ne sont pas tout à fait des hommes,* et je ne me sentis plus le fils traître, celui qui prête l'oreille à la version de l'ennemi, *les hommes sans idées sont des pantins, des marionnettes, ou pire,* parce que cette voix m'appelait, me parlait, *des personnes immorales, sans dignité, sans cœur,* parce que c'était la voix de ma grand-mère et elle avait raison, *tu ne peux pas être comme eux, tu dois être un homme digne, bon, courageux,* et c'était pour cela que cette lettre n'avait plus rien à voir avec la mémoire de mon père, *sois courageux, Julio, et pardonne-moi,* pas même celui de sa mère, la femme admirable qui l'avait écrite, *nous n'avons pas eu de chance, mon fils, nous n'en avons pas eu,* cette lettre ne parlait qu'à moi, à ma propre mémoire, mon propre concept de la dignité, de la bonté, du courage, *mais la guerre finira un jour, et la raison vaincra, la justice, la liberté, la paix pour laquelle nous nous battons vaincront,* avec une vérité qui avait survécu à la guerre, à la paix des cimetières, aux paradoxes de l'optique, à la paix des cimetières, aux paradoxes de l'optique et à la misérable apesanteur de l'Espagne, et *quand tout cela sera fini, je reviendrai te chercher, et nous parlerons,* pour arriver jusqu'à mon cœur, *et peut-être alors penseras-tu autrement,* pour le remplir d'amour pour toi, grand-mère, *et tu me comprendras, pourvu que tu me comprennes,* aucune victoire n'est comparable à celle-ci, *je me trompe peut-être mais je sens que je fais ce que je dois faire, et je le fais par amour,* qui vainc l'histoire, le temps et la mort, *par amour pour Manuel, pour moi-même, par amour pour mon pays, pour mes idées et pour vous aussi, pour que vous ayez une vie meilleure,* aucune n'est aussi juste, aucune n'est aussi triste, *pour que vous viviez une vie plus libre, plus juste, plus heureuse,* et moi qui croyais que ma vie était différente, *je sais qu'aujourd'hui tu ne le comprends pas, que tu ne peux pas,* que ma vie était une étendue paisible de terres cultivées qui n'exigeait pas d'excès de mes yeux ni de ma conscience, *mais je t'aime, j'ai confiance en toi, je sais que tu seras un homme digne, bon, courageux,* qui en était venue à éprouver de la nostalgie pour cet homme que j'étais et à qui il n'arrivait jamais rien, *courageux au point de pardonner à ta mère,* et pourtant maintenant je t'ai toi, *qui t'aimera toujours et qui ne pourra donc jamais se pardonner totalement,* je t'ai toi, *à toi et au socialisme,* je t'ai toi, où que tu sois, grand-mère, *maman,* je veux gratter la terre avec mes dents, *très cher fils de mon cœur,* je veux écarter la terre morceau par morceau, *pardonne-moi si tu peux,* à coups de dents secs, *les idées sont beaucoup plus importantes qu'elles ne le paraissent,* je veux saper la terre jusqu'au moment où je te trouverai, *nous n'avons pas eu de chance, mon fils,* embrasser ton noble crâne, *je me trompe peut-être* et ôter ton bâillon, *et je le fais par amour...*

« Qu'est-ce que c'est ? »

La question de Mai interrompit le son des vers de Miguel Hernández que j'avais appris adolescent et que je ne pouvais m'empêcher de répéter maintenant, comme s'ils étaient devenus un mantra, une litanie, une prière consolatrice, indispensable dans le désarroi, dans la désolation. Ce fut peut-être la

raison pour laquelle je ne l'entendis pas arriver. Je ne l'attendais pas si tôt mais quand je la trouvai près de moi, je me
rappelai que cet après-midi-là Miguelito avait une fête d'anniversaire et qu'il ne fallait pas aller le chercher avant 20 heures.

« Ce sont des papiers de mon père, répondis-je en faisant
un geste vague de la main. Hier, quand je suis allé apporter
l'argent à Lisette, j'ai trouvé ce dossier, regarde...

— Non, je parle de la photo. »

Teresa, ma grand-mère, jeune et paisible, coiffée d'un
chapeau discret, une petite perle à chaque oreille et une veste
boutonnée jusqu'au cou, habillement classique pour une inoffensive et souriante épouse bourgeoise, nous regardait depuis
un cadre en argent que quelqu'un nous avait offert à notre
mariage et dont nous ne nous étions jamais décidés à nous
servir parce qu'il nous semblait trop solennel. J'avais passé
plus d'une demi-heure à le chercher dans tous les tiroirs de la
maison, après avoir trouvé ce portrait au fond du dossier bleu,
avec d'autres de son mari et une photo où mon père, âgé de
quatre ou cinq ans, posait avec eux deux devant le bassin du
parc du Retiro. Benigno, en costume sombre et chemise
blanche boutonnée jusqu'au cou, sans cravate mais avec une
ceinture large, très visible, avait l'allure typique des hommes
de la sierra quand ils descendent à Madrid, comme ils disent.
Mal à l'aise dans ses habits du dimanche, le béret à la main,
il regardait par terre les sourcils froncés, clignant des yeux
comme si la lumière le gênait. Il semblait plus vieux que sur
sa photo de mariage mais la différence d'âge ne le séparait
pas autant de sa femme que son attitude farouche, revêche,
voire légèrement complexée. Elle n'était pas seulement mieux
habillée. Elle semblait également plus contente, plus adaptée
à la vie urbaine, au soleil et à l'enfant qu'elle entourait de ses
bras, une femme plus cultivée que son mari, avec plus
d'aplomb, plus d'envergure, une confiance en soi que l'on
décelait mieux, presque comme un halo invisible, sur le
portrait pour lequel j'avais conservé sans le savoir pendant
des années ce cadre en argent.

« C'est Teresa, ma grand-mère, dis-je à ma femme. La
mère de mon père.

— Oui, je sais. Ce que je ne comprends pas, c'est pourquoi tu l'as mise là. Tu aurais pu mettre ton grand-père, plutôt. Regarde... » Elle prit un portrait semblable de Benigno

Carrión qui se trouvait sur la table et me le montra comme si je ne l'avais pas toujours vu dans le visage de mon père, et dans mon propre visage. Tu lui ressembles énormément, c'est incroyable, non ? Et il était vraiment plus beau que ta grand-mère.

— Non ! dis-je, avec une force qu'elle ne pouvait interpréter.

— Je crois que si.

— Eh bien moi, je crois que non, répétai-je d'un ton plus ferme. Et puis, comme ce ne sont pas tes grands-parents, mais les miens, et que le cadre prenait la poussière depuis sept ans dans une boîte, je vais le mettre ici, je le verrai seul, et je préfère ma grand-mère à mon grand-père, c'est tout.

— D'accord, d'accord... » Mai jeta la photo sur la table en me regardant d'un air surpris. « Mais enfin, Álvaro, tu as des façons de réagir, tu vas donner raison à ta mère. Ton caractère a changé.

— Non, ce n'est pas ça. » Je me levai, pris ma femme dans mes bras et l'embrassai sur le visage pour lui faire oublier les yeux un peu globuleux de Teresa González, son menton fuyant, et l'ombre légère mais visible que le double menton projetait sur son cou. « C'est que je suis nerveux. J'ai passé la journée à voir des choses assez terribles. Regarde, je vais te montrer... »

Je lui passai des photos de mon père en uniforme allemand, espagnol, le bras levé, la lettre la plus sanguinaire de María Victoria Suárez Mena, les images de Benigno, mon grand-père, ses pieuses recommandations et le serment d'obéissance hitlérienne. Je la contemplai pendant qu'elle lisait en silence, le sourcil progressivement froncé, la bouche ouverte, un mécontentement imprévu aux commissures des lèvres.

« Ça donne des frissons, hein ? » lui demandai-je à la fin. Elle me renvoya un regard presque effrayé, qui traduisait à la fois son étonnement et ma détresse.

« Oui, je dois dire que ça donne des frissons. Vraiment », concéda-t-elle, et pourtant j'avais prévu sa réaction, deviné ce que j'allais entendre, je le savais avant qu'elle n'ouvre la bouche, et sur le son de la première syllabe je remarquai aussi un claquement, le clic d'un interrupteur qui s'active tout seul, l'écho imperceptible d'une corde qui craque. « Mais aussi, il faut comprendre, le pauvre, voyons, qu'est-ce qu'il pouvait faire ? À cette époque, la vie était si dure, et la faim dont ils souffraient...

— Bien sûr, bien sûr. » Je n'avais pas envie d'écouter ses excuses, et elle s'en aperçut.

« Tu ne trouves pas ça compréhensible ?

— C'était mon père, alors mon avis n'a pas d'importance. L'important est que toi, tu le comprennes, non ?

— Eh bien oui, parce que je ne peux pas le juger. Je n'ai pas le droit de reprocher... » Elle bafouilla, me regarda, et vit sur mon visage quelque chose qui la persuada qu'elle devait changer de tactique. « Nous n'avons pas vécu ça, Álvaro, nous ne savons pas ce que nous aurions fait dans une situation aussi difficile, aussi compliquée, avec tant de violence, tant de haine, tant de morts. Nous n'avons rien à voir avec ça, au contraire. Je suppose qu'en 1936, toi et moi, on aurait été pacifistes.

— Moi ? Bien sûr que non, Mai, la contredis-je doucement. Et toi non plus. Dans cette guerre il n'y avait pas de pacifistes.

— D'accord, mais il devait y avoir des gens corrects.

— Oui, parmi les républicains.

— C'est incroyable, Álvaro ! On ne peut vraiment pas parler avec toi, on dirait Fernando Cisneros, tu dis les mêmes sottises, tout à coup... »

Ma femme avait raison. Tout à coup, je ressemblais à Fernando Cisneros, et tout à coup je répétais les mêmes choses, qui n'étaient pas des sottises, mais pas non plus des affirmations impartiales, d'ailleurs je ne me souciais pas de leur degré de partialité. Dans ce pays en apesanteur, où personne n'a jamais eu aucun mérite ni responsabilité, l'objectivité n'est qu'une construction intéressée de subjectivités homogènes qui disculpent, une perpétuelle division par deux sans décimales, une application aussi grossière des procédés statistiques que la marge pour la correction des angles est presque infinie. Mai n'avait pas parlé de gens bien, mais de gens corrects, et quand je la regardai dans les yeux, je sentis à nouveau que quelque chose s'était brisé. Mais si je ne lui montrai pas la lettre de ma grand-mère ce ne fut pas pour tenter de recoller les morceaux. Si je ne lui expliquai pas ce qui m'était arrivé ce matin, ce fut parce que je pensai à temps à Herminio, son grand-père, dont je savais juste qu'il s'appelait López, qu'il travaillait comme manœuvre dans un village de la province de Caceres, qu'il s'était enrôlé pour se faire tuer trois jours après être arrivé sur le front, et qu'il était mort trop tôt, trop jeune, trop près de son village.

Je ne l'avais jamais vu, elle non plus. Chez ses parents, il n'y avait pas de photos, pas d'objets lui appartenant, et on ne parlait jamais de lui, sauf pour vanter le mérite de sa veuve, comme si sa mort avait été un caprice, comme s'il avait choisi de se faire tuer, comme s'il était le seul coupable de la solitude de sa femme. Il n'y avait pas de compréhension pour grand-père Herminio, il n'y en avait jamais eu. Mai, si progressiste, si pacifiste, si fautive, comprenait en revanche très bien son propre père, qui décida de se dispenser pour toujours de l'existence du milicien López en devenant le fiancé de la fille cadette d'un sous-lieutenant provisoire qui ne découvrit jamais que son gendre était le fils d'un rouge. Imagine, le pauvre, ce qu'il a dû faire me raconta-t-elle quand je la rencontrai, alors moi aussi je compris. Et si je n'avais pas lu la lettre de ma grand-mère, ces mots anciens qui me pesaient tant, qui m'obligeaient à tant de choses, après tant d'années, je ne me serais peut-être pas souvenu non plus que ma femme avait elle aussi un grand-père gênant, clandestin, dangereux, enterré à toute vitesse et n'importe comment par son propre fils, le même destin que mon père avait décrété pour sa propre mère. Aussi, avant de redemander pardon, je me rappelai le pauvre Herminio López, le grand-père sans visage, sans corps, sans qualités, sans mémoire et sans héritiers, l'homme sans histoire. Ce n'était peut-être pas la faute de Mai, mais ce devait bien être la faute de quelqu'un parce que les pommes ne poussent pas par terre. Les pommes tombent des arbres, forcément.

« Tu as raison. Je n'aurais pas dû dire ça parce que ce n'est pas vrai, il devait y avoir des gens bien des deux côtés, bien sûr. Ce qu'il y a, c'est que tout ça » – je désignai à nouveau les documents de mon père d'un geste vague – « me rend malade.

— Je vois. Je comprends... » Heureusement, pensai-je.

« Je descends faire des courses, tu as besoin de quelque chose ?

— Eh bien... Si tu pouvais me rapporter des biscuits pour le thé de chez La Duquesita[1], je t'en serais éternellement reconnaissante, dit-elle en m'embrassant. J'ai oublié de déjeuner, avec tout ça... »

Tout le reste se passa très vite, la sonnerie du mobile, la voix de Fernando, l'accent impatient avec lequel il posa une question que je ne compris pas, ma réponse... « Tu m'as appelé », m'expliqua-t-il. C'était vrai, car deux heures plus tôt, j'avais cédé à la tentation de l'appeler pour tout lui raconter et je m'étais tout de suite ravisé en imaginant le début de la conversation, moi aussi, j'ai une grand-mère admirable, tu sais ? Je viens de l'apprendre, c'est incroyable... Il avait une tout autre idée en tête. « Cette nana ne t'a pas appelé ?

— Quelle nana ?

— La maîtresse de ton père.

— Non, penses-tu, je t'ai appelé pour te demander une bêtise, mais je m'en suis souvenu avant que tu décroches.

— Putain, quelle déception ! se résigna-t-il après une longue pause, j'étais à une commission du budget, très pénible, tu sais, j'ai imaginé que c'était ça et je me suis mis à bander.

— Eh bien débande, l'avertis-je, parce qu'on n'a ni l'un ni l'autre de raisons pour ça... »

Avant de raccrocher, je pris le porte-documents en cuir brun où j'avais trouvé la photo de Paris et la lettre de ma grand-mère, pour la remettre dans le dossier. J'eus l'impression qu'il contenait autre chose, comme si le papier de soie du compartiment antérieur n'était pas du rembourrage, mais l'emballage d'un objet très léger. Je le vidai entièrement pendant que je prenais congé de Fernando, mais le téléphone se remit immédiatement à sonner.

J'avais alors à la main deux cartes au nom de Julio Carrión González, toutes deux délivrées à Madrid, l'une en juillet 1937, l'autre en juin 1941.

Le premier était celle de la Jeunesse socialiste unifiée.

Le deuxième, de la Phalange espagnole traditionaliste et des JONS[2].

L'appel, de Raquel.

---

1. L'une des plus anciennes – et des meilleures – pâtisseries de Madrid, fondée en 1914.
2. Juntes offensives national-socialistes.

J'avais besoin de temps. Je faillis le lui dire, que j'avais
besoin de temps, d'une marge pour accepter ce que je voyais,
pour comprendre ce que je lisais, pour interpréter ce dont je
me rappelais, pour restructurer les données du problème le
plus complexe, le plus inextricable, le plus grave, le plus difficile de tous ceux que j'avais affrontés dans ma vie. J'avais
besoin de temps, d'une marge pour élaborer des hypothèses,
pour mettre en relation leurs déficiences, pour les ordonner à
une échelle acceptable de vraisemblance, pour redéfinir l'idée
que je me faisais de la vraisemblance, l'idée que je me faisais
de mon père, de moi-même. Je suis comme ça, faillis-je lui
dire, je suis physicien, et je me repose sur la théorie, j'en ai
besoin. J'ai besoin que les mêmes causes produisent toujours
les mêmes effets, que les grandeurs immuables le soient véritablement, que le chaos respecte son obligation perpétuelle
d'engendrer le chaos, j'ai besoin de prédire, de comprendre,
de sentir qu'un ordre infini protège mes petites épaules insignifiantes. Je ne peux me reposer que sur ça, je ne suis moi-
même que comme ça. Mais maintenant je ne sais plus qui je
suis ni ce que je signifie, et je dois y repenser, je dois me
repenser, je dois penser à la mystérieuse logique d'un chaos
qui échappe à la structure chaotique d'une vraisemblance qui
s'effondre, aux conséquences imprévisibles de ma pensée fragile, précaire, insatisfaisante.

J'étais très fatigué. Je faillis le lui dire, je suis très fatigué
parce que pour moi, la curiosité, ça n'a jamais été comme ça.
Ma curiosité est un processus méthodique, régulier, associé à
la progression de la connaissance, un nombre exact de questions formulées qui requiert un nombre exact de réponses à
trouver, un nombre exact de réponses qui permet de formuler
un nombre exact de nouvelles questions et ainsi à l'infini. Je
sais bien que ce n'est pas très brillant, ni original ni amusant,
mais je ne suis pas détective. Je suis physicien et j'ai besoin
de prédire. C'est ma façon de me reposer et maintenant je suis
fatigué, très fatigué, car même après avoir vécu dix, cent vies
comme la mienne, j'aurais été en condition d'affronter une
partie infime de l'énorme importance de ce problème, la
chaîne insoluble de questions formulées par ce porte-documents en cuir brun, si petit qu'il avait été conçu pour conserver des chéquiers. Je n'en peux plus, j'ai besoin de temps, je
suis très fatigué parce que toi, maintenant, Raquel, tu n'es pas

le plus important. Un vieillard de quatre-vingt-trois ans avec une maîtresse de trente-cinq ans est, en fin de compte, une hypothèse biblique et donc traditionnelle, et par conséquent raisonnable, compréhensible, respectueuse des interactions de l'ordre et du chaos, et même une fin modeste pour un homme tel que mon père. Voilà ce que je faillis lui dire, je lui aurais dit tout cela si, en entendant sa voix, ces deux cartes qui me brûlaient les doigts n'étaient pas devenues de simples morceaux de carton, aussi ordinaires, aussi inoffensifs, aussi courants que deux tickets de métro usagés, la découverte fortuite, inutile, que je rangeai dans ma poche à l'instant même où Raquel Fernández Perea se mit à respirer à l'autre bout de la ligne.

« Bonjour, c'est Raquel, il faut qu'on se voie. » Elle parla d'un trait, comme pour m'éviter de me faire trop d'illusions, mais sa voix, souriante, accentua l'angle du sourire anesthésiant, niais, par lequel mes lèvres avaient répondu de leur propre initiative à cet appel. « Je veux te donner des choses qui appartenaient à ton père, je suppose que tu as plus de temps libre, maintenant.

— Eh bien, je ne sais pas... je ne sais pas, oui. » Sa dernière phrase m'avait déconcerté. « Pourquoi est-ce que tu dis ça ?

— À cause de ton exposition. Tu ne devais pas inaugurer une exposition, vendredi dernier ?

— Si, si..., c'est fait.

— Et alors, tu as beaucoup vendu ?

— Non, rien. » Je me mis à rire, et retrouvai l'assurance qu'avait bouleversée cette réapparition subite de la femme tank. « Je n'avais rien à vendre, en fait. C'est une exposition qui se trouve dans un musée pour que les gens la voient, simplement.

— Sur quoi ?

— Sur les trous noirs.

— Oooh ! Ça a l'air terrifiant et mystérieux. »

Je percevais un sourire dans sa voix.

« C'est de ça qu'il s'agit. » C'était le professeur de physique qui parlait maintenant. « D'expliquer qu'ils ne sont ni si terrifiants ni si mystérieux.

— Non ? Quel dommage !

— Pourquoi ? Tu es amateur de mystère et de suspense ?

— Plus que tu ne l'imagines. Je ne me suis pas encore remise de la contrariété depuis que vous avez dit qu'il n'y avait pas de vie extraterrestre... »

Je m'apprêtais à aller donner mon avis sur la question, mais elle m'en empêcha. « Non, ne m'explique rien, s'il te plaît. Je préfère continuer à croire au troisième type.

— Très féminin, décrétai-je.

— Je ne sais pas comment je dois le prendre... Tu peux essayer de me masculiniser, si tu veux.

— Quoi ? » Je ne savais guère quoi répondre à ça. « Je ne commettrais jamais une telle stupidité.

— Non ? » Elle laissa échapper un petit rire étouffé. « Pourquoi ? » Elle se tut au cas où j'aurais décidé de répondre à sa question, mais je restai silencieux. « Ce que j'essayais de dire, c'est que tu pourrais m'emmener voir ton exposition.

— Ça te dit ? » Je m'attendais à tout sauf à ça, et je fus encore plus surpris du pincement d'émotion que provoqua sa proposition. « Ça t'intéresserait de la voir, sérieusement ?

— Eh bien... » Sa voix prit un ton moqueur, presque dédaigneux, qui ne parvint pas à me décourager entièrement parce que nous étions déjà de vieux combattants, et nous avions si souvent croisé le fer que, quand elle se remit à parler, à superposer un argument à un autre comme une machine insensible et bien huilée, je sentis sans hésiter la condition d'un discours mesuré, étudié pour se dispenser du soulagement des pauses, des virgules, des points de suspension. Je pus presque la visualiser en train de répéter devant un miroir. « On a déjà dîné dans un japonais, non ? Et je ne sais pas grand-chose de toi, à part la physique. On pourrait se retrouver sous la coupole du Palace, bien sûr, mais c'est l'endroit que je choisirais si je devais rendre quelque chose à ta mère. Je préfère traiter avec toi, même si tu es l'anomalie de la famille. Je pourrais aussi te proposer un bar, en choisir un tranquille, cher, élégant, avec des meubles design et peu de lumière, où je n'emmènerais jamais aucun de tes frères. Mais ces bars me semblent un peu vulgaires. Ensuite il y a les cafés, bien sûr, le Comercial, le Gijón, qui me plaisent beaucoup plus. Si tu préfères, on pourrait se retrouver dans l'un des deux, ou dans un bistrot accueillant, classique et bruyant, que j'aime bien aussi, mais je suis une fanatique de l'égalité, tu le sais, et ça me gêne toujours que tu en saches plus sur moi que moi sur toi. Si j'avais les matinées libres, je pourrais aller à ta fac, assister à l'un de tes cours, mais je travaille, tu le sais. Je travaille et je suis curieuse. L'autre soir, tu m'as dit que tu ne dessinais pas et j'ai pensé que tu devais consacrer tes week-ends à autre chose comme, je ne sais pas, sculpter, tailler le bois, restaurer des meubles de l'artisanat, mais les trous noirs sont beaucoup plus intéressants. Ils cadrent mieux avec tes anomalies.

— Bien sûr, admis-je. Et j'espère qu'ils cadreront bien avec les tiennes, aussi.

— Alors..., conclut-elle en riant, on se retrouve là-bas ?

— Non. Il vaut mieux que je passe te chercher en voiture. Le musée est à Alcobendas.

— Si loin ?

— Loin ? lui demandai-je à mon tour. Mais non ! Alcobendas n'est pas très loin, c'est à côté... De toute façon, le voyage vaut la peine. Je suis très bon professeur, tu le sais bien.

— Oui, bon, on verra. Pour l'instant, on prend rendez-vous. Demain, ça te va ?

— Demain... » Demain, répétai-je en mon for intérieur, bon sang, zut, demain, demain, pourquoi si tôt, pourquoi demain ? Pourquoi est-ce que tout doit m'arriver à la fois ? Je faillis lui répondre que je n'en pouvais plus, que j'avais besoin de temps, que j'étais très fatigué, mais elle me devança.

« Je dis ça parce que c'est vendredi, et comme ça, si le temps file, comme il ne faut pas se lever le lendemain... Bien sûr, si tu as un dîner avec un couple d'amis ou quelque chose dans le genre, on annule.

— Non, non, non, non.

— C'est-à-dire que oui, si tu veux, si... ». Quelle salope tu es, Raquelita, quel danger tu représentes, putain. « Je n'ai rien à faire demain. »

C'était faux. Je devais garder notre fils, parce que Mai sortait dîner avec ses amies. Elle m'avait prévenu très long-temps à l'avance, mais avant que je revienne avec un demi-kilo de gâteaux secs de ma pâtisserie préférée, Clara, ma sœur, qui me devait un service, s'était proposée pour inviter mon fils à dormir chez elle le lendemain, pizza, pop-corn, films et karaoké inclus, un programme irrésistible auquel

Miguelito ne résista pas, bien entendu, et auquel sa mère ne put rien objecter non plus.

Depuis que j'avais obtenu leur consentement jusqu'à 18 heures le lendemain, je pensais à Raquel. Pas à ma grand-mère, à sa lettre, à ses mots, à mon père, à ses deux cartes, à ses deux uniformes, à l'obéissance de son serment, juste à Raquel. Le reste pouvait forcément attendre, tout le reste débouchait forcément sur la survie tant que je vivrais, mais je ne parvins pas à prendre cette décision, je n'en pris aucune, je n'étais pas en état de décider. Je ne pouvais penser qu'à Raquel Fernández Perea, la seule femme qui m'avait fait perdre le contrôle, qui avait accidenté sans effort, voire sans le vouloir, une impassible étendue de terres cultivées où tout était plus ou moins programmé, organisé, en conformité avec ce que j'étais, ce qu'était ma vie, la vie d'un homme auquel il n'arrivait généralement pas de choses étranges.

Je ne pouvais m'empêcher de penser à Raquel. Je ne pouvais pas. Et quand je la vis, je sentis la même chose que doit sentir un moribond seul et défaillant qui retrouve le compte du temps depuis lequel il est perdu dans le désert en contemplant la silhouette d'une oasis. Ce fut ce même genre de soif qui rassasie, qui pressent la satiété réelle, définitive, que j'éprouvai en voyant Raquel habillée pour partir en chasse. Dix, neuf, huit, je tombe, je tombe, je vais tomber. Mon cœur remonta au bord de mes lèvres avec l'adresse d'une mascotte bien entraînée et l'impact fut si violent que je ne remarquai même pas qu'elle n'était pas seule.

« Bonjour. » Elle se pencha par-dessus la fenêtre et sa poitrine tendit le décolleté de sa robe, droit et profond, pour révéler en même temps l'exactitude de mes calculs et la qualité de sa peau, aussi impeccable là que sur son visage. « Sors un moment, tu veux bien ? Je vais te présenter une amie. »

Celle-ci avait des cheveux très courts, teints en rose avec des mèches mauves, une combinaison difficile, très exagérée, qui de prime d'abord lui allait pourtant bien. C'était une grande fille, à l'ossature longue, qui de prime abord me sembla très séduisante. Je fus déçu quand je la regardai attentivement, l'effet contraire de celui que produisait Raquel au début, pas cet après-midi-là. Je n'avais plus besoin de la regarder attentivement, à deux fois, pour la contempler comme si je n'avais jamais regardé une autre femme.

« Voici mon amie Berta. Et voici Álvaro. Berta voulait te connaître, parce que je lui ai beaucoup parlé de toi. »

Elle s'approcha et me donna deux bises auxquelles je répondis sans hésiter. « C'est vrai », confirma-t-elle.

Elles me sourirent toutes les deux pendant que j'essayais en vain de ne pas rougir. J'aurais dû m'attendre à quelque chose dans le genre, mais je n'avais pas imaginé que Raquel pût améliorer l'efficacité belliqueuse de campagnes précédentes quand nous convînmes que je passerais la chercher sur la place proche de son domicile. Pour la punir, et parce que je ne trouvai pas de meilleure idée, je me concentrai sur son amie, qui avait une peau ordinaire, un corps intéressant, un treillis vert kaki et un T-shirt rose à bretelles. Les bretelles étaient la seule chose qu'elles semblaient avoir en commun.

« Toi aussi, tu t'intéresses aux trous noirs ? demandai-je, pour dire quelque chose.

— Eh bien, ça dépend... » Elle se mit à rire avec Raquel. « Moins que d'autres, je dois dire.

— Tu veux venir ? » proposai-je. Je regrettai aussitôt cette phrase qui eut cependant le mérite de rendre Raquel nerveuse. « Je te préviens qu'ils gagnent assez à l'intimité.

— Non, elle ne peut pas venir, répondit Raquel brusquement. C'est dommage, mais elle a une répétition, et elle va être en retard à cause de nous... »

Berta s'empressa de lui donner raison, elle nous embrassa très vite et partit en marchant lentement, comme si ça ne la dérangeait pas d'arriver en retard où que ce soit.

« Elle est actrice ? » demandai-je à Raquel quand elle fut enfin assise à côté de moi, aussi tentante que si elle s'était empaquetée elle-même comme un cadeau avec une robe décolletée vaporeuse et des fleurs imprimées, et des sandales à talon assez plat, choisies, supposai-je, pour ne pas me dépasser.

« Oui. De théâtre. Elle est plutôt douée. Elle répète les *Comédies barbares*, ils vont jouer les trois pièces de suite, c'est génial. Tu devrais y aller quand le spectacle commencera, je te préviendrai.

— Vous ne vous ressemblez pas du tout, dis-je, pendant que je m'obligeais à faire décoller d'un seul mouvement le moteur de la voiture et mes yeux de son corps.

— Qui ? demanda-t-elle surprise. Berta ?

— Les conseillères en investissement n'ont généralement pas d'amies aux cheveux roses et au nez percé d'un diamant.

— Eh bien nous sommes amies intimes, depuis des années. Moi aussi, j'ai essayé d'être actrice, tu sais ? Ou plutôt, j'ai fait du théâtre quand j'étais à la fac. C'est là qu'on s'est connues. Mais Berta avait beaucoup de talent, et moi aucun.

— Je ne le crois pas, dis-je pour elle et moi tout à la fois, pendant que cette donnée nouvelle, surprenante, m'aidait à mettre en ordre tous ses talents.

— Pourtant c'est vrai, j'étais très mauvaise, je t'assure..., dit-elle en se tournant vers moi. Le théâtre me plaisait, ça oui, mais ensuite, rien. Ce n'était pas que je joue mal, c'était que je ne croyais pas moi-même à ce que je disais, tu sais ? Il vint un moment où je n'étais même pas capable de finir mes phrases. Je les laissais en suspens, comme ça. Un jour, on a monté *Mademoiselle Julie,* de Strindberg, tu connais.

— Non. » En passant la vitesse, je frôlai son genou et elle ne retira pas sa jambe. « Je devrais ?

— Bien sûr, dit-elle en souriant. C'est l'histoire d'un amour contrarié, impossible, un chef-d'œuvre. On ne comptait pas le jouer devant le public, on le faisait pour nous, mais il fallait le faire correctement, bien sûr... Il n'y a que trois rôles, la demoiselle, l'un de ses domestiques, qui s'appelle Jean, et Kristine, la cuisinière. Et le metteur en scène, qui jouait Jean et à qui je plaisais beaucoup, me proposa le rôle principal, Julie, la demoiselle, qui est jolie, jeune, et riche, mais très malheureuse, très aigrie, parce qu'elle se sent prise au piège dans les conventions de sa classe sociale comme dans une prison, qui ne lui plaît pas mais dont elle n'ose pas s'échapper non plus. Julie déteste les hommes parce qu'elle vit l'attraction qu'elle éprouve pour eux comme une faiblesse, et elle est amoureuse de Jean, mais elle le déteste parce qu'elle sait qu'elle ne pourra jamais l'épouser, qu'il va épouser la cuisinière bien que ce soit elle qu'il désire, qu'il aime.

— C'est tragique !

— Eh oui, que veux-tu ? dit-elle en acceptant mon ironie de bonne grâce. La pièce se passe pendant la nuit de la Saint-Jean, quand le domestique et la demoiselle se rencontrent. Elle le provoque, il la séduit, et ils décident de s'enfuir ensemble, mais tout s'achève à l'aube, quand le père de Julie, le comte, sonne la cloche, qui représente le pouvoir. Ce son les ramène au monde réel, les remet chacun à sa place. C'est un rôle écrasant, vraiment, l'un des meilleurs que l'on ait jamais écrits pour une actrice jeune, un cadeau... et j'ai fait ce que je pouvais, je t'assure, j'ai répété, répété, j'ai appris le texte par cœur, mais chaque fois que je le disais j'étais incapable d'y croire, incapable de croire à la demoiselle, à son angoisse, à son hystérie, à sa colère, à sa rage... C'est pour ça que j'ai arrêté, les répétitions, la pièce, le groupe et le théâtre. Pour toujours. Ce fut finalement Berta qui reprit le rôle de Julie, tellement bien qu'ils finirent par la jouer en public. »

Elle ouvrit une longue pause, comme si elle attendait une réponse, un commentaire de ma part. J'étais déconcerté, et pas seulement parce que je n'aurais jamais pu deviner sa vocation de jeunesse, mais aussi, et surtout, pour le naturel avec lequel elle m'avait raconté cet épisode, comme si elle ne se souciait pas des conséquences que je pouvais tirer de l'information qu'il contenait. Avec elle, je n'avais presque jamais été sûr de rien, et maintenant, aussi infantile que cela me semble à moi-même, j'avais un nouveau motif de me méfier de sa technique, de son habileté, de cet aplomb avec lequel elle soutenait un répertoire qui dès le premier moment m'avait semblé artificiel, répété, théâtral. Cette révélation ne m'indigna pas, ne me découragea pas, ni ne me déçut, elle ne parvint même pas à m'irriter. J'étais devenu une sorte de cobaye, une souris de laboratoire qui devrait savoir ce qui l'attend au bout du tunnel et qui ne peut pourtant résister à l'impulsion d'avancer dedans, comme un jeune taureau toréé ne résiste pas à la tentation de charger une cape même s'il a pu constater auparavant la feinte, la tromperie et sa propre infériorité. Mais ça, je l'appris par la suite. À ce moment, je me contentai d'accepter le fait que je ne me lasserais jamais de l'écouter non plus.

« Qu'est-ce qu'il y a ? » me demanda-t-elle. Je me contentai de la regarder, je la vis sourire, et je sens qu'elle avait deviné mes pensées.

« Rien. » Il me semblait inutile de donner des explications, ce qu'elle me confirma tout de suite.

« Je suis une très mauvaise comédienne, Álvaro. » Elle riait, et elle était beaucoup plus jolie quand elle riait. « Je te le dis sérieusement.

— Je peux te poser une question ? Elle est un peu personnelle, peut-être qu'elle te dérangera.

— Si elle me dérange, je n'y répondrai pas.

— Tu couchais avec le metteur en scène ?

— Álvaro ! » Son rire était contagieux, elle riait tellement,
on riait tellement tous les deux, que je montai sur le bas-côté
et ne m'en rendis même pas compte avant d'entendre le bruit,
tatatatata, avec lequel la ligne blanche sanctionne ce genre de
négligence. « Mais tu es un bon garçon, alors pourquoi est-ce
que tu me demandes ça ?

— Pure curiosité, répondis-je. Et puis, tu ne sais pas
encore quel genre de garçon je suis.

— Vraiment ? Oui, je suppose que c'est vrai... Eh oui, j'ai
couché avec lui. J'avais dix-neuf ans et lui trente, j'étais une
très mauvaise comédienne et lui un très bon acteur, à tel point
que quand il me secouait pendant les répétitions il semblait
près d'étouffer de désespoir, alors...

— Lui, tu le croyais.

— On est restés ensemble pendant un certain temps, tu
sais, mais il ne m'a jamais pardonné de déserter. J'ai d'abord
quitté le théâtre, ensuite il m'a quittée. Ce n'était pas très
grave non plus, en fait. Sur le moment, j'ai beaucoup pleuré,
mais après, je lui en ai été reconnaissante. Je n'ai jamais
connu personne qui me plaise et m'épuise autant, tout à la
fois. Il était beau, intelligent, séduisant, cultivé, obsessionnel,
perfectionniste jusqu'au ridicule, et l'homme le plus hystérique que j'aie jamais connu.

— Le théâtre.

— Oui, dit-elle en souriant. Mais c'est merveilleux aussi.
Et les choses merveilleuses ne sont jamais gratuites. »

C'est pour cette raison qu'on est dans cet embouteillage,
faillis-je ajouter. Mais je ne dis rien parce que je m'amusais,
et je regrettai presque d'arriver à la déviation d'Alcobendas.

« Ne me dis pas que tu travailles pour la concurrence,
s'exclama-t-elle quand nous descendîmes de voiture.

— Pour la concurrence ? » Je vis alors qu'elle regardait le
logo de La Caixa, et je me mis à rire. « Eh bien, en fait, je
travaille pour l'université, mais, bref, je suppose que tu as
raison.

— Je ne sais pas si ça va me plaire.

— Sûrement, parce que tu ne ressembles pas du tout à ma mère. »

En entrant dans le vestibule, je regardai le pendule du coin de l'œil et me félicitai de mon astuce, de la bienveillante complicité du temps, de l'espace, du hasard, de la circulation de ma ville, de ma planète. Deux minutes et demie, calculai-je, trois, tout au plus. Je regardai le pendule et expliquai également à Raquel la structure du musée, la conduisant très lentement vers le cercle de barreaux entre lesquels oscillait l'énorme boule. Alors, quelques secondes avant l'impact, je me tus. Raquel me regarda, surprise, et je répondis en lui désignant le pendule du doigt.

« Un », comptai-je à voix haute, « deux » et je marquai une pause imperceptible pour elle mais suffisante pour compenser mon erreur, car je m'aperçus que j'étais allé trop vite, « et trois ».

La boule abattit le barreau.

« Qu'est-ce qui s'est passé ? me demanda-t-elle.

— Qu'est-ce qui s'est passé ? lui demandai-je.

— La boule tourne ? se hasarda-t-elle.

— Non. La boule ne tourne pas. Jamais. C'est un pendule, il effectue toujours le même mouvement, oscille éternellement entre deux points, une fois d'un côté, une fois de l'autre, avec la même intensité, la même inertie, la même stabilité réconfortante. Ce qui bouge, c'est la Terre, Raquel. En ce moment elle bouge, elle tourne sur elle-même, juste sous tes pieds, sous les miens. C'est pour ça que la boule est arrivée jusqu'au barreau, qu'elle l'a renversé. Elle les renverse toutes les vingt-quatre heures. Ne me dis pas que ce n'est pas merveilleux.

— Si, reconnut-elle, le regard fixant le pendule et un sourire aussi ferme que le silence qu'elle s'imposa elle-même avant de finir de me donner raison. Ça l'est.

— Plus que le théâtre. Et en plus, c'est gratuit. »

Elle se retourna vers moi et me regarda pendant que son rire laissait la place à un sourire lumineux, profond, expression d'une jubilation infime et intime que j'observerais souvent par la suite. C'était sa façon de me dire qu'elle était contente de moi, de m'avoir près d'elle, qu'elle se félicitait de ma présence dans sa vie, que je lui plaisais, qu'elle m'aimait. Il s'écoulerait peu de temps avant que je n'apprenne à vivre suspendu à ce fil, la qualité d'un sourire que je ne savais pas encore interpréter cet après-midi-là, or je faillis l'embrasser. Je l'aurais fait si mon premier succès n'avait pas débordé tous mes calculs, une exception qui, à partir de cette nuit, deviendrait la norme de ma vie.

« Ça m'a beaucoup plu. » Elle jeta un dernier coup d'œil au pendule. « Montre-moi d'autres choses, allez. »

Je souris, désignai une direction et commençai à marcher très lentement. Bon gré, mal gré, j'étais toujours le même, et toujours le fils de mon père, le séducteur, le sorcier, le charmeur de serpents qui avait été un homme beaucoup plus exceptionnel qu'aucun de ses enfants ne l'était devenu, et l'amant de la femme qui marchait à mes côtés. Il n'aurait pas hésité et je n'hésitai pas. Je ne disposais guère de ressources aussi spectaculaires que le pendule de Foucault, mais j'essayai de les doser avec prudence en planifiant ce parcours comme une représentation, en trichant, en altérant la logique, l'ordre immuable des lois sacrées de l'univers. Elle seule m'importait, la satisfaire, l'attendrir, me garantir son admiration par un processus semblable à celui qu'aurait choisi un mage qui sait réserver son meilleur tour, le laisser pour la fin. Raquel se laissa guider, adopta l'attitude curieuse et attentive, révérencieuse et concentrée, que j'avais souvent vue chez les adultes intelligents et chez la majeure partie des enfants qui visitaient le musée, et elle me laissa contempler son étonnement, son inquiétude, sa joie. Mais rien ne l'impressionna autant que quelque chose qui se passa à la fin, tandis que ses yeux restaient pris dans une spirale qui était également capable de capturer les miens pendant des heures.

« Dites, monsieur... »

C'était une fillette de onze ou douze ans, qui nous observait à distance pendant que j'incitais Raquel à appuyer sur le bouton rouge, que je lui demandais un peu de patience, pendant que quelque chose à l'intérieur de l'urne commençait à changer, à se préciser, à adopter une forme aérienne et imprévue, qu'elle laissait échapper une exclamation aiguë et émue, une longue et intense succession de « oh ».

« Tu sais que... ? » Elle hocha la tête, regarda à nouveau devant elle. « Non, je ne sais pas. Mais..., enfin, oui, c'est que... On dirait une tornade en miniature, conclut-elle sur un ton apeuré, comme si elle craignait de dire une sottise.

— On ne dirait pas », lui répondis-je, très satisfait de tous ces points de suspension qui brillaient comme des décorations sur mon astuce. « C'en est une. Tu vois une tornade, en miniature mais authentique. C'est ce qui ressemble le plus à un trou noir qui existe sur notre planète. Les trous noirs nous semblent de cette couleur parce qu'ils engloutissent jusqu'à la lumière.

— Mais... » Ses yeux brillaient, luisaient ; ils brillaient avec une telle intensité que l'espace d'un instant son visage me rappela celui de la belle inconnue qui s'appelait Paloma, et j'eus l'impression de voir autre chose, une ressemblance dans la forme du visage, dans l'angle que formait son cou avec son menton et jusqu'à la proéminence exacte des pommettes. « Comment est-ce que vous arrivez à faire une chose pareille ?

— Ça, je ne peux pas te le dire. » C'était peut-être que je ne savais plus qui était la plus jolie femme que j'avais jamais vue de ma vie. « Nous les magiciens, nous ne révélons jamais nos trucs. »

J'attendais un clin d'œil, un signe quelconque de reconnaissance, mais elle n'avait encore jamais dû entendre cette phrase par laquelle mon père mettait généralement un point final aussi mystérieux que frustrant aux spectacles les plus particuliers de mon enfance, parce qu'elle continua à sourire à la tornade, absorbée par elle, bouche bée et une candeur enthousiaste incendiant ses yeux. Leur beauté attachait les miens, les éblouissait, les rendait inutiles, les gouvernait avec une détermination irrésistible, despotique, comme si elle voulait s'assurer qu'ils ne pourraient plus jamais regarder une autre femme. Ce fut pour cette raison que je pensai à nouveau qu'elle ressemblait à Paloma, et un instant plus tard je me démentis moi-même, sans vouloir calibrer la dangereuse confluence de mes obsessions. Alors, la fillette déjoua un mirage que je retrouverais d'autres fois, pas cet après-midi.

« Excusez-moi, monsieur, mais... Vous comprenez ça ? » Elle montra la pièce du doigt et je fis un signe de tête affirmatif. « Et vous pourriez m'expliquer quelque chose ? C'est que moi, je ne comprends pas... »

Je la suivis jusqu'à l'expérience de Coriolis pendant qu'elle me racontait qu'elle était venue avec sa classe, que ses camarades étaient à la boutique et que son professeur n'avait pas pu l'aider parce qu'elle enseignait les maths, parce que la

prof de sciences est tombée malade, et elle n'est pas venue...
Ce qu'elle ne comprenait pas, c'était ce qui lui semblait
bizarre dans ce qu'elle voyait, parce que ici, il se passe
quelque chose de bizarre, non ? me demanda-t-elle, et je le
sais, je m'en rends compte mais je ne sais pas ce que c'est. Sa
façon de parler, et la véhémence, presque de la brusquerie,
avec laquelle elle m'interrompit quand elle comprit ce que je
disais, avant que j'aie pu finir de le lui expliquer, m'amusèrent
beaucoup.

« Bien sûr, c'est ça ! s'exclama-t-elle à grands cris. Ce qui
est bizarre, c'est que les jets d'eau ne bougent pas comme c'est
logique, mais à l'envers...

— Oui, lui accordai-je, tu comprends, maintenant ? C'est
pour ça que, dans l'hémisphère Sud, quand ils ouvrent un
robinet, l'eau circule dans la direction opposée à celle que
nous attendions, nous qui vivons dans l'hémisphère Nord.

— Bien sûr, maintenant oui, continuait-elle à affirmer de
la tête, avec autant d'élan que si on l'avait remontée. Merci
beaucoup.

— De toute façon, ajoutai-je, ce que je t'ai raconté, c'est
la même chose que ce qu'il y a sur le panneau. Je le sais, parce
que c'est moi qui ai écrit le texte. La prochaine fois, même s'il
te semble trop long, il vaut mieux que tu le lises en entier
avant de demander.

— Oui, me dit-elle en rougissant, mais comme je vous ai
entendu, et que j'ai vu qu'elle ne les lisait pas non plus... »
Elle désigna quelque chose du doigt, je tournai la tête pour
constater que c'était Raquel.

« Non, ne sois pas désolée, ça ne fait rien. Mais je ne suis
pas toujours ici. »

Elle me remercia encore et partit en courant.

« Une fille intelligente, tu vois ? dis-je à Raquel. C'est le
plus intéressant quand on travaille ici. »

Elle me répondit par un regard étrange, mais pas autant
que ce qu'elle dit ensuite.

« Je crois que je me suis trompée sur ton compte, Álvaro.

— Pourquoi ? »

Raquel Fernández Perea n'avait aucun indice pour évaluer l'état d'esprit dans lequel j'étais venu à sa rencontre cet
après-midi. Elle ne pouvait pas savoir ce que j'avais trouvé
dans les placards du bureau de mon père, ni ce qui m'était

arrivé la veille. Il était impossible qu'elle connaisse l'existence de ce petit porte-documents en cuir brun et à la serrure si fragile, qu'elle ait lu un jour la lettre de ma grand-mère, bien qu'elle ait peut-être vu les photos de son amant en uniforme espagnol, allemand, et elle avait sûrement dû l'entendre parler du climat russe, polonais, une nuit où elle aurait cédé à la faiblesse de se plaindre du froid. J'étais sûr qu'elle ne pouvait pas en savoir tellement plus, parce que ça n'était pas logique, ça n'avait pas de sens que Julio Carrión González se vante à contretemps devant une femme aussi jeune du passé qu'il n'avait jamais voulu partager avec ses propres enfants. Et pourtant, pendant que nous nous dirigions lentement vers la sortie, ses paroles me touchèrent comme une décharge de flèches acérées, précises, sûres de faire mouche.

« Parce que tu n'as pas l'air d'être le fils de ton père.

— Tu me l'as déjà dit l'autre soir.

— Oui, mais... à ce moment, ce n'était qu'une impression. Maintenant c'est une certitude. »

Elle me regardait d'un air sérieux, voire grave, qui coexistait sans difficulté avec la douceur de ses yeux entrouverts, ancrés dans une mélancolie aimable, tempérée.

« Tu dis ça à cause de cette gamine... », supposai-je à voix haute, et elle me donna raison de la tête. « Parce que ça ne me dérange pas de lui parler, de lui expliquer les choses, parce que je sais que ce n'est pas de la perte de temps, même si on pourrait le croire... » Elle acquiesça à nouveau et je me laissais aller à la nostalgie. « Parce qu'il m'aurait reproché de perdre mon temps à ce genre de sottises. En fait, il me le reprochait, il l'a fait plus d'une fois, et ma mère continue. La seule fois où elle est venue, elle m'a dit que ça ne ressemblait pas à un musée, mais à une salle de jeux. Lui ne serait même pas venu, mais il aurait été d'accord avec sa femme. Aucun des deux n'a jamais compris ce que je faisais, ni n'a même jamais essayé... » Raquel Fernández Perea me regardait toujours du même air sérieux, voire grave, les mêmes yeux doux. « Mon père était séduisant, riche, puissant et inculte, comme sont incultes les hommes riches et puissants, non qu'ils ne sachent pas beaucoup de choses, car il les savait, mais parce qu'ils se comportent comme si tout ce qu'ils ignorent n'existait pas, comme si ça ne servait à rien, comme si cela n'avait absolument aucune importance. Tu le sais, ou du moins tu l'imagines, n'est-ce pas ? Tu le connaissais, et pourtant...

— Et pourtant, je couchais avec lui, conclut-elle. C'est ça, non ?

— Oui. » Je craignis de m'être trompé, d'avoir commis une erreur absurde, gratuite et surtout inutile, bien qu'elle ne semblât pas offensée, ni fâchée contre moi. « Je regrette.

— Pourquoi ? Ça ne fait rien. C'est juste que je n'ai pas envie de parler de ton père.

— Moi non plus. Je préfère t'inviter à prendre un verre.

— Ne me dis pas que vous avez un bar !

— Bien sûr, on peut même fumer.

— Tu veux que je te dise ? » Elle me prit par le bras, se serra un instant contre moi, et cela suffit à dissiper l'étrangeté de cette conversation à demi-mot qui l'avait renvoyée à son premier rôle, celui de la mystérieuse inconnue qui jouait toujours avec un avantage. « Je vais te dire quelque chose que je n'ai jamais raconté à personne. C'est une bêtise, mais bon, je ne sais pas, je viens d'y penser... Pendant ma dernière année de lycée on m'a fait une sorte de test, comme une analyse d'intelligence, on a dû te le faire à toi aussi...

— Non, j'étais chez les Maristes.

— Et vous étiez tous très intelligents, ou quoi ? » Je haussai les épaules, et elle rit. « Eh bien, moi, on me l'a fait. La rumeur que certaines questions comportaient un piège a circulé, on disait qu'il fallait tout lire deux fois pour ne pas se faire avoir et c'était vrai. Pour l'épreuve de maths, il manquait des données dans l'énoncé de plusieurs problèmes, et pour celle de langues il y avait plusieurs fois la même solution. Mais ensuite sur l'autre feuille, il y avait deux dessins presque identiques d'une maîtresse de maison passant l'aspirateur. Les deux femmes étaient la même, avec un foulard sur la tête, un tablier à volants et un visage comme celui d'une publicité pour Coca-Cola des années 1950, mais l'une était plus courbée que l'autre, parce que même si les deux tenaient le manche de l'aspirateur de la main gauche, la première le poussait avec la main droite vers la moitié du tuyau et le deuxième le tenait beaucoup plus haut, presque à la poignée. Tu vois ce que je veux dire ?

— Bien sûr, j'ai souvent vu ce genre de dessins.

— C'est bien ce que je pensais. Eh bien la question était la suivante : laquelle de ces deux femmes se fatiguera-t-elle le plus vite et pourquoi ? Et alors, moi, qui avais de très bonnes notes, qui étais une des meilleures de la classe depuis l'école primaire, je me mis à rire, je me dis qu'ils n'allaient pas m'avoir avec des petits dessins, et je répondis : aucune des deux, parce que c'était le moteur de l'aspirateur qui faisait le travail... J'ai été la seule à me tromper, tu y crois, toi ? La seule, je t'assure, les professeurs n'arrivaient pas à se l'expliquer. Même ma copine Marga, qui était nulle et ratait trois ou quatre matières tous les ans[1], avait trouvé. Tu n'as jamais passé l'aspirateur chez toi ? me demanda-t-elle, et je lui répondis que si, souvent. Alors, comment est-ce que tu as pu te tromper ? Et je ne savais plus que répondre. Puis j'ai eu l'idée de dire que j'avais trouvé révoltant que dans un test d'intelligence et d'orientation universitaire, dans un lycée de filles, figure une maîtresse de maison passant l'aspirateur, ce qui était sexiste, machiste et discriminatoire, et que c'était pour ça que j'avais fait cette réponse.

— Bon, reconnus-je, c'est assez intelligent.

— Oui, mais je n'ai pas obtenu de points. Et ce foutu aspirateur a terriblement fait baisser ma moyenne en sciences. Dans l'évaluation finale, on me conseillait de faire des études de lettres, alors tu vois... Et ce n'est pas le pire. Le pire, c'est que je n'ai toujours pas compris.

— Si tu veux, je t'explique.

— D'accord. »

Elle se mit à rire et elle n'arrêta plus, comme si en franchissant le seuil de la cafétéria il s'était ouvert une parenthèse où entrèrent la lumière et le bruit, les cris et les rires des enfants qui s'entassaient devant le comptoir, pour nous attraper dans une situation nouvelle, confortable et inconnue de nous deux, non seulement parce que Julio Carrión González s'évanouit comme s'il n'avait jamais existé, mais parce que la proximité que Raquel avait provoquée en me prenant le bras se multiplia par un chiffre flexible de petits gestes qui ne m'affectèrent pas autant qu'elle. Chaque fois qu'elle se penchait en avant, en approchant la tête de la mienne pour me sourire de

---

1. En Espagne, le passage dans la classe supérieure s'obtient chaque année suite à un examen. Les matières où l'élève a obtenu des résultats insuffisants peuvent être repassées l'année suivante.

très près, chaque fois qu'elle frôlait mes doigts avec les siens pour les retirer ensuite à toute vitesse, chaque fois qu'elle croisait les bras sur la table pour s'appuyer dessus, sans se soucier de l'élan qui propulsait sa poitrine vers le haut comme le faisaient les corsets de Verónica, ma belle-sœur, à sa grande époque, cela m'excitait de la voir, de l'analyser, de l'interpréter, mais j'étais encore plus ému par la légèreté resplendissante de sa voix, le son de ces paroles ordinaires qu'elle prononçait presque au hasard, sans les soupeser avant, sans calculer au préalable leur puissance et leurs effets, pour tisser un récit quelconque, interchangeable avec n'importe quel autre et cependant insolite chez elle, précieux pour moi.

« Ah ! Eh bien, je vais appeler Marga, pour lui raconter que j'ai enfin compris l'histoire de l'aspirateur...

— Tu la vois toujours ?

— Pas beaucoup, mais oui, je la vois de temps en temps, c'était ma meilleure amie depuis le collège et elle l'était toujours quand on est devenues étudiantes, mais elle est entrée à l'École normale, elle a arrêté tout de suite, elle s'est mariée, a eu un bébé, puis je me suis mariée, nos maris ne s'entendaient pas du tout, j'ai divorcé, pas elle, elle a eu une fille, pas moi, et, bref... Aujourd'hui, on ne se voit pas énormément, mais on déjeune de temps en temps. Je l'aime beaucoup, même si je ne comprends pas comment elle peut vivre comme ça. Bien sûr, elle doit penser la même chose de moi, et de toute façon, elle n'est pas moitié aussi spectaculaire que Berta, alors, tu y gagnes.

— Je n'ai pas trouvé Berta aussi spectaculaire que ça, objectai-je.

— Parce que tu ne l'as pas vue nue. » Je haussai un sourcil et elle se mit à rire. « Eh bien, ce n'est pas si difficile, ne va pas croire, on voit que tu ne vas pas beaucoup au théâtre, parce que les metteurs en scène la déshabillent toujours, à la moindre occasion, tu ne peux pas t'... »

Je ne l'avais jamais entendue parler comme ça. J'étais tellement suspendu à ses paroles, à la femme normale, amusante, ironique, intelligente, malveillante, que je venais de découvrir, que je ne vis pas venir le serveur, et je ne compris pas pourquoi elle s'était soudain tue.

« Álvaro, mon cher, il est 20 h 45. » Alors je me rendis compte que nous étions les seuls clients du bar. « Ce n'est pas qu'on va fermer. En fait, on a fermé il y a un quart d'heure.

— Je suis désolé, Pierre, lui dis-je, tout en posant un billet sur la table. Je ne m'en étais pas rendu compte. »

Lui, grand, robuste, musclé, avec des favoris de brigand et une moustache très fine qui ne parvenait pas à alléger un air apparemment incompatible avec ses inclinations, me caressa le visage de la main avant de le ramasser, sans regarder Raquel à aucun moment pendant toute l'opération.

« Ça ne fait rien, mon petit chou, c'est juste qu'on est vendredi, expliqua-t-il en s'éloignant vers la caisse. Et tu sais ce qu'il y a le vendredi...

— Mais moi, je ne sais pas ! protesta Raquel. Qu'est-ce qu'il y a le vendredi ?

— Son fiancé rentre à la maison, il est soldat, c'est-à-dire que c'est un professionnel des Forces armées, comme il dit toujours, lui expliquai-je. Tu devrais le voir les lundis, il passe la journée à soupirer et à se plaindre qu'il a mal partout... C'est très amusant.

— Et pourquoi est-ce que tu l'appelles comme ça, il est français ?

— Penses-tu ? Il est de Talavera de la Reina. Mais il dit que son prénom est très dur en espagnol. » Raquel riait tellement, de si bon cœur, que ce ne fut qu'alors que je pensai à quelque chose qui aurait dû me venir à l'idée bien avant. « Reste ici pour récupérer la monnaie, tu veux bien ? J'avais oublié quelque chose que je dois faire, ça ne sera pas long, on se retrouve devant la porte d'ici un moment... »

La boutique était fermée elle aussi, mais l'une des vendeuses vint m'ouvrir en donnant de petits coups sur sa montre. Quand je ressortis, Raquel ne me demanda pas pourquoi je l'avais fait attendre ni ce que j'avais dans ce sac en plastique. L'autoroute était dégagée et nous arrivâmes à Madrid avant de nous en rendre compte. Aux premiers feux de circulation sur la Castellana, je me retournai pour la regarder et elle sourit.

« Pourquoi est-ce que tu me regardes comme ça ? » me demanda-t-elle, et elle se mordit un coin de la lèvre inférieure.

« Où est-ce qu'on va ? » Les miennes étaient douloureuses.

« Je ne sais pas.

— Bien sûr que si, Raquel. Tu sais toujours tout. Toujours. Depuis le début.

— De quoi tu as envie, dîner, pas de dîner ?

— Ça dépend de l'alternative au dîner.

— Eh bien, je ne sais pas. » Elle haussa à nouveau les épaules. « Prendre un verre, non ?

— Où ?

— Je ne sais pas... » Elle me sourit et se tourna un moment vers la vitre, comme si elle avait besoin de réfléchir, mais elle n'allait pas trop me faciliter les choses. « Par là, je suppose.

— Alors je préfère dîner avant. » Elle avait réservé une table dans un restaurant qui se trouvait tout près de chez elle et qu'elle fréquentait autant que l'endroit où elle m'avait emmené la première fois, mais cette fois-là je n'attendis pas qu'elle m'explique la carte. Je ne pouvais pas attendre plus longtemps.

« Tiens, dis-je en sortant le paquet du sac.

— C'est pour moi ? » Elle le prit, le porta à l'oreille pour voir s'il sonnait, et me regarda avec des yeux brillants. « Qu'est-ce que c'est, un cadeau ?

— Oui, et pas seulement... C'est comme toi, presque une métaphore, un symbole qui te définit. »

Elle fronça les sourcils pour me regarder, défit soigneusement l'emballage et trouva en l'air une boîte en carton dont l'aspect l'a déçue.

« C'est moi, ça ? me demanda-t-elle. Un jeu de société ?

— Ce n'est pas un jeu de société, lui expliquai-je, en lui prenant la boîte des mains. Ne te comporte pas comme une économiste avec moi, Raquel... »

Je déballai le contenu de la boîte et posai sur la table la base, ronde, en plastique noir, avec deux rayures dans lesquelles j'introduisis deux autres pièces latérales, transparentes, comme des parois en méthacrylate avec un orifice dans la partie supérieure, avant de sortir l'élément principal. Le pendule extérieur était traversé dans le sens vertical par une pièce ovale, en métal, qui contenait le pendule intérieur, une tige pourvue de deux boules en plastique, une noire et une autre rouge, qui tournaient librement. De petites barres horizontales, achevées par une boule, ressortaient de deux centimètres au-dessous du centre de gravité de l'ovale métallique. Je les emboîtai dans les orifices des pièces en méthacrylate, qui révélèrent alors leur fonction de support, et le double pendule se tint en l'air. Raquel le regarda avec curiosité.

« Ici, dans cet appareil que tu as qualifié avec tant de légèreté de jeu de société, il y a deux pendules, tu les vois ? » Je les lui montrai en les tenant avec la main, pour ne pas révéler leur condition avant l'heure. « L'extérieur est un pendule ordinaire, qui se déplace en avant et en arrière, en avant et en arrière, toujours pareil, sans jamais changer. L'intérieur, en revanche, est un pendule chaotique, comme toi. » J'activai le premier et attendis quelques secondes, jusqu'à ce que la folle nature du deuxième devienne évidente, pour que l'enthousiasme revienne incendier les yeux de Raquel d'une lumière candide et innocente, presque enfantine. « Il est impossible de deviner la direction dans laquelle il va osciller à chaque instant, tu le vois, non ? Il accélère, ralentit, se tient tranquille, reprend le mouvement, tourne sur lui-même, d'abord vite, puis lentement, inverse la direction, semble hésiter, se raviser, décider, se moquer de nous... Il est imprévisible, incontrôlable, indéchiffrable, fascinant, parce qu'il n'est jamais pareil, astucieux, parce qu'il obéit à un aimant, mystérieux, parce que tu ne l'aurais jamais deviné si je ne venais pas de te le dire, amusant, brillant, insolite, irrésistible, bref... Il est comme toi. »

Elle arrêta le pendule avec les doigts pour le remettre en marche immédiatement après, et sourit. Puis elle regarda au fond de mes yeux depuis un endroit qui se trouvait au-delà du fond des siens.

« Je suis tout ça ?

— Et plus, répondis-je, accroché à ce regard. J'ai oublié de dire qu'il provoque une dépendance insatiable. Comme la mer. Comme le feu. Impossible de se lasser de le regarder. »

Raquel Fernández Perea ferma les yeux, les recouvrit de ses doigts, et resta immobile un instant. Puis elle commença à faire non de la tête, décolla les mains de ses yeux et les rouvrit sans cesser de sourire.

« C'est de la folie... », murmura-t-elle alors, avant de prendre la carte et de redonner à sa voix son volume normal. « Tu veux qu'on partage quelque chose ?

— Oui. » Je me tus et attendis qu'elle m'interroge du regard. « Une folie. »

Elle se cacha à nouveau derrière ses paupières, mais ne cessa de sourire pendant que son visage se colorait soudain. « Et à part ça ? » Elle était effectivement très mauvaise actrice, parce que sa voix tremblait.

« À part ça, tout m'est égal, alors commande ce que toi tu veux. » Elle ouvrit les yeux, qui brillaient comme deux miroirs d'eau dans l'incendie impétueux et adorable de son visage. « Tu le feras de toute façon... »

Et pourtant, elle me donna la possibilité de rester raisonnable.

Le dîner fut hâtif, saccadé, confus. Raquel mangea très peu et moi rien mais nous bûmes pas mal. Le vin qu'elle choisit calma mon palais sans nuire à une effervescence imaginaire, qui faisait trembler ma langue comme si elle était pleine de ces petits bonbons effervescents qui plaisaient tant à mon fils. C'était de l'anxiété, mais elle était délicieuse, une façon charmante de me noyer dans chacun de ses gestes, des mouvements d'un corps qui jouait maintenant pour moi et se tendait, se détendait, changeait constamment de position juste pour négocier les conditions de son abandon.

Je la regardais, je la regardais avec des yeux avides et patients, aliénés et attentifs, j'étudiais chaque ligne de son visage, le relief de ses os, la couleur exacte de sa peau, la marque que les bretelles avaient imprimée des deux côtés du décolleté, la ligne ombrée qui délimitait le profil de sa poitrine, le lobe de ses oreilles, la perfection verticale et tendre de son long cou, j'observais tout cela avec l'intérêt implacable d'un entomologiste qui va clouer un insecte sur une planche. J'essayais d'anticiper sa texture, sa saveur, chaque émotion concrète qu'éprouveraient ma propre peau, mes mains, mes doigts, mes lèvres, en compensant le désespoir tiède de mes yeux tenaces et épuisés. Je la désirais tant que je ne me souvins même pas que je m'étais défendu à moi-même de penser à mon père.

Elle, qui avait choisi de se comporter comme si rien n'allait se passer, m'offrit une issue quand nous répondions tous les deux la même chose, non, à la proposition du serveur qui s'était approché pour noter les desserts.

« On s'en va ?

— Je t'en prie », et ma voix s'éteignit seule, comme si je me noyais vraiment, au bord de la dernière syllabe.

Quand nous sortîmes du restaurant, nous marchâmes dans la direction qu'elle prit, très écartés l'un de l'autre comme les hommes et les femmes à la frontière de leur première fois. Nous arrivâmes ainsi devant l'entrée d'une maison ancienne à la façade repeinte récemment d'une couleur bleutée et audacieuse, qui contrastait avec le ton clair, crémeux, des moulures anciennes. Elle s'appuya alors contre le mur et sortit de son sac le crayon en acier et la boîte à pilules que j'avais trouvés dans la chambre qu'elle avait partagée avec mon père. Elle plaça les deux objets dans la paume d'une de ses mains et me regarda. Elle ne dit rien, c'était inutile. Elle m'offrait la raison et je la refusai, je la rangeai dans une poche avec la dernière excuse, le dernier prétexte. Puis je l'embrassai, et ce faisant, j'eus parfaitement conscience pour la première fois de ma vie que la Terre tournait sur elle-même et autour du Soleil, juste sous mes pieds.

Le 25 avril 1944, un homme jeune, brun et silencieux, aux cheveux très courts mais habillé en civil, descendit d'un train en provenance de Berlin à la gare d'Orléans. Dans la poche intérieure de sa veste, il portait une carte délivrée en 1937 au nom de Julio Carrión González par la Jeunesse socialiste unifiée de Madrid. Et, dans la poche droite, une autre carte délivrée en 1941, à Madrid aussi, toujours au nom de Julio Carrión González, par la Phalange espagnole traditionaliste et les JONS [1]. Au fond de ses bagages, plié très soigneusement, il y avait un uniforme de l'armée allemande, un autre de l'armée espagnole, et entre les deux, son livret militaire et un laissez-passer au nom de Julio Carrión González, signé à Riga, presque quatre mois auparavant, par le commandant en chef du quartier général de la Division Azul de la Wehrmacht.

Cet homme n'aurait pas dû se trouver dans ce train. Les divisionnaires avaient été rapatriés en automne de l'année précédente, à l'exception de quelques milliers de volontaires qui avaient décidé de continuer à combattre sous le commandement allemand. Mais ces hommes qui avaient rejoint ce que l'on appelait la Légion Azul [2] avaient également regagné l'Espagne début avril 1944, quand les armées d'Hitler se préparaient à se retirer du front de l'Est. Rien ne pouvait expliquer la présence de Julio Carrión à cette date, en ce lieu, or tous ses papiers étaient authentiques.

Le soldat aux multiples identités voyageait seul, avec un sac léger qu'il était allé récupérer dans le compartiment réservé aux bagages de plusieurs wagons du même train en

1. Juntes offensives national-socialistes.
2. Autre nom de la Division Azul.

exagérant lourdement ses efforts, toujours dix minutes avant l'heure d'arrivée en gare prévue. Après, à chaque occasion, il avait noué une écharpe autour de son cou, coiffé son chapeau, et pris congé d'un signe de tête des autres voyageurs, avec lesquels il n'avait pas échangé un mot. Si l'un d'eux avait eu un intérêt à se souvenir de lui, il n'aurait pas douté qu'il s'apprêtait à les quitter, pas davantage que les occupants du wagon vers lequel il se dirigerait par la suite ne pourraient douter qu'il venait de monter dans le train, en le voyant placer son sac dans le compartiment pour les bagages en exagérant ses efforts, avant d'ôter son écharpe et son chapeau.

À l'approche d'Orléans, tous ses mouvements furent aussi évidents, aussi convaincants et parcimonieux qu'à l'approche des gares précédentes. Comme les autres fois, il se plaça ensuite près de la porte, un peu à l'écart, le chapeau incliné, le visage protégé par son ombre précaire, pour céder courtoisement le passage aux dames, aux vieillards, aux couples qui portaient un enfant et, bien sûr, aux soldats allemands, jusqu'au moment où il se retrouva le dernier. À Orléans aussi, il attendit que les nouveaux voyageurs aient fini de monter, mais il ne les suivit pas dans le couloir. Il resta à la porte jusqu'à ce que le train reparte, puis, pendant que la locomotive avançait encore très lentement, il descendit d'un saut qui le déposa à une extrémité du quai, très loin de l'endroit où les nouveaux venus saluaient ceux qui étaient venus les chercher ou traînaient leurs valises vers la sortie. Il commença à se diriger rapidement vers eux, l'allure décidée et en croisant les doigts, comme s'il n'avait rien à cacher. Au premier tournant, il jeta sa cravate dans une corbeille. Au deuxième, il ôta son chapeau et sourit.

Cet homme jeune, brun et silencieux, qui s'appelait Julio Carrión González et possédait des papiers authentiques de toutes les couleurs, était espagnol, mais il ne voulait pas rentrer en Espagne parce qu'il était sûr que Hitler allait perdre la guerre. C'était la raison pour laquelle il venait de déserter.

Le choix d'Orléans n'avait rien de fortuit. Au début, il avait été étonné que ce train qui n'avait cessé de s'arrêter dans toutes les gares importantes jusqu'à la frontière, à Irun, ait prévu de traverser la France d'un bout à l'autre, sans s'arrêter nulle part. Quand ils passèrent la frontière, les volontaires engagés dans la glorieuse croisade européenne destinée à balayer des cartes la barbarie asiatique étaient rassasiés d'hommages. Dans chaque ville espagnole, grande ou petite, s'étaient répétés les fêtes, les banquets, les accueils pléthoriques avec des jeunes filles chargées de fleurs qui les attendaient sur les quais. Pareille chose n'était pas logique en France, mais la logique ne les aida pas non plus à décrypter le bruit sec, bref, métallique, qui se répéta à deux ou trois reprises dans la première gare où le train dut ralentir sans s'arrêter.

« Qu'est-ce que c'était ? » Eugenio, qui avait lu pendant tout le trajet depuis Madrid, leva la tête de son livre pour tourner vers Julio un regard perplexe.

« Je ne sais pas... » Julio, qui était près de la fenêtre, aperçut alors une silhouette sombre, qui brandissait le poing dans sa direction d'un air menaçant, de très loin.

« C'était un jet de pierres ! cria quelqu'un qui avait été plus attentif. Ces salauds de *gabachos*[1] nous jettent des pierres ! »

Au début, ils ne savaient pas très bien pourquoi, ni de qui il s'agissait, mais ils ne tardèrent pas à l'apprendre. Quand ils arrivèrent à la gare suivante, ils coururent tous deux dans le couloir et baissèrent la vitre avec précaution pendant que les pierres commençaient à pleuvoir.

« Ils nous traitent de fils de pute, non ? » Eugenio le regarda en haussant les sourcils, Julio fit un geste affirmatif. « En espagnol.

— Et ils prononcent très bien les *r*...

— Alors ce ne sont pas des Français.

— Non. Je dirais que ce sont des Espagnols.

— Parfait ! » Et en remontant la vitre il hocha la tête à plusieurs reprises, avec dans le regard une ombre amère, presque désolée.

À quoi est-ce que tu t'attendais ? pensa alors Julio, mais il ne dit rien encore. Ce n'était pas la première fois que les réactions d'Eugenio le déconcertaient. Il essayait de ne pas manifester son étonnement parce qu'il n'osait pas encore parler de politique avec lui. Il avait peur de faire une gaffe, de se tromper dans la terminologie, le vocabulaire, ou d'évoquer des souvenirs suspects, même s'il se rendait compte que ses

---

1. Terme péjoratif pour désigner les Français.

précautions ne servaient pas à grand-chose, parce que son ami avait la faculté prodigieuse de n'écouter que ce qu'il voulait entendre, et ce n'était pas la moindre de ses extraordinaires capacités. Eugenio se comportait comme si, au lieu de marcher, il flottait au-dessus du sol. Il disposait de sa propre version du monde, et il ne voyait pas ce qui arrivait autour de lui parce qu'il regardait tout depuis un nuage, du balcon auquel l'élevait sa candeur, une combinaison particulière de naïveté et de fanatisme qui décrétait l'inexistence irrévocable, foudroyante et perpétuelle, de n'importe quelle réalité qui démentirait la volonté féroce de son regard. Eugenio Sánchez Delgado n'était pas seulement convaincu d'avoir raison. Il lui était douloureusement inconcevable que quelqu'un, dans une autre situation, à un autre moment, à un autre endroit du monde, pût tomber dans l'erreur de soutenir un point de vue opposé au sien.

« C'est incroyable, non ? lui dit-il au bout d'un moment. Avec les efforts qu'on fournit en ce moment, avec tous les morts, tout le sang versé, toutes les calamités imposées par la croisade, maintenant qu'on est enfin en train de construire un pays libre, un pays fort et meilleur, avec tous, pour tous, maintenant que l'Espagne est redevenue elle-même, orgueilleuse, sereine, immortelle... Maintenant ils arrivent et nous jettent des pierres. Ils nous jettent des pierres à nous, putain, tu comprends ça ? Personne ne peut le comprendre... »

Ses lunettes, qui avaient accusé la véhémence des gesticulations avec lesquelles il soulignait habituellement ce genre de discours, avaient glissé le long de son nez pour rester accrochées au bout. Il les remit en place avec le doigt et le regarda de ses yeux de myope, aussi nets et transparents en cet instant que lorsqu'il finissait ses prières avant de se coucher. La première fois qu'il l'entendit proférer ce genre de choses, Julio s'étonna que, dans toute cette ferveur, il reste chez Eugenio un espace pour le cynisme, mais il attendit en vain un sourire, un clin d'œil, un coup de coude auquel répondre par un éclat de rire barbare et complice. Il mit longtemps à accepter que son ami puisse parler sérieusement, et pourtant, quand il lui répondit, il ne doutait plus de sa sincérité, même si elle lui semblait frôler la perversité, ou la stupidité.

« Eh bien, se risqua-t-il à suggérer, ils ont perdu la guerre.

— Et alors ? » Eugenio fit un mouvement si brusque pour se retourner vers lui, qu'il avait déjà les lunettes au milieu du nez avant de poursuivre. « On aurait pu la perdre tout aussi bien, non ? Et où est-ce qu'on serait aujourd'hui ? En France, en train d'attaquer nos compatriotes ? Non, monsieur. On serait en Espagne, en train d'aider à relever le pays, on respecterait nos obligations, putain, on ferait notre devoir d'Espagnols. »

Eugenio Sánchez Delgado était comme ça, et il était unique, ou du moins Julio ne connaissait-il aucun autre phalangiste aussi pur, aussi sot, bon, idéaliste, étrange, peu informé ou innocent que lui. Il n'en connaîtrait jamais, comme il ne trouverait jamais un seul adjectif capable de définir son ami, qui faillit se mettre à pleurer en gare d'Orléans devant un petit groupe d'Espagnols exilés, républicains et furieux, qui choisirent de s'égorger symboliquement avec le pouce quand ils n'eurent plus de pierres à jeter.

« Eh bien, ici, ils ont l'air... » Julio allait dire *organisés*, mais il changea d'idée à temps : « ... pires qu'ailleurs.

— Quel dommage, vraiment. » Eugenio dodelinait de la tête, sans guère lui prêter attention, quand on entendit un coup de feu. Le train se mit à accélérer.

« C'était un Sévillan, qui s'appelle Casimiro. » Romualdo, le frère d'Eugenio, vint les voir et leur expliqua tout alors qu'ils étaient déjà loin d'Orléans. « Il a dit au capitaine qu'un rouge l'avait insulté, mais ce n'est pas vrai. J'étais avec lui, et ce qui s'est passé, c'est que le rouge, qui avait l'air d'un Andalou lui aussi à sa façon de parler – ce qui est une coïncidence, non ? –, s'est fait comme ça... » Il se trancha alors lui aussi la gorge avec le pouce. « Et il lui a dit : Allez, courez tous vous faire couper la tête par le cousin Pepe, fils de pute. Alors Casimiro, bien sûr, s'est foutu en rogne, mais il ne l'a pas frappé, n'allez pas croire, il faut voir aussi, la chance de ces salauds...

— Le cousin Pepe ? » Eugenio les regarda tous deux avec le même étonnement. « Qui est le cousin Pepe ?

— Staline[1]. » Julio, qui avait réfléchi à deux fois avant chaque mot qu'il prononçait depuis qu'il avait quitté Madrid, ne réfléchit pas à celui-ci.

---

1. Le prénom de Staline était Joseph, dont le diminutif est « Pepe » en espagnol.

« Et... ? » Romualdo lui adressa un sourire malicieux. « Comment est-ce que tu sais ça ?

— Je ne le sais pas, mais j'imagine. » Il fit une pause, regarda les deux frères, adopta un ton trivial, insouciant. « C'est du bon sens, non ?

— Tu as beaucoup de bon sens, Julito. » Alors l'aîné des Sánchez Delgado se mit à rire.

— Non, ça n'est pas du bon sens. » Eugenio le regardait avec admiration. « C'est très futé, Julio, tu es vraiment très futé. Moi, je n'aurais jamais pensé...

— Eh bien, ce n'est pas sot, c'est certain. » Son frère haussa un sourcil.

Romualdo était une sorte de version souple, musclée, élargie et agrandie d'Eugenio, son frère. Tous les deux châtains, les cheveux lisses et la peau très pâle, le nez aquilin, les lèvres fines, ils se ressemblaient autant que deux pains cuits ensemble dans le même four, l'un avec beaucoup de levure, l'autre sans. Aussi, lorsque Julio l'aperçut au milieu du tumulte de chemises bleues qu'il avait tenté de fuir, avant que le hasard ne le mette en plein dedans sous la forme de ce phalangiste blessé et fragile, il le reconnut et il reconnut à l'instant même une représentation habile du danger.

« Où étais-tu passé, abruti ? » demanda-t-il en guise de salut sans remarquer la cheville de son frère.

Julio s'aperçut qu'il n'était pas plus grand que lui mais plus large, plus fort. Le son de sa voix, grave, profonde, un peu rauque, faisait le reste du travail.

« Qui est-ce ? demanda-t-il à nouveau, le désignant du doigt avant qu'Eugenio ait eu le temps de répondre à sa première question.

— Un garçon qui m'a aidé à arriver jusqu'ici parce que je me suis tordu le pied. Je boite, je ne sais pas si tu l'as vu...

— Qu'est-ce que tu peux être pénible, bon sang ! »

Alors, sans saluer Julio, sans se soucier non plus de la cheville de son frère, il leur tourna le dos pour continuer à regarder le balcon où l'on attendait que Serrano Suñer[1] apparaisse d'un moment à l'autre.

---

1. Avocat et homme politique, beau-frère de Franco, qui fut le chef de la Phalange pendant la guerre d'Espagne et ministre des premiers gouvernements franquistes entre 1938 et 1942.

« Bon, je dois partir, risqua Julio dans un murmure timide, tremblant. Je travaille au garage de la rue de la Montera, et j'étais sorti pour retirer de l'argent à la banque. Je ne peux pas rester plus longtemps, mon patron...

— Bien sûr, bien sûr. » Eugenio lui sourit, lui donna une tape dans le dos. « Merci pour tout, Julio, à bientôt.

— Oui, murmura-t-il, à bientôt... » Et il partit en courant.

Il ne respira pas par le nez avant de se retrouver à l'abri sur le trottoir, puis il se remit à courir, remonta la côte d'Alcalá, et en entrant à la banque il vit qu'il était le seul client. Les employés, l'air sérieux, silencieux, étaient assis chacun à sa place sans même chercher à feindre d'être occupés, et M. Gutiérrez, toujours si bavard, si enclin à perdre son temps, le reçut avec une telle célérité qu'il n'eut l'occasion de desserrer les lèvres que pour le saluer et prendre congé à toute vitesse. Julio se rendit compte qu'ils ne connaissaient pas encore le motif de la manifestation, mais il ne s'arrêta pas lui non plus à leur expliquer pourquoi la rue s'était remplie de phalangistes en uniforme, exaltés et vociférants. Ce jour-là était le 24 juin 1941 – encore le 24 juin 1941 –, et à Madrid, le mieux était de ne rien savoir, de ne rien demander, de n'être rien ni personne.

« Qu'est-ce qui t'est arrivé ? » M. Turégano renonça à le réprimander quand il fut devant lui. « Tu es tout pâle, Julio. Tu as eu un malaise, un problème ?

— Non, pas du tout... C'est que, enfin, il y a une manifestation de phalangistes au carrefour d'Alcalá et de la Gran Vía. Il y en a plein et beaucoup sont armés. C'est pour ça que les boutiques ont été fermées pendant un bon moment, et la banque aussi, j'ai dû attendre qu'ils rouvrent. » Pendant qu'il sortait de sa poche le reçu du dépôt et deux cents pesetas en liquide, il se souvint d'autre chose. « Et après, avec le remue-ménage, j'ai oublié d'aller acheter les bières. Si vous voulez, j'y vais maintenant.

— Non, non... Si ça se passe comme ça, il vaut mieux ne pas ressortir aujourd'hui. »

Julio avait toujours supposé que, deux ans auparavant, son patron avait fêté la victoire de Franco, mais cette supposition n'avait d'autre fondement que la situation présente de M. Turégano. À l'époque, en ce lieu, les républicains n'étaient propriétaires de rien. Ni même de leur propre avenir. Cependant, et même si les conversations du garage, aussi triviales que fussent les anecdotes qui les déclenchaient, ne tournaient jamais autour d'un événement qui serait survenu entre l'été 1936 et celui de 1939, il était presque sûr que certains de ses collègues avaient un passé aussi dangereux que le sien. Aussi personne ne se risqua-t-il à poser de questions et, ce jour-là, au garage, on travailla plus et mieux que jamais, comme si l'obligation de rester isolés de l'extérieur, dans ce sous-sol frais et malodorant, immunisés contre la chaleur, le passage du temps et des saisons, était une bénédiction, un privilège qui valait la peine de faire des efforts. La ville se comporta comme l'un d'entre eux, un Madrilène unique qui n'avait pas envie de se compliquer la vie, parce qu'ils n'eurent pas de visites, aucun client ne vint déposer ou reprendre sa voiture, personne n'éprouva d'intérêt à demander le prix du dépôt ou des réparations, jusqu'au moment où, en fin d'après-midi, quand ils commençaient à ranger, Eugenio Sánchez Delgado descendit la côte et demanda à voir Julio.

« Je suis venu te remercier pour ce matin. » Il avait troqué sa chemise bleue pour une blanche, il avait la cheville bandée et bien meilleure allure, douché et coiffé. « Je t'offre une bière, si tu peux...

— Bien sûr. » Julio sourit. « Attends-moi, je me change tout de suite. »

Eugenio s'entêta à aller à pied à sa brasserie préférée, qui se trouvait sur la place Santa Ana, et lui expliqua que pour son pied, ce n'était rien, une simple foulure sans conséquence, de celles qui font très mal sur le moment puis qui s'oublient. Sa mère, qui avait été infirmière pendant la guerre, lui avait fait une piqûre, un bandage serré, et recommandé de ne pas trop marcher, mais il n'avait aucune intention de l'écouter parce que, après tout, on sait bien comment sont les mères.

« Ce fut une chance, tu sais, parce que j'ai décidé de m'enrôler », ajouta-t-il une fois qu'ils furent assis à une table, chacun avec sa chope devant lui. « Demain ou après-demain, quand ce sera possible. Romualdo, mon frère, dit qu'à la Phalange ils sont décidés, qu'il ne manque plus que l'accord de Franco, et il n'aura pas d'autre choix que de le donner, parce que après tout les Allemands n'ont rien fait pour nous. La Légion Condor et tout ça... Mon frère dit qu'en plus il ne faut pas traîner, parce que les Russes ne tiendront pas un mois, et ceux qui attendront ne pourront peut-être même pas aller au combat, alors... »

Eugenio avait le même âge que Julio. Il était né à Madrid, mais il avait passé la guerre en zone rebelle « nationale », se corrigea-t-il en silence tout en l'écoutant, car la famille de sa mère était de Salamanque, et ils passaient les vacances chez sa grand-mère au moment du soulèvement. Fernando, son frère aîné, qui était cadet à l'Académie militaire de Saragosse et n'avait pas voulu partir avec eux bien qu'il soit en vacances, était mort au Cuartel de la Montaña [1]. Arturo, le deuxième, lui aussi phalangiste depuis avant la guerre, perdit les deux jambes à Brunete [2]. Romualdo, qui avait deux ans de plus, avait adhéré très tôt au Frente de Juventudes [3], mais on ne le laissa pas rejoindre les rangs avant l'automne 1938, et il entra à Madrid sans aucune blessure grave. Eugenio avait un autre frère, Manolo, qui était entier et exilé à Mexico, mais cet après-midi-là il ne mentionna même pas son nom.

« Et tes parents, qu'est-ce qu'ils en pensent ? » Eugenio haussa les sourcils, comme s'il ne comprenait pas le sens de la question. « Parce que, je ne sais pas, avec un fils mort, l'autre dans un fauteuil roulant, que Romualdo et toi vous partiez à la guerre maintenant...

— Eh bien ça ne leur plaît pas, évidemment, mais ils comprennent. Serrano l'a dit, l'autre jour. L'extermination de la Russie est une exigence de l'Histoire et de l'avenir de l'Europe. La Russie est également coupable de la mort de Fernando, du malheur d'Arturo, et ils le savent.

Ma famille a un compte à régler avec Staline, et seuls Romualdo et moi pouvons nous en charger. Sinon, on le regrettera toute notre vie. »

Ce soir-là, quand ils se séparèrent, Julio regagna sa pension à pas très lents. Il n'essayait pas encore de comprendre Eugenio. Il lui suffisait de cataloguer leur rencontre, de hasarder le degré de chance ou de malchance que lui réservait

---

1. Caserne d'où partit le soulèvement militaire du 18 juillet 1936.
2. Localité madrilène d'où, du 6 au 25 juillet 1937, l'armée républicaine lança une offensive destinée à faire diminuer la pression exercée par les forces soulevées sur Madrid et à améliorer la situation sur le front du Nord.
3. Front de la Jeunesse, organisation mise en place en 1937 afin d'« encadrer » la jeunesse.

l'avenir, et ce n'était pas facile. Dans sa situation, un ami tel que lui était un trésor et une bombe, un avantage et un risque, une garantie et un danger tout aussi intenses. Il ne le connaissait pas bien, mais il avait découvert en lui une disposition facile à exploiter, la capitulation insensible, souriante, qu'il avait auparavant obtenue de Manuel, d'Isidro, de M. Turégano, des jeunes filles qui l'attendaient à la porte des Maisons du Peuple quand il donnait des spectacles de magie dans la sierra. Ce jour-là, il n'avait même pas eu besoin de recourir aux trucs, aux plaisanteries, pour découvrir la faiblesse d'Eugenio, ce mystérieux penchant à lui faire confiance, à rechercher sa compagnie, sa complicité, qui lui avait valu de nombreuses joies et quelques contrariétés ces derniers temps. D'autres naissaient beaux, riches, princes. Lui, il était né sympathique et il le savait, mais il savait aussi que c'était pour cette raison qu'il ne pouvait pas marcher tranquillement dans la rue. Et il avait des raisons de se méfier des rencontres fortuites.

Les plus jolies jambes qu'il avait vues de sa vie jouèrent pour lui, quelques années auparavant, le rôle que la cheville blessée d'Eugenio reprenait ce soir-là. Mais Mari Carmen Ortega, la fille du Peluca, qui en juin 1937 disait adieu à ses seize ans, l'impressionnait déjà beaucoup. À tel point que lorsqu'il se résigna à ce qu'elle écrase le défi de ses regards incendiaires d'un petit sourire dédaigneux, il choisit de s'engager sur une voie oblique pour l'approcher.

« Regarde bien... », lui dit-il, au centre du chœur depuis lequel tous ses camarades le regardaient avec un seul sourire. « La main est plus rapide que la vue. »

Il déplia alors devant ses yeux, flambant neuve et impossible, la feuille de papier journal qu'il avait déchirée en petits morceaux très lentement, à un rythme posé, presque décalé, dès qu'il l'avait vue arriver sous les arcades. Elle se mit à rire et frappa trois ou quatre fois dans ses mains, avec moins d'enthousiasme que les autres, mais elle soutint son regard tout le temps et pour lui, ce fut suffisant.

« Bon, alors, on s'en va ? demanda-t-elle ensuite, considérant la représentation comme terminée.

— Non, attends un peu... » Vida, une fille mince et ordinaire, avec des yeux petits mais étincelants, leva une main en

l'air pour demander un moment d'attention. « Tu as dit que
tu nous ferais un tour avec des pièces de monnaie, Julio.

— Je te le ferai en chemin. C'est très facile, répondit-il.

— Ah ! » Mari Carmen le regarda bouche bée sans dissimuler son étonnement. « Il vient ?

— Oui. Il vient avec moi. » Isidro lui posa une main sur
le dos et sa belle compagne haussa les épaules dans sa vareuse
ajustée et prétentieuse, comme si tout ce qui avait un rapport
avec le nouveau venu lui avait été égal.

Cet après-midi-là, Julio s'aperçut qu'Isidro et Mari
Carmen se disputaient la direction du groupe dans des conditions inégales, mais avec la même ténacité. Il était le responsable théorique, le chef de la cellule des jeunes du quartier,
un garçon au physique insignifiant, sérieux, studieux, qui faisait plus jeune que son âge, parlait peu et ne dansait jamais.
Elle était la fille cadette d'un héros du 7 novembre 1936, ce
jour glorieux où elle vit le peuple en armes arrêter l'offensive
fasciste sur Madrid, et surtout, une femme accomplie, décidée, courageuse et entêtée, au corps spectaculaire et au visage
si séduisant qu'elle n'avait même pas besoin d'être jolie. Elle
avait un long nez et une grande bouche, trop grande pour les
canons de l'époque, mais les hommes qui recherchaient sa
compagnie oubliaient le genre de beauté qui leur plaisait dès
qu'ils la voyaient.

Cet après-midi-là, Julio apprit également que sa passion
soudaine était une maladie courante. L'été 1937, il n'y avait
pas beaucoup d'hommes dans les rues, mais parmi ceux qu'ils
croisèrent, presque tous en uniforme militaire, les trois quarts
regardèrent Mari Carmen sans se donner la peine de jeter un
coup d'œil aux autres femmes. Elle rendait à tous leurs
regards, leurs sourires. C'était là une des sources de son
influence, un avantage qu'Isidro ne pourrait jamais égaler.
Quand Julio l'avait connue, elle était presque fiancée à un
aviateur russe, un de ces pilotes qui faisaient des acrobaties
dans le ciel de la ville après en avoir chassé les avions allemands, comme s'ils avaient très vite été gagnés par l'insolence
des Madrilènes qui préféraient ignorer les sirènes et supporter
les bombardements debout, en pleine rue, juste pour contempler ce spectacle et pouvoir applaudir à la fin.

« Et ton fiancé ? Il t'a écrit, aujourd'hui ? lui demandait
de temps en temps Isidro, goguenard.

— Et comment ! répondait-elle. Un M et un C, et bien nets. Elle peut te le dire... »

Et elle relançait d'un coup de coude celle à qui elle faisait allusion, qui acquiesçait de la tête comme si sa vie en dépendait pendant qu'Isidro ravalait la rage que lui inspirait le manque de tout héroïsme direct ou indirect dans sa biographie, et après s'être fait la vaine promesse que la prochaine fois que résonneraient les sirènes il ne courrait pas se cacher dans le métro, il se mettait à rire.

« Mais tu ne le comprends pas, tu ne peux même pas lui parler !

— Ah non ? » C'était alors à son tour de rire. « Je te montrerai un de ces jours, si je le comprends ou non... Mais quel abruti, ce type ! »

En ces instants, Julio comprenait que Mari Carmen avait largement de quoi comprendre le Russe et il sentait le coup de poignard insupportable de la jalousie, non tant par sa nature fictive que parce qu'elle l'apitoyait sur lui-même, qui ne tolérait la pitié de personne. Cette sensation d'infériorité, de faiblesse, à laquelle il n'était pas habitué, lui était plus douloureuse que son absence de droit à être jaloux de la fiancée d'un autre. Mais il ne perdit jamais l'espoir, y compris le jour que choisit Mari Carmen pour arriver au siège de la JSU avec l'aviateur, un très jeune homme, presque un adolescent, grand, mince, très blond et avec une peau invraisemblable, pâle et rose, veloutée et parfaite comme la porcelaine, et pour démontrer à qui le voudrait qu'elle n'avait pas besoin de parler russe pour lui faire faire ses quatre volontés.

« Allez, toi, dis au revoir, on s'en va ! » Et son fiancé, mort de rire, décryptait sans effort l'intention de cette main qui s'agitait en l'air. « Allez, je vais t'emmener danser, danser, tu comprends ? » Il faisait signe que oui de la tête, sans cesser de rire, pendant qu'elle dansait seule, avant de s'arrêter soudain pour lui prendre le visage à deux mains et l'embrasser sur la bouche. « Ah là là, qu'est-ce que tu es beau, mon dieu ! »

Julio ne perdit jamais l'espoir, parce qu'il avait découvert que Mari Carmen était comme lui, qu'elle avait la même capacité innée à séduire, à convaincre, à entraîner l'adhésion. Il n'eut aucun mal à devenir populaire à la JSU. Il était intelligent, il apprenait vite et, surtout, il maîtrisait le langage, l'idéologie, le répertoire de mythes et d'expressions de la gauche. Que cela lui plaise ou non, il était le fils de sa mère, il le serait toujours. Cela dit, et par-delà les paradoxes, il préférait de beaucoup sa nouvelle vie à l'ancienne. Il aimait la ville, il aimait y déambuler, rencontrer des gens nouveaux tous les jours, bouger sans cesse, d'un meeting à l'autre, d'un local à l'autre, d'un cinéma à l'autre, parler avec les soldats et jeter un coup d'œil au front. Julio Carrión n'avait jamais vécu de journées aussi intenses, aussi pleines de rendez-vous, de projets, de choses à faire. Il n'avait jamais été aussi autonome, aussi libre qu'alors, tout en dépensant prudemment, peu à peu, les économies de son père, ivre à longueur de journée, enfermé dans sa chambre à la pension, priant, et pleurant en nettoyant son fusil. Benigno Carrión n'apprit jamais que son fils militait dans les rangs ennemis, car en réalité Julio ne le fit jamais. Il se contenta de se laisser porter, de se faire bien voir, d'aller avec ceux qui commandaient, tout en découvrant en lui un talent extraordinaire pour l'imposture. Mais, bien qu'il s'étonnât lui-même parfois de l'impeccable qualité de son jeu, il ne parvint pas à ses fins.

Mari Carmen Ortega ne tomba jamais dans les bras de Julio Carrión. Avant que son fiancé russe ne reparte dans son pays, elle l'avait déjà congédié pour le remplacer par un sergent du Cinquième Régiment qui n'était pas aussi grand mais deux fois plus large, il s'appelait Antonio et venait de Vicálvaro. Lui, elle le comprenait, si bien qu'ils se marièrent en novembre 1938, et Julio, qui n'avait jamais cessé de la désirer à distance, n'osa plus continuer à insister.

« C'est incroyable, se moquait Isidro, que Vicálvaro nous fasse plus peur que l'Union soviétique...

— Eh bien oui, tu vois », souriait-il avec tristesse.

Vida, qui était amoureuse de lui depuis le premier jour, et avec qui il avait entretenu depuis lors des sortes de fiançailles accidentelles, informelles et intermittentes, eut gain de cause jusqu'à la fin de la guerre où il se détacha d'elle aussi vite que de tout le reste. Le 24 juin 1941, Julio Carrión pensait à tout cela en regagnant sa pension, d'un pas très lent. Vida était en prison et elle ne l'avait pas dénoncé. Mari Carmen était dans la rue et elle pouvait le faire à tout moment. Le hasard apporte la chance et le malheur à ceux qui savent parier sur le gagnant, et il n'avait pas su. Pendant ce temps, sa vie avait changé. Elle était maintenant beaucoup plus ennuyeuse, beaucoup plus monotone, sale et sombre qu'avant, mais cela pouvait être pire. Bien pire. Elle pouvait même, très facilement, cesser d'être à tout moment.

Cette nuit-là, quand il se coucha, Julio Carrión ne savait que faire. En se réveillant le lendemain matin, il voyait non seulement mieux les choses, mais il sentit un frisson épais et humide en se rappelant la stupidité dont il avait fait preuve la veille. J'ai commis assez de sottises, se dit-il, et pourtant, il descendit dans la rue sans s'arrêter un instant sous le porche pour éviter d'y croiser Mari Carmen, comme s'il savait malgré tout qu'il allait s'enrôler deux jours plus tard.

La faute en revint aux journaux, aux communiqués de la radio, aux commentaires qu'il entendait de toute part. « Ce matin, j'ai entendu que les Allemands avaient déjà descendu deux mille avions russes, rapporta un client à M. Turégano, et au sol, en les bombardant avant qu'ils aient pu décoller, alors, vous savez, ils seront à Moscou en un clin d'œil... » Son patron sourit, et il enjoliva la nouvelle en la rapportant à ses différents clients. C'était aussi ce que disaient les gens dans la rue, dans les petits groupes qui se formaient devant les kiosques, aux carrefours, aux arrêts des tramways. « Staline tiendra moins longtemps que la fameuse ligne Maginot, non ? » « Oui, oui, je suis d'accord avec toi, ceux-là, il n'y a pas moyen de les arrêter, regarde en France, en Belgique, en Pologne... »

Le lendemain, les choses allèrent encore plus loin. Les journaux parlaient du grand triomphe allemand, annonçaient la chute imminente de Minsk, de Kiev et d'Odessa, publiaient des cartes où les pointes des flèches qui symbolisaient l'avancée de l'envahisseur caressaient les noms de Moscou, de Saint-Pétersbourg. Julio se souvint de ces quatre pesetas et demie de taxi qui séparaient Franco de la Puerta del Sol en novembre 1936 et des mirages successifs, contradictoires, qu'elles avaient semés devant ses yeux, pour en conclure que deux débuts aussi identiques ne pouvaient que déboucher sur des fins identiques, même si le processus ne pouvait être le même. Les Allemands étaient plus nombreux, beaucoup plus puissants, plus forts et plus riches, et mieux armés que les troupes en grande partie étrangères, mercenaires, d'un général espagnol et chétif qui avait contre lui la majorité de son pays et qui avait pourtant gagné la guerre. Et Julio Carrión

González, qui s'était un jour promis de ne jamais revenir vers ceux qui perdent, l'avait perdue. Il semblait aujourd'hui beaucoup plus facile de deviner juste.

Eugenio lui avait donné son numéro de téléphone, mais il n'osa pas l'appeler. Cependant, le 26, en sortant du travail, il se rendit directement à la Brasserie allemande et l'y trouva en compagnie d'autres phalangistes en uniforme qui formaient un chœur autour d'Arturo, son frère, assis dans un fauteuil roulant, deux décorations militaires accrochées à sa chemise, une couverture sur la trace absente de ses jambes, et une envie féroce dans les yeux.

« Alors ? » Eugenio fut très content de le voir. « Tu t'es décidé à venir avec nous ?

— Eh bien... » Romualdo, qui l'avait salué d'un mouvement de tête, le regarda comme s'il comptait mesurer sa taille véritable, et Julio, qui allait répondre qu'il réfléchissait, se ravisa en cours de route. « Oui. Je crois que oui. »

Par la suite, Julio Carrión González penserait souvent à cette nuit du 26 juin 1941 comme si elle s'était produite dans la vie d'un autre. Comme s'il n'avait été qu'un figurant, un spectateur isolé de l'ardente cérémonie de fraternité qu'une demi-douzaine d'inconnus avaient improvisée pour lui, une séquence d'étreintes intenses mais éphémères, qui le laissèrent immédiatement seul avec l'enthousiasme d'Eugenio, la témérité presque enfantine de sa proposition : « Eh bien on va se soûler, non ? Comme il se doit... »

Les autres étaient plus âgés ; des amis d'Arturo, de Romualdo. Ils savaient ce qu'était la guerre ou du moins boire, feindre. Ensuite, quand ce serait son tour d'apprendre, de renoncer à tout ce qu'il savait pour commencer à donner un nouveau nom à chaque chose dans un monde noir et blanc, où ne survivent que les hommes capables d'abdiquer leur raison en faveur des instincts animaux mis au rancart dans le dernier recoin de sa mémoire, il ne pourrait pas se reconnaître dans le souvenir de cette sotte nuit d'ivresse et de joie. C'était pourtant lui, il avait fait tout ça, quand il ne savait pas encore distinguer l'absence de bruit de l'espèce de silence que l'on mâche, quand il ne savait pas encore que les moteurs des avions amis font exactement le même bruit que les moteurs des avions ennemis, quand il ne savait pas encore que le froid rend fou, que la neige aveugle, que le sang s'y dissout très vite, laissant une trace rose, pâle, puis plus rien. Quand il ignorait encore que la peur est une forme de prudence et le rêve une promesse de mort, il se soûla avec Eugenio Sánchez Delgado, qui ignorait dans la même mesure combien de temps il lui restait pour apprendre, qui ne savait rien de lui et l'invita pourtant un soir à dîner chez lui, le présenta à son père, à sa mère, et le traita comme un vieil ami, un camarade, un complice.

Julio ne fut pas surpris, car ses véritables vieux amis, ses vieux camarades de l'autre camp, n'avaient pas exigé non plus de garantie avant de l'accepter parmi eux. Ils étaient si sûrs de leur cause, si convaincus de la valeur indiscutable, universelle, des idées qu'ils défendaient, qu'ils acceptaient les nouveaux venus avec une hospitalité presque évangélique et la certitude que leur adhésion était sincère tant elle était inévitable, parce qu'une personne capable de penser, de sentir, de contempler la réalité avec justice n'aurait pu opter honnêtement pour une voie différente. Cette nuit-là, chez les Sánchez Delgado, Julio Carrión crut avoir trouvé l'autre visage de la même passion, la même innocence, et il se sentit bien, en sécurité, dans cette salle à manger aux meubles sombres, aux murs décorés de gravures religieuses sur des plaques en cuivre, où l'on bénit le repas avant de dîner, et où, plus tard, on apporta un plateau de pâtisseries et la bouteille de brandy des grandes occasions, pour célébrer la guerre comme s'il s'agissait d'une fête. Les parents d'Eugenio – lui, petit et menu, la moustache retaillée qui lui donnait l'air d'une souris ; elle, plus séduisante, blonde et corpulente, coiffée d'un chignon haut qui renforçait l'audace de sa variante de l'uniforme phalangiste, insolite, ajusté et décolleté – se montrèrent plus qu'aimables, très affectueux voire paternels avec lui. Ils considéraient tous les deux que leurs enfants ne partaient pas au combat, mais à la victoire, et ils parvinrent à communiquer leur optimisme total, compact, sur la guerre éclair où il en vint à croire qu'il n'aurait peut-être même pas l'occasion de combattre.

Son père ne partageait pas cet enthousiasme. Julio alla le voir à Torrelodones le lendemain, après avoir adhéré au parti de ses nouveaux camarades avec la parole d'Eugenio pour aval, car il avait besoin de sa permission écrite afin de pouvoir s'enrôler, et il regretta que son ami se soit entêté à l'accompagner, parce qu'il retrouva le Benigno taciturne, silencieux et sombre des pires époques, avant de s'apercevoir qu'en plus, et surtout, il était ivre. Cela ne faisait pas une semaine qu'il avait appris que sa femme était morte d'une pneumonie au pénitencier d'Ocaña, où il ne savait même pas qu'elle était prisonnière, parce qu'il n'avait pas demandé de nouvelles, ni d'elle ni de leur fille depuis qu'elles étaient parties. S'il ne le dit pas à Julio, ce ne fut pas pour lui épargner le choc, mais parce qu'il eut honte de s'embrouiller dans des explications embarrassantes devant un étranger portant une chemise bleue. Eugenio ne posa pas de questions non plus. La perspective du bureau de recrutement était trop excitante pour la gâcher dans une conversation gênante à propos du vieil homme fini et alcoolique qu'il venait de découvrir.

À l'époque, Julio Carrión González ne pensait plus à sa mère tous les jours, mais son souvenir, des rafales sporadiques et intenses de la douceur et de la chaleur perdue, lui était toujours douloureux. Même si le monde s'était tordu sur lui-même au point de lui faire oublier l'inoubliable, exilant le passé récent vers un territoire incertain, frontalier, où les couleurs étaient de plus en plus pâles, aussi faibles que cette lumière fictive qui éclaire les histoires qui ne sont jamais arrivées plus loin que l'imagination imprécise d'un enfant rêveur, ses yeux retrouvaient malgré eux Teresa González dans les yeux, les mains, les gestes, les corps, la voix d'autres femmes, de mères jeunes accompagnées d'enfants adolescents qui allaient dans la rue sans savoir que leurs silhouettes, leurs différences de taille, la distance qui séparait leurs corps en mouvement ou même pas ça, une caresse hâtive, une certaine façon de se regarder, de sourire, le renvoyaient aussitôt à sa condition insupportable d'orphelin. En ces instants, Julio Carrión, qui aima toujours sa mère, se détestait pour sa faiblesse, son incapacité à respecter ses propres règles, le vide triomphant, brutal, qui asphyxiait sa mémoire quand tout allait bien, quand il pouvait s'aimer lui-même sans cesser d'aimer Teresa parce qu'il parvenait à ne pas se souvenir d'elle, à vivre dans un monde où elle n'avait jamais vécu, où elle n'avait jamais été la femme qu'elle fut, ni lui son fils. Teresa González avait pourtant existé. Et Julio, qui restait son fils, ne tarderait guère à découvrir qu'il n'était pas le seul à le savoir.

« Comment ça va ?

— Vachement bien. » Julio répondit au sourire de Romualdo, deux rangées de dents si blanches qu'on les apercevait dans l'obscurité de la nuit sans lune. « Et toi ?

— Pareil. »

Ils se mirent à rire tous les deux pendant que Casi, ce Sévillan qui avait tiré un coup de fusil à Orléans contre un cousin andalou de Pepe Staline, réclamait le silence dans un murmure hystérique, terrifié.

« Taisez-vous, bon sang ! » Et lui seul reprit la parole quand ils eurent effectué la moitié du chemin qui séparait leur campement du camp des prisonnières polonaises. « Si on se fait piquer, ça va être notre fête.

— Sans compter l'engueulade que me passera ton frère... », ajouta Julio à l'intention de Romualdo, qui marchait à ses côtés, aussi détendu que lui.

Alors, quand ils furent si près du campement qu'aucune patrouille ne pouvait établir avec certitude le but de leur escapade, Casi osa rire avec eux.

« Bon, comment ça s'est passé ? » La sentinelle qu'ils avaient subornée afin de pouvoir sortir leur sourit après avoir mis dans sa poche l'autre moitié du prix du prix convenu. « Et les Polonaises, comment elles sont ?

— Quelles Polonaises ? » Julio le regarda comme s'il n'avait pas compris. « On est juste sortis prendre l'air un moment.

— Oui, d'accord. » La sentinelle lui adressa un petit sourire ironique. « C'est sûr.

— Oui, c'est sûr. » Romualdo fut plus catégorique. « Et alors ? On ne va pas te le raconter, quand même... »

Celle de Julio n'était pas très jeune, mais assez jolie. Elle avait les cheveux châtain presque roux, les yeux clairs et les épaules larges, un squelette grand et large qui contribuait à dissimuler sa minceur exagérée. Cela suffisait à la rendre désirable par rapport aux femmes plus petites, aux os courts et à l'air fragile, qui n'avaient aucune possibilité d'atténuer la maigreur de leurs corps consumés, leurs sourires émaciés, la sécheresse parcheminée des mains qu'elles tendaient avec désespoir vers ces nouveaux soldats qui souriaient sans comprendre un seul mot parmi ceux qu'ils entendaient, et qui n'étaient pas grands, ni blonds, ni allemands, mais qui leur donnaient ce qu'ils avaient sur eux, des barres de chocolat, des fruits, du pain et même des cigarettes.

« Ici il y a des femmes ! » La nouvelle se répandit le jour même où ils arrivèrent à Grafenwöhr. « Mais tout un tas, hein, un plein camp... »

Cet après-midi, pendant qu'ils déballaient le matériel de l'armée allemande et qu'ils se tordaient de rire en essayant par-dessus l'uniforme les chemises en flanelle qui leur arrivaient aux genoux et les caleçons longs qu'ils pouvaient parfaitement attacher sous les aisselles – « qu'est-ce que c'est ? », « et pourquoi toutes ces brosses ? », « quelqu'un sait à quoi servent ces petites boîtes en plastique ? », « ça doit être pour ranger les dentiers », « et ces bandes de toile ? », « pour ta tignasse ! » –, ils apprirent que c'étaient des prisonnières, des Polonaises, et que le commandement allemand avait interdit tout contact avec elles, même à travers les grilles d'enceinte. Les peines prévues étaient très graves, et ils le comprirent aussi mal que la quantité exagérée de brosses qu'ils venaient de recevoir. Aussi, et bien que le simple fait de s'approcher du camp des Polonaises fût considéré comme un délit, enfreignirent-ils la norme dès le premier jour, et profitèrent-ils du temps libre que leur laissait l'instruction, le soir, pour aller faire un tour et arriver par le chemin le plus long, le plus sûr, jusqu'aux clôtures derrière lesquelles serpentait un monde de mains tendues. Les officiers espagnols décidèrent de ne pas accorder d'importance à cette espièglerie à laquelle s'adonnèrent Julio et Eugenio dès le premier moment, sans soupçonner que son dénouement allait les éloigner l'un de l'autre pour la première fois.

« Qu'est-ce qu'elle t'a dit ? » Un après-midi, Casi, un habitué de ces expéditions, s'adressa à l'aîné des Sánchez Delgado avec une angoisse mal dissimulée, quand il le vit s'écarter de la grille où il avait discuté un bon moment avec une prisonnière.

« Eh bien, je ne sais pas quoi te répondre. » Romualdo se gratta la tête. « Entre le fait qu'elle ne parle pas bien le français et moi non plus... Si l'intellectuel voulait nous donner un coup de main... »

Julio s'aperçut qu'il parlait d'Eugenio, mais son ami ne tourna même pas la tête et continua à marcher à côté de Pancho, Francisco Serrano Romero, un garçon originaire d'Estrémadure, taciturne, qui faisait plus que ses dix-neuf ans et était le plus généreux de tous avec les Polonaises.

« Qu'est-ce que tu as, tu ne manges pas ? lui avait demandé Romualdo un jour, en le voyant tous les jours mettre dans ses poches le pain, les fruits et tout autre aliment propre et facile à transporter.

— Pas beaucoup. » Pancho haussa les épaules, comme s'il n'avait rien d'autre à dire. « C'est que dans mon village, on n'a pas l'habitude de beaucoup manger », ajouta-t-il un instant plus tard.

Alors ils se mirent tous à rire, lui compris.

Julio et Eugenio s'étaient habitués à la compagnie de cet adulte précoce, qui s'intéressait à un seul sujet de conversation, la guerre, le nombre de soldats de chaque régiment, d'officiers, leur histoire, leurs plans de bataille, et qui ne desserrait donc pas les dents lorsqu'ils allaient et venaient du camp des Polonaises. Les lèvres d'Eugenio ne furent pas plus généreuses que les siennes cet après-midi-là, tandis que son frère et Casi chuchotaient.

« Et vous, alors ? » Julio aborda enfin Romualdo quand il se lassa que son ami réponde à toutes ses questions en tournant la tête dans la même direction. « Vous n'allez pas me dire non plus ce qui se passe ?

— Non, parce qu'il ne se passe rien. » Puis il le regarda soudain, se caressa le menton et s'arrêta. « Dis, Julito, tu parles français ?

— Je me débrouille.

— Tu te débrouilles comment ? »

Même s'il ne l'avait pas pratiqué depuis longtemps, depuis qu'il n'avait pas revu sa mère, il parlait assez bien, ce fut donc lui qui se chargea de la partie la plus délicate de la négociation, qui ne pouvait pas être résolue par des grimaces et des gestes universels. Ce ne fut pas très compliqué. Les Polonaises ne voulaient pas d'argent, là-bas, il ne leur servait à rien, et pour eux il était très facile d'acheter du savon, de l'eau de Cologne et surtout de la nourriture, la monnaie d'échange la plus précieuse dans le camp. En plus de payer les femmes qu'ils choisiraient, ils allaient devoir soudoyer les prisonnières de confiance qui patrouillaient la nuit et d'autres qui s'engageaient à distraire les sentinelles allemandes postées à la porte principale pendant qu'ils entraient en rampant par une sorte de chatière destinée à l'approvisionnement, mais ce n'était pas très cher. Au total, les Polonaises ne leur coûtèrent même pas la moitié de ce que leur demanda la sentinelle espagnole pour les laisser entrer et sortir du camp sans les dénoncer.

« Bon, eh bien il ne manque plus qu'une chose. » Julio tendit à Romualdo une liste comportant les exigences des prisonnières et la date de la prochaine pleine lune.

« Laquelle ?

— Je participe. Je m'inscris. »

Eugenio ne vit pas les accolades et n'entendit pas les petits rires avec lesquels son frère et Casi accueillirent Julio Carrión dans leur flamboyante fraternité masculine, mais il le devina sans trop d'efforts et tous l'apprirent très vite, quand il les affronta à leur retour du camp, quelques jours plus tard.

« Vous allez le faire, non ? » Il les regarda, un par un, et aucun des trois ne répondit. « Toi aussi, Julio ? Et quand ? Demain, il n'y a pas de lune ? Très bien, quels hommes vous faites, bon sang !

— Tais-toi, Eugenio.

— Je n'ai pas envie de me taire, Romualdo, et tu n'as pas à me donner d'ordres. Aujourd'hui moins que jamais.

— Ça y est, revoilà le plouc qui communie tous les jours. » Son frère eut un rire forcé qui souligna son mépris.

« Ce n'est pas ça, imbécile. Pas besoin de communier tous les jours pour être dégoûté par ce que vous allez faire à ces pauvres Polonaises enfermées là-bas, dans un pays étranger, seules, prisonnières, mourant de faim...

— Hé, hé ! Halte-là. » Romualdo se colla à Eugenio pour lui parler tout près. Je te rappelle que ces femmes sont des ennemies du peuple allemand, frérot. Fais attention, que je n'aie pas à te dénoncer pour animosité... » À ce moment, Casi se mit à rire, et en se retournant pour le voir, Romualdo se heurta au regard de Pancho. « Et toi, qu'est-ce que tu as, pourquoi est-ce que tu me regardes comme ça ?

— Je n'ai rien. Mais je crois que ton frère a raison, répondit-il très calmement.

— Ah ! Voyez-vous ça... Encore un d'Action catholique ! se moqua Romualdo.

— Avec tous ces jeûnes, ça ne m'étonne pas », renchérit Casi.

Ce soir-là, les choses n'allèrent pas plus loin. Julio, qui partageait le diagnostic de Romualdo et ne pensait pas que l'attitude de son frère pût provenir d'une observation obsessionnelle du sixième commandement, évita Eugenio cette nuit-là et tâcha de ne pas se retrouver seul avec lui le lendemain. Ensuite, quand ils parvint à se glisser dans son lit sans incident, l'odeur de cette femme imprégnant encore sa peau et sa mémoire, il se sentait si puissant, si satisfait, qu'il se désintéressa de tout ce qui n'était pas les clins d'œil, les sourires, les commentaires malicieux et les expressions admiratives avec lesquels ses compagnons célébrèrent leur exploit nocturne qui, à l'heure du dîner, était même connu de certains officiers qui hochaient la tête en les voyant, d'un air à la fois scandalisé et bienveillant, compréhensif tout en les avertissant que cette aventure ne devait pas se reproduire. Pendant ce temps, Eugenio fit comme s'il ne le connaissait pas. Jusqu'à ce que Julio se lassât et décidât de l'aborder dans le train qu'ils prenaient le dimanche pour passer leur après-midi de congé à Nuremberg.

« Dis, Eugenio » et avant que Pancho ne puisse s'avancer, il se glissa sur le siège contigu à celui qu'occupait le plus jeune des Sánchez Delgado. « Tu as l'intention de ne plus jamais m'adresser la parole, ou quoi ?

— Eh bien... » Eugenio le regarda attentivement un instant, comme s'il venait de le rencontrer, avant de tourner la tête vers la fenêtre. « Je dois dire que je n'en ai pas très envie.

— Pourquoi ? Je ne comprends pas pourquoi. Qu'est-ce que tu crois, que je l'ai mal traitée, que je me suis mal comporté avec elle ? Eh bien tu te trompes, parce que c'était le contraire. Je lui ai apporté du savon, des pommes de terre, des pommes, du chocolat et même un flacon d'eau de Cologne. En ce moment, ce doit être la femme la plus heureuse du camp.

— Mais tu... ? » Eugenio se tourna si vite vers lui qu'il faillit en perdre ses lunettes. « Quelle sorte de personne es-tu, Julio ? Qu'est-ce que c'est que le monde, d'après toi ? Cette femme a risqué sa vie, tu comprends ?, elle a risqué sa vie pour tes pommes, tes patates, et...

— Personne ne l'a obligée.

— Personne ? C'est toi, qui l'as obligée, toi et mon salaud de frère et l'autre salaud ! Vous les y avez obligées parce qu'elles sont désespérées, désespérées au point de risquer leur vie pour trois foutues pommes. Si vous vous étiez fait pincer, vous auriez écopé d'une bonne engueulade et de trois jours de cachot, mais elles, elles se seraient fait tuer, elles auraient été exécutées, parce que ce sont des prisonnières de guerre, c'est clair ? Je... » Eugenio se tut, le regarda et secoua la tête. « Je ne comprends pas ça, Julio. De Romualdo oui, parce que Romualdo est un animal, il en a toujours été un, mais toi...

— Putain, Eugenio ! » Mais Julio Carrión était plus surpris qu'offensé. « Qu'est-ce qu'il y a ? À mon avis, ce n'est pas si grave. Tu es pourtant très patriote, toi. Eh bien nous, on n'est pas allemands, on n'est pas comme eux, ce n'est pas la peine. Et puis, on a juste tiré un coup, putain, un coup ! On n'a fait de mal à personne. C'est un péché, je ne te dis pas le contraire, mais c'était bon pour nous, et pour elles aussi... Je commence à penser que ton frère a raison, parce que... Voyons, de quel côté es-tu ?

— Écoute, imbécile ! » Eugenio éleva la voix en le désignant du doigt, le bout de l'index frôlant le nez de l'interpellé, qui ne l'avait jamais entendu insulter personne, ni n'avait imaginé qu'il fût capable d'une si grande violence. « Je vais te dire une chose, une fois pour toutes. Ne t'avise jamais de douter de moi, jamais au grand jamais, parce que je sais très bien de quel côté je suis. Je le sais bien mieux que toi, bien mieux que personne, tu m'entends ? Mieux que personne. Je suis pour la civilisation, pour la véritable révolution sociale, pour l'État national-syndicaliste, et contre le communisme, qui n'est que barbarie inhumaine, crime, folie, mépris de Dieu et des hommes. Je suis pour la civilisation et c'est pour cette raison que je suis contre vous ! » Il fit une pause pour remettre ses lunettes en place et il poursuivit sur un ton plus calme : « Je sais bien que l'on commet des erreurs et que l'on continuera à en commettre, parce que notre tâche n'est pas facile, parce que l'ennemi est puissant. Les femmes avec lesquelles vous avez couché sont peut-être communistes, ou elles l'ont été, mais ce n'est pas ça qui m'intéresse. Ce qu'elles étaient avant, en dehors du camp, ne m'intéresse pas. Et je ne dis pas qu'elles aient été enfermées sans raison. Ce que je veux dire, c'est que la seule chose qui m'intéresse, c'est ce qu'elles sont maintenant, de pauvres femmes, seules, prisonnières et désespérées. Et que vous n'aviez pas le droit d'abuser d'elles comme ça. »

À ce moment, Julio Carrión González se leva de sa chaise et il crut avoir perdu un ami, un allié, qu'Eugenio n'aurait plus jamais confiance en lui. Il ne le comprenait pas, il ne pouvait pas comprendre cette attitude exagérée, puritaine, hystérique, aux racines mystérieusement féminines et si extravagante qu'elle ne parvint même pas à griffer son esprit, à y semer le moindre doute, ni un seul indice de découragement ou de repentir. Les raisons pour lesquelles il s'inquiétait de perdre l'amitié d'Eugenio étaient d'une autre nature. Julio ne se sentait pas en sécurité, et la compagnie de ce garçon qui allait tous les jours à la messe et d'une loyauté indubitable, honnête, bon, et sans autres amis que Pancho et lui, était devenue une garantie. Cet après-midi, dans le train de Nuremberg, il pensa l'avoir perdue pour toujours, mais la guerre n'avait pas encore commencé pour eux.

À la fin août, quand ils entreprirent leur étrange et exténuant voyage vers le front, neuf jours en train et plus de trente à pied, à raison de presque quarante kilomètres par jour avec leurs implacables bottes neuves, l'aventure des Polonaises resta en arrière, perdit peu à peu sa couleur, son relief, comme tout autre épisode du passé récent, ces jours heureux et dorés de Grafenwöhr qui s'effilochèrent comme des franges d'un rêve fictif, dans les fossés d'un cauchemar interminable. La fatigue déborda vite les limites de la torture physique pour émousser progressivement leurs sens, et elle en vint à peser comme une dalle lourde, prémonitoire, sur les perspectives héroïques de ceux qui avaient rejoint l'armée la plus puissante du monde pour découvrir traîtreusement que les chemins de fer et les camions ne couvraient même pas la moitié du trajet de leur enthousiasme.

Eugenio ne le concevait pas, pas davantage qu'il ne pouvait concevoir qu'on les prive de la gloire d'entrer à Moscou, ni qu'on les envoie en revanche dans le nord, tandis que les volontaires lettons, beaucoup plus habitués au froid, avaient été affectés en Ukraine. Pour vaincre cette chaîne continue de déceptions et combattre l'épuisement qui minait les forces de son corps frêle et délicat, dans une proportion plus cruelle que celle qu'enduraient les autres, le petit Sánchez Delgado se réalimenta lui-même en doctrine. Ses yeux retrouvèrent la flamme incendiaire du fanatisme simple, primaire et intact, qu'il promenait dans Madrid quand Julio l'avait rencontré, et ils se fermèrent devant toutes les étoiles jaunes qui marquaient, comme le fer pour le bétail, la poitrine des milliers de juifs qu'ils croisèrent à Grodno, à Vilnius, et Minsk. Julio le surveillait en silence, épiant tout signe de contrariété ou de désaccord, et il savait que ce spectacle ne pouvait pas lui plaire, parce qu'il ne plaisait à personne, pas même à lui, mais il n'entendit plus un seul mot sur les petites erreurs qu'exigent les grandes causes.

Alors, pendant que son ami feignait un aplomb, une sérénité qu'il ne pouvait éprouver, Julio Carrión constata le degré d'honnêteté d'Eugenio Sánchez Delgado, qui, lorsqu'il commença à se mépriser lui-même, le traita à nouveau comme un vieil ami, un camarade, tombant dans l'erreur de penser qu'il n'était pas meilleur que lui. Jusqu'au jour où, fin octobre, installé sur les bords de la rivière Volkhov, il découvrit que ses précautions, l'état d'alerte permanente qu'il s'imposait depuis qu'il avait quitté Madrid et qui l'avait obligé à réfléchir à deux fois avant de prononcer un mot, avaient été aussi excessives que la moralité monacale d'Eugenio.

« C'est joli, hein ? »

Ce commentaire le prit au dépourvu lors de la première garde qu'ils partagèrent. Il n'aurait jamais soupçonné Romualdo d'être aussi sensible au paysage, mais cette rive aux arbres touffus, qui agitaient leurs branches avec paresse pour filtrer la lumière subtile, lasse, d'un après-midi d'automne, était certes un bel endroit.

« Oui, vraiment, affirma Julio à voix haute. Surtout maintenant que rien ne bouge. »

Aucun des deux ne pouvait imaginer à quel point ils allaient détester cette rivière tranquille, sereine, qui n'allait pas tarder à se transformer en un fossé infranchissable, un horizon détestable et perpétuel, leur frontière personnelle avec l'enfer.

Là, de l'autre côté, il y avait les Russes, qui n'avaient jusqu'alors fait que se replier, reculer sans trêve, abandonner des villes et des villages, les tours de Novgorod, élégantes, sveltes, vénérables, aussi vulnérables que ces maisons rectangulaires et aplaties, aux murs en bois et au toit pointu, qui rappelaient à Julio les maisonnettes en liège que l'on met dans la crèche

de Noël, et qu'ils avaient laissées derrière eux après avoir traversé une infinité de villages où personne n'était sorti non plus
sur leur passage. C'était ainsi qu'ils étaient arrivés à la rivière
Volkhov, cette rivière tranquille, ni étroite ni trop large, avec
des rives verdoyantes et de grands arbres, un bel endroit pour
se reposer, pour profiter du soleil ou s'allonger sur l'herbe,
mais une rivière quelconque, qui aurait pu être n'importe
laquelle hormis le fait que les Russes l'avaient choisie pour s'y
arrêter.

Cet après-midi, tandis qu'ils regardaient avec intérêt leur
environnement, comme s'ils ne doutaient pas qu'ils allaient
très vite le perdre de vue, ils étaient tous les deux sûrs que la
stabilisation du front était fortuite, provisoire. Si les Russes
s'étaient autant dépêchés avant leur arrivée, il semblait
logique de supposer qu'ils se dépêchaient encore plus maintenant qu'ils étaient là. C'était l'avis général de ses compagnons
et Julio ne le discutait pas, même si de temps en temps il
pensait à la distance enregistrée par le compteur de ce taxi
que Franco allait prendre pour arriver à la Puerta del Sol sans
payer plus de quatre cent cinquante pesetas[1].

« Savoir où on va nous envoyer maintenant, quand on
traversera la rivière, fit remarquer Romualdo, le regard fixé
sur les feuilles des arbres, qui continuaient à jouer à cache-
cache avec les derniers rayons du soleil.

— À Leningrad, non ? supposa Julio. On est à côté.

— Oui. Mais moi, je préférerais aller à Moscou.

— C'est exactement ce que dit ton frère. »

Romualdo ne fit pas de commentaire sur cette coïncidence et il se concentra à nouveau sur la beauté de la rivière.
Mais un instant plus tard il sourit, puis son sourire se transforma en éclat de rire, et il se tourna vers Julio pour le regarder en face.

« Tu as dit Leningrad...

— Oui, bon, c'est comme ça qu'elle s'appelle, non ?

— Non. Les Allemands l'appellent Saint-Pétersbourg, et
on est censés faire pareil.

— Bien sûr, mais... » Julio avait déjà une boule dans la
gorge, un nœud à l'estomac et une sorte de blancheur insup-

---

1. 2,70 €.

portable, glacée, entre les sourcils, quand son compagnon le rassura d'un éclat de rire et d'une tape dans le dos.

« Mais n'aie donc pas peur ! Oui, je sais. Je sais tout. » Julio, qui ne savait pas ce que Romualdo savait exactement, se contenta de sourire pendant qu'il sentait son cœur battre dans son palais. « Qu'est-ce que tu crois, que j'allais me fier à mon idiot de frère ? On serait bien avancés... Je ne suis pas une sœur de la charité, comme Eugenio, alors je me suis renseigné, j'ai posé des questions et j'ai appris que ta mère était une rouge. Mais les camarades de Torrelodones m'ont raconté que ce n'était pas le cas de ton père, qu'il était des nôtres et que tu étais resté avec lui au lieu de la suivre. Alors tu vois, je sais tout. Et je vais te dire que ça ne m'étonne pas. Nous aussi, on a un frère rouge, Manolo, celui qui est entre Arturo et moi. Eugenio ne te l'a pas raconté ?

— Non. » Julio sourit à nouveau, plus tranquille. « Je n'en avais aucune idée.

— Eh bien si, mon vieux, rouge perdu, mon frère Manolo... Il dessinait très bien, tout petit déjà, tu sais ? Il a voulu faire les Beaux-Arts, pour devenir peintre, il était ami avec tous les pédés de Madrid, il a eu une fiancée qui allait à l'université, et tout d'un coup il s'est tiré à Peguerinos [1], pour nous refroidir à coups de revolver. Maintenant il est au Mexique et, à ce qu'on raconte, je pourrais aussi bien le retrouver ici, se battant de l'autre côté... » Il s'esclaffa, comme si tout cela lui semblait très amusant. « Putain ! C'est la vie. Je ne sais pas pourquoi, mais je dois dire que ça arrive dans les meilleures familles. Alors si tu veux appeler Saint-Pétersbourg Leningrad, comme ta mère, vas-y. Je sais qu'on peut te faire confiance, et je n'en parlerai à personne, mais, pour ton bien, je te conseille de changer de vocabulaire. Et maintenant sors les cartes, on va voir si je pige ton tour du sept avec les massues... »

À cet instant, pendant qu'il battait les cartes de ses doigts propres, experts et tricheurs, Julio Carrión González éprouva un soulagement si profond qu'il ressembla à cette paix qu'il n'avait plus ressentie depuis ses onze ans. Mais le bien-être qui l'inonda de l'intérieur comme une drogue, une boisson

---

1. Village où les républicains du Cinquième Régiment élevèrent des fortifications.

narcotique et chaude ne l'empêcha pas d'apprendre certaines
choses qui lui seraient utiles tout au long de sa vie.

La première, c'était qu'il avait de la chance, que la bienveillance volubile du hasard, sa volonté complexe, capricieuse, plus instable que jamais après le périple fou de son
adolescence était intervenue en sa faveur avec la partialité
inconditionnelle d'une mère. Il l'avait pressenti d'autres fois,
souvent, mais maintenant il en était sûr, il avait de la chance.
Le reste, il pouvait l'imaginer. Romualdo Sánchez Delgado
l'avait connu, il avait eu des soupçons, posé des questions sur
lui, son frère avait dû lui dire qu'il était de Torrelodones et là-
bas, dans son village, qui avait tenu jusqu'à la fin, où tous les
phalangistes étaient passés à l'ennemi ou avaient vécu trois
ans cachés dans un placard, don Pedro, le curé, avait dû rappeler à haute voix l'histoire de Teresa González, la rouge adultère qui s'était enfuie avec l'instituteur de Las Rozas et que
son fils aîné, loyal à son père, n'avait pas voulu suivre. Et
Romualdo avait été satisfait, parce que, et ce fut la deuxième
chose que Julio Carrión apprit sur les bords de la Volkhov
pour ne jamais l'oublier, les plus intelligents étaient sots,
aussi, ou du moins pouvaient-ils se comporter comme tels
devant quelqu'un de plus intelligent qu'eux. Lui, il l'était, et,
au lieu de se détendre, il comprit qu'en marge de ses précédentes considérations personne n'offre jamais rien, et que
pour chaque Eugenio Sánchez Delgado qui naît dans ce
monde, dans chaque famille est d'abord né un fils aîné ressemblant à Romualdo. Ni la chance, ni l'intelligence ne lui
seraient utiles s'il se contentait de leur faire confiance, parce
que le seul choix heureux, vraiment intelligent, consistait à ne
même pas se fier à lui-même. Et ce fut la chose la plus importante qu'il apprit lors de cette garde.

À partir de cet instant, Julio Carrión González osa penser
à son avenir, planifier la vie qui l'attendait, celle qui correspondait à un héros victorieux qui n'avait rien à dissimuler,
personne de qui se cacher. Son père recevait en son nom,
chaque mois, sa double solde de soldat, l'espagnole et l'allemande, c'était la norme à laquelle aucun divisionnaire ne pouvait échapper. Son aventure servait à augmenter les revenus
en devises d'un pays pour lequel ils ne luttaient pas bien que
ce fût le leur, mais Benigno lui avait promis de mettre cet
argent de côté pour lui, et Julio était sûr qu'il tiendrait sa

promesse, car il avait largement de quoi vivre. Ainsi, dans les beaux jours comptés de cet automne bref et traître, Julio lui-même se retrouva-t-il en train de promener sur la Gran Vía une femme imposante qui claquait des talons comme si elle comptait briser le trottoir à chaque dalle, mais cette rêverie ne dura guère. Puis, quand il n'eut plus le temps de rêver, il ne put songer qu'à sauver sa vie.

Tout s'effondra très vite, se renversa comme un château de cartes. À la mi-octobre, le thermomètre ne remontait plus au-dessus de zéro, l'équipement d'hiver était insuffisant pour bénéficier à tous, l'armée allemande cessa d'avancer, l'armée russe ne recula pas d'un millimètre, et pour traverser la Volkhov on ne donnait que des billets aller-retour.

Lors d'une de ces offensives qui n'allèrent jamais jusqu'au bout avant de procéder à la retraite, Casi fut tué et le mois de novembre n'avait pas encore commencé. Ce jour-là, devant son premier cadavre, sa première victime, Julio comprit ce que c'était que la guerre pendant qu'Eugenio pleurait en silence et que Romualdo inaugurait à grands cris le chœur des blasphèmes. « Putain, les fils de pute, on aurait dit qu'ils nous attendaient, juste nous, bordel de merde ! » Voilà ce qu'ils disaient, et au début cela les consolait, mais il faisait de plus en plus froid chaque soir, ils étaient de plus en plus nombreux chaque matin à émerger de leur rêve de gloire, à ne plus comprendre ce qu'ils avaient perdu là, si loin de chez eux. « Quoi, le Général Hiver, quelle connerie ! » « Quoi, les Allemands, qui sont si intelligents, n'avaient pas pensé qu'ici il fait froid en décembre ? » « Et Napoléon, alors ? Ils ne l'ont pas étudié, ces crétins ? » « Vraiment, il faut en voir... » Il faisait de plus en plus froid, ils subissaient de plus en plus de pertes et faisaient de moins en moins attention à ce que disait chacun, à ce que disaient les autres. Ils avaient assez de mal à ne pas mourir, à ne pas être blessés, à ne pas s'endormir. Cela leur suffisait, parce que c'était cela qu'était devenue la guerre pour eux.

« Jure-moi une chose, Julio. » Eugenio lui parla avec un filet de voix, l'œil humide. « Si je gèle, ne les laisse pas me couper les jambes, ne les laisse pas... Jure-le-moi ! Même si j'attrape la gangrène, même si je meurs, même si les Allemands te promettent qu'ils vont me mettre ces choses en fer avec lesquelles on peut marcher, ne te laisse pas convaincre.

Jure-moi qu'on ne va pas me couper les jambes. Ma mère ne pourrait pas supporter un autre fils sans jambes, tu sais ? Romualdo et moi, on en a parlé. Et on préférerait mourir tous les deux.

— Ce que je te jure... » Julio Carrión González ne pleurait plus depuis longtemps, et pourtant ses yeux se remplirent de larmes sans permission. « C'est que tu ne vas pas geler, Eugenio. Aucun de nous deux ne va geler, je te le jure. »

C'était peu avant Noël et le froid avait recommencé à mordre les thermomètres. À plus de cinquante degrés au-dessous de zéro, les derniers défenseurs du village de Possad, la position la plus avancée que Julio Carrión aurait l'occasion de fouler à l'est de la Volkhov, revenaient sur leurs pas en direction de la rive ouest. Cet échec était plus douloureux que les précédents, car ils étaient allés plus loin, et ils avaient tenu plus longtemps, ils avaient eu plus froid, et ils avaient subi plus de pertes que jamais. Et cela n'avait servi à rien.

Là, dans l'enfer de la rive orientale, décembre avait commencé à récolter ses propres victimes parmi ces étrangers, fils d'une autre terre couverte de vignes et d'amandiers, avec des oliviers et des orangers, qui mouraient de fatigue et de stupeur, incrédules d'être vivants dans cette immensité glacée, éternellement blanche, où ils se battaient contre deux ennemis, l'un féroce, mais visible, et l'autre plus astucieux, plus cruel, dont aucune armée ne pouvait les défendre. Le sommeil tuait traîtreusement, en silence, avec douceur, comme l'étreinte d'une belle femme. Pendant que la neige tombait avec la tendre douceur d'un mensonge facile à croire, et que sa couleur immaculée s'infiltrait dans l'épaisseur d'un silence absolu, le terrifiant silence russe, les étrangers progressaient dans une blancheur humide et perverse qui gommait les chemins, déformait les destins et chargeait chaque jambe du poids d'une agonie interminable. Alors il était facile de céder, de s'arrêter, de se rendre, de s'appuyer un instant contre un arbre, de s'asseoir un instant sur un rocher, de s'écarter un instant du chemin pour se reposer, et ce n'était qu'un instant, aussi bref, aussi doux, aussi plaisant que la tentation du sommeil, que l'étreinte d'une belle femme, que le crissement de draps propres dans le lit chaud de l'enfance, que de fermer les yeux pour ne pas voir la monstruosité de cette beauté assassine. Ainsi arrivait la mort. En un instant.

Ceux qui avaient la chance qu'un compagnon les devance, et les regrette au moment de les réveiller, payaient le sommeil de leurs pieds, de leurs jambes, ou d'une cécité subite qui les faisait crier comme des fous même s'ils savaient qu'ils n'avaient peut-être pas perdu la vue pour toujours.

La peur panique de geler unit à nouveau Julio et Eugenio durant les pires journées de cet hiver. Parce que janvier, qui les trouva retranchés sur la rive occidentale de la Volkhov, fut plus froid que décembre, et son tribut de mutilations et de gangrène leur faisait encore plus peur que les balles ennemies, ces balles qui en fendant l'air au-dessus de leurs têtes faisaient un bruit semblable à celui d'un étrange oiseau, dans la désolation absolue du monde sans oiseaux qui les entourait. Cet hiver était le pire depuis un siècle, disaient-ils, mais cela ne les consolait pas. Leur confiance réciproque les réconfortait davantage, le pacte consistant à se surveiller mutuellement auquel Pancho se joignit immédiatement, pour rendre plus supportable la tâche de se réveiller à tout instant et de vérifier que celui qui était de garde ne s'était pas endormi. En février, le froid céda et les imprudents qui pensèrent que finalement, à vingt degrés au-dessous de zéro il n'y avait plus rien à craindre, gelèrent. Eux, en revanche, restèrent vigilants jusqu'au dégel. Alors les poux, relégués par la neige à un arrière-plan discret, retrouvèrent une position privilégiée.

« C'est un monde ! Qu'on gèle nous et pas ces salauds, alors qu'ils sont si petits... », se plaignait Eugenio.

Pancho, qui était très bricoleur, avait fabriqué une sorte de pince à épiler avec deux bouts de métal et un ressort en fil de fer. Ils s'en servaient pour ôter les poux des coutures de leurs vêtements quand ils avaient fini de s'épouiller eux-mêmes. Mais cette bataille était aussi vaine que la traversée de la Volkhov, car peu après ils se sentaient aussi mal dans leurs vareuses tandis que le moindre mouvement provoquait un craquement qui les avertissait que les coutures fraîche-ment nettoyées étaient à nouveau noires de parasites.

« Putain ! On dirait qu'on est venus se battre contre eux et pas contre Staline, merde... »

Les Russes, l'hiver, les poux.

Quand les premiers signes du printemps se manifes-tèrent, Julio Carrión González n'était plus très sûr d'avoir raison, mais il ne doutait pas encore de la victoire. L'hiver avait été désastreux pour les Allemands, mais les Russes avaient désormais perdu cet allié et maintenant la roue allait tourner, elle allait forcément tourner.

Il répétait ce qu'il entendait et s'alimentait de l'enthousiasme avec lequel ses camarades approuvaient ses paroles, comme si elles n'étaient pas identiques à celles qu'ils venaient eux-mêmes de prononcer. En d'autres temps, Julio Carrión aurait ri de la naïveté inconditionnelle de cette épidémie volontaire et euphorique, mais la guerre l'avait dépouillé avec ses doigts simples, impitoyables, de son commode manteau de cynisme. Il n'était plus très sûr d'avoir deviné juste, et sa propre naïveté lui était douloureuse, l'avidité avec laquelle il avait avalé l'hameçon de la guerre éclair, cette confiance qui lui semblait maintenant invraisemblable, plus qu'impossible, où les Allemands allaient faire tout le travail, tendre un tapis glorieux sur lequel ils entreraient en Russie comme s'ils étaient venus s'y promener. Il ne pouvait pas croire que cela se soit produit, mais il s'en souvenait encore, il se souvenait des paroles d'Eugenio – « vous n'allez pas à la guerre, mais à la victoire » – et du regard trouble de son père quand il les répéta, mot pour mot. Maintenant, Madrid, Mari Carmen et son emploi salissant de mécanicien étaient si loin, et la mort si proche, qu'il ne parvenait pas à comprendre comme il avait pu se méprendre à ce point sur la densité, la nature, le genre de dangers qui le guettaient.

Au printemps 1942, Julio Carrión ne doutait toujours pas que les siens allaient gagner, cependant il ne pensait pas à la victoire, mais à sa survie. Rester en vie, rester en vie jusqu'au bout, c'était là la seule chose dont il se souciait. Il n'aimait pas la guerre, la vie militaire, mais il obéissait aux ordres qu'il recevait, sans paresse excessive ni trop de diligence, car il estimait que l'indiscipline pouvait lui coûter aussi cher que l'héroïsme. Quand il fallait avancer, il n'était pas en première ligne mais pas en dernière non plus, quand ils reculaient, il ne faisait jamais partie des premiers, ni des derniers qui partaient en courant. Et quand les orgues de Staline, des camions chargés de batteries d'artillerie si puissantes que leurs tuyaux rappelaient ceux des orgues des églises jusqu'au moment où ils se mettaient à tirer tous en même temps, jouaient la musique de cette guerre, il se jetait par terre quelques secondes avant qu'on ne le lui ordonne, mais juste quelques secondes. Il essayait de se camoufler dans la médiocrité de la troupe, de devenir un homme gris, ni lâche ni courageux, ni admirable ni méprisable, un soldat parmi les autres, sans signes particuliers – et pourtant à Possad il se battit comme un lion, comme un suicidaire, comme le héros qu'il n'avait jamais prétendu être. Il se battait pour lui, pour sa propre vie, parce que chaque minute de survie, dans cette position assiégée, rallongeait d'une minute ses perspectives de délivrance, parce qu'ils étaient peu nombreux, parce qu'ils étaient seuls et qu'il n'y avait personne à proximité à qui déléguer la responsabilité de son salut. Puis on le décora, mais tandis qu'il feignait l'orgueil et l'émotion qu'il lisait dans les yeux d'Eugenio, il pensait juste que, pendant les deux ou trois mois à venir, il n'aurait pas à se porter volontaire pour une mission.

Il ne le fit pas, pourtant le dégel le malmena autant que les autres, et il en vint lui aussi à regretter la neige en barbotant dans un marécage imprévu, où le niveau de la boue lui arrivait au-dessus des genoux et où ses jambes pesaient plus lourd que jamais. Le Général Printemps succéda avec une ponctualité implacable au Général Hiver pour faire de tout déplacement, aussi bref fût-il, une torture, chaque pas une prouesse courageuse à la Pyrrhus qui ne parvenait pas à pousser les roues des chars, ces canons qu'ils devaient presque soulever à la force du poignet pour les voir recommencer à s'enliser avant qu'ils aient retrouvé leur souffle. Alors ils n'eurent plus le temps d'insulter leurs alliés pour se consoler, parce que la guerre avait fait d'eux des bûcherons, des charpentiers, des ouvriers de la construction des chemins en troncs attachés avec des cordes auxquels le commandement allemand dut avoir recours pour rendre praticables les sentiers que la boue avait rendus impraticables, jusqu'au moment où Eugenio Sánchez Delgado commença à perdre la foi.

« Je ne comprends pas, et eux... Pourquoi est-ce qu'ils ne nous aident pas ? Tu sais, ceux qui vivent dans cette isba, et dans celle-là, et même ceux du village... Ça ne leur va pas, ce qu'on fait ? Ils ne vont pas s'en servir eux aussi, de ces chemins, peut-être ? Et pourtant, ils se cachent. Quand les Allemands vont les chercher, ils se cachent, disait-il.

— Parce qu'on les emmerde, Eugenio.

— Les emmerder ? » Il le regardait avec la stupeur immaculée d'autres fois, une candeur qui ne surprenait plus Julio.

« Mais comment est-ce que tu peux dire qu'on les emmerde ?
On les libère, gamin, ce n'est pas pareil, on les débarrasse d'un
tyran, on les sort du Moyen Âge...

— Fais pas chier, allez, fais pas chier ! » La pression de
la lutte, de la fatigue, du désespoir, avait émoussé la patience
de Julio Carrión tout autant que sa prudence. « Tais-toi, et
réfléchis un peu, putain ! On est en train d'envahir leur pays,
nous, des étrangers. Voilà ce qu'on est en train de faire, les
envahir, les conquérir, réquisitionner leurs animaux, manger
leur nourriture, détruire leurs maisons, leurs récoltes... C'est-
à-dire qu'on leur fait saloperie sur saloperie. Et tu veux, qu'ils
nous aident, en plus ?

— C'est pour ça qu'on ne traverse pas la rivière. »

La voix de Pancho, qui avait toujours assisté en silence
aux variantes quasi quotidiennes de cette conversation, intervint un après-midi, par surprise et dans une direction imprévisible.

« Quoi ? » Julio posa la question, au même moment
qu'Eugenio.

« C'est pour ça qu'on ne traverse pas la rivière, répéta le
garçon d'Estrémadure d'une voix claire, tranquille. Parce que
ceux d'en face sont russes, comme ceux d'ici, et ce n'est pas
la même chose de conquérir un pays que de le défendre. Ce
n'est pas la même chose de lutter auprès de sa famille que
d'être à des milliers de kilomètres de chez soi. Peu importe
qu'on soit meilleurs, plus courageux, ou qu'on ait des armes
plus modernes. Ils ont des choses que nous, on n'aura jamais.

— Un mauvais caractère terrible, conclut Julio à sa place
en pensant à Madrid, au compteur de ce taxi qui ne s'arrêtait
jamais. Parce qu'on les emmerde à domicile. »

Pancho ne gaspilla pas sa salive pour lui donner raison.
Il se borna à opiner du chef pendant qu'Eugenio se jetait
contre le camion qu'ils poussaient avec tellement de rage qu'il
parvint à le faire bouger à lui tout seul. Julio alla l'aider tout
de suite mais il ne voulut rien ajouter parce qu'il s'aperçut
qu'à ce moment, par-delà sa ferveur, son innocence, la nature
inaltérable de son idéal, son ami venait d'envisager pour la
première fois la possibilité que les Russes gagnent la guerre.

Ce jour-là, il n'eut pas de mal à comprendre Eugenio,
parce qu'il lui était arrivé une chose semblable. Pancho, qui
était toujours à ses côtés mais passait parfois des journées

entières à ne desserrer les dents que pour demander du feu ou interpréter la couleur des nuages avec sa sagesse de laboureur, était parvenu très vite à une conclusion qu'il lui avait lui-même apportée sur un plateau sans s'en rendre compte, depuis qu'Eugenio avait commencé à se plaindre à voix haute du manque de collaboration des Russes occupés. Cette stupidité persistante lui avait souvent fait perdre patience mais jamais, avant que Pancho ne le fît pour lui, il n'avait eu l'idée de relier la résistance à coopérer des Russes de l'arrière-garde à la puissance de l'ennemi. Il cessa alors de regarder avec une compréhension proche de la sympathie les paysans des environs, dont l'apparente paresse ne faisait que stimuler le moral de leurs compatriotes de l'autre côté de la rivière et dont Eugenio ne se plaignit plus jamais, pour ne pas devoir réentendre l'obscure prophétie de cet ami qui ne dépensait jamais sa salive en vain.

Pourtant, Pancho, qui ne s'appelait pas Francisco, mais Luis Serrano Romero, traversa la Volkhov. Il le fit un soir d'été, quand le débit de la rivière était à son niveau le plus bas, et il le fit seul même s'il ne put éviter que ses amis le reconnaissent dans la discrète silhouette qui se dirigeait vers le coude étroit, rocailleux, où les eaux étaient moins profondes. Puis ils comprirent qu'il y avait déjà réfléchi, car ce soir de la mi-juin, il avait échangé son tour de garde avec le cadet des Sánchez Delgado, qui ne pourrait jamais se faire payer la dette.

« Celui-là... on dirait Pancho, non ? » Quand Eugenio reconnut sa silhouette, désormais toute proche de la rive, il se tourna vers Julio et lui adressa un de ses regards d'incompréhension absolue, que pour une fois son interlocuteur ne put interpréter. « Mais où est-ce qu'il va ? Il est devenu fou, ou quoi ?

— Je ne sais pas. »

Pancho avançait vite, sans faire de bruit ni regarder en arrière. Ils n'osèrent pas l'appeler, ni crier son nom, car c'était leur ami, leur compagnon, et ils ne savaient pas où il allait, mais ils savaient qu'il ne devait pas se trouver là, mais dans la cabane de sa tranchée, en train de dormir. Le prévenir revenait à le dénoncer, et pourtant ils ne pouvaient pas rester tranquillement les bras croisés, pendant que Pancho faisait la guerre de son côté. Alors, comme deux mécanismes synchronisés, deux moitiés d'une seule chose, ils jetèrent tous les deux un coup d'œil alentour, s'assurèrent qu'il n'y avait personne à proximité, armèrent leur fusil, l'empoignèrent, et se regardèrent, comme s'ils avaient oublié en même temps ce qu'ils allaient devoir faire.

« Qu'est-ce qu'il fait ? » Et Eugenio osa l'imaginer à voix haute. « Il déserte ?

— Non. » En un instant, Julio comprit tout. « Il passe de l'autre côté.

— Quoi ? » Eugenio le regardait les yeux écarquillés, un vague tremblement au bord des lèvres.

« Il est en train de passer chez les Russes. Allez ! »

Il se mit à courir et Eugenio le suivit sans discuter, comme s'il comptait sur un plan qui n'existait pas, parce que, en cet instant, dans la tête de Julio Carrión González, il ne tenait qu'une seule idée, cette conclusion qu'il avait élaborée allègrement à partir de la confession de Romualdo et qui se retournait alors contre lui – les plus intelligents sont bêtes, aussi, et lui encore plus. Il était le plus bête de toute la Division, parce qu'il aurait dû le découvrir, le deviner, il aurait dû être capable d'interpréter tous ces signes dont il connaissait le code par cœur, maintenant il comprenait, les silences de Pancho, son stoïcisme, l'acharnement à renoncer à la moitié de sa ration pour donner à manger aux Polonaises de Grafenwöhr, la discipline impassible avec laquelle il affrontait la dureté de la guerre sans jamais se plaindre, ce commentaire sur l'habitude de manger peu des gens de son village et son interprétation lumineuse de la résistance russe. Il aurait dû le découvrir, le deviner, comprendre pourquoi Pancho connaissait par cœur le nombre de soldats de chaque régiment, le nombre d'officiers, leur position exacte, mais Julio Carrión González aussi était bête, bête, bête ; lui, qui se croyait le plus intelligent, qui savait ce qui se passait, qui l'avait entendu raconter d'autres fois, souvent. Les Russes avaient des interprètes d'espagnol répartis dans tout le secteur et il était impossible de calculer combien de traîtres entraient dans le nombre élevé de déserteurs que le commandement reconnaissait à contrecœur. Parmi les condamnés à mort suite à un conseil de guerre, beaucoup avaient été capturés en tentant de passer à l'ennemi, il le savait, et pourtant, Pancho avait été plus intelligent que lui, le plus intelligent de tous. C'était la seule chose à laquelle Julio Carrión González pouvait penser quand ils arrivèrent sur la rive et se retrouvèrent avec le canon du moyen calibre de Pancho, qui les mettait en joue derrière un rocher.

« Ne faites pas un pas de plus, déclara-t-il sans élever la voix, avec son accent tranquille, calme, habituel. Ne faites pas un pas de plus, si vous ne voulez pas que je vous descende sur place.

— Ne fais pas de bêtises, Pancho. » Eugenio tenait son propre fusil avec des mains inutiles tant elles tremblaient pendant que Julio éclairait la scène avec une lanterne. « Reviens avec nous et on ne dira rien.

— Non. » À ces mots, Julio comprit qu'il se laisserait plutôt tuer. « Entre autres, parce que je ne m'appelle même pas Pancho. C'est mon petit frère. Je me suis engagé sous son nom parce que, avec le mien, vous ne m'auriez pas laissé venir. Je m'appelle Luis, Luis Serrano Romero, soldat de première classe, Compagnie des sapeurs, VIIe Brigade mixte. Et je n'ai pas vingt ans, mais vingt-quatre. » Alors, tout en les gardant en joue de la main droite, il mit la gauche dans sa poche pour en sortir un petit portefeuille en carton rouge qui était familier à Julio. « Vous voyez ? C'est écrit ici. Luis Serrano Romero, adhérent numéro 93, 16 septembre 1936, Jeunesse socialiste unifiée, Villanueva de la Serena, province de Badajoz. »

Il remit la carte dans sa poche avant de poursuivre, et Julio s'aperçut qu'il ne l'avait jamais entendu parler autant, ni n'avait perçu autant d'émotion dans sa voix.

« Depuis Villanueva de la Serena, c'est vite dit... Depuis Villanueva de la Serena, province de Badajoz, c'est mon village, avec la carte dans ma botte. Elle en a vu de toutes les couleurs, la pauvre. Elle a gelé, dégelé, elle a été couverte de poussière, de boue, de sable, d'eau... Mais elle est là, elle est arrivée jusque-là, on est arrivés jusque-là tous les deux. C'est incroyable, non ?

— Tu es fou, Pancho...

— Non, Eugenio. Je suis raisonnable, très raisonnable. À tel point que j'ai levé le bras tous ces putains de jours, tous les jours j'ai chanté votre putain d'hymne, je me suis agenouillé à vos putains de messes, j'ai obéi à vos putains d'ordres, j'ai prononcé vos putains de serments, et j'ai blasphémé contre vos putains de morts, tous les matins, tous les soirs, toutes les nuits, à toute heure, juste pour arriver ici, pour faire ce que je vais faire.

— Tu es devenu fou... »

Eugenio répétait la même phrase dans un murmure stupéfait, les yeux écarquillés, pendant que Pancho, parce qu'ils l'appelleraient toujours comme ça, continuait à parler de sa voix habituelle, sans prêter attention aux deux larmes qui coulaient de ses yeux, glissaient le long de son visage et séchaient seules devant son indifférence.

« Non. » Il eut même un sourire. « C'est toi qui ne comprends rien. Vois comme je suis raisonnable, je vais partir sur-le-champ, comme vous dites, avec mes compagnons. Mort ou vif. Mais si vous essayez de me tuer, je descendrai l'un de vous avant. Ou les deux. Je suis le meilleur tireur des trois, j'ai fait une autre guerre avant celle-ci, vous le savez. »

Cette minute dura autant que toute une vie. Eugenio regardait Julio, Julio regardait Eugenio, Pancho les regardait tous les deux, ils regardaient Pancho. Ils savaient tous les trois ce qu'Eugenio et Julio devaient faire, tous les trois qu'ils ne le feraient jamais. Julio et Eugenio savaient que Pancho ne serait pas le premier ni le dernier, que la désertion d'un soldat ne change pas le cours d'une guerre. Pancho et Julio savaient qu'Eugenio ne tuerait jamais un ami. Eugenio et Pancho ignoraient que Julio ne tuerait jamais quelqu'un qui pourrait lui être utile à un moment donné, mais c'était seulement à ça, et à la Bible que lui avait donnée son père et qui se trouvait au fond de sa musette, qu'il pensait pendant qu'Eugenio décidait pour tous les deux.

« Va-t'en, dit-il en baissant son fusil d'un bras mou, las, désarticulé. Va-t'en, salaud... Va-t'en, traître, fils de pute. » Pancho commença à traverser la rivière de profil, en se retournant à chaque pas, jusqu'à ce qu'il comprenne qu'il était en sécurité. Alors, dans le no man's land, sur une pierre qui marquait plus ou moins le milieu de la traversée, il s'arrêta, attacha un mouchoir blanc au canon de son fusil, empoigna sa carte de la main droite, et les regarda.

« Je ne suis pas un traître, Eugenio, cria-t-il. C'est vous, qui êtes des traîtres. Traîtres à votre pays, à son indépendance, aux lois que vos généraux ont décidé de défendre. Vive la République espagnole ! Vive la lutte glorieuse du peuple espagnol !

— Maudit sois-tu, rouge de merde ! » Eugenio leva son fusil et il essayait de le viser quand Julio l'en empêcha d'une claque furieuse.

« Mais qu'est-ce que tu fais, abruti ? fit-il en lui prenant l'arme des mains. Tu veux tirer, maintenant ? Il aurait fallu le faire avant, putain, tu as l'air d'un idiot. Qu'est-ce que tu veux, que tout le monde soit au courant ? Qu'ils viennent tous voir comment on l'a laissé s'échapper ? Eh bien oui, pour qu'on nous fusille, toi et moi... »

Eugenio lui donna raison de la tête. Il l'agita deux fois, puis il se mit à pleurer, et il pleurait avec tellement de chagrin, tellement de désespoir, il y avait tellement de solitude, tellement de tristesse dans ces sanglots, que Julio Carrión González redevint pour un instant un enfant, propre, naïf, transparent. Il prit Eugenio dans ses bras, le tint serré entre ses bras jusqu'à ce que Pancho parvienne sur l'autre rive, jusqu'à ce que sa voix, « *tovaritch, tovaritch, spanski, tovaritch*, ne tirez pas, je passe de votre côté ! » se perde dans la distance.

« Je rentre, Julio. » Pour Eugenio Sánchez Delgado, qui se battrait pendant de longs mois sur le front de Leningrad avant de trouver une place dans un bataillon de rapatriement, la guerre prit fin cette nuit-là. « Qu'Hitler et sa salope de mère aillent se faire foutre... Moi, je rentre à la maison parce que je n'y comprends rien. Tu l'as vu, non ? Tu as vu à quel point il nous déteste. Il nous déteste à mort. Et il a été capable de devenir notre ami, de parcourir des milliers de kilomètres, de combattre à nos côtés, de sauver nos blessés, de me protéger, de te protéger, de tirer sur les siens... » Et ce qu'il venait de dire était si incompréhensible pour lui qu'il dut se l'expliquer à voix haute. « Il les considère comme les siens, les Russes, qui sont d'un autre pays, qui parlent une langue qu'il ne comprend pas, il faut voir, il les appelle les siens, et il a tout fait à cause d'eux. Pour passer de leur côté, pour se battre à leurs côtés, contre nous. Et en plus, ils vont le considérer comme un héros, et ils auront raison, parce que c'est un héros à sa façon, mais... Tu sais quelle dose de haine il faut pour ne pas s'écrouler, quelle dose de haine il faut pour être Pancho Serrano, pour qu'un Espagnol se batte pour la Russie contre d'autres Espagnols ? »

Julio Carrión ne répondit pas tout de suite à cette question, mais quand il le fit, il avait compris que la guerre ne serait plus pareille pour lui non plus.

« Je ne crois pas qu'il se batte pour la Russie, Eugenio. » Il parlait lentement, parce qu'il avait besoin d'affermir cette idée, de bien comprendre le sens de chaque mot qu'il prononçait. « Et je ne crois pas non plus qu'il nous déteste. Pas nous, pas les Espagnols. J'imagine que celui qu'il déteste, c'est Franco, et les phalangistes, les nazis... Et il se bat avec les Russes, mais pas pour eux. Je crois qu'il se bat pour l'Espagne.

— Pour l'Espagne ? » Eugenio tenta un rire ironique forcé sans grand succès. « Mais l'Espagne n'a rien à voir avec cette guerre !

— Ah non ? » Julio sourit. « Alors qu'est-ce qu'on fait ici ? Nous sommes alliés aux Allemands, Eugenio, d'étranges alliés, mais des alliés. Et si l'Allemagne perd la guerre...

— On la perd nous aussi.

— C'est ce qu'il doit penser. Et alors les siens, les vrais, c'est-à-dire les républicains espagnols, l'auront gagnée. C'est pour cela qu'il a dû penser que cela valait la peine d'aider. »

Eugenio ferma les yeux, serra fort les paupières. Quand il ouvrit les yeux, ils étaient sans larmes.

« Je rentre, Julio, je rentre », dit-il seulement.

Eh bien pas moi. Ce fut ce que pensa Julio Carrión. La désertion de Pancho avait opéré un phénomène très différent dans son esprit. Maintenant, enfin, il avait les yeux grands ouverts, à tel point qu'il venait de découvrir la véritable envergure de sa chance, le privilège d'un magicien qui peut choisir à chaque moment un jeu de cartes différent pour faire sauter la carte marquée du paquet qui lui conviendra le mieux, la fortune d'un marcheur qui peut faire et défaire le même chemin autant de fois qu'il le souhaite, avec la certitude qu'il n'arrivera jamais en retard nulle part. Il venait de découvrir que, sans avoir cessé d'être une menace, son passé pouvait devenir une garantie raisonnable d'avenir parce que, quel que soit le résultat de cette guerre, il allait la gagner, et cela, être du côté du gagnant, était la seule chose qui importait.

« Dis, Eugenio, j'ai un service à te demander... » Deux jours plus tard, pendant qu'ils se reposaient dans la cabane, Julio avait déjà commencé à élaborer un plan précis. « Tu sais, l'autre nuit, quand il y a eu l'histoire de Pancho, j'ai pensé... Je crois toujours que je ne vais pas être blessé, que je ne vais pas être tué, qu'il ne m'arrivera rien, mais si ça m'arrive... Au fond de ma musette, il y a une bible, un livre relié en cuir marron, très abîmé. On ne voit pratiquement plus les lettres sur la tranche. C'est la bible de mon père, il me l'a donnée quand on est allés le voir avant de s'enrôler, je ne sais pas si tu t'en souviens. » Eugenio hocha la tête, il s'en souvenait. « Eh bien, tout d'un coup, j'ai pensé... Je n'ai pas de frères ici, comme toi. Je n'ai personne. Et en Espagne, je n'ai que lui, et de lui, je n'ai que ce livre, alors, s'il m'arrive quelque chose,... Je sais que je ne devrais pas te demander ça, parce que je ne suis pas très croyant ni rien, mais... tu m'apporteras cette Bible là où que je sois ? »

Ils n'en reparlèrent plus, et la guerre continua, toujours pareille et de pire en pire, avec des marches interminables, le froid, le gel, la mort, le sang et les poux, sur les bords de la Volkhov comme sur le front de Leningrad ; pareil et pire – les ordres d'attaque et ceux de retraite, les grandes offensives qui ne commençaient jamais, les victoires sonores qui ne se produisaient pas. La guerre continua, monotone, féroce, terrible et ennuyeuse, mais sa cruauté ne les empêcha pas de tenir leurs promesses. Le jour où Julio apprit que Romualdo s'était réveillé gelé, il ne perdit pas de temps à chercher Eugenio. Il n'existait qu'un seul système pour résoudre ce problème, et tous le connaissaient, d'autres divisionnaires l'avaient appliqué avant lui alors il chargea son pistolet, alla directement à l'hôpital de fortune et il y entra en criant qu'il venait pour tuer celui qui oserait couper un seul doigt de pied à l'un des frères Sánchez Delgado.

Quand Eugenio le rejoignit, il avait encore son arme à la main, et en face, un médecin allemand à la fois perplexe et terrorisé qui répétait sans cesse par le truchement d'un interprète que l'armée du Führer allait installer à Romualdo des fers magnifiques, avec lesquels il pourrait marcher comme s'il avait conservé ses jambes, et gratuitement, en plus, sans rien payer.

« Dis-lui que je vais le tuer ! » Julio donna des instructions à l'interprète sans cesser de fixer le médecin. « S'il me coupe les jambes, je le retrouverai et je le descendrai. »

À la fin, le médecin hocha la tête, partit et finit par revenir, avec des ampoules contenant un liquide jaunâtre que l'infirmière, espagnole, reconnut immédiatement.

« C'est pour essayer d'arrêter la gangrène, mais je ne vous promets rien, leur expliqua-t-elle en les injectant à l'homme gelé ; d'abord dans une jambe, puis dans l'autre.

— Ce n'est pas la peine », répondit Eugenio. Et ils baissèrent enfin leurs armes.

Quelques jours plus tard, Julio Carrión sut où il se trouvait en reconnaissant cette femme, mais la première chose qu'il vit quand la douleur le réveilla dans un lit inconnu, fut la bible de son père.

« C'est l'autre énergumène qui l'a apportée, l'ami avec lequel tu as fait cette scène l'autre jour. Il a dit qu'elle était très importante pour toi. À l'intérieur, il y a une lettre d'adieu, parce qu'il fait manifestement partie de ceux qui rentrent maintenant, lui expliqua l'infirmière, très souriante.

— Qu'est-ce qui m'est arrivé ?

— Tu as été blessé à la tête. Ça n'avait pas l'air très grave, mais tu as perdu connaissance et tu as mis trop longtemps à te réveiller. Le médecin va être ravi de pouvoir te parler. Comment te sens-tu ?

— J'ai mal à la tête. Très. J'ai très mal.

— Un peu de patience, je vais te donner un calmant. Et ne t'inquiète pas. On t'envoie à Riga dans la prochaine expédition. Il y aura aussi le frère de ton ami comme s'appelle-t-il ? le fameux sergent qui a gelé la semaine dernière...

— Romualdo ? »

Neuf mois plus tard, à l'hôpital espagnol pour convalescents de Riga, Julio Carrión posa la même question en reconnaissant la nuque d'un lieutenant qui avait déplacé un fauteuil jusqu'à la fenêtre pour profiter des reflets du soleil d'octobre, qui, en Lettonie, brille, mais ne chauffe pas.

« Julito ! » Il reconnut sa voix avant de se lever, et ne courut le prendre dans ses bras qu'après. « Dis donc, quelle joie de te voir !

— Mais bon, et toi ? » Il le lâcha pour le regarder. Il portait un pansement très spectaculaire autour du cou et un autre, plus discret, à la main gauche. « Quand je l'ai su, je ne pouvais pas le croire. On vient juste de te donner l'autorisation de reprendre le travail ! Tu t'es pris d'affection pour Riga, à ce que je vois...

— On s'est fait avoir ! » Romualdo se mit à rire. « Vous avez la belle vie, ici, à l'arrière... »

Julio sourit, parce que son ami avait raison. Il vivait mieux que jamais.

« Eh bien, ajouta-t-il pourtant. Tu sais que le neurologue ne m'a pas laissé reprendre.

— Oui, oui... Je n'ai rien dit.

— Tu ne devrais pas. » Il désigna les insignes qui brillaient sur l'uniforme qu'il avait devant lui. « Tu es encore monté en grade.

— Oui. » Romualdo se mit à rire. « À ce rythme, quand les *ruskofs* me tueront, je serai déjà au moins colonel... »

Ils étaient tombés tous les deux presque en même temps, sur un front beaucoup plus dur, plus cruel, que l'enfer de la Volkhov, à tel point qu'ils ne savaient plus quel nom lui donner. Romualdo avait gelé la dernière semaine de décembre 1942, Julio avait été blessé la première semaine de janvier 1943. Ces deux malheurs simultanés les avaient sauvés d'une mort certaine à la boucherie de Krasny Bor pour les réunir dans le même hôpital où Romualdo revenait maintenant, six mois après l'avoir quitté pour la première fois.

« Au Luna ? proposa Julio quand ils sortirent.

— Au Luna ! accepta son compagnon, ravi.

— Et Eugenio ? Tu as eu des nouvelles ?

— Il paraît qu'il a une fiancée. Une élève de las Esclavas, assez vilaine, c'est Arturo qui me l'a écrit... » Il se mit à rire et Julio l'imita. « Pour le reste, il va bien, il est retourné à l'université et il paraît qu'il va être nommé chef du SEU[1], parce que c'est un héros, bien sûr, mais je ne sais pas... Celle qui m'écrit le plus souvent, c'est ma mère, et elle repeint tout en rose parce qu'elle souhaite que je rentre moi aussi à la maison, comme tu peux imaginer. »

Le bar Luna, propriété d'un divisionnaire mutilé resté à Riga où il avait épousé une Lettone, était presque bondé, mais les soldats espagnols répartis entre les tables n'avaient pas envie de chanter, de crier ou de demander à entendre la guitare. Chacun buvait seul, en silence, sans parler à ses

---

1. Syndicat espagnol universitaire.

compagnons, ni trop prêter attention à quelques femmes très maquillées qui s'éloignaient de temps en temps du comptoir pour se promener lentement dans le local.

« Eh bien, tout ça est assez..., se plaignit Romualdo, qui se rappelait le tapage, les rires et les fêtes de l'hiver précédent. Quel panorama.

— Qu'est-ce que tu prends ? » demanda Julio, qui se répondit tout de suite à lui-même : « Pareil.

— Bon, voyons... » Romualdo se tut pendant que la serveuse apportait les boissons. « Il paraît que les Allemands sont sur le point d'inventer une arme secrète, une sorte de peinture, ou non, ce n'est peut-être pas de la peinture, mais bon, oui, une sorte de revêtement, pour rendre les tanks invisibles.

— Invisibles ? » Julio n'en croyait pas ses oreilles et Romualdo s'en aperçut.

« Oui, bon, je ne sais pas... » Il fixa son verre, comme s'il se sentait soudain honteux de sa crédulité. « Je ne sais pas comment ils vont faire, mais cette peinture enveloppe manifestement les tanks dans une sorte de brouillard, comme une vapeur qui les rend invisibles. C'est ce qu'on raconte ici. Moi, c'est un capitaine qui parle souvent avec les Allemands qui m'en a parlé, tu sais... »

Julio observa Romualdo, sourit, leva son verre et comprit ce qu'il venait d'entendre. Armes secrètes, bombes miraculeuses, avions magiques, uniformes taillés dans un tissu qui renvoyait les balles, il était loin du front depuis plusieurs mois mais il lui était arrivé d'entendre des histoires comme celle-ci, les contes de fées – ou de bonnes femmes – qui commencèrent à proliférer après l'échec de Stalingrad – la bataille qui devait décider de la victoire finale et qui avait été perdue. Mais il se contenta de sourire, il but et resta silencieux. Ce n'était pas Eugenio, mais son frère, le plus intelligent, le plus astucieux, le plus méfiant, le meilleur soldat des deux, qui était devant lui, à lui promettre des tanks invisibles. La guerre révèle un autre visage des hommes, et à la guerre, Julio Carrión González avait appris à respecter Romualdo Sánchez Delgado, à qui il n'aurait jamais fait confiance en temps de paix. Si un code d'honneur lui avait importé un jour, ce qui n'était pas le cas, il aurait pu dire qu'il l'admirait, comme son frère, ses compagnons, ses chefs l'admiraient. Et c'était cet homme, un soldat courageux, mûr, responsable, qui lui parlait de tanks invisibles.

« Il paraît qu'on s'en va », lui avait murmuré son colonel, à une table de ce même bar, moins de vingt-quatre heures auparavant. « Ce n'est pas encore officiel, mais l'ordre va tomber. On sait depuis longtemps qu'à Madrid, ils ne veulent pas continuer, à peu près depuis que les choses ont commencé à se gâter ici... »

Le colonel Arenas regarda autour de lui, s'assura que personne ne pouvait les entendre et baissa malgré tout le ton.

« Moi, je trouve ça indigne, mais personne ne m'a consulté, comme tu peux imaginer.

— Moi aussi, mon colonel, vous le savez. »

Julio se pencha en avant et plaça ses deux poings fermés sur la table, pour que son supérieur lui réponde par un sourire satisfait avant de poursuivre.

« Pourtant, même à Madrid ils ont compris qu'on ne peut pas partir tous à la fois, d'un coup, parce que ça nous déconsidérerait, bien sûr. C'est pour ça qu'ils ont eu l'idée de laisser un corps de volontaires, intégré à la Wehrmacht, pour dire quelque chose comme "on s'en va mais on reste", ou "on reste mais on est déjà partis" va savoir... Ils veulent l'appeler la Légion Azul, tu en as entendu parler ?

— Non monsieur », et c'était vrai.

« Le fait est que, si la Division est désarmée, il faudra désarmer le Quartier général, mais c'est comme laisser des milliers de soldats à l'abandon, seuls, au cul du monde, parce que l'armée espagnole s'est officiellement retirée de cette guerre. Les légionnaires seront des soldats allemands. Il est prévu que le détachement de la Guardia Civil continue à fonctionner, mais ils agissent comme une simple police militaire, tu les connais. Ils ne sont jamais disposés à faire quoi que ce soit en dehors du règlement... » Arenas observa Julio, l'étudia un moment comme s'il ne le reconnaissait pas, et il osa franchir l'étape définitive : « Et telles que les choses se présentent, il va peut-être falloir passer par-dessus le règlement, tu vois ? » Comme s'il savait ce qu'il risquait avec cette question, Julio soutint son regard sans ciller, et pas un de ses muscles ne bougea. « C'est pour ça que j'ai eu l'idée de proposer au commandement la création d'un nouveau poste, et j'ai pensé à toi, parce que c'est un travail qui te va comme un gant, Julio... »

Vingt-quatre heures plus tard, à une table de ce même bar, Julio se rappela cette conversation mot pour mot, silence pour silence, avant de lever son verre à nouveau.

« Eh bien... » Et pendant que Romualdo l'imitait, il décida de ce qu'il allait répondre à son colonel. « Eh bien nous allons trinquer à ces tanks invisibles, non ? »

Julio Carrión González ne voyagea jamais dans aucun des trains qui rapatrièrent la Division Azul lors des derniers mois de 1943. Au début 1944, il était devenu l'Espagnol le plus mystérieux de Riga. Il avait un appartement petit mais commode dans un bel immeuble moderne de la rue Elizabetes, dans la zone la plus élégante des quartiers récents, des revenus importants, à en juger par la joie avec laquelle il dépensait l'argent, et aucun travail, aucune charge, aucune profession connue. Il était habillé en civil, même s'il avait conservé ses deux uniformes militaires, l'un espagnol, l'autre allemand, suspendus dans un placard, et il ne bénéficiait d'aucune immunité ou protection diplomatique, mais il était bien connu du détachement de la Guardia Civil qui faisait régner l'ordre chez les volontaires qui avaient décidé de rester, et aussi dans certains bureaux du Quartier général de la Wehrmacht.

« Ce que je te propose n'est pas du tout une bonne planque, tu sais... » Le colonel Arenas avait énuméré les inconvénients de sa proposition après s'être réjoui de voir Julio l'accepter. « Ou peut-être que si, ça peut le devenir, mais c'est aussi très risqué. Quand je partirai, toi, officiellement, tu ne seras pas ici, mais tu ne seras nulle part ailleurs, parce que l'armée espagnole n'aura plus aucune sorte de représentation à Riga, comme tu le sais. Je te rappelle que la Légion Azul est un corps de l'armée allemande, pas de la nôtre. Alors tu vas cesser d'exister. Fermement, et à la grâce de Dieu... Je vais te donner un laissez-passer avant de partir, mais je ne sais pas pendant combien de temps il te servira, si cela se prolonge. Et, une fois que je serai à Madrid, peut-être que les foutriquets du ministère interdiront cette opération, je ne peux rien te garantir pour l'instant. C'est-à-dire que, d'ici quelques mois, tu pourrais par malchance te retrouver complètement seul ici. Alors il faudrait que tu te débrouilles pour rentrer chez toi par tes propres moyens. Et je ne sais pas si les Allemands t'aideraient, au cas où on les trahisse à nouveau...

— À vos ordres, mon colonel. Ne vous inquiétez pas pour moi. »

Julio Carrión González était l'un des rares soldats espagnols en Russie qui ne voulait pas rentrer chez lui, et le seul blessé au combat qui avait eu l'idée de se présenter au Quartier général de Riga pour proposer de donner un coup de main là où ce serait nécessaire, au lieu de profiter de sa convalescence en se promenant dans la ville et en se soûlant tous les soirs avec les prostituées du bar Luna. « Je ne peux pas rester sans rien faire, mon colonel, pendant qu'au front, mes camarades... » Arenas fut si impressionné par cette démonstration de hardiesse inhabituelle, qu'il lui proposa de travailler à ses côtés, comme une sorte d'assistant supplémentaire, jusqu'à ce que les médecins l'autorisent à retourner au front. À ce moment, Julio Carrión savait déjà que cela n'arriverait pas, parce que le docteur l'avait prévenu que si ces migraines qu'aucun analgésique n'était capable d'enrayer ne cessaient pas, il faudrait le rapatrier, et il n'avait pas la moindre intention d'arrêter de les feindre avec la dose nécessaire de comédie qui avait jusqu'alors donné d'aussi bons résultats.

Pendant qu'il travaillait pour le colonel Arenas, Julio découvrit que la vie à l'arrière était faite sur mesure pour un homme aussi intelligent, sympathique, séduisant et talentueux que lui. Après un an et demi au front, Riga l'éblouit autant que Madrid quand il était arrivé de Torrelodones. La guerre était loin des boulevards et des tramways, des cafés et des restaurants, des femmes et des boutiques de cette ville jolie, petite mais avec des ambitions cosmopolites, où fleurissaient la contrebande, le marché noir, les réfugiés, les faux papiers, les trafics de biens en tous genres et, dans une proportion magnifique, les occasions de prospérer, de s'enrichir.

Aussi, quand sa convalescence s'acheva sur l'interdiction de retourner au front, s'empressa-t-il de vendre aux enchères la place qui lui revenait lors de la prochaine expédition de retour à la maison parmi ses compagnons du Quartier général qui souhaitaient monter dans ce train. Le colonel Arenas, qui n'apprit jamais qu'il avait touché de l'argent pour rester, interpréta son refus du rapatriement comme une preuve supplémentaire de son dévouement à la cause et autorisa sans poser de questions le changement d'affectation que son assistant lui demanda, les larmes aux yeux : « Ne me faites pas rentrer comme ça, mon colonel, laissez-moi rester ici, aider mes compagnons comme je le pourrai. Je suis seul, personne ne m'attend, je n'ai ni femme ni enfants en Espagne, laissez-moi rester ici, ne m'obligez pas à rentrer à Madrid tant qu'il y aura des Espagnols qui risqueront leur vie au front... »

Arenas ne regretta jamais d'avoir accédé à la demande de son subordonné. Il aimait bien Carrión, amusant et si sympathique, qui avait toujours une bonne histoire à raconter, faisait des imitations, sortait des chapelets de foulards de couleur de ses poches. Il connaissait les meilleurs endroits, les bars les plus animés, les meilleurs restaurants, les bordels de confiance et les lieux où l'on pouvait trouver du tabac, du cognac, du parfum et même de la morphine. C'était un plaisir de l'accompagner aux réceptions, de l'emmener dans les excursions touristiques qu'il offrait aux militaires de haut rang qui visitaient la ville, parce que tout le monde était ravi de l'esprit de ce garçon qui semblait capable de se sortir de n'importe quelle situation. Mais le colonel Arenas, un homme honnête, généreux, au caractère tranquille voire impassible, n'était pas sot. Aussi, et parce qu'il supposait que son protégé était capable de tout, avec tout ce que signifiait cette expression à ce moment, en ce lieu, pour se tirer d'affaire, eut-il l'idée de laisser un homme à Riga, un lien clandestin entre les volontaires de la Légion Azul et lui-même, qui agirait à son tour comme lien avec le commandement de l'armée espagnole. Si Carrión lui avait dit non, il aurait renoncé à ce projet. Mais il savait parfaitement que Carrión lui dirait oui.

Ce que le colonel Arenas ne saurait jamais, c'était que Julio Carrión González était descendu d'un train en gare d'Orléans le 25 avril 1944, quand la retraite de l'armée allemande de l'Est – si précoce qu'elle avait tronqué ses opérations d'enrichissement personnel avant qu'elles ne parviennent à se consolider – le priva en même temps des fonds presque illimités d'un compte courant contrôlé depuis le ministère de l'Armée de Madrid, et de la dernière excuse pour continuer à avancer cahin-caha dans le monde. Cependant, à l'hôtel où il prit une chambre pour une nuit, personne ne lui demanda d'explications.

À l'époque, l'Europe était pleine d'Espagnols, civils et militaires, exilés et volontaires, hommes et femmes qui luttaient dans un camp, dans l'autre ou faisaient la guerre à leur compte. À Orléans, il y en avait tant qu'il n'eut pas à poser beaucoup de questions pour les trouver. Quand ce fut le cas, il s'était déjà acheté des vêtements neufs, français, bon marché, et il avait dans la poche de son pantalon la carte de la JSU qu'il avait cachée entre les dernières pages de garde et le carton de la reliure de la bible de son père trois ans auparavant, la dernière nuit où il dormit à Madrid, dans sa chambre de la pension de la rue de la Sal. Il croyait alors qu'elle pourrait lui être utile si les Russes le faisaient prisonnier. Maintenant il pensait l'utiliser pour une chose très différente.

Il n'aima pas l'air sombre, renfrogné, des clients du premier bar où il entendit parler espagnol, et il décida de tenter sa chance dans celui d'à côté. Là, au bout du comptoir, trois hommes plus âgés que lui, l'air de travailleurs et de pères de famille, discutaient à voix basse tout en vidant une demi-bouteille de vin. Il s'approcha discrètement et écouta un fragment de conversation. Celui du milieu, grand, les cheveux blancs, le sourire facile, fit des simagrées avec la main en se moquant d'un de ses compagnons. Il prononçait mieux que bien tous les *r* d'une expression que Julio reconnut sans hésiter : « M'emmerde pas, bordel... » Ce fut pour cela qu'il le choisit.

« Excusez-moi... » Ils ne furent pas surpris qu'il les abordât en espagnol. « Vous avez du feu ?

— Bien sûr, petit. Tiens », répondit l'homme.

Julio alluma la cigarette, les observa et décida qu'ils ne ressemblaient guère à des anarchistes. Aussi, dans un mouvement furtif, dissimulant le bras avec son corps, leva-t-il le poing droit, au cas où ils auraient été communistes, mais il ne les appela pas camarades, au cas où ils auraient été socialistes.

« Salut, collègues, osa-t-il dire enfin, dans un murmure.

— Baisse le poing, couillon ! » Mais le Madrilène qui lui avait donné du feu hochait la tête avec un sourire bienveillant, presque paternel. « Eh bien oui... C'est toi qui devais nous manquer. »

Le tout est égal à la somme des parties quand les parties s'ignorent entre elles.

C'était comme ça avant, cela avait toujours été comme ça avant cette nuit qui suspendit les lois de la physique, démentit les normes éternelles et sacrées de l'univers, exempta le chaos de l'obligation d'engendrer le chaos et la magnitude immuable d'en être véritablement une, tandis que les effets se rebellaient contre les causes et que l'ordre infini de toutes les choses laissait mes petites et insignifiantes épaules à découvert.

Le tout est égal à la somme des parties quand les parties s'ignorent entre elles.

Quand je sortis de chez Raquel, le jour se levait, et sur les trottoirs sales, entre les voitures mal garées, sous le rideau pâle des derniers rires, ce vacarme languissant, volontaire, des noctambules têtus, je ne trouvai pas la moindre trace, pas même une esquille solitaire de cette phrase si importante qui avait explosé en un million de petits morceaux, infinitésimaux, subatomiques, sans aucune douleur, aucune résistance de ma part. Je ne peux pas dire que je ne m'en rendais pas compte. Ce qu'il y a, c'est que cela m'était indifférent. Et pendant que je rentrais à pied à la maison, les conséquences imprévisibles de ma fragile pensée me firent sourire et me tinrent compagnie.

Je n'étais pas comme ça, ce n'était pas ma vie, et pourtant je n'avais jamais été aussi vivant qu'alors, quand je me retrouvai seul, pas libre, parce que ma liberté ne m'appartenait plus. Elle était restée accrochée dans un lieu d'une totalité resplendissante, imprévue, qui était aussi petite que le corps de Raquel et à la fois si grande qu'elle parvenait à être égale à la somme de deux parties qui avaient cessé de s'ignorer. L'interaction de A et B avait pulvérisé X, l'avait détruit, l'avait même dépouillé de la consolation de la théorie, avait dérangé les termes d'une équation qui ne serait plus jamais pareille. La somme du tout, qui était Raquel, et d'une des parties, qui était également Raquel, équivalait maintenant à l'autre partie, qui était moi et ne l'était pas tout à fait, Álvaro Carrión Otero, un homme entier mais mutilé de sa liberté, qui était devenu la parure la plus chère et gratuite des yeux, de la taille, des paroles d'une femme à la peau parfaite, veloutée comme celle d'une pêche peu ordinaire. Les mains sont plus rapides que la vue, et pendant que je m'éloignais d'elle, les siennes me retenaient sans me frôler, sa voix me gouvernait sans me parler, et sa beauté, toute-puissante aussi dans l'absence, attachait mes yeux avec la détermination despotique qui les empêcherait à jamais de regarder une autre femme. J'étais plus vivant que d'habitude, heureux, et je ne regrettais rien. Pas même mon père, ou le désir de ne pas être son fils.

Je m'étais proposé de ne pas penser à lui et je parvins à débrancher ce câble sans effort, mais il resta là, dans un coin de ma tête, sous une forme brumeuse, presque amorphe, indolore. J'étais vivant, pas lui. Ce facteur était important, or il ne suffisait pas à expliquer une énigme dont la résolution ne m'était pas nécessaire. Le principal mystère de cette nuit avait été l'élasticité de sa mystérieuse condition, cette étrangeté en théorie naturelle, indispensable, qui n'avait affleuré à aucun moment pendant que j'étais au lit avec la maîtresse de mon père, pendant qu'elle était au lit avec moi, ce tout nouveau et intime, petit et formidable, qui rétrécissait et débordait dans chacun de ses gestes, de ses mouvements, glissait avec une tranquillité rose, la douce habitude de l'eau qui coule, une violence symbolique, docile et charnue, qui se résolvait dans une infinité de signes qui affirmaient la précision des paradoxes pour déboucher sur une définition insolite de la nécessité.

J'étais au lit avec la maîtresse de Julio Carrión González et c'était la première fois que je la touchais, la première fois que je la caressais, la première fois que je l'embrassais, et que je plongeais mes doigts, ma langue et mon sexe en elle. C'était la première fois que mon corps sentait les doigts, la langue et le sexe de cette femme qui n'avait plus rien à voir avec mon

père, mais avec moi, comme si elle avait décidé de s'appro-
prier le lieu qu'occupait habituellement ma liberté jusqu'à ce
qu'elle décide de rester accrochée dans un coin de son corps.
Ma liberté était restée dormir avec elle dans un lit qui avait
d'abord été le monde, puis un univers qui venait de naître,
exempt des règles classiques, et enfin moi-même, une partie
de moi que je ne savais, ni ne voulais, ni ne pouvais récupérer.
Je ne peux pas dire que je ne m'en sois pas rendu compte. Ce
qu'il y a, c'est que cela m'était égal, parce que c'était la première fois, et pourtant, en sortant de chez elle, ce que j'éprouvai fut que je n'avais rien fait, rien appris, rien vécu à part
le droit d'attendre ce moment, l'instant précis où je touchai,
caressai et embrassai Raquel Fernández Perea pour que mes
mains, et ma langue, et mon sexe la reconnaissent comme
une part ignorée et très pure de moi-même.

« En résumé, m'interrompit Fernando Cisneros pendant
que j'essayais de lui expliquer tout cela au comptoir d'une
brasserie qui se trouvait à mi-chemin entre sa maison et la
mienne, le lendemain, avant de déjeuner, tu es accro.

— Disons que... » Le prosaïsme de ce diagnostic m'écrasa
à tel point que mes lèvres et ma tête hésitèrent en même
temps. « Eh bien... je ne sais pas. Je suppose que c'est une
façon de le dire.

— Pas une. » Il se mit à rire. « C'est la seule. Et on le
voyait venir, tu sais, on le voyait venir depuis le début. »

Il avait raison sur ce point. On le voyait venir, à tel point
que même moi je l'avais vu, et pourtant je ne le voulais pas,
je me disais que je ne voulais pas le savoir, y penser, l'imaginer, que je ne voulais même pas le voir. Mais c'était vrai, qu'on
le voyait venir, depuis le début, ce matin de mars froid et
dépourvu d'oiseaux où une femme inconnue qui me regardait
en face, avec patience, avec fermeté, comme on accomplit une
mission et qui n'est pas pressée s'était emparée de mes yeux,
les lentilles fixes, sagaces, inutiles, qui la voyaient maintenant
où qu'elles regardent. Ce fut pour cela que je détrompai pas
Fernando et que je me contentai de demander l'addition.

« Tu m'invites, n'est-ce pas, mon salaud ? suggéra-t-il
avant qu'on nous l'apporte. Je trouve que c'est la moindre des
choses. »

Je le regardai, il souriait, le sourire de Raquel se superposa au sien sans effort, et il resta à flotter dans l'air tiède et

bruyant de la brasserie pendant que nous sortions dans la rue, mais il était là aussi, sur les panneaux publicitaires, les vitrines des boutiques, les abribus et toutes les femmes que je croisai, vieilles et jeunes, fillettes et adolescentes, plus ou moins mûres, jolies, laides, vulgaires, voyantes... Elles étaient toutes Raquel, sur le point de le devenir ou elles l'avaient déjà été et cela les définissait, les classait, les exaltait ou les rendait indignes de vivre dans un monde qui n'était que Raquel et n'avait d'autre pays que celui de mes yeux. Je marchais sur le trottoir bigarré et curieux du samedi à midi et j'étais suspendu à l'heure, à Fernando, à traverser sur les passages piétons, au meilleur itinéraire pour arriver au restaurant où j'avais ren-dez-vous pour déjeuner avec ma femme et avec celle d'un ami, et je souriais, je souriais seul ou ce n'étaient que mes lèvres en retrouvant des détails, des gestes, des angles, des images qui venaient d'elles-mêmes dans ma mémoire récente, qui était désormais la seule à compter. Je connaissais enfin toutes les données du problème, mais je me sentais incapable de le résoudre, incapable de formuler la relation entre des hanches rondes, qui excédaient légèrement la théorie des proportions, et l'étroitesse d'une taille qui proclamait avec véhémence sa perfection. J'étais resté là, sur un point de cette équation impossible, et la nostalgie de ce foyer tendre et solide, doux et généreux, relâchait mes jambes et mon esprit à chaque pas.

« Álvaro... » Fernando me prit par l'épaule pendant que nous attendions que le feu passe au vert.

« Quoi ?

— Ne fais pas cette tête, va. »

Puis je l'avais regardée. Je l'avais bien regardée, très lente-ment, avec une grande patience, pendant très longtemps, depuis les ongles des pieds, courts et vernis en rouge vif, jus-qu'aux boucles désordonnées, irrégulières, où ondulaient les pointes de sa chevelure châtain. Je l'avais regardée comme si mes yeux pouvaient en voir davantage que ce qui était à leur portée, la forme de ses os, la couleur de son sang, la discipline docile des muscles que recouvrait sa peau éblouissante, si moelleuse, si douce, si parfaite que j'aurais pu continuer à la regarder toute ma vie sans m'en lasser, et ne pas parvenir pour autant à la comprendre. Elle me laissa la regarder, me regarda pendant que je la regardais, me regarda à travers mes yeux et attendit que mon regard rencontre le sien. Alors je ne sus que dire. Je la vis sourire, incurver progressivement les lèvres dans un sourire lent, paresseux, et je l'embrassai à plusieurs reprises, très lentement, avec une grande patience, pendant très longtemps, et la Terre se remit à tourner, effectua un tour complet sur elle-même et autour du Soleil entre les quatre coins de son lit.

« Tu as une très jolie maison », trouvai-je enfin à dire. Je me mis à rire avant de l'entendre répondre.

« Mais tu ne l'as pas vue ! » protesta-t-elle au milieu des éclats de rire.

Elle m'avait emmené par la main à travers l'entrée, éclairée par la combinaison blanche, laiteuse, de la lumière de la lune et des lampadaires, jusqu'à l'ascenseur, qui se trouvait dans le fond et était si petit, si étroit, et lent qu'il ressemblait à un signe de complicité du destin.

« Si tu ne me laisses pas un moment, je ne vais pas pouvoir ouvrir la porte... »

Ses bretelles tombaient, sa jupe tourbillonnait autour de sa taille, elle avait les joues colorées, les dents très blanches et un sourire savant, prophétique, différent de ceux que j'avais vus sur ses lèvres auparavant. Aussi l'embrassai-je encore avant de la lâcher, et sa jupe reprit sa place mais elle ne remonta pas les bretelles sur ses épaules. Elle se contenta d'ouvrir la porte et de me la tenir ouverte.

« Tu veux boire quelque chose ? » Elle riait.

« Non. »

Sa chambre se trouvait au bout d'un large couloir flanqué de portes et de quelques meubles. Je le sais parce que je les avais heurtés, mais je ne l'avais pas vu, c'était vrai, je l'avais remonté à l'aveuglette, par à-coups, uniquement suspendu à sa bouche, à ses yeux, à sa fermeture Éclair, me laissant guider par elle, qui n'avait pas besoin de surveiller ses pas pour me conduire dans une vaste chambre à la forme irrégulière mais agréable, qui comportait sur un côté une colonne en fer fondu peinte en noir pourvue d'un chapiteau avec des feuilles et des grappes, et, face au lit, une galerie de fenêtres qui encadraient le ciel nocturne comme une photographie, un tableau, une image fictive de lui-même.

« C'est une très jolie chambre », dis-je.

J'avais eu le temps de regarder le lieu où je me trouvais, d'admirer un charmant secrétaire en bois ancien, la légèreté de ses pieds torsadés affrontant avec grâce la sévérité d'un fauteuil en cuir noir qui me plut également. Le tapis était joli, un quadrillage de dessins géométriques et de couleurs très vives, turc, supposai-je, ou marocain, et la lampe en porcelaine du XIXᵉ siècle, avec des tessons de verre coloré qui pendaient des bras en émail blanc sur lesquels étaient peintes de petites fleurs improvisées, ingénues, qui paraissaient semblables mais étaient toutes différentes, était jolie aussi. Comme le gros fauteuil tapissé de cette sorte de velours râpé dont je n'ai jamais pu retenir le nom, et les objets répartis sur les surfaces. Mais rien de cela ne me plut autant que la divergence absolue du lieu où je me trouvais avec cette autre chambre, grande aussi, en forme d'abside, qui avait des murs en stuc d'un ton jaune orangé, des niches en plâtre blanc, et ce mauvais goût chargé d'agressivité que seuls les gens très riches sont capables de développer.

« C'est vrai, acquiesça-t-elle, surtout le jour. Il y a une très jolie vue, tu sais, parce que la place est surélevée. D'ici jusqu'à la rue San Bernardo, tout est en pente. J'adore cette maison, dit-elle avec un sourire. Je l'ai toujours aimée. J'ai eu beaucoup de chance de la garder.

— Tu en as hérité ? Moi, j'aurais adoré hériter de la maison où j'habitais quand j'étais petit, mais une de mes sœurs m'a devancé.

— Je n'habitais pas ici quand j'étais petite, mais bon, oui, c'est quand même un héritage, même si je paie un loyer, bien sûr... Ce qui s'est passé, c'est que la maison où j'habitais, qui m'appartenait, enfin, à mon ex-mari aussi – mais après le divorce je l'avais gardée, l'appartement et le crédit, bien sûr, – a été démolie.

— Tu ne m'avais pas dit que tu étais divorcée », lui fis-je, remarquer. Mais elle rit, hocha la tête et poursuivit :

« La rue où j'habitais a été touchée par un de ces plans de rénovation urbaine, et avec l'argent qu'on m'a versé, au lieu d'acheter un nouvel appartement, j'ai pris un autre crédit et j'ai gardé celui-là, qui appartenait à mes grands-parents et qui était resté vide. À la mort de mon grand-père, ma grand-mère a préféré aller vivre chez Olga, sa fille, qui était devenue veuve avant elle et vivait seule, près de chez mes parents, sur la route de Canillejas – mais pour elle, c'était toujours sa maison, et elle ne voulait pas la louer. Et puis elle ne voulait pas me la vendre, tu sais. "Comment est-ce que je pourrais faire du commerce avec toi, ma petite ?" disait-elle. Mais il y a quelques mois, j'ai fini par la convaincre. Je dois dire que cet appartement n'intéressait personne d'autre. Mes deux frères sont mariés et ils ont leur propre maison, la petite à côté, l'aîné à Rivas. Je suis la seule qui aime vivre dans le centre, et d'ici, en plus, je peux aller travailler à pied. San Bernardo, Santo Domingo, Ópera... C'est presque une ligne droite. »

Maintenant tu as une autre maison, pensai-je, beaucoup plus chère, dans un quartier beaucoup plus cher, dans un immeuble avec une porte gigantesque, un concierge en uniforme, plusieurs ascenseurs si grands qu'ils décourageraient n'importe qui d'essayer de t'embrasser. Je le pensai, mais je n'en dis mot. Elle me regarda, me sourit et m'embrassa sur les lèvres, comme pour me récompenser de mon silence. Puis elle se retourna, prit quelque chose sur la table de nuit et revint se blottir contre moi.

« Regarde, les voici.

— Qui ?

— Mes grands-parents. Tous les deux. »

Le cadre était en verre, grand, ancien, avec des pièces en relief collées dans les coins. La photo était ancienne elle aussi et d'assez mauvaise qualité mais très amusante. Le véritable protagoniste de la scène était un tank contre lequel s'appuyaient quatre hommes, répartis par deux pour ne pas masquer le conducteur, qui adressait un sourire radieux à l'objectif. À sa gauche, deux hommes jeunes, l'un blond, grand, et l'autre brun, plus petit, avec une barbe si drue que le rasage ne l'empêchait pas d'assombrir ses mâchoires, ils posaient de face, se tenant par les épaules. Ils avaient l'air heureux, comme celui qui se tenait à droite, accroupi, et celui qui fermait la composition, debout et de profil, plus que jeune, presque un enfant.

« Celui qui fait semblant de conduire, c'est mon grand-père, Aurelio Perea, le père de ma mère. Il avait été conducteur de tanks dans l'Armée du Levant, pendant la guerre civile, c'est pour ça qu'il est assis là. Il voulait passer la frontière dans ce tank, le pauvre... » Elle regarda la photo, sourit avec une joie presque infantile, caressa la plaque de verre du bout des doigts. « Celui qui est accroupi, ici... » Elle déplaça le doigt vers la droite. « ... s'appelait Nicolás et il était catalan, de

Reus. On l'avait surnommé le Confiseur parce que, avant la
guerre, il vendait des sucreries dans les villages. Celui-là était
d'un village d'Alicante et je ne me souviens pas de son nom,
juste de son prénom, le Gamin, et qu'il avait dix-sept ans.
Celui-là, qui est si brun, je l'ai connu toute petite. Il s'appelait
Amadeo, alias le Saumon, il était asturien, et il est resté ami
avec mes grands-parents jusqu'à la fin. Parce que celui-ci,
grand, blond, qui le prend dans ses bras... » Elle concentra ses
caresses sur ce dernier visage. « ... c'est Ignacio Fernández, le
père de mon père, qui avait été capitaine de l'Armée populaire
et était le chef du groupe. Quand il a vu le tank, il s'est mis à
crier, l'Anchois, viens ici, je t'ai trouvé une mule pour rentrer
au village... » Elle me regarda, me sourit, puis sourit au sourire des cinq hommes jeunes qui la regardaient de l'autre côté
du temps. « Ils avaient donné ce surnom à mon grand-père
Aurelio parce qu'il était de Málaga. Mon grand-père Ignacio,
qui était de Madrid, ils l'appelaient l'Avocat, entre autres
parce qu'il était avocat, bien sûr. Lui et sa femme, ma grand-
mère Anita, étaient les propriétaires de cet appartement. »
   Je les regardai attentivement sans pouvoir distinguer nettement leurs traits, non pas que la photo fût mauvaise, elle
l'était, ni parce que le photographe avait cadré de très loin
pour que le tank tienne tout entier, ça aussi mais parce que
leurs sourires étaient si ouverts, si ambitieux, si sauvages, qui
envahissaient leurs visages au point de les déformer.
   « Et là, ils se trouvaient où ?
   — Eh bien je ne sais pas, je ne peux pas te le dire précisément... Dans un de leurs campements, parce qu'ils en ont eu
beaucoup, dans une forêt, en Ariège. » Je ne comprenais pas
ce qu'elle me disait et elle s'en aperçut. « Dans une province
des Pyrénées françaises qui a une frontière avec l'Espagne,
plus ou moins entre Toulouse et Huesca, pour te donner une
idée. Ce n'est pas une photo de la Guerre civile, mais de la
Seconde Guerre mondiale.
   — Oui, mais je ne sais pas... » J'avais eu beau me promettre de ne pas le faire, je pensai à mon père, à son livret
militaire, à ses deux uniformes, tellement flambant neufs, tellement propres, tellement incompatibles avec l'aspect de ces
hommes souriants, jeunes et armés comme lui, mais vêtus de
façon ordinaire. « C'étaient des soldats ?
   — Oui. Enfin, des maquisards.

— Espagnols ?

— Bien sûr.

— Mais il se battaient en France.

— Oui.

— Contre... » Je n'osai pas achever ma phrase et elle se mit à rire.

« Contre les nazis, bien sûr. Le tank est allemand, ils l'ont pris et ils ont descendu onze SS, parmi lesquels deux officiers. Ils ont eu beaucoup de chance. Et beaucoup de cran, surtout, vraiment beaucoup. Celui qu'ils avaient, en fait... Ils aimaient beaucoup raconter cet épisode et ils le racontaient toujours de la même façon : "Quand même, cinq malheureux, on n'était rien d'autre, déguenillés, mal armés, mal habillés, on inspirait la pitié, et pourtant, on en a fait notre quatre-heures, on a fait notre quatre-heures de ces fils de pute de la race supérieure..." » Elle s'approcha de moi, m'embrassa, et elle souriait encore, mais son expression s'éteignit peu à peu, sa voix s'éteignit, ses yeux, et l'éclat de sa peau. « C'étaient des rouges espagnols, républicains, exilés. Ils avaient jeté les nazis hors de France, gagné la Seconde Guerre mondiale, et ça ne leur servit à rien, mais ne t'inquiète pas, c'est normal que tu ne le saches pas. Personne ne le sait, et pourtant, ils étaient très nombreux, presque trente mille. Mais on ne les montre jamais dans les films de Hollywood, ni dans les documentaires de la BBC. On voit les prostituées françaises, qui se mettaient du cyanure dans le vagin, et les boulangers, qui empoisonnaient les *baguettes,* mais pas eux, jamais eux. Parce que si on les voyait, les spectateurs se demanderaient ce qu'ils sont devenus, pour quoi ils se sont battus, ce qu'on leur a donné en échange... Sans parler d'ici, ici, c'est comme s'ils n'avaient jamais existé, comme si maintenant ils dérangeaient, comme si on ne savait pas où les mettre... Bref, c'est une histoire injuste, laide, une histoire triste et sale. Une histoire espagnole, de celles qui gâchent tout. »

Puis elle sourit à nouveau, ou peut-être pas, car ses lèvres s'entrouvrirent, s'incurvèrent, et dessinèrent l'arc d'un sourire théorique mais incompatible avec elle-même. Son geste ne parvenait pas à masquer un rictus amer, la trace d'une peine profonde et souriante, domestiquée et sincère, qui respirait avec modestie et aussi avec orgueil, comme ces douleurs légères et constantes auxquelles les malades chroniques ne savent plus ni ne veulent renoncer. C'était à cela que ressemblait Raquel lorsqu'elle souriait, pendant qu'elle enveloppait sa peine dans un sourire feint, ou peut-être authentique, qu'elle l'emmitouflait, prenait soin d'elle et la couvrait comme si elle avait été un bien précieux, même si cela faisait mal, comme un plaisir douloureux, mais un plaisir. Je vis tout cela dans le sourire de Raquel Fernández Perea, et je pensai que c'était le sourire le plus triste que j'aie vu de ma vie, la peine la plus souriante que j'aie jamais contemplée, et je ne sus plus que faire, que dire. Elle embrassa la photo, la remit en place, sur la table de nuit, se retourna vers moi et m'enlaça, et je l'enlaçai, et je l'embrassai, et elle m'embrassa, et je recommençai à l'embrasser, et mon corps reconnut dans le sien un foyer tendre et solide, généreux et doux, sans greniers obscurs ni portes closes, sans recoins défendus ni caves condamnées à l'humiliation du temps.

« Mon père a lui aussi combattu pendant la Seconde Guerre mondiale, lui dis-je à l'oreille, pour être honnête avec la douce amertume de ce sourire.

— Je sais, me répondit-elle.

— Mais il était du côté des nazis, insistai-je, frôlant ses lèvres avec les miennes en parlant. Il était en Russie avec la Division Azul.

— Oui ». Elle s'écarta légèrement de moi pour me regarder, me coiffa avec les doigts, me caressa le visage. « Là où il n'a jamais été, c'est dans ce lit. »

Elle parla, et tout se remit à couler avec une placidité rose, l'habitude impassible de l'eau qui coule, une violence symbolique, paisible et charnue, qui déboucha sur une nouvelle définition de la nécessité et finit de pulvériser le prestige des phrases importantes, inutiles maintenant, maladroites, puériles dans leur difficulté ampoulée. Raquel Fernández Perea ouvrait les yeux, exposait sa qualité dense et brillante à la volonté fascinée de mes yeux, et tous les pendules du monde entreprenaient à la fois un mouvement harmonique qui arrêtait le temps, annulait l'espace, et faisait trembler mon cœur, le cœur de la Terre. Raquel Fernández Perea fermait les yeux, et ses paupières caressaient les yeux de la planète comme une harmonie de doigts parfumés, apaisants, pour que tous les pendules du monde tournent dans l'autre sens, emportant la réalité avec eux vers un univers frais et tendre, nouveau-né. Raquel Fernández Perea respirait, la respiration tendait d'un fil imaginaire le balcon immaculé de sa poitrine, et je voulais mourir.

« Álvaro... »

Je voulais mourir là, finir dans cet instant de plénitude mémorable, renoncer à accumuler des expériences triviales, indignes d'un homme qui aurait pu choisir la beauté écrasante de cette mort si vivante. Raquel Fernández Perea gémissait, émettait les sons inarticulés, fragmentaires, avec lesquels un chiot égoïste et mal élevé, gâté volontairement, serait reconnaissant du plaisir que lui procurent les caresses de son maître, et je voulais vivre, vivre toujours, pour toujours, vivre là dans le noyau indivisible de ce gémissement primaire et capricieux, vivre soumis au pouvoir de provoquer la puissante gratitude de ce son. Raquel Fernández Perea souriait, se laissait aller à un sourire bref et complet,

Un « Álvaro... » naissant et autonome, délicat et total, car c'était elle tout entière qui souriait, pas ses lèvres, ses yeux, ou son visage, mais elle tout entière, chaque centimètre de sa peau parfaite qui tremblait sous mes mains, les doigts qui la saisissaient par la disproportion lumineuse et splendide de ses hanches, et dans ce sourire naissaient et mouraient tous les sourires. Raquel Fernández Perea succombait, se désorganisait, se dissolvait devant moi, pour moi, avec moi, et retrouvait soudain la conscience et le contrôle sur son corps, ses mouvements devenaient plus ambitieux, plus constants, plus précis, et j'entendais sa voix, à nouveau articulée et claire, profonde mais humaine, capable de penser pour nous deux, de demander exactement ce qu'elle voulait, et je lui obéissais, j'obéissais à cette voix et je m'obéissais à moi-même en elle, et je me demandais ce que j'allais devenir, comment je pourrais me réveiller le matin dans un autre lit...

« Álvaro ! » La troisième fois, Fernando ne se contenta pas de prononcer mon nom. Il s'arrêta au milieu du trottoir, me prit par les épaules, et me secoua jusqu'à ce qu'il obtienne que je la regarde.

« Qu'est-ce qu'il y a ?

— Ce qu'il y a ? » Il fit une pause pour prendre sa respiration, mais il ne me lâcha pas. « Je vais te le dire. Il y a qu'on dirait que tu as la chatte de cette nana peinte sur la figure. C'est ce que je vois en ce moment, voilà ce qu'il y a.

— Ah oui ? » J'éclatai d'un rire stupide. « Tu m'en diras tant...

— Avec tous les détails. » Lui aussi se mit à rire. « Ça ne me dérange pas, hein ?, ce n'est pas ça. C'est un spectacle obscène, mais stimulant. Et ça fait envie, je le reconnais. Mais je ne crois pas que ta femme, qui est là-bas... » Il désigna du doigt la porte du restaurant. « ... apprécie autant que moi.

— Eh bien ce matin, elle ne m'a rien dit.

— Le manque d'habitude, conclut-il. Mais la mienne va sûrement te coincer.

— Ça m'est égal. » Je parlai sans réfléchir, mais je suppose qu'à cet instant je disais la vérité.

« Ah ! Alors on en est là... » Et il me secoua à nouveau, avec la même violence qu'au début. « En plus d'être pris dans sa chatte, tu es un couillon ! Très bien, Alvarito, très bien. Mais je vais te dire une chose. Écoute-moi attentivement. Ça ne t'est pas égal, tu comprends ? Ça ne t'est pas égal. Même pas pour déconner, allez. Et à moi non plus ; alors tu es déjà en train de changer de tête. Eh bien oui, c'est juste ce qui me manquait, une engueulade à effet rétroactif à cause de toi, à ce stade de ma chasteté ! »

Le tout n'était plus égal à la somme des parties quand les parties s'ignoraient entre elles, mais j'essayai de feindre d'y croire encore et je proposai de m'asseoir avec les enfants, entre Miguelito et Max, le fils cadet de Fernando et calumet de la paix que lui avait offert sa femme quand il s'interrogeait encore sur ce que pourrait être la plus grosse erreur de sa vie. Max, qui s'appelait Máximo, comme son admirable arrière-grand-père, avait un an de plus que Miguel, mais ils s'entendaient bien tous les deux parce qu'ils étaient aussi brutaux l'un que l'autre. Ce jour-là, mon fils avait apporté un Spiderman avec un filet qui sautait en l'air quand on appuyait sur un bouton et un tas d'armes et de bombes cachées dans son corps et Max un Tyrannosaurus Rex aux griffes rétractiles et un son réel –, mais réel, réel, insistait-il comme si quelqu'un avait entendu un jour le rugissement d'un dinosaure assassin. Il avait un personnage en plastique pour jouer la victime, ce qui permit à Spiderman de tenter de le sauver entre les assiettes et les serviettes jusqu'à ce qu'on leur apporte à manger. Ainsi, la chatte de Raquel survécut sans problème sur mon visage pendant que Mai, tournée vers l'autre côté de la table, suivait avec une attention proche de l'enthousiasme le récit de sa cousine Pilar, la jeune sœur de Nieves, pratiquante récente mais fanatique de la mode des villes d'eaux.

J'écoutais de très loin le murmure bouillonnant d'une conversation jalonnée d'adjectifs, « merveilleux fantastique, fabuleux, incroyable, formidable, génial », je m'occupais de couper les biftecks des enfants et je regardais Fernando du coin de l'œil de temps en temps pour le voir hocher la tête, hausser les sourcils, s'étonner et me sourire, mais aucune de ces occupations parvenait à me distraire de ma tâche fondamentale. Je pensais à Raquel, je la revoyais telle que je l'avais vue pour la dernière fois à 6 h 10 du matin, quand elle me raccompagna à la porte et me regarda, nue, en souriant dans l'entrebâillement, pendant que je commençais à descendre l'escalier.

Je pensais à Raquel, à son lit aux draps chauds et froissés, et je la voyais dormir, seule, sur le côté, je voyais sa silhouette, le fil invisible de sa respiration tendant le balcon immaculé de son décolleté pendant le sommeil aussi. Elle a dû se lever, prendre le petit déjeuner dans une cuisine fraîche et propre, près d'une fenêtre pour que la lumière du soleil chauffe en même temps son corps et le bonheur de l'air qui l'entoure, et elle doit y être encore, elle est retournée se coucher, peut-être pas. Elle déjeune peut-être dehors, elle a peut-être rendez-vous avec son amie comédienne, elle a peut-être besoin de le raconter à quelqu'un, ou pas, elle a pu aller déjeuner chez ses parents puis elle rentrera chez elle, dans son lit aux draps chauds et maintenant tendus, ce lit qui sait sentir les mouvements de la planète, parce que la Terre tourne sur elle-même et autour du Soleil entre ses quatre coins, ce lit qui est le monde et un univers nouveau-né, exempt des règles classiques, et une partie de moi, avant même que je le sache, me disais-je.

C'était à tout cela que je rêvais en pensant à Raquel, et mon mobile me brûlait dans ma poche, le bout de mes doigts me brûlait et ma tête bouillait d'impatience et de l'agonie laborieuse consistant à se tenir toute seule, de négocier en ma faveur contre ma tentation de faire quelque chose pour me rendre service, alors au cours d'un de ces silences radicaux que l'on n'apprécie que dans les conversations très bruyantes, je parvins à entendre le dernier pan d'une des lamentations récurrentes de ma femme.

« ... mais bien sûr, tu me diras ça, et le samedi, en plus, parce qu'il faut décider ce qu'on fait avec le petit, alors...

— Vas-y, lui dis-je alors.

— Où ça ?

— Eh bien là-bas, au bord de la mer... Ce n'est pas de ça, que vous êtes en train de parler ?

— Álvaro... » Ma femme esquissa une grimace de lassitude que je connaissais par cœur, la grimace à laquelle elle avait recours chaque fois qu'elle abandonnait parce que j'étais impossible, une expression très semblable à celle qu'adoptait ma mère dans ce genre de situation. « Mais enfin, Álvaro. Tu ne sais pas qu'on a pris des billets pour emmener les enfants au théâtre cet après-midi ?

— Bien sûr que si, dis-je avec un sourire. Mais on peut les emmener, non ? Je ne pense pas que les entrées soient nominatives.

— Quoi ? » Fernando me regardait les yeux écarquillés, avec une lueur d'alarme que je préférai ignorer. « Qu'est-ce que tu dis ?

— Álvaro ! » Mai me regardait avec un sourire ému qui faillit me faire sentir pitoyable –, faillit simplement. « Álvaro..., tu ferais vraiment ça pour moi ?

— Vraiment. Et puis, j'aime beaucoup les contes d'Andersen, et Fernando aussi, sûrement. Non ?

— Eh bien, moi, ça me passionne, et en plus une comédie musicale, super, je te le dis... » Il me donna un coup de pied sous la table avant de baisser le ton. « Álvaro, tu es sérieux ?

— Aïe, Fernando ! » Nieves se pencha vers lui, l'embrassa à plusieurs reprises, signa la sentence définitive. « Tu n'imagines pas comme je t'en suis reconnaissante, vraiment.

— Mais cet après-midi, on passe *La Prisonnière du Désert* [1] à la télé..., se plaignit malgré tout mon ami, dans un murmure douloureux, presque infantile.

— Tu l'as vu cent fois, lui rappelai-je.

— Je sais, mais ça m'aurait fait plaisir de le voir pour la cent unième fois. »

---

1. Film de John Ford (1956).

Je ne sais pas encore pourquoi j'agis ainsi. « Tu sais, à charge de revanche », murmurai-je à l'oreille de Fernando avant de sortir du restaurant, et il m'envoya paître, parce qu'il me soupçonnait de vouloir lui coller mon fils sur le dos pour me tirer. L'idée me tentait, mais j'allai finalement au théâtre avec lui, avec mon fils et les siens, je ne sais pas encore très bien pourquoi. Je suppose que c'était parce que j'avais peur d'être seul. Parce que je savais que si je restais à la maison, seul, je ne supporterais pas ça cinq minutes, parce que je n'arriverais peut-être même pas à la maison, parce que je dévierais de mon chemin au premier coin de rue qui conduirait à la sienne, parce que je ne savais pas ce qui m'arrivait, parce qu'il ne m'était jamais rien arrivé de semblable.

Le manque d'habitude, avait dit Fernando, et c'était vrai. J'étais habituellement un homme ordinaire, raisonnable, voire vulgaire, l'habitant d'une plaine impassible de terres cultivées qui n'exigeait pas d'efforts de mes yeux, ni de ma conscience. J'avais fortifié ce territoire parce qu'il me plaisait, ma vie me plaisait, mon travail, Mai, et c'était pour cela que je lui avais été infidèle loin de Madrid, au cours de quelques nuits stupides, avec des partenaires de hasard, accessoires. Quand je pressentais qu'une femme pourrait me plaire davantage que ça, je m'armais jusqu'aux sourcils, j'étais comme ça, je l'avais été, et pourtant je ne me reconnaissais pas dans cet homme qui n'avait jamais été aussi vivant que moi, que l'homme que j'étais à présent, après que Raquel Fernández Perea fut passée en moi comme passe la chance, le destin qui fausse une fois pour toutes et pour toujours le futur des êtres vivants. Cet homme était moi, et il ne savait pas l'être, il était moi, et il ne me comprenait pas, il était moi, et il ne savait pas ce qui m'arrivait ni pourquoi, parce que rien de semblable ne m'était jamais arrivé, et pourtant tout était simple, aussi élémentaire que la faim, la soif, le sommeil, cette définition flamboyante du besoin que je parvenais à peine à attacher avec les courroies expérimentées de mon ancienne prudence. J'avais besoin de voir Raquel, j'avais besoin de l'embrasser, de la toucher, de la caresser, de la posséder, j'avais besoin d'entendre sa voix, de rester silencieux à côté d'elle, de la respirer, mais surtout, j'avais besoin de savoir que, le lendemain, ce besoin puissant et brutal, souriant et rose, plaisant et douloureux aussi, dans une certaine mesure, ne se serait pas encore éteint. J'avais besoin d'avoir besoin de Raquel, parce que je me sentais esclave de mon propre esclavage, et cela me suffisait, me soutenait dans l'intention de ne pas précipiter les choses, de ne pas la harceler, de ne pas l'accabler, tant que je pourrais la sentir sur mon visage, et entre mes mains, et sous ma peau, juste en fermant les yeux. Je suppose que ce fut pour cela que je le fis, et le plus extraordinaire de tout est que je ne le regrettai pas un seul instant.

« Ah ! C'était très bien, non ? dis-je à Fernando en sortant, avec les enfants enthousiasmés et les mains rouges d'avoir applaudi. Ça m'a beaucoup plu.

— Quoi ? me demanda-t-il, en levant un seul sourcil.

— À ton avis ? Le spectacle.

— Ah oui, c'était très bien, enfin, c'est pour les enfants... » Alors il se tut, me regarda, se mit à rire. « Savoir ce que tu as pu y voir, Alvarito, savoir ! »

La marque des bretelles sur la peau de ses épaules, me rappelai-je. La couleur exacte de ses mamelons. La tension de son menton quand elle laissait tomber la tête en arrière. Le mystérieux ressort rétractile que le plaisir activait dans ses doigts de pied, les ongles courts et vernis en rouge comme des crochets soudains et incapables de se contrôler. L'odeur de son sexe sur mes mains. Le poids de sa tête sur ma poitrine. L'écume sucrée de sa peau. La joie.

« Achète-nous le CD, papa, allez !

— Pas question. On a déjà dépensé assez d'argent. » Fernando se débarrassa de sa fille sur le même ton catégorique et expert que j'aurais utilisé n'importe quel autre jour.

« Je te l'offre, Lara, proposai-je avant de me tourner vers les plus jeunes. Et vous, vous ne voulez pas un T-shirt ?

— Quel mauvais âge, Álvaro... » Mon meilleur ami me regarda, fronça les sourcils d'un air soucieux, me donna une tape sur l'épaule. « Quel mauvais âge pour perdre la tête, mon vieux, je suis vraiment désolé... »


En fin de compte, je tins quarante-huit heures.

J'avais la tête à sa place, plus qu'avant, plus que jamais, et je tins quarante-huit heures, une énormité abyssale de secondes et aucune parce qu'elles se délitèrent dans l'air comme si elles n'avaient jamais existé quand je la revis et qu'elle me regarda, sourit, ferma les yeux, les rouvrit, et décréta l'inexistence foudroyante, radicale, de n'importe quel être vivant ou objet inanimé hors de la portée de ses bras. Moi, j'étais entre ses bras, la tête à sa place, ferme, solide, bien ancrée sur les épaules. Moi, Álvaro Carrión Otero, plus moi, plus vivant, plus raisonnable. Moi, soudain excessivement homme.

J'avais tenu quarante-huit heures et pendant ce laps de temps il ne s'était rien passé, et pourtant il s'était passé beaucoup de choses.

« C'était une femme très forte pour ton grand-père, Julio.

— Álvaro, osai-je rappeler.

— Oui, bon, peu importe... » Elle regarda en elle et ses yeux profonds, tout petits, brillèrent comme deux têtes d'épingle sombres. Très forte. Trop.

Le samedi soir, après le théâtre et une demi-pizza, Miguelito s'endormit dans le taxi et je dus monter à la maison avec lui dans les bras. Sa mère n'était guère plus réveillée, mais elle me reçut les yeux ouverts et en arborant un sourire radieux.

« Ça va ?

— C'est merveilleux. Tu ne peux même pas imaginer, tu devrais goûter. Viens, approche... Sens-moi. » Elle était allongée sur le lit, sur le dos, les bras tendus, nue mais à moitié recouverte par le drap.

Je m'assis au bord du lit, la découvris et la sentis. Elle sentait la vanille et quelque chose qui ressemblait à de la menthe.

« C'est incroyable, Mai, tu ressembles à la vitrine d'un magasin de glaces !

— Ah oui ? gloussa-t-elle. C'est un masque relaxant dont on s'enduit le corps après s'être douché alternativement à l'eau chaude et froide, plusieurs fois. C'est la masseuse qui me l'a recommandé et tout de suite, je suis... sur un petit nuage, je dois dire. Il contient de l'extrait de haschisch c'est pour ça qu'ils mettent autant de parfum.

— Il doit être bon, c'est sûr. » Je me penchai sur elle et l'embrassai sur les lèvres. « Tu veux que je te recouvre ? » Elle fit un signe affirmatif de la tête. « Bon, je vais un moment sur l'ordinateur. Je n'ai pas sommeil.

— Mais tu n'as pas dormi de la nuit... »

C'était vrai, mais cela l'était aussi que je n'avais pas sommeil. Et je m'assis devant l'ordinateur, mais je ne parvins pas à l'allumer. Teresa González, jeune et pacifique, me regardait depuis un cadre en argent avec un chapeau discret, une petite perle à chaque oreille et une veste boutonnée jusqu'au cou, costume classique pour une inoffensive et souriante épouse bourgeoise. Son image déchaîna en moi une vague d'amour soudain, profonde mais ambiguë, car elle avait non seulement un rapport avec elle mais avec moi, avec tout ce que j'avais gagné et perdu en perdant mon père, en gagnant ma grand-mère, en consentant avec une joie rare et furieuse à ce que ma liberté reste accrochée dans le pli d'une peau parfaite, veloutée comme celle d'une pêche peu ordinaire. Tout avait tellement changé et si vite, dans des proportions si impeccables, que je ne pouvais pas analyser ce qui m'arrivait et le vivre en même temps. J'avais choisi de vivre, et pourtant, quand je pris Teresa González de la main gauche et que je touchai son visage avec les doigts de la droite, comme j'avais vu faire Raquel avec la photo de ses grands-parents, je me demandai si dans d'autres pays du monde les gens n'avaient pas plutôt des portraits de leur père, de leur mère, sur la table de nuit ou à côté de l'écran d'ordinateur.

J'aurais dû rester là, m'interroger sur les différences, les coïncidences, le sens véritable de ces vieux mots qui nous pèsent tant, qu'ils nous obligent à tant de choses après tant d'années, mais les histoires espagnoles abîment tout et moi j'étais tombé amoureux, j'étais amoureux de ma grand-mère, de Raquel, et j'avais choisi de vivre cet amour, pas de le penser, mais de le servir avec loyauté et abnégation, la conscience noble et entière d'un naïf chevalier médiéval ou le strict désespoir du fils ingrat, traître, qui se soulève contre son père. Mon père. Ces deux mots n'avaient jamais été un problème pour moi, cela ne m'avait jamais coûté de les prononcer, de les assumer, avant de connaître Raquel, avant de connaître Teresa, un sourire jeune et paisible qui n'avait pas eu de chance, pas davantage que n'en eurent la raison, la justice ou la liberté, la lumière pour lesquelles elle se battit. Ma grand-mère, une vague d'amour soudain et une intensité, une pureté difficile à expliquer, aurait fait de moi un homme meilleur si je l'avais connue avant, si je l'avais connue à temps. Son souvenir m'aurait suffi pendant de longues années, il aurait été suffisant pour charger de sens mon prénom, mes noms de famille, or il m'était parvenu maintenant dans une émotion contradictoire et multiple, une ferveur qui l'affirmait et l'excluait en même temps.

« La malchance t'a poursuivie toute ta vie, grand-mère. Moi, je t'aurais tellement aimée, tellement admirée, j'aurais été si fier de toi au bar de la fac, devant les filles qui me plaisaient... J'aurais appris ta lettre par cœur et je l'aurais récitée souvent, très souvent, pour elles et pour moi, pour me sentir accompagné, soutenu par toi dans la décision d'être différent, le fils que mon père aurait voulu ne jamais avoir, le seul qui n'a pas voulu lui ressembler. J'avais tellement besoin de toi, grand-mère, j'ai tellement eu besoin de toi, et tu étais là et je ne le savais pas, tu étais là et je ne te connaissais pas, et maintenant je vois Raquel Fernández Perea où que je porte mon regard, je suis soumis au strict besoin d'avoir besoin d'elle, et tout m'arrive en même temps, tout m'arrive trop vite, je suis vivant, elle est vivante, mon père est mort, et tu as dû mourir aussi sans savoir qui je suis, sans me connaître. Tout est si injuste, grand-mère, tout est si injuste et si juste à la fois, cet amour pervers et pur, subit et étrange, qui m'étouffe, me dépasse, explose en moi comme une bombe montée minutieusement, programmée, et qui est également ton amour, qui te correspond, qui t'appartient parce que je suis toi, une partie de toi, parce que je veux l'être et personne ne m'en empêchera, parce que personne n'a le pouvoir de m'en empêcher, et je t'aime tellement, tellement, si fort, si soudainement, grand-mère. »

Je l'embrassai sur les lèvres avant de remettre le cadre en place, à côté de l'écran, et je retrouvai sans effort le souvenir des lèvres de Raquel et une émotion précipitée et complète qui me fit dresser les cheveux sur la tête. Puis j'allai tranquillement me coucher, comme si ma vie n'avait pas été sens dessus dessous ces trois derniers jours, comme si je me sentais capable de maîtriser ma confusion, comme si cette confusion n'avait jamais existé. Mais avant de m'endormir je me demandai quelle sorte de secrets pouvaient bien découvrir les enfants de quarante ans sur leurs parents, quand ceux-ci mouraient à quatre-vingt-trois ans, au début du XXI<sup>e</sup> siècle, dans d'autres pays du monde, et je me rendis compte que j'avais négligé un détail.

Je ne parvins pas à le retrouver au réveil, tard et d'humeur bien moins bonne que Mai, qui flottait dans la maison comme si son corps ne pesait rien et avec l'aspect d'un ectoplasme lumineux de conte de fées. Ce fut peut-être ce qui me troubla, mais je retrouvai très vite mon équanimité. Bien plus tard, pendant que je restais à table avec mes grands-parents, je compris de plus ce que je n'avais pas su voir. Le dimanche après-midi fut pesant et très lent, propice à la réflexion, mais pendant que Mai se laissait écraser par les heures qui l'éloignaient du bonheur tout simple de l'après-midi précédent et que j'étais assis devant la télévision avec Miguelito, regardant le corps de Raquel, un bonheur si complexe, sur chaque plan de la version classique de *Peter Pan*, je retournai à de multiples reprises les données de ce problème latéral, marginal, insurmontable, et je ne trouvai aucune formule susceptible de le résoudre. Teresa, ma grand-mère, avait quitté la maison de son mari le 2 juin 1937. Son fils aîné avait adhéré à la Jeunesse socialiste unifiée cinquante et un jours plus tard. La découverte des deux cartes de Julio Carrión González m'avait fait frissonner au point que j'avais lu la date d'adhésion de la première, le 23 juillet 1937, sans comprendre ce que cela signifiait. Maintenant, l'heure, la divergence de ces deux dates me semblait plus grave, plus vile, plus douloureuse, que celle établie par l'existence d'une autre carte, de la Phalange espagnole et datant de 1941.

Les traîtres se trahissent eux-mêmes avant toute chose ou quiconque. C'est peut-être ça, le manque de respect envers soi qu'implique toute trahison, qui les rend si méprisables. À l'époque où mon père changea de camp, les trahisons idéologiques préparaient bien plus qu'une simple rectification théorique. Il nous l'avait lui-même souvent raconté au sujet de son ami Eugenio, le seul homme honnête qui ait existé dans ce pays, le seul qui aurait pu grimper et ne grimpa pas, le seul qui aurait pu voler et ne vola pas, le seul qui aurait pu dénoncer et ne dénonça pas. Il nous l'avait souvent raconté et je l'avais entendu. J'avais écouté chacune de ses paroles et je les avais archivées sans les analyser, comme si elles appartenaient aux paroles d'une chanson banale et répétitive, dont le refrain aurait été : « Ça, ce n'est pas du froid, comment est-ce que ça pourrait être du froid ! J'aurais voulu vous y voir, en Russie, en Pologne, ça, c'était du froid... » Les traîtres se trahissent eux-mêmes avant toute chose, avant quiconque, et conserver ses idées, quelles qu'elles soient, qui avaient éloigné mon père de ma grand-mère, aurait été plus honnête, plus loyal, plus digne d'elle, que d'adhérer aux jeunesses de son parti pour changer de camp lorsque le sort en était déjà jeté, pour finir par l'enterrer vivante par la suite.

Je n'arrivai plus à penser que j'exagérais peut-être, à me rappeler que j'en savais beaucoup moins que je ne le croyais, à calculer que je pourrais aussi ne rien faire. « Je peux me tromper, mais je sens que je fais ce que je dois faire, et je le fais par amour. » C'était ce qu'avait fait ma grand-mère et ce que je fis le lundi matin. J'avais donné un très bon cours et je ne pouvais pas me l'expliquer. J'avais donné un très bon cours privé de liberté comme je l'étais, Raquel Fernández Perea cousue sur mes yeux, sur mes mains, sur mon sexe, Teresa González dans le cœur, et un grumeau épais et malodorant dans la gorge, qui était mon père et pesait comme une dette coupable – je ne savais même pas si je devais me rembourser ou payer, juste qu'elle était irrémédiablement périmée. Ainsi, ébranlé, partagé, absent, je donnai un très bon cours qui acheva de liquider le prestige de cette paisible étendue de terres cultivées qu'était habituellement ma vie.

À 12 h 40, le bureau de l'état civil de Torrelodones était désert. Je pensai que le sort m'avait abandonné, mais après m'être raclé la gorge, avoir tapoté le comptoir et dit bonjour à grands cris, je vis apparaître un très jeune homme, mince et portant des lunettes, qui m'adressa le regard terrifié des novices absolus. Il aurait pu être un de mes élèves et cela me rassura.

« Très bien, veuillez remplir un de ces formulaires..., me répondit-il quand je lui expliquai le but de ma visite.

— Écoutez, l'interrompis-je, je ne peux pas attendre. C'est très important pour moi, et je suis professeur, j'enseigne à l'Autónoma, je suis très pris, je n'ai pas beaucoup de temps...

— Eh bien... » Cette fois, ce fut lui qui m'interrompit. « ...vous n'avez pas besoin de revenir. Nous vous enverrons l'information chez vous par courrier.

— Oui, mais je suppose que tout est informatisé, non ? » Il acquiesça avec méfiance. « Alors, même si vous m'envoyez plus tard l'information par courrier, vous pourriez vérifier tout de suite ce que je vous demande, et me le dire. Il y en a pour cinq minutes.

— C'est que ça n'est pas régulier. La procédure est de répondre par courrier, et ma chef n'est pas là, je ne suis qu'un boursier, je ne travaille ici que depuis dix jours, et... » Il me regarda et claqua les lèvres avant de hocher la tête. « Comme s'appelait votre grand-mère ?

— Teresa González.

— Teresa González comment ?

— Je ne sais pas. » Il me regarda, les yeux écarquillés. « Je ne sais vraiment pas, je vous l'ai dit tout à l'heure. Chez moi, on ne parlait jamais de ma grand-mère. Je ne savais même pas qu'elle avait eu un autre fils, je viens d'apprendre qu'elle n'est pas morte de la tuberculose en 1937. Je crains qu'elle n'ait subi des représailles après la guerre, mais je ne suis sûr de rien. Elle a peut-être pu s'exiler, je n'en ai aucune idée. Je sais juste que mon père est né ici, à Torrelodones, le 17 janvier 1922.

— Cela devrait être suffisant... », murmura-t-il, davantage pour lui-même que pour moi, avant de disparaître par une porte en verre qui se trouvait dans le fond.

Il ne mit pas cinq minutes, mais il revint avant qu'il ne s'en soit écoulé dix.

« Puerto, fit-il en me tendant trois feuilles qui dégageaient une odeur diluée, chaude et un peu triste d'encre d'imprimerie. Teresa González Puerto, fille de Julio et María Luisa, née à Villanueva de los Infantes, province de Ciudad Real, le 3 août 1900. Je n'ai trouvé que trois mentions. Son certificat de mariage avec Benigno Carrión Moreno, en 1920, celui de la naissance de son premier enfant, Julio Carrión González, en 1922, et celui de la naissance du deuxième, Teresa Carrión González, en 1925. C'est tout ce qu'il y a. Elle n'est pas morte ici, c'est sûr. Vous êtes recensé à Madrid ? » Je fis un signe de tête affirmatif. « Alors vous pouvez vous rendre au bureau de l'état civil là-bas et déposer une demande de renseignements. Ils mettront un certain temps à la satisfaire, parce qu'ils doivent la faire circuler dans tous bureaux d'Espagne, mais ils finiront par la retrouver, sauf dans le cas où sa mort serait... » Il s'arrêta pour réfléchir, mais il trouva tout de suite les mots dont il avait besoin. « Disons, non officielle. Dans ce pays, et à cette époque, il y a eu des milliers de personnes, hommes et femmes, qui ne sont officiellement jamais morts, vous savez. Beaucoup ont fini par être déclarés décédés après, sans explications et sous la pression des familles, mais dans ce cas, si votre père ne voulait rien savoir d'elle, je ne sais pas... »

« Comme mon grand-père n'était pas un juif polonais, mais un rouge espagnol, il n'a pas eu la chance d'être gazé par les nazis. »

Adolfo Cerezo, qu'Angélica nous avait présenté ce même soir, prononça cette phrase dans mon salon, un verre à la main et avec un air de sérénité absolue, presque souriante, peinte sur le visage.

Ensuite, tandis que Mai, qui avait été la plus intéressée par l'organisation de ce dîner, cherchait une boîte de chocolats, l'apportait, repartait chercher des glaçons à la cuisine, allait voir Miguel, ouvrait les portes des balcons pour laisser entrer l'air et montrait à ma sœur une robe qu'elle venait de s'acheter, il me raconta que la famille de sa mère était originaire d'un village de la Grande Canarie qui s'appelle Arucas.

« Là-bas, il n'y a pas eu de guerre, ajouta-t-il, sur le même ton aimable et apparemment insouciant. Les rebelles ont transféré sur les îles toute l'armée d'Afrique et il n'y a pas eu moyen de résister, pas de révolution, pas d'armes pour le peuple, ni de prêtres fusillés, de religieuses violées, de désordres, de prétextes ou de propagande, rien de rien. Arucas a été le village qui a mis le plus longtemps à se rendre, et ils ont tenu un jour et demi. Mais tu ne dois rien savoir de tout ça bien sûr...

— Non, reconnus-je. Et pourtant, ce nom me dit quelque chose.

— Oui, c'est un gros bourg, important. C'est peut-être pour ça que les phalangistes ont pensé que cela coûterait une fortune de tirer des balles. Alors ils ont pris mon grand-père et environ soixante autres républicains d'ici, ils les ont jetés dans un puits dans lequel ils ont versé de la chaux, pas trop non plus, juste ce qu'il fallait pour que ceux du dessus ne puissent pas sortir, on sait qu'ils étaient économes... » Il fit une pause avant d'expliquer le sens de sa déclaration initiale. « À Auschwitz, ils furent plus compatissants, parce que ceux d'Arucas mirent très longtemps à mourir, tu sais ? Presque une semaine. Et comme ils pleuraient, et se plaignaient, et que la chaux brillait la nuit, les gens du village se sont mis à appeler cet endroit le puits aux cris des sorcières, parce que ce qui s'y passait ressemblait à de la sorcellerie. Ils disaient ça, et ils continuaient à dormir à poings fermés. C'est pour cela que ma grand-mère est venue sur la péninsule, parce qu'elle ne pouvait plus entendre ce nom, parce que c'était au-dessus de ses forces. Et elle n'y est jamais retournée. Ma mère quitta son village à sept ans et elle n'est jamais rentrée non plus. Et pourtant, c'est joli, comme endroit, hein ? C'est presque ça le pire, Arucas est si joli...

— Parce que tu y es allé », supposai-je à voix haute. Il fit un signe de tête affirmatif.

« Plusieurs fois. Et je suis allé au puits, je l'ai vu, et j'ai apporté des fleurs, et il y en avait toujours, certaines sèches, d'autres fraîches, toutes entassées sur le couvercle.

— Quelle horreur, quelle horrible histoire, dis-je à la fin.

— Oui, elle est horrible. » Adolfo était d'accord, et il sourit à nouveau. « Comme mon grand-père n'était pas un juif polonais, mais un rouge espagnol, il n'a pas eu la chance d'être gazé par les nazis. » « Je comprends que c'est terrible, et que ça doit être très dur de vivre avec ce genre de chose, mais j'avoue que j'ai trouvé ça un peu désagréable », me dit Mai après le départ de ma sœur et de son fiancé, « continuer à ressasser une si vieille histoire, après tant d'années... – Si on l'avait fait avant, il ne serait pas nécessaire de continuer aujourd'hui », lui répondis-je, et pourtant je ne savais pas ce que je disais, je ne le sus pas avant ce matin-là, au Registre de l'état civil de Torrelodones, pendant que je soutenais le regard d'un inconnu qui tentait de me préparer au pire.

« Si on l'avait fait avant, il ne serait pas nécessaire de continuer aujourd'hui », voilà ce que j'avais dit, mais je ne savais pas alors ce que ces mots signifiaient. Je ne savais pas ce qu'on éprouve en imaginant la terreur, l'angoisse, le désespoir, la peur, la douleur qui au dernier moment décompose le visage de l'homme ou de la femme, jeune et souriante, qu'un enfant a vus pendant toute sa vie sur la photo posée sur une commode, au salon ou dans l'entrée de la maison où il a vécu, où il est devenu un adulte doté de jugement et de mémoire. « Ton grand-père, ta grand-mère, ma mère », juste un prénom et un visage, et avec de la chance une poignée de mots aussi, peut-être un objet joli, voire précieux, et rien d'autre, aucun souvenir vivant et chaud à associer à un sourire ancien, immobile, congelé dans un simple cliché en noir et blanc. Jusqu'au moment où la nuit tombe, un trou s'ouvre, un verrou est poussé, un peloton se forme ou le canon d'un pistolet se pose sur une nuque et alors oui, alors on éprouve ce que l'on n'a jamais vu, la terreur, l'angoisse, le désespoir, la peur et la douleur, on sent le corps qu'on n'a jamais étreint, les mains qui ne se sont jamais touchées, les larmes que les photographies ne versent pas et le goût de plomb dans le palais.

Tout cela se sent, je l'ai senti en imaginant Teresa González Puerto tombant dans un puits, s'effondrant sur un chemin, agonisant dans une fosse commune, fermant les yeux très lentement pour attendre la mort. « Ta grand-mère était très bonne, elle aimait beaucoup son mari, elle jouait très mal du piano, la pauvre. » Je ressentis tout cela ; la rage qui me déboîtait les mâchoires, des pleurs au bord des yeux et une envie terrible de tuer quelqu'un. « Je vais à Arucas de temps en temps, j'ai besoin d'y aller, je ne sais pas pourquoi, mais ça me fait du bien. J'y vais, je vois le puits, j'apporte des fleurs, rien d'autre, ça a l'air bête, mais j'ai besoin de le faire... », m'avait raconté Adolfo ce soir-là Et eux, les petits-enfants des autres, des rebelles, des fascistes, des compagnons des assassins d'Arucas, pourraient peut-être raconter d'autres parties de la même histoire, succomber à une autre colère, verser d'autres larmes, si semblables et si différentes de celles d'Adolfo, de Fernando, des miennes. J'y pensai à cet instant, mais ma grand-mère s'appelait Teresa González Puerto, pas autrement. Elle s'appelait Teresa González Puerto, elle avait perdu une guerre mais jamais la raison, et c'était pour cela qu'elle méritait que je gagne pour elle.

« Je suis vraiment désolé. » Ce garçon me regardait d'un air préoccupé, presque effrayé. « Je n'aurais pas dû dire ça, parce que je n'ai aucune raison de supposer... Je suis vraiment désolé, je vous assure. Pardonnez-moi.

— Je n'ai rien à vous pardonner, au contraire. » Je m'obligeai à me calmer, lui tendis la main et il la serra fermement, plus tranquille malgré la pointe de mélancolie dont manquent peut-être, pensai-je, les intérimaires de l'état civil dans d'autres pays du monde. « Merci beaucoup. »

Je pris l'histoire officielle de ma grand-mère, trois pauvres feuilles imprimées, et l'odeur encore plus triste de l'encre se dilua dans la bienveillance d'une journée de printemps tiède et ensoleillée, qui m'apaisa tandis que je marchais vers la place sur un chemin que je ne croyais pas me rappeler et que je parcourus sans aucune hésitation. Les terrasses étaient presque vides, il était tôt, on était lundi. Je choisis une table au soleil et commandai une bière à une serveuse très souriante, petite, brune et amusante, qui avait l'air d'être équatorienne, ou péruvienne. Je bus mon verre, puis un autre, tout en relisant plusieurs fois les papiers, une transcription sommaire en police de caractères Arial de taille dix en tête d'un fac-similé du document original – une écriture anglaise en majuscules tracées à la plume. Puis je payai, laissai un bon pourboire et entrai au bar.

« Excusez-moi, mais je cherche quelqu'un et vous peut-être pouvez-vous m'aider... » L'allure de la femme qui se trouvait derrière le comptoir – une cinquantaine d'années, forte, tranquille, teinte en blond – m'avait décidé à l'aborder. « Vous êtes d'ici ?

— Non, mais j'habite ici depuis trente ans, précisa-t-elle en souriant.

— Je vois... » Je lui rendis son sourire. « Voilà... je cherche des amis de mon père, qui est né dans ce village mais qui est parti très jeune à Madrid, et je ne sais pas où les chercher. Vous les connaissez peut-être... L'un d'eux s'appelle Anselmo, il est très âgé, enfin, de l'âge de mon père, qui est mort à quatre-vingt-trois ans...

— Non, fit-elle en secouant la tête. Cet Anselmo ne me dit rien.

— Et une dame qu'on appelle Encarnita ?

— Une grande femme, avec les cheveux blancs, courts et frisés, vraiment grande, âgée... »

C'était elle. Non seulement elle la connaissait, mais elle savait où elle habitait. Je me perdis à deux ou trois ronds-points absurdes, de ceux qui semblent avoir été semés au hasard ou installés exprès pour désorienter les conducteurs étrangers, avant de trouver la direction. Là il y avait une villa ancienne, en pierre, au milieu d'un jardin touffu, aux grands arbres, entouré par une haie de lauriers-roses. À côté de la porte dans la grille il y avait un interphone. J'appuyai sur le bouton, annonçai que je venais voir Encarnita, et quelqu'un m'ouvrit sans m'en demander davantage. Une femme blonde, cette fois d'une couleur naturelle, d'une trentaine d'années, les cheveux courts et la peau très pâle, m'attendait devant la porte de la maison.

« Bonjour.

— Bonjour », répéta-t-elle, et à son accent je compris qu'elle était étrangère.

« Je m'appelle Álvaro Carrión, je suis le fils d'un ami d'enfance d'Encarnita. » J'essayais de parler lentement, mais je compris rapidement qu'elle ne me suivait déjà plus. « Et j'aimerais lui parler un moment, si possible.

— Madame n'est pas.

— Et à quelle heure est-ce qu'elle va revenir ? » Elle ne répondit pas. « Je peux attendre.

— Madame Encarnita est. Madame Encarna n'est pas.

— Oui, mais... » La coïncidence des noms me fit hésiter. « Je ne sais pas. Je suis venu voir la plus âgée des deux.

— Aïe ! »

Ce fut tout ce qu'elle dit, « aïe ! », avec une expression où la nervosité semblait à deux doigts de tourner à la souffrance, et elle disparut sans fermer la porte. Elle revint quelques minutes plus tard accompagnée d'une très jeune fille, en jean évasé, T-shirt court, et une boucle d'oreille bleue sur le nombril.

« Bonjour. » Elle mit les mains dans ses poches et sourit. « Jovanka m'a dit quelque chose au sujet de ma grand-mère, mais je n'ai pas très bien compris. Elle est croate.

— Je vois, c'est pour ça qu'elle ne m'a pas compris, et moi non plus. Voilà... »

Je me présentai à nouveau, lui expliquai qui était mon père, que j'avais vu sa grand-mère à l'enterrement et que j'aimerais lui parler de ma grand-mère, parce qu'elle l'avait peut-être connue.

« Ah ! Eh bien oui. Elle va être ravie, j'imagine. Elle aime beaucoup parler avec des gens, parce qu'elle s'ennuie, bien sûr... » On entendit alors un bruit de moteur de voiture et elle tendit le cou dans cette direction. « Regardez, voici ma mère. »

Je répétai mon histoire pour la troisième fois devant une femme plus âgée que moi, élégante et très sympathique, qui acquiesça de la tête avant de décider qu'elle n'avait pas besoin d'en entendre davantage.

« Suis-moi. » Elle me précéda jusqu'à l'entrée puis s'adressa à sa fille. « Cecilia, va à la cuisine et dis à Jovanka que ton père a appelé pour prévenir qu'il n'avait pas le temps de rentrer déjeuner. Allez, dépêche-toi....

— Bon, mais après, je compte venir écouter. »

Sa mère sourit en traversant le couloir en direction d'une porte vitrée qui laissait passer la lumière du soleil. Là, dans un salon semi-circulaire qui s'ouvrait sur un porche à l'arrière et qui révélait l'ancienneté de la maison, il y avait Encarnita, assise, très raide, le dos droit dans un fauteuil en osier rempli de coussins, devant une télévision allumée. Le programme ne devait guère la passionner, car elle se retourna pour nous regarder avant que nous ayons le temps d'arriver jusqu'à elle, puis elle l'éteignit juste après.

« Bonjour, maman... » Sa fille s'approcha, l'embrassa sur le front, lui caressa le visage. « Comment vas-tu ? Regarde, tu as de la visite ! Ce garçon est...

— Je sais. » Elle lui coupa la parole et me regardait. « Je te reconnais.

— Oui, on s'est vus il n'y a pas longtemps à l'enterrement de mon père, lui dis-je. Je m'appelle...

— Julio Carrión.

— Non. » Je souris. « C'était mon père, et j'ai un frère qui s'appelle comme ça aussi, mais moi, je m'appelle Álvaro. Álvaro Carrión. »

Elle me regarda à nouveau d'un air étonné et je compris qu'elle m'avait confondu avec mon père. Sa fille nous demanda si nous voulions boire quelque chose et partit vers la cuisine. Puis l'adolescente au piercing sur le nombril arriva, s'assit près de sa grand-mère qui, pendant un moment, la regarda elle aussi comme si elle ne la connaissait pas.

« Oui..., dit-elle ensuite, oui. Tu es le fils de Julio. Le petit-fils de Benigno, alors, n'est-ce pas ?

— Exact. » Je lui donnai raison avec un sourire qui prétendait dissimuler l'effondrement de mes espoirs, mais elle continua comme si elle avait pu lire dans mes pensées.

« Oui, je sais... Ma tête va très bien, tu sais, mais de temps en temps ce genre de chose m'arrive, soudain je mélange et je me perds, comme ça, très loin, et je tarde à revenir. Il paraît que c'est dû à la circulation du sang, qui est trop lente. C'est ce que disent les médecins, parce que moi, je ne m'en rends pas compte, bien sûr... Mais quand je reviens, je reste, c'est sûr. » Elle sourit et se retourna vers sa petite-fille. « N'est-ce pas, Cecilia ?

— Bien sûr, tu vas super bien. » Elle lui prit la main, la serra et me regarda. « J'aimerais bien avoir sa mémoire, vraiment.

— Eh bien, je suis venu... » Mais après ce que je venais d'entendre, j'eus l'impression que je l'offenserais si je tournais autour du pot. « Encarnita, vous connaissiez Teresa, ma grand-mère ?

— Ta grand-mère ? » Elle ouvrit de grands yeux, comme si la question la surprenait. « Bien sûr, que je la connaissais ! Tout le monde connaissait ta grand-mère, au village. Mais tout le monde, hein, enfin, ici dans les environs aussi. Eh bien oui, elle était vraiment...

— Et vous vous souvenez de... Vous vous souvenez si ma grand-mère était socialiste ?

— Si elle était socialiste ? » Alors elle se mit à rire, se claqua les cuisses, posa les mains sur ses genoux et me regarda comme si elle n'avait jamais entendu de question aussi sotte de toute sa vie. « Bien sûr, qu'elle était socialiste ! Enfin, socialiste c'est peu dire, elle était bien plus que ça, elle a été... celle qui l'a inventé, pour ainsi dire. Dans ce village, personne ne savait ce qu'étaient les socialistes jusqu'à ce que ta grand-mère se mette dans l'idée de faire de la politique, je ne te dis que ça... » Soudain, elle devint sérieuse et leva l'index en l'air, comme si elle voulait apporter une précision très importante.

« Maintenant je vais te dire une chose. Elle était socialiste, enfin, rouge perdue, mais c'était quelqu'un de très bien, ça oui, n'oublie pas. Très bonne et très intelligente, très courageuse, ça oui. Trop courageuse, je dois dire, mais surtout très bonne. Je l'aimais beaucoup, ta grand-mère, parce que Teresita... c'était ta tante, non ? » Je souris et hochai la tête au nom de cette femme que je n'avais jamais vue, pas même en photo. « Bon, eh bien, Teresita et moi, on avait le même âge, et on était très amies. Alors j'allais presque tous les jours chez tes grands-parents pour le goûter, pour chercher Teresita, jouer avec elle, et elle venait chez moi, bien sûr... Ensuite, quand mes parents me l'ont défendu, comme elle est devenue institutrice, eh bien je la voyais à l'école tous les jours aussi.

— Et... je peux vous demander autre chose ? » Elle acquiesça pour me donner la permission. « Pourquoi vous avaient-ils défendu d'aller chez mes grands-parents ?

— Eh bien, à cause d'elle, évidemment. Parce qu'elle s'est beaucoup engagée, vraiment beaucoup, tu n'imagines pas à quel point, et dans ma famille, c'étaient des monarchistes, un frère de mon mère avait été exécuté sommairement par les rouges à Madrid, et ta grand-mère était toute la journée dans la rue, à crier, et... Bref, chez moi, ça ne les amusait pas.

— Mais mon grand-père était de droite.

— Ton grand-père était... de droite, oui. Une vraie grenouille de bénitier, plus que toute autre chose, mais chez lui il n'était pas à sa place, je dois dire, parce que... » Elle secoua la tête comme si rien n'avait jamais eu de solution. « Excuse-moi de te dire ça, mon petit, mais ton grand-père était une chiffe molle, la vérité, c'est que c'était un incapable, ton grand-père, tout le monde le disait, mon petit, même ma mère, et puis que sa femme valait dix fois mieux que lui. Je crois que cela dérangeait aussi mon père, tu sais ? Parce que ma mère... Eh bien, elle était de droite et tout ça, oui, mais à cette époque, avec la liberté et le fait que les femmes pouvaient soudain faire ce dont elles avaient envie, aller et venir, voter, se marier sans demander la permission à personne, divorcer et avoir la garde des enfants, travailler, vivre seules, diriger des partis, être députées, ministres, eh bien, imagine... »

Elle me regarda, comme si elle attendait que je tire mes propres conclusions, et je ne la fis pas attendre.

« Votre, mère, ça lui plaisait, non ?

— Bien sûr, que ça lui plaisait ! Pourquoi est-ce que ça ne lui aurait pas plu ? Et comment... » Et elle se mit à rire, comme si elle trouvait cela très amusant. « À l'époque, j'étais toute petite, et je ne me rendais pas compte, mais ensuite, en y réfléchissant maintenant que je suis âgée, eh bien... Je crois que ma mère aimait bien ta grand-mère, tu sais, ne serait-ce que pour ce qu'elle lui devait. Et mon père ne le supportait pas, ça le rendait malade, cette histoire des femmes. Et lui, ce n'était pas une chiffe molle, loin de là. Résultat, c'est moi qui en ai fait les frais, moi qui aimais tellement Teresita, c'était une de mes meilleures amies... Mais je n'ai pas obéi, bien sûr. J'ai cessé d'aller chez tes grands-parents parce que quelqu'un pouvait me voir, mais j'ai continué à jouer avec ta tante sur la place, à la rivière, à l'école. À l'époque, ça se passait comme ça, j'avais... voyons, onze ou douze ans, mais je n'ai pas obéi, alors... Ta grand-mère avait dû me communiquer quelque chose. »

Elle sourit à nouveau, comme sa fille, comme sa petite-fille, comme moi pendant que le fantôme de Teresa, ma grand-mère, volait au-dessus de nos têtes tel le sillage d'une bonne fée, une présence douce et bénéfique qui demeura malgré l'irruption d'un adolescent très grand au visage couvert de boutons, qui arrivait en dribblant avec un ballon de basket. Il s'appelait Jorge, et pendant qu'il mangeait toutes les frites qu'avait apportées sa mère, je compris que j'allais tôt ou tard devoir poser cette question, et je me dis que le plus tôt serait le mieux.

« Et vous, Encarnita... vous savez comment ma grand-mère est morte ?

— Eh bien... » Alors elle me regarda comme si elle venait de s'apercevoir de la nature étrange de ma curiosité. « Ça, c'est à toi de le savoir. Ce que je veux dire, c'est que ton père devait le savoir, non ?

— Je ne sais pas. » Je joignis les mains, les croisai, les serrai fort, les regardai, et me sentis soudain honteux de ne pas avoir d'autre réponse à offrir à cette femme, comme si jusqu'à cet instant je n'avais pas pu bien mesurer la honteuse condition de mon ignorance. « Je suppose qu'il devait le savoir, mais pas moi. Il ne nous a jamais parlé de sa mère. Jamais. L'autre jour, j'ai trouvé dans ses papiers une lettre qu'elle lui a écrite en partant de la maison. C'est à ce moment que j'ai appris qu'elle était socialiste, qu'elle avait quitté son mari et qu'elle avait eu une fille. Avant de lire cette lettre, je croyais que mon père était fils unique, et que ma grand-mère était morte de tuberculose à l'été 1937.

— Quelle horreur ! » Encarnita agita la tête d'un côté à l'autre à plusieurs reprises, comme si elle manquait d'air. « Quelle... horreur, quelle honte, non ?

— Eh bien... » Je la regardai dans les yeux et je n'y trouvai pas de chemin pour échapper à son regard. « Oui.

— Parce que je pourrais comprendre... À cette époque, dans les années 1940, 1950, il était difficile d'être le fils de certaines personnes, c'était dangereux en ce qui concernait ta grand-mère. Mais après, qu'il ne vous dise rien, plus tard, à vous, qui êtes ses petits-enfants... »

Elle fit une longue pause, si longue qu'elle me laissa le temps de penser à ce qu'elle venait de me dire, et ma honte grandit, et ma tristesse, ma colère, pendant qu'elle remâchait encore son étonnement.

« Bien sûr, peut-être... Je ne sais pas. Je ne sais pas. Enfin, ta grand-mère n'est pas morte de la tuberculose. Le tuberculeux, c'était lui.

— Son fiancé ?

— Fiancé, pas vraiment... » Elle prit quelques secondes pour décider si cette catégorie était acceptable, avant de la repousser. « Plutôt l'homme avec lequel elle vivait.

— Manuel, rappelai-je.

— Oui, c'était son nom, Manuel Castro. Il était instituteur lui aussi, socialiste, et c'était quelqu'un d'une grande valeur. Il parlait d'or, d'après les gens. Ta grand-mère parlait bien, mais lui... Bien sûr, comme les hommes politiques d'alors ; ceux d'aujourd'hui ne sont même pas bons à leur cirer les chaussures. Moi, j'étais une enfant, mais je m'en rendais compte, parce que à l'époque, les hommes politiques en imposaient rien qu'à les regarder. C'étaient des leaders, tu comprends ? Ils entraînaient les gens, ils ne se contredisaient pas tous les quatre matins, ils savaient ce qu'ils disaient, et pourquoi ils le disaient. Et comme ils ont disparu du jour au lendemain, bien sûr, tout le monde s'en rendait compte, les comparait avec ce qui est venu par la suite... » Et au moment où je pensais qu'elle avait de nouveau perdu le fil, elle me prouva qu'elle le tenait toujours fermement. « Il faut reconnaître que don Manuel avait une grande valeur, et il commandait dans le parti, comme ta grand-mère, d'un autre côté, ne crois pas, elle aussi elle savait commander, et oui, c'était une sacrée... Total, entre une chose et l'autre, ils semblaient faits l'un pour l'autre, vraiment. Lui, il avait bien eu la tuberculose, mais il était guéri quand il est arrivé ici. Il était grand, maigre mais solide, et nous les enfants, on l'aimait beaucoup, parce que c'était un magicien.

— Un magicien ? » Mon cœur s'accéléra soudain, je pouvais sentir la vitesse, la cavalcade de ses battements. « Il faisait de la magie, vous voulez dire ?

— Bien sûr. C'est lui qui a appris à ton père. Parce que ton père était magicien lui aussi, ça, tu le sais, non ? » Je hochai la tête. « Quand on était sages en classe, si on savait bien la leçon ou qu'on avait fait tous nos devoirs, don Manuel commençait à sortir des choses de ses poches, de son corps, il nous en sortait de derrière les oreilles ou les faisait disparaître. » Ses yeux s'illuminèrent d'une joie presque enfantine. « C'était vraiment merveilleux... Et entre ça, et le fait qu'il habitait chez tes grands-parents, parce qu'il avait été évacué de Las Rozas et placé là, et qu'il parlait bien, on sait que... Il a fini par arriver ce qui est arrivé. Maintenant je vais te dire autre chose... » Elle leva une nouvelle fois l'index des avertissements. « C'était un gros scandale pour les autres, pour mes parents, pour le curé, pour les notables du village, parce qu'il était marié lui aussi, il avait des enfants et tout, mais eux, ils n'y pensaient pas, et ils ne s'en souciaient pas, de leurs familles non plus. Ta grand-mère ne se cachait pas pour sortir dans la rue, elle n'avait pas de remords, ni l'air gêné. Rien de ça. Au contraire, elle était resplendissante, elle faisait plaisir à voir, parce qu'elle était très sûre d'avoir le droit de faire ce qu'elle voulait. Elle était comme ça, et moi aussi, je trouve ça bien, qu'est-ce que tu veux que je te dise, ça me fait envie, parce que... »

Alors elle se tut soudain, comme si elle s'était mordu la langue, et elle m'adressa un regard d'alarme que je ne sus comment interpréter, auquel je ne pus pas répondre.

« Bon, revenons à nos moutons. » Elle se reprit très vite. « Ils sont partis d'ici. Et ils ont emmené Teresita, ou Teresita a voulu partir avec eux, ça, je ne sais pas. Et je ne l'ai jamais revue. Ton père, lui, n'a pas voulu partir, il est resté avec ton grand-père, et c'était bizarre, hein ? C'était bizarre, parce que Julito adorait don Manuel, il lui servait d'assistant dans les représentations qu'il donnait aux soldats, ils étaient toujours ensemble. Et après... On les a mis en prison, tous les deux, mais très loin l'un de l'autre. Il est sorti des années plus tard, je le sais, même si je ne me souviens pas de qui me l'a raconté, parce que je suis sûre de l'avoir appris. Ça aussi, ça m'arrive souvent, tu sais ? Je me souviens bien des choses les plus anciennes et, en revanche, les plus récentes s'effacent...

— Et ma grand-mère ?

— Eh bien ta grand-mère... Ça, je le sais. » Elle me regarda dans les yeux. « Ta grand-mère est morte en prison, quelque part, je ne me rappelle pas où. À l'époque, il y en avait beaucoup, mais je crois que c'était une prison célèbre... Je ne peux pas t'en dire plus. Tout ce que je sais, c'est qu'elle avait elle aussi eu une très lourde peine, comme tous les instituteurs, mais elle est morte très vite, au bout de deux ou trois ans, de maladie. Je crois que c'était la tuberculose, mais je ne m'en souviens plus... La seule chose dont je me souviens, c'est que ton grand-père en a parlé. Il l'a dit à mon père, et c'est comme ça que je l'ai appris. »

À ce moment, je ressentis un immense soulagement, une peine immense aussi devant ce dénouement cruel mais pas trop, bienveillant mais cruel. C'était une consolation que personne ne l'ait tuée, qu'elle soit partie seule, et c'était épouvantable qu'elle n'ait pas survécu comme tant d'autres. C'était gratifiant de penser qu'on ne l'avait pas jetée dans un puits, qu'on ne l'avait pas sortie du lit à l'aube pour lui tirer une balle dans la tête au bord d'une route, que les balayeurs n'avaient pas ramassé son cadavre au petit matin dans une rue, et c'était horrible de penser aux conditions dans lesquelles elle avait trouvé la mort. Il valait mieux qu'elle n'ait pas vécu pour voir ce que ses ennemis faisaient de son pays, et c'était terrible qu'elle n'ait pas vécu même au prix de voir ce que ses ennemis faisaient de son pays.

Encarnita me fixait de ses yeux petits mais brillants comme des têtes d'épingles, pendant que je me reprochais ma naïveté, ma faiblesse de croire que Teresa fût parvenue à s'échapper. Beaucoup d'autres y étaient parvenus, mais, dans le fond, je savais déjà qu'elle n'avait pas eu cette chance, car son fils n'aurait pas pu l'éliminer pour toujours si elle était restée en vie. Elle était morte bien avant ma naissance, mais elle restait ma grand-mère, elle le serait toujours même si elle était morte à mon âge, à quarante et un ans, une femme extraordinaire, plus que je ne le deviendrais de toute ma vie. C'était ma grand-mère et je l'aimais. Je ne l'avais jamais vue, mais je l'aimais. Elle ne m'avait pas connu, mais je l'aimais. Elle ne m'avait jamais touché, jamais pris dans ses bras, jamais embrassé, mais je l'aimais, je l'aimais, je l'aimais. Pour de bon, et soudain, je l'aimais.

« C'était une femme très forte pour ton grand-père, Julio.

— Álvaro, osai-je rappeler.

— Oui, peu importe... » Elle regarda en elle, et ses yeux se remirent à briller. « Une femme très forte. Trop. »

C'était une femme très forte, pensai-je. Ce fut une femme très forte puis plus rien ; Teresa González Puerto, celle qui l'inventa, qui s'engagea beaucoup, énormément, et qui passait ses journées à crier dans les rues, et était forte, intelligente, courageuse, trop courageuse, comme si le courage pouvait être excessif, comme s'il dérangeait, comme s'il pouvait être de trop dans la vie de quelqu'un, dans celle des autres, mais elle était bonne également, très bonne, et il faut le souligner, car la bonté d'une mère de famille ne va pas de soi quand elle est forte, intelligente, et courageuse, trop courageuse, dans les territoires exempts de la loi de la gravité. Teresa González Puerto, qui avait épousé le mauvais homme, avait essayé l'existence d'une jeune et paisible épouse bourgeoise, mais n'avait pas aimé ça. Elle avait cru au rêve de sa propre liberté, et l'avait exercé pour gagner l'amour d'un magicien, pour tout risquer, pour tout perdre et enfin la vie. Alors, et bien que le sourire de ma grand-mère me fît du mal, bien que je pressente qu'il ne cesserait jamais de m'en faire, son souvenir me porta vers celui d'une autre femme excessive.

« Et cette photo ? » Je la lui tendis et elle l'approcha tout près de ses yeux, me laissant lire à distance la date, la dédicace. « Vous savez qui c'est ?

— Une très jolie femme, dit-elle avec un sourire.

— Très jolie, répétai-je.

— Oui, mais je ne la connais pas. Si je l'avais vue, je ne l'aurais pas oubliée. » Elle fit une pause brève et souriante que je ne sus pas interpréter et approcha à nouveau la photo de son nez. « Lui, c'est ton père, bien sûr. À l'époque où il est revenu ici.

— La photo a été prise en 1947, précisai-je. Elle est dédicacée au dos. Qu'est-ce que ça dit ? lui demandai-je. Elle réfléchit : « Paloma, Paloma... Va savoir. Il y en a tellement. Mais il ne l'a pas amenée ici, c'est sûr. En 1947, ça oui. Ça devait être dans ces dates-là... Il était parti depuis tellement d'années, je croyais qu'il ne reviendrait pas, parce qu'il en était parti trois de Torrelodones pour la Russie, un avait été tué, mais l'autre était rentré trois ou quatre ans avant ton père.

— Et qu'est-ce qu'il a fait ? » demandai-je, parce que je me méfiais désormais de tout ce que je savais. « Il est retourné vivre chez mon grand-père ?

— Penses-tu ! Ton père n'aimait pas du tout le village... » Et elle rit avec plaisir avant de confirmer la version familiale. « Enfin, il aimait venir pour se montrer, se promener et se vanter un peu, ça oui, parce que c'est un monsieur qui est revenu, mais un monsieur, avec de l'argent, bien habillé, rien à voir avec ton grand-père, qui a toujours été un plouc... Il avait beaucoup de succès auprès des femmes, mais vraiment beaucoup, tu ne peux même imaginer. Moi, il ne m'a jamais fait aucun effet, mais au village, plus d'une fille soupirait pour lui, sans compter Mlle Mariana, bien sûr.

— Mlle Mariana ? » Ce nom ne m'évoquait rien.

« Oui, Mariana, la nièce de don Mateo Fernández, le propriétaire de la Maison Rose. » Elle pensait que je savais de quoi elle me parlait.

« C'est une très grande maison, construite en haut d'une colline, intervint sa fille en venant à mon secours. On y arrive par un chemin qui part plus ou moins du bout de la rue. D'ici, on ne la voit pas bien, parce qu'elle est loin, mais c'est une villa ancienne et très jolie, aux murs recouverts de lierre, tu regarderas en partant... Actuellement, elle est entourée par d'autres villas plus petites, plus modernes, je crois qu'il y en a trois. Avant, tous ces terrains faisaient partie du jardin de la Maison Rose, mais je n'ai pas connu cette époque. Je l'ai toujours vue comme ça.

— Et qu'est-ce que mon père avait à voir avec cette maison ?

— Eh bien... » Encarnita fronça les sourcils. « En fait, on n'a jamais su, je ne vois vraiment pas que te dire d'autre. Ton père est revenu, et ici tout le monde le connaissait, bien sûr. Mais à part ses visites à ton grand-père, ce qui était normal, non ? eh bien, il allait toujours voir Mlle Mariana. Je le vois encore monter la côte... Les gens disaient qu'ils avaient une liaison, mais va savoir, parce que les gens aiment parler, et le plus souvent, ils n'ont aucune idée de ce qu'ils disent. Et puis, Mlle Mariana, à part le fait qu'elle était plus âgée que ton père, était une femme très sèche, très sérieuse, un peu amère, je dirais, peut-être parce qu'elle était devenue veuve très jeune avec une petite fille qui était très jolie, à propos, avec des yeux très bleus et si blonde... Bien sûr, les Fernández étaient plutôt blonds, et presque tous avec les yeux clairs. Je ne me souviens pas du prénom de la petite, parce que je ne l'ai pas vue très souvent. Sa mère ne la laissait pas venir au village. Elle ne parlait à personne ici, tu sais ?... comme si elle descendait de la cuisse de Jupiter, pareil. Ils apparaissaient tous les ans à la fin juin, en taxi, et ensuite ils ne descendaient à la messe que le dimanche, c'était tout. Alors, jusqu'à leur départ avec un autre taxi, en septembre, Fermina, qui avait été la gardienne de don Mateo, descendait faire les courses, et à part elle, son mari et ses enfants, bien sûr, qui vivaient aussi là-haut, Mlle Mariana ne parlait qu'à ton père. Mais ce n'était pas le genre de femme qui se lie avec un homme comme lui.

— Pourquoi ? osai-je demander. Il avait tellement de succès...

— Oui, mais à l'époque les choses n'étaient pas comme aujourd'hui. On respectait beaucoup plus les formes, et Mlle Mariana était une dame, et lui rien, un moins que rien, même si... Je ne sais pas. Dans ces affaires-là, on a des surprises toute sa vie. De toute façon, ils étaient liés par quelque chose, c'est sûr, parce qu'il allait toujours la voir quand il venait ici. Et puis, quand la maison a été vendue, elle a écrit à la mairie, au notaire, et même au poste de la Guardia Civil, pour dire qu'il l'avait mise dehors, qu'il la lui avait volée. Mais il ne se passa rien de rien, parce que la maison, pour commencer, ne lui appartenait pas. À Mariana, je veux dire... Elle appartenait à son oncle Mateo. Avant, à son grand-père, oui, le père de son père, mais après, à don Mateo. Quand ils se sont réparti l'héritage, je veux dire, parce que je ne le sais pas non plus, mais j'imagine que ça devait être comme ça, quand ils se sont tout réparti, don Mateo a gardé la maison, et son frère, le père de Mlle Mariana, qui était l'aîné, eh bien, je ne sais pas, a dû recevoir autre chose. Ils avaient beaucoup d'argent.

— Alors... » Mais j'étais encore complètement perdu. « Pourquoi vivait-elle dans cette maison ? Ce n'était pas la sienne et elle avait de l'argent... Et comment mon père a-t-il pu la mettre dehors ?

— Aïe, mon petit, je ne sais pas... Ni moi ni personne, ici au moins, cela a toujours été une histoire très mystérieuse. Mlle Mariana passait l'été dans cette maison parce que ses propriétaires n'étaient pas là, en Espagne. Ils étaient partis, en France, je crois, après la guerre.

— C'étaient des républicains.

— Enfin ! » Elle sourit en agitant la main en l'air de façon très véhémente. « Surtout des athées, c'est pour cela qu'ils ne me laissaient pas approcher de leur maison, ni monter la côte... Les enfants, qui n'étaient plus si petits, bien sûr, parce que les plus petits devaient avoir presque dix ans de plus que moi, n'avaient pas fait leur communion, et n'étaient même pas baptisés. C'était ce qu'on racontait, mais je ne les connaissais pas, je dois dire, parce que nos parents ne se saluaient même pas, alors qu'avant la République, ils s'entendaient manifestement bien. À l'époque, ce genre de chose était très fréquent... Résultat, après la guerre, ils sont partis, et on sait qu'ils ont laissé les clés de leur maison, celle-ci et celle de Madrid, à Mariana, leur nièce, qui fut la seule à rester ici.

— Et qui a tout gardé », supposai-je à voix haute, pour qu'Encarnita me donne raison avec véhémence. « Parce que si elle n'est pas partie, elle devait être bien avec le régime, je suppose.

— Eh bien, moi aussi, et par ici, c'est ce qu'on a tous supposé... Ça n'a surpris personne, d'abord parce que à cette époque, après la guerre, on faisait tous comme si rien ne nous étonnait, tu sais ? La période n'était pas aux réclamations, ni aux questions sans raison... Mais, en plus, don Mateo... Bien sûr, les trois étés qu'a duré la guerre, il n'était pas venu ici, parce que les choses ne s'y prêtaient pas, avec le front à la Moncloa. Et puis, sa nièce est apparue un beau jour, comme la maîtresse de maison et la propriétaire, avec beaucoup de prétention, tu sais ?, et de très mauvaise humeur, certes, parce que ce qui lui arrivait, c'est qu'elle ne savait pas où passer. Je ne sais pas ce que son père avait fait pour tout dépenser, mais il l'avait fait. Ensuite, eh bien oui, ça a dû se passer comme tu dis... » Elle hocha de nouveau la tête et prit une mine mélancolique. Quand sa famille est partie, elle a dû penser, ça y est, j'ai gagné à la loterie, je garde tout et je vais mener la grande vie. Jusqu'à ce qu'un beau jour, ton père revienne au village. Et il était phalangiste, alors pas de blagues, hein ?

Puis, un an plus tard, la maison fut vendue et on ne revit jamais Mlle Mariana, ni la petite, rien, comme si la terre les avait avalées. Lui, c'était un peu pareil, parce qu'il est resté longtemps, très longtemps sans revenir, plus de dix ans, je crois. Enfin, il venait voir ton grand-père, mais il arrivait en voiture devant la porte, et il repartait sans dire bonjour à personne. Et quand je lui ai reparlé, il avait déjà épousé l'étrangère et il avait déjà deux ou trois enfants, parce que vous êtes nombreux, non ?

— Cinq, fis-je avec un sourire. Mais ma mère n'est pas une étrangère.

— Oui, je sais. » Elle sourit elle aussi. « Mais ici, au village, on a continué à l'appeler comme ça, parce qu'elle en avait l'air, et que ton père était parti, et avait vu la moitié du monde, tout ça... Je ne sais pas, on l'a vue arriver un jour, si maigre, si élégante, avec des lunettes noires qui lui cachaient la moitié du visage, et toujours tellement silencieuse, souriant sans ouvrir la bouche, comme si elle ne comprenait pas... Elle doit être étrangère, a dit quelqu'un, et on a tous pensé : "Bien sûr, ça doit être ça." Après... Eh bien, je ne lui ai jamais beaucoup parlé, mais juste quand elle disait bonjour, on comprenait que ce n'était pas une étrangère, qu'elle était d'ici.

— De toute façon, c'est très bizarre, cette histoire de maison... » En l'écoutant, je pensais que tout ça était si bizarre que l'explication devait être plus simple qu'il n'y paraissait. Mais mon père travaillait peut-être déjà dans une société immobilière qui voulait acheter la maison et peut-être s'était-il mis d'accord avec les propriétaires ou quelque chose comme ça. Parce qu'il avait toujours travaillé là-dedans et commencé en achetant des ruines pour les arranger et les revendre.

« Cela a un sens, intervint à nouveau la fille d'Encarna.

— Oui, enfin, je ne sais pas... » Sa mère n'en était manifestement pas aussi sûre. « Je t'ai dit que tout cela était très mystérieux. »

Elle me rendit la photo, je la remis dans mon portefeuille, consultai ma montre et m'aperçus qu'il était 14 h 30. Je pris les mains d'Encarnita, la regardai, lui demandai pardon de l'avoir retenue aussi longtemps, et la remerciai :

« Vous n'imaginez pas à quel point je vous suis reconnaissant de ce que vous m'avez appris sur ma grand-mère. Vraiment, je... Je ne sais même pas comment vous le dire.

— Ah ! Mais tu pars déjà ? me demanda-t-elle, très surprise.

— Bien sûr, maman... » Sa fille se mit à rire. « Il faut bien qu'il déjeune, et nous aussi.

— Bon, mais avant... Voyons, qu'on m'apporte la photo que j'ai dans la commode de ma chambre. » Sa petite-fille se leva tout de suite. « Il faut que tu la voies avant de partir. »

C'était une photo de classe traditionnelle, une cinquantaine de collégiens des deux sexes en rangs, placés par âge et par taille, sur les marches d'un bâtiment, et quatre adultes, – trois hommes et une femme, complétant la composition ; deux en bas, un de part et d'autre du premier rang, et deux en haut, ensemble et une marche au-dessus de la rangée la plus haute. Elle constituait une version insolite, juvénile, stylisée, provocante et séduisante de ma grand-mère, les cheveux lâches, les yeux toujours un peu saillants mais toujours brillants, aucune trace de double menton, ce qui l'avantageait. Lui, un homme mince, au visage allongé et aux cheveux noirs, de profil, la regardait et souriait comme s'il avait été seul avec elle.

« C'est ma grand-mère, n'est-ce pas ? » Encarnita acquiesça à cette question gratuite que je me sentis obligé de formuler de toute façon, parce que le temps semblait s'être retiré du visage et du corps de cette femme, qui devait avoir au moins dix ans de plus que la souriante épouse bourgeoise qui m'attendait à côté et avait l'air d'être sa petite sœur. « Et celui-ci doit être Manuel.

— Oui, et tu vois comment il la regarde, c'est pour ça, quand je te dis que ça faisait scandale... Et cette petite, ici, tu la vois ? C'est Teresita. Celle-là, c'est moi, et celle-là, c'est Amada... »

Teresa Carrión González ressemblait à sa mère, mais aussi à son frère. Brune, les yeux sombres, elle était coiffée avec une raie au milieu et deux petites nattes, serrées, nouées par un ruban à chaque extrémité. Son nez était plus petit que celui de mon père, mais sa grande bouche aux lèvres épaisses aurait très bien pu être la mienne. Très raide, très contente, avec un tablier très propre, elle posait les mains dans les poches et la tête droite, le menton levé selon le même angle que sa mère. Je la regardai pendant très longtemps sans rien dire, je regardai ma grand-mère, aussi, et je m'aperçus qu'Encarnita gardait intacte la pression de ses doigts sur un coin du cadre. Cependant il ne fut impossible de prévoir l'explosion qui allait suivre.

« Vous voulez bien me la laisser ? J'aimerais en faire un double, je...

— Non ! » Elle tira dessus et m'arracha la photo des doigts, avec plus de force que je ne l'aurais cru. « Non, pas question !

— Mais, maman... » Quand sa fille tenta d'intervenir, elle pressait déjà le cadre contre la poitrine et les bras croisés dessus, telle une martyre primitive. « Il ne va pas te la prendre ! Il l'emporte, il fait un double et il te la rend. Ça ne te dérange pas...

— Eh bien si, ça me dérange, tu sais ? Au contraire, ça me gêne beaucoup.

— Mais c'est sa grand-mère, maman ! C'est logique qu'il veuille cette photo. Qu'est-ce que cela peut te faire ?

— Eh bien, ça me fait, bien sûr, que ça me fait... » Encarnita avait perdu tout son aplomb, toute son assurance. À présent elle se lamentait comme une petite fille ; sa colère était si sincère que je regrettai aussitôt de lui avoir donné ce motif de contrariété. Soudain, elle ajouta une chose plus surprenante encore que son chagrin. « Pour moi, c'est une photo de ta mère, surtout de ta mère, et je n'ai pas envie de la lui donner, ni de la lui prêter. Ni rien. Elle est à moi, je veux l'avoir et c'est tout.

— Bon, maman... » Encarna l'étreignit et la vieille dame se réfugia entre ses bras. « Très bien, alors ne lui donne pas la photo, ça ne fait rien, tu sais ? Ça lui est égal, n'est-ce pas ? » Tout en me regardant, elle traça du doigt plusieurs cercles dans l'air, comme si elle voulait s'assurer que nous allions en parler.

« Non, non, bien sûr que non, m'empressai-je de déclarer. Et je regrette beaucoup tout ça.

— Ça ne fait rien, me rassura Encarna. Pas de problème. Cecilia, accompagne grand-mère dans sa chambre. Allez, qu'elle remette la photo à sa place avant le déjeuner. »

Elle fit passer la vieille dame de ses bras à ceux de sa fille et attendit qu'elles soient sorties par la porte avant de s'approcher de moi.

« Elle a quatre-vingts ans, tu sais, précisa-t-elle avec un sourire. Elle les a eus en février. Et elle va très bien, tu as vu, mais ce genre de chose lui arrive de temps en temps. Ne t'inquiète pas. Je te ferai faire un double. Un après-midi, j'irai avec elle dans un laboratoire du centre et je lui dirai que je veux faire un double pour la mettre à la pharmacie. J'en ai déjà une, mais elle ne s'en souvient sûrement pas. Donne-moi ton adresse, comme ça je pourrai te l'envoyer... »

Encarna me raccompagna à la porte, me désigna la maison dont nous avions parlé précédemment, et attendit que je parte, mais je n'étais pas arrivé au milieu de l'escalier qu'elle m'appela.

« Álvaro ! » Tandis que je me retournais pour la regarder, elle descendit quelques marches pour parvenir à ma hauteur. « Cela fait un moment que je pense que... Je vais te raconter autre chose. Je ne suis pas la fille d'Encarnita, tu sais ? Enfin, si, je suis sa fille, mais ce n'est pas ma mère biologique. »

Elle me regarda un instant, comme si elle m'accordait le droit de poser une question que je n'osai pas formuler. Puis elle me sourit et poursuivit :

« Ma mère s'appelait Amada et c'était la petite fille que tu viens de voir sur cette photo. Elle est morte il y a trois ans. Encarnita et elle ont vécu ensemble pendant plus de cinquante ans, avec une interruption de deux ans. Amada était plus jeune qu'Encarnita, et plus faible, alors à vingt ans elle prit peur, se confessa, prit encore plus peur et partit comme bonne pour Madrid. Là-bas, elle eut un fiancé qui faisait son service militaire et la mit enceinte avant de disparaître. Alors elle rentra au village, seule et plus effrayée que jamais. C'était la fille d'un garde civil et, à la caserne, ils ne furent pas très contents de la revoir. Encarnita lui pardonna pourtant tout de suite de l'avoir abandonnée. Son père, qui avait été le pharmacien du village – le propriétaire de la pharmacie que je possède aujourd'hui – était mort. Elle était fille unique, elle avait une vie plutôt aisée aussi lui ouvrit-elle sa maison. Ma mère y resta et y vécut jusqu'à sa mort. C'est ici que je suis née, c'est ici que j'ai grandi, bref... C'est ici que je suis, et que je vis maintenant avec mon mari et mes enfants. La mère d'Encarnita, qui pour moi est ma grand-mère, la seule que j'aie eue, s'est aménagé une chambre au rez-de-chaussée et a préféré ne pas savoir ce qui se passait dans le reste de la maison.

Mes mères – parce que j'en avais deux – dormaient à l'étage, dans la pièce principale, où je dors depuis que je me suis mariée. Mais d'après elles, elles n'étaient pas lesbiennes, elles ne l'ont jamais été. Elles étaient amies. Elles dormaient ensemble, se disputaient, se trompaient, avaient d'énormes disputes dans la cuisine, mais elles n'étaient pas lesbiennes.

— Elles ne le savaient peut-être pas, suggérai-je, tentant d'apporter un éclairage aimable à ce récit dont je n'avais pas encore été capable de deviner le sens ultime. Enfin, à l'époque... » Mais elle m'interrompit d'un éclat de rire.

« Bien sûr que si, elles le savaient ! Comment auraient-elles pu ne pas le savoir ? À cette époque et à n'importe quelle autre. Elles le savaient parfaitement, mais elles refusaient de le reconnaître... La seule fois où j'ai osé leur en parler, elles m'ont traitée de tous les noms, m'ont demandé comment je pouvais leur dire ça, comment je pouvais être aussi sale, aussi mal intentionnée, aussi ingrate, aussi mauvaise fille. » Encarna sourit à nouveau, et je souris avec elle. « Et elles continuèrent à aller à la messe bras dessus bras dessous tous les dimanches, en confessant tout ce qu'elles faisaient sauf au lit. Encarnita parvint à convaincre sa fiancée que c'était normal entre amies, que tout le monde sait que ça n'a pas d'importance, et que le péché n'est que ce qu'on fait avec les hommes. Et elles continuèrent à communier, à médire des autres, en me conseillant de faire attention aux garçons parce qu'ils cherchent tous la même chose – entre nous, je parierais n'importe quoi qu'elle ne sait même pas ce que c'est – et en étant heureuses, ça oui, parce qu'elles étaient très amoureuses l'une de l'autre, et je crois qu'elles ont été heureuses. Mais sans rien vouloir savoir. Jamais. Rien. Je t'en parle parce que tu es venu ici poser des questions sur ta grand-mère, et que tu ne savais rien d'elle, et je crois que... Bref, ce n'est pas si rare. Du moins pas dans ce pays.

— Merci, Encarna. » Elle hocha la tête, sans cesser de sourire. « Merci de m'avoir raconté ça. »

Je lui fis deux bises pour lui dire au revoir, et elle me les rendit. En montant en voiture, j'eus la sensation que ma grand-mère Teresa, et sa présence douce et bienfaisante continuaient de voler au-dessus de ma tête, me recouvrant et me protégeant à la fois. J'étais étourdi et pourtant tranquille, heureux de savoir mais encore incapable d'analyser ce que je venais d'apprendre, toutes ces informations qui tournaient dans ma mémoire – l'image de ma grand-mère, si jolie, si jeune, si fière, ce petit miracle du temps et de l'histoire qui l'avait fait vivre, qui l'avait tuée, qui me l'avait rendue après tant d'années sous la forme d'une image digne d'elle-même, de sa force, de son intelligence et de son courage. Il y avait une chose héroïque et familière, exemplaire et petite, grandiose et connue, merveilleuse et quotidienne, espagnole et universelle chez Teresa González Puerto, et tous ces ingrédients débouchaient au même endroit. Moi.

Je serais tombé amoureux de toi, grand-mère. Si j'avais eu ton âge, si je t'avais connue en 1936, si je n'avais pas été ton petit-fils, je serais tombé amoureux de toi. Voilà ce que je pensai, et cette pensée me mit de bonne humeur, parce qu'elle était bonne en soi et parce qu'elle me libérait du soupçon d'être injuste avec cet amour qui à tout autre moment de ma vie aurait suffi à charger de sens mon nom et mon prénom, et qui ne m'était pas parvenu jusqu'à présent, où je n'étais plus libre et où je ne regrettais pas ma liberté.

Aussi, à 16 heures précises, fermai-je les yeux et appuyai-je sur le bouton de l'interphone de chez Raquel.

« Oui ?

— Bonjour, c'est moi.

— Álvaro. » Ce n'était pas une question mais une affirmation, comme si elle avait reconnu ma voix. Cela me plut, même si la sienne avait un son neutre, poli, presque inexpressif.

« Oui, c'est que... Bon, je suis allé à Torrelodones, pour régler des papiers de mon père, et...

— Tu passais par ici.

— Non. » Elle finit par rire. « Je suis venu exprès.

— Monte. »

Quand je pris goût à me jeter du haut de cette montagne de sable compact et humide, fraîchement entassé, qui apparut du jour au lendemain dans la cour de l'école, il me sembla que la première fois était la meilleure, mais qu'elle manquait de l'émotion de la seconde, de la troisième, de la quatrième, car l'expérience ajoutait un ingrédient nouveau à chaque répétition. Quand je regagnai le lit de Raquel, je fus beaucoup plus ému que la première fois, mais pas aussi dépendant qu'alors des mouvements de la planète. Cela ne fut pas une perte, mais un gain, parce que l'étonnement qui se consolide devient une certitude beaucoup plus surprenante, et les seuls miracles qui valent la peine sont ceux capables de se répéter. Aussi, sans cesser de la regarder, de surveiller le rythme de sa respiration, fus-je capable de lui parler, de dire autre chose que des sottises.

« Je vais te raconter une histoire espagnole qu'on vient de me raconter. » Je me tournai de son côté, l'embrassai, la pris dans mes bras, l'embrassai à nouveau, et l'attirai vers moi sans cesser de l'embrasser. « Voyons si elle te plaira... »

Je ne lui parlai pas de ma grand-mère, j'en fus incapable, de même que je n'avais pas encore pu parler d'elle à Fernando Cisneros. Il ne s'agissait pas uniquement du fait que Teresa était à moi et rien qu'à moi, que j'aimais penser, sentir cela, mais ce n'était pas non plus de la simple pudeur. Il y avait une composante plus trouble et beaucoup plus romantique dans ma réserve, une précaution honteuse que j'allais devoir apprendre à gérer avant qu'elle ne devînt méprisable, mais je ne m'en sentais pas encore sûr. Tout m'arrivait en même temps, et tout arrivait trop vite. Je devais m'habituer au souvenir de ma grand-mère, laisser décanter peu à peu cette fièvre amoureuse, soudaine et si pure, jusqu'au moment où elle s'adapterait aux limites aimables et inoffensives des souvenirs véritables – images connues, histoires anciennes, personnages aussi familiers que leurs propres noms. Alors seulement je pourrais raconter la vérité, cette vérité enfouie et clandestine que j'avais connue tard, que j'avais connue à temps, sans me voir comme un étranger, un nouveau venu dans la course aux grands-parents admirables, un simple opportuniste, un petit-fils d'occasion. Teresa González Puerto ne méritait pas ce destin. Moi non plus. Aussi racontai-je à Raquel l'histoire d'Amada et d'Encarnita sans mentionner ma grand-mère, comme si j'avais rencontré dans la rue la pharmacienne de Torrelodones, une vieille amie de la famille, et qu'elle avait insisté pour m'inviter à venir chez elle pour que sa mère me raconte à quel point elle avait regretté la mort de mon père sans que je me doute qu'ensuite, pendant que nous nous disions au revoir, le vin qu'elle avait bu à jeun allait lui délier la langue de la sorte.

« Alors, ça t'a plu ?

— J'ai adoré, répondit-elle en riant. C'est une histoire incroyable n'est-ce pas ? Ces deux femmes, vivant ensemble pendant cinquante ans sans vouloir le savoir. Et tu ne t'en étais pas rendu compte ? Ça ne t'avait pas mis la puce à l'oreille ?

— Eh bien, je ne sais pas. » Je l'embrassai à nouveau. « En réalité, je ne sais rien de ce que vous faites, vous les femmes. Toi, par exemple... Qu'est-ce que tu fais avec tes amies ?

— Ce que vous pouvez être lourds, vous les mecs ! répliqua-t-elle en continuant à rire. Vous pensez toujours à la même chose... »

Et, à cet instant, alors que je la regardais, alors que je la célébrais, parce que la regarder là, et la regarder comme ça était une fête pour mes yeux, je compris tout.

« Putain ! » Je m'écartai d'elle doucement, m'assis sur le lit, me tins la tête entre les deux mains. « Putain, putain, putain, putain...

— Mais qu'est-ce que tu as ? » Raquel s'assit à côté de moi. « Álvaro...

— Putain ! »

Cela avait aussi été de sa faute, me dis-je en la regardant. Parce que si je n'avais pas été étourdi depuis deux jours, à ne penser qu'à son lit et au moyen de m'y glisser à nouveau, j'aurais été plus rapide et plus malin. Mais le récit d'Encarnita s'ajustait à peine à ma mémoire familiale – ces données sommaires sur une petite maison, à louer, près de la gare, et une fillette de sept ou huit ans qui n'avait jamais parlé au fils de la maîtresse quand elle le rencontra par hasard, longtemps après, marchant sur la Gran Vía et devenu un monsieur. C'était surtout de la faute de Raquel, me répétai-je. Or aucun de nous deux n'était coupable de rien, et je n'étais pas disposé à laisser mon père me gâcher l'après-midi. Et, sans être non plus très sûr de la signification réelle de cette découverte, je me laissai retomber sur les draps lentement, j'étreignis Raquel, l'embrassai à nouveau, et trouvai une excuse en cours de route.

« Rien, ce n'était rien. Tout d'un coup je me suis souvenu que j'aurais dû être à l'instant même à la fac, parce que j'avais une réunion très importante, mais j'avais oublié que j'avais délégué mon vote, alors... Rien. » Je la serrai un peu plus fort, jusqu'à ce que mon nez frôle le sien. « Je ne sais pas où j'ai la tête en ce moment. »

Elle s'éloigna de quelques centimètres pour me sourire, me laissa deviner que l'idée que je néglige mes obligations académiques à cause d'elle lui plaisait, m'embrassa, et tout recommença à couler avec une tranquillité rose, la paisible habitude de l'eau qui coule, comme si la fille de Mlle Mariana, cette fillette si jolie et si blonde, aux yeux très bleus, qu'Encarnita n'avait pas pu reconnaître de longues années plus tard parce qu'elle l'avait très peu vue, ne s'était pas appelée Angélica. »

Comme si, avec le temps, cette petite fille n'était pas devenue ma mère.

La première fois que Ignacio Fernández Muñoz vit Anita Salgado Pérez, il trouva qu'elle était très jolie. Il pensa aussi qu'elle était espagnole. Pas uniquement à cause de sa petite taille, de la couleur de ses cheveux, sombres, ou de ses yeux, noirs et immenses, doux, mélancoliques. L'inconnue qui marchait sur le trottoir dans sa direction avait la peau très pâle, un corps menu mais potelé, harmonieux, gracieux comme celui d'une poupée, qui aurait pu être français mais était forcément espagnol, il en était sûr. C'était peut-être sa façon de marcher, ou sa coiffure, mais ce fut surtout l'expression, prudente, presque peureuse et hostile à la fois, orgueilleuse et triste, de son visage. Au cours de ces trois dernières années, Ignacio Fernández l'avait souvent contemplée, dans les campagnes et dans les villes, chez les hommes et chez les femmes, les jeunes et les vieux, et même chez les enfants espagnols. Aussi, quand il la vit ralentir le pas en approchant de la porte qu'il surveillait en vain, avec l'aide maladroite d'un journal ouvert depuis presque une demi-heure, faillit-il s'adresser à elle, lui expliquer qui il était, lui demander de le laisser monter. Il n'en fit rien parce que, en passant à côté de lui, elle le frôla avec le panier qu'elle portait.

« Pardon », dit-elle en espagnol, et elle leva la tête pour le regarder.

« Ce n'est rien », répondit-il, en espagnol lui aussi, et elle sourit avant de mettre la clé dans la serrure.

Alors Ignacio Fernández Muñoz se rendit compte qu'il pouvait s'éviter des explications, et dans sa situation il n'y avait rien de mieux, de plus opportun. Il revint donc à son journal, fixa le même gros titre qu'il avait déjà regardé inlassablement sans le lire, entendit le grincement de charnières mal graissées, la vit entrer du coin de l'œil droit et se contenta d'avancer le pied pour empêcher la porte de se refermer entièrement. Puis, pendant que son cœur s'accélérait, il leva la tête et regarda sur sa gauche. Un couple âgé qui marchait très lentement venait de tourner au coin d'une rue lointaine. Il ne vit personne d'autre, fit demi-tour pour regarder dans la direction opposée. Sur le trottoir d'en face, passait un adolescent qui ne lui prêta aucune attention. Ignacio entra dans l'immeuble. L'entrée était humide et froide. Il attendit quelques secondes et gravit l'escalier en guettant chaque bruit, mais aucun voisin ne se manifesta.

Arrivé au deuxième étage, il jeta un coup d'œil circulaire, repéra la porte, sonna, et distingua très vite un bruit de talons madrilène, familier. Ce son l'émut beaucoup, c'était le pas de sa mère et il pouvait encore le reconnaître sans hésiter. Quand la porte s'ouvrit, elle, en revanche, ne le reconnut pas. Dans la pénombre du seuil, Ignacio s'aperçut qu'elle lui jetait un regard peureux, les yeux ouverts comme s'ils criaient, la gorge nouée. Il fit un pas en avant, la poussa à l'intérieur de la maison, se plaça derrière elle, lui entoura la taille de son bras gauche, lui couvrit la bouche de la main droite et referma la porte avec le pied. Il fit tout cela très vite et très bien, comme si cette femme, qui était sa mère, avait été un soldat ennemi.

« Ne crie pas, maman, s'il te plaît, ne crie pas. » Il la relâcha peu à peu. « C'est moi, Ignacio. Je viens de m'échapper. »

María Muñoz se retourna très lentement, regarda son fils et ne put croire que cet homme âgé, barbu et sale, las, consumé, pâle, était Ignacio, son fils. Trois ans de captivité et de travaux forcés avaient transformé son jeune fils, le seul qui lui restait, en un individu sans âge, si mince qu'elle pouvait apercevoir ses côtes à travers le tissu sombre de sa chemise. Il était presque dépourvu d'humanité, de cette dignité à la fois corporelle et spirituelle qui fait seulement défaut à certains mendiants, certains alcooliques, et aux malades condamnés qui agonisent seuls entre les draps sales des hôpitaux de la Charité. Ce fut ce que María trouva dans la silhouette d'Ignacio. Ce fut ce qu'il vit dans le regard de sa mère et il se sentit si seul, si perdu dans son absence, qu'il s'écroula. Alors il la relâcha encore, s'appuya contre le mur et ferma les yeux. Son chagrin dénoua les fils de la stupeur et de la distance.

« Ignacio ! »

La mère étreignit son fils, elle ne l'entoura pas de ses bras, ne le consola pas, ne le soutint pas. Elle lui caressa le visage de ses mains jusqu'à ce que les larmes l'empêchent de le voir, puis elle les referma, les serra, et pressa la tête contre sa poitrine, y cherchant refuge comme elle l'avait fait à Madrid, la dernière nuit où ils avaient dîné ensemble. Cette nuit qui allait être la pire de sa vie et qui ne fut que le début d'une tempête dont ni elle ni personne n'aurait pu calculer la portée.

« Mon fils chéri, mon fils chéri, mon fils... ! »

Dans la mémoire d'Ignacio Fernández Muñoz, ces larmes silencieuses et chaudes, qui pleuraient sur sa vie et sur la mort de Mateo, la ruine certaine et le salut improbable de sa famille, devaient se fondre avec d'autres larmes différentes et pourtant semblables, lointaines mais proches. Il lui semblait que les yeux de sa mère, ceux de nombreux autres hommes et femmes avec des histoires distinctes, similaires, étaient pris dans une boucle insupportable et perverse, condamnés à verser toujours, depuis toujours et pour toujours les mêmes pleurs.

C'était comme ça qu'il se rappellerait la scène des années plus tard ; comme s'il ne s'était rien passé depuis le jour où son frère l'avait cherché du regard dans un camion. Ce jour où il avait porté à sa bouche sa seule main libre pour lui faire comprendre que son cœur se brisait, que son cœur n'était plus humain. Cependant, il s'était passé des choses, beaucoup de choses, et la plus importante de toutes était qu'il était toujours vivant. Cela lui aurait été égal de mourir, mais il lui était échu de vivre et il l'avait fait. Il avait continué à voir, et à entendre, il avait continué à dormir et à respirer depuis ce jour-là, depuis qu'il s'était effondré comme mort au camp d'Albatera, avant de sentir immédiatement un coup de pied mou, complice, qui l'obligea à ouvrir les yeux juste à temps pour voir les bottes du garde qui venait droit sur lui, pendant que ses oreilles distinguaient un murmure précipité en aragonais.

« Allez, relève-toi, mon vieux, ne fais pas l'imbécile... »

Quand il tourna la tête, il vit un petit milicien brun qui le regardait d'un air soucieux, mais il n'eut pas le temps de faire ou dire quoi que ce soit.

« Qu'est-ce que tu as ? » Le garde lui donna un coup de pied beaucoup moins aimable.

« Rien, il s'est tordu la cheville, répondit le milicien à sa place.

— Et c'est pour ça que tu es à terre ? » L'autorité se réjouit de la nouvelle avec un rictus tordu. « Eh bien, pour des "hommes d'acier", je dois dire que vous êtes plutôt des chochottes.

— Oui, bon, ça fait très mal... » Le milicien le tira par le bras gauche et il se leva avec difficulté, non parce qu'il voulait feindre que sa cheville lui faisait mal, mais parce qu'il se retenait pour ne pas se jeter sur cet homme, le renverser, le désarmer, lui tirer une balle dans la tête et se laisser tuer ensuite. C'était une fantaisie récurrente, plus rageuse que suicidaire, qu'il apprendrait à dominer par la suite. « Mais ça va mieux non ? »

Il se contenta d'un signe de tête affirmatif, les yeux rivés au sol, et il se mit à marcher à côté de son sauveur, qui lui arrivait à peine à l'épaule.

« Qui c'était, ton frère ? lui demanda-t-il au bout d'un moment.

— Oui, répondit enfin Ignacio. Mon frère aîné.

— Je vois... » Il agita la tête comme s'il se félicitait de son intuition. « C'est ce que je me suis dit, vous n'aviez pas l'air de pédés. »

Ignacio Fernández Muñoz sourit, parce que survivre consiste aussi à garder le sourire, et il observa mieux celui qui l'accompagnait, mince, nerveux, avec de très grandes mains, fortes et noueuses, la tête ronde, rasée, dégarnie, l'air typique d'un paysan élevé au climat capricieux de l'Espagne.

« Merci pour tout à l'heure », lui dit-il alors. Et tandis qu'il lui tendait la main il se présenta.

« Bon sang, quelle chance, répondit-il en la lui serrant.

— De la chance ?

— Bien sûr, répliqua-t-il, surpris. Tu sais le nombre d'Ignacio Fernández Muñoz qu'il doit y avoir en Espagne ? Au moins des centaines, sûrement des milliers, alors... Tu ne seras pas embêté, si on fusille ton frère. D'où es-tu ?

— De Madrid.

— Ben, mon vieux, il y en a qui ont vraiment du bol... » Alors il lui sourit, et s'expliqua de cette façon lente, particulière, à laquelle Ignacio s'habituerait très vite. « Je m'appelle Roque Ansó Ansó, et je viens du village voisin. Du village voisin d'Ansó, je veux dire. On n'est même pas trois cents, tous cousins, les fachos et nous, alors tu sais, moi, ce ne sont ni la paix ni la charité qui vont me libérer, comme disait ma grand-mère... Mon frère aîné a été tué lui aussi. Dans la province de Castellón, il avait atterri là-bas, au front. Je crois qu'il vaut mieux mourir comme ça que fusillé, mais avec un peu de chance, ma mère va pouvoir choisir où... »

Ils devinrent amis. Très amis. Des amis comme ceux qu'on se fait dans les camps de concentration, aux travaux forcés, dans les prisons, à la guerre. Roque avait vingt-cinq ans et ils ne se ressemblaient en rien, mais ils pouvaient rester ensemble et silencieux, l'un à côté de l'autre, pendant de longues heures. Cette condition, si rare dans un lieu où l'on ne pouvait pas faire autre chose que parler et marcher, aurait suffi à les unir même si Ignacio n'avait pas autant apprécié l'humour de Roque, noir, serein, habitué à résister aux difficultés, ce fatalisme indolent, mais aussi élégant à sa façon, de ceux qui sont condamnés dès le berceau à la pauvreté, à la fatigue, à la même mort que leurs parents, aussi ordinaire, aussi prématurée, aussi démunie. Le stoïcisme de Roque équilibrait dans une proportion exacte la rage pourpre, épineuse et violente, qui blessait toujours Ignacio quand il regardait autour de lui pour recompter, une par une, toutes les choses qu'il avait possédées, qui lui avaient été arrachées, et surtout la foi, « si vous la voulez, venez la chercher, je vous attends » qui avait fini par être pour lui plus importante que le fait de rester en vie. Alors le sang désertait ses joues, se concentrait sur ses lèvres, sur le cercle rougeâtre de ses yeux. Il serrait les poings, frappait l'air, et sentait tout de suite la main de Roque sur son épaule. Il entendait sa voix, rauque et souriante : « Bon, à ce stade, tant que tu ne veux pas te battre avec moi... » Et ils se mettaient tous les deux à rire.

Ils devinrent amis, très amis, et cette amitié élémentaire et élaborée, déséquilibrée et utile, soudaine et sincère, les sauva tous les deux, car si Roque ne lui avait pas dit qu'il était chanceux, s'il n'avait pas calculé à haute voix le nombre de rouges espagnols qui pouvaient s'appeler comme lui, Ignacio n'aurait peut-être pas su interpréter le geste de découragement sur la bouche du lieutenant qui servait de secrétaire, dans ce bureau où il fut convoqué à la mi-juin.

« Quelle joie, encore un nom exotique ! » murmura-t-il tout en humectant son index pour tourner plus vite les feuilles de l'un des classeurs qui s'étalaient par terre, dans toutes les directions.

Cela n'aurait peut-être même pas suffi, car lorsque Ignacio Fernández Muñoz regarda le colonel en face, il ne pouvait penser qu'à une chose, quel dommage que j'aie gaspillé cette balle avec ce malheureux à las Vistillas au lieu de te la loger entre les deux yeux, mon salaud. Et pourtant, et à la faveur de ses fantaisies homicides, quand on le convoqua pour faire sa déposition, il s'était déjà aperçu que Roque avait raison. S'il parvenait à abuser cet homme, à se camoufler parmi les Espagnols qui partageaient son nom et son prénom, peut-être aurait-il un jour la possibilité de loger une balle entre les deux yeux à d'autres tels que lui. Cette simple perspective était beaucoup plus heureuse, plus héroïque, plus glorieuse, que la démonstration d'arrogance à laquelle les officiers républicains, faciles à identifier, n'avaient eu d'autre solution que de recourir, comme peut-être Mateo, son frère, parce que personne ne lui avait fait remarquer à quel point les patronymes Fernández et Muñoz étaient répandus. S'ils me fusillent, ils gagnent et je perds, pensa-t-il. S'ils ne me fusillent pas, nous gagnons, moi et les miens. La prison allongeait les délais et réduisait l'intensité, mais n'altérait pas le bilan de cet avenir. Aussi entra-t-il dans le bureau les bras ballants, les épaules contractées, et avec un air de panique déférente qui ne céda pas en présence de l'ennemi.

« Fernández Muñoz. C'est comme ça que tu dis que tu t'appelles, non ? » C'était le chef qui posait les questions.

« Oui, monsieur, Ignacio. Je n'ai pas de papiers parce qu'on me les a volés, on m'a volé tout ce que j'avais dans les poches, et...

— D'accord, d'accord... Il vous est arrivé la même chose à tous. » Et cette réflexion, au lieu de l'impatienter, sembla l'amuser, car c'était pour cela qu'il avait gagné la guerre. « Ignacio Fernández Muñoz. Peláez, tu as entendu...

— Oui, mais c'est qu'avec ces noms ! » Le sous-lieutenant s'empressa de confirmer les calculs du prisonnier à voix haute. « J'en ai ici plusieurs tomes, mon colonel.

— Et d'où es-tu ?

— De Madrid, monsieur. » Le colonel sourit à son subordonné en l'entendant.

« Ça ne nous aide guère... » Et il laissa même échapper un petit rire, comme si cela le divertissait de le taquiner. « N'est-ce pas, Peláez ? »

Celui-ci ne répondit pas et son chef s'adressa à nouveau au prisonnier.

« Tu es très jeune, n'est-ce pas, petit ? Quel âge as-tu ?

— Vingt et un ans, monsieur. » Il osa lui donner une information qu'on ne lui avait pas demandée. « Je n'ai rien fait, monsieur, je suis une simple recrue, un conscrit de 18. Quand j'ai été appelé, eh bien... J'ai dû me présenter, qu'est-ce que je pouvais faire, mais je ne me suis pas enrôlé comme volontaire, ni rien... Eh oui, j'ai laissé ma mère seule, la pauvre, ça a été si dur pour elle... »

Cela marcha si bien que, un instant plus tard, il perçut lui-même le doute dans la voix de Peláez.

« Pour le moment, j'ai trouvé trois Ignacio Fernández Muñoz qui sont de Madrid et qui ont vingt et un ans, mon colonel, mais le seul qui cadre est capitaine.

— Capitaine ? Si jeune ? s'étonna son chef.

— Oui, dit Peláez qui ne s'étonnait plus de rien. Les rouges, vous savez, faisaient monter les leurs en grade au petit bonheur la chance...

— Ouïe ! » Ignacio fit un commentaire très étudié, à voix basse, sur un ton peiné et comme pour lui-même : « Capitaine, moi ! Que Dieu m'en préserve !

— Ce capitaine Fernández Muñoz... » Le sous-lieutenant le regarda comme s'il pouvait lire la vérité dans ses yeux, mais le capitaine Fernández Muñoz ne se troubla pas. « ... était communiste. Il a été arrêté par les partisans de Casado, et ils l'ont envoyé à Porlier mais il n'y est jamais arrivé. C'est pour ça que je n'ai pas d'autres renseignements... »

Il rendit son regard à Peláez, puis au colonel, vit le regard qu'ils lui adressaient tous les deux, comprit qu'ils essayaient de deviner si l'homme qu'ils avaient devant eux pouvait être un capitaine communiste, calcula les possibilités qu'ils avaient de le vérifier avant qu'il sorte de ce bureau, se rappela que le camp d'Albatera était tellement grand et tellement bondé qu'il n'était lui-même pas parvenu à y retrouver son frère et il découvrit que ce que certains disaient était vrai. Les fachos étaient débordés, ils avaient tellement de prisonniers qu'ils ne s'en sortaient pas, et ils ne savaient plus qu'en faire. Dans sa situation, ces rumeurs signifiaient une seule chose. S'il tenait bon, avec un peu de chance, ils finiraient par l'envoyer à Madrid pour qu'il s'identifie par ses propres moyens.

« Je ne suis pas communiste, monsieur, ajouta-t-il alors, pleurnichant comme un enfant effrayé. Je ne suis rien, je vous jure, je n'ai jamais appartenu à un parti... »

Quand le colonel l'informa que le plus probable était qu'on l'envoie à Madrid par le prochain train, et qu'à son arrivée là-bas il devrait se présenter à la caisse de recrutement dont il dépendait avec des témoins ou des documents aptes à établir son identité, il lui sourit en le remerciant. Tu parles, qu'ils vont m'identifier, pensait-il en sortant du bureau.

Il n'avait pas fait cent mètres qu'il se souvint qu'il était blond et grand – bizarre pour un Espagnol. Son apparence physique contrebalançait l'avantage de son nom, en faisait quelqu'un de facile à identifier dans une masse homogène où Roque, sans aller plus loin, passait heureusement inaperçu. Alors, l'espace d'un instant il prit peur, mais cela ne dura qu'un instant. Il ne lui en fallut pas davantage pour comprendre que ce geôlier socialiste qui s'appelait Rogelio lui avait sauvé la vie à deux reprises, parce que s'il était allé en prison et qu'on l'eût relâché ensuite, comme ce fut le cas pour la plupart d'entre eux, sa description physique, sa stature, sa constitution, la couleur de ses cheveux, de ses yeux, auraient été enregistrées dans l'un des classeurs de Peláez. Les derniers geôliers républicains de Madrid ne s'étaient pas donné la peine de détruire les registres des prisonniers communistes de mars 1939. Cela aussi, ils l'avaient offert à Franco, et il n'avait pas fallu deux jours aux franquistes pour les remettre tous dedans. Savoir combien d'entre eux sont encore vivants, pensa Ignacio, et il éprouva presque de la honte d'avoir cédé à la faiblesse d'avoir peur. Et alors ? se dit-il. Il n'avait rien à perdre. Il avait déjà tout perdu, et pourtant il commença à projeter sa fuite avec Roque.

« C'est impossible. » Rufino, un camarade, catalan et cheminot, qui avait l'âge d'être son père, commença à nier de la tête avant de lui donner le temps de s'expliquer. « Tu ne peux pas te jeter d'un train comme ça. Tu vas te tuer.

— Je préfère me tuer plutôt que de me laisser tuer.

— C'est bien vu, non ? » Roque adressa un regard admiratif à Ignacio. « C'est très bien vu... »

L'idée lui plut dès le début. À tel point que, lorsqu'on l'appela, il se risqua à donner une fausse identité, celle d'un soldat d'Ignacio, une recrue de son âge qui aurait pu être mort ou vivant, en prison ou au camp d'Albatera même. C'était très dangereux et il le savait, mais il s'appelait Roque Ansó Ansó, il était du village voisin, là-bas ils n'étaient que trois cents, tous cousins, les fachos aussi, et ce n'étaient ni la paix ni la charité qui allaient le libérer. Ce fut la chance qui s'en chargea, non pas une, mais plusieurs fois.

« J'ai pensé que, peut-être... » Rufino s'approcha d'eux quelques jours plus tard, quand ils ne se promenaient plus, ni ne se laissaient voir en dehors de la zone du camp qu'ils considéraient comme la leur, sûre, pour éviter toute rencontre indésirable. « Ça ne va pas être facile, parce qu'on vous mettra certainement dans un wagon de marchandises, mais si vous faites attention aux changements de lumière et surtout au bruit, vous pouvez compter les tunnels. Après le neuvième, vous constaterez que le train va encore plus lentement. C'est là. » Et il les désigna du doigt. « Vous sautez là, où il n'y a rien à faire. C'est une zone plate, cultivée mais avec des arbres, où on vous verra de loin, mais vous ne vous ferez pas mal. Vous devrez vous cacher quelque part jusqu'à la nuit, et après avoir marché pendant deux kilomètres dans le sens de la voie jusqu'à Tarancón. Si le chef de gare est toujours un petit homme ventru, plutôt chauve, les cheveux blancs, d'une soixantaine d'années, vous pouvez lui parler et lui dire que vous venez de ma part. Il s'appelle Alfredo et on peut lui faire confiance. Qu'il vous mette dans le train de marchandises qui va à Barcelone.

— Et si Alfredo n'est pas là ? demanda Roque, inquiet.

— Si Alfredo n'est pas là, on monte tout seuls dans le train de marchandises de Barcelone. Et de Barcelone, on va à ton village et on passe la frontière, lui répondit Ignacio.

— Oui, oui..., dit Rufino. À Madrid, vous êtes vraiment incroyables. Vous n'avez aucune idée de rien, mais vous vous en fichez, et allez !, que tout le monde aille se faire foutre. Voyons, Ignacio... tu as déjà vu les Pyrénées de près ?

— En photo. » Il se mit à rire.

« C'est ça. Comment allez-vous passer les Pyrénées par son village, sans guide ? Parce que tu ne connais pas le chemin, Roque, non ?

— Eh bien... » Il se gratta la tête, réfléchit, esquissa une moue sceptique. « Connaître, connaître, je dois dire que non, mais bon, je crois que quand on arrivera là-bas, en montant, un peu plus ou un peu moins...

— Qu'est-ce que tu ferais, toi, Rufino ? demanda Ignacio, pendant que le Catalan finissait de rire.

— Eh bien, certainement passer par Ansó, il n'y a que trois chèvres et elles connaissent toutes Roque depuis tout petit, non ?

— Dis, sans manquer...

— Tais-toi un moment ! » Ignacio saisit son ami par les épaules et répéta la question : « Qu'est-ce que tu ferais, toi ?

— Moi, je resterais à Barcelone. » Rufino fit une pause pour les regarder lentement, d'abord l'un, puis l'autre, et il poursuivit sur un ton incertain, presque sombre. « J'habite là-bas, et il y a ma femme, mais je n'ose pas vous donner son adresse. Si quelqu'un vous suivait... C'est trop dangereux, et elle a déjà assez à faire, avec trois gamins et moi ici.

— Bien sûr, Rufino, ne t'inquiète pas, le rassura Roque.

— Pour nous, tu n'as pas de femme, Rufino, insista Ignacio. On n'irait pas la voir même si on savait où elle habite. Alors on est à Barcelone et on ne connaît personne. Qu'est-ce qu'on fait ?

— On va au marché de la Boquería, répondit-il, plus calme. Ça, je l'ai souvent fait, à votre âge, quand j'avais envie de me balader. Vous proposez de décharger des camions pour vous faire bien voir, jusqu'à ce que vous en trouviez un qui va à Gérone et qui accepte de vous emmener. Avant, ce n'était pas très long. Maintenant, j'imagine qu'il doit y avoir une foule de gens pour travailler dans n'importe quel domaine, mais je peux vous donner quelques noms. » Il se tut un instant. « Ce n'est pas dangereux. Et puis, de Gérone, vous cherchez un moyen d'arriver à Puigcerdá. Là-bas, les femmes passent la frontière en empruntant la voie de chemin de fer, avec un panier, pour aller faire des courses en France. Vous, vous ne pourrez pas, bien sûr, mais à travers champs, il est beaucoup plus facile de traverser par là que par Huesca, car le passage est plus large, plus plat, et vous avez le repère du chemin de fer. Voilà ce que moi, je ferais.

— Nous aussi. » Ignacio regarda Roque.

Ignacio pensa à Rufino en sautant du train, et en prenant congé d'Alfredo, qui leur donna des vêtements civils, une bouteille de Valdepeñas, et un sandwich au lard du cochon qu'il avait tué lui-même, avant de les mettre dans un wagon de marchandises de Barcelone. Quand ils essayèrent de le payer pour ce qu'il faisait pour eux, il se mit à rire.

« Cet argent ne vaut rien, leur dit-il.

— Oui, mais tu pourras le changer à la banque, non ? Au moins en partie.

— Non, on ne peut pas le changer, pas un centime.

— Et les gens ? Y compris les leurs, ceux qui étaient dans notre zone... Que font les gens, alors ?

— Qu'est-ce qu'ils peuvent faire ? dit Alfredo. Ils sont baisés. »

À ce moment, Ignacio revit les yeux de sa cousine Mariana, l'éclat métallique, serein, de ce regard chargé de patience, la sérénité facile, commode, presque impassible, voire insensible et donc impitoyable, d'un paysan qui ne prête pas attention à la mansuétude de la pluie qui trempe ses champs très lentement. Ignacio se rappela la froideur des yeux de Mariana lors de ces journées chaudes qui faisaient fondre le métal, et il fut affligé de ce regard dans lequel voyageait la lumière de son avenir. Il se consola en pensant que, la veille au moins, il avait pu remercier Rufino qui, à sa façon, lui avait à nouveau sauvé la vie. Cela, même Roque le reconnut, il cessa d'insister sur le fait que ce serait mieux d'aller dans son village quand les calculs du Barcelonais commencèrent à s'ajuster à la réalité comme les versets d'une prophétie, dans ce marché où ils ne déchargèrent que trois camions avant de trouver celui qu'il leur fallait, et à Gérone, d'où ils allèrent à Puigcerdá par différents moyens, le jour à travers champs, la nuit par la route, sur une charrette, dans un autre camion. Sans Rufino, ils ne seraient pas allés bien loin. Sans le berger qu'ils attaquèrent près de Puigcerdá pour découvrir qu'il leur aurait montré le chemin même s'ils ne l'avaient pas renversé pour lui placer son propre couteau sur le cou, non plus.

Quand ils comprirent qu'ils étaient arrivés en France, ils s'étreignirent, rirent, crièrent, marchèrent encore un peu en direction des lumières qui semblaient indiquer le village le plus proche, et ils s'abritèrent dans une grange, chacun avec sa couverture, leur dernière possession, la seule à laquelle ils n'avaient pas voulu renoncer. Ils étaient épuisés, mais Ignacio eut encore le temps de se rappeler Rufino une fois de plus. « Si vous arrivez en France, écris-moi pour me raconter », lui avait-il dit après l'avoir embrassé pour lui dire au revoir. « Et où est-ce que je t'écris, Rufino ? » Il le regarda, lui sourit, hocha la tête et l'étreignit à nouveau, plus fort que la première fois. C'était à ça que pensait Ignacio Fernández Muñoz, au nombre de dettes qu'il avait contractées en échange de sa vie et au fait qu'il devrait trouver un moyen de les payer, quand il s'endormit cette nuit-là, l'avant-dernière de juin 1939. Le lendemain, en revanche, il n'eut le temps de penser à rien.

« Bonjour, messieurs. » En ouvrant les yeux, il vit que deux gendarmes les regardaient. « Vos papiers, s'il vous plaît, dirent-ils en français.

— Bonjour », répondit-il, et il se leva d'un bond en essayant de se convaincre lui-même que ce n'était pas de l'hostilité qu'il lisait sur le visage de ces fonctionnaires. « Mais nous n'avons pas de papiers encore, parce que nous sommes des réfugiés espagnols, républicains, vous savez... Nous sommes arrivés hier, très tard.

— Ah ! » Roque, dégourdi par la conversation, le regarda avec étonnement pendant que le gendarme qui s'était adressé à lui agitait en l'air les doigts de la main droite pour composer un geste universel. « Tu parles français ?

— Alors... » Ses paroles confirmèrent le sens du geste. « Venez avec nous », leur intimèrent les policiers.

Ils se levèrent d'un bond, tout à fait prêts, et ce fut ainsi que commença la deuxième partie de leur voyage, qui devait être facile et fut beaucoup plus difficile que la première, parce que ni Rufino, ni Alfredo, ni personne, ne pouvaient les aider.

Ils les firent monter dans une camionnette où attendaient déjà d'autres Espagnols, un petit homme chauve, avec des lunettes, d'une quarantaine d'années, en costume cravate, qui serrait à deux mains un porte-documents en cuir comme ceux qu'utilisaient les voyageurs, une femme grisonnante qui ne desserra pas les lèvres tout en pleurant sans bruit, et deux miliciens à l'allure très semblable à celle de Roque, l'un valencien, l'autre galicien. Ils leur racontèrent ce qui les attendait, mais Ignacio ne voulut, ne put le croire. Pas de la France, pas en France, malgré la non-intervention, la fermeture de la frontière, les armes achetées légalement avec de l'argent espagnol, républicain, qui devaient encore être en train de pourrir à un poste de douane quelconque sans être jamais parvenues sur les fronts auxquels elles étaient destinées. Il ne voulut pas le croire, et pourtant il entendit à nouveau, un par un, le sifflement des balles qui avaient eu raison de la vie des suicidaires du port d'Alicante, les Espagnols qui avaient préféré mourir plutôt que vivre en Espagne quand ils comprirent que le monde entier les avait livrés, que ni les Français, ni les Anglais, ni les Américains, aucun pays neutre, aucune démocratie, aucun de ceux qui s'appelaient eux-mêmes les ennemis du fascisme, n'allaient leur envoyer de bateaux. Personne n'avait voulu les aider, pas même leur donner une possibilité de goûter à l'amertume de l'exil, et on avait ainsi fait d'eux du gibier de potence, le butin de guerre le plus convoité par les vainqueurs, eux, les derniers à être restés fidèles, trahis par tous. Il savait ce qui s'était passé, il l'avait vécu, il y était, mais malgré ça il ne pouvait pas le croire. À l'époque oui, mais plus maintenant, pas aujourd'hui, pas dans la défaite, pour quelle raison, dans quel but, la France avait toujours ouvert les portes ouvertes aux exilés, aux réfugiés de tous pays...

Ignacio Fernández Muñoz ne voulut pas croire ce qu'on lui disait. Il apprendrait très vite que chaque fois que quelqu'un, quelque part, dans une langue quelconque, entonnerait cette chanson qui commence par demander aux damnés de la terre de se lever il leur parlerait d'eux, des républicains, des rouges espagnols, sans le savoir. Parce qu'il y avait peut-être ailleurs dans le monde des damnés comme eux. Mais plus qu'eux, aucun.

Il l'apprit très vite, quand il se leva d'un long banc couvert d'hommes bruns accrochés à leur couverture, de femmes brunes avec de jeunes enfants et des paniers en osier, pour s'approcher d'un gendarme qui était assis à une table où il y avait un écriteau avec le mot *Information*.

« Excusez-moi, monsieur, mais j'aimerais savoir pourquoi j'ai été arrêté », demanda-t-il à l'homme dans sa propre langue, sur un ton exquis et délicieusement respectueux.

Celui-ci lâcha la plume avec laquelle il était en train de remplir le formulaire et le regarda attentivement.

« Si je ne m'abuse, vous êtes espagnol, n'est-ce pas, un soldat de la République, et vous avez passé la frontière de façon illégale. » Ignacio fit un signe de tête affirmatif et reçut en échange un sourire goguenard. « Alors nous avons une bonne raison de vous arrêter, parce que nous ne sommes pas disposés à laisser notre pays se remplir d'assassins.

— D'assassins ? répéta Ignacio, pendant que ses veines se glaçaient. Je ne suis pas un assassin, monsieur. Je suis un combattant antifasciste qui s'est battu pour la liberté de son peuple.

— Oui, oui, c'est ça en tuant des curés et des religieuses.

— Des curés et des religieuses, monsieur ? » Ignacio Fernández Muñoz fit une pause pour maîtriser l'indignation qui l'étouffait, et il parvint à respirer, à grand-peine, en répondant à sa propre question. « Je n'ai tué ni curé ni religieuse. Je me suis battu pendant trois ans pour défendre le gouvernement légitime de mon pays. J'ai fait une guerre et je l'ai perdue, parce que vous, et les Anglais et les Américains, tous les démocrates, vous avez fait ce qu'il fallait pour que le fascisme triomphe en Espagne...

— Retournez à votre place ! Immédiatement ! » lui cria le gendarme. Pourtant, quand ce fut à son tour de déposer, le fonctionnaire en civil qui occupait la table du fond le traita avec davantage de respect.

« Vous parlez très bien français. » Et il lui sourit avant même de poursuivre. « Vous avez de la famille ici ?

— Oui, mes parents et mes sœurs vivent à Toulouse. J'ai passé la frontière dans l'intention de les retrouver, expliqua-t-il, plus calme.

— Ils sont espagnols, réfugiés comme vous ? » Ignacio le lui confirma en silence, tout en sentant que le ton de la conversation n'augurait rien de bon. « Vous ne seriez pas basque, par hasard ?

— Non, je suis de Madrid. » Cette réponse n'égaya guère son interlocuteur, qui souffla tout en ébauchant un signe de tête négatif. « Pourquoi, les Basques sont traités différemment ?

— Pas exactement, mais leur gouvernement est en train de négocier de son côté, et il compte sur l'appui des catholiques, des évêques français. » L'homme sourit à nouveau, mais Ignacio, cette fois, n'apprécia pas ce sourire. « Ils disent tous que les Basques sont très croyants, un peuple conservateur, attaché à ses traditions, respectueux du clergé, de la religion. Les agents de M. Aguirre insistent beaucoup sur le fait qu'ils ne sont pas comme vous.

— Comme nous qui ?

— Comme vous, tous les autres ! » Il ôta ses lunettes, vérifia le degré de propreté des verres en les regardant par transparence, et poursuivit sur le même ton aimable, bien intentionné en apparence. « Ceux qui brûlent les églises.

— Je n'ai pas brûlé une seule église de ma vie..., protesta Ignacio dans un murmure, comme s'il avait déjà perdu les forces nécessaires pour crier.

— Oui, mais, même dans ce cas, je crains que ce ne soit pas possible... Vous êtes marié ?

— Non.

— Alors il n'y a pas de possibilité de regroupement familial. Si vous aviez une femme et des enfants ici, en France, vous pourriez demander votre transfert dans un camp pour les familles, mais...

— Un camp..., répéta Ignacio, comme s'il avait du mal à intégrer le sens de ce mot.

— Oui. Pour l'instant, vous, les combattants républicains, vous êtes logés dans des camps, quoique, dans votre cas... » L'homme écarta les lunettes de ses yeux, les arrêta au bout de son nez, le regardant par-dessus ses verres. Il baissa le ton jusqu'au murmure. « Vous n'êtes pas comme les autres qui sont assis là-bas, vous êtes instruit, vous êtes un monsieur. Et si la situation économique de votre famille était... Vous me comprenez. Je veux dire que, peut-être, dans certaines conditions, je pourrais tenter quelque chose. Si vous voulez attendre dans ce fauteuil, que j'aie fini d'interroger les autres... »

Ignacio Fernández Muñoz accepta la suggestion, mais il se leva tout de suite, car le suivant à déposer fut Roque, si petit et le teint si mat, avec son crâne rasé, dégarni, et l'air d'un paysan élevé au soleil ou sous les intempéries, Roque Ansó Ansó, qui avait risqué sa vie pour arriver à la terre promise, le pays de la liberté, et se ratatinait maintenant devant un uniforme français, avec le même tremblement, la même peur que lui avaient toujours inspirée les uniformes espagnols, comme s'il avait conscience de l'infériorité qui coulait dans ses veines, comme si avant d'apprendre à parler, à marcher, à rire, il avait déjà appris, sans l'aide de personne, que les gens comme lui ne peuvent jamais rien attendre de bon, pas même la neutralité, d'aucun policier, nulle part.

Voilà ce que ressentit Ignacio en le voyant, en l'entendant balbutier « je ne comprends pas, je suis désolé mais je ne comprends pas ». Il se remémora ces paroles que répétait son père aux pires jours de la terreur et de la honte, nous sommes ce que nous sommes, quoi qu'il arrive, et nous devons être à notre place, avec les nôtres. Je suis ce que je suis, se dit Ignacio Fernández Muñoz pendant que le fonctionnaire répétait « nom, prénom », sur un ton prétentieux, impatient, méprisant, très différent de celui qu'il avait employé avec Ignacio, le ton réservé à ceux qui ne peuvent pas payer de pots-de-vin. « Je suis ce que je suis », et alors seulement, devant la perspective de s'installer à Toulouse, de dormir à nouveau dans un lit, de trouver un travail, peut-être une femme, et de se reposer le dimanche, le fils comprit vraiment ce que signifiaient les paroles de son père. « Je suis ce que je suis, quoi qu'il arrive, et je dois être à ma place, avec les miens. »

Entre les cavités de cette émotion chaude, profonde et pointue, le fils de Mateo Fernández Gomez de la Riva apprit également que son indignation pouvait croître en changeant de forme, et se teindre en même temps de tendresse et d'orgueil, les ingrédients basiques d'un amour imprécis mais universel pour le genre humain. Ne fût-ce que pour cet amour, cela avait valu la peine d'essayer. Telles étaient les pensées d'Ignacio quand il se leva pour interrompre une bonne fois cette scène qui semblait essentielle, immuable. Il s'approcha de Roque, lui passa un bras autour des épaules et servit d'interprète jusqu'à la fin.

« À tout à l'heure. » Il lui donna une tape dans le dos pour lui dire au revoir pendant que l'autorité achevait son rapport d'un mot isolé, suffisant, *indésirable*. « J'ai l'impression qu'ils vont tous nous emmener au même endroit.

— Excuse-moi, mais... » Le suivant dans la file, le petit homme chauve et avec des lunettes, qui avait un porte-documents, s'adressa à lui le visage brillant de sueur et avec un accent majorquin très marqué. « Vous voulez bien parler pour moi aussi ? »

« Tu es de Madrid, tu parles français et on t'appelle l'Avocat ? » Au camp de Barcarès, Ignacio Fernández Muñoz devint très vite célèbre, même si presque personne ne le connaissait par son nom, mais par son surnom. « Attendez un instant, ne partez pas, nous devons parler de votre cas... » l'avait arrêté ce matin-là le fonctionnaire chargé des interrogatoires, quand il eut fini de servir d'interprète à tous les Espagnols arrêtés ce jour-là. « Non, je n'ai rien à vous dire. Moi aussi, je suis un rouge espagnol, un indésirable, comme eux », répondit-il. L'homme le regarda avec une expression de lassitude à cause de la commission qu'il venait de perdre, mais il se contenta d'écrire l'adjectif sur une feuille de papier avant de la tamponner, « très bien, comme vous voudrez... » Puis on les fit monter dans un camion et on les emmena sur une plage inhospitalière, entourée de clôtures.

« Putain, on a fait le tour du monde pour arriver dans un endroit comme Albatera..., se plaignit Roque en arrivant.

— D'accord, mais ici le sol est plus mou, et ils ne fusillent personne », l'encouragea-t-il.

« Tu es de Madrid, tu parles français et on t'appelle l'Avocat ? » Ses clients du commissariat, plus de vingt, bien que les femmes aient été emmenées dans un autre camp, firent circuler l'information et tous lui donnèrent ce surnom, l'Avocat, qui lui plaisait car on aurait dit un nom de torero. « Oui, c'est moi. » « Eh bien explique-leur, ces types ne me comprennent pas, dis-leur que ma femme est ici, je ne sais pas où, avec les deux gamins, et je dois la retrouver », « Dis-leur que je n'ai rien fait, que je viens d'un village près de Séville mais que j'ai fait la guerre à Santander et là-bas on n'a tué personne, je le leur ai déjà dit, et que je cherche ma mère, mais ils ne veulent pas me comprendre, ils n'ont pas envie de m'écouter », « J'ai un frère en France et je voudrais savoir où il est, juste ça, essaie de le leur expliquer, et il y a ma fiancée, elle est seule, je ne sais pas où, je dois la retrouver, mais ils ne comprennent pas, dis-le-leur », « Parle-leur, pour voir s'ils savent, je crois que ma femme est morte et mes enfants sont encore tout petits, mais ils ne veulent pas m'écouter, je ne sais plus quoi faire », « J'ai deux filles, l'une de sept ans, l'autre de onze, qui doivent être avec ma sœur aînée, qui est veuve, et leur mère va mourir d'angoisse parce qu'elle ne les trouve pas, vas-y, parle, dis-leur, explique-leur... »

Ils venaient de partout, étaient de tous les âges, grands et petits, le teint mat ou pâle, maigres et corpulents, bien élevés et analphabètes, des villes et de la campagne, des côtes et de l'intérieur, de la péninsule et des îles. « Tu es de Madrid, tu parles français et on t'appelle l'Avocat ? » Il entendit souvent cette question, avec tous les accents qu'il connaissait, et il leur répondit à tous avec son propre accent, de la même façon, « oui, c'est moi », « eh bien voilà, j'ai un problème et ces types s'en foutent... » Ils étaient de partout, de tous les âges, avaient tous un problème et tous les problèmes se ressemblaient, leur femme, leur fiancée, leur mère, leur père, leurs frères et sœurs, leurs enfants. Il les regardait, les écoutait, et les obligeait, même s'il savait que cela n'allait servir à rien, que rien ne sert jamais à rien aux damnés de la terre.

« Eh, l'Avocat. Moi, un jour, j'ai brûlé l'église de mon village, tu sais ? C'est vrai, et on n'a tué personne, hein ?, que cela soit clair, surtout parce que le curé était déjà parti en courant, sinon, va savoir, à ce stade, je n'ai pas de raisons de te mentir... Mais l'église, on l'a brûlée, on a sorti les statues, on a couché les saints sur les saintes, la seule église qui éclaire est celle qui brûle, disaient les anarchistes et, ouh, quelle fête... » lui dit un jour un très jeune garçon, de Zamora. Ignacio sourit, mais le garçon poursuivit sur un ton très sérieux. « Je te le raconte au cas où quelqu'un te dirait quelque chose, mais n'en parle pas aux *gabachos*, il vaut mieux qu'ils ne le sachent pas, non ?

— Ils s'en fichent. Ils disent le contraire, mais ce n'est qu'une excuse, un prétexte pour justifier ce qu'ils nous font, par pur cynisme. » À lui, il répondit, parce qu'il ne pouvait pas se taire toute sa vie.

« Qu'est-ce que c'est ?

— Le cynisme ?

— Oui, je ne comprends pas.

— Eh bien, ça veut dire... » Il s'approcha du jeune homme, lui posa les mains sur les épaules en le regardant dans les yeux. « Qu'ils s'en fichent, que tu aies brûlé l'église de ton village ou que tu ailles à la messe tous les jours. Si tu étais républicain, tu es foutu, voilà.

— Bon, mais ne leur en parle pas, on ne sait jamais... »
insista le garçon de Zamora, après avoir réfléchi un moment.

Puis il le raccompagna jusqu'au poste du chef de camp,
ignora l'expression de lassitude avec laquelle l'homme
accueillit sa énième visite, exposa le cas du jeune marié espagnol à qui une connaissance avait dit avoir vu sa femme,
presque une enfant, assise dans un fossé juste après avoir
passé la frontière, omit sa condition d'iconoclaste et reçut la
réponse habituelle, « non ».

« Pourquoi est-ce que vous faites ça ? lui demanda peu
après l'officier de l'armée française, avec une curiosité
aimable, presque amicale dans la voix. Pourquoi est-ce que
vous venez me voir une fois, et une autre, encore une autre,
puisque vous savez que je vais vous dire non ?

— Parce qu'ils ont le droit d'essayer, de raconter ce qui
leur arrive, lui répondit-il. Parce que ce ne sont pas des criminels, ni des assassins. Parce qu'ils n'ont fait que se battre pour
leur pays, ils n'ont commis aucun délit qui leur vaille d'être
enfermés ici. » Alors il songea à partir, mais avant de tourner
sur ses talons, il se dit que le moment était peut-être venu
d'ajouter quelque chose. « Moi non plus, je n'ai rien fait, mais
je vais vous dire, j'aurais adoré brûler une église, je vous parle
sincèrement. Si j'avais su ce qui allait m'arriver, je l'aurais
fait, vous pouvez en être sûr. C'est mon seul regret. »

« Tu es de Madrid, tu parles français et on t'appelle l'Avocat ? » « Oui, c'est moi. » Et quand il le revit, ce lieutenant qui
jouait le rôle de chef de camp lui tendit la main en le voyant
arriver, et pour lui dire au revoir.

À Barcarès, tout le monde connaissait Ignacio Fernández
Muñoz, mais les seuls qui l'appelaient par son nom étaient
Roque et le lieutenant Huguet, avec qui il buvait généralement un verre de vin tous les soirs. Aussi, quand il l'entendit
un dimanche d'octobre prononcé par une voix féminine, sut-
il que ses démarches avaient été couronnées de succès. Il lui
avait fallu plus de trois mois pour être retrouvé par sa famille
à travers Donato, celui de Lugo, un prisonnier qui travaillait
à Perpignan, rentrait dormir le soir et faisait circuler des renseignements sur ceux qui le lui demandaient dans les réseaux
de l'exil républicain du sud de la France. Trouver un visage
connu dans la masse des Français endimanchés qui s'approchaient chaque semaine pour contempler le spectacle des

rouges en cage ne fut pas facile non plus, surtout parce que ce jour-là il y avait plusieurs photographes étrangers, presque tous américains, montés sur des échelles pour les prendre d'en haut, une image qui devait être très appréciée dans les rédactions des journaux et des revues de l'Occident, parce que leurs visites n'avaient pas diminué au fil du temps.

C'était tout ce que l'Occident avait fait pour eux, des photos. Beaucoup, énormément, des quantités d'albums, des portraits individuels et de groupe d'Espagnols en cage comme des singes au zoo. Les hommes de Barcarès détestaient leurs auteurs, et pourtant ils leur faisaient plaisir avec une docilité ponctuelle, seulement apparente. Ils auraient préféré ne pas avoir à poser pour eux, mais comme ils ne pouvaient pas les éliminer, quand l'un d'entre eux s'apercevait qu'un appareil était prêt à tirer, il criait : « Photo ! », alors ils se levaient tous, se redressaient, et levaient le poing et le menton dans la même direction. De l'extérieur, cela pouvait ressembler à un geste rageur et inutilisable, mais pour eux c'était différent, une affirmation furieuse de leur identité, de leur volonté, qui leur permettait de crier au monde qu'ils étaient encore vivants, qu'ils savaient encore dire non, qu'ils n'avaient pas cessé d'être ce qu'ils étaient avant, dans ce qu'ils avaient de bon, de mauvais, ou d'extrême. Pour cette raison, bien qu'il détestât aussi les photographes, ce dimanche matin il se redressa, s'approcha des barbelés, leva le poing, regarda un appareil, et parmi les gens qui les saluaient de la même façon de l'extérieur, il vit sa jeune sœur qui criait son nom.

« Ignacio... Ignacio, Ignacio... Tu ne sais pas... » María se mit à parler comme une machine déréglée, sotte, capable de commencer les phrases mais pas de les achever, pendant qu'ils se touchaient tous les deux à travers le grillage. « Tu ne peux pas savoir... Quand on a appris... Et ce jour-là, Paloma n'était pas là, mais il y avait une amie... Je suis allée dans ce café, et alors... Ignacio, Ignacio... Tu ne sais pas... Tu ne peux pas savoir...

— María... » Il tint le visage de sa sœur comme il put, introduisant quatre doigts dans les trous de la grille. « María, calme-toi. Je n'y comprends rien.

— C'est vrai. » Elle s'écarta un peu, ferma un instant les yeux, les rouvrit pour le regarder. « C'est que je suis très nerveuse. On croyait que toi aussi tu étais mort, je... Je croyais que je ne te reverrais pas. C'est ce que j'essayais de t'expliquer, ce qui est arrivé quand... Un homme est venu à la boulangerie où je travaille avec Paloma. Elle, jolie comme elle l'est, on l'a mise comme vendeuse. Moi, je travaille à l'intérieur, au four et ça ne me dérange pas, tu sais. J'avale beaucoup de farine, mais je préfère ça à devoir supporter les sottises des clients... »

À ce moment, un soldat sénégalais s'approcha d'Ignacio pour lui rappeler qu'il était interdit de communiquer avec l'extérieur. Il acquiesça de la tête et lui répondit en français qu'ils se disaient au revoir.

« On est très mal placés, murmura-t-il ensuite, en espagnol. Descends de ce côté, là où il y a tous ces gens, cherche un trou et attends-moi. » Ils avaient tous les deux besoin de cette pause, un intermède indispensable pour accepter qu'ils étaient vraiment réunis à nouveau, qu'ils pouvaient à nouveau se parler, se toucher, même à travers un grillage. Quand il la retrouva devant lui, Ignacio reconnut enfin María, sa sœur, celle d'avant, celle de toujours. La plus jeune, la plus dure, la plus forte de tous.

« Bon, voilà... » Elle reprit sans hésiter là où elle s'était arrêtée. « Un homme est venu à la boulangerie et Paloma avait fini son service, mais une autre vendeuse, qui s'appelle Anita et habite maintenant avec nous, a pris la commission, un morceau de papier avec un rendez-vous pour le soir même, de ta part, et elle me l'a donné, parce que comme elle sait qu'on est tous à la maison depuis ce qui est arrivé à Mateo, à Carlos...

— Carlos ? » Il eut du mal à poser la question, et encore plus à reconnaître la voix qui sortait de sa gorge.

« Oui. » María regarda le sol, puis lui. « Carlos est en prison. Il a été condamné à mort. Pour rébellion militaire, qu'est-ce que tu dis de ça ? Si ce n'était pas aussi triste, on pourrait en rire, vraiment... » Il le disait déjà dans une lettre, *on m'a jugé*, et puis, entre guillemets, c'est une *plaisanterie*. Et il a encore eu l'humour d'ajouter qu'il craignait que la sentence ne soit plus une plaisanterie. « Le pire, c'est que c'est le Crapaud qui l'a dénoncé.

— Le Crapaud... » répéta Ignacio, se rappelant une fois de plus la patience glacée dans ces yeux qui ne cesseraient jamais de le poursuivre.

« Le Crapaud, confirma sa sœur. La salope. C'était terrible, cela a dû être terrible, le pauvre. Parce que pour Mateo, c'était différent, il n'y avait rien à faire. Mateo a été reconnu par quelqu'un, dans ce camp d'Alicante où on vous avait tous mis. On ne lui a jamais dit qui c'était, mais c'était quelqu'un qui le connaissait très bien, parce qu'il connaissait toute la famille. Mateo a été tué parce qu'il était lui, mais aussi parce qu'il était le fils de papa, de maman, ton frère, Ignacio, et le beau-frère de Carlos. Imagine, un fils à papa rouge, étudiant en philosophie, socialiste, fils d'un ingénieur républicain, petit-fils d'un comte et d'une propriétaire terrienne andalouse républicaine elle aussi, élevé dans un collège de l'Institution, marié à une ouvrière, frère d'un étudiant communiste qui était même devenu capitaine, et beau-frère d'un homme de Negrín, un officier de l'État-Major qui, dans le civil, était professeur de droit de la procédure... C'est-à-dire le gros lot, la victime idéale, l'essence de ce qu'ils détestent le plus au monde, la philosophie, le droit, l'institution, l'université... Ils ont dû en avoir l'eau à la bouche, être fous de joie, ces salauds fascistes, assassins de merde... Quoi qu'il en soit, Mateo s'est échauffé, les a traités de tous les noms et ils ne l'ont même pas tellement tabassé. Ils ne voulaient pas courir le risque de le tuer avant l'heure, manifestement.

— Ils voulaient le fusiller à Madrid... » Ignacio se rappela les rumeurs qui circulaient parmi les prisonniers d'Albatera, ces murmures silencieux qui semblaient alors davantage chargés de truculence dramatique que de véritable angoisse. Ils s'accomplissaient pourtant avec autant de ponctualité que les termes d'une malédiction, mais Ignacio ne fut pas surpris que le pire survienne toujours. Il était maintenant habitué à ce que chaque nouvelle corresponde exactement au plus noir de tous ses pronostics.

« Eh bien oui, c'est ce qu'ils ont fait. Ils l'ont tué le 29 mai, et le lendemain ils ont publié son nom, et les nôtres, dans tous les journaux.

— Trop aimables ! » Ignacio pensa d'abord à Casilda puis à Carlos, mais il s'aperçut à temps qu'il n'avait plus à se faire de souci pour son beau-frère.

« Oui, adorables. » María tenta de sourire, en vain. « Bien sûr, comme nous sommes actuellement le cancer de l'Espagne... Tu sais, les coupables de la ruine de la patrie, la canaille progressiste et scélérate, les traîtres exquis qui ont offert l'or à Staline, le pire... » Elle fit une pause et secoua la tête, comme elle n'acceptait pas elle-même ce qu'elle était sur le point de dire. « Ce sont de vrais salauds, hein ? De vrais grands salauds, de maudits assassins, et des saloperies de fascistes... Mais qu'ils soient en plus si brutes et qu'ils aient gardé l'Espagne, qu'ils l'aient gardée, eux, rien que ça, c'est à mourir de tristesse.

— Ça n'a pas d'importance, María.

— Peut-être, mais ça me met dans une de ces rages... Bref, avant d'être fusillé, pendant qu'on l'emmenait à Madrid, Mateo a eu le temps de tout raconter à un autre, qui est encore prisonnier. Celui-ci l'a raconté à sa femme, qui a retrouvé Casilda quand elle est rentrée.

— Et elle, comment va-t-elle ? » L'espace d'un instant, il sentit sa gorge se rétrécir. « Elle est libre ?

— Oui, elle oui... » Le sourire de María le rassura avant ses paroles. « Bien qu'elle ait souffert elle aussi, tu sais. À la fin de la guerre, on l'a enfermée dans un couvent, à Carthagène, et elle n'a pas eu le temps d'aller voir Mateo. Le jour où on l'a laissée sortir, il était déjà mort. Maintenant, au moins, elle est rentrée chez elle, ce qui n'est pas rien, et elle a accouché d'un enfant qui s'appelle comme son père mais porte le nom de famille de sa mère car aujourd'hui les mariages ne sont plus valables. Casilda est donc mère célibataire, au cas où elle n'en aurait pas eu assez, la pauvre... Mais tu sais, au moins, et malgré l'accouchement prématuré, ils vont bien tous les deux, maigres mais en bonne santé, alors on est tontons... »

Ignacio se souvint du mariage de son frère, cette cérémonie hâtive et froide, si courte qu'il ne put arriver à temps pour servir de témoin et ne vit même pas le fonctionnaire qui l'avait remplacé. Il avait été tellement surpris que Mateo ait eu l'idée de se marier, rien que ça, une idée si absurde, si impropre au climat polaire de l'automne 1938, qu'il n'accorda guère de crédit à ses raisons. Il avait pensé que c'était un simple caprice de sa belle-sœur, et maintenant qu'il n'avait plus de marge pour le regretter, il frémit en calculant que cette noce, loin de protéger Casilda, devait lui compliquer encore plus la vie.

« On a appris par Casilda que Mateo t'avait vu à Alicante et que tu étais vivant. » María le regarda, tenta de sourire et, cette fois, y parvint. « Mais je dois dire qu'on n'avait guère d'espoirs. Il paraît que les simples soldats sont libérés à condition qu'ils n'aient milité dans aucun parti, mais les officiers... Avant de savoir que tu avais atterri ici, papa était effondré et il n'arrêtait pas de répéter que, s'il regrettait une chose dans cette vie, c'était d'avoir rassuré maman quand la guerre a été déclarée, en disant que vous, Mateo, Carlos et toi, vous aviez fait des études, que vous étiez bien préparés, que vous monteriez tout de suite en grade, que dans une armée populaire comme la nôtre, votre destin était d'être officiers et non de faire partie de la troupe. Maintenant il dit que c'est un miracle qu'on ne t'ait pas relié à Mateo, bien que notre nom soit si courant et même si vous ne vous ressembliez pratiquement pas, un miracle, il n'arrête pas de le répéter à toute heure.

— Et il a raison. » Ignacio sourit lui aussi. « Même s'il aimait dire que la guerre est capricieuse, et qu'elle s'était amourachée de moi.

— Eh bien oui, mais quand je suis rentrée à la maison et que je lui ai raconté que tu étais là... enfin, c'était comme s'il ressuscitait, vraiment, et maman, eh bien... Tu peux imaginer... » Et les yeux de María Fernández Muñoz, qui était la plus jeune, la plus dure, la plus forte de tous, se remplirent de larmes. « Ils voulaient venir, mais je les en ai empêchés, parce que le voyage est très long, très dur et, je ne sais pas... Maintenant on doit aussi s'occuper de Paloma, parce que... Elle est désespérée, tu sais ? Elle n'arrête pas de dire qu'elle n'aurait pas dû venir, qu'elle aurait dû rester à Madrid, qu'elle le savait et que c'est notre faute parce qu'on l'a obligée à le laisser seul, elle l'aurait caché, elle l'aurait nourri, elle l'aurait sorti de là. Bah !, des sottises... On lui a tous dit qu'à ce moment on l'aurait mise en prison elle aussi, mais elle ne veut écouter personne, tu la connais. Si j'étais restée à Madrid et que tout se soit mal passé, m'a-t-elle dit l'autre jour, au moins je l'aurais gardé plus longtemps, deux mois de plus, peut-être trois... Je crois que ça ne lui fait aucun bien de penser ça, je le lui ai dit, mais elle ne m'écoute pas. »

Alors qu'il ne s'était pas encore remis du choc d'avoir compris l'indifférence étudiée de Mateo, ce matin-là où il était si près qu'il aurait pu le toucher rien qu'en tendant la main, et qu'il ne le fit pas parce qu'il le vit le chercher des yeux, sans presque tourner la tête, pour ébaucher un geste de négation presque imperceptible : « Ne me regarde pas, ne me dis pas bonjour, ne me dis pas au revoir, ne me reconnais pas, ne dis à personne que tu es mon frère, sauve-toi », Ignacio Fernández Muñoz succomba à un choc consécutif et d'égale intensité en apprenant un destin qui aurait pu être le sien. Parce qu'il pensa lui aussi à José María Heredero en cette nuit de mars, quand il avait encore le temps de sauver le seul homme qu'il ait jamais tué de sa vie. José María Heredero, professeur de droit pénal, fils et petit-fils de juristes de droite, brebis galeuse gâtée par sa famille, devait être en sécurité et il pourrait le cacher, se porter garant, il saurait ce qu'il fallait faire... Ignacio continua à penser que le mieux serait d'aller le chercher en arrivant à las Vistillas, pendant qu'il trouvait un camion, observait son chauffeur. S'il ne le fit pas, ce ne fut pas par peur des fascistes, mais des siens. Plus loin je serai des partisans de Casado [1], mieux cela vaudra, se dit-il. Mais il était fort, sain, et avait deux jambes pour tenter d'arriver à pied où que ce soit. Pas Carlos.

« Casilda a appris qu'il était en prison, elle est allée le voir, prétendant qu'elle était sa femme. Elle lui a apporté un paquet, et a caché dans son soutien-gorge une lettre pour Paloma. Comme sa grossesse était très avancée et qu'elle avait des taches de lait sur sa robe, on ne l'a pas trop fouillée à la sortie. Elle nous a envoyé la lettre, je ne sais pas comment, parce que le timbre était français, quelqu'un avait dû la faire sortir d'Espagne, mais elle avait promis à Carlos qu'elle arriverait et elle est bien arrivée, bien qu'avec plus de deux mois de retard. C'est pour ça qu'on ne sait pas s'il est toujours vivant, mais au moins on a pu savoir comment ça s'était passé, il... Il s'est retrouvé seul à Madrid, personne ne l'a prévenu, personne ne lui a proposé de voiture. On ne l'a peut-être pas trouvé, et peut-être, comme il n'avait pas appuyé le coup d'État, eh bien... Bon, tu sais, je n'ai pas besoin de te le dire. » María le regarda avec amertume. « Il s'est souvenu de José María Heredero, pensant que personne ne pourrait l'aider mieux que lui. Ils étaient amis intimes depuis qu'ils avaient fait leurs études ensemble, il ne pensa pas... Personne n'y aurait pensé. Il est d'abord allé à son appartement de la

---

1. Segismundo Casado López (1893-1968), colonel républicain qui participa à la défense de Madrid en novembre 1936 et se souleva contre le gouvernement de Negrín dans la nuit du 5 au 6 mars 1939.

rue Torrijos, mais il n'y avait personne. Il est parti à Aranjuez à pied, le pauvre, boiteux comme il l'était et avec son mal de jambe, va savoir combien de temps il a pu mettre, dans quel état il est arrivé. Mais il savait que ses parents avaient une maison là-bas, et il le trouva, passant le printemps à la campagne, vêtu de blanc et avec une raquette de tennis à la main, le salaud, qui se disputait avec Carlos parce qu'il portait un chapeau, souviens-toi, il s'était acheté une salopette bleue l'été 36 et il ne l'enlevait même pas pour dormir... »

Ne m'en dis pas plus, María, était sur le point de prier Ignacio à cet instant, vraiment, ne m'en dis pas plus, parce que je n'en peux plus, je ne veux rien savoir de plus... J'ai largement de quoi faire avec mes affaires, avec Roque, avec ceux d'ici, s'il te plaît, María, ne m'en dis pas plus. C'était ce que pensait Ignacio, ce qu'il ressentait, mais il ne put le dire, parce que l'important n'était pas ce qu'il valait mieux, mais ce qui était nécessaire, et il avait besoin d'arriver au bout, de pleurer Carlos Rodríguez Arce, son professeur, son beau-frère, son sauveur, son ami, son idole.

« Carlitos, qu'est-ce que tu fais ici ? lui a dit José en le voyant ce... Bah ! Je ne sais même plus comment l'appeler, vraiment, il me faudrait deux, trois fois plus de vocabulaire au moins, pour trouver le mot. Bref, il l'a emmené à la cuisine, servi un café et des biscuits. Il a promis qu'il allait essayer de l'aider et lui a demandé de ne pas bouger. Carlos ne savait pas quoi faire, alors... Tu sais qui l'a aidé ? La sœur de José, María...

— Eh bien, elle a toujours été amoureuse de lui. » Ignacio se rappela une fille peu discrète et très effrontée qui attendait généralement son beau-frère devant la porte de la salle de classe même quand il était fiancé à Paloma.

« Non, pas celle-là. » María sourit. Pas Mercedes, elle a fini par épouser une espèce de... bref, un de ceux-là. C'était Isabelita, la petite, tu sais, celle qui était si bigote, et qui a dû le rester, à mon avis... Eh bien, c'est elle qui est entrée dans la cuisine et qui lui a dit : Partez, Rodríguez, ici, vous n'êtes pas en sécurité. Oui, mais j'attends votre frère, a répondu Carlos. Je sais, c'est pour ça que je vous dis que vous devez partir, le plus tôt sera le mieux... Et elle lui a même donné de l'argent pour qu'il rentre à Madrid en train. Tu vois, comme dit maman, actuellement, on ne sait pas ce qui est mieux, se fier aux amis ou aux ennemis. Bref, Carlos est rentré à Madrid, où aurait-il pu aller ? Pas chez lui, bien sûr, mais il avait aussi la clé de chez nous, et il était fatigué, affamé, sale... Et dévasté, j'imagine, parce qu'une trahison de ce genre doit te dévaster de l'intérieur. Résultat, il a attendu la nuit et il est parti à la *glorieta* de Bilbao. Et qui a-t-il trouvé là-bas ?

— Le Crapaud, naturellement, supposa Ignacio.

— Naturellement. Et qu'est-ce qu'elle lui a dit ? » María haussa les sourcils, attendant une réponse qu'Ignacio n'osa pas risquer. « Eh bien elle lui a dit qu'il n'avait aucun droit d'être là. Qu'il n'en avait pas le droit ! Tu peux le croire ? C'est... » María serra les poings, plissa le visage, ferma les yeux et crispa les lèvres dans une grimace d'une extrême violence. « C'est le plus gros toupet que j'aie entendu de ma vie, la vache, la salope, je l'emmerde, papa l'a recueillie au moment où elle allait se retrouver à la rue... Eh bien, tu vois, quand Carlos l'a entendue, il s'est mis à rire, tu sais comment il était. J'ai plutôt plus le droit que toi, Mariana, mais on ne va pas se disputer pour ça. J'ai besoin de me reposer une nuit, de dormir, de manger quelque chose. Après, je m'en irai, tu peux être tranquille. Je n'ai aucune intention de rester dans ce pays de merde. Bon, lui dit le Crapaud, mais à une condition. Je dors dans la chambre de mon oncle et de ma tante. »

Alors ce fut au tour d'Ignacio de serrer les poings, de plisser le visage, de fermer les yeux et de laisser affleurer à ses lèvres une violence oubliée et inutile, qui sembla inspirer les paroles immédiates de sa sœur.

« On aurait dû la tuer, je te le dis sérieusement, tu sais, j'y ai pensé des tas de fois, j'y ai pensé, les soirs où elle remontait si contente de chez Dorita, on aurait dû l'attraper, et... et... Et maintenant il serait là, avec nous... »

Ignacio sentit ses yeux se remplir de larmes et les laissa couler, María pleurait aussi, avec plus d'intensité, plus de chagrin, mais elle trouva avant lui les forces nécessaires pour continuer.

« Bref. » Elle s'essuya les yeux avec les doigts, deux claques décidées, énergiques. « Elle lui a donné du pain, un peu de fromage, la bouteille de cognac de papa... Carlos a dormi dans la chambre de Paloma. Il avait décidé de partir le lendemain, parce qu'il se méfiait du Crapaud, mais il n'en pouvait plus. Et à 8 heures du matin, une brigade de phalangistes l'a sorti du lit. Elle était devant, à observer tranquillement la scène, et elle a levé le bras, pour dire au revoir à ces hommes. Ta cousine avait raison, lui a jeté Carlos, tu es un crapaud. Et elle l'a giflé, par-dessus le marché, la salope l'a frappé, alors qu'il était menotté, elle l'a frappé, et chaque fois que j'y pense... »

Puis ils continuèrent à pleurer au-dedans et au-dehors, des deux côtés du même grillage, unis par la peine et par la vie, la douleur de tout ce qu'ils avaient perdu et l'obligation de se réveiller chaque matin. Mais ils étaient las de pleurer, aussi, au bout d'un moment, sans rien dire, se regardèrent-ils à nouveau, et ils sourirent.

María fut la première à parler.

« Je t'ai apporté des cigarettes, des croissants, des barres de chocolat, des crayons, un taille-crayons et une gomme, pour que tu nous écrives... Recule, je vais voir si je peux jeter ça par-dessus.

— Non, la reprit-il avec l'assurance d'un expert. Il vaut mieux les faire passer sous le grillage, c'est une plage, ici il n'y a que du sable. Tu vas creuser de ton côté et moi du mien. Ah ! Autre chose... J'allais le demander au chef de camp, mais il vaudrait mieux... Essaie de voir si vous pouvez m'obtenir des codes français, un civil, un pénal, et surtout le texte de la loi d'asile, surtout ça. Tu as un moyen de prendre contact avec l'homme qui est venu vous voir ? Alors donne-lui les livres, et voyons s'il peut les faire parvenir à Donato, celui de Lugo, souviens-toi de ce nom... »

Après la visite de María, l'arrivée de ces livres usagés, manipulés et sales, couverts d'inscriptions dans les marges, la vie d'Ignacio Fernández Muñoz au camp de Barcarès changea. Recommencer à étudier, avoir quelque chose à faire dans l'ennui insupportable qui tissait et détissait les fils de l'incertitude pour recommencer, à chaque minute identique aux autres d'un jour aussi semblable au précédent qu'au suivant, lui permit de se sortir de son abattement et de se préparer à des périodes plus difficiles. L'automne 1939 fut dur, l'hiver 1940, terrible. La fin de l'été emporta avec elle la joie naïve de ceux qui croyaient avoir échappé à leur destin de victimes, et les premières pluies lavèrent les dernières taches de cette allégresse irréfléchie et optimiste avec la certitude qu'il ne s'agissait que d'un changement de lieu. Ils n'étaient pas dans une prison espagnole mais dans un camp français. Le reste, ce qu'ils avaient, ce qu'ils pouvaient espérer, était si ressemblant que certains, les plus démunis, les plus faibles, commencèrent à penser que plus rien n'avait d'importance. Ils ne pouvaient plus prendre le soleil, jouer au football, se baigner sans contracter une pneumonie, ni même poser pour les photographes qui s'étaient lassés de venir les voir. Il pleuvait, l'eau transperçait les toits fragiles des baraquements, la mer s'agitait, la plage diminuait, et tout était humide et triste, tout était moisi, sale, étranger, il faisait chaque nuit plus froid, et il y avait chaque jour moins de lumière.

Pendant ce temps, Ignacio Fernández Muñoz étudiait. Lui qui, lorsqu'il était soldat avait abominé, avec une fureur d'homme d'action inconnue de lui-même, le légalisme méticuleux des autorités républicaines, trouvait maintenant un plaisir délicat, presque morbide, à énumérer devant le lieutenant Huguet, chaque soir, tous les articles, préceptes, doctrines et dispositions des lois françaises que transgressait son séjour dans ce camp.

« Qu'est-ce que vous voulez que j'y fasse, Ignacio ? Vous croyez que ça me plaît, que ça me plaît d'être ici ? » se défendait l'officier.

Il ne répondait pas et continuait à étudier. Tous les matins, il rouvrait les livres pour ne pas voir, pour ne pas entendre, mais il savait malgré tout, comme il l'avait su au port d'Alicante en regardant la mer. Des hommes hauts comme des tours qui pleuraient comme des enfants et qui entraient dans l'eau jusqu'à ce qu'on les perde de vue. Ceux qui se déshabillaient sans rien dire et s'allongeaient sur le sable glacé ; ceux qui cessaient de parler, de manger, ou de bouger ; et ceux qui se levaient soudain pour dire au revoir aux autres, avec beaucoup de cérémonie, la couverture en travers d'une épaule et un discours ambivalent, équivoque : « Bon, au revoir, je rentre chez moi. » Certains étaient aussi fous que les autres, mais la majorité rentrait vraiment, parce qu'ils étaient trop jeunes, trop forts, ils avaient trop de temps de vie devant eux pour rester là, enfermés sans raison et sans horizon, dans le froid, l'estomac rempli de sable, avec la mer pour salles de bains, pour latrines et pour unique robinet.

Parfois, les haut-parleurs ne cessaient de tonner de la journée. « Espagnols, disaient ces voix, rentrez chez vous. Vos familles, votre peuple, votre foyer vous attendent. La patrie a besoin de vous pour se relever. Ceux qui n'ont pas commis de crimes n'ont rien à craindre de la justice du Caudillo. Personne ne croit plus aux racontars sur la répression... » Ignacio rencontra le propriétaire d'une de ces voix. Huguet le lui présenta un après-midi sans prononcer son nom. Il ne révéla pas non plus celui d'Ignacio.

« Voici l'Avocat, l'un des porte-parole des internés. C'est un homme respecté par tous et qui jouit d'une grande autorité, en particulier auprès des communistes », lui dit-il simplement en guise de présentation.

Le nouveau venu, manchot, grassouillet, soigné, s'approcha de lui à pas fermes, sûrs.

« J'étais l'un des vôtres. J'ai fait la guerre avec les rouges, contre les nationaux, dit-il en lui tendant la seule main qu'il lui restait.

— Va te faire foutre, salopard », répondit Ignacio, en mettant la main dans sa poche.

Huguet ne crut jamais vraiment à la version de cette rencontre que lui fournit Ignacio, et celui-ci le comprit, car la négligence des agents de Franco, qui ne se souciaient même pas d'adopter la terminologie des hommes qu'ils prétendaient tromper, était d'une invraisemblance scandaleuse. Il était beaucoup plus accablant qu'ils aient malgré tout du succès auprès de certains.

D'autres rentraient en sachant qu'il s'agissait d'un piège destiné à recruter de la main-d'œuvre forcée, gratuite, et pourtant, il arrivait chaque jour des hommes nouveaux, sans papiers, qui avaient échappé aux gendarmes pendant des mois, mais aussi des républicains retardataires qui venaient de passer la frontière tout seuls sans la moindre idée de ce qui les attendait. Ces derniers lui faisaient plus de mal, parce qu'ils étaient comme un réflexe tardif et sans défense de Roque, de lui-même. « Il vous reste de l'argent ? » leur demandaient les vétérans avec un sourire moqueur, malicieux. « Oui, bien sûr, répondaient-ils, on n'a pas pu le dépenser », et l'espoir dansait dans leurs yeux l'espace d'un très bref instant, « pourquoi, on peut le changer, ici ? » « Bien entendu, ici on change tout. Pour vous donner une idée, les pesetas républicaines on les utilise pour se torcher, et elles vont nous être très utiles, parce qu'il ne nous reste plus un centime... » répondaient les autres. Et ils se mettaient à rire, tous sauf les nouveaux venus, qui regardaient autour d'eux avec une tristesse absolue dont ils apprendraient très vite à se défaire, pour devenir fous ou assumer sans résistance la nature stérile des survivants. Des corps secs, durs et vides comme des rochers creux, évidés, qui ne pensent ni ne ressentent, ni ne croient en rien et ne se rappellent même pas quand ils ont renoncé à désirer.

L'armée du désespoir recrutait chaque jour des volontaires et, pendant ce temps, Ignacio Fernández Muñoz étudiait, pour ne pas voir, pour ne pas entendre, pour ne pas savoir, ou peut-être juste pour se rendre digne de son nom de torero, mais il ne parvenait pas à y échapper complètement. La situation au camp était de pire en pire, même pour eux, les communistes, les seuls qui avaient réussi à s'organiser, et ils l'avaient fait si vite que, lorsqu'il arriva, ils disposaient déjà d'une structure efficace, stable, reliée à l'organisation des camarades français. C'était la seule chose qui leur avait permis de surmonter le coup sinistre, humiliant, que représenta pour eux la trahison de Staline, son alliance perverse avec Hitler.

Pour ceux qui étaient dans la rue, cela devait être dur. Pour ceux qui étaient enfermés, ce fut une catastrophe qui ruina la supériorité morale de ceux qui avaient été trahis à Madrid pour en faire les complices d'une trahison ultérieure, qui leur fit plus de mal qu'à quiconque. Pour Ignacio Fernández Muñoz, qui venait d'arriver à Barcarès, encore victime des plaisanteries des vétérans, ce fut un point de départ amer, une nouvelle encoche sur l'échelle infinie de l'infortune, une version personnelle du sort de Sisyphe, et la pierre pesait plus, plus, plus, de plus en plus lourd chaque jour. La trahison, c'est la loi, pensa-t-il alors, la trahison c'est le destin, l'horizon, la norme de notre vie, de ma vie, une fois, une autre, encore une autre. Je vis, je survis, je respire juste pour être trahi, à l'intérieur et à l'extérieur de l'Espagne, par les amis et par les ennemis, de face et dans le dos, quand je dors ou quand je suis éveillé. La trahison, c'est la loi, l'unique réalité à ma portée, pensa-t-il alors.

« Cette guerre n'est pas la nôtre, c'est une guerre impérialiste, entre puissances capitalistes, qui ne nous concerne pas », estimèrent les dirigeants, Voilà ce qu'ils dirent, avec la

tranquillité de qui jouit de la vie à Paris avec de faux papiers
ou réside dans une datcha à proximité de Moscou, avec sa
femme, ses enfants, se promène au jardin, dort dans un lit
chaud et mange bien, plusieurs fois par jour. Voilà ce qu'ils
dirent, avec la joie que procure le bien-être, et que les Français, les Anglais, traîtres premiers et suprêmes à la cause de
la démocratie espagnole, ne méritaient rien de mieux. Sur ce
dernier point, Ignacio était d'accord, pas sur le reste, et il le
dit à voix haute. Il venait d'arriver à Barcarès, les vétérans
se payaient sa tête, il ne connaissait pas encore le lieutenant
Huguet, on n'avait pas encore changé son nom, mais il se risqua à parler parce qu'il n'avait rien à perdre, et l'impunité
qu'il tirait de cette sensation de défaite totale se transformait
elle aussi en loi, la norme de sa vie. Ce fut pour cette raison
qu'il parla, et qu'il dit que pour lui c'étaient les nazis qui restaient l'ennemi, qu'ils ne cesseraient jamais de l'être.

À l'extérieur, peut-être l'aurait-on expulsé du parti, mais
il n'était pas à l'extérieur et ceux qui l'écoutaient non plus. Ils
ne dormaient pas dans un lit chaud, ne mangeaient pas plusieurs fois par jour, ne se promenaient pas au jardin, ne
vivaient pas avec leur femme, ne voyaient pas leurs enfants,
vivaient très loin de Paris, n'étaient pas protégés et avaient
besoin d'entendre quelque chose dans ce genre, d'entendre ces
paroles dans la bouche de quelqu'un tel que lui, qui avait
grandi dans la joie du bien-être, qui avait étudié, avait choisi,
et avait été formé pour commander, et qui se trouvait cependant là, aussi baisé que les autres, à supporter les fuites au
plafond, le froid, la gamelle, les immondices, la toux, la solitude, et l'amertume d'une défaite totale, maintenant plus
qu'avant, plus que jamais. À l'extérieur, on l'aurait peut-être
expulsé du parti. À l'intérieur, il monta très vite en grade. Il
ne posa jamais de questions, ni ne demanda sa carte à aucun
des prisonniers qui l'approchaient afin de vérifier s'il était de
Madrid, s'il parlait français et si on l'appelait l'Avocat, et cela
contribua à rétablir l'harmonie entre ses camarades et le reste
des républicains enfermés dans ce camp, mais cela ne le fit
pas se sentir mieux non plus.

La seule satisfaction d'Ignacio Fernández Muñoz, au
cours de ces dix-huit mois de politique clandestine, lui fut
donnée par les évasions. Il n'avait pas d'ambitions personnelles, n'aspirait pas à gravir les échelons dans l'organisation,

et ne pensait jamais à l'avenir parce qu'il était très conscient de ne pas en avoir. Pour lui, ce mot n'impliquait guère plus de vingt-quatre heures, mais si les choses changeaient un jour, s'il pouvait à nouveau choisir entre diverses possibilités, faire un choix de vie, il était sûr de ne pas se lancer dans une carrière politique. Avant, seulement deux, trois ans avant, qui représentaient dans sa mémoire une véritable éternité, il lui avait traversé l'esprit de rester dans l'armée, de devenir un militaire professionnel quand la République gagnerait la guerre. Maintenant, bien que tout fût perdu, il se rendait compte que cet esprit d'homme d'action, qui lui avait semblé si étrange au début, s'était davantage enraciné en lui qu'il ne le croyait. C'était pour cette raison qu'il aimait les évasions, les planifier, les organiser, les diriger, les contempler. Les responsabilités qu'il avait endossées l'empêchaient d'y participer, mais il les favorisait avec enthousiasme.

« Où vais-je aller, sans toi ? » La nuit où il partit lui aussi, Roque l'étreignit aussi fort que le jour où ils avaient compris qu'ils étaient arrivés en France, au début de l'été précédent. « Comment est-ce que je vais les comprendre ? »

Ignacio le regarda, et il se sentit fier de lui. Roque aurait pu quitter le camp plusieurs mois auparavant, avec des papiers et sans courir de risques, mais il n'avait pas voulu. Début 1940, les manœuvres du gouvernement français, qui, devant la perspective d'une guerre imminente avec l'Allemagne, avait commencé à considérer le gaspillage que représentait l'inactivité de dizaines de milliers de prisonniers espagnols, s'étaient fracassées contre la fermeté d'hommes tels que lui. Très peu de républicains avaient accepté la proposition de s'enrôler dans la Légion étrangère, presque une insulte si l'on tenait compte de ses similitudes avec la Légion espagnole, et la grande majorité avait préféré rester au camp plutôt que de rejoindre des compagnies de travailleurs qui ne leur garantissaient même pas la liberté de rendre visite à leurs familles. « Si c'est pour travailler comme des esclaves, autant rester ici », décidèrent-ils tous. Mais c'était une chose et s'évader une autre. Aussi se mit-il à rire avant de répondre à son plus vieil ami en France.

« Tu te débrouilleras, c'est sûr... Et pour le reste, tu seras n'importe où mieux qu'ici, Roque. »

Les camarades de Perpignan étaient arrivés, et ils commençaient à creuser de l'autre côté du grillage. Ignacio ne les voyait que par saccades, quand le flamboiement des éclairs éclairait une image mémorable, cette machine aux mains rapides, improvisée et habile, spontanée et puissante, deux moitiés parfaitement synchronisées travaillant en rythme, les Français dehors, les Espagnols dedans, ôtant le sable à une vitesse si constante que lorsqu'il se sépara de Roque ils avaient déjà creusé la moitié du tunnel. Pour les évasions individuelles, ils ne se donnaient pas autant de mal, mais cette nuit-là beaucoup d'entre eux allaient s'échapper, plus de quinze, ils avaient donc surveillé attentivement la couleur des nuages. Les soldats sénégalais redoutaient les tempêtes d'électricité, et enfouissaient la tête entre les épaules au premier coup de tonnerre. Ensuite, et sans attendre la foudre, les éclairs, ils partaient en courant les mains sur la tête, s'enfermaient dans leurs baraques et n'en ressortaient que lorsque la pluie avait cessé. À ce moment, les fuyards étaient déjà secs et tranquilles, dormant peut-être dans de vrais lits avec de vrais draps et de vrais oreillers, dans des maisons aux toits étanches et avec du feu dans la cheminée, à l'abri, chez des citoyens français qui avaient une conscience et un cœur. Ignacio Fernández Muñoz était ému à cette pensée, comme s'il avait lui aussi trouvé refuge à l'ombre de ce bonheur, le bien-être élémentaire, un lit avec des draps, un oreiller dans une maison chaude, sans fuites au plafond, qui était devenue le symbole essentiel du luxe. Il lui arrivait la même chose à chaque évasion, mais celle-ci il ne l'oublierait jamais, pas uniquement parce qu'il devinait qu'il disait au revoir à Roque pour toujours. C'était aussi parce que cette nuit-là le rapprocha d'Aurelio Perea, alias l'Anchois, qui deviendrait avec le temps un peu plus qu'un ami, presque un frère.

« Qui est l'Avocat ? »

Un jeune Français, qui tenait des papiers dans la main droite et s'éclairait avec une lanterne si petite qu'on aurait dit un jouet, tendit le cou de l'autre côté du grillage.

« C'est moi », répondit Ignacio en s'approchant.

Alors il se mit à pleuvoir, mais le garçon, sans se troubler, ouvrit le parapluie qu'il tenait accroché à un bras, alluma sa lanterne et se mit à lire.

« Hier, 16 mai 1940, le Comité antifasciste du Département du Roussillon, composé du Parti communiste français, du Parti socialiste français, de la Confédération générale...

— Bon, écoute, saute cette partie, c'est moi qui m'en charge », l'interrompit Ignacio, aussi ému que perplexe, quand il comprit que cette scène était réelle, qu'il était vrai que ce garçon avait apporté le compte rendu d'une réunion et comptait le lui lire de bout en bout, dans l'obscurité, au milieu d'une évasion et sous la pluie.

« Comme tu voudras. » Le jeune homme le regarda et poursuivit sa lecture. « Les membres de ce comité saluent leurs frères antifascistes espagnols. Ici, sur le premier brouillon, on disait "compagnons", mais j'ai proposé de changer pour "frères", tu sais ? Bon, je continue... Leurs frères antifascistes espagnols, enfermés de façon aussi vile qu'illégale au camp de Barcarès à cause de l'inqualifiable lâcheté de l'actuel gouvernement...

— Perea ! »

Domingo, le garçon de Séville qui avait fait la guerre à Santander et n'avait tué personne, se mit alors à crier en espagnol, mais cela ne découragea pas l'adolescent porte-parole de la fraternité.

« ... et leur font parvenir leur appui inconditionnel, tout comme ils ont appuyé sans conditions la cause de la République espagnole face à la faiblesse criminelle des gouvernants français qui composent le Comité de Non-Intervention de Londres, favorisant ainsi... »

Ce n'était plus de la pluie. C'était un déluge. Les gouttes d'eau résonnaient comme des rafales de mitraillette en s'écrasant contre la toile du parapluie. Roque le regarda avant de se glisser sous le grillage et lui sourit de l'autre côté. Domingo, le chef de l'évasion, se remit à crier en espagnol, le jeune homme à la lanterne lisait toujours en français, Ignacio entendait les deux voix comme à l'intérieur d'un rêve fou, aimable et absurde.

« ... la victoire du fascisme, incarné dans la sinistre figure du général Franco...

— Perea ! Je m'en vais, tu sais. Si tu ne viens pas tout de suite, tu vas rester là, mon gars !

— ... rendue possible uniquement grâce à l'aide décisive des puissances de l'Axe...

— Allez, gamin. » Ignacio se dit qu'il fallait faire quelque chose. « Passe-moi ce papier. D'abord, nous vous en sommes très reconnaissants, dis-le à tous ceux qui sont intervenus au cours de la réunion, mais il vaut mieux que tu me donnes ça, je le lirai plus tard à ceux qui sont dedans, parce que, ici, on fait trop de remue-ménage. » Alors il se tourna vers le Sévillan et il changea de langue. « Et tais-toi une fois pour toutes, Domingo, tu vas faire sortir tous les Sénégalais avec la tempête et tout. Voyons... » Il se retourna pour trouver un homme seul, contracté, et se dirigea vers lui. « Qu'est-ce qui t'arrive, Perea ?

— C'est que... » L'homme de Malaga attendit qu'Ignacio soit à sa hauteur, et il parla dans un murmure. « C'est que je... Ma grand-mère me le disait toujours, quand j'étais petit. Ne va pas te faire transpercer par la foudre, mon petit, ne va pas te faire transpercer par la foudre. Parce que dans mon village, il y en a un qui marchait dans la campagne par une tempête comme celle-ci, un éclair l'a foudroyé et l'a brûlé, grillé, et moi, eh bien, chaque fois que je vois ce grillage... »

Ignacio regarda plus attentivement cet homme petit et massif, qui était plus âgé que lui mais encore très jeune, et parlait avec un accent andalou très prononcé. Il trouva sa peau plus blanche, ses yeux plus noirs qu'il ne s'en souvenait. Il le connaissait de vue parce qu'ils ne s'étaient parlé qu'une fois, mais Ignacio ne l'avait pas oublié. « Et comment se fait-il que ta femme soit à Nîmes, je croyais que dans cette ville il n'y avait pas de réfugiés... ? » lui avait-il demandé. « C'est que son père est banderillero », répondit Perea, considérant cette explication comme suffisante. « Quel est le rapport ? » osa-t-il insister. « À ton avis ! » L'homme de Malaga le regarda comme s'il ne pouvait concevoir autant d'ignorance. « À Nîmes, il y a des arènes, condescendit-il enfin à déclarer, les plus importantes du sud de la France, et mon beau-père connaît le patron, les employés, bref... » Cela l'avait tellement amusé qu'il ne l'avait pas oublié, et il s'en souvint en contemplant une terreur africaine sur le visage du gendre du banderillero.

« Tu as peur des orages, conclut-il sans élever la voix.

— Non, protesta-t-il d'un air presque offensé. Pas des orages. J'ai peur qu'un éclair me tombe dessus quand je serai juste sous le grillage, et qu'il me laisse tout frit, tout frit...

— Mais qu'est-ce que tu veux, mon vieux, partir ou rester ?

— Moi ? » Et il le regarda comme si on ne lui avait jamais posé de question plus sotte. « Je veux aller à Nîmes, voir ma femme.

— Allez, Perea ! » Il lui prit le bras et l'entraîna jusqu'au grillage. « Va-t'en une fois pour toutes et arrête de nous emmerder. »

Quand il le vit ramper sous le filet métallique, son corps engourdi par la vitesse, la nervosité déboîtée, spasmodique, d'un animal terrifié, il entendit à nouveau la voix de son jeune interlocuteur de l'autre côté.

« Le peuple français n'est pas d'accord avec son gouvernement. Nous n'appuyons pas sa politique, sa trahison. Votre sort est le nôtre, c'est ce que nous voulions dire, résuma-t-il.

— Merci, camarade. » Et la ferveur de ce jeune homme, presque un enfant, l'attendrit à tel point qu'il faillit lui aussi sortir par le tunnel pour lui donner l'accolade. « Merci pour tout, du fond du cœur. »

Mais Perea n'avait pas été foudroyé, l'évasion s'était bien passée. L'Avocat devait faire sa part de travail, combler le trou, tasser le sable, effacer les traces du tunnel. Ensuite, il attendit encore quelques minutes afin de s'assurer qu'il n'y avait pas eu de problème et il partit dormir, trempé, enrhumé et content. Très content. La joie qu'il éprouva en revoyant Perea, au début 1943, fut encore plus grande. Ce fut là où il l'attendait le moins, dans une lointaine exploitation forestière perdue dans les montagnes de l'Ariège, qui servait de couverture légale à une brigade de guérilleros espagnols qui avaient rejoint la Résistance française.

« L'Avocat ! »

La première fois qu'il entendit ce nom, il regarda autour de lui et ne reconnut personne parmi les hommes éparpillés des deux côtés du sentier.

« On t'appelle, le prévint Amadeo.

— Oui, mais je ne sais...

— L'Avocat ! » entendit-il à nouveau, il tourna alors la tête vers la gauche et le vit enfin.

« Perea ! » L'homme de Malaga courut vers lui et ils s'étreignirent. « Nom d'un chien, Perea, je suis tellement content de te voir ! Mais qu'est-ce que tu fais ici ? Je te croyais à Nîmes.

— J'y suis resté quatre mois, en vivant comme un prince, tu sais... Ma femme est chez un médecin, un camarade, quelqu'un de bien. Il l'a aidée à obtenir son permis de séjour, très bien, sans mettre les pieds dans la rue, évidemment. J'ai dormi avec elle dans un lit, mangé chaud tous les jours, c'était génial... Jusqu'à ce que le pharmacien du quartier arrive un soir sans prévenir, et il nous a pincés au milieu du dîner. Ce salaud m'a observé, il a demandé au docteur qui j'étais, n'a pas cru que j'étais sourd-muet... Je ne pouvais pas rester, c'était trop dangereux pour tout le monde, alors je suis parti. Je me suis caché pendant presque deux semaines, vivant au jour le jour, volant de la nourriture, dormant n'importe où, de pire en pire, alors je me suis dit : bon, eh bien, il faut choisir. Ou bien je retourne dans un camp, ou je rentre en Espagne, pour qu'on me mette en prison, qu'on m'envoie construire des routes pendant plusieurs années, et, quand j'en sortirai, on verra bien. Et j'ai failli rentrer, tu sais, mais en arrivant à la frontière, j'ai vu les gardes civils du poste de loin, et je me suis dit : non, pas question, on est le pays de fils de pute, qu'est-ce qu'on y peut... Résultat, je suis reparti et cette fois on m'a envoyé à Saint-Cyprien, pour que j'aie un point de comparaison, et puis dans un groupe de travail c'est-à-dire faire des routes gratis, pour ainsi dire, comme si j'étais rentré alors j'ai fait partie de la première évasion dont j'ai appris l'existence, et me voilà, à nouveau dans la guerre, dormant par terre, mangeant des sardines en boîte, bref, mon monde...

— Revenons à nos affaires, Perea. »

Ignacio le trouva en meilleure forme, le teint hâlé par le soleil et un peu plus épais, plus vif aussi. Il pensa à la cruauté du sort qu'ils partageaient, un destin qui faisait de la guerre un but heureux, souhaitable, presque un premier front à cette existence insupportable, propre aux bêtes de somme soumises à tirer sur une noria jusqu'à épuisement. Cette existence insupportable, celle des camps et le travail forcé, qui représentait la seule paix possible pour eux, les indésirables rouges espagnols. Mais la joie de ces retrouvailles, le premier lien avec le passé immédiat que le hasard lui permettait de retrouver après une série interminable d'adieux, fut plus forte, aussi recommença-t-il à sourire, et à prendre Aurelio dans ses bras. « Et toi ? Qu'as-tu fait ? lui demanda-t-il.

— Ouh ! Moi... J'en ai vu de toutes les couleurs, même si, enfin... » Il sourit. « À peu près comme toi. »

« Comme tout le monde », se dit-il, même si ce n'était vrai qu'en partie, la partie qui excluait la découverte d'Anita.

Du reste, on l'avait aussi mobilisé de force dans un groupe de travail plusieurs mois après l'armistice, et bien qu'on l'ait changé trois fois de lieu, il avait eu la chance de rester dans le Sud, à l'intérieur des frontières de la France supposée libre d'abord dans une usine de casseroles, reconvertie en mine, puis en fournisseuse de pièces de rechange pour l'armée allemande sous le contrôle de Vichy. Il y arriva en décembre 1941, mais il envisagea l'évasion bien avant, quand il apprit qu'on allait les envoyer dans les environs de Toulouse. Il tint cependant presque trois mois, le temps qu'il lui fallut pour planifier une évasion parfaite, si simple qu'elle consista à s'engager dans une ruelle un jour de douche pendant que ses compagnons, sur le chemin des bains publics où on les conduisait une fois par semaine, improvisaient une protestation massive contre leurs conditions de vie qui n'avait d'autre but que de le couvrir. Elle se dissipa donc très rapidement, dès qu'ils le virent tourner au premier coin de rue.

Ce jour-là, Ignacio Fernández Muñoz se lava comme un prince, seul et avec de l'eau chaude, dans la salle de bains de ses parents, mais la joie de sa peau ne parvenait pas à tempérer son cœur, ni à apaiser ses pensées.

Il lui était arrivé quelque chose de semblable en retrouvant sa famille. Sa mère était elle aussi lasse de pleurer, mais pas de le prendre dans ses bras, et elle continuait à le toucher, à l'embrasser, à prononcer son nom et d'autres mots doux, ceux qu'elle lui adressait pendant la guerre et qu'Ignacio n'avait pas entendus depuis qu'il était enfant. María, intriguée par le bruit, entra dans le vestibule et poussa un cri. L'étreinte de sa sœur fut différente, souriante, énergique, triomphale. Elle le berçait encore entre ses bras comme si elle comptait le faire danser, quand leur père les rejoignit, précédant une femme consumée, d'une minceur extrême, épuisée, aux très grands yeux, plus grands qu'avant, et un rictus tragique qui transformait sa beauté sans l'effacer. C'était Paloma, la nouvelle Paloma, délicate et violette, mélancolique et fragile, toujours aussi belle, mais plus jamais lisse et rose, passionnée et vive comme avant. Cette métamorphose l'impressionna davantage que l'air dévasté, décrépit, de son père, un vieillard de cinquante-quatre ans qui fut encore capable de sourire, de l'étreindre avec force.

« Merci, mon petit, lui dit-il ensuite, s'écartant de lui mais sans le lâcher encore.

— Merci de quoi ?

— D'être ici. » Les larmes lui vinrent rapidement aux yeux. « D'être arrivé jusqu'ici.

— J'ai tellement pensé à toi, papa..., dit Ignacio, ému. Quand on m'a arrêté, à Madrid, dans le cachot où on m'avait mis, j'ai tellement pensé à toi, j'étais tellement content que tu ne voies pas ce qui se passait, comment on nous livrait, papa...

— Nous n'avons rien à regretter, Ignacio. » Et ses lèvres tremblèrent sous le poids des paroles qu'elles prononçaient. « Je ne regrette rien, mon petit. »

Mais l'autorité sentencieuse de Mateo Fernández Gómez de la Riva ne suffisait plus à rétablir l'équilibre de sa famille, qui chancela un peu plus quand Paloma se dégagea des bras de son frère et de sa sœur sans dire un seul mot. Ce fut alors au tour de la mère de réagir.

« Bon, je ne vois pas ce qu'on fait tous ici, alors que le repas refroidit. Et puis Ignacio doit avoir faim, je suppose.

— Bien sûr, que j'ai faim, dit-il en riant. Vous n'imaginez pas à quel point... »

Il suivit sa famille dans une salle à manger petite et sombre, avec de mauvais meubles bon marché, des chaises dépareillées, de différentes hauteurs. Cependant, la pauvreté inhabituelle de ses parents attira moins son attention que les yeux noirs, immenses, beaucoup plus doux et plus profonds, plus brillants et magnétiques à chaque pas qu'il faisait vers eux, de l'inconnue qu'il avait trouvée devant la porte. Elle se leva en le voyant, et au-delà de l'émotion et de la fatigue, par-delà la joie de se retrouver parmi les siens, et la tristesse des étreintes qui lui manqueraient toujours, Ignacio Fernández Muñoz apprécia la perfection des courbes de son corps de poupée, et le mouvement gracieux de la main qu'elle tendait vers lui.

« Bonjour, lui dit-elle de sa bouche aux lèvres charnues, aux dents d'une blancheur parfaite.

— Bonjour, répéta-t-il, en serrant cette main douce et chaude.

— Ah, bien sûr, vous ne vous connaissez pas... ! » María Muñoz improvisa un air surpris avant de les présenter formellement. « Anita, voici mon fils Ignacio, le petit, celui qui était au camp, tu sais... » Elle le serra à nouveau dans ses bras et l'embrassa sur le visage deux, trois fois, comme si elle n'était pas encore habituée à l'avoir avec elle, à ses côtés. « Anita est une amie de tes sœurs, qui habite avec nous, comme une fille de plus... »

Quand Paloma Fernández Muñoz l'avait trouvée un après-midi d'août 1939, assise sur le bord du trottoir, devant la boulangerie où elles travaillaient toutes les deux, elle la connaissait à peine. Cela faisait un peu plus d'un mois qu'Anita Salgado Pérez vendait du pain et des croissants derrière le comptoir, mais elles n'avaient pas les mêmes horaires. Pourtant, ce jour-là, Paloma s'assit à côté d'Anita, la prit dans ses bras, la consola et la berça comme la petite fille qu'elle était encore. Il lui sembla qu'elle n'avait jamais vu personne pleurer aussi fort et qu'elle n'avait jamais vu les pleurs d'une enfant aussi démunie. Elle n'avait pas encore reçu la lettre de Carlos, elle n'avait pas encore de nouvelles de lui, et tous les soirs, en passant la porte de l'immeuble, elle fermait les yeux un instant pour se calmer et savourer en même temps à l'avance l'émotion de le trouver en haut, assis sur le canapé, bavardant avec ses parents, commentant les péripéties de son évasion, la traversée accidentée qu'il avait entreprise vers Oran ou le vol qui l'avait amené de Londres. Elle n'avait pas encore reçu la lettre de Carlos et elle avait encore beaucoup de compassion, celle qu'elle ne parviendrait pas à réunir pour se consoler elle-même pendant le restant de sa vie.

Elle se proposa donc de rassurer Anita, l'emmena à la boulangerie avec elle, l'obligea à s'asseoir sur un tabouret, et lui demanda de lui raconter très lentement ce qu'elle avait. Anita obéit, elle lui raconta tout. Elle avait quinze ans. Elle venait d'un village proche de Teruel. Les fascistes avaient tué son père avant que les leurs ne reprennent le village. Elle partit, avec sa mère et sa sœur aînée, quand l'armée se retira. Fin janvier, quand on les évacua, elles étaient à Barcelone. Elle avait dû laisser sa sœur dans un village proche de Gérone parce qu'elle avait la tuberculose et ne pouvait continuer à marcher. Effondrée de laisser sa fille en arrière, la mère était tombée malade de chagrin. Lorsqu'elles avaient passé la frontière, on les avait mises toutes les deux dans un camp où elles étaient restées quatre mois. À la fin juin, sa mère était si mal en point que les médecins avaient autorisé son transfert dans un hôpital de Toulouse. Maintenant, à l'hôpital, ils disaient qu'ils ne pouvaient plus rien faire pour elle et qu'Anita devait l'emmener parce qu'ils avaient besoin du lit. À la pension où elle vivait, on lui avait interdit de l'amener parce qu'ils dormaient à huit dans une chambre et qu'ils ne voulaient pas de moribondes. Avec l'argent qu'elle gagnait elle n'avait pas de quoi aller ailleurs et elle ne savait que faire, parce que c'était sa mère, qu'elle allait mourir, et qu'elle ne pouvait pas la laisser dans la rue.

« La seule solution qui me vienne à l'esprit, c'est de la tuer. La tuer et me tuer après, pour en finir une fois pour toutes », dit-elle à la fin, avec un air si décidé qu'elle faisait peur à voir.

Paloma la regarda et ne dit rien. Elle eut du mal à digérer cette histoire incroyable, trop dure, trop baroque, trop pathétique pour être réelle, et de surcroît pour une fille de quinze ans. Cela n'aurait été facile pour personne d'accepter ce mélodrame qui semblait reposer sur les mêmes ficelles que les feuilletons que Carlos lisait à voix haute. Assis sur les marches devant la porte de la cuisine de Torrelodones, il lisait pour les bonnes et pour elle, ces mélodrames avec de jeunes orphelines dont les péripéties les faisaient rire ensuite, quand ils parvenaient à se perdre dans le jardin, s'allongeaient sur l'herbe et se caressaient très lentement, très attentivement, très longtemps. L'histoire d'Anita était semblable à ces impitoyables chroniques du malheur, et pourtant elle était vraie. Paloma n'en douta pas un seul instant et se contenta de se demander : « Qu'avons-nous fait ? Comment est-il possible qu'il nous arrive chaque jour de ces tragédies qui semblent avoir été inventées ? Pourquoi les feuilletons sautent-ils des pages des journaux à la vie réelle d'une enfant comme elle ? Qu'a-t-elle fait pour mériter un destin si énorme, si démesuré pour ses forces ? » Elle avait à l'époque encore assez de courage pour se poser ce genre de questions, mais elle ne leur trouva jamais de réponse.

« Je dois aller à l'hôpital. C'est l'heure des visites, ajouta Anita, sans accuser le silence de son interlocutrice.

— Bon, vas-y, mais reviens me chercher après. » Paloma savait déjà ce qu'elle devait faire. « Je finis à 8 heures, n'oublie pas. »

Ce soir-là, elle emmena Anita chez elle, l'encouragea à raconter une nouvelle fois son histoire avec ses propres mots, elle vit sa mère regarder son père. Celui-ci hocha la tête.

« Écoute, dit María, ici, on n'a pas beaucoup de place. Il n'y a que deux petites chambres, tu sais, et on est quatre, mais à côté de la cuisine il y a une petite réserve, une pièce longue et étroite, avec une petite fenêtre qui donne sur la cour. Si tu veux, on peut la vider, la nettoyer, et y mettre un lit. Il n'y tiendra rien d'autre, mais là au moins ta mère sera tranquille, et à nous tous, on peut t'aider à t'occuper d'elle. Je donne des cours de chant, ici, à la maison, et je ne sors pas le matin, alors, s'il se passe quelque chose pendant que tu es au travail... Ce que je ne sais pas, c'est où tu vas dormir, bien que... »

María Muñoz ne parvint pas à achever sa phrase. Avant qu'elle lui donne le choix entre le seul canapé du petit cabinet qu'ils appelaient salon et la possibilité de mettre un matelas dans la cuisine, à côté du fourneau, pour dormir près de la malade, Anita Salgado lui prit les mains et tenta de les embrasser. María refusa.

« Non, ma petite, pas ça... On est tous dans le même bateau, tu comprends ? Aujourd'hui c'est moi qui t'aide, et demain, ce sera peut-être à ton tour de m'aider. »

Bien avant ce jour, Anita devint la troisième fille de Mateo Fernández et María Muñoz, et elle resta chez eux comme l'une d'entre elles après la mort de sa mère, qu'elle ne déclara dans aucun bureau afin de ne pas retourner dans un camp. Deux jours après l'enterrement, pendant qu'elle faisait le ménage dans la cuisine, elle entendit un hurlement de douleur et le bruit d'un coup sec, comme si un objet lourd était tombé d'une armoire. Elle sortit alors en courant et trouva Paloma au milieu du couloir et tout un tas de feuilles mélangées, agenouillée par terre, donnant des coups de poing contre les dalles.

Ce soir-là, ses parents étaient sortis se promener et María avait rendez-vous avec des amies. Elles étaient seules à la maison et Anita devina ce qui était arrivé, elle le pressentit, le sut, et resta immobile, paralysée, sans savoir que faire, par où commencer à réparer l'irréparable. Elle comprit que la première chose à faire était de la relever, elle y parvint en fournissant autant d'efforts que si elle déplaçait un cadavre. En la traînant vers la chaise la plus proche, elle vit qu'elle saignait des mains et du genou gauche. Puis elle ramassa les papiers qui étaient restés éparpillés par terre, des feuilles écrites à la main en paragraphes droits, serrés, d'une jolie écriture élégante, l'écriture d'un monsieur, pensa Anita, qui ne savait pas lire. María lui expliqua ensuite qu'il s'agissait d'une lettre de son mari, et qu'elle ne commençait pas par : *Chère Paloma,* comme elle pensait que c'était normal, mais par : *Mon amour,* et après, tout de suite *Le Crapaud m'a dénoncé.* Mais cela, elle ne le sut qu'après avoir soigné la blessée, l'avoir consolée et soutenue jusqu'à l'arrivée des autres. Et cette nuit, sans rien demander à personne, elle souleva le matelas sur lequel sa mère était morte et mit à sa place, sur le sommier qui occupait presque tout l'espace de l'ancienne réserve, son propre matelas. Ce fut une façon de mettre un terme à son deuil afin de libérer de la place pour la veuve amoureuse. Une façon de continuer à vivre.

Anita Salgado Pérez ne savait ni lire ni écrire, mais en septembre 1939, elle allait avoir seize ans, et c'était une fille intelligente et rêveuse. Alors quand María la lut à haute voix pour la première fois, elle apprit par cœur certains passages de la lettre que Carlos Rodríguez Arce avait écrite à sa femme en prison et elle se la répétait tous les soirs, avant de s'endormir. *Quand ils me fusilleront, je crierai Vive la République ! comme les autres, mais je mourrai en pensant à autre chose. Quand ils me tueront, je penserai : J'aime Paloma...* Comme c'est joli, mais comme c'est joli ! se disait Anita. Et elle avait envie de pleurer, comme lorsqu'elle pensait à cet autre passage qui disait : *Je t'ai aimée jusqu'à la limite de mes forces, je continue à t'aimer avec tout ce que je suis, avec tout ce que j'ai, même maintenant, à deux doigts de la mort, je t'aime comme ça, souviens-toi toujours de ça et oublie-moi...* Vraiment, ce que ce doit être qu'on vous écrive ces choses-là, quelle horreur, mais quel plaisir aussi, non... ? pensait-elle. Le condamné à mort demandait à sa femme de vivre pour lui, de vivre sans lui, de rencontrer un autre homme, de continuer : *si seulement il pouvait te donner le dixième de l'amour que j'ai eu pour toi, ma chérie, et la moitié du bonheur que j'ai connu avec toi...* Anita s'endormait avec un sourire triste et joyeux à la fois, accrochée à la douceur exquise de ces mots et à l'horreur de l'exécution qui avait mis fin à une telle passion. Elle ne se lassait jamais d'évoquer le témoignage de cet amour tragique et si pur dont elle ne parvenait à définir l'essence que d'une façon, « comme c'est beau », pour terminer comme elle avait commencé, « quel dommage mais comme c'est beau, mince, comme c'est beau... »

Presque trois ans plus tard, aux portes de l'été 1942, elle aurait sa propre lettre d'amour, un au revoir provisoire, moins dramatique mais beaucoup plus bref, et elle serait enfin capable de la lire seule. *Devant* p *et* b *on met toujours un* m, commençait la feuille. Dessous, avec des traits plus hâtifs, ne se souciant pas de la ronde obligation de la calligraphie, la même main avait écrit « *je t'aime* », *Anita*. Alors ce serait à son tour de pleurer, de se désespérer, d'apprendre à payer d'elle-même le véritable prix des belles choses.

« Si tu veux, tu peux dormir dans mon lit », lui dit-elle le soir où il était encore un inconnu, quand elle le vit entrer dans la cuisine. « Je parle sérieusement, je suis toute petite. Je tiens largement sur le canapé.

— Non, ce n'est pas la peine. » Ignacio, qui venait de se laver et de se raser, portant un de ses anciens pyjamas, que sa mère avait apporté de Madrid avec elle par pure et heureuse superstition, sourit. « J'ai l'habitude de dormir par terre, alors un matelas me suffira. Maman m'a dit que tu savais où il y en avait un.

— Bien sûr. Je te l'apporte tout de suite. Où veux-tu que je le mette ? »

Ignacio Fernández Muñoz observa Anita Salgado Pérez, et il s'étonna de constater à quel point il aimait la regarder dans cette chemise de nuit blanche qui dépassait sous un vieux peignoir en soie de María, au tissu brillant, à imprimé de dragons chinois, pieds nus. Interprétant ce regard à sa manière, elle porta la main droite à sa tête, enleva la dernière épingle de son chignon et laissa sa chevelure sombre, bouclée, se répandre dans un harmonieux désordre sur ses épaules.

« Où dormais-tu ? » demanda-t-il, jouissant de cette image qui l'échauffait, la promesse d'un bien-être ancien, souriant, qui apaisait les soubresauts de son âme hérissée, transpercée par une confusion de piques tristes et joyeuses.

« Moi, ici. C'est l'endroit le plus chaud... », dit-elle en désignant le fourneau.

Il se contenta d'acquiescer, et Anita lui fit son lit à l'endroit où elle le faisait au début pour elle-même. Ensuite, elle le regarda se coucher, et sourit en le voyant se tortiller sur le matelas en laine, comme s'il ne trouvait pas la bonne position.

« Alors, tu es bien ?

— Oui, dit-il en riant. Non, je dois dire que non. Il y a des années que je n'ai pas dormi sur un matelas. Il y a des années que je ne me suis pas lavé à l'eau chaude, que je n'ai pas porté de pyjama, il y a des années de tout et, je ne sais pas... Tu ne peux pas savoir le nombre de fois où j'ai rêvé éveillé de ce moment, de dormir dans un vrai lit, nu, avec des draps, un oreiller... Cela m'apparaissait comme le plus grand luxe du monde, et je trouve maintenant le lit trop mou. Bref, c'est la vie... Mais ne t'en fais pas pour moi, va te coucher. Bonne nuit. »

Le lendemain matin, quand Anita se leva, Ignacio dormait avec l'abandon placide et gourmand des petits enfants, pendant que sa sœur cadette, l'autre lève-tôt de la maison, le regardait en arborant un sourire tout aussi enfantin. Elles prirent toutes les deux le petit déjeuner debout, sans faire de bruit, pour ne pas le réveiller, et María lui raconta des histoires sur Ignacio pendant ce temps. Aucune, pas même la chronique passionnée d'un courage que sa mère assimilait à de l'inconscient, ne l'impressionna autant que les paroles qu'il avait répétées plusieurs fois avant de partir, des années avant tout ça. Anita s'en souvint toute la journée et continua à les entendre le soir, quand ils se retrouvèrent seuls dans la cuisine et qu'il dit qu'il n'avait pas sommeil.

« Ah ! Eh bien... » Elle réfléchit. « Si tu ne te couches pas, ça t'ennuie que je me lave les cheveux ? Parce que dans le lavabo, je n'y arrive pas, j'en ai beaucoup et cet évier est plus grand. »

Il fit signe que non de la tête. Ça ne l'ennuyait pas mais il ne savait pas encore combien cela allait lui plaire. Il s'assit sur une chaise, se versa un verre du mauvais vin, mais du vin, que buvait son père, alluma une cigarette, et la regarda.

« Bon sang, il y a des années que je n'avais pas bu de vin... », dit-il, comme pour lui, mais il s'aperçut qu'elle se retournait pour le voir, remarqua la nuance émue, voire légèrement anxieuse, de son regard, et obéit à l'impulsion espiègle d'insister, pour constater que ses paroles avaient le pouvoir d'agrandir ces yeux immenses. « Et il y a des années que je n'ai pas allumé deux cigarettes coup sur coup. »

Anita répondit par la même technique que la nuit précédente. Elle ôta ses épingles une à une, très lentement, les bras bien tendus au-dessus de sa tête, jusqu'à ce que les boucles lui recouvrent entièrement les épaules et la partie supérieure du dos. Puis, sans parler, elle versa dans l'évier la casserole d'eau chaude qu'elle avait préparée, ouvrit le robinet pour la tiédir et testa la température de la main. Quand elle lui convint, elle renversa ses cheveux en avant et plongea la tête dans l'eau, la nuque à découvert, les bras en l'air.

Ignacio n'ouvrit pas non plus la bouche en la regardant, parce qu'il ne pouvait pas parler. Il n'aurait su que dire, juste qu'il y avait des années qu'il n'avait rien vu d'aussi beau. Sur l'instant, il ne put interpréter la beauté de cette scène sublime, si courante, une jeune fille qui se lave les cheveux, les gouttes d'eau qui voyagent sur sa nuque, qui coulent dans son dos, qui sèchent sur la toile de la chemise de nuit blanche. Il n'aurait pas su comment expliquer qu'il pourrait continuer à la regarder toute sa vie, qu'il lui aurait fallu une vie entière pour admirer sa grâce, l'harmonie de ses mouvements, cette beauté tranquille qui était du temps de la paix, de la joie, de la sérénité, du plaisir, une attente de bonheur, la raison, la foi et la capacité à désirer. Cette image condensait tout ce qu'il n'avait pas, tout ce qu'il avait perdu, ce qu'il avait oublié, ce qui n'existait plus, et pourtant il connut une deuxième naissance à cet instant. Une jeune fille se lavait la tête, et une peau dure, sèche, conscience de sa propre maladresse, tombait par terre, sans faire de bruit, inutile devant le pouvoir de deux bras nus, armés de leur seule nudité.

Ignacio Fernández Muñoz s'en rendit compte. Il sentit une brûlure inexplicable aux paupières, remarqua la douceur craquante et pâle de sa nouvelle peau, vit les couleurs, aspira les arômes, entendit les sons fervents du Madrid où il ne retournerait jamais, et il s'en rendit compte. Il perçut en silence sa propre métamorphose pendant qu'il se reconnaissait vivant à nouveau, vivant et sensible, désarmé, exposé, fragile, délicat, vulnérable comme les hommes vivants. Alors Anita remit en place ses cheveux humides, essorés comme un drap fraîchement lavé, les releva dans un turban improvisé avec une serviette et le regarda. Il contempla sa peau brillante, éclaboussée d'eau, la toile blanche comme un voile transparent collé à sa poitrine ronde et élastique, les mamelons sombres, froncés, il se sentit à nouveau capable de souffrir, et il s'en aperçut.

« Bon, eh bien je te laisse tranquille... » Elle vit le regard d'Ignacio, concentré et profond, presque féroce, et devint sérieuse en tirant sur la chemise de nuit mouillée pour la décoller de son corps, comme si elle avait soudain pris conscience de son degré de nudité, ou s'était repentie de sa provocation naïve mais pas complètement involontaire. « Bonne nuit. »

Il répondit d'un geste, mais quand elle passa à côté de lui il ne put réprimer l'impulsion d'attraper sa chemise. Sa main droite ne la saisit qu'un instant, et elle répondit en restant immobile, à ses côtés. Elle tremblait. Quand il le remarqua, il la lâcha.

« Bonne nuit », répondit-il enfin.

Anita entra dans la réserve, ferma la porte sans tourner la tête, et le lendemain, quand ils se revirent, l'après-midi, ils se dirent bonjour comme s'il ne s'était rien passé.

« Comment ça va ?

— Très bien. Il y a des années que je n'avais pas fait la sieste. »

Elle se mit à rire, et dès lors ce fut comme un jeu. Il y a des années que je n'avais pas lu un roman, que je n'avais pas aussi bien mangé, que je n'avais pas bu une bière froide, que je n'avais pas écrit au stylo, que je ne n'avais pas joué aux échecs, que je n'avais pas fait de mots croisés, que je n'avais pas perdu mon temps, que ceci, que cela, et encore ça, les choses les plus ordinaires et les plus extraordinaires. Anita l'écoutait, lui souriait, se réveillait et se couchait avec ces mots, et elle ne pensait plus à la lettre de Carlos Rodríguez Arce, ni à aucune autre chose qui ne fût pas la marge de plus en plus étroite, plus précise, de la seule chose qu'il lui restait à entendre.

« Il y a une chose dont tu ne parles jamais, Ignacio... »

Ce fut elle qui osa quand cela faisait déjà plus d'une semaine qu'elle veillait uniquement pour rester seule avec lui dans la cuisine, à l'affût d'une confession qui lui était marchandée avec une astuce calculée, méthodique.

« Laquelle ? » Assis de travers sur le matelas, le dos appuyé contre la façade tiède du fourneau, il la regarda, assise à côté de lui, et vit ses joues se colorer.

« Depuis combien de temps est-ce que... ? Tu sais.

— Non, dit-il en riant. Je ne sais pas.

— Eh bien... » Définitivement écarlate, Anita baissa les yeux, puis elle leva la tête pour le regarder. « Ta mère m'a raconté un jour qu'à Madrid tu avais eu une histoire avec une femme mariée... très vieille...

— Non, l'interrompit-il. Ma mère ne l'aimait pas, mais c'était une femme formidable, rousse et très séduisante. Très généreuse, en plus. » Il la regarda du coin de l'œil et se demanda s'il allait réussir à la faire rougir davantage. « Elle m'a fait découvrir beaucoup de choses, j'ai beaucoup appris avec elle. Et elle avait trente ans. Elle n'était pas vieille.

— Bon, mais elle reste plus âgée, toi, tu n'as que vingt-quatre ans, non ? » Il acquiesça et sourit en contemplant la taille des flammes qui avaient déjà envahi ses oreilles, qui semblaient sur le point de gagner sa gorge. « Et ce dont tu ne parles jamais, c'est... Eh bien... Ça.

— Quoi, ça ?

— Bon sang, Ignacio ! » Elle écrasa ses poings fermés contre le matelas tout en serrant les paupières, mais elle ne se sentait pas tant en colère contre lui que contre elle-même, de ne pas avoir réussi à lui arracher les mots qu'il ne lui restait plus qu'à dire, et elle le fit d'une traite, sans le regarder. « Depuis combien de temps est-ce que tu n'as pas été avec une femme ? »

Il la prit par le menton, l'obligea à relever la tête, regarda ses yeux si noirs sur le violent incendie des pommettes, et la trouva si jolie, si jeune, si nette, si authentique, si digne d'être aimée, choyée, désirée et protégée par lui, qu'il comprit qu'il n'allait pas lui mentir même s'il ne lui disait pas la vérité. Parce que si Anita était une femme, les prostituées du bordel de Barcarès, dont l'aspect avait suffi pour l'inciter à tourner deux fois les talons avant que Roque ne le pousse par la porte à la troisième et dernière occasion où il se laissa entraîner par lui, n'en étaient pas, et ces êtres faméliques qui se débrouillaient pour sauter par-dessus le grillage de son campement quand il travaillait à la mine, et qu'il payait avec les scories de charbon qu'ils avaient pu voler pendant tout un mois, ne pouvaient pas l'être non plus. Maintenant qu'il était vivant à nouveau, cela ne comptait pas, parce que cela ne lui était pas arrivé à lui mais à son cadavre, un automate animé, décharné et poussiéreux, qui croyait s'appeler Ignacio Fernández Muñoz et n'était rien. Cet homme n'existait plus, il n'avait jamais existé, il n'était qu'un corps creux, étripé, vide, un pur exercice du désespoir. Aussi l'omit-il, l'effaça-t-il de sa mémoire, et prononça-t-il avec aplomb une réponse sincère, qui était la seule réponse qu'Anita Salgado Pérez voulait entendre.

« Trois ans. Depuis le 27 février 1939. Trois ans, un mois et deux jours... » Il leva la tête vers la pendule accrochée au mur d'en face. « Trois jours maintenant.

— Ça fait très longtemps, murmura-t-elle.

— Oui. » Il leva l'index de la main droite jusqu'au front de la seule femme qui avait mérité ce titre en trois ans, fit le tour de son visage comme s'il comptait en écarter les cheveux, cacha une mèche derrière son oreille et caressa le bord, le lobe mou et tendre. « Très longtemps. »

Anita baissa à nouveau la tête, relâcha les épaules, se ramassa sur elle-même comme si elle avait besoin de temps pour réfléchir, il la laissa réfléchir et se contenta de la regarder à une distance qu'elle annula elle-même en se redressant.

« Je n'ai jamais été avec un homme... » Ignacio ne dit rien et elle se rapprocha un peu plus. « Maintenant j'ai un fiancé français, tu sais, non ? » Il acquiesça sans mot dire. « Enfin, ce n'est pas un fiancé, un prétendant, plutôt, et il ne me plaît pas tellement non plus, tu vois, parce que, en plus... » Ils étaient si proches que le nez du jeune homme la frôla presque à son insu, alors Anita recula un peu la tête, mais elle la pencha à nouveau en poursuivant. « Je ne sais pas, mais les Françaises ne sont pas comme nous, elles sont plus audacieuses, et je ne veux pas qu'il croie...

— Quoi ? »

Elle ne répondit pas, mais elle ouvrit les lèvres quand il l'embrassa. « Et ce soir-là, Samson tomba avec tous les Philistins », résumait Anita des années plus tard, quand elle s'en souvenait, et son mari se mettait à rire, « mais pourquoi est-ce que tu dis ça ? », « qu'est-ce que j'en sais ? Ma grand-mère le disait... » Et pourtant, c'était vrai, ce le fut pour elle, cette nuit magnifique, Samson tomba avec tous les Philistins, et Anita Salgado Pérez, aussi rêveuse à dix-huit ans qu'à quinze, ne se serait pas contentée de moins, l'amour d'un soldat fugitif qui l'attendait depuis plus de trois ans, dans un lit tassé dans une réserve, dans une ville étrangère d'un pays étranger, et toute sa famille dormant dans l'ignorance de la nature épique, biblique, légendaire, de ce qui se passait à l'autre bout du couloir, la solennité inscrite dans chaque geste d'Ignacio, la gravité de chacune de ses caresses, de ses baisers, la soif illimitée de sa peau nue et couverte de cicatrices.

Elle qui avait tant envié les mots d'amour adressés à une autre femme par un homme qu'elle ne connaîtrait jamais ne se serait pas contentée de moins, et moins encore de son prétendant, qui s'appelait Paul, travaillait dans une boucherie, était plus âgé que le capitaine Fernández Muñoz, et semblait beaucoup plus jeune que cet homme qui savait reculer la tête de temps en temps pour la regarder comme s'il n'avait jamais vu d'autre femme, ou pour enregistrer l'image de son corps dans sa mémoire et bien s'en souvenir quand il ne serait plus là. Tel est l'amour d'un fugitif, intense et précaire, plein, fugace et encore plus intense. C'était ce qu'elle pensait, et elle essayait de ne pas l'oublier, de sentir chaque seconde de ce miracle, comprendre les nuances de sa fragilité, la raison hasardeuse de sa beauté. Elle le pensa et ne pensa plus guère. « Qu'est-ce que tu attends ? » lui murmura-t-elle à l'oreille, et lui, qui allait lentement, parce qu'il avait besoin de temps pour croire à la réalité que touchaient ses doigts, que percevaient ses mains, qu'inondait la peau de ses lèvres stupéfaites, qui n'avaient plus l'habitude, qui venaient de naître, resta immobile un moment. Puis il la regarda, vit sa bouche entrouverte, humide, l'éclat de ses yeux sombres, et les colonnes du temple se mirent à trembler.

Ignacio ressentit alors, l'un après l'autre, chaque jour de ces trois ans longs comme trois siècles, et il eut conscience de son corps comme jamais auparavant. Du haut du ciel du plaisir et de la joie, il se rappela les couleurs de l'enfer, la douleur sourde et constante de sa vie passée, l'humiliation, le froid, la fatigue des baraquements. Et il crut à Anita, comme si son corps avait le pouvoir de redresser le monde, de lui rendre tout ce qu'il avait perdu, de le sauver de toutes ces défaites, de toutes ces trahisons, ou comme s'il devinait que le bonheur de cet instant allait tout changer, car rien ne serait pareil quand il pourrait se rappeler cette nuit, s'accrocher à son souvenir pour ne pas tomber dans l'abîme profond du découragement. Pendant ce temps il tomba amoureux d'elle comme il ne l'avait jamais été de personne, comme cela ne lui arriverait plus jamais. Et, même après avoir conquis à ses côtés le droit de vivre une vie normale, aussi routinière et monotone que ceux qui n'en avaient pas connu d'autre, il sentit toujours qu'elle l'avait sauvé ; car, d'une certaine façon, dans cette minuscule réserve aux murs nus, Anita l'avait sauvé d'une mort pire que la mort elle-même.

La parenthèse ne dura pas trois mois, mais chaque seconde de cette période rare et heureuse se dilata au point d'occuper un lieu exact, défini, concret, dans leurs deux mémoires. Ignacio n'oublierait jamais les larmes d'Anita, la nuit où elle osa lui raconter ce qu'elle n'avait encore osé raconter à personne, la chronique tourmentée d'un petit délit misérable, l'angoisse de ce jour où elle fut capable de voler les jupons d'une femme qui agonisait seule sur le sable froid de la plage, parce qu'elle avait quinze ans, qu'elle venait d'arriver au camp et ne possédait que la robe qu'elle portait, qu'elle avait ses règles et ne pouvait compter sur personne, ne savait que faire, ni comment se débrouiller. Anita n'oublierait jamais la délicatesse silencieuse avec laquelle Ignacio lui ôta des mains un de ces grands livres, écrit tout petit, qu'il lisait tout le temps, et qu'elle avait pris à l'envers un moment, par pure curiosité, pour faire un peu l'idiot, avant de la posséder d'une façon aussi intense que la première fois, avec une violence qui ne faisait pas mal et une douceur qui donnait envie de pleurer, ni ce qui arriva ensuite, tandis qu'elle croyait qu'il ne leur restait plus qu'à attendre le sommeil enlacés et épuisés, comme toutes les nuits.

« Demain, achète-moi quatre cahiers. Deux avec des lignes parallèles... Tu vois ce que je veux dire ? Et deux autres avec des doubles lignes, comme ceux qu'utilisent les écoliers. Demande à une de mes sœurs de t'accompagner, elles savent. » Il la regarda, la vit sourire, et attendit pendant quelques secondes une question qui ne vint pas. « Je vais t'apprendre à lire et à écrire.

— Non. » Et elle parla en évitant son regard, comme si ses paroles l'avaient offensée.

« Si, insista-t-il avec fermeté.

— Non. » Elle se redressa, s'appuya sur un coude et le regarda. « Pour quoi faire ? Je sais déjà un peu, ta mère est en train de m'apprendre, et puis je me débrouille très bien, si tu voyais...

— Tu ne te débrouilles pas bien, Anita. » Ignacio ne la laissa pas poursuivre. « Personne ne se débrouille bien. Tu dois apprendre, je peux m'en charger, je l'ai fait pour tellement de soldats que je connais par cœur les manuels de lecture. Ma mère est très occupée avec ses cours de chant, mais moi, je n'ai rien à faire les matins. C'est beaucoup plus facile que ça n'en a l'air et puis... » Il s'assit sur le lit, s'adossa au mur et la prit dans ses bras, la serra contre sa poitrine comme s'il ne voulait pas la regarder. Il ne cessait de lui caresser les cheveux en parlant : « Je ne sais pas pendant combien de temps je vais pouvoir continuer comme ça. Tôt ou tard, quelqu'un me verra, posera des questions, fera ses calculs... Ça se passe toujours comme ça, c'est toujours pareil et ce n'est la faute de personne. Nous sommes dans un pays occupé, au milieu d'une guerre, et tout le monde a un problème, un service à demander en échange de la dénonciation d'un fugitif. Je ne sais pas ce que je vais devenir, Anita, où je vais atterrir, ni quand je pourrai revenir. Je ne sais pas. Et tu ne peux pas rester comme ça. Si tu ne veux pas apprendre pour toi, fais-le pour moi. Pour que, le jour où je partirai, je sache au moins que j'ai fait quelque chose pour toi.

— Tu as déjà fait beaucoup pour moi ! » protesta-t-elle en échappant à son étreinte pour le regarder.

Le lendemain elle revint avec les cahiers.

« Et les devoirs ? » Ignacio l'accueillait tous les soirs avec la même question et Anita haussait les épaules, en souriant : « Je n'ai pas eu le temps de les faire. — Ah non, et pourquoi ? feignait-il de s'étonner. — J'ai un fiancé qui me prend beaucoup de temps » expliquait-elle, et tous les deux se mettaient à rire. Puis ils s'asseyaient ensemble à la table de la cuisine, l'élève pour tracer des bâtons et des ronds, le maître pour la regarder avec un sourire naissant sur les lèvres, quoi qu'elle fasse.

Il avait rempli les lignes des cahiers avec des lettres, des syllabes, des diphtongues, des mots découpés, puis des phrases entières, des phrases simples qu'elle apprit à déchiffrer très vite, parce qu'elle apprenait par Ignacio, pour Ignacio. Elle s'efforçait de lui faire plaisir sur ce point aussi, surtout maintenant qu'il avait lui-même fixé les délais de l'avenir, ces mots terribles qu'il prononça sur le ton le plus tranquille – « je ne sais pas pendant combien de temps encore je vais pouvoir continuer comme ça » – pour qu'ils éclatent dans sa conscience comme un tir capable de la partager en deux. Alors commença le compte à rebours, et le temps qui leur échappait, qui se faufilait par le trou par lequel ils avaient tout perdu, la défaite, l'exil, la guerre, devint une chose précieuse, la plus importante qu'Anita Salgado Pérez eût jamais possédée. Jamais, pas même le jour désormais lointain de son crime, elle n'avait éprouvé d'angoisse semblable à celle qui lui coupait le souffle chaque soir, à l'instant d'introduire la clé dans la serrure. Jamais, pas même à l'époque lointaine de son enfance paisible dans un petit village entouré de montagnes, elle n'avait éprouvé de joie semblable à celle qui la faisait fondre lorsqu'elle le voyait appuyé contre le fourneau, les bras croisés, avec la même question malicieuse tous les soirs : « Et tes devoirs ? »

Elle ne lui répondait plus par des mots. S'ils se retrouvaient seuls dans la cuisine, elle s'élançait vers lui comme la jeune fille désespérée qu'elle venait de cesser d'être à l'instant, et s'il y avait quelqu'un à proximité, elle le poussait dans la réserve sous un prétexte quelconque pour l'étreindre jusqu'à ne plus avoir de forces, pour l'embrasser jusqu'à ne plus avoir de baisers. Puis elle s'asseyait à côté de lui à la table de la cuisine, fronçait les sourcils, et reconnaissait à voix haute les syllabes qu'il lui désignait du doigt : A-ni-ta est u-ne-pe-ti-te-po-mme. Et elle se mettait à rire, le regardait et se rendait compte qu'elle n'avait jamais été aussi heureuse, que ce bonheur faisait mal, parce qu'il n'avait plus rien à voir avec le romantisme des belles phrases ni avec l'exacerbation romantique du désir d'un fugitif. Celui-ci était beaucoup plus grand, plus profond. C'était ce qu'il y avait derrière la beauté, l'émotion, l'éloquence, et c'était si fort, si puissant, qu'elle se réveillait au milieu de la nuit d'un sursaut brutal comme une prémonition de la mort. Alors, en le voyant dormir à son côté, elle ne pouvait penser qu'à une chose, « demain je ne l'aurai peut-être plus, demain il sera parti, demain je serai seule dans ce lit... » Chaque minute pesait, chaque minute comptait, chaque minute se dilatait jusqu'à se projeter dans les limites d'une petite éternité personnelle, jusqu'à ce que Anita perde le calme, et la tête, et se juche sur Ignacio pour le réveiller, pour s'abandonner à lui avec avidité, une détermination inconditionnelle et furieuse qui lui permettait de se rendormir, juste quelques heures avant d'affronter l'incertitude d'adieux ambigus, « à bientôt, à bientôt », inaugurant une journée de souffrance sourde, quotidienne, qui était aussi pour elle, même si elle ne devait le comprendre que plus tard, le bonheur.

Jusqu'au jour où, un beau soir du début juin, elle ne le trouva pas dans la cuisine. Elle ne put le voir, le toucher, elle n'entendit pas sa voix. Personne ne lui demanda si elle avait fait ses devoirs, personne ne l'attendait – juste le cahier, ouvert à la page qu'elle aurait dû compléter ce jour-là, « devant *p* et *b*, on met toujours un *m* » et au-dessous, à l'endroit qu'elle aurait dû remplir de son crayon maladroit, encore hésitant, une phrase inattendue, à l'écriture élégante, gracieuse, difficile à lire, une écriture de monsieur, « je t'aime, Anita », et la signature, juste son prénom, Ignacio, sans aucun paraphe. Alors, avant qu'elle ne fût parvenue à déchiffrer ce message, la mère du fugitif vint la retrouver depuis la salle à manger et lui raconta un fragment de l'histoire :

« Il est parti. Il a dû partir, parce que... La voisine du dessous, Mme Larronde, tu la connais, est venue me voir ce matin, pour me prévenir que son beau-frère comptait le dénoncer. Comme par les fenêtres de la cour, on voit tout...

— Aïe ! » Anita ouvrit de grands yeux et se couvrit la bouche de ses mains, mais il en fallait beaucoup plus pour faire perdre son calme à María Muñoz ce soir-là.

« Je lui ai dit de ne pas partir, qu'on irait voir cet homme, qu'on lui proposerait de l'argent, que sais-je, on aurait pu faire quelque chose, mais il n'a pas voulu rester, il m'a dit qu'il n'était pas disposé à nous faire courir des risques à cause de lui... »

Elle préféra s'arrêter là, libérer Anita des arguments de son fils, de cette peur qu'elle ne voulut partager avec personne et qu'elle garda pour elle seule jusqu'à la fin de la guerre. « C'est trop dangereux pour tout le monde, maman, pour vous mais aussi pour moi. » C'était là la véritable réponse d'Ignacio. « Si je pars, je peux essayer de me présenter volontairement à ma compagnie. On m'arrêtera, on me mettra au cachot, et puis je reprendrai le travail, c'est tout ce qui m'arrivera. Mais si je me fais prendre par les vichystes, ils m'enverront en Allemagne, et les nazis m'enfermeront dans un de leurs camps de concentration. Je savais que cela allait arriver, maman, et je sais ce que je dois faire, ne t'inquiète pas... »

María Muñoz ne raconta pas à Anita cette partie de l'histoire parce qu'elle était restée avec son fils jusqu'à la fin, elle l'avait vu entrer dans la réserve, en ressortir avec ce cahier, y inscrire quelque chose, le laisser ouvert sur la table de la cuisine avant de partir, et après avoir descendu deux marches, remonter pour la charger d'une dernière commission : « Veille sur Anita pour moi, maman, lui avait-il demandé, tout en la prenant à nouveau dans ses bras, en l'embrassant, veille sur elle pour moi. » Ce fut la raison pour laquelle elle ne lui raconta rien d'autre, et elle la regarda en silence, dans l'impuissance de savoir qu'elle ne pouvait rien faire pour elle, qu'elle ne trouverait jamais rien à dire pour la consoler, pour se consoler à ses côtés. Seule Paloma y parviendrait, elle qu'un soudain élan de son ancienne compassion rendit à la vie cette nuit-là, très tard. Tout le monde était maintenant couché sauf Anita. Elle avait refusé de se lever de la table de la cuisine pour dîner, et elle était là, devant son cahier, l'œil éteint, quand sa collègue de travail couvrit les mots d'Ignacio avec une photographie qu'elle n'avait jamais vue.

« Regarde, c'est une photo de ma famille le jour de mon mariage, lui dit-elle en désignant cette image dorée, brillante. À l'époque, il y a huit ans, on avait trois hommes jeunes, tu vois ? Celui-ci... » Elle caressa du bout de l'index le visage mat et souriant de son mari. « On me l'a tué. Celui-là... » Elle désigna Mateo, son frère, presque aussi élégant que son fiancé, dans un frac immaculé, un gardénia blanc à la boutonnière. « ... aussi. Celui-là... » Elle s'arrêta enfin sur Ignacio, un garçon pas très grand mais avec des jambes disproportionnées, trop longues pour sa taille, presque un enfant dans un costume d'adulte. « ... ne peut pas mourir. Celui-ci va vivre, tu comprends ? Parce qu'ils ne peuvent pas nous les tuer tous les trois, c'est impossible. Ça s'appelle du calcul de probabilités. » À ce moment, enfin, Anita releva la tête vers elle et la regarda. « Quand tu auras fini le cahier, dis à mon frère de t'apprendre les mathématiques. »

Anita sourit à Paloma, en contemplant le visage prospère et joyeux des Fernández Muñoz, cette famille dont elle ne connaissait qu'un côté de la médaille. Elle sourit en voyant les parents, beaucoup plus jeunes qu'elle ne l'imaginait, Mateo avec des cheveux et une moustache, le pouce de la main droite à l'intérieur du gilet d'où sortait la chaîne en or de sa montre, María souriante et très élégante, avec des bijoux aux doigts, aux poignets, au cou. Elle sourit en voyant les fiancés, elle si belle que cela faisait presque peur de la regarder, lui aussi heureux que s'il l'avait su mieux que personne. Elle sourit en voyant le frère aîné, sérieux, qui se donnait de grands airs, la jeune sœur, mal à l'aise dans sa robe de demoiselle. Et elle sourit encore, en regardant Ignacio.

« Je peux garder la photo ? demanda-t-elle à Paloma au moment où elle allait s'effondrer à nouveau.

— Bon, mais juste pour cette nuit. Demain, tu me la rends », accepta-t-elle en posant un baiser sur sa tête.

Anita attendit de se retrouver seule pour regarder encore ce jeune homme de seize ans, qui lui semblait aussi jeune que si elle avait elle-même gardé un souvenir très lointain de cet âge. « Où peux-tu être, en ce moment ? » se demanda-t-elle. Et elle sentit la morsure d'une solitude plus cruelle que celle de sa vie d'orpheline. Une blessure plus superficielle que celles infligées par toutes les réponses envisageables à la question qui la tourmentait : « Où peux-tu être en ce moment, Ignacio, où peux-tu être ? »

Il était dans une sorte de cachot improvisé au fond d'une baraque et assez content, parce que tout s'était bien passé. Il était parvenu sans encombre à la fabrique de pneus, avait constaté que son groupe n'en avait pas bougé, et il avait même eu le temps de prendre dans ses bras l'ouvrier asturien auquel il avait confié ses responsabilités politiques au moment de s'enfuir, avant de se présenter devant le directeur de la fabrique.

« Mais d'où est-ce que tu sors, mon vieux ? lui demanda Amadeo au milieu des embrassades, avec son accent pluvieux et chantant. Bon sang, on dirait que tu viens de passer deux ans dans une ville d'eaux...

— Je te raconterai. » Ignacio sourit, comme s'il pouvait se voir dans l'étonnement de son ami. « Comment ça va, ici ?

— Moins bien que là-bas, sûrement, mais pour le reste, comme avant », dit l'Asturien en riant.

Cela signifiait que le directeur était le même commandant militaire qui ne voulait pas se compliquer la vie et dont la situation – cet emploi misérable quasi incompatible avec son âge et son grade – révélait que, malgré son intégration indiscutable au nouveau régime, il ne ressentait pas de réelles affinités excessives avec les critères du gouvernement de la collaboration. C'était peut-être pour cette raison qu'il n'avait jamais pris la responsabilité d'envoyer les prisonniers qui étaient à sa charge à une mort certaine dans un camp allemand, et Ignacio ne fit pas exception. « Ah, les Espagnols ! » se borna-t-il à réfléchir à voix haute, après l'avoir écouté, sur un ton qui révélait davantage la lassitude et l'ennui, qu'autre chose. « Comme si les Allemands ne nous suffisaient pas, voilà que vous les Espagnols vous nous tombez dessus, en plus... Qu'est-ce qu'on a pu faire, nous les Français, pour mériter ces voisins ? » Ignacio aurait pu répondre à cette question, mais il préféra se taire et alla directement au cachot pour prix de son silence. Et là, sur les lieux de son ancienne détresse, il se rendit compte qu'Anita était toujours avec lui, et plus jamais il ne se sentit aussi seul qu'avant.

Il possédait un avantage qu'elle n'avait pas, parce qu'il pouvait l'imaginer, calculer le rythme quotidien de sa vie, la situer dans un lieu précis, parmi des personnes au visage et à la silhouette familière. Il savait quelle tasse elle utilisait pour son petit déjeuner, dans quel ordre elle se déshabillait, ce qu'elle aimait manger, comment elle se lavait les cheveux dans l'évier de la cuisine. Chaque jour qu'il passa au cachot fut aussi semblable aux précédents – tous les matins il se rappelait les réveils d'Anita, avant de s'endormir il se rappelait Anita endormie, et à chacun de ses pas, il voyait Anita marcher, se déplacer dans la maison, et cette image dotée de son propre temps de poids, de sens.

S'il avait vraiment pu voir Anita, Ignacio aurait été très fier d'elle, parce que la jeune fille s'était entièrement dévouée au calcul des probabilités comme s'il s'était agi d'une Vierge miraculeuse. Sous la protection des mathématiques, elle se débarrassa si rapidement du poison paresseux et stérile de l'autocompassion, que dès le lendemain du départ d'Ignacio elle alla chercher ses cahiers, les ouvrit sur la table, et déclara à voix haute : « Je vais faire mes devoirs. » Puis elle dessina un carré autour de la dernière phrase qu'il avait écrite, et dans l'espace restant elle recopia cinq fois « devant $p$ et $b$, on écrit toujours $m$ », et sur la page d'à côté, en se concentrant aussi bien sur les mots qu'elle comprenait que sur ceux qu'elle ne comprenait pas, elle copia « ambition, combat, emploi, symbole, compas, embolie, champ, tombes, pompe, bombe, ampoule, sombre », une fois, encore, et encore. « Devant $p$ et $b$, on écrit toujours $m$, je t'aime, Anita. » Ce fut la première phrase qu'elle écrivit quand elle arriva aux pages vierges qui se trouvaient à la fin du cahier, avant de recopier celles qu'il avait écrites sur les lignes simples pour lui apprendre à lire et la faire rire en même temps : « Anita est une petite pomme, Anita est un bonbon au chocolat, Anita est têtue comme une mule, Je suis fou d'Anita, Je vais te dévorer de baisers, Que fais-tu de tes nuits, Anita ? Arrête de lire et allons enfin nous coucher. » Quand elle eut fini de les recopier toutes, elle venait de se rendre compte qu'elle grossissait.

Elle grossissait et ne voulait pas y penser, mais elle avait beau ne pas y penser, elle grossissait quand même. Au début, elle n'y accorda pas d'importance, parce qu'elle se sentait bien, elle avait très faim et dormait beaucoup, mais sans être écœurée ou avoir envie de vomir. Sa sœur aînée repérait ses grossesses à la répugnance soudaine que lui inspirait le café au lait du petit déjeuner. Anita ne se souvenait pas de la dernière fois où elle avait bu du café, mais cette espèce d'amalgame dégoûtant de céréales grillées qu'elle mélangeait au lait tous les matins lui convenait aussi bien qu'avant de connaître Ignacio. Et les règles, on le sait, les règles s'affolent avec les contrariétés, alors elles vont revenir un de ces jours et voilà, se disait-elle. Mais sa taille ne voulait pas comprendre, sa taille ne comprenait pas ; sa poitrine était devenue tout aussi stupide, elle gonflait et lui faisait mal. Et Anita avait de plus en plus de mal à fermer sa jupe le matin, jusqu'au jour où elle ne put plus la fermer. Et ce jour-là, dans l'après-midi, en rentrant à la maison, elle s'assit sur son lit et se mit à pleurer.

« Mais qu'est-ce que tu as, ma chérie ? » demanda María Muñoz en entrant dans la réserve, l'inquiétude dans le regard. Elle s'assit à côté d'elle, tout en se tenant la poitrine comme si on venait de la lui ouvrir de haut en bas. « Tu as appris quelque chose ? Tu as eu des nouvelles de... ?

— Non, ce n'est pas ça.

— Heureusement. » Et María se passa les mains sur le visage à deux reprises, les paumes ouvertes, comme si elle voulait effacer ses traits avant les remettre chacun à leur place. « Heureusement, parce que... » Elle ne se rendit compte qu'à cet instant qu'elle ne comprenait rien. « Mais alors, qu'est-ce que tu as ?

— Rien. » Anita se remit à pleurer mais elle put poursuivre, même si elle n'osait pas encore la regarder. « Je pensais que... Il faut voir, María, tu n'as pas eu de chance, avec Ignacio, non ?

— Pas de chance ? Eh bien non, je ne crois pas que... Qu'est-ce que tu veux dire ?

— Je ne sais pas... D'abord à Madrid, avec cette femme qui parlait si mal, tu sais... » Elle guetta du coin de l'œil le visage de son interlocutrice qui affichait toujours une perplexité imperturbable. « Et maintenant ici, avec moi.

— Avec toi ? » María Muñoz crut qu'elle essayait de lui avouer à contretemps une relation que tout le monde à la maison avait découverte à ses débuts, et elle la prit dans ses bras en se mettant à rire. « Mais je t'aime beaucoup, Anita. Énormément. Ne t'inquiète pas, je n'ai jamais pensé que tu ressemblais à cette femme.

— Eh bien tu sais, je lui ressemble un peu, María... Je lui ressemble, parce que... » Elle se libéra de l'étreinte et regarda enfin la mère d'Ignacio dans les yeux. « Mais je m'en vais, ne t'inquiète pas. Je m'en vais tout de suite. Je ramasse mes affaires, je retourne à la pension, et après... » En voyant Maria froncer les sourcils, du même air soucieux qu'elle aurait adressé à ses filles, Anita se rendit compte qu'elle ne comprenait toujours pas. « Après, quand l'enfant naîtra... »

María Muñoz la regarda, les yeux écarquillés. Puis elle cria, se couvrit à nouveau la tête de ses mains et se jeta sur le lit, en avant et en arrière, à plusieurs reprises.

« Je regrette vraiment, je te l'ai dit, insista Anita, incapable de saisir la scène qu'elle voyait. Je regrette vraiment, je te jure que je regrette. Mais ne t'inquiète pas parce que je vais partir, je ne peux pas rester vivre ici, je mourrais de honte, je...

— Aïe ! » Sa future belle-mère se découvrit le visage ; elle pleurait et souriait à la fois. « Aïe, mon Dieu ! » Elle la prit à nouveau dans ses bras, l'embrassa sur le front, sur les joues, la tête, la serra très fort, et la retint tout en prononçant les seules paroles qu'Anita ne s'attendait pas à entendre : « Mais comment pourrais-tu partir, ne dis pas de sottises, tout ce que tu as à faire maintenant, c'est de bien manger, de beaucoup dormir, et de te promener, de prendre un peu le soleil et... Aïe, Anita ! » Alors elle l'écarta d'elle, la regarda, la reprit dans ses bras. « Quelle joie, vraiment, vraiment, quelle joie... »

En sortant de la réserve, elle voulut croire que cette nouvelle signifiait une seule chose. Tout commençait à changer. L'heure de remonter était arrivée, et ils allaient remonter. À partir de cet instant, elle n'en douta plus. Elle était si sûre, si contente, que même la réaction de son mari, qui porta les mains à sa tête quand il entendit sa version joyeuse de la nouvelle, ne la dérangea pas.

« Mais tu es devenue folle, ou quoi ? » Et il la regarda comme un père qui gronde une petite fille. « Ce qui est fait est fait, il n'y a pas le choix, mais que, en plus, tu sois contente, eh bien je trouve que c'est le comble... Tu ne te rends pas compte qu'il ne nous manquait plus que ça ?

— Oui, Mateo, tu as raison, répondit María, qui avait déjà prévu la question et avait préparé sa réponse. Il ne nous manquait plus que ça, c'est justement ce qu'il nous manque. » Il ferma les yeux de stupeur et elle attendit qu'il les rouvre. « Eh oui, je suis folle, je suis devenue folle. Parce qu'on m'a tué un fils de vingt-trois ans, parce que j'ai une fille qui est devenue veuve à vingt-quatre, parce que, à Madrid, j'ai un petit-fils qui sait déjà marcher, et parler, et que je ne le connais pas, parce que je ne l'ai jamais vu et que je vais peut-être mourir sans le connaître... » À cette pensée, elle fit une autre pause, plus mélancolique avant de reprendre aussitôt : « Bien sûr, que je suis folle, qui ne le serait pas ? Et à part ça, je me fiche de tout, si tu veux savoir. Ils ne sont pas mariés, et alors ? Ignacio ne sait pas qu'il va avoir un enfant, et alors ?

Quand il reviendra, il ne sera peut-être pas content de le trouver ici, et alors ? Ce n'est pas de notre faute, et puis... Anita est la fille d'un garde forestier, elle était analphabète il y a quelque temps encore, il y a cinq ans j'aurais considéré cette grossesse comme une tragédie ?

— Non, ce n'est pas ce que je dis, mais..., tenta-t-il d'intervenir.

— Mais quoi ? » l'interrompit-elle avant de comprendre que ce n'était pas son mari qui méritait ses cris. « Aujourd'hui, je ne suis plus celle que j'étais il y a cinq ans, Mateo. Aujourd'hui, je me trompe beaucoup moins, et tout le reste m'est égal. Aujourd'hui, la seule chose qui compte pour moi, c'est mon petit-fils, ton petit-fils, et sa mère, et rien d'autre. Parce que je ne peux pas continuer à perdre ma famille, je ne peux pas continuer à enterrer les gens que j'aime, je ne peux pas accepter d'avoir un autre petit-fils que je ne vais pas connaître. Ça, je ne peux pas le supporter, tu ne comprends pas ? Plutôt mourir. Je préférerais mourir... »

Mateo Fernández regardait déjà sa femme d'une autre façon. Elle s'en aperçut et revint à la charge sur un ton différent, doux et souriant.

« C'est de la folie, je ne te dis pas le contraire, parce qu'on vit dans un pays étranger, sans argent, au milieu d'une guerre, je le sais. C'est une folie, mais c'est aussi une chance, Mateo, penses-y. C'est un début. Je ne sais pas encore très bien de quoi, mais je sais que ce sera mieux que ce qu'on a connu, et que c'est un début... »

Avant de méditer sa propre réponse, il sortit d'un fond de tiroir les derniers francs qu'il avait pu conserver en arrivant à Toulouse, les seuls qui lui restaient quand il trouva un poste de professeur de mathématiques dans un centre, et qu'il donna à sa femme. Puis, au cours du dîner, il observa la mère de son petit-fils et sourit.

« S'il te plaît, Anita, donne-nous un garçon, lui dit-il. Il y a déjà trop de femmes dans cette maison.

— Moi, je préférerais une fille, murmura-t-elle, à cause du calcul des probabilités, et ça...

— Ne sois pas sotte, ma petite, ça n'a rien à voir. » Paloma se mit à rire, et tous prirent conscience qu'ils ne l'avaient pas vue rire depuis longtemps.

Ce fut un garçon. Il naquit en janvier 1943, quelques semaines avant que son père ne parvînt à s'échapper de cette fabrique de pneus où il ne retournerait pas et où chaque nuit, pendant tout le temps de la grossesse d'Anita, il avait pensé à la taille fine, aux hanches rondes, à la perfection aérienne de la poitrine adolescente de cette femme qui demeurait à ses côtés mais ne l'empêchait pas de faire d'autres choses. Alors que son fils commençait déjà à gonfler le ventre blanc, lisse et doux, qu'il continuait à voir dès qu'il fermait les yeux, Ignacio Fernández Muñoz découvrit une nouvelle occasion de retrouver son audace passée – il se livra aux sabotages avec l'enthousiasme qu'il mettait auparavant dans les évasions. L'occupation nazie de la France de Vichy indiquait que les choses changeaient, et le changement finit par toucher également le directeur de la fabrique de pneus, qui fut relevé de ses fonctions pour son inaptitude à faire cesser les arrêts constants de la production à un moment difficile pour l'armée d'occupation. Ce n'était pas de sa faute, mais bien celle du nombre indéterminé de tournevis qui glissaient mystérieusement des doigts des travailleurs étrangers, dans un hangar où les déficiences auditives du personnel fleurissaient avec la même rigueur mystérieuse.

« J'ai fait tomber mon tournevis, criait en espagnol, l'homme avec lequel Ignacio s'était mis d'accord, au moment prévu.

— Quoi ? demandait l'autre, portant la main droite à l'oreille.

— J'ai fait tomber mon tournevis », répétait son interlocuteur, très calme. Et tous ceux qui étaient à proximité riaient sous cape. « Arrête la machine, ça va la foutre en l'air.

— Quoi ? » répétait le principal destinataire des cris, en désignant ses oreilles de ses doigts. « Je ne t'entends pas... »

Alors la machine s'arrêtait, le commandant se mettait en colère, les responsables allaient en prison, et, au passage, Ignacio et Amadeo aussi, même s'ils n'étaient pas intervenus dans l'incident qui avait une nouvelle fois privé de pneus les camions de l'armée allemande. Peu leur importait la punition. Ils se rappelaient tous la légende de cette bombe qui n'avait pas explosé en tombant sur les lignes républicaines du front de Guadalajara, et la fameuse émotion de l'artilleur qui la démonta par curiosité, pour trouver à l'intérieur une feuille de papier rédigée dans un espagnol approximatif mais tout à fait compréhensible : « Camarades, les bombes que je monte n'explosent pas. » La guerre d'Espagne avait été la guerre d'un ouvrier allemand anonyme, et cette guerre était aussi la leur. Peu leur importait le châtiment, jusqu'à l'arrivée d'un nouveau directeur qui durcit les peines, plaça des surveillants dans l'entrepôt et, quand il constata que cela ne suffisait toujours pas, annonça que les saboteurs seraient aussitôt remis aux forces d'occupation. Cette menace ne les fit pas renoncer, mais les obligea à davantage de prudence. Par chance, à l'époque, le Cantabrien était sur le point de découvrir un procédé idéal pour rendre toute l'usine inutilisable.

« Il s'agit simplement de desserrer progressivement deux vis pendant environ une semaine. Ça force le frôlement de l'axe, et deux jours plus tard, quand il finit par se casser tout seul, on resserre tout de suite les vis en un instant, et le tour est joué », leur expliqua-t-il, très fier.

Ignacio et Amadeo se regardèrent sans savoir que dire.

« Alors ça y est ? demanda l'Asturien au bout d'un moment.

— Mais enfin, qu'est-ce que vous êtes bêtes, vous ne comprenez rien... » Ce mécanicien extraordinaire, dont deux guerres consécutives avaient fait un expert en sabotages, secoua la tête avant de donner plus de détails : « Le mieux est que ça ne se voie pas, d'accord ? Ils ne sauront jamais ce qui s'est passé, mais l'usine s'arrêtera tout aussi bien. »

Le moment venu, l'axe se cassa tout seul et l'usine s'arrêta, mais le Cantabrien ne pouvait se charger de resserrer les deux vis en même temps, et quand le directeur commença à hurler, ils se rendirent tous compte que le garçon qu'il avait chargé d'exécuter l'autre partie du travail était pâle, tremblant, mort de peur. Ce fut alors au tour d'Amadeo d'avoir une brillante idée.

« Cette nuit, on se tire », annonça-t-il à Ignacio tandis qu'on les rassemblait tous dans le hangar pour attendre l'arrivée des techniciens. « Cette nuit, ou quand on pourra, le Cantabrien, toi et moi, parce que cet imbécile va parler, aussi sûr que ma mère s'appelle Eusebia... »

Des années plus tard, ils apprendraient que, même si la mère d'Amadeo s'appelait toujours Eusebia, le garçon n'avait pas parlé. En revanche, il s'était tapé un an et demi dans un

camp allemand à cause des aveux spontanés, gratuits et tar-
difs, du dernier des ouvriers de l'usine que l'on aurait pu soupçonner. Ce jour-là, quand Amadeo prononça sa prophétie qui
ne se réalisa pas, Ignacio ignorait que le fils d'Eusebia avait
découvert un angle mort – cinquante centimètres de grillage
visibles de nulle part – et qu'il se consacrait depuis des mois
à planifier son évasion avec la même dévotion que lui-même
mettait à se souvenir d'Anita. Quand en fin de compte l'ingénieur estima que les marques de frottement sur les extrémités
de l'axe laissaient supposer une pièce défectueuse, on les
envoya dans les baraquements tandis que la direction décidait
ce qu'elle allait faire d'eux. Mais Ignacio et le Cantabrien pré-
férèrent ne pas attendre de connaître leur décision. À 4 heures
du matin, ils sortirent derrière Amadeo par la brèche que
celui-ci venait de pratiquer dans le grillage avec des pinces
qu'il avait repérées et cachées dans une de ses bottes le soir
même, dès que la machine s'était mise à fumer – « au cas où »,
leur dit-il.

Le parti leur donna à choisir. Deux d'entre eux pourraient
se rendre à Foix avec de faux papiers, comme employés du
camarade français qui les emmènerait en camion jusqu'à
l'exploitation forestière où ils rejoindraient le maquis, et le
troisième devrait rester à Toulouse jusqu'à ce qu'ils trouvent
comment l'utiliser. Ignacio faillit dire qu'il restait, mais le
Cantabrien le devança – il avait dépassé les quarante ans, se
trouvait trop âgé pour se balader avec un fusil, et son affaire
n'était pas le maquis, mais les sabotages. « Dans la montagne,
il n'y a pas de postes électriques », argua-t-il, et Ignacio ne
trouva rien à objecter. Au dernier moment, il n'osa pas non
plus demander au chauffeur d'entrer dans la ville pour passer
devant la maison de ses parents avant de partir, deux nuits
après l'évasion. S'il l'avait fait, il aurait peut-être vu la lumière
de la chambre de ses sœurs, où Anita s'était installée avec le
bébé, qui se réveillait encore toutes les trois heures.

Quand elle vit l'enfant s'accrocher au sein de sa mère, ses
petites joues se creusant à intervalles réguliers, la peau pâle,
presque transparente, de son visage se colorant sous l'effort
de succion, María Muñoz vécut un instant de paix si profonde, qu'elle en vint à oublier son propre fils. « Qu'il soit bien
portant, se répétait-elle à chaque instant, chaque jour. Qu'il
soit bien portant. » Et elle regardait Anita, son corps de pou-

pée, si étroit, si menu, et elle se le répétait tout en regrettant ce dieu menteur, implacable mécène de leurs ennemis, dont elle mentionnait si souvent le nom mais qu'elle ne priait jamais. « Qu'il soit bien portant, je vous en prie, qu'il soit bien portant et qu'il s'accroche au sein, qu'il s'accroche, sinon... » Les hôpitaux, les médecins, les infirmières, les nourrices, les biberons s'étaient évanouis avec son monde, avec les plaisirs et les devoirs de cette vie de femme heureuse et bien mariée dont elle se souvenait à peine. Elle ne pouvait plus faire confiance qu'à son petit-fils, elle ne pouvait croire qu'en lui, espérer qu'il fût bien portant, naquît seul, et tétât avec autant de vigueur que s'il avait compris le jour même de sa naissance que sa grand-mère ne pourrait jamais se remettre du contraire. Cela, le poids qu'il prenait tous les jours et la vitesse à laquelle ses vêtements lui devenaient trop petits suffirent à soutenir María Muñoz quand elle sortit de la boîte aux lettres cette enveloppe si étrange, dont l'expéditeur était le Service extérieur pour les réfugiés espagnols. « Que peuvent-ils bien vouloir maintenant ? » se demanda-t-elle avant de trouver à l'intérieur une lettre où Ignacio les prévenait qu'il allait bien, qu'il vivait maintenant à la campagne, en plein air, et qu'il avait un travail qui lui plaisait beaucoup, parce qu'il ressemblait à celui qu'il avait trouvé sept ans plus tôt, à Madrid, cet automne où il avait fait si froid, « vous devez vous en souvenir... »

À l'intérieur de cette enveloppe, il y en avait une autre, avec une lettre destinée à Anita. Elle sourit en lisant l'en-tête, prévisible, ordinaire, aussi prosaïque que les préoccupations des personnes qui non seulement sont vivantes, mais disposées aussi à continuer à vivre : « Chère Anita... » Ignacio n'écrivait pas aussi bien que son beau-frère, il ne trouvait pas de phrases aussi jolies, de mots aussi doux, de lamentations aussi intenses, aussi romantiques, mais il savait dire à Anita qu'il l'aimait, qu'elle lui manquait beaucoup, qu'il pensait tout le temps à elle, qu'il ne pouvait même pas supporter l'idée qu'elle regarde un autre homme, qu'il était amoureux d'elle comme il ne l'avait jamais été de personne, qu'elle le croie, qu'elle l'attende, qu'il viendrait la chercher dès qu'il pourrait et qu'elle ne pouvait imaginer à quel point c'était important pour lui d'avoir la possibilité de lui dire tout ça.

« Qu'est-ce que tu fais, l'Anchois ? » Il venait d'arriver en Ariège, mais il s'était habitué à appeler Perea par son nom de guerre. Un soir, il le trouva assis par terre, en train d'écrire sur une feuille de papier appuyée sur sa musette.

« Eh bien, j'écris. » Il le regardait comme s'il avait été un idiot. « Qu'est-ce que je pourrais faire d'autre ?

— Mais... » Ignacio chercha à préciser. « Tu écris chez toi ?

— Bien sûr.

— Et comment tu fais ?

— Eh bien voilà... » Aurelio se mit à rire, souleva en l'air le crayon qu'il tenait dans la main droite et la feuille de papier dans l'autre main. « On prend un crayon, tu vois ?, et une feuille de papier, comme ça, et alors on met le crayon sur le papier et on dessine des petits signes qui signifient "chère Rafaela..."

— Non. » Ignacio accepta la moquerie avec le sourire. « Ce que je veux savoir, c'est comment tu envoies les lettres... » Lorsqu'il comprit, il précisa : « L'expédition.

— Je me débrouille très bien. » Aurelio continuait à se moquer de lui : « Je leur donne les lettres et ils les mettent dans une enveloppe, ils collent un timbre, les donnent à quelqu'un qui va à Marseille, ou à Paris, et là, ce quelqu'un les met dans une boîte. Je sais que ça a l'air compliqué, mais, si tu fais un effort, toi qui es si instruit, tu comprendras sûrement.

— Et l'expéditeur ?

— Eh bien ça, ça dépend... Il y en a qui s'inventent un nom espagnol, ou français... Moi, je mets le nom du SERE, qui me semble le moins suspect, et je m'invente une adresse, différente chaque fois, rue du Pont, rue Dumas, rue de l'Opéra, bref, ce qui me passe par la tête... On ne peut pas écrire souvent pour ne pas attirer l'attention du facteur, mais j'envoie une lettre à ma femme tous les six mois, à peu près. Comme ça, même si elle ne peut pas me répondre, au moins, elle sait que je suis toujours en vie. »

Entre février 1943 et septembre 1944, Ignacio Fernández Muñoz écrivit trois fois à ses parents, toujours deux enveloppes avec deux lettres différentes, une pour sa famille, l'autre pour Anita. La première était de plus en plus courte, parce que comme il ne pouvait rien leur raconter de ce qu'il faisait en réalité, il se contentait de les rassurer par de pieux mensonges, peu élaborés. La deuxième était de plus en plus longue, parce que le passage du temps le torturait avec la possibilité, de plus en plus vraisemblable au fur et à mesure, qu'elle rencontre un autre homme, tranquille et sensé, doux et pacifique, de ceux qui rentrent dormir chez eux tous les soirs. Il ne pouvait plus vivre sans Anita et il tentait de le lui expliquer, mais il ne trouva jamais les mots justes pour lui dire ce qu'elle représentait pour lui – une bulle chaude et plaisante, isolée du sol où il dormait, du froid qui le réveillait tôt le matin, des boîtes de sardines qu'il mangeait et du fusil dont il ne se séparait jamais. Un monde à part, où il se sentait protégé et heureux, entier et en sécurité, chaque fois qu'il avait un moment libre, parce que tous ses moments libres le ramenaient au même endroit, dans cette chambre secrète aux murs transparents et roses, imperméables à la douleur, à la peur, à la guerre, qui était Anita et qui était amour, et aussi une chose beaucoup plus vitale, plus grande, importante et nécessaire que l'amour, comme cette ancienne foi qui avait plus compté que de rester vivant.

Il essayait en vain de le lui raconter, de le lui expliquer : « Je pense à toi tout le temps, écrivait-il, avant de m'endormir avec toi puis de me réveiller avec toi le matin, et pendant tout le temps qui passe je continue à penser à toi. » Et c'était vrai. C'était si vrai qu'il ne cessa de penser à elle même au cours de cette matinée bénie où il parvint à loger une balle dans la nuque d'un commandant SS – commandant comme ce salaud d'Albatera. L'émotion trouble, féroce, qu'il éprouva en le voyant tomber s'appelait Carlos, et Mateo. Mais une seconde plus tard, à contretemps, comme toujours, il prit conscience que cette nuit-là on aurait pu le tuer sans qu'Anita le sache, et qu'il aurait pu ne jamais la revoir dormir de profil, les jambes repliées et la main droite contre la bouche. Alors il comprit que ça ne lui était plus égal de vivre ou de mourir, et il fut heureux d'être resté en vie.

Ils étaient sortis récupérer une de ces cargaisons d'armes que les Alliés parachutaient, mais avant d'avoir eu le temps d'arriver en haut, encore tout près de la route et de la scierie où ils travaillaient, ils reçurent le cadeau de cette petite expédition allemande qui s'était retrouvée isolée – peut-être à la traîne du convoi dont elle faisait partie ou simplement perdue –, quand son camion tomba en panne.

« Ils ont peut-être crevé un des pneus qu'on fabriquait »,
murmura Amadeo. Mais Ignacio, trop occupé à se convaincre
que ce qu'il voyait était réel, ne lui répondit pas.

« Ils vont dîner, dit alors Moreno, le chef du groupe,
madrilène comme Ignacio.

— Exact. C'est incroyable, qu'on ait eu autant de chance,
répondit ce dernier sans tenir compte du regard surpris que
lui lançait son compatriote.

— On ne peut rien faire, les ordres sont très clairs. Si les
conditions ne s'y prêtent pas, il n'y a pas de parachutage, et
on doit rentrer au campement, avertit-il expressément.

— Des clous, on rentre pas ! »

Ils marmottaient entre leurs dents, protégés par des
rochers, tout près du lieu que les Allemands avaient choisi
pour faire du feu et s'asseoir autour. Ignacio sentait son doigt
le démanger sur la détente de son fusil. Son sang s'était par
contre glacé à l'intérieur de ses veines, et la blancheur aveuglante des certitudes lui ouvrait des yeux dans la nuque, les
tempes, les oreilles, tout en éclairant maintenant l'échiquier
entier.

« On va se les faire, annonça-t-il alors, si calme qu'il ne le
comprenait pas lui-même.

— Non, répondit Moreno.

— Si.

— Non, et je te rappelle que c'est moi le chef !

— Le chef ? » Le regard, aussi étonné que méprisant
d'Ignacio Fernández Muñoz pour son rival d'une stature très
supérieure à la sienne, ouvrit un silence compact, que personne n'osa briser avant qu'il ne répondît lui-même à sa question : « Le chef, c'est moi, parce que je suis capitaine et que tu
n'es qu'un pauvre petit sergent qui fait dans son froc, voilà ! »

Puis, sans attendre de réponse, il s'adressa à ceux qui
étaient déjà ses hommes, – Aurelio, Amadeo, Nicolás le Confiseur, qui était de Reus, et le Gamin, qui était né près d'Ori-
huela et s'appelait Salvador –, et leur donna ses instructions
dans un murmure sobre, ferme, aussi serein que s'il comptait
leur expliquer les règles d'un jeu de société.

« On va se les faire, parce qu'on est moins nombreux,
mais on est à couvert et pas eux, vous comprenez ça, non ? »
Il attendit que toutes les têtes acquiescent avant de poursuivre. « Ça va être aussi facile que d'atteindre des ballons sur

un stand de foire, mais d'abord il faut attendre, assurer le tir, se répartir les cibles, et que personne ne tire avant que j'en aie donné l'ordre...

— Qu'est-ce que vous prétendez avoir fait ? »

Quand ils arrivèrent à la ferme où les attendaient les responsables de la Résistance dans ce secteur, ils récoltèrent une collection impavide de regards perplexes au lieu des toasts et des accolades qu'ils estimaient mériter.

« Onze morts et deux prisonniers, répéta Ignacio, en français, très lentement, et on a pris un camion avec des armes et des munitions, deux motos et un char de combat. Ils avaient aussi une jeep, mais on a dû la laisser là-bas parce que on n'était que six et qu'il nous manquait un chauffeur, mais si vous voulez, on peut repartir la chercher maintenant.

— Un char de combat ? » répéta un Français, comme s'il était resté coincé dans les chenilles du tank ce qui agaça Perea. « Et par où vous l'avez ramené ?

— Eh bien, par la route », répliqua Ignacio, un peu las de toutes ces questions. « Putain, par où est-ce qu'ils croient qu'on allait le ramener ? » ajouta-t-il en espagnol à l'intention de ses compagnons.

Ils expliquèrent qu'ici ça ne se passait pas comme ça, qu'ils ne faisaient pas de prisonniers et que le tank ne servait à rien, qu'ils allaient devoir le bazarder. Ignacio s'y attendait, mais Aurelio avait été si content de le voir – « L'Anchois, viens ici, je t'ai trouvé une mule pour rentrer au village ! » –, qu'il avait rapidement cédé à ses supplications. « Mais comment pourrait-on le faire sauter, l'Avocat, il est tellement joli ? disait-il en le caressant. Et il est tout neuf, regarde-le, il n'a pas servi, il m'attendait, comme qui dirait. On va l'emmener, je t'en prie, il est 3 heures du matin et d'ici au chemin de terre il n'y a que deux kilomètres. Qui nous verra ? Et si quelqu'un nous suit, on lui fait face, ce ne sont pas les mitrailleuses qui manquent, tu as vu ce qu'il y a dans ce camion ? »

« C'était une imprudence, c'est vrai, reconnut Ignacio, mais sans imprudence, on ne gagne pas les guerres. »

Cette audace ne convainquit cependant pas les Français. La crise de colère de l'Anchois, qui se jeta comme une bête féroce sur le premier qu'il attrapa, quand il comprit qu'ils prétendaient les priver de leur mule, fut plus efficace :

« Qu'est-ce que tu veux bazarder, toi, hein, qu'est-ce que tu veux bazarder ? Gros malin ! Pas mon tank, c'est compris ? » Et il le souleva de terre sans arrêter de crier, ni remarquer que sa victime ne comprenait pas un mot de ce qu'il lui disait. « Avec ce tank, je vais traverser la frontière, tu m'entends ? Avec ça, je rentre au village. Alors attention... Pas touche au tank ! »

Ce matin-là, comme si l'Armée du Levant n'avait jamais été dissoute, Aurelio Perea conduisit le tank sur le chemin de terre qui menait à son campement, où leurs compagnons, eux, leur réservèrent l'accueil qu'ils immortalisèrent, le lendemain, par une photo mémorable. Moreno, très offensé, ne voulut pas poser, mais ils le perdirent très vite de vue, l'après-midi où ils furent convoqués à la ferme pour y rencontrer un officier français déguisé en cultivateur qu'ils n'avaient jamais vu. « Vous êtes ceux du tank ? » leur demanda-t-il en espagnol. Quand ils lui répondirent que oui, il sourit avant de leur proposer de rejoindre les troupes françaises intégrées à l'armée. « Nous avons l'impression qu'ici vous êtes mal employés, ajouta-t-il. — À la bonne heure ! » s'exclama Aurelio, aussi las que les autres de faire le messager. Et pendant qu'il riait, ravi du changement d'affectation mais conscient aussi, pour une fois, des risques qu'il prenait, Ignacio repensa à Anita.

Aussi, un matin de septembre 1944, quand il parcourut du regard le quai de la gare et qu'il ne la vit pas, il se demanda si cela valait la peine d'avoir quitté la fête, les hommages et les défilés de la Libération, pour rentrer si vite à Toulouse. Il avait adressé le télégramme à son nom, pour montrer qu'il rentrait à cause d'elle, pour elle, pour qu'elle ne se sente pas comme une étrangère dans sa famille, et qu'elle n'ait pas honte de venir l'accueillir avec les autres. Le télégramme était certainement arrivé parce qu'ils étaient bien là – son père, sa mère et María, enceinte et au bras d'un inconnu. Tous sauf Paloma, qui devait travailler, se dit-il. Tous sauf Anita, qu'il n'aurait jamais imaginé en train de travailler ce jour-là.

« Ignacio ! » Son père criait son nom et agitait son chapeau dans sa direction. Mais Ignacio ne bougeait pas, ne fit pas un pas vers lui. Il continuait à les regarder, à les compter : papa, maman, María, cet homme qui est avec María, et pas Anita. Pas Anita.

« Mon fils ! » Sa mère se jeta sur lui, le prit dans ses bras, et reçut en échange une étreinte tiède, mécanique, deux questions et un regard méfiant.

« Et Anita, où est-elle ? Il lui est arrivé quelque chose ?

— Non. Elle va très bien, elle est à la maison, souriait María Muñoz.

— Et pourquoi ? Pourquoi n'est-elle pas venue ? insistait-il.

— Ignacio ! » Son père le rejoignit, le prit dans ses bras et, uniquement suspendu aux lèvres de sa mère, il lui rendit une étreinte égarée.

« Les choses ont un peu changé, mon fils, tu verras... » Mais elle souriait toujours.

« Elle s'est mariée ? » Sa sœur arriva à sa hauteur, le prit dans ses bras, le couvrit de baisers, essaya de lui présenter l'homme qui l'accompagnait. « Elle en a épousé un autre, maman ?

— Non, qu'est-ce que tu racontes ? » Et comme si elle voulait l'exaspérer définitivement, sa mère se mit à rire alors qu'auparavant elle ne faisait que sourire. « Elle ne s'est pas mariée, elle t'attend à la maison, tu vas la voir...

— C'est moi qui me suis mariée, et je veux te présenter mon mari. Francisco, voici Ignacio, mon frère... Francisco est de Sonseca, près de Toledo, ce village où on fait du massepain, tu sais ?

— Ah oui ? » Ignacio serra la main qu'on lui tendait, si perdu qu'il se demanda ce que pouvaient bien être le massepain, et il lui fallut un moment pour s'en souvenir. « Ça me fait très plaisir de te connaître.

— Moi aussi. María m'a beaucoup parlé de toi... »

Les jeunes mariés prirent congé devant la porte et le laissèrent seul avec ses parents et une avalanche de nouvelles insignifiantes : « Comment est-ce que tu as trouvé Francisco ? María l'adore, nous l'avons connu il y a à peu près un an et demi, et il voulait Paloma, comme tout le monde, tu sais ? Mais il est tombé amoureux de María et on est très contents. C'est un très gentil garçon, sérieux, bien élevé, travailleur. Elle a été enceinte tout de suite, tu l'as vu, elle en est à cinq mois, on aimerait bien que ce soit une fille. » Celles-ci n'avaient d'autre but que de noyer ses questions, mais la maison était proche, et le taxi ne mit que quelques minutes avant de les déposer devant la porte.

« Écoute-moi avant de monter, Ignacio. » María Muñoz prit son fils par les mains et elle le regarda dans les yeux pendant que son mari ouvrait la porte. « C'est la seule bonne chose qui nous soit arrivée depuis que nous avons quitté notre maison, après Mateo, après Carlos, essaie de t'en souvenir, la seule bonne chose...

— María ! » Sous le porche, Mateo Fernández regarda sa femme d'un air si scandalisé qu'il parvint même à le rajeunir. « Quoi ? protesta-t-elle. Je ne peux pas parler à mon fils ?

— Non, tu ne peux pas. Parce que ton fils est un homme accompli, un homme capable de prendre ses décisions. Il n'a pas besoin de tes conseils, et encore moins de tes chantages.

— Chantages ? » Elle fit face à son mari. « Je ne lui fais pas de chantage, j'essaie juste de lui dire ce que je ressens...

— Mais qu'est-ce qui se passe, putain ? explosa l'homme accompli. Merde, vous voulez me dire une fois pour toutes ce qui se passe ?

— Ne sois pas si grossier, Ignacio.

— Maman... »

Ils montèrent l'escalier en silence et, en arrivant sur le palier, ils constatèrent que la porte était ouverte. Sur le seuil, Paloma, alertée par leurs cris, les attendait en souriant, un enfant dans les bras, déjà grand, qui avait les cheveux foncés, les oreilles décollées, et des grands yeux très noirs, doux et mélancoliques, qui rappelaient ceux d'Anita, pensa-t-il, encore incapable de faire des recoupements.

« Qui est cet enfant ?

— C'est ton fils, Ignacio. » Mateo annonça la nouvelle à son fils avec retenue et d'un ton quasi monocorde. Il étudia avec appréhension la satisfaction qui venait de congeler l'expression du nouveau venu.

« Il est comme toi, tu ne vois pas ? » La grand-mère tendit les bras et le petit-fils s'y jeta avec un éclat de rire qui découvrit ses dents du haut, séparées au centre par un espace identique à celui qu'Ignacio Fernández Muñoz avait vu toute sa vie entre ses propres dents. « Les cheveux noirs, comme sa mère, mais pour le reste, comme toi, le même nez, les mêmes oreilles, le même écart entre les dents... »

Il ne dit rien et regarda cet enfant, puis sa mère, ensuite son père, Paloma, sa sœur, et enfin l'enfant à nouveau. Mais on faisait attention, on faisait toujours attention, presque toujours sauf quelques fois à la fin, quand Anita me surprenait dans mon sommeil..., pensait-il.

« Tu ne t'y attendais pas ? » Mateo Fernández, qui n'avait pas d'éléments pour partager ces calculs, sourit en le voyant secouer la tête. « Eh bien c'est assez fréquent, tu sais ? Ça arrive souvent.

— Tiens ! » Sa mère lui tendit son fils, mais l'enfant lui échappa et, en touchant le sol, s'enfuit vers Paloma.

« C'est papa ! lui expliqua-t-elle. Papa, tu le sais, tu sais même le dire, non ? Allez, dis-le, pour qu'il t'entende, papa, pa-pa. » L'enfant n'avait aucune envie de s'exécuter et sa tante se mit à rire, l'embrassa puis regarda son frère. « Il est très gâté, tu imagines... »

Il fallut encore un peu de temps à Ignacio pour réagir et, dans cet intervalle, la curiosité de son fils fut plus forte que son étonnement. L'enfant donna donc des coups de pied jusqu'à ce que Paloma le repose par terre. Il s'approcha avec précaution, le saisit par son pantalon et leva la tête pour regarder son père.

« Soldat », dit-il. Ce fut le premier mot qu'Ignacio Fernández Muñoz entendit de son fils.

« Et maman ? Où est maman ? lui demanda-t-il alors.

— Maman, répéta l'enfant, très sûr de lui. Allez, allez... »

Il partit en courant dans le couloir et son père le suivit, mais il se retourna tout de suite quand il comprit qu'il lui manquait une donnée fondamentale.

« Comment s'appelle-t-il ?

— Ignacio », répondirent-ils tous en chœur. Et sa mère acheva : « Comme toi. »

Pendant qu'il suivait son fils dans le couloir, sur les quelques mètres qui le séparaient de la cuisine, toutes les émotions qu'il n'avait pas été capable de ressentir depuis qu'il était entré dans la maison lui revinrent d'un coup, dans le désordre. Il vécut la surprise d'Anita dans sa propre surprise, puis il imagina sa détresse, son angoisse de jeune fille seule, enceinte, sa peur, sa détermination, sa force. Il eut même envie de rire en mesurant sa propre confusion, à l'évocation minutieuse et constante de ce corps de poupée qui n'existait peut-être plus, se dit-il, qui n'existerait peut-être plus jamais. Dans la cuisine cependant l'attendait une femme qui semblait arrêtée dans le temps, tranquille, le dos au fourneau, comme si elle attendait que son fils tire sur sa jupe pour se mettre en marche. L'enfant l'annonça d'une voix très claire : « Papa. » Ce ne fut qu'après qu'Anita Salgado Pérez prit un torchon pour ôter la casserole du feu, s'essuya les mains, se retourna et le regarda. Il vit qu'elle était beaucoup plus jolie, beaucoup plus jeune, et plus précise, plus véritable et désirable, et plus digne de son amour et de ses caresses qu'il n'avait pu se le rappeler à distance. Et dans l'émotion qui flottait sur ses lèvres, dans l'émotion qui émaillait ses yeux, il se sentit à la fois nu et à l'abri. Il sut qu'il était enfin rentré à la maison.

Quand il s'approcha d'Anita, elle avait pris l'enfant dans ses bras et déposait sur la table des cahiers très usagés, à la couverture pliée, aux pages gondolées par l'insistance de ses doigts à présent experts, sûrs et rapides.

« J'ai fait mes devoirs », lui dit-elle, et elle semblait sur le point de pleurer, mais elle sourit en le voyant sourire.

« Je vois. »

Elle posa l'enfant par terre pour prendre Ignacio dans ses bras, et l'embrasser. Et ses bras ne se lassèrent pas, ses baisers ne cessèrent pas, ses pieds s'élevèrent bien avant qu'il ne la prenne par la taille pour l'asseoir sur la table et continuer à l'embrasser, la serrant de plus en plus fort, et de croire enfin à la réalité que ses doigts touchaient, que ses mains sentaient, qui inondait ses lèvres engourdies par le manque d'entraînement et stupéfaites de soudain ne plus être orphelines. Il était si ému qu'il lui fallut très longtemps avant d'identifier l'origine de la petite douleur lancinante qui lui tourmentait le mollet, mais quand il se détacha d'Anita et qu'il baissa la tête, il vit son fils, dont il avait oublié l'existence.

« Il me mord..., dit-il dans un éclat de rire, tout en retirant les épingles qui soumettaient le désordre des boucles sombres à la sévère discipline du chignon.

— Oui, il est très attaché à sa mère », ajouta-t-elle en l'aidant.

Après le déjeuner, ils sortirent tous se promener et emmenèrent le petit, pour les laisser seuls dans un lit différent de celui dont Ignacio se souvenait, dans une pièce plus grande et plus commode, qui donnait sur la rue. Le soleil qui entrait par le balcon arrachait des reflets dorés, impossibles, aux cheveux d'Anita, et recouvrait sa peau d'une couche de caramel, une lumière mielleuse et délicate, pâle et exacte, ornée de la paresse de ses mouvements. Alors Ignacio Fernández Muñoz dit ce qu'il devait dire, et il n'eut pas l'impression d'être en train de faire son devoir, mais d'exercer un privilège conscient, fabuleux. Mais elle ne l'accepta pas si facilement.

« Dis-moi, Ignacio, j'ai beaucoup réfléchi et ce n'est pas si simple, tu sais ? » Anita s'écarta de lui, se cala contre l'oreiller et devint sérieuse. « Parce que maintenant tout va changer, c'est très clair, ton père le répète à toute heure, pas notre guerre, mais celle-ci, on l'a déjà gagnée, pour ainsi dire. Et quand les nazis se rendront, ou avant, peut-être, les Alliés arrangeront cette histoire de Franco, ils n'auront pas d'autre solution, parce qu'il est l'allié de leurs ennemis, les Allemands et les Italiens, il l'a toujours été, n'est-ce pas ? Il a envoyé des troupes en Russie et tout... Enfin, inutile de t'expliquer, tout le monde le sait. Alors un de ces jours, les Alliés vont envahir l'Espagne, tu repars à la guerre, vous jetez ce salaud dehors, tout s'arrange et puis quoi, hein ? Parce que ici les choses se déroulent d'une façon – ici tout est bouleversé et nous sommes tous pauvres – mais à la maison, les choses vont être très différentes. Chez nous, elles seront comme avant, chacun à sa place. Et tu peux être aussi communiste que tu veux, Ignacio, mais tu restes un monsieur. Un jeune monsieur communiste, et c'est plus important que le reste, tu peux bien dire que non, mais je te dis que si. Et moi... Moi, à Madrid, avant la guerre, pourquoi se mentir, je n'aurais pu être que la bonne de ta mère. Et je sais qu'avant de venir ici, Francisco était apprenti dans une pâtisserie, que María est María et que moi je suis moi, et je me connais. Alors, d'ici peu, quand tout sera à nouveau comme avant... Je ne sais pas quelle est ma place dans ta vie, Ignacio. »

Anita avait préparé ce discours très soigneusement et elle le débita d'un trait, comme un écolier qui récite une leçon bien apprise. Ensuite, elle se retourna, le regarda et le vit sourire. Il se comportait comme s'il n'avait rien compris, pensat-elle en le voyant approcher, l'étreindre et laisser son sourire déboucher sur un rire bref, au rythme de ses mouvements de tête.

« Il faut voir ! » Il riait déjà aux éclats. « Tu es plus têtue qu'une mule... Mais vraiment, hein ? Je n'ai jamais rien vu de pareil...

— Quoi ? Je n'ai pas raison ? » se défendit-elle.

Il ne voulut pas répondre à sa question. Il la regarda, sourit, chassa une mèche de cheveux de son visage pour la caler derrière une de ses oreilles. Puis il revint à la charge, usant cette fois de l'impératif.

« Épouse-moi, Anita.

— Pourquoi ?

— S'il te plaît. »

Si cette réponse la fit sourire, elle résista encore un peu.

« Tu es sûr que ce n'est pas par pitié ?

— Oui. J'en suis sûr. »

Ignacio Fernández Muñoz et Anita Salgado Pérez se marièrent à Toulouse à la fin janvier 1945. L'homme qui célébra la cérémonie était un ancien conseiller du Front populaire qui, avant de retrouver son poste, s'était battu sous les ordres de l'Avocat durant les derniers mois de la guerre. Son cadeau de mariage fut très particulier : il les dispensa de l'acte de naissance que la fiancée avait demandé par écrit une bonne demi-douzaine de fois, d'abord au maire, puis au prêtre de son village, sans obtenir de réponse. Peu après, les jeunes mariés partirent vivre à Paris, et là commencèrent vraiment pour Ignacio les retrouvailles, si attendues pendant la longue période des au revoir.

La capitale française bouillonnait d'espoirs, de nouvelles, de projets murmurés ou criés en espagnol, entre rires et embrassades. À Paris, le capitaine Fernández connaissait la fiancée d'Amadeo, la femme d'Aurelio, et celle du garçon de Zamora qui ne pouvait pas dormir la nuit en pensant à son sort. Il revit de nombreux compagnons de l'infortune la plus récente à la plus ancienne. Lorsqu'il demanda des nouvelles de Roque, on lui apprit que le Cantabrien avait été tué par des gendarmes qui lui avaient tiré dessus alors qu'il fuyait à travers champ, après avoir saboté un de ces postes d'électricité qu'il affectionnait tant. Le garçon d'Alicante qu'ils appelaient le Gamin était lui aussi mort, bêtement tué par un franc-tireur vichyste posté dans un grenier, qui avait décidé de mourir l'arme à la main pendant que les libérateurs de son village défilaient dans les rues. Pour Nicolás, cela avait été pire. Il fut le seul héros du tank qui choisit de rester dans le maquis, parce que sa femme vivait en Ariège, tout près du campement, et il prenait le risque d'aller la voir de temps à autre. Lors d'une de ces visites, une patrouille allemande le tira du lit à l'aube, et le Confiseur sut que quelqu'un l'avait dénoncé – le seul à connaître cette adresse était un autre maquisard qui descendait généralement au village avec lui. Pendant que les nazis l'emmenaient, il hurla son nom. Puis on l'envoya à Mauthausen d'où il ne revint pas, mais sa femme n'oublia jamais ce cri. Quand Ignacio, Aurelio et Amadeo l'apprirent, ils décidèrent d'aller chercher le traître pour le tuer mais jamais ils ne purent le retrouver.

En revanche, un soir, dans un café qu'ils fréquentaient régulièrement, l'Avocat reconnut un très jeune homme, résolu et souriant, Julio Carrión González, qui était le fils aîné de cette femme si charmante qui s'appelait Teresa et avait été l'institutrice socialiste de Torrelodones.

Raquel plaça le pendule chaotique sur la table de nuit, devant la photo de ses grands-parents. Elle aimait le regarder, et j'aimais sa façon de le regarder, parce que ses lèvres accusaient l'imprévisibilité du mouvement avec un sourire perpétuel et pourtant élastique, qui grandissait et diminuait, à chaque caprice affolé de la boule rouge, de la boule noire, sans jamais s'effacer, sans jamais cesser d'être un sourire.

« C'est comme si elles se poursuivaient, n'est-ce pas ? me dit-elle une fois, au début. Et c'est impossible, parce qu'elles sont toutes les deux fixées au même axe, mais quand elles changent de sens et commencent à tourner si vite, on dirait que l'une essaie d'attraper l'autre, puis elle se fatigue, et finit par s'arrêter, et alors, soudain, la poursuivie devient poursuivante, et c'est comme si tout recommençait, mais à l'envers...

— Il te plaît ?

— Beaucoup.

— Si j'avais su, je ne te l'aurais pas offert.

— Pourquoi ?

— Parce que tu ne m'écoutes pas, Raquel. Tu ne t'occupes que de lui.

— Oh ! » Alors elle se tournait vers moi, ouvrait de grands yeux, prenait soudain une mine scandalisée, me serrait dans ses bras, souriait, s'apprêtait à s'occuper de moi. « Álvaro... »

De mon côté du lit, la vision du pendule interférait avec la photo qui se trouvait derrière. La boule de l'élément extérieur masquait et révélait l'image du tank à intervalles rigoureux, extrêmement prévisibles, et en apparence aussi étrangers aux minauderies effrontées des boules les plus petites, qui recouvraient tantôt un visage, tantôt l'autre, puis aucun, et enfin les deux, comme si tout n'était pas la même chose. Le tout était devenu un terme problématique pour moi, une nouvelle goutte de dissolvant sur l'étendue paisible qui avait commencé à s'accidenter quand un autre concept essentiel – deux mots transparents et solides comme une poutre maîtresse –, mon père, céda sous les premières fissures. Parfois, en regardant le pendule auquel les yeux de Raquel retournaient régulièrement sans solution, je pensais que cet appareil ingénieux mais innocent était une représentation exacte de moi-même, bon garçon, bon fils, bon citoyen, homme ordinaire, voire banal, à qui il n'arrivait jamais rien qui ne soit plus ou moins programmé, et le chaos aimable et douloureux, plaisant et amer, stable à sa façon et toujours précaire, qui le dérangeait intérieurement.

Au début de mon histoire avec Raquel, ce diagnostic, exact en théorie, ne se vérifia cependant pas dans la pratique. « Je n'ai pas envie de parler de ton père », m'avait-elle prévenu peu avant l'explosion silencieuse, discrète, qui altéra l'orbite de la planète pour lui donner le privilège de tourner autour de ses hanches. Je lui avais répondu que moi non plus. Et c'était vrai. Ce pacte élémentaire, dénué d'arguments, de conditions, démâta le fantôme de Julio Carrión González, que sa dernière maîtresse finit d'expulser d'un coup de pied définitif, d'une réalité à laquelle il ne pourrait plus jamais accéder. Là où il n'était jamais allé, c'était là, dans ce lit. Cette déclaration constitua un peu plus qu'un cadeau, qu'un avenant supplémentaire ou une garantie que je n'avais pas demandée, la confirmation ponctuelle, opportune, que ce qui pourrait se passer entre elle et moi ne serait jamais une suite de ce qu'elle avait pu connaître avec mon père dans cet appartement de la rue Jorge Juan.

Une chose semblable se produisit avec la révélation d'Encarnita. « Cette histoire a toujours été très mystérieuse », avait-elle dit, et je me considérai comme satisfait, parce que, après l'avoir examinée sans grande attention, j'en conclus que ses termes s'ajustaient de façon acceptable à la version officielle. Dans son enfance, ma mère passait les grandes vacances à Torrelodones, où mon père l'avait connue, puis, de nombreuses années plus tard, il lui avait donné du travail pour l'aider à échapper au contrôle tyrannique de la grand-mère, qui voulait la garder enfermée à la maison toute la journée. Ils tombèrent amoureux, se marièrent et eurent cinq enfants, j'étais le quatrième. Que Mariana soit allée voir la Guardia Civil pour dire que mon père lui avait tout volé, et qu'au lieu de la petite maison en location située près de la gare, elle réclamait l'une des plus belles villas du village, n'avait pu être un simple malentendu. Cela cessa d'avoir de l'importance lorsque la femme spoliée devint le témoin de mariage de son unique fille avec l'auteur supposé de sa ruine. Ce détail suffisait à justifier la version édulcorée et ambiguë qu'on nous avait donnée, à nous ses petits-enfants, et reléguait le mystère d'Encarnita dans la catégorie d'une simple querelle de famille, ces conflits toujours importants pour les personnes concernées mais mineurs pour un témoin impartial. À ce stade, je n'étais plus autre chose, et je n'avais pas envie non plus de parler, de penser à ça.

Au début, je ne pensai qu'à Raquel, à son corps, à sa peau, à ses gestes, à sa façon de sourire, de devenir sérieuse, de regarder, de me regarder, et à la dépouille sèche et dépourvue de sens en laquelle l'absence de tout cela transformait mon corps, condamnant mes yeux à une impuissance pire que la cécité parce qu'elle ne les empêchait pas de continuer à contempler la trivialité, cet ensemble de formes et de couleurs pâles, ternes, et idiotes de façon irritante, qui s'obstinaient à perdurer autour de moi. Le temps s'appelait Raquel, les jours, les heures, les minutes, les secondes se définissaient par elle et en fonction d'elle. Il n'y avait que deux moments dans ma vie : ceux que je gagnais auprès d'elle et ceux que je perdais dans un monde qui la proclamait dans tout ce qu'il contenait – les personnes et les objets, les paysages et les bâtiments, l'ombre et la lumière – parce que je la voyais partout et que partout je souffrais de ne pouvoir la regarder. Je dégringolai si vite le long de cette pente que je ne parvins pas à prendre conscience de ma propre vitesse. Et avant de pouvoir me rendre compte de ce qui m'arrivait, ma vie était devenue un peu moins qu'un alibi, un simple emballage qui me permettait de vivre une existence plus grande que la mienne et qui s'appelait Raquel, comme le temps.

Elle ne me freina jamais, ne m'imposa jamais de limites. Ce printemps magnanime, paradigme et condensé de tous les printemps, bénit chacune de nos rencontres du don de la facilité, d'une fluidité délicate, continue, ensoleillée et presque croustillante. L'harmonie nous protégea, nous assura, entre les quatre coins d'un lit où seuls existaient le sexe et le rire, la complicité à la fois légère et confidentielle propre aux amours adolescentes ainsi qu'une chose supplémentaire, plus grave, plus nécessaire, que j'arrivais à sentir avec moi, en moi – la Terre tournait sur elle-même et autour du Soleil juste au-dessus de nos corps nus et enlacés. Au-delà, il y avait tout le reste. Au-delà, il y avait l'hiver, la glace, la neige sale, laide et terreuse, maculée de boue et à moitié fondue sous les pas de gens, beaucoup de gens innocents et coupables, loyaux et traîtres, conscients ou non de la blessure que leurs pas ouvraient dans les trottoirs glacés de l'avenir de leurs enfants ; de leurs petits-enfants ; un horizon coupable, désolé, différent du paysage astucieusement enveloppé d'un joli papier aux couleurs vives dont ils croyaient hériter un jour. Au-delà, il y avait l'hiver, mais je fus incapable de le pressentir, et je laissai ainsi passer le temps, sans réponse, sans silence.

Raquel savait tout, elle l'avait toujours su. Elle savait que le monde que nous tenions entre nos mains avec le naturel indolent de deux princes héritiers éclaterait un jour comme une pauvre bulle de savon. Moi, je ne savais rien excepté que je ne voulais pas savoir, pas encore, pas encore, tandis que ma vie devenait une sorte d'alibi, l'enveloppe de la seule vie véritable qui naissait dès l'instant où mon index se posait en tremblant sur le bouton de l'interphone.

« Bonjour, c'est moi.

— Monte. »

Elle me répondait toujours la même chose, « monte », ordre, supplication, réponse ou mot de passe vital, clandestin. « Monte », disait-elle, et je montais. Certaines fois je l'appelais, d'autres non, mais je la trouvai toujours à l'autre bout de la sonnette. Alors, le climat était encore tempéré, le printemps n'avait nul besoin de déboucher sur l'été et il me suffisait encore d'avoir besoin de Raquel. Ce besoin était encore un bien, un privilège capable de se dilater dans le temps, de remplir avec aisance le week-end, deux jours entiers, voire trois, où je parvenais à gouverner avec fermeté son absence et mon anxiété, à thésauriser mon désir comme un avare qui se cache pour compter son argent, à différer volontairement, avec la sérénité morbide d'un mystique ou d'un fakir professionnel, un plaisir complexe, difficile à définir, fait d'allégresse et d'expérience, de connaissance et de mémoire, de soulagement et d'impatience. Voilà tout ce que j'éprouvais quand j'entendais ce « monte », cette voix qui me sauvait la vie sans m'avoir encore donné de nouvelles de la mort.

« Monte », cela suffisait, et je montais. Et elle était là. Raquel Fernández Perea, une fille intelligente à la beauté secrète, énigmatique, une femme si belle qu'il fallait la regarder à deux fois, et la regarder lentement, pour la voir complètement, pour apprécier avec précision le problème de ses hanches, qui semblaient excéder légèrement la proportion qu'exigeait l'étroitesse de sa taille et proclamaient cependant avec véhémence la perfection de son corps, sa peau aussi veloutée que celle d'une pêche peu ordinaire. C'était le seul problème que je souhaitais résoudre, le seul qui m'intéressait. En saisissant Raquel par les hanches, je soutenais un tout infiniment plus grand que la somme des parties, et j'étais de plus en plus éloigné de la solution, et la solution m'importait de moins en moins.

Puis je la prenais dans mes bras, la regardais, et alors, pendant un instant, même si je m'étais proposé de l'éviter, même si je me l'étais interdit, je me souvenais de tout. En particulier de mon père, un homme charmant, sympathique, un magicien, un charmeur de serpents, un sorcier, un salaud, un pauvre homme dépendant des pièges bienveillants et mortels de la chimie, le fils de ma grand-mère, le mari de ma mère, l'amant de la femme qui défaisait le cercle parfait que dessinaient ses lèvres pour me sourire lentement, les yeux entrouverts, avec une touche de couleur sur chaque joue, depuis la tiédeur d'un printemps précoce qui augurait déjà la chaleur de l'été. Je me souvenais alors de tout et cela me semblait si étrange, si incompatible avec la réalité que je voyais, que je me mettais à parler de n'importe quoi, sans autre but que d'étouffer le bruit intérieur qui m'assourdissait. Le son de ma voix rassurait Raquel, lui plaisait, prolongeait la paresse souriante du plaisir dans une joie spontanée, mais consciente. À ce moment, je comprenais que ce jour-là, comme tous les jours, elle avait attendu que je me décide à poser des questions sur mon père, et, constatant que je n'avais pas choisi ce jour non plus pour me décider, elle me répondait par un de ces sourires lumineux, profonds, qui signifiaient qu'elle était contente de moi, qu'elle se réjouissait de me voir, de m'avoir près d'elle, que je lui plaisais, qu'elle m'aimait.

« L'autre jour, je me disais... » Je la contemplais et elle esquivait mon regard, haussait les épaules dans un mouvement imperceptible, s'étirait dans le lit tandis que j'abordais le premier sujet qui me passait par la tête. « Ton mari, qu'est-ce qu'il faisait ? »

Alors elle se mettait à rire, se tournait vers moi, me prenait dans ses bras et m'embrassait.

« Des bêtises.

— D'accord, mais quelle sorte de bêtises ? Je veux dire, qu'est-ce qu'il faisait dans la vie ? À part les bêtises, bien sûr.

— Il travaillait chez IBM et il y est toujours, je crois. Pour te faire plaisir, j'ajouterai que c'est aussi un économiste, je l'ai connu à la fac. Pour le reste...

— Eh bien, fis-je avec un sourire. Dans un dîner de couples, je serais le seul original. J'espère que tu en tiendras compte.

— Pour le reste, poursuivit-elle comme si je ne l'avais pas interrompue, il avait une Harley, qui lui plaisait bien plus que moi, un chien afghan qu'il aimait bien plus que moi, une dépendance à la cocaïne qui le stimulait bien plus que moi, et tout un tas d'amis avec des Harleys et des amies avec des chiens de race qu'il trouvait bien plus sympathiques que moi.

— Et pourquoi est-ce que tu l'as épousé ?

— Eh bien... » Elle fit une pause, réfléchit, et se remit à sourire. « Maintenant je ne sais plus, je dois dire. On a commencé à sortir ensemble à quinze ans, ça a duré deux ans et on a rompu. Puis j'ai eu envie de faire du théâtre, j'ai eu une liaison avec cet acteur dont je t'ai parlé, il m'a quittée, l'autre l'a appris, il m'a relancée pendant quelque temps et, soudain, il m'a paru beaucoup plus intéressant que la première fois. Parce qu'il avait une Harley, je suppose, parce qu'il avait un chien afghan, parce que à l'époque il gagnait plus de fric que moi, et qu'il le dépensait jusqu'au dernier centime, parce qu'il se contentait encore d'une ligne de temps en temps et qu'il en préparait toujours une autre pour moi, parce qu'il m'emmenait en vacances dans des pays exotiques, parce qu'il était très beau et parce que moi, quand j'étais jeune, que les choses soient claires, je faisais aussi pas mal de bêtises... Mais je me suis beaucoup arrangée avec le temps, non ?

— Il était très beau ? » demandai-je en fronçant les sourcils. Et elle éclata de rire.

« Oui. Très, très beau. » Elle confirma d'un signe de tête.

« Beau comment ?

— Attends. Je vais te le montrer... »

Quand elle sortit du lit, le soir tombait. La lumière d'un soleil épuisé, désolé de sa faiblesse, jouait avec l'air et avec mes yeux, créant des plans lumineux et illusoires qu'elle traversa comme de l'eau. Cette clarté irréelle, presque théâtrale, enveloppa son corps d'une gaze dorée et transparente, un ornement de luxe qui se prosterna devant sa peau parfaite et qui me quitta pour la suivre. Raquel emporta avec elle la subtilité de cette lumière résistante, condamnée à mourir dans l'amour désespéré du jour, jusqu'à ce vieux secrétaire qui me plaisait tant. Et je sentis que le monde était resté dans l'obscurité, que rien de beau ne pouvait exister, rien de doux ni de brillant, aucune émotion, aucun plaisir, pas un seul atome de vérité, de la réalité vraie, loin de ce corps aimé par le soleil, qui se levait pour moi et m'autorisait à me lever en lui à toute heure. Alors elle se retourna et la lumière revint à moi, avec elle.

« Regarde. » Elle avait un paquet de photos à la main. « C'est lui, tu vois ? »

Je ne me souviens pas de la date précise de ce jour-là. Je ne sais pas non plus si ce fut à ce moment, un peu avant ou peut-être même après, que je m'aperçus que j'étais vraiment amoureux de Raquel. En tout, pour tout, avec tout et sans issue. Je ne suis pas capable de reconstruire avec précision les circonstances de cette découverte parce que je n'éprouvais pas souvent une chose semblable mais très enracinée, l'habitude de sourire, avec une sympathie courtoise, bien intentionnée, devant les déclarations universelles, totalitaires, métaphysiques et terminales de Julio, mon frère, de mes amis, des amies de ma femme. Je ne le dis jamais à voix haute, mais pendant que Mai s'indignait, je me contentais de penser qu'ils exagéraient, et le soupçon d'être peut-être en train de perdre quelque chose ne suffisait pas à désarmer le crayon rouge imaginaire avec lequel je divisais par deux, d'emblée, le chiffre des douleurs, des épines, des vides, des larmes, de l'exaltation, de la colère, du bonheur, du plaisir de la vie des autres. Je me rappelais alors à moi-même que j'aimais ma femme, mon travail, ma vie, et je ne regrettais rien. Mais cela se passait à l'époque de ma pauvreté, quand je croyais que ma vie était à moi, et que c'était une vie. Ensuite, à un moment que je ne peux pas retrouver avec précision, l'arithmétique se moqua de moi, et je n'eus pas la force d'apprendre à multiplier tout ce que j'avais auparavant divisé. Ce ne fut pas nécessaire. La douleur, les épines, le vide, l'exaltation, la colère, le plaisir apprirent à se multiplier d'eux-mêmes avec la détermination implacable d'un organisme vivant, inexorablement déterminé à croître pour se stabiliser et conserver sa forme.

Je ne me souviens pas de la date précise de ce jour. Je sais juste que l'on était à la fin mai, peut-être en juin, parce que je passais désormais tous les après-midi chez Raquel, et parce que cette lumière nous poussait vers l'été. Et je sais que j'eus du mal à me concentrer sur cet homme jeune, grand et musclé, aux cheveux clairs aux pointes ondulées, au visage rond, enfantin, le nez court et le menton mou, qui prolongeait dans le temps une allure de surfeur adolescent, bronzé, caractéristique des héros de certaines séries télévisées américaines. Je sais que j'ai eu du mal à le voir, parce que à ses côtés, sur presque toutes les photos, il y avait une Raquel de vingt ans, délicate et tendre comme une pêche qui mûrit encore sur sa branche, et sa beauté me fit mal. La vie qu'elle avait vécue sans moi, les mains qui la touchaient, les bras qui l'étreignaient, les lèvres qui l'embrassaient, la tristesse de ne pas l'avoir eue avant, de ne pas l'avoir toujours eue me firent mal, et je succombai à une impulsion trouble et intérieure, dont la nature était aussi inconnue de moi que la violence avec laquelle elle se manifestait. Alors je songeai que je ne pourrais jamais me séparer de cette femme, ni consentir à ce qu'il y ait un autre imbécile dans sa vie, que la seule chose que je voulais, c'était vieillir à son côté, voir son visage tous les matins en me réveillant, le voir chaque soir avant de m'endormir et mourir avant elle. Ce n'étaient que des mots, ou même pas, des phrases toutes faites, rebattues, que l'usage avait dépourvu de sens, mais je les pensai, je les composai comme si personne ne les avait formulées ou senties avant. Je regardai Raquel, d'abord souriante, puis plus sérieuse, comme si elle avait pu deviner ce qui m'arrivait. Jusqu'à ce qu'elle se penche sur moi, et je l'embrassai, et la Terre tourna sur elle-même et autour du Soleil entre les quatre coins de son lit.

« Eh bien, dis quelque chose... », me demanda-t-elle ensuite. Elle semblait effrayée, mais elle l'était beaucoup moins que moi.

« Tu étais jolie. » Je l'embrassai sur un sein, près du mamelon, et parvins à retrouver ne fût-ce qu'un semblant d'apparence normale. « Moins que maintenant, mais très jolie.

— Álvaro ! Ne sois pas flatteur. » Elle riait.

« Je parle sérieusement. » Je l'embrassai au même endroit, j'aurais pu continuer à l'embrasser comme ça toute ma vie. « Et lui... Qu'est-ce que tu veux que je te dise ? » Je la regardai. « Je préfère ceux du tank.

— Moi aussi. Mais on ne parlait pas d'eux.

— Non, c'est vrai, je dis juste que je les trouve plus beaux. Et ton mari, eh bien... Il est beau lui aussi, oui, dans un certain genre, surtout parce qu'il est blond, dans ce pays, on sait que c'est une qualité, mais je trouve qu'il fait un peu efféminé, non ? » Elle riait à présent aux éclats, mais elle me regardait avec autant d'enthousiasme que si elle n'avait jamais entendu d'avis qui lui plaise davantage. « Je dis ça parce que, avec ces boucles si inhabituelles même pour un économiste, toutes ces heures de gymnase sur le dos, et ce bronzage artificiel, je ne sais pas...

— Eh bien, il n'était pas du tout efféminé, corrigea-t-elle enfin. Il était très coureur, il me trompait sans arrêt.

— Et toi ?

— Moi aussi, à la fin, mais... » Et elle leva un doigt. « Que ce soit clair, c'était lui qui avait commencé ! »

Moi, ne pense même pas à me tromper, faillis-je lui dire, mais je me tus, non parce que j'étais marié – une donnée que je ne me rappelais peut-être pas à ce moment – mais parce que cette phrase sotte et souriante, une innocente plainte d'amoureux, frôlait la limite du terrain neutre, une frontière que nous ne voulions traverser ni l'un ni l'autre. Plus loin, au milieu de tous les hommes qui m'avaient précédé dans son lit avant et après son divorce, se profilait la figure de mon père que je ne voulais pas approcher. Je ne voulais pas connaître de dates ni de lieux, de noms d'hôtels ou de restaurants, de phrases brillantes ou de silences éloquents, je ne voulais rien savoir, aucun détail.

Cela se produisit cet après-midi, et bien d'autres fois, et cela recommencerait jusqu'au moment où rien de ce qui avait pu se passer entre Raquel Fernández Perea et Julio Carrión González ne me serait étranger, mais pire, absurde, ridicule, impossible, parce que je tenais de plus en plus à cette femme, j'étais de plus en plus impliqué, plus présent dans sa vie, sans qu'elle ne me freinât, ni ne m'opposât de limites. Je limai les miennes, les dépassai très vite, finis par sauter adroitement par-dessus, je l'appelais parfois avant d'aller la voir, mais elle était toujours là, tous les après-midi, à m'attendre, et nous pouvions tout faire, tout dire, parler de tout sauf de l'homme qui nous avait unis, l'homme avec lequel tout avait commencé, l'homme qui avait été son amant et qui serait toujours mon père.

Ce qui se passa cet après-midi s'était déjà passé d'autres fois, se passerait à nouveau, et alors, comme je l'avais fait avant, comme je le ferais après, j'embrassai Raquel comme si je n'avais jamais embrassé une autre femme avant elle, je l'étreignis comme si je n'avais jamais tenu d'autre corps de femme dans mes bras, la possédai avec autant d'attention que si sa vie était entre mes mains, et elle me regarda enfin avec un abandon aussi profond que si elle me disait que c'était exactement le cas. Puis je rentrai à la maison. Sur l'échelle d'irréalité sur laquelle progressait la plénitude incisive de ce printemps, le retour à la maison arriva au sommet bien avant les silences imposés par le fantôme de mon père.

« Álvaro ! » Mai était toujours contente de me voir. « C'est bien, que tu sois arrivé, regarde, je vais te montrer, je me suis renseignée pour la cuisine, tu sais ? Ma belle-sœur m'a emmenée dans une usine de Fuenlabrada qui fabrique des meubles pour les marques les plus chères, mais là-bas ils les vendent au prix coûtant et ils ne mettent qu'un mois et demi, quelle chance, parce que ça correspondrait aux disponibilités des Polonais qui travaillent chez Isa... »

Et elle m'entraînait au salon, me faisait asseoir à la salle à manger, dépliait des prospectus et encore des prospectus, des plans et encore des plans qu'elle pointait du doigt en m'expliquant les avantages et les inconvénients de chaque modèle : « J'adore les plans de travail centraux, mais bien sûr, ils font considérablement augmenter le prix... » Avril s'acheva de la sorte, mai commença : « Regarde celle-là, n'est-ce pas, qu'on

dirait une cuisine des années 1940 ? mais elle est jolie, non ? »
Mai se rapprocha de juin et désormais Raquel me regardait
depuis toutes les hottes d'extraction, depuis chaque bac à
légumes amovible, chaque casiers à bouteilles intégré. Et
celle-ci ? Combiner des vitrines et des portes en bois, ça se
fait déjà beaucoup, mais je trouve ça accueillant, non ? Et le
sexe de Raquel, pris dans mes doigts, dans la peau de ma
mémoire, se dessinait enfin sur mon visage. Mais Mai ne le
voyait pas pendant que j'acquiesçais à tout sauf quand elle ne
me demandait pas mon avis, pour le repousser alors de la tête
et avec une conviction soudaine. « Non, non, non, bien sûr
que non.

— Bon, eh bien ça y est. Qu'est-ce qu'on fait ?

— Ce que tu voudras. » Elle souriait. « On choisit celle
que tu préfères.

— Celle que je préfère, c'est celle-là, c'est sûr, mais c'est
la plus chère. » Et elle désignait des photos aussi incompréhensibles, aussi insignifiantes et fictives que toutes les autres.

« Ça ne fait rien. Tout ce qui compte, c'est qu'elle te
plaise. » Et je la regardais, et je lui souriais.

« Oui. Mais sans le plan de travail central, je ne sais pas
si ça va être joli...

— Eh bien, on en mettra un. »

Alors elle venait vers moi, se plaçait derrière la chaise,
mettait ses bras autour de mon cou, m'embrassait à plusieurs
reprises et je me sentais de moins en moins coupable.

« Je vais appeler Isa tout de suite pour le lui raconter !
C'est génial. Je dois dire qu'avoir autant d'argent d'un coup,
c'est un plaisir, non ? » Et au moment où j'allais franchir la
porte, elle se souvenait de quelque chose, tournait sur ses
talons, m'adressait un sourire radieux. « Et ton livre, ça
marche ?

— Bien, bien... Mais j'y vais très lentement, je viens de
commencer, tu sais... », disais-je.

À la mi-mai, j'avais annoncé à ma femme que j'allais
écrire un livre sur l'expérience pédagogique des musées scientifiques interactifs. J'en avais déjà publié plusieurs, ma thèse
de doctorat, une compilation d'articles parus dans diverses
revues ou présentés dans des congrès tout aussi divers, un
essai de quatre cents pages sur les répercussions théoriques
de l'irruption des quarks, qui m'avait valu un prix très presti-

gieux mais sans aucune dotation économique, et un tome encore plus gros que j'aurais dû écrire de moitié avec le professeur Cisneros, et que je finis par écrire seul, pour une *Histoire de la physique en Espagne* dirigée par José Ignacio Carmona. Ce fut lui qui m'en donna l'idée lors d'un de ces dîners en galante compagnie.

« Ta chaire est au chaud, Alvarito. Tu devrais t'enfermer pour écrire », annonça-t-il d'un coup, sans crier gare.

Je crus tout d'abord que c'était un coup de chance. Puis, alors que je regardais mon maître en face, je pensai que c'était peut-être autre chose, un témoignage de complicité, de la pure bienveillance. À la fin, quand José Ignacio se mit à écourter tous les délais raisonnables et que Fernando prit un air effrayé tellement comique – « novembre, répétait-il, novembre, quelle horreur, pauvre petit, novembre » – qu'il finit par rire tout seul, je compris qu'ils voulaient m'emmerder avec la perspective d'un concours au seul moment de ma vie où je ne serais pas capable de l'affronter. Mais cela m'était égal. Je savais parfaitement que ma chaire resterait au chaud pendant au moins deux ans avant d'être à point, j'avais corrigé les épreuves d'un autre livre comportant trois autres longs articles qui sortirait à Noël, et j'avais suffisamment de matériel pour rédiger en deux mois la défense passionnée de l'expérience pédagogique des musées scientifiques interactifs que José Ignacio – désormais juché sur le statut académique qui accorde le privilège de signaler aux autres ce qu'ils doivent écrire au lieu de le faire eux-mêmes – m'avait demandé de publier le plus tôt possible au bénéfice de notre apostolat héroïque et incompris. Cette nuit, en arrivant à la maison, je me bornai donc à récapituler pour Mai.

« Tu as entendu, je vais devoir me mettre à écrire.

— Bien sûr, me répondit-elle, après avoir passé la nuit à me parler de ses projets de décoration.

— Je vais devoir m'enfermer les après-midi, ajoutai-je, sur le ton le plus accablé que je pus improviser, à la bibliothèque de la faculté, et dans celle du Conseil, et ce n'est pas ça le pire. Je suis en train de penser que, avec un peu de malchance, ou de chance, selon le point de vue, je vais devoir travailler cet été. Je ne sais pas si je vais pouvoir partir en vacances. »

Ma femme m'adressa un regard compréhensif et un commentaire clairvoyant avant de m'embrasser pour me souhaiter bonne nuit.

« Quelle horreur ! Tout s'accumule, non ? Pauvre Álvaro ! D'abord la mort de ton père, puis les travaux à la maison, et maintenant, comme si ça ne suffisait pas, ton concours...

— Oui. » J'approuvai, et je fus sincère. « C'est vrai, tout s'accumule. »

Et le lendemain, avant d'entrer en cours, j'allai voir José Ignacio, à qui je n'avais rien dit, même si Fernando lui avait évidemment tout raconté, et je le remerciai. Il se contenta d'un « Quel salaud », quand je lui expliquai les raisons de ma gratitude. Son informateur était généralement beaucoup plus loquace.

« Eh bien, Alvarito, je te vois venir !

— "En plus d'être pris dans sa chatte, tu es un couillon." » Je me bornais à répéter sa définition prophétique, précoce.

« Eh oui, c'est vrai. J'hésite entre écrire au Guinness ou au Défenseur du Peuple, je ne t'en dis pas plus... »

Je riais, mais je me rendais compte qu'il avait raison. En plus d'être pris dans sa chatte, j'étais un couillon, abasourdi, stupéfait, absorbé, comme ces enfants qui laissent bêtement passer le temps de leur enfance, et même celui de leur vie, en regardant les feuilles d'un arbre, la forme de leurs doigts, ou la lune. J'étais un couillon, mais je ne l'avais jamais été, je ne l'étais pas. C'était pour cela que je comprenais ma situation, de plus en plus difficile, délicate et incertaine, et je comprenais aussi les avantages de mon innocence, terme qui dépassait le prestige de ma vertu coutumière pour me protéger dans l'ignorance des tours des maris infidèles qui se trahissent eux-mêmes dans l'ardeur de leurs excuses répétées. Je n'avais jamais été un mari infidèle, mais plutôt le roi Midas des CV, la reine des abeilles de la recherche, un théoricien consciencieux, sujet satisfait de la lente et exigeante tyrannie de la lenteur qui gouverne le temps dans les bibliothèques. Mai ne faisait pas partie des données du problème, pas en apparence, pas encore, et pourtant, le problème existait, et la concernait. Et un jour sa formulation devrait changer avant de disparaître entièrement. Ce jour-là, la solution serait entre mes mains. Ou non. Le seul fait d'y penser me rendait malade, et je pouvais distinguer la couleur de la panique, mesurer avec précision, dans mon propre estomac, le volume exact du néant que contient le vide. Mais je préférais ne pas y penser. C'était facile, parce que, en plus d'être pris dans sa chatte, j'étais un couillon et en plus d'être un couillon, j'étais sûr que la plus grande erreur de ma vie serait de renoncer à Raquel Fernández Perea. Cette certitude me soutenait, m'encourageait à ne rien faire de plus grave, de plus décisif que de me mettre à rire en écoutant les réflexions cocasses de mon ami. Jusqu'au jour où Fernando dit autre chose. Une chose différente :

« Eh bien, je crois que tu pourrais me la présenter.

— Qui ? demandai-je, en l'écoutant distraitement.

— L'impératrice de Chine. » Il se mit à rire. « Qui d'autre ? Les cours sont terminés, j'ai corrigé la moitié des examens, et à ce rythme, je vais partir pour Comillas sans la connaître... »

À ces mots, je le regardai et m'étonnai en un instant de plusieurs choses à la fois. La première était que je n'y aie pas pensé, qu'il ne me soit même pas venu à l'esprit de lui présenter Raquel. La deuxième était que je n'en avais pas envie. C'était le premier jour du mois de juillet, il s'était écoulé presque trois mois depuis qu'un pendule chaotique avait commencé à ordonner, à désordonner ma vie, et pourtant tout commençait, tout continuait à commencer chaque après-midi. Il ne se passait rien en dehors de la chambre de Raquel, des dimensions illimitées, cosmiques, d'un lit relié au noyau orangé et vivant de la planète. C'était la raison pour laquelle – et ce fut la troisième chose dont je m'étonnai en si peu de temps – après un déjeuner et deux dîners de suite, aussi soigneusement programmés que celui-ci, nous n'étions presque pas descendus dans la rue.

Depuis qu'une requête malveillante de José Ignacio avait rendu possible le fait que la science me rende largement tout ce que j'avais investi en elle sans attendre de récompense, j'allais souvent chercher Raquel à la banque l'après-midi et nous déjeunions ensemble, toujours rapidement, de tapas au comptoir d'un bar. L'été avait commencé, et la douceur du printemps, cette nécessité qui se suffisait à elle-même et était capable de se dilater dans le temps, me semblait aussi lointaine que si elle s'était produite dans une autre vie, comme si j'avais été l'homme mûr, conscient de ses limites et de ses possibilités, qui avait appris à retarder volontairement un plaisir nouveau et difficile à définir. Cet homme avait disparu, il s'était volatilisé avec sa cour douteuse de concepts prestigieux et puérils, avec l'ineptie de vertus telles que la prudence, la précaution, le calcul auquel il s'était fié toute sa vie, et qui le gênait aujourd'hui pour résoudre un problème qui lui importait de moins en moins.

L'été avait commencé et j'étais l'été. Le besoin s'était dépouillé des tenues maladroites qui le camouflaient et je n'en avais jamais assez. L'après-midi, j'allais souvent chercher Raquel à la banque, je la voyais s'approcher à travers les portes vitrées, je l'embrassais comme s'embrassent les adolescents en sortant du lycée et je n'en avais pas assez. Je n'avais pas faim non plus, mais elle s'entêtait à aller prendre quelque chose, elle décidait du lieu, commandait le vin, mangeait très vite, me regardait, se mettait à rire, mangeait aussi ma part. Et je la voyais manger, je la voyais boire, je la voyais rire et je ne pouvais pas contrôler la quantité de salive qui s'accumulait dans ma bouche pendant que mes dents se blessaient elles-mêmes tant elles étaient affilées. Nous aurions pu aller chez elle à pied, Ópera, Santo Domingo, San Bernardo, presque une ligne droite, mais nous prenions un taxi parce que je n'en avais jamais assez.

Après non plus, parce que après était un autre concept qui avait cessé d'exister. Dans l'univers réel et illimité qui tenait dans le lit de Raquel, ce n'était jamais après, c'était toujours maintenant. Et maintenant commençait toujours à être et c'était un début trop beau, trop intense et plaisant, nouveau et spécial, pour le perdre à des sottises. Après, on pourrait sortir prendre une bière, disions-nous, mais nous ne sortions pas. Tout le monde dit que ce film est très bon, j'aimerais le voir. Moi aussi, mais nous n'allions pas au cinéma. Nous parlions de nos amis : tu verras, il te plaira, il est si drôle, elle est si amusante, il est si intelligent, on peut se retrouver un de ces jours, mais nous ne le faisions pas. Nous ne retrouvions personne, nous n'allions nulle part, nous ne sortions pas de chez elle, nous ne bougions pas de son lit, parce que je n'en avais pas assez.

Il ne s'était pas écoulé trois mois depuis que Raquel m'avait offert la raison et que je l'avais refusée, mais le temps s'écoulait et ne s'écoulait pas, parce que tout recommençait chaque jour, dans un éternel maintenant où je redoutais de ne jamais en avoir assez, pour ressentir une joie extraordinaire où aucune personne sensée ne se serait mise à trembler. Je n'étais plus une personne sensée et je n'avais aucune idée de la signification du mot après, et peut-être pour cette raison, ou pour achever de m'étonner moi-même, ce matin-là je regardai Fernando Cisneros et lui dis oui.

« Bon, mais après le 4.

— Qu'est-ce qu'il y a. » Il me regarda, les sourcils arqués par l'étonnement. « On fête ça, maintenant ?

— Non. » Je souris. « Il y a que ce jour-là, les maçons qui vont casser la cuisine pour en faire une neuve arrivent. Mai part avec le petit chez ma mère, à La Moraleja, parce qu'on ne peut pas faire des travaux avec Miguelito à la maison, bien sûr... Elle viendra travailler tous les jours avec ma sœur Angélica et elles rentreront ensemble, elles ont toutes les deux un horaire continu. Elles se relaient, tu vois ? Pour ne pas prendre deux voitures et ne pas se fatiguer en conduisant, bref... » Fernando, qui me voyait venir, se mit à rire et je ne pus m'empêcher de l'imiter. « Cette année, je n'irai pas beaucoup, le week-end pour déjeuner et je resterai dormir le samedi de temps en temps. J'ai proposé de superviser les travaux, parce que... » Je fis une pause stratégique. « Comme la date de mon accession au poste d'agrégé s'accélère et comme je dois publier beaucoup et très vite, je ne peux pas perdre ma concentration et encore moins du temps dans les embouteillages sur la route de Burgos, tu imagines... Je ne sais même pas si je vais pouvoir aller à la plage en août...

— Putain, tu es devenu très malin, ces derniers temps, Alvarito. Il faut te suivre... » Il me donna une tape dans le dos.

« N'est-ce pas ? » Je lui adressai un sourire satisfait. « C'est aussi mon avis. »

Mais après le 4 juillet, le 6 précisément, avant de déjeuner, je découvris que je n'étais pas si malin que ça.

« Ma chérie, je crains qu'on ne doive consacrer un certain temps à cultiver notre vie sociale », dis-je à Raquel en me réveillant le 5 dans son lit, avec l'accent creux, théâtral, qu'elle m'avait appris et que nous utilisions parfois pour nous amuser.

Elle se redressa sur un coude, se mit à rire et me permit de voir à quel point elle était belle le matin avant de poser des questions.

« Julio, ton frère ?

— Non, répondis-je, bien que ce ne soit pas mal vu, parce que ce sera le prochain dès qu'il sera au courant. Mais j'aimerais qu'on prenne rendez-vous avec mon ami Fernando, celui que j'ai emmené au théâtre pour voir la comédie musicale inspirée des contes d'Andersen, tu te souviens ? Il est très commère, et il ne peut plus attendre. » Elle rit, elle se souvenait.

« D'accord », dit-elle, puis elle consulta sa montre et poussa un cri : « Aïe ! Je vais arriver en retard... »

Elle passa à la salle de bains et avala un toast avant de s'en aller. Elle me répéta que c'était d'accord, comme je voulais. Au milieu de la matinée, quand je l'appelai pour lui annoncer que Fernando avait rejeté la modestie de ma proposition initiale – « d'accord, mon vieux, un verre rapide, pas plus ! » – et qu'il suggérait de dîner le soir même, elle n'avait pas changé d'avis.

« Qu'est-ce que je mets ? » me demanda-t-elle en revanche. Cette inquiétude m'émut tellement que je sentis presque la bave couler des commissures de mes lèvres pour tremper mon menton, ma gorge, le col de ma chemise. Et quand je raccrochai, après lui avoir conseillé de porter la robe qu'elle avait choisie pour notre dîner au japonais et les mêmes chaussures à talons, je songeai que le terme « couillon » n'aurait peut-être pas suffi à me définir, et qu'il conviendrait de trouver quelque chose de plus fort.

« Je suis jolie ? s'enquit-elle quand je passai la prendre devant chez elle, comme une adolescente qui a décidé de sortir pour la première fois avec les vêtements de sa mère, sans la délicate protection d'une veste en laine rose.

— Au point de ne pas aller dîner, répondis-je, tandis qu'elle s'esclaffait.

— Mais on va y aller, parce que moi aussi, je suis très commère... »

Fernando eut une expression muette, mais très éloquente, quand il la vit me précéder dans le restaurant qu'il avait choisi, un asturien où la qualité de la nourriture était aussi indiscutable que le bruit assourdissant entre les tables recouvertes de nappes à petits carreaux tellement proches les unes des autres qu'il était très difficile de suivre sa propre conversation. C'était le dernier endroit que j'aurais choisi à sa place, mais il plut aussitôt à Raquel, qui écrasa le sol de ses foulées dès qu'elle franchit le seuil même si son allure – sa robe audacieuse au tissu pâle et soyeux, très décolletée, très courte, aux bretelles en dentelle qui rappelaient les combinaisons d'une autre époque, ainsi que le lourd bracelet de son arrière-grand-mère – était trop sophistiquée, trop élégante pour ce bistrot typique fréquenté par des clients vêtus de manière quelconque. Elle ne se sentit nullement extravagante, ni mal à l'aise, parce qu'elle savait pourquoi les gens la regardaient. Ce soir-là, simplement, Raquel Fernández Perea régna sur le monde, et le monde se soumit à son empire avec une jouissance respectueuse et complète, à laquelle Fernando Cisneros ne tenta pas de résister.

Je n'avais imposé qu'une condition préalable à ce dîner. « Ne lui raconte pas l'histoire de Máximo, ton grand-père, parce que dès que tu auras commencé, je la prends et je l'emmène », avais-je prévenu. Fernando s'était mis à rire : « Putain, je ne savais pas que tu avais peur de moi, Alvarito !

— Non, ce n'est pas ça », répondis-je, ne mentant qu'à demi, parce que j'avais vraiment peur de lui, j'avais peur de lui et de tout le monde, peur de tout ce qui aurait pu provoquer la moindre fissure entre Raquel et moi. « C'est parce que ses grands-parents sont plus admirables que les tiens et je ne veux pas que tu te ridiculises.

— Oui, oui, ça, c'est à voir, combien d'années sont-ils restés en prison ? se contenta-t-il de répondre.

— Aucune, mais ils se sont exilés en France, et ils ont combattu pendant la seconde...

— ... Ah, bien sûr ! m'interrompit-il, les pauvres, ils se sont exilés, ça me fait tellement de peine, on croit rêver, comme ça, n'importe qui...

— Bon, mais c'est ma copine et ce sont mes conditions, ou tu les acceptes, ou il n'y a pas de dîner. »

Il les accepta, et il renonça même à nous envelopper dans l'une des interminables chroniques des conspirations de politique académique qu'il affectionnait tant. Je dirigeai la conversation et pendant que je choisissais de vieilles histoires à l'efficacité éprouvée, des anecdotes extravagantes ou malveillantes sur lesquelles nous pouvions tous les deux compter à demi pour faire rire Raquel, je me rendis compte que la reine du monde buvait plus, et plus vite que d'habitude.

Ce soir-là, Raquel s'enivra. Après avoir suggéré qui allait devoir payer, « tu nous invites, non, mon salaud ? », Fernando proposa d'aller boire un verre à la première terrasse avec une table libre que nous trouverions, et elle accepta avec la joie qu'elle allait mettre dans tout ce qu'elle ferait cette nuit-là, boire le premier whisky très vite, le deuxième plus lentement, raconter à mon ami ses problèmes avec les femmes qui passaient l'aspirateur dans les tests d'intelligence, reconstruire les étapes de sa frustrante expérience dramatique, s'occuper de moi, m'embrasser, me caresser, me prendre la main pendant tout ce temps, proposer de gérer notre argent pour faire de nous des millionnaires en deux mois, nous expliquer les détails d'une fabuleuse escroquerie qu'elle avait planifiée avec un certain Paco Molinero, un collègue de travail qui était son meilleur ami et ma principale préoccupation, sourire, rire, sourire à nouveau, éclater de rire, commander un troisième verre, le boire à moitié, me regarder, reconnaître qu'elle avait trop bu, expliquer à Fernando que c'était de sa faute parce qu'elle était devenue très nerveuse en nous voyant nous regarder tout le temps du coin de l'œil, avouer qu'elle s'enivrait toujours après les examens, s'entêter à payer et accepter que le professeur Cisneros ne le lui permette pas. « C'est le moins que je puisse faire, maintenant que je suis responsable de ton état », déclara-t-il. Alors elle se mit à rire, elle était beaucoup plus jolie quand elle riait, et son rire sonnait comme un grelot. « Je crois que tu devrais me ramener chez moi, finit-elle par me dire. Tu verras bien demain », ajouta-t-elle pour elle-même... Je la mis dans un taxi, l'aidai à en sortir, la soutins le temps d'arriver devant la porte de son immeuble, je l'aidai à entrer dans l'ascenseur, appuyai sur le bouton, ouvris sa porte avec ses propres clés, l'emmenai dans sa chambre, l'allongeai sur le lit et, dans chacun de ces gestes, pendant que je l'embrassais, sa joie était la mienne et c'était la joie qui animait la Terre pendant qu'elle tournait autour du Soleil et d'elle-même.

« Ne me laisse pas seule... Tout bouge. » Allongée sur son lit, elle tendit approximativement les bras dans ma direction.

« Je reviens tout de suite, promis-je. Tu as de l'Alka-
seltzer ?

— Alka-seltzer ? répéta-t-elle, comme si elle ne savait pas
de quoi je lui parlais. Oui, je crois que oui, dans la cuisine
ou... Je ne sais pas. »

J'en trouvai tout de suite une boîte. Je fis fondre deux
comprimés dans un grand verre d'eau, et l'obligeai à le boire.

« C'est très mauvais...

— Oui.

— Je dois tout avaler ?

— Tout.

— Déshabille-moi, tu veux bien ? me demanda-t-elle
quand le verre fut vide.

— Je veux bien. »

Je lui ôtai ses vêtements, et son corps doux et doré,
sinueux et total, apporta un contrepoint presque pervers,
féroce, à mes soins quasi paternels et à la puérilité de ses protestations. Ce paradoxe déchaîna en moi une excitation inhabituelle, complexe, qui m'affecta entièrement, à l'intérieur et
à l'extérieur de mon corps, au-delà de mes yeux, de mon sexe,
et que je pus à peine résoudre en la caressant pendant longtemps, très lentement, pendant qu'elle souriait les yeux
fermés.

« Recouvre-moi, et mets-toi dans le lit avec moi, tu veux
bien ? me demanda-t-elle ensuite.

— Je veux bien, répétai-je.

— Je ne peux pas baiser », ajouta-t-elle quand elle eut
trouvé une posture commode, celle du naufragé qui se repose
en s'accrochant à une planche, sa tête dans l'angle que formait
mon cou avec mon épaule, son bras et sa jambe droite me
traversant le corps à différents endroits. « Je me sens très mal.

— Sans blague. Je ne m'en étais pas aperçu.

— Oui. » Et elle parvint encore à rire. « J'y avais pensé,
hein ? à baiser, mais je ne peux même pas bouger... Je
regrette.

— Quoi ? Il n'y a rien à regretter.

— Mais tu bandes.

— Oui.

— Et ça ne te fait rien ?

— Non.

— Tant mieux, parce que... Je suis en train de m'endormir.

— Dors.

— Je t'aime, Álvaro. »

Elle ne m'avait jamais dit qu'elle m'aimait. Lorsqu'elle me le dit, elle s'endormit, et je l'étreignis. Je sentais sa respiration rythmique, lourde, sur ma poitrine, mes doigts posés sur sa taille, le poids double, parallèle, du bras et de la jambe qui m'ancraient à son lit. Une paix douce et profonde m'obligeait à demeurer éveillé pour sentir ce qui m'arrivait, à prendre conscience chaque minute, chaque seconde, de cette douceur déconcertante, si grande et si petite qu'elle ne laissait pas réfléchir. Je m'endormis ainsi, et quatre heures plus tard, quand le réveil sonna, je sentais encore les symptômes de cette fièvre calme. « Je t'aime, Álvaro. » Raquel ouvrit les yeux, me regarda, sourit, et prononça d'autres paroles, différentes et pourtant semblables.

« Tu veux que je te dise ? Malgré tout ce que j'ai bu hier soir, je vais super bien. Je n'ai pas la gueule de bois, juste sommeil. Je crois que ça me réussit vraiment de me soûler avec toi, Álvaro. »

Puis elle se doucha, s'habilla et prit son petit déjeuner. Elle revint dans la chambre habillée en cadre – tailleur blanc, chaussures fermées avec peu de talon, mallette en cuir à la main. Elle était aussi jolie que si elle avait été nue.

« J'ai préparé du café. » Elle s'assit au bord du lit et m'embrassa sur les lèvres. « Si tu ne déjeunes pas avec cette commère de Fernando, on pourrait se voir pour la sieste, je suis aussi commère que lui, mais j'ai d'autres qualités.

— D'accord », fis-je. Et je l'attrapai par la taille pour l'entraîner vers le lit, mallette incluse, et l'embrasser encore avant de la laisser s'en aller. « Je vais donner rendez-vous à Fernando pour l'apéritif. »

Elle se laissa étreindre, me rendit mes baisers, sourit, et partit sans protester pour les dégâts de son costume. Je m'habillai et arrivai chez moi en même temps que les Polonais. Fernando appela à 10 heures, et il refusa qu'on se retrouve une seule minute après 13 heures. Quand j'arrivai à la brasserie d'Argüelles où l'on se retrouvait généralement le matin, je ne le vis pas au comptoir, comme d'habitude, mais assis à une table – preuve qu'il avait beaucoup de choses à dire.

« Alors ? m'enquis-je, en m'asseyant en face de lui.

— Elle est hallucinante », répondit-il. Et il se mit à m'expliquer combien Raquel lui avait plu.

Cela ne me surprit pas, je m'y attendais, je le connaissais, c'était mon meilleur ami, mais il avait choisi un curieux adjectif pour commencer, « hallucinante », et ce terme flotta sur tous les autres, resta en alerte, guetta chacune de ses phrases, de ses éloges, et survécut à celle qui semblait être un point final.

« En résumé, en termes de soldat, honnêtes malgré leur brutalité, je pense que c'est ce que tu as tiré de mieux de toute ta vie », conclut-il.

Je le regardai, lui souris et dis à sa place ce qu'il n'osait pas dire.

« Mais... » Il me regarda, me rendit mon sourire, réfléchit, ne voulut rien ajouter. J'insistai : « Mais...

— Mais elle est bizarre. » Comme je fronçais les sourcils, il nia de la tête et se corrigea aussitôt : « Elle n'est pas bizarre, non, ce n'est pas ça. Elle est géniale, je te l'ai déjà dit. C'est ça qui est bizarre. » Il hocha à nouveau la tête. « Non, ça non plus. C'est plutôt qu'il y a une chose bizarre en elle.

— Ce qui est bizarre c'est qu'elle ne soit pas bizarre ? lui demandai-je, sur un ton moqueur qui, sans paraître l'offenser, ne le gagna pas non plus.

— C'est juste, répondit-il. Exactement ça. Ce qui est bizarre, c'est qu'elle n'est pas bizarre, au contraire, c'est une nana normale, si on entend par normal ce que nous sommes, nous.

— C'est une devinette ? » Je me rendis, sans changer de ton.

« Non . » À présent, son expression était sérieuse, presque grave. « Pense à elle et pense à toi, Álvaro.

— Elle ne va pas avec moi, risquai-je.

— Bien sûr que si ! Elle va très bien avec toi, même physiquement, vous allez très bien ensemble, je vous regardais hier soir et je m'en rendais compte. Tu n'es pas mal, et elle est très jolie, bien sûr. Pas à première vue, mais si on la regarde un peu... C'est étonnant à quel point elle est jolie. À part ça, je dois dire, que vous faites un très beau couple. C'est un plaisir de vous voir.

— Alors ?

— Ce qui est bizarre... » Mon meilleur ami me regarda, ferma les yeux, les rouvrit, dit ce qu'il avait à dire comme s'il souhaitait ne jamais avoir à le dire : « Elle va très bien avec toi, Álvaro, vraiment très bien. Mais tu ne ressembles pas à ton père. Et celui avec lequel elle ne va pas, mais vraiment, vraiment pas, c'est lui. » Il fit une pause et me regarda à nouveau. « Ne me dis pas que tu ne t'en étais pas rendu compte. »

Je ne m'en étais pas rendu compte.

Je n'avais pas voulu, je n'avais pas pu. Cela ne m'arrangeait pas de m'en rendre compte.

« Je n'ai pas envie de parler de ton père », m'avait-elle dit. J'avais ajouté que moi non plus, et cela s'était arrêté là. La dernière pensée qui m'était venue dans ma tête d'avant, cette tête que j'avais perdue sur l'oreiller de ce lit dans lequel il n'était jamais entré, était que je ne devais pas penser à mon père. Je m'étais exécuté, avec une telle habileté, une telle discipline, que je ne cédai même pas à la tentation de le remettre en question quand je parvins à relier à la silhouette de ma mère le fil rouge ténu que la mémoire ténue d'une femme âgée, inconnue et sympathique, m'avait mis dans les mains sans m'indiquer davantage de direction. En ce moment, j'étais au lit avec Raquel c'était la seule chose qui comptait. Depuis, je n'avais pas eu l'occasion d'être seul avec ma mère, je ne l'avais pas vraiment cherchée, car le temps s'appelait Raquel, le monde tenait dans l'exacte proportion de ses hanches, et aucun mystère de la vie de mon père n'allait gâcher ma propre vie. Pas même le mystère qui entourait la femme que nous partagions.

Fernando Cisneros me demanda de ne pas prêter attention à ce qu'il disait, en constatant le silence concentré, terrifié, que j'opposai à ses paroles. « Je ne sais pas pourquoi je t'ai dit ça, je ne sais rien, je n'ai aucune idée de rien », murmura-t-il, mais j'étais déjà passé par cette étape. Je lui répondis que oui, bien sûr, que cela n'avait pas d'importance. Je ne lui mentis pas. Je le comprenais.

Ce fut cela le pire. Je le comprenais, je compris parfaitement son étonnement, le déséquilibre radical qui éloignait ses calculs de la réalité. « Personne n'est morbide avant d'avoir trouvé des raisons de l'être », m'avait-il dit un jour, et il était resté ferme sur sa position jusqu'à ce que Raquel le déjoue avec sa normalité, son style, son aspect, son discours, sa façon d'agir, de se comporter, celle d'une fille normale. Raquel était comme nous, normale comme nous l'étions. C'était pour cela que j'étais tombé amoureux d'elle, pour cela aussi que j'avais pu déloger sans difficulté mon père du lit que nous partagions. Le pire fut que je pus comprendre Fernando, reformuler avec précision ses calculs, imaginer la femme qu'il s'attendait à rencontrer, une femme qui n'existait pas, une vampiresse fatale qui ne me sucerait pas du sang la nuit, une poupée pneumatique dont la chair délicieuse ne me pousserait pas à oublier sa stupidité, une calculatrice froide et énigmatique qui ne m'aurait pas entraîné dans l'épaisseur de ses secrets, une belle et insolente intrigante qui ne courrait pas après mon argent. Raquel Fernández Perea n'était aucune de ces femmes, je le savais depuis le début, comme je savais que sa condition de maîtresse posthume de Julio Carrión González ne représentait pas un attrait pour moi, plutôt le contraire. Mon père me gênait, il m'avait toujours gêné, mais il avait toujours été là. Je n'avais jamais envisagé le contraire.

Pendant que nous commandions une autre bière et que nous recommencions à parler de choses sans importance, je retrouvai la sensation de jouissance instinctive qui m'avait ému en contemplant la chambre de Raquel pour la première fois, et cette satisfaction, faite de soulagement, de sérénité et de reconnaissance, devint un problème que j'aurais dû me poser bien avant. C'était une jolie chambre, harmonieuse, avec peu de meubles, très bien choisis, une lampe ancienne, peinte à la main, un tapis multicolore, certainement turc ou marocain. Sa divergence absolue avec la pièce en forme d'abside, ses murs de stuc et ses niches en plâtre dans le mur, parachevé par un immense écran plasma à la hauteur idéale pour le regarder au lit, soulignait maintenant l'étonnement de Fernando d'un trait rouge, très épais. La première fois où je les avais comparées, j'en avait simplement tiré une conclusion positive pour moi, parce qu'elle m'assurait un lieu exclusif, envisageable, dans la vie de Raquel, et je ne m'étais pas demandé ce que faisait une fille comme elle, heureuse héritière d'un si joli appartement dans une maison ancienne mais bien conservée d'un quartier typique du centre de Madrid, dans cette garçonnière conçue pour permettre aux millionnaires d'y coucher avec leurs maîtresses, des femmes mariées du même niveau social qu'eux ou de jeunes femmes d'origine modeste décidées à améliorer leur situation à n'importe quel prix. Raquel n'entrait dans aucune de ces deux catégories, mais quand je vis son réveil programmé sur la table de nuit et que je me rappelai à moi-même qu'il ne pouvait en aucun cas s'agir d'une orpheline égarée, je ne pouvais écarter d'autres mobiles, tels que l'ambition ou la cupidité. Maintenant si, et je savais également qu'elle n'était pas mariée.

L'homme qui m'avait précédé dans le lit de Raquel Fernández Perea n'avait laissé aucune trace visible dans sa vie. Chez sa maîtresse, où un pendule chaotique interférait avec l'image d'un vieux tank allemand, il n'y avait aucune photo, aucun objet à lui. J'avais offert à Raquel plusieurs autres petites choses bon marché, un manuel de Physique récréative pour débutants, un jeu d'aimants que je m'étais acheté il y avait très longtemps à la boutique du Musée d'Histoire naturelle de New York, une boîte en bois qui lui fit envie un après-midi en passant devant un étal, et la photo officielle de la remise du prix de calcul mental de mon collège, sur laquelle j'avais l'air très sérieux, très bien coiffé, et habillé en petit adulte devant une statue de l'Immaculée Conception qui lévitait au-dessus d'un nuage de plâtre, blazer bleu, chemise blanche, cravate à rayures en diagonale, pantalon gris, un trophée dans une main et un diplôme avec un ruban dans l'autre.

« Ah, donne-la-moi, s'il te plaît ! me demanda-t-elle quand je la lui montrai. Je l'adore. En quelle année a-t-elle été prise ?

— Je ne sais pas. Même si ce n'est pas bien de le dire, en fait, je remportais le prix tous les ans. Attends, laisse-moi... Quel âge est-ce que je pouvais avoir ici ? Dix, onze ans ?

— Oui, par là. C'est fou ce que tu ressembles à l'odieux petit Vicente [1]. Donne-la-moi, allez...

— Bon, je te ferai faire un double.

— Non, ça n'a rien à voir ! » Elle me regarda à nouveau, m'embrassa sur les lèvres. « Je ne veux pas de doubles. N'importe qui peut en avoir un. »

Elle me dit qu'elle la voulait et je la lui donnai. J'avais toujours eu cette photo avec moi dans mon portefeuille, mais elle me la demanda et je la lui donnai. Elle la posa sur l'éta-

---

1. Personnage de bandes dessinées créé par Rafael Azcona (1929).

gère de sa chambre à côté d'une autre où elle figurait avec
son amie Berta, toutes deux méconnaissables, le visage peint
en blanc, un nez rouge en plastique et des caleçons noirs. Sur
cette étagère, ma photo et la sienne faisaient un beau couple,
le bûcheur et la bouffonne, une composition comique, raisonnable, qu'une image de mon père aurait gâchée. En moins de
trois mois, la présence d'un physicien qui remportait des prix
de calcul mental quand il était petit et aimait faire des achats
dans les boutiques des musées des sciences était devenue évidente même pour le plus maladroit des détectives. Ses traces
coexistaient sans difficulté avec celles de deux grands-parents
héroïques, d'un ex-mari imbécile, « le tapis, je l'ai acheté à
Tanger, avec Josechu, ne ris pas ! pourquoi est-ce que tu ris ?
je ne trouve pas que ce soit un nom si ridicule », d'un ex-
fiancé acteur, « c'est aussi lui qui a dessiné l'affiche, ne me dis
pas qu'il n'est pas mignon, bien sûr, qu'il l'est ! », d'une amie
actrice, « la perruque, c'est Berta qui me l'avait prêtée, une
année, et elle m'a tellement plu que je l'ai gardée », d'une maîtresse de maison, « mais qu'est-ce que tu dis ?, ça, ce n'est pas
une perruque, c'est un plumeau moderne, je l'ai acheté pour
nettoyer mon clavier d'ordinateur, parce que Marga m'a dit
que ça marchait bien, mais je ne pense jamais à m'en servir »,
d'un ami, trop intime à mon goût, qui faisait le même métier
qu'elle, « Paco m'a passé le logiciel, je suis allée acheter l'ordinateur avec Paco, le manuel est à Paco, je devrais le lui rendre
mais je dois dire que je m'en sers beaucoup, bien sûr, que je
t'ai dit qu'il m'était arrivé de coucher avec lui, et alors ? on est
juste amis, bien sûr, que j'imagine que tu ne couches pas avec
tes amies !, mais là, c'était différent, je venais de divorcer, et...,
bon, c'est la vie, non ? » et quelques autres hommes, « ce
miroir, c'est un fiancé qui s'appelait Felipe qui me l'a rapporté
du Pérou, je crois, la pipe, c'est un type avec qui j'ai eu une
liaison pendant un certain temps, juste après ma séparation,
ça, c'est Manolito, mon voisin d'en face, le jour où je lui ai dit
oui, que je voulais bien sortir avec lui, et ce n'est pas un cœur
en carton, c'était une boîte de chocolats, on avait treize ans
tous les deux, qu'est-ce que tu dis de ça ? » mais jamais, nulle
part, à aucun moment, avec celles d'un vieil entrepreneur
pourri d'argent qui aurait choisi ce genre de cadeaux.

Dans la salle de bains de Raquel, il n'y avait pas d'accumulation de flacons de parfum. Elle n'en utilisait qu'un, onéreux, mais en rapport avec ses revenus. Sa maison ne regorgeait pas d'antiquités, tous ces meubles, albums, vaisselle, livres, porcelaine, jouets, objets en argent ou vases orientaux que les exilés n'emportent pas avec eux avant de quitter leur pays. C'était la même chose avec les bijoux. Ils lui plaisaient, parce qu'elle en portait souvent, anciens ou modernes, parfois tape-à-l'œil mais toujours incompatibles avec l'ostentation pour laquelle aurait opté un protecteur millionnaire et sénile. Un seul bijou faisait exception, et il était trop précieux pour lui attribuer une origine semblable. Le soir où nous allâmes dîner au restaurant japonais, elle le portait. Le soir qui suspendit toutes les lois de la physique, il se trouvait sur la table de nuit comme si Raquel avait voulu le mettre avant de changer d'avis au dernier moment. Dans l'après-midi qui suivit la tempête, quand je le revis, je l'interrogeai.

« Il a beaucoup de valeur ? » Elle me regarda comme si elle ne m'avait pas compris. « Ce bracelet...

— Bien sûr, qu'il en a ! » Elle le prit, le regarda, me le donna. C'était un bijou ancien, un cercle rigide qui servait de support à une sorte de spectaculaire constellation de pierres précieuses, de hautes vagues de brillants, de saphirs, d'autres brillants, et au centre, une énorme perle. « C'est le bracelet de fiançailles de mon arrière-grand-mère María, la mère d'Ignacio, mon grand-père.

— Celle qui habitait à la *glorieta* de Bilbao ?

— Exact. C'est tout ce qu'il reste de l'ancienne fortune de ma famille, le dernier vestige du naufrage. »

La nuit précédente, quand je me levai pour rentrer chez moi, Raquel me demanda de l'attendre un instant. « J'ai rendez-vous au Café Comercial, me dit-elle, je descends avec toi. » « Avec qui est-ce que tu as rendez-vous ? » eus-je la faiblesse de demander, en pensant à Paco, et elle me répondit par une autre question : « Qu'est-ce que ça peut te foutre ? » « Moi, je veux juste foutre avec toi », lui dis-je alors, et elle me raconta en riant qu'elle allait dîner avec Berta.

En arrivant au café, nous vîmes son amie à travers la vitre. Elle attendait au comptoir et nous dit bonjour en agitant le bras. « Tu prends une bière avec nous ? » En entrant, toujours derrière elle, je tombai sur un de mes étudiants de cinquième année, un garçon discret que je connaissais à peine de vue quand il était arrivé dans mon bureau, deux semaines auparavant, pour me dire qu'il souhaitait me voir diriger sa thèse. Il me salua et je m'arrêtai un instant pour lui parler mais Raquel ne m'attendit pas. Quand je la rejoignis, elle me dit qu'elle était désolée. « Quoi ? » lui demandai-je, après avoir embrassé Berta, qui la regarda avec un sourire ironique. « Qu'on t'ait vu avec moi », répondit-elle. Tout était si faux et amusant, une coquetterie si effrontée que je me joignis au rire de son amie et vis rire Raquel avant de m'avancer vers elle, de l'étreindre et de l'embrasser sur la bouche le temps suffisant pour focaliser les regards de tous les clients installés au comptoir, y compris ce futur physicien médiocre qui n'avait jamais vu Mai et qui ne savait peut-être même pas que j'étais marié.

En marge de son ignorance, j'appris deux choses. La première était que, si en entrant au café j'avais rencontré un témoin compromettant, j'aurais certainement agi de même, et cette certitude purifia mon comportement du calcul froid et désagréable, propre à un séducteur professionnel, qu'elle encourageait à mon avantage. La seconde fut moins surprenante mais beaucoup plus gratifiante. Raquel fut ravie de cet étalage, surtout parce que Berta avait tout vu. Ce fut peut-être pour cette raison qu'elle choisit ce soir-là pour m'informer d'une chose qu'elle aurait pu me raconter avant, alors que nous traversions cette place à pied, ou en taxi. Quand nous eûmes fini nos bières, j'annonçai que je les invitais. Berta alla aux toilettes et Raquel me prit par la main pour m'entraîner hors du café. Nous nous arrêtâmes sur le trottoir, entre le kiosque et la bouche de métro, et elle désigna quelque chose du doigt.

« Tu vois cette maison ? » J'acquiesçai en ne prêtant guère attention à ce bâtiment que j'avais vu des milliers de fois. « C'est là qu'est né mon grand-père Ignacio.

— Ah oui ? » fis-je, très surpris. Ce n'était pas un palais mais une demeure, une très jolie maison, l'expression indiscutable, opulente mais élégante à la fois, du pouvoir économique d'une vieille bourgeoisie argentée. « Vraiment ?

— Vraiment. Ils habitaient au deuxième étage, dans un immense appartement en angle, avec des balcons donnant sur la *glorieta* et sur la rue Carranza... » Elle leva la tête et désigna l'étage d'un air décidé, comme si elle avait souvent répété ce mouvement. « Celui-là, tu le vois ?

— Je croyais que personne n'habitait là. Je croyais que le bâtiment entier appartenait à une compagnie d'assurances, murmurai-je, obéissant du regard à la volonté de son index.

— Peut-être maintenant, mais pas avant.

— Que s'est-il passé ? S'il possédait cet appartement, ton grand-père n'aurait pas dû habiter là où tu habites maintenant. Ils l'ont vendu ?

— Non. Ils ont tout perdu après la guerre, cette maison, celle de la sierra, les terres de mon arrière-grand-mère... » Elle regardait droit devant elle. « Plus exactement, on leur a tout volé. »

Alors Berta sortit du café, nous rejoignit et dit quelque chose que je n'entendis pas bien, parce que Raquel me regardait avec le même sourire que la première fois où elle m'avait parlé d'Ignacio, son grand-père. Il y avait quelque chose de magnétique dans ce sourire, une douceur désolée et sans avenir, la fatigue qui trouble le regard d'un enfant malade ou engourdit les ailes d'un oiseau en cage, le fil ténu d'une tristesse solide, éveillée, mais indifférente à son pouvoir, la compassion d'un rocher. Je n'étais pas un rocher, je ne pus résister à ce sourire, et à ce moment j'aurais donné n'importe quoi pour consoler Raquel, pour la sauver de sa grimace, pour lui arracher ce rictus amer de la bouche et la faire rire aux éclats. Elle était beaucoup plus jolie quand elle riait et pourtant cette expression était la sienne, elle lui appartenait entièrement, différente de tout autre sourire, de toute autre tristesse que j'aurais contemplés sur un visage auparavant. Parfois, la faiblesse que j'éprouvais pour Raquel m'étourdissait, me débordait, me dépassait et se concentrait en même temps entre mes tempes comme un accès soudain de fièvre. Je comprenais alors que c'était de l'amour.

« Si je viens dîner avec vous... Je gâche quelque chose ? proposai-je, presque craintif.

— Je ne sais pas. » Avant de me répondre, Berta échangea un regard avec Raquel avec la même insolence avec laquelle elle m'avait avoué que son amie lui avait beaucoup parlé de moi la première fois où je l'avais vue. « En fait, tu étais le premier point à l'ordre du jour. »

Raquel sourit, se colla à moi, me laissa l'étreindre. « Mais je suppose qu'on trouvera d'autres sujets de conversation... », déclara-t-elle.

Nous avions déjà commandé quand je me levai pour appeler chez moi. Je dis à Mai qu'à la bibliothèque du Conseil, j'étais tombé sur un ami qu'elle connaissait et qui devait à cet instant se trouver tranquillement dans son bureau de l'université de Columbus, Ohio. Avant même qu'elle ne me laisse le temps de lui expliquer que je ne l'appelais pas pour qu'elle nous rejoigne, mais pour la prévenir que je ne rentrerais pas dîner, elle m'avertit en bâillant de ne pas compter sur elle, parce qu'elle était très fatiguée et sur le point d'aller se coucher. Quand je retournai m'asseoir, Raquel laissa retomber la tête sur mon épaule, la pressa un instant, m'embrassa sur le bras. Je compris qu'elle avait facilement deviné ce que j'avais réellement fait après avoir dit que j'allais aux toilettes, et pour la première fois, malgré l'insignifiance de mon délit, je me sentis plus redevable envers elle qu'envers Mai, malgré la gravité de mes fautes. Je suppose que cette sensation était l'extrémité de la pente, la brève plaine où commençait la descente, mais ce soir-là, je ne pouvais pas penser à moi, juste à Raquel. L'étoile du dîner fut cependant Teresa, ma grand-mère.

« Bon, eh bien on peut commencer par le deuxième point de l'ordre du jour », dis-je, pour surmonter le silence un peu embarrassé qui s'établit après le baiser de Raquel et le regard attentif de son amie. Elles se mirent toutes deux à rire.

« Il n'y en a pas, me dit Raquel.

— Vraiment ? » Je la regardai, l'embrassai sur les lèvres. « Je ne savais pas que le sujet était si riche... »

Elles se remirent toutes les deux à rire, mais aucune ne parla. Alors ce fut moi, j'aurais pu le faire un autre jour, choisir un moment plus intime, un lieu plus tranquille, une situation plus propice, mais je me taisais depuis longtemps. Trop.

« Dans ce cas, je vais en proposer un. Tout à l'heure, quand tu m'as parlé de la maison où est né ton grand-père, j'ai pensé... En fait, je n'en ai pas eu besoin, parce que depuis que je l'ai découvert, je l'ai toujours présent à l'esprit, mais... Dernièrement, il m'arrive des choses incroyables, et toutes à la fois, moi à qui il n'arrivait jamais rien. » Raquel ferma les yeux, sourit. « Et le pire... J'avais toujours cru que ma grand-mère paternelle était morte en 1937, en pleine guerre, et il y a deux mois, en classant des papiers de mon père, j'ai appris que ce n'était pas vrai... »

Ce soir-là, ce fut moi qui parlai. Je parlai pendant très longtemps, le temps nécessaire pour gratter la terre avec les dents, pour en retourner chaque motte, pour creuser jusqu'à trouver Teresa González Puerto, et l'embrasser sur sa noble tête de morte, la libérer de son bâillon, et la ramener du fond du trou dans lequel son fils l'avait enterrée.

Ce soir-là, ce fut moi qui parlai et je lui racontai tout, ce que j'avais cru savoir et ce que je savais, ce qu'on m'avait expliqué et ce que j'avais appris de mon côté, ce que j'avais éprouvé avant et après, ce que j'éprouvais toujours. Je devais le faire un jour et ce fut ce soir-là. Je devais le faire un jour parce que le secret de ma grand-mère m'écrasait, m'étouffait, parce que mon silence jaloux et amoureux faisait de moi le complice du silence injuste et injustifiable de mon père, parce que je ne pouvais pas continuer à me taire. Je devais en parler pour que ma grand-mère revive ne fût-ce qu'à travers mes mots, pour la rendre à sa vie véritable, celle qu'elle avait choisie, celle qui lui avait coûté la vie. Je devais en parler et je le fis ce soir-là, et je me sentais progressivement mieux, meilleur, plus digne, plus courageux, plus conforme au fils qu'elle aurait voulu avoir, trop viril à cause d'elle, pour elle, la bonne fée qui voletait avec grâce et persévérance au-dessus de nos têtes, sa présence émouvante comme une ancienne bénédiction, capable de survivre au temps et aux horreurs de la guerre, à la paix des cimetières et aux sourires tranquilles des photographies.

Ce fut ce que je sentis, et je la sentis elle, ma grand-mère Teresa, la plus âgée, la plus jeune, la plus aimée, non l'épouse soumise du mauvais homme mais la fiancée adultère d'un magicien, la jeune fille impossible qui décida à la trentaine de dénouer ses cheveux et de passer ses journées dans la rue en criant, celle qui osa écrire qu'elle se trompait peut-être, mais qu'elle faisait ce qu'elle croyait devoir faire, et qu'elle le faisait par amour. Cette Teresa faisait partie de moi et elle était avec moi pendant que je racontais son histoire. Elle n'était plus à moi seul, mais elle était plus à moi qu'avant dans chaque lettre, chaque virgule, chaque mot de cette lettre qui aurait fait de moi un homme meilleur si j'avais pu la lire avant, si j'avais pu la lire à temps, si elle n'était pas morte de nombreuses années avant ma naissance, dans une prison de l'immense prison que devint ce malheureux pays, abandonné à son malheur. Teresa était avec moi, elle était vivante, parce qu'elle faisait partie de moi, et elle ne le saurait jamais. Elle ne pourrait jamais savoir qu'elle était ressuscitée dans mon amour, dans mon orgueil, qu'elle continuerait à grandir dans l'orgueil et dans l'amour de mes enfants, de mes petits-enfants. Parce que les mains sont plus rapides que la vue, l'optique est une science paradoxale, l'herbe peut pousser dans le désert, et la fin d'un chapitre ne constitue pas la fin de l'histoire, la vie d'une femme admirable ne s'achève pas à sa mort. Je sentis, racontai tout cela, sa voix dans la mienne, pour que ma grand-mère revienne gagner la guerre ce soir-là. Et Teresa González Puerto la gagna, et dans son triomphe triompha la raison, la lumière pour laquelle elle avait lutté illumina le regard chancelant d'une comédienne qui respirait à peine, la pizza presque entière et complètement froide, les couverts oubliés dans l'assiette, pendant que la femme que son petit fils aimait comme il aurait pu l'aimer elle écoutait en silence, se couvrant le visage de ses mains.

« C'est impressionnant, dit Berta la première. Et tu as dû être... Je ne sais pas, c'était sûrement terrible, ça le serait pour moi, c'est sûr. Moi aussi, je viens d'une famille très facho, tu sais ? Et si j'apprenais une chose pareille, eh bien... D'un côté, je me sentirais très mal, mais d'un autre, je crois que je me sentirais très fière de... Enfin, c'est ce que tu as dit, mais penser à ton propre père après, ça doit être super dur, non ? » J'opinai et regardai Raquel, mais elle n'avait pas bougé et restait très calme, les mains fermement appuyées sur le visage comme si elle n'arrivait pas à les décoller. « Tu pourrais m'en faire une copie ? J'en ai plusieurs comme ça, de gens qui étaient en prison, ont été fusillés, de soldats, j'ai souvent pensé en faire quelque chose, une sorte de spectacle, je ne sais pas bien comment, mais j'y réfléchis de temps en temps. Ce n'est pas facile, parce que beaucoup d'entre elles ne peuvent pas être lues d'un trait, tu sais ? Je dois dire qu'elles sont très mal écrites, truffées de répétitions, de phrases toutes faites, sottes, emberlificotées. Ce sont des lettres de gens qui ne lisaient pas, qui n'avaient pas l'habitude d'écrire. Ils en ont beaucoup envoyé, les pauvres. Mais ce qui est étonnant, ce n'est pas ça. Ce qui est étonnant, c'est que malgré tout, ces lettres suffiraient à prouver à n'importe qui que ce pays n'a fait que dégénérer.

— Oui, dis-je en souriant. C'est exactement ce que je pense.

— Même si je reconnais que la lettre de ta grand-mère est très bien, on voit qu'elle était institutrice. Elle est presque aussi bien que celle qu'un oncle de Ra a écrite à sa femme quand on l'a condamné à mort. Celle-là aussi, elle te plairait, parce que...

— Je ne me sens pas bien. »

La voix de Raquel, qui nous regardait maintenant les épaules contractées, l'œil humide, le teint très pâle, mit un point final abrupt à notre conversation.

« Qu'est-ce que tu as ?

— Tu es toute pâle, Ra...

— Oui. »

C'était moi qui avais posé la question, Berta qui avait fait le commentaire, Raquel nous regarda dans l'ordre inverse avant de s'expliquer : « Il fait très chaud, ici. J'ai dû avoir une baisse de tension ou quelque chose dans le genre, j'ai un peu mal au cœur, je ne sais pas... Je voudrais rentrer chez moi.

— Bien sûr. » Berta et moi parlâmes en même temps mais elle ne regarda que moi.

« Tu pourrais me raccompagner. Je crois que ça me ferait du bien de marcher un peu.

— Bien sûr », répétai-je, et je demandai la note, mais cette fois elles ne me laissèrent pas payer.

Nous partageâmes avant de nous quitter devant la porte. Berta prit un taxi et nous attendîmes qu'il ait démarré avant de partir en sens inverse.

« Si tu veux, on peut en prendre un autre », proposai-je, mais elle refusa de la tête, très énergiquement.

« Non, non, j'ai envie de marcher, je te l'ai dit. Je me sens beaucoup mieux et la nuit est si belle... Surtout après la chaleur qu'il faisait là-dedans. »

Je respectai sa volonté sans faire de commentaires, nous nous dirigeâmes vers la *glorieta* de Bilbao, passâmes devant la maison de son grand-père, remontâmes la rue Carranza, et je me retrouvai à penser à voix haute, pour moi seul, même si je m'adressais apparemment à elle, même si je la tenais par les épaules.

« C'est curieux, dis-je sans la regarder, comme les choses changent, non ? D'un côté, une famille comme la tienne, qui vivait dans cette ville, dans une maison comme celle-ci, et qui a tout perdu. D'un autre, un homme comme mon père fils d'un berger, propriétaire de son troupeau mais en fin de compte simple berger, et d'une institutrice sans le sou, élevé dans un village de la sierra, qui n'est même pas allée à l'université. Lui est devenu riche au point d'acheter des immeubles entiers. Le tout en deux, trois générations, et toi et moi ici, aujourd'hui... »

Elle ne dit rien. Je ne m'attendais pas à ce qu'elle le fasse, mais pas non plus à ce qu'elle se mette à pleurer, ce qu'elle fit, comme une petite fille ou comme une femme désespérée, s'abandonner à des pleurs lourds, réguliers, qui n'avaient pas besoin de mots, pas même du fracas des sanglots, pleurer sans bruit, sans cesser de marcher, de me prendre dans ses bras, sans me regarder, juste pleurer, comme si ses larmes avaient été le début ou la fin de quelque chose, un argument, une raison, un bouclier ou une arme. Je ne le savais pas, je ne pouvais pas le savoir parce que je ne l'avais jamais vue pleurer, et ses pleurs me laissaient sans défense et perdu, comme nu au milieu de la rue.

« Qu'est-ce que tu as, Raquel ? » Je lui écartai les cheveux du visage, séchai ses larmes, soutins son visage entre mes mains et cédai à un instant d'angoisse, presque de panique, en comprenant que je ne pouvais pas la voir comme ça, que je ne pouvais pas la voir pleurer, je ne pouvais pas. « Ne pleure pas, Raquel, ne pleure pas, s'il te plaît, ne pleure pas... Ne pleure pas, Raquel... »

Je la serrai fort, elle cacha son visage dans mon cou et pleura vraiment, des pleurs terribles, ininterrompus, compulsifs. Je ne pouvais rien faire d'autre qu'attendre, et j'attendis. J'attendis, je la vis se calmer peu à peu, cesser de haleter, de s'agiter, jusqu'au moment où elle se reprit, écarta la tête de mon cou pour me regarder, et elle me parla de la voix épaisse, gutturale, que les pleurs laissent derrière eux.

« Je me demande ce que tu peux penser de moi. » Ses paroles, le ton de sa voix, si faible, et la lumière moribonde de son regard m'effrayèrent.

« Que du bien. Je ne pense que du bien de toi, tu le sais », répondis-je, tout en m'occupant à nouveau de son visage, en mettant de l'ordre dans ses cheveux et en caressant le bord de ses paupières gonflées, ses joues enflammées, congestionnées, tendues...

« Non ! » Elle secoua la tête d'un geste catégorique et amusant malgré elle, presque enfantin, qui ne parvint pas à la libérer de mes mains. « Tu ne peux pas penser les meilleures choses. Du moins pas ce soir. Tout à l'heure, au restaurant, en t'écoutant parler de ta grand-mère, je me demandais ce que tu pouvais penser de moi, d'une femme comme moi, de moi et de ton père, de moi avec ton père, et je répondais par des mots horribles, ceux que tu dois être en train de penser en ce moment...

— Non, Raquel... » Je l'étreignis à nouveau et l'embrassai à plusieurs reprises sur la tête, comme une petite fille. « Je ne pense jamais à toi avec mon père. Ni ce soir, ni jamais. Je ne peux penser qu'à moi quand je pense à toi. Je ne peux penser qu'à toi avec moi. Le reste ne m'intéresse pas. » Elle me regarda, ferma les yeux, les rouvrit et me fixa d'un air plus chaud mais encore lointain. « Je te jure que ça ne m'intéresse pas. Souris, s'il te plaît. »

Elle ne sourit pas, mais elle m'embrassa. Elle se pendit à mon cou pour m'embrasser sur la bouche pendant très longtemps et quand elle eut fini, sans se séparer de moi, elle me regarda de cet air abandonné, absolu, qui semblait dire que sa vie était entre mes mains. Je l'embrassai encore avant de reprendre la marche, nous nous serrâmes l'un contre l'autre, et nous continuâmes à marcher.

« Je suis désolée, Álvaro, excuse-moi. » Maintenant c'était elle qui me parlait sans me regarder. « Je n'aurais pas dû faire cette scène, mais... Mais parfois je ne maîtrise pas du tout les choses.

— Comme moi par exemple ? » suggérai-je, parce que je l'avais entendue mais je ne voulais pas reparler de mon père, je ne voulais pas qu'elle se remette à pleurer.

« Non, répliqua-t-elle en souriant. Pas toi. Toi, je te maîtrise bien, très bien, trop bien. Bien mieux que je ne le souhaiterais.

— Raquel... »

Je n'ajoutai rien, ce ne fut pas nécessaire. Parfois, l'amour que j'éprouvais pour cette femme m'étourdissait, me débordait, me dépassait et se concentrait en même temps entre mes tempes comme un soudain accès de fièvre. Parfois elle s'en rendait compte, comme cette fois.

« Je peux te poser une question ? » Nous étions presque arrivés chez elle et elle n'attendit pas d'avoir ma permission. « Qu'est-ce que tu as dit tout à l'heure à ta femme, quand tu l'as appelée ? »

Je souris, la regardai, elle souriait elle aussi.

« Qu'à la bibliothèque du Conseil, j'étais tombé sur un ami de Bilbao que j'avais connu à Boston et qui travaille maintenant à l'université de Columbus, Ohio. Et que j'allais dîner avec lui.

— Il y a longtemps que tu ne l'as pas vu ?

— Presque trois ans. » Je n'eus pas besoin de mentir, ni là ni plus tard. Elle finit par rire comme si j'avais inventé tout cela pour la dérider. « Avant, il venait tous les étés, mais après, il a épousé une prof d'aérobic qui s'appelle Ingrid, est très noire avec un corps magnifique. Depuis qu'il est venu se montrer avec sa fiancée, il n'est pas revenu. Il m'envoie de temps en temps par mail des photos de son fils, qui est très mignon, métis, bien sûr, avec un béret plus grand que lui.

— Alors, si vous dîniez vraiment ensemble, vous auriez beaucoup de choses à vous dire.

— Énormément.

— Et après, vous iriez prendre un verre...

— Pas un. Au moins deux ou trois.

— Tu veux monter ?

— Oui. »

Avant, je lui avais dit que je ne pouvais penser qu'à elle avec moi, que rien de ce qui avait pu se produire dans sa vie avant de me connaître ne m'intéressait. J'avais parlé sans réfléchir, comme si personne n'avait jamais construit ni prononcé ces phrases toutes faites, rebattues, désormais dépourvues de sens à cause de l'usage fait par ces millions d'hommes et de femmes qui avaient éprouvé la même chose que moi avant moi et l'avaient exprimée de la même façon, dans toutes les langues, à toutes les époques, dans tous les pays du monde.

Ensuite, après être retourné avec elle là où le passé n'existait pas, parce que tout se passait maintenant, je compris toute la signification de certains mots, « toi, moi, seulement, jamais, avant, rien, avec moi ». Je me sentis uni à cette femme comme si nous étions tous les deux une seule chose, et le tout enfin un nombre entier, exact, scrupuleusement égal à la somme des parties. Aimer Raquel était aussi facile et inévitable pour moi que de respirer. Mon corps, mes mains, mes yeux le savaient. Moi aussi, et il me suffisait de caresser lentement cette peau parfaite qui renaissait régulièrement, sous la pression attentive et satisfaite de mes doigts, pour étrenner tous les mots que je connaissais, tous ceux que je créais à l'instant précis où je les pensais afin que « avant » n'existe plus, qu'« après » n'existe jamais entre les quatre coins de ce lit qui faisait tourner le monde. Je le savais, et elle s'en apercevait parfois. D'autres non.

« Avec ton père, Álvaro...

— Ça ne m'intéresse pas.

— Toi non, mais moi si. » Je ne voulais pas la lâcher, mais elle se dégagea, s'étira dans le lit, choisit de regarder au plafond. « La liaison avec ton père est la plus grande sottise de ma vie, Álvaro, la plus grosse erreur que j'aie jamais commise. » Alors elle me regarda et je craignis qu'elle ne se remette à pleurer, je tentai de l'interrompre mais elle m'en empêcha. « Écoute-moi, s'il te plaît. Ne dis rien. Ce qu'il y a... Ce n'est pas que je ne veuille pas en parler, c'est que je ne peux pas, je ne peux même pas m'en souvenir. Je ne le supporte pas. Aujourd'hui je ne comprends plus comment ça s'est passé, comment ça a pu m'arriver... Il y a des moments étranges dans la vie, des moments où l'on oublie tout, ce que l'on a toujours su, ce qu'on n'aurait jamais dû oublier... C'est difficile à expliquer, mais je veux que tu saches que ce n'était pas moi. Vraiment, ce n'était pas moi. Je ne suis pas comme ça, Álvaro, tu me connais. Moi, je suis celle que tu connais. »

À cet instant, je ne me rendis pas compte non plus de ce que signifiaient les mots que je venais d'entendre. À cet instant, j'étais si ému, si amoureux de la femme qui les avait prononcés, que je ne pus que l'embrasser, la serrer fort et la garder collée contre moi. C'était la seule chose qui comptait, ce tout qui excluait l'avant, l'après et tout autre concept qui aurait succombé à l'illusion vaine d'exister en dehors de cette étreinte. Mais deux semaines plus tard, pendant que je feignais d'écouter Fernando Cisneros à la table de la brasserie d'Argüelles où on se retrouvait les matins, je repensais à ce discours obscur, saccadé, truffé de sous-entendus qui dépassaient ma capacité d'entendement, et il acquit une importance que je n'étais pas parvenu à saisir à temps.

L'étrange et incomplète confession de Raquel, « je suis celle-ci, celle-là n'était pas moi » ne donnait pas seulement raison à Fernando. Elle situait également la figure de mon père sur un plan différent, d'où émanait une violence mystérieuse sans forme définie. Après avoir admis que je ne l'avais pas voulu, trouvé les mots justes pour percer la nature d'un sourire ineffable, Raquel Fernández Perea n'avait plus parlé de Julio Carrión González, mais son attitude avait laissé flotter dans l'air un sillage rosé et aimable. Je m'y étais engagé sans réfléchir avec cette sympathie, ce charme et cet instinct congénital pour la séduction qui avaient fait de mon père un homme admiré, désiré et gagnant à toutes les étapes de sa vie. Ce sillage avait explosé à mes oreilles, s'était évanoui sous mes yeux et je ne m'en étais pas rendu compte non plus. À la fin de cette nuit longue et épuisante que nous avions vécue ensemble en compagnie commune de nos fantômes, Raquel m'avait parlé de lui comme d'un ennemi ou pire, une personne capable de la rendre ennemie d'elle-même, de lui faire oublier ce qu'elle savait, ce qu'elle n'aurait jamais dû oublier. Et moi, qui ne pouvais pas comprendre ce que j'entendais, je l'avais accepté sans poser de questions, et j'avais même été idiot au point de me féliciter de l'avoir entendu.

Quand Raquel me dit qui elle était et qui elle n'était pas, une seule chose avait retenu mon attention. Je croyais confirmée l'intuition lumineuse qui m'avait guidé au-delà de la folie, cette sensation indescriptible qui déboucha d'elle-même sur la certitude que cette femme était à moi, à moi et pas à mon père. Cela n'avait pas été qu'un mirage, c'était aussi une sottise, mais tout coulait avec une facilité rose, le son paisible de l'eau qui coule. Pourtant, je me retrouvais en plein dedans, stupide comme jamais. Je savais donc depuis le début que mon père guettait cet engouement absurde, ridicule tant il était excessif. Son ombre, gigantesque et imposante, en faisait une nécessité, un passage obligé pour moi, qui n'avais jamais voulu être comme lui, qui n'avais même jamais aspiré à lui ressembler. Je m'étais interdit de penser à lui et j'avais exécuté mon propre ordre avec une habileté, une discipline si rigoureuse que je n'avais même pas eu besoin de me forcer pour isoler Raquel des autres traumatismes liés à sa mort, mais je ne pouvais pas l'éliminer. Je ne pouvais pas le faire jusqu'au moment où elle s'en chargea pour moi, où elle le liquida en quelques mots. Ce fut la seule chose à laquelle je pensai en les entendant, que mon père était un sujet réglé, qu'il ne reviendrait plus jamais me déranger, en s'interposant dans mon amour pour cette femme qui était avec moi ce qu'elle n'avait jamais été avec lui. J'étais si ému, si amoureux de Raquel, que je ne me méfiai pas en acceptant la solution d'un problème dont je ne connaissais pas les données.

Je consultai ma montre, feignant d'être pressé, et quittai Fernando comme s'il ne s'était rien passé. Je pris la rue Cea Bermúdez, tournai au premier coin de rue sans savoir pourquoi, puis j'en pris un autre, encore un autre, pour marcher sans autre but que la nécessité de comprendre tout ce que j'avais regardé sans le voir, ce que j'avais écouté sans l'entendre, ce que j'avais appris sans comprendre. Je tentai de relier d'autres données entre elles, sans grand succès. Raquel ne se souciait pas de ce que je pouvais penser d'elle avant que ma grand-mère Teresa ne s'assoie avec nous à la table de ce restaurant. Le rôle que mon père avait joué dans cette histoire n'avait pas pu déclencher une réaction aussi disproportionnée, même si Raquel avait eu l'impression – plutôt déraisonnée à ce stade – que sa relation avec cet homme pouvait trahir son grand-père, cet homme mort, lointain, dont le simple nom peignait sur son visage un sourire sombre qui lui appartenait parfaitement, comme aucune autre expression. Et pourtant, Raquel avait éclaté cette nuit, pas avant ou après, et elle avait dit des choses qui prenaient un sens nouveau, différent, en les comparant avec l'inquiétude que les paroles de Fernando avaient distillée dans mon esprit.

« Parfois je ne maîtrise pas du tout les choses », avait-elle dit, et elle s'en était tenue là. J'avais tout de suite pensé qu'elle faisait allusion à mon père et à moi, à notre condition d'amants successifs. Cela ne m'avait pas surpris parce qu'il était naturel, logique, qu'une situation aussi étrange la dépasse de temps en temps, comme moi, même si je m'étais défendu d'y penser. Ce qui me surprit, quand j'analysai plus lentement la question, fut que je n'avais jamais perçu le moindre malaise, la moindre tension. Au contraire, j'avais toujours eu la sensation que cela ne lui coûtait pas d'ignorer mon père, qu'elle ne faisait pas d'efforts pour l'oublier. Dans sa joyeuse indifférence se trouvait peut-être la clé de cette plénitude qui se prolongeait dans un commencement éternel, sans fin et sans limite. Entre cette femme et moi, tout était de l'ordre du maintenant, et maintenant était toujours aussi facile, aussi fluide et lumineux que si nous étions nés tous les deux à l'instant de notre rencontre. Mais elle avait un passé, et moi un autre. « N'en parle pas à Berta, elle ne sait rien », m'avait-elle demandé après m'avoir expliqué quelle sorte de femme elle était en réalité. « Elle ne sait pas pour mon père ? » demandai-je, étonné, parce qu'elles se racontaient tout. Elle prit un moment pour répondre : « Elle le sait, mais elle ne sait pas que c'était ton père. — Alors qui suis-je ? demandai-je. — Tu es le fils et l'héritier d'un client, qui est venu me voir un jour à la banque, s'est mis en tête de me draguer et est devenu très pesant. » Alors elle me regarda et sourit enfin : « C'est plus ou moins la vérité, non ? »

Elle avait un passé et moi un autre, bien que je ne sache qu'en faire. Je n'avais rien trouvé à faire encore quand je consultai ma montre et me résignai à avoir définitivement perdu mon ancienne habileté en calcul mental.

« Tu es en retard. » Elle était appuyée contre le mur et ne bougea pas avant que j'arrive à sa hauteur.

« Moins de cinq minutes. En Espagne, ça ne s'appelle pas un retard », me défendis-je. Elle sourit, de ce sourire qui pouvait encore tout effacer. « Comment vas-tu ?

— Ouh ! » Elle s'écarta du mur avec un geste de lassitude presque douloureuse. « Je suis crevée. Je n'ai même pas envie de manger, alors... »

En entrant chez elle, elle ne s'arrêta pas pour laisser son sac sur le portemanteau de l'entrée, comme d'habitude. Elle l'emporta accroché à son épaule jusque dans la chambre où elle le laissa tomber par terre avant de s'écrouler sur le lit les yeux fermés, comme si elle était morte. Je m'approchai d'elle et lui ôtai une chaussure, puis l'autre.

« Tu veux que je te déshabille ?

— Oui, dit-elle en ouvrant à peine un œil. S'il te plaît.

— Je l'ai déjà dit à Fernando, elle n'a qu'un défaut, tu sais ? » En la déshabillant, je parlais à haute voix, et elle se laissait faire en riant. « Parce que pour le reste, c'est une très gentille fille, elle est parfaite, mais elle a un défaut, bien sûr, elle boit, qu'est-ce qu'on y peut ? Elle aime boire et, bien sûr, en buvant... Voilà. »

Je me couchai à côté d'elle, la pris dans mes bras, elle dormait déjà. Tout semblait normal, à sa place. Ce fut après que la vis sauta, qu'un coin de la réalité se fendilla, qu'un engrenage de la machine impeccable que nous avions tous les deux constituée jusqu'alors se mit à grincer, à frôler les habitudes du temps et de la coutume. J'étais réveillé et elle dormait toujours, j'aimais la voir dormir parce que j'aimais la regarder. Dans la tranquillité du sommeil ses traits s'affirmaient, l'irrésistible proportion de ses hanches et de sa peau se reposait sur sa propre perfection. Raquel dormait nue, abandonnée à sa nudité, accessible, sans défense et vulnérable, exposée et démunie, sûre et désirable à en crever. Et mes yeux cédèrent à la volonté despotique de ce désir qui faisait mal, se plaignirent de cette image hostile, étrangère, qu'ils n'avaient jamais vue en regardant Raquel. Ils anticipaient déjà les étapes de notre liturgie personnelle, stable, qu'elle inaugurerait en ouvrant les yeux et en se tournant vers moi, pour sourire, m'évaluer, et se laisser caresser ou me caresser comme l'une des nôtres, une femme unique et pourtant normale. Normale comme moi, sujet et objet d'une normalité qui n'excluait aucune anormalité théorique, mais était cohérente avec ses propres excès.

Cet après-midi-là, pendant que je regardais Raquel, l'imaginais, la pensais, me la rappelais dans des attitudes, des positions, des situations qui, pour tout autre que moi, seraient beaucoup plus impudiques, plus perverses et obscènes que la silhouette d'une femme jeune qui se glisse dans un jacuzzi entouré de bougies allumées où l'attend un vieillard qui a l'âge d'être son grand-père. Pour tout autre que moi, parce que j'intégrais aussi ces images, et mon regard les avait enregistrées comme des éléments utiles dans l'élaboration d'une intimité qui avait ses propres règles, une langue, une grammaire, une syntaxe. Raquel et moi avions appris très vite à dominer ce langage parce que nos capacités étaient semblables, similaires et si étonnamment compatibles qu'elles n'avaient pas besoin de dépasser la barrière de l'instinct. Nous ne parlions pas de sexe, ce n'était pas nécessaire. Mais elle aimait à décrire le plaisir, pour le cataloguer ou le définir avec des expressions d'une allégresse presque infantile, super, super, génial. Nous ne parlions pas de sexe, nous le pratiquions, sans le planifier, sans négocier, sans le commenter. Nous le pratiquions jusqu'aux limites de l'épuisement, une limite qui était devenue aussi douteuse que le prestige de ces phrases importantes sur le tout et les parties dont les derniers fragments sub-atomiques flottaient déjà en l'air avec la sympathique indolence des antiquités inutilisables. Je n'avais jamais autant joui d'une femme, ni autant ni avec aucune. Cela avait été le premier noyau de cet aujourd'hui sans début ni fin, le lien qui nous attacha. J'apprenais des choses de Raquel tous les jours, et rien ne m'avait poussé à modifier ne fût-ce que dans les détails les règles de notre intimité commune.

Ce ne fut pas ce qui se produisit cet après-midi-là, quand je ne me souvenais plus de rien et savais manipuler le corps de la femme qui dormait à mes côtés comme un musicien manipule son instrument préféré. Ce ne fut pas ça et ce ne fut pas non plus la faute des objets, le jacuzzi, les bougies, l'écran plasma, ce godemiché en caoutchouc mauve qui semblait rempli d'une sorte de gel et que j'aurais pu acheter moi-même si cela avait été mon style et si je n'avais pas su dès le début que la dernière proposition, le dernier caprice, le dernier cadeau que je ferais à Raquel dans ce monde serait un godemiché. C'était une autre question, confuse, abstraite, difficile à définir, qui se situait à l'intersection exacte de trois identités, la mienne, la sienne, celle de mon père, avec seulement deux styles, deux façons de regarder le monde, de comprendre la vie, toutes les choses, le sexe aussi, la nôtre et celle des autres. Une question d'identité ou de style, aussi fondamentale ou aussi frivole, mais également glissante et dangereuse, parce qu'elle n'interagissait pas avec des idées ou des paroles, pas même avec des sentiments, mais avec un instinct, confus, abstrait et difficile à définir par nature. Si Raquel Fernández Perea était la femme que je connaissais, le corps avec lequel mon corps s'entendait sans paroles, le sexe qui s'ouvrait sur un simple murmure de ma voix, une simple pression de mes doigts dans certains endroits et conditions déterminées, elle ne pouvait être une autre, celle que j'avais imaginée seule dans l'appartement de la rue Jorge Juan, l'inconnue qui allumait la dernière bougie avant de se plonger nue dans l'eau, pour se caler ensuite contre une pile d'oreillers avec ses jolies jambes grandes ouvertes, et un sourire qui laissait voir ses charmantes dents écartées.

Alors Raquel se réveilla, sourit avant d'ouvrir les yeux, vint vers moi, me serra dans ses bras, les referma, tendit la main droite jusqu'à frôler mon sexe, le toucha avec un doigt, puis deux, le caressa avec la paume avant de le saisir, le serra, et ne me regarda à nouveau qu'ensuite, les yeux grands ouverts, les lèvres plissées en un cercle presque parfait pour laisser échapper une chose semblable à un souffle avant d'émettre un ronronnement félin, caractéristique, et de me sourire enfin à nouveau. Je connaissais ces symptômes, et les suivants, mais je ne me reconnus pas moi-même tout en cor-respondant à d'autres, empruntés, étrangers, gênants pour tous les deux, par lesquels je prétendais la mettre à l'épreuve et ne parvins à prouver que ma propre faiblesse.

« Ça suffit, Álvaro. » Elle ouvrit les yeux, serra les jambes, et s'écarta.

Raquel Fernández Perea ne m'avait jamais freiné, ne m'avait jamais mis de limites, mais ce n'était pas moi et elle s'en était rendu compte.

« Pourquoi ?

— Parce que tu me regardes avec les yeux de ton père. » Elle se recouvrit avec le drap, me tourna le dos et, le regard fixant le mur, elle poursuivit : « Ça devait arriver tôt ou tard. Et le pire, c'est que c'est bien fait pour moi. »

J'aimais cette femme. Je l'aimais tellement que, parfois, mon amour pour elle m'étourdissait, me débordait, me dépas-sait et se concentrait en même temps entre mes tempes comme un soudain accès de fièvre. J'étais alors plus moi qu'avant, plus moi que jamais, et j'allai vers elle, me glissai sous le drap, l'étreignis, l'embrassai à plusieurs reprises, lui demandai pardon et lui dis à voix haute que je l'aimais. « Répète-le », me dit-elle, et je le répétai jusqu'à ce que ma gorge soit sèche.

Je compris alors la signification exacte des mots que je prononçais et que j'allais devoir apprendre à vivre, à l'aimer, avec le poids de l'étonnement de Fernando, comme j'avais appris à vivre, et à l'aimer, dans l'ombre du fantôme de mon père. Et pendant que tout recommençait à couler avec tran-quillité, comme le son paisible de l'eau qui coule, je pensai que le mieux qui puisse nous arriver était que je ne découvre jamais la véritable relation qui avait uni Raquel Fernández Perea à Julio Carrión González, et que la solution du problème que nous posions tous les deux à ce moment ne dépendrait peut-être jamais de moi.

Je pus ainsi discerner précisément la couleur de la panique, et mesurer dans mon propre estomac la quantité de néant que contient le vide.

Le 12 septembre 1949, le ciel s'assombrit sans prévenir, au beau milieu de l'après-midi. Quand le premier coup de tonnerre éclata, Julio Carrión González était appuyé contre un des piliers en granit qui soutenaient le porche de la Maison Rose, la plus jolie du village. Il observait un chauffeur de taxi qui s'efforçait de fixer tous les paquets sur la galerie du toit. Le deuxième coup de tonnerre précéda la pluie de quelques secondes à peine et l'homme abandonna.

« Je suis désolé, madame, mais ça, vous allez devoir le prendre avec vous. »

Mariana Fernández Viu ne répondit pas. Elle ne prêta pas attention à la valise qu'il déposa à ses pieds. Tendue, raide, comme morte, elle regardait son ennemi et serrait son sac entre ses mains comme s'il avait été son dernier refuge, sa planche de salut, à quelques millimètres de l'abîme. Mais rien de ce qui se trouvait dans ce sac n'aurait pu la sauver. Julio le savait, il soutenait la haine de ce regard avec une patience tranquille, souriante. Il avait vu une haine beaucoup plus intense dans des yeux beaucoup plus beaux. « Enfonce-la, écrase-la, détruis-la, et quand tu en auras fini avec elle, dis-lui que tu viens de ma part. » C'est ce que tu voulais, non, Palomita ? tu ne viendras pas dire que je ne tiens pas mes promesses, pensa-t-il en allumant une cigarette. Il soufflait la fumée très lentement dans le seul but d'exaspérer sa victime.

« Madame, venez, s'il vous plaît, nous allons nous faire tremper ! »

Le chauffeur de taxi se risqua à poser une main sur son épaule alors que la pluie tombait avec tant de violence qu'elle déformait les contours de la scène. Alors, enfin, Mariana baissa la tête et accepta de monter en voiture. Quand la voiture démarra un instant plus tard, l'homme qui fumait sous le porche se réjouit de ce vacarme, comme un soldat se réjouit du rythme d'un hymne, le symbole de la cause pour laquelle il s'est battu, pour laquelle il vient de remporter la victoire. Cet homme était parvenu au bout du chemin. Le trajet avait été long et tortueux, dangereux, accidenté et laborieux, mais cela n'avait plus d'importance maintenant. Il était là, lui, le fils d'un berger alcoolique et d'une prisonnière politique morte dans sa cellule, il était Julio Carrión González, enrichi, devenu un monsieur.

« C'est du vol, Julio. » Eugenio l'avait regardé dans les yeux avec tout l'éclat de son ancienne candeur. « Même s'il y a une loi, même si c'est légal, même si tout le monde le fait. C'est du vol, et je n'entre pas là-dedans. »

Eugenio Sánchez Delgado fut la première personne que Julio chercha à son retour à Madrid, en avril 1947. Avant, il n'était allé voir que son père, ou ce qu'il en restait, une silhouette floue et consumée, mise au rancart comme une vieillerie dans une maison sale et pleine d'objets brisés, tels que des scories d'une autre vie, soigneusement disposés sur les mêmes meubles, les mêmes étagères, les même tablettes qu'ils occupaient auparavant, quand ils étaient intacts et utiles.

« Père... »

Julio reconnut d'abord un vase en verre fêlé, puis un napperon effiloché, jauni, un vieux moulin à café dont le manche avait disparu. Tout était assombri par la poussière, brillant de graisse rance, et la saleté formait de petites pyramides grisâtres dans les coins. L'air sentait mauvais, le renfermé, la pourriture, la misère.

« Père... »

Julio s'approcha de lui et constata que le corps de Benigno sentait encore plus mauvais que la maison. Le vieil homme ne leva pas la tête pour le regarder et ne bougea pas quand un courant d'air fit voler les journaux périmés, précipitant les cafards terrifiés vers leurs cachettes. Julio dut le secouer pour qu'il le regarde, mais il était tellement ivre qu'il ne le reconnut pas.

« Comment es-tu entré ? Qui es-tu ? » Il était difficile de le comprendre, et encore plus de supporter ses dents noirâtres, la pestilence de son haleine.

« Je suis Julio, père, je suis votre fils. » Benigno le regarda alors plus attentivement, et tenta de sourire. « Mais enfin, père, comment pouvez-vous vivre comme ça ? »

Il n'obtint pas de réponse à cette question, sauf une version plus faible, plus trouble, du regard bovin qui le désespérait douze ans plus tôt. Ce matin-là, il le prit au dépourvu, dans un fracas de sirènes et de feux de secours. « Vous n'avez pas osé dépenser mon argent, n'est-ce pas, père ? » L'espace d'un instant, la répugnance se mêla à sa tristesse. Puis Benigno baissa à nouveau la tête pour se remettre à boire un verre rempli d'un liquide transparent, irisé. Julio le lui arracha des mains, se salit les doigts sur le verre et en sentit le contenu. Au moins c'était bon marché, du marc.

« Bon, père, tout ça, c'est fini. » Benigno n'essaya même pas de bouger la tête. « Allez, levez-vous. »

Il le prit sous les aisselles pour l'aider, le traînant presque. Il était 11 heures du soir, Julio ignorait si son père avait dormi ou s'était levé tôt pour se soûler ou si l'ivresse l'avait empêché de se coucher. Cela n'avait plus d'importance. Par terre, près de la porte de la cuisine, il y avait un matelas avec une couverture crasseuse. Cela le dégoûta à tel point qu'il le déposa là sans l'en recouvrir et sortit dans la cour. Il ne restait pas une seule poule, juste les cages abandonnées, les portes ouvertes, certaines manquantes. Mais les sacs étaient toujours au même endroit. Il en remplit un avec les journaux périmés et toutes les vieilleries cassées qu'il avait vues en entrant, et il monta à l'étage. Son ancienne chambre était aussi sale que le reste de la maison, mais personne n'y avait touché. Ses affaires, le lit fait, les vieux manuels scolaires, quelques jouets et les photos de femmes nues qu'il gardait dans un tiroir, le saluèrent comme une bande d'enfants vieillis prématurément, maladifs et poussiéreux. Cela ne le consola pas, au contraire. Quand il commença à ressentir les premiers symptômes de ce qui ressemblait à un malaise, il ouvrit toutes les fenêtres, se lava les mains, secoua la poussière de son costume, sortit dans la rue et respira enfin.

« Elle n'habite plus ici. » Une inconnue le regarda avec appréhension depuis le seuil de la maison d'Evangelina, la marchande de fruits.

« Elle a quitté le village ?

— Non, mais elle habite après la gare, à gauche, des grandes maisons avec une façade en ciment. »

Julio hocha la tête, la remercia. Il connaissait cet endroit. Ce n'était pas des maisons, mais de vieux entrepôts des chemins de fer, déjà désaffectés quand il était parti à Madrid. Cela ne le surprit pas. Lorsque la guerre avait éclaté, Evangelina venait d'épouser un camarade de sa mère. Bien avant la fin de la guerre, elle était déjà veuve. Son mari était mort en défendant Bilbao, mais le deuil n'avait pas paralysé sa femme, qui resta le bras droit de Teresa González dans tous les comités qu'elle inventait et finissait par présider tôt ou tard. C'était la raison pour laquelle il avait pensé à elle. Parce que, si elle n'était pas en prison, elle devait avoir besoin d'argent.

« C'est beaucoup de travail... »

À trente-quatre ans, Evangelina regrettait parfois la prison. Là-bas elle n'avait à penser à rien, ni à s'occuper de personne d'autre que d'elle-même. Quand elle venait la voir, sa mère lui disait que la petite allait bien, que la famille allait bien, qu'elle ne devait pas s'inquiéter. Depuis qu'elle était sortie, tout était différent. En sortant, Evangelina avait retrouvé la guerre, une guerre sordide et étriquée, constante et personnelle : la bataille quotidienne contre le chômage et les salaires étiques, les prix faramineux, le harcèlement incessant de la Guardia Civil, les portes qui se fermaient sur son passage et les voisins qui ne la saluaient pas, la tâche d'élever sa propre fille comme une pestiférée, les heures d'attente devant la porte d'une autre prison, avec un paquet plein du fruit de son jeûne de chaque semaine. Elle venait pour son jeune frère, pour lui mentir : « On va tous très bien, ne t'inquiète de rien. » Il était parti dans la montagne en 1939 et avait tenu, à cheval entre deux sierras, jusqu'à ce qu'un de ses camarades décide de se livrer et lui avec, ainsi que d'autres, au début 1943. Evangelina regrettait parfois la prison.

« Il y a longtemps que je ne suis pas allée chez toi », ajouta-t-elle en essayant de dissimuler son excitation, une cupidité subite, nerveuse. Elle regarda Julio de ses yeux enfoncés dans un visage qui aurait empêché un inconnu de deviner son âge, la peau tendue et cependant sèche, très pâle, laissant apercevoir les os. « Mais d'après ce qu'on voit de l'extérieur... »

« Je peux le faire. » Une fille très jeune, douze ou treize ans s'approcha pour regarder Julio, tout sourire. Elle avait entendu la conversation depuis la porte de l'ancien entrepôt que les occupants avaient divisé en habitacles en suspendant des nattes à deux câbles qui délimitaient une sorte de couloir central, s'enhardit à venir pour regarder Julio, très souriante. « Ça ne me dérange pas s'il y a beaucoup de travail, je peux le faire, vraiment, ça ne me...

— Juana ! » Evangelina cria son nom, la regarda d'un air honteux et furieux tout à la fois, obtint en retour une expression pitoyable, suppliante. « C'est moi qu'il est venu voir. Et je n'ai pas dit que je ne voulais pas le faire.

— Je suis désolée. Je croyais... » La jeune fille s'excusa sans baisser les yeux.

Julio les observa, puis il regarda autour de lui, cette rue en terre battue, dépourvue de trottoirs, de poteaux électriques, de fontaines, de voitures, d'hommes. Dans ce quartier, il n'y avait pas d'hommes, juste des vieillards et des femmes, des femmes seules avec leurs enfants, pas de tout petits. Ils avaient huit, dix, douze ans, des fillettes disposées à faire n'importe quel travail comme les adultes qu'elle n'étaient pas, et à le faire pour moins cher, plus vite, sans discuter le prix.

« Je sais que c'est beaucoup de travail, mais je paierai bien, insista Julio sur un ton paisible.

— Alors on peut le faire à nous deux, comme ça, on ira plus vite. Quand veux-tu qu'on commence ? » Evangelina accepta l'étreinte de sa flamboyante compagne avec un sourire pâle.

« Tout de suite. »

En les accompagnant chez son père, Julio se renseigna sur les terres, sur les moutons de Benigno. Evangelina lui raconta qu'il avait tout loué, s'arrangeant pour confirmer les soupçons de Julio sans se compromettre elle-même. Il les laissa brusquement et partit tout droit chercher ce salaud qui le salua en levant le bras : « Vive l'Espagne ! » Il ne lui répondit pas : « Qu'elle vive toujours. » « Je te fais grâce des sommes en retard », se contenta-t-il de répondre. Le salaud jura qu'il n'avait conservé aucun reçu des montants, d'après lui justes, exacts, scrupuleusement identiques à ceux qui avaient été convenus, qu'il avait réglés à son père, toujours en liquide.

« Mais à partir de maintenant, je veux tout par écrit et, pour l'instant, l'argent des baux, tu le verses à la banque, je parie que ce mois tu n'as pas encore payé, n'est-ce pas ?, alors voilà, tu sais... » Avant de quitter les lieux, Julio se retourna, content mais aussi très surpris de l'efficacité de ses menaces, pour le menacer du doigt une dernière fois : « Et que je n'aie pas à te le répéter. »

Au bar de la place, ce fut la même chose. Les gens avaient conservé un souvenir très précis de ce matin où il s'était promené dans le village avec un phalangiste en uniforme. Ils se rappelaient aussi sa dernière visite, cette fois avec une chemise bleue et un béret rouge, ses papiers prêts pour partir en Russie. Cette image, plus qu'efficace, plus que puissante, était également plus précieuse que son retour différé. Trois ans s'étaient déjà écoulés depuis que l'autre divisionnaire survivant de Torrelodones était rentré au village, mais il était rentré en disant que Julio était affecté à l'arrière-garde, qu'il était le préféré des chefs, et que c'était pour ça qu'il était resté là-bas. Maintenant il était là, bien habillé, avec de l'argent et un aplomb d'homme du monde. On était déjà en avril 1947, on était encore en avril 1947, mais il valait mieux ne pas savoir, ne pas parler, ne pas penser, n'être rien ni personne. Aussi furent-ils contents de le voir, ils lui tapèrent dans le dos, lui sourirent sans lui poser de questions. Il ne le regretta pas. Il avait dû fournir de nombreuses explications avant d'arriver là, et il en fournirait encore.

Si Ignacio ne s'était pas encore trompé, si ses calculs étaient enfin tombés juste, les attentes qui avaient réuni tous les Espagnols, des deux côtés de la frontière française et même de l'océan Atlantique, tout aurait été plus facile. Personne n'aurait imaginé que les Alliés allaient laisser Franco à sa place. Pas même Franco. Les exilés de Paris s'en rendaient compte. Ils ont la trouille, ils n'en mènent pas large, disaient-ils devant l'ambassade d'Espagne... C'était vrai, et c'était logique.

Des dizaines de milliers de résistants espagnols, des combattants républicains que le gouvernement de Daladier avait traités en 1939 comme les scories de la délinquance mondiale, s'étaient battus aux côtés des Alliés pour vaincre les Allemands. Leur contribution avait été importante dans de nombreux endroits, décisive dans le sud, où ils avaient libéré à eux seuls des villages, des villes, des régions entières. Mais ils ne se battaient pas pour la France. Ils se battaient pour l'Espagne, pour continuer à se battre, pour pouvoir revenir se battre en Espagne, et les Français le savaient, les Alliés le savaient, tout le monde le savait. Aujourd'hui c'est ton tour, demain ce sera le mien, pensaient-ils, mais non. Ce jour-là ce fut leur tour, et le lendemain celui de Francisco Franco. L'Espagne n'avait pas été admise à l'ONU, ça non, mais cette interdiction glissa sur le dictateur. Ensuite, les champions de la démocratie mondiale lui adressèrent quelques mots, les reproches mous, complices, qu'une grand-mère lasse et affectueuse ferait à un petit-fils sympathique mais un peu espiègle : « Si tu ne te tiens pas bien, un de ces jours – je verrai quand, il n'y a pas urgence non plus –, tu seras privé de dessert. » Rien de plus. Pas un mot de plus.

« La trahison est la loi, la règle de ma vie », lui avait dit Ignacio Fernández quand la mèche de la dernière cartouche refusa de mettre le feu à la poudre mouillée de ce dénouement incroyable, inconcevable. « Je vis pour être trahi. Je me lève et je me couche, je mange, je respire, je lutte, je joue ma vie pour être trahi régulièrement, de face et de dos, par les amis et par les ennemis, dans mon pays et à l'étranger, car la trahison est la loi, la réalité, la seule règle... »

On était en décembre 1946, il s'était écoulé plus de dix ans depuis la première trahison qu'ils avaient endurée, et rien n'avait changé pour eux. Quand la radio et le destin estimèrent en même temps que l'ONU ne ferait pas un pas de plus, le serveur du bar où ils s'étaient réunis se mit à pleurer comme un enfant. Tomás, originaire de La Rioja, grand et fort comme une tour ; Tomás qui était entré dans Paris avec la « Neuvième[1] », avec trois orteils en moins au pied gauche et une surdité irréversible à l'oreille droite, se mit à pleurer comme un petit enfant.

« On est les damnés de la Terre, les damnés de la Terre, maudite soit-elle, maudits soient-ils, maudits soyez-vous... » Ignacio ne parlait plus pour personne, fixant le fond de son verre.

--------

1. La Neuvième Compagnie était composée de républicains espagnols, et rejoignit la 2e Division Blindée de Leclerc.

Si Ignacio ne s'était pas trompé, tout aurait été plus facile. Si le monde n'avait pas trahi, n'avait pas abandonné, pas tourné le dos à ce genre d'hommes, il serait rentré en Espagne par la grande porte. Quand Juan Manuel, ce chauffeur de taxi madrilène reconverti en ouvrier métallurgiste à Orléans, lui demanda d'où il venait, Julio mentit un peu, juste ce qu'il fallait.

« Je me suis engagé dans la Division Azul, pour la paye et pour passer de l'autre côté, mais quand j'ai essayé, je me suis fait prendre. » Et il poursuivit à voix haute, à la première personne, l'histoire de Pancho Serrano avec un épilogue inventé, personnel. « Ils n'avaient pas de preuves contre moi. Cette semaine-là, ils en avaient déjà fusillé trois et j'ai toujours nié que je voulais déserter. J'ai dit que je m'étais perdu, là-bas, c'est très facile, vous savez, à cause de la neige, parce que tout est pareil, tout blanc, et ça faisait enrager les fachos de déclarer des déserteurs, parce qu'ils en avaient énormément, au moins dix fois plus que l'armée allemande... » Il fit une pause pour étudier la réaction de son auditoire, mais ne trouva aucun signe de méfiance dans les trois paires d'yeux braquées sur lui. « Les nazis en avaient marre des déserteurs espagnols, alors ils me jugèrent et me condamnèrent pour indiscipline. Jusqu'au moment où la Division se retira, j'étais dans une sorte de bataillon pénitentiaire, désarmé et affecté aux travaux pénibles, à creuser des tranchées, construire des chemins avec des troncs, ce genre de choses. Puis ils me mirent dans un train pour m'envoyer en Espagne, et ils me dirent qu'ils ne me rejugeraient pas, que je resterais en liberté, mais j'ai sauté du wagon près de Marseille. J'ai pris une sacrée gamelle, mais je ne me suis rien cassé. Et depuis cinq mois déjà, je vais à droite à gauche, je me cache des gendarmes, et je travaille quand l'occasion se présente... »

Ni Juan Manuel ni aucun de ses deux amis ne lui en demandèrent tellement plus, parce que Julio n'était pas en Espagne, mais en France, comme eux, et les exilés de 1939 étaient habitués à écouter ce genre d'histoires. Martín avait été berger en Biscaye avant de travailler dans la même usine que l'ancien chauffeur de taxi. Il avait moins d'enfants que lui, mais il partageait un petit appartement avec sa sœur, son beau-frère et deux neveux. Les enfant de Pablo, quant à eux, n'étaient pas en France. L'aîné se trouvait en Espagne, prisonnier, et les deux petits, une fille et un garçon, en Union soviétique. « Enfin, on suppose, parce qu'on les a envoyés là-bas de Barcelone, mais il y a longtemps qu'on n'a pas pu leur écrire, ni eux à nous, bien sûr... », lui dit-il en l'emmenant chez lui. Maruja, sa femme, originaire de Murcia comme lui, fut ravie d'avoir à nouveau un jeune homme à la maison.

Quelques jours plus tard, celui qui avait été l'Espagnol le plus mystérieux et élégant de Riga travaillait pour un patron français qui fournissait de faux papiers à ses propres ouvriers et se remboursait du service en déduisant la moitié de leur salaire. Peu importait, parce que c'était exactement ce qu'il cherchait. Pendant qu'il s'épuisait à soulever des paquets et à les transporter d'un point à l'autre, Romualdo Sánchez Delgado devait être à Madrid, bien habillé, avec de l'argent, à parler de tanks invisibles que les Allemands continuaient à perfectionner en secret, et cette scène signifiait beaucoup de choses. Les tanks invisibles n'existent pas, Romualdo, mais les prisons, si. Et c'est là que tu vas te retrouver quand je serai assis à une terrasse de la rue Alcalá, riche et bien habillé, se disait Julio quand il se trouvait trop fatigué, découragé ou las.

C'était ce qui allait arriver, ce qui devait arriver, comme c'était logique, juste, et raisonnable. Julio n'en doutait pas, ni Juan Manuel, ni Pablo, ni Martín, et encore moins les jeunes gens qu'il rencontra quand il décida de tenter sa chance à Paris, l'année suivante. Tomás, Aurelio, Amadeo, Ignacio, ils avaient les doigts encore tachés par la poudre de la victoire et les oreilles brûlantes d'avoir entendu l'*Himno de Riego* [1] que les fanfares municipales des villages par lesquelles ils étaient passés jouaient après *La Marseillaise* pendant les défilés de la Libération. Ses armes étaient différentes. Il avait deux jeux de cartes, la chance d'en avoir deux, des cartes marquées, des papiers d'identité authentiques de toutes les couleurs, et une chose encore plus étrange, plus précieuse. D'autres naissent beaux, riches, princes. Julio Carrión González était né sympathique et il le savait, il savait que les gens l'aimaient bien, qu'il inspirait de la confiance aux hommes et du désir aux femmes, et il savait que les plus malins sont également sots face à quelqu'un de plus malin qu'eux.

---

1. Hymne officiel de la Seconde République espagnole (1931-1939).

Il eut toujours cela présent à l'esprit, et plus que jamais quand il comprit que ses erreurs successives l'avaient mis sur le chemin de la réussite définitive.

« Bonjour, je voudrais voir don Ernesto Huertas », annonça-t-il avec son sourire habituel. Or en ce matin de février 1947, au comptoir de l'ambassade d'Espagne à Paris, ce n'était pas une femme qui recevait, mais un fonctionnaire brun, sec, à l'accent espagnol indéterminé.

« Je doute que ce soit possible. » L'homme le regarda de la tête aux pieds pour bien montrer qu'il n'aimait guère ce qu'il voyait, avant de s'expliquer : « Personne de ce nom ne travaille ici.

— Bon, eh bien si c'était le cas un jour, ou si vous vous souveniez soudain d'un homme portant ce nom... Pourriez-vous me rendre le service de lui remettre cette enveloppe ? »

Le réceptionniste le regarda à nouveau, l'évalua une nouvelle fois des yeux, avant de tendre la main, et Julio lui dit au revoir avec beaucoup de cérémonie et un sourire aussi charmant que celui qui avait accompagné sa première demande.

Ernesto Huertas le fit attendre trois jours, mais le quatrième il vint à sa rencontre devant le kiosque à journaux où Julio l'avait assuré dans son mot qu'il se trouverait tous les après-midi, à dix-huit heures précises.

« Tu ne t'appelles pas Eugenio Sánchez Delgado, lui annonça-t-il dès qu'il le vit. Tu t'appelles Julio Carrión et tu es un salaud de caméléon. »

Ce dernier accepta l'insulte avec un sourire. « Oui, mais je ne vous ai pas donné rendez-vous pour parler de mes défauts. »

Cet homme, commandant de l'intelligence militaire espagnole, était chargé de contrôler les exilés républicains à Paris et il savait tout. Julio, qui savait aussi beaucoup de choses sur lui, comptait dessus, et sur le fait qu'il était très dégourdi. Mais les plus malins sont également sots face à quelqu'un de plus malin qu'eux, et il n'allait pas se retrouver à garder des moutons comme son père. C'était hors de question.

« Et de quoi est-ce que tu veux parler, alors ?

— Je préférerais vous le dire en privé. »

Huertas lui désigna la rue de la main, et suivit Julio jusqu'à un café avec une sorte de zone réservée dans le fond, quelques tables dissimulées par une cloison qui les protégeait des regards des passants. Carrión commanda deux cafés, se penchá sur la table, regarda le commandant dans les yeux et parla dans un murmure. « Je veux rentrer en Espagne. » Huertas sourit. « À Madrid », insista-t-il. Le sourire de l'homme s'élargit.

« Je trouve ça très bien. Le consulat est là pour ça, tous les matins.

— Oui. » Julio respira, croisa les doigts sous la table. « Et après, il y aura un jugement, non ? Un procès pour... Déterminer les responsabilités. C'est comme ça qu'on dit, n'est-ce pas ?

— Effectivement. » Le sourire de Huertas se transforma en une moue goguenarde.

« Bien sûr. Mais je veux rentrer blanchi. Libre.

— Avec quoi ? » Huertas avait sorti un petit cahier, épais et très usagé, fermé par un élastique, et il le feuilleta un moment avant de poursuivre. « Avec ton carnet de la Phalange, ou celui de la JSU, ton livret militaire de divisionnaire, ou avec la fiche de rouge que j'ai sur toi ? » Il leva les yeux pour lui adresser un sourire moqueur. « Avec quoi est-ce que tu veux revenir, Carrion ? Dis-moi, parce que ça m'intéresse vraiment, tu sais ? En fait, je dirais que le choix n'a rien de facile.

— Je veux rentrer avec un marché. » Il avait minutieusement prévu le déroulement de l'entretien et répondit avec un aplomb, une confiance qui déconcertèrent son interlocuteur. « Avec le marché que nous allons passer maintenant, vous et moi.

— Ah oui ? » Huertas leva un sourcil, prit son temps. « Qu'est-ce que tu peux m'offrir ? »

Julio lui répondit par une autre question.

« Que voulez-vous savoir ? »

C'était son plan, il l'avait imaginé, conçu et ourdi en solitaire, même si Ignacio Fernández Muñoz croyait en être l'auteur et continuerait à le croire le restant de sa vie. Deux mois plus tôt, l'après-midi où Tomás avait éteint la radio pour se mettre à pleurer, Aurelio l'avait regardé les yeux pleins de larmes et lui avait posé une question : « Qu'est-ce qu'on va faire maintenant ? » L'Avocat ne desserra pas les dents. « Qu'est-ce qu'on va faire maintenant, Ignacio ? » répéta l'Anchois. Son ami vida son verre et répondit enfin : « Eh bien, qu'est-ce que tu veux qu'on fasse ? Continuer à espérer et à vivre, non ? Voyons... On n'a pas d'autre solution. »

Or, en sortant du bar, il eut une autre idée. « Je vais parler à mon père, dit-il, sans s'adresser à l'un d'eux en particulier, parce que ça n'a pas de sens d'être là, baisés, à habiter tous ensemble, avec maman et lui qui travaillent comme des bêtes, et qu'il continue à posséder des propriétés en Espagne... » Mateo Fernández Gómez de la Riva n'avait rien voulu vendre, ni la maison de Madrid, ni celle de Torrelodones, ni l'appartement qu'il avait acheté pour sa fille aînée rue Hartzenbusch, ni les terres de sa femme, rien. « J'ai le pressentiment que je ne remettrai plus les pieds dans ce pays de merde », avait-il dit, mais ce n'était pas vrai. Ce n'était pas vrai. Il croyait qu'il allait rentrer, comme sa femme, ses enfants, ses amis, comme tout le monde. Mais ce qui devait arriver logiquement, raisonnablement, inévitablement, n'était pas arrivé et n'arriverait jamais. Julio s'en aperçut avant tout le monde, parce que la seule chose qui lui importait était son propre avenir. Il savait que les Fernández étaient riches, à Torrelodones tout le monde le savait. Il n'avait pas imaginé à quel point jusqu'à ce qu'Ignacio lui énumère toutes les propriétés. Le reste fut facile, même si lui, simple militant sans contacts avec la direction, n'était pas en condition de vendre sa trahison pour pas cher.

« Tout cela n'a aucun intérêt. »

Le commandant referma son cahier, l'assura avec un élastique, le rangea dans une poche et le regarda. Julio soutint son regard et n'essaya pas de se défendre, bien qu'il l'ait vu prendre des notes à plusieurs reprises.

« Oui, mais c'est que je ne suis pas ce dont j'ai l'air », se borna-t-il à ajouter.

Huertas, qui en avait vu d'autres, porta alors sur lui un regard lucide et différent, comme s'il commençait à entrevoir la vérité : ce garçon faisait l'innocent, il savait d'avance que l'information qu'il pouvait lui fournir ne valait pas le prix du service qu'il voulait lui demander. Julio l'avait convoqué pour lui dire autre chose, qu'il ne parviendrait pas à deviner.

« J'étais l'homme du colonel Arenas à Riga, vous savez ? Mais je travaillais sans couverture, dans la clandestinité. Je n'existais pour personne, ni pour l'armée espagnole, ni pour l'armée allemande, le retour a été compliqué. Je ne pensais pas non plus rester à Paris, je voulais continuer le voyage. Ça fait deux ans que je devrais être en Espagne, mais je suis tombé amoureux d'une femme et elle m'a rendu fou.

— Oh ! Comme c'est romantique ! s'exclama Huertas en riant pour dissimuler sa confusion.

— Oui, je dois dire que c'était très romantique. Bien sûr, elle le mérite amplement – Paloma Fernández Muñoz, vous la connaissez, n'est-ce pas ?

— La belle Paloma...» Le commandant acquiesça très lentement. «Bien sûr, que je la connais. De loin, mais... qui ne la connaît pas ? Dis-moi, Carrión, juste par curiosité, tu te l'es faite ?

— Non, ça non.» Julio hocha la tête, l'air piteux, et Huertas rit de meilleure grâce.

«Eh bien je suis désolé, mon garçon, parce que cela améliorerait considérablement l'opinion que j'ai de toi, je dois dire... Même les hommes que je suis parvenu à infiltrer ont eu la faiblesse d'essayer, et rien. La Veuve Rouge, on l'appelle. J'ai envie de l'approcher un de ces jours pour lui faire des propositions moi aussi, parce que je dois être le seul Espagnol de Paris à qui elle n'ait pas encore dit non.

— Oui...» À ce moment, Julio marqua une pause, inspira profondément en croisant les doigts sous la table. «Votre accent..., vous êtes andalou, n'est-ce pas, commandant ?

— Oui.

— D'où ? Si ça ne vous ennuie pas de me le dire, bien sûr.» Après avoir été interrogé, il interrogeait à son tour en conservant son ton piteux.

«Non, ça ne m'ennuie pas.» Le commandant savait déjà à qui il avait affaire. «Je suis de Cordoue.

— De Cordoue... ?» Julio crispa les sourcils et les lèvres en même temps dans une grimace de contrariété. «Quel dommage !» Et devant l'air intrigué, suspendu, du militaire, il poursuivit comme pour lui-même. «Parce que je viens d'y penser... La mère de Paloma, qui est andalouse elle aussi, possède des fermes immenses, des hectares d'oliviers, une fortune. Et on ne l'a pas dépossédée d'un seul arbre, vous savez, parce qu'une de ses nièces, très proche du régime, veille sur le tout. Mais en Espagne, la propriété reste la propriété, bien entendu, il ne manquerait plus que ça ! Donc, quand il a appris que je voulais rentrer, don Mateo m'a signé un pouvoir

pour que je me charge de tout vendre en son nom mais, bien
sûr... » Il leva la tête et se laissa éblouir par la cupidité qui
brillait dans le regard du commandant. « Comme vous êtes de
Cordoue, et que les propriétés de la mère de Paloma se trouvent à Jaén, et que je ne vais pas y retourner, à l'évidence... »

La semaine suivante, quand Ernesto Huertas eut fait les
vérifications nécessaires pour s'assurer que Julio Carrión ne
fabulait pas, il le prévint qu'il pouvait demander son passeport. Deux jours plus tard, il joignit lui-même à sa requête un
rapport favorable concernant le divisionnaire phalangiste au
parcours irréprochable qui était resté vivre à Paris pour des
raisons personnelles, familiales, mais qui avait toujours colla-
boré avec l'ambassade quand cela lui avait été demandé. Le
passeport arriva environ un mois plus tard, et ce fut Huertas
en personne qui le lui remit avec quelques recommandations
qu'il ne devait pas ignorer, et qu'il n'ignora pas. Ce fut la dernière fois qu'ils furent en contact, mais le matin même de son
départ, Julio Carrión González lui écrivit un nouveau billet.
« Paris, 3 avril 1947. Je me la suis faite, mon salaud, je me la
suis faite. » Il signa, se relut, sourit, se mit à rire, le déchira
en morceaux et le jeta dans une corbeille. Il aurait adoré le
lui envoyer, mais il n'osa pas.

« Enfonce-la, écrase-la, détruis-la, et quand tu en auras
fini avec elle, dis-lui que tu viens de ma part. » Paloma
Fernández Muñoz le regarda, l'embrassa sur la poitrine, le
regarda à nouveau, et Julio frémit devant le pouvoir de ces
yeux clairs qui s'assombrissaient sous la colère, la tristesse,
l'émotion, pour ajouter à son regard une qualité magnétique,
presque irrésistible.

« Promets-le-moi.

— Je te le promets.

— Au début, je pensais te demander de la tuer, mais je
préfère qu'elle reste en vie. Je préfère qu'elle se souvienne de
moi, que, lorsqu'elle se retrouvera à la rue elle pense à moi,
et qu'elle continue à voir mon visage en se levant et en se
couchant, toutes les saloperies de jours de sa saloperie de vie.
Fais ça pour moi, Julio, et reviens chercher le reste. Parce
qu'il n'y aura rien en ce monde, écoute bien, rien que je ne
sois disposée à faire pour te payer. »

Quel dommage, Paloma, quel dommage ! pensa alors
Julio Carrión, tout en s'habillant sans regarder ce qu'il faisait,

hypnotisé par le spectacle splendide de la femme qui se levait de l'autre côté du même lit. « Quel dommage ! » En sortant dans la rue, en marchant à ses côtés sur le trottoir, en l'embrassant pour la dernière fois dans l'entrée de l'immeuble, ce baiser furieux, désespéré et plein d'espoir, et le corps de l'Espagnole la plus convoitée de Paris se collant à son corps comme une supplication muette, exigeante et ultime – « Quel dommage, Paloma ! » C'était son plan, il l'avait imaginé, conçu et ourdi en solitaire, laissant croire à Ignacio Fernández Muñoz qu'il en était l'auteur exclusif, sans s'attendre à ce cadeau, le miracle de la nuit effrénée, lumineuse, où il avait découvert tout ce dont une femme était capable. Il se sentit soudain choisi, béni, unique, et, pour la première et la dernière fois sur son long chemin vers la gloire, coupable, traître.

« Bonjour. » Un homme grand, blond, une lointaine connaissance, s'était approché de lui avec le sourire sincère, franc, qui caractérisait les exilés espagnols pendant ce bref printemps trompeur de la victoire alliée. « Tu es le fils de Teresa, l'institutrice de Torrelodones, non ? »

Depuis que l'Avocat l'avait reconnu dans un café bondé de compatriotes, Julio Carrión rendait visite aux Fernández aussi régulièrement que s'il faisait partie de la famille. Avant ce jour, il savait qui ils étaient, il connaissait leur maison de vue, cette villa si grande, si jolie, et le jardin, immense, avec des pins si hauts qu'on les apercevait de la route. Pourtant, il ne se souvenait guère d'eux, parce qu'il était encore un enfant quand ils avaient cessé de venir en vacances au village. Ignacio était le seul qu'il ait revu par la suite, quand le front se stabilisa sur la route de La Corogne et que Torrelodones devint l'un des points forts des loyalistes au nord de Madrid. Il crut tout d'abord que l'Avocat ne connaissait sa mère que pour cette raison, mais il apprit rapidement qu'en été, avant la guerre, il accompagnait Mateo, son frère, aux réunions de la Maison du Peuple. Parfois, Carlos, le fiancé de Paloma, puis son mari, les accompagnait. En 1945, à Paris, il ne fallait rien d'autre à un exilé espagnol de vingt-trois ans, seul, célibataire et désemparé, pour être accueilli dans une maison comme celle-ci sans limites ni conditions. On est tous dans le même bateau, répétait régulièrement María Muñoz, aujourd'hui on t'aide, et demain, c'est peut-être toi qui nous aideras. Et puis, il est si sympathique, il est vraiment charmant, et si amusant, ajoutait Paloma. Il plaisait aussi à Anita, il faisait toujours des tours de magie et racontait des histoires drôles, il jouait avec les enfants... Ils adoraient Julio, qui leur sortait des bonbons de derrière les oreilles et remontait ses manches jusqu'au coude après déjeuner pour faire ensuite disparaître sous une serviette toute sorte de choses qui réapparaissaient à l'endroit où on les attendait le moins.

Il se laissait aimer, ça ne lui coûtait rien et il s'attacha aux enfants, il en vint même à rester certains samedis pour les garder quand les parents d'Ignacio devaient sortir. Anita lui rappelait qu'il avait promis de l'emmener danser, mais tous savaient qu'il ne le faisait pas pour eux mais pour Paloma. Elle avait trouvé du travail dans un journal et rentrait tard à la maison.

« Allez, Julio, va-t'en, sors t'amuser », lui disait-elle quand elle ouvrait la porte et le trouvait dans l'entrée, debout, à l'attendre. « Tu peux encore arriver à temps pour boire un verre, je m'occupe des enfants... »

Elle savait qu'il ne voulait pas s'en aller, et elle lui permettait de rester, de s'asseoir en face d'elle pendant qu'elle dînait dans la cuisine, puis à côté d'elle sur le canapé, la regardant, l'admirant, l'adorant comme une déesse. C'était la seule vérité que Julio raconterait au commandant Huertas, même si ce n'était qu'une demi-vérité. Amoureux, il l'était bel et bien, mais elle ne l'avait pas rendu fou. Aucune femme ne rendrait jamais Julio Carrión González fou, car il appréciait trop la raison, sa propre idée de la raison. Cependant, à sa manière astucieuse ou pauvre, limitée, il aimait Paloma Fernández Muñoz, l'air qui flottait autour d'elle lui suffisait pour vivre. Paloma représentait cela pour lui, une déesse, une femme inaccessible, l'image suprême de l'harmonie, de la grâce, de la beauté, et une injonction intime, une torture assumée joyeusement, une souffrance plaisante et inévitable, mais qui ne lui était pas douloureuse non plus, car Paloma appartenait à tous et n'appartenait à personne, elle était la femme aimée, désirée, adorée par une armée d'hommes vivants mais l'épouse fidèle et amoureuse d'un homme mort.

*Vis sans moi, Paloma, vis pour moi, trouve un compagnon digne de toi, si seulement il pouvait t'aimer le dixième de ce que je t'ai aimée, mon amour, et te rendre à moitié aussi heureuse que je l'ai été avec toi.* C'était ce qu'avait demandé Carlos

Rodríguez Arce à sa femme avant de mourir, mais elle n'avait pas voulu le lui accorder. Ses parents n'étaient pas d'accord, son frère non plus, sa sœur moins que personne, mais aucun argument, aucune supplication, aucun conseil ne l'avait fait changer d'avis. « Laissez-moi tranquille, c'est ma vie, moi, je ne mêle pas de la vôtre, n'est-ce pas ? »

Jusqu'à l'avant-dernière nuit de 1946, où Julio Carrión González annonça dans la salle à manger qu'il songeait à rentrer, qu'il n'allait pas lui rester d'autre solution que de rentrer. À cet instant, avant de lui laisser le temps d'expliquer que sa sœur lui avait écrit pour lui dire qu'elle allait épouser un homme assez mûr avec une très bonne situation qui ne voulait pas s'occuper à vie de son beau-père, et qu'ils allaient devoir le mettre dans un asile s'il ne le reprenait pas, il vit les yeux briller. « Ça ne me fait pas du tout plaisir, vous pouvez imaginer, mais mon père est très malade, ma sœur transformée en harpie, et mon futur beau-frère, d'après ce qu'elle dit, prêt à me donner son aval », ajouta-t-il. « Avalisé soit dieu ! », dit Ignacio, faisant un jeu de mots [1] qui avait été très à la mode à Madrid quelques années auparavant. Tous sourirent, tous sauf Paloma, qui continua à le regarder fixement, les yeux étincelants. Ce fut tout. Puis l'Avocat crut avoir une autre idée. « Écoute, Julio, j'ai un service à te demander... — Bien sûr, bien sûr, compte sur moi pour quoi que ce soit, tu sais, dès que je pourrai, j'irai voir ta cousine, je me renseignerai et je vous écrirai pour vous raconter. » Il n'alla pas plus loin. « Je vais te donner un pouvoir, Julio, parce que j'en ai parlé avec mon fils et il croit que tu ne pourras rien faire sans un document qui accrédite le fait que tu agis en mon nom, lui dit don Mateo le lendemain. — Vous croyez que c'est nécessaire ? glissa Julio. — Bien sûr, sinon n'importe qui aurait pu tout nous prendre..., répondit don Mateo... — Oui, c'est vrai », admit Julio, alors Paloma le regardait déjà différemment, avec effronterie et un mélange de mélancolie profonde, souriante aussi, un intérêt qui frôlait l'admiration. Jamais comme l'après-midi précédant son départ, quand il alla chez elle pour la dernière fois, lui dire au revoir.

« Tu as des projets pour ce soir, Julio ? »

---

1. Jeu de mots entre la formule habituelle : « ¡ *alabado sea Dios* ! », « loué soit Dieu ! » et « ¡ *avalisado sea Dios* ! », « avalisé soit Dieu ! ».

Paloma vint à sa rencontre sur le seuil, et son apparition suspendit la réalité, interrompit les conversations, gela les sourires et imprégna cette scène d'une lumière irréelle à la consistance immatérielle, incertaine.

« Je ne suis pas sortie depuis longtemps, et tout d'un coup, ça me fait envie, tu sais ? »

La veuve de Carlos Rodríguez Arce portait une robe noire, moulante, décolletée, en tissu doux et brillant qui lui collait au corps avec une docilité terrifiante, à la poitrine, à la taille, pour s'en décoller après avoir marqué la force des hanches. Elle laissait à découvert de beaux bras, et les belles jambes d'une belle femme, que Julio avait toujours dû deviner sous les tenues modestes, parfois presque monacales, derrière lesquelles elle se cachait. Maintenant, elle se montrait pourtant devant lui, pour lui. Elle avait ondulé ses cheveux qui encadraient son visage d'une auréole liquide noire, maquillé ses lèvres en rouge foncé, le caressait à distance d'un regard languide et patient, puissant, et se comportait comme s'ils étaient seuls.

Elle s'avança vers lui et ses talons carillonnèrent sur les dalles comme les cloches d'une cathédrale. « Qu'est-ce que tu en dis, tu m'emmènes faire un tour ?

— Bien sûr. Bien sûr que oui. » Julio n'entendit pas sa propre réponse, un filet de voix étranglé par l'émotion.

Paloma s'approcha de lui, le laissa respirer son parfum en le prenant par le bras. Sur le seuil, elle se retourna pour faire face à sa famille, tous perplexes à l'exception de sa mère qui avait pris son visage dans ses mains pour bouger la tête très lentement, faisant non en silence, l'œil humide.

« Qu'est-ce qu'il y a, maman ? » La voix de Paloma était neutre, mais son regard sembla se liquéfier en affrontant celui de sa mère. « Ce n'est pas toi qui me répètes toute la journée que je dois sortir avec des hommes ? »

Alors Julio craignit que cette nuit ne commence jamais, et il la prit par le coude pour l'entraîner discrètement. Paloma se laissa faire, ferma la porte et, encore sur le palier, elle lui prouva qu'il n'avait rien à craindre.

« Tu verras comme on va bien s'amuser ce soir, toi et moi, Julio », lui dit-elle après l'avoir embrassé sur la bouche avec une passion presque avide, dépourvue de la froideur des baisers stratégiques, calculés. « Tu verras... »

Il avait deviné les raisons de Paloma en même temps que sa mère, peut-être même avant, mais il fut surpris de la chaleur, de l'abandon d'une femme qui était disposée à mettre tout ce qu'elle avait afin d'assurer sa vengeance, à se donner complètement à un homme qui n'était pas son outil mais son chevalier, son paladin, le champion qui allait se battre pour elle, qui endosserait sa cause, qui vaincrait en son nom.

Ce fut ce qu'éprouva Julio Carrión, et ce n'était pas ce qu'il attendait.

Cela le fit douter pendant que l'Espagnole la plus convoitée de Paris, celle qui ne savait que dire non et le dire à tous, aussi sûre d'elle que si elle comptait briser les trottoirs de ses talons, une femme magnifique, resplendissante, d'une beauté impossible, qui arrêtait la circulation et les conversations, focalisant les regards, les silences, créant une légende durable sur les terrasses couvertes d'exilés républicains qui la voyaient et n'y croyaient pas, et tout cela avec lui, à cause de lui, pour lui. Julio Carrión comptait les coups de coude, distinguait les murmures, les regards stupéfaits, la belle Paloma dans la rue, avec un homme, riant, l'embrassant, se laissant enlacer, la Veuve Rouge, peut-être plus rouge que jamais mais plus aussi veuve avec ce décolleté, ces bras, ces belles jambes, laissant retomber la tête sur la poitrine d'un garçon insignifiant devant l'appareil d'un photographe ambulant. Julio connaissait les raisons de Paloma, il les avait devinées en même temps que sa mère, peut-être même avant, mais il ne s'attendait pas à une telle chaleur, à un tel abandon, la passion sincère, inconditionnelle, d'une dame qui choisit son chevalier, rien à voir avec le calcul, l'arithmétique, les transactions plus ou moins troubles qui entourent le choix d'un outil utile, efficace, pour un travail onéreux, délicat et rien d'autre.

« Voyez-vous ça, je vais te baiser gratis, Palomita. » C'était ce qu'il avait pensé, ce qu'il espérait, une négociation propre, rapide, sans complications. « Tu mets à la rue ma salope de cousine et je te paie à l'avance. » « C'est bien, très bien, pour l'instant, tu me paies d'abord, après on verra... » s'était-il dit. Mais ce ne fut pas juste baiser, et ce ne fut pas gratis. Paloma Fernández Muñoz ne le saurait jamais, mais Julio Carrión González devrait se battre pendant longtemps pour extirper le souvenir de cette nuit de sa mémoire, et il n'y parviendrait jamais entièrement. Toute sa vie, il comparerait

Paloma à toutes les femmes qu'il rencontrerait, et à la place où d'autres hommes ont un cœur, il aurait une entaille endurcie, sèche, mais encore capable de se ramollir, de palpiter et de faire mal les après-midi de pluie, avec le nom, le visage, la peau, et la voix de Paloma Fernández Muñoz. Parce que les plus malins sont également sots face à quelqu'un de plus malin qu'eux. Et Paloma avait été plus maligne que lui.

« Tu n'imagines pas à quel point je l'aimais. » Et ce qui ressemblait à une fin constitua un nouveau début.

Elle était nue, épuisée, en travers de son lit, et la faible lumière de la petite chambre de la pension bon marché où elle vivait s'intensifia, se rassembla autour de son corps pour l'éclairer du reflet léger, doré, d'une centaine de bougies que personne n'avait allumées. Elle le regarda ainsi, le visage encore coloré par l'effort, renonçant au refuge des draps, impudique et consciente de son impudeur, et du degré auquel elle portait sa beauté. Elle avait la peau brillante de sueur, et ses yeux, plus brillants encore, gouvernaient avec autorité, en même temps, le regard de Julio et l'espace de cette chambre que sa seule présence transformait en une scène émouvante, mémorable. Il ne pouvait pas combattre le pouvoir de ces yeux, il ne savait pas, il pouvait seulement la regarder, l'écouter, aspirer l'arôme de son sexe qui l'imprégnait tout entier, en lui et hors de lui, et commencer à se souvenir d'elle. Et alors qu'il croyait qu'elle n'avait rien d'autre à lui donner, sa peau hérissée, lasse de répondre sans paroles à l'offre illimitée d'une femme disposée à lui prouver tout ce dont elle était capable, Paloma dit ceci : « Tu n'imagines pas à quel point je l'aimais. » Et tout recommença.

« Carlos m'aimait tellement, il me gâtait tellement, il me passait tout... » Ses yeux brillaient davantage que sa peau, mais sa voix était ferme, sereine et douce, souriante. « Il était si amoureux que personne ne faisait attention à moi, personne ne savait combien, à quel point je l'aimais. Maintenant si, maintenant ils ont enfin compris, mais cela ne sert plus à rien. Et il était meilleur que moi, tu sais ?, il n'aurait pas vécu en attendant une occasion de se venger. Mais il est mort, et moi, qui aurais donné n'importe quoi pour le sauver, je suis vivante, vivante et morte à la fois, morte vivante jour après jour, depuis sept ans, jusqu'à aujourd'hui, jusqu'à cette nuit. » Alors elle changea de position, s'allongea à côté de lui, rapprocha sa tête de celle de Julio. « Je suis moins bien que Carlos, mais j'ai vécu, il m'a été donné de vivre, je dois le faire tous les jours, et la seule chose qui me tient debout est mon amour pour lui, et la haine pour qui me l'a enlevé. Je suis moins bien que mon mari, et je veux me venger. Cela m'est égal que ça ne soit pas bon, que ça ne soit pas utile, que ça me fasse du mal. Je veux me venger. C'est tout ce qui compte pour moi. Venge-moi, toi, Julio, venge-moi et tu ne le regretteras pas. Je ne vais pas te mentir. Je ne crois pas que je puisse aimer quelqu'un comme je l'ai aimé lui, mais si tu me venges, je pourrai commencer à oublier, et je redeviendrai peut-être vivante. »

Voilà ce qu'elle lui dit, puis elle monta sur lui, l'embrassa, l'étreignit, le réclama avec l'écho des paroles qu'il entendait toujours, qu'il ne pourrait jamais oublier. « Je suis cette femme, Julio Carrión, et tu es mon champion, mon paladin, mon chevalier. Je suis cette femme et je sais faire tout ça, je sais donner tout ça, tout ça sera à toi si tu embrasses ma cause, si tu te bats pour moi, si tu vaincs en mon nom, parce que tu es le seul, l'unique, l'homme qui peut me ramener à la vie, me rendre heureuse », semblait-elle dire.

« Je ne vais pas te mentir », lui avait-elle dit, et elle ne lui mentait pas. Julio s'en rendit compte également, qu'elle ne feignait pas pour le convaincre, pour l'embobiner avec cette exquise exhibition. Ce qui arrivait était différent. Paloma l'avait traité comme les autres, avec la même aimable distance, jusqu'au moment où il s'était distingué, signalé, avait fait un pas en avant, s'était offert à elle à son insu. Ce n'était qu'alors que la belle veuve désespérée l'avait remarqué, avait décidé que cela valait la peine de l'attacher à son sort, l'avait choisi avec tout ce que cela signifiait, et si Paloma était une femme, il n'en avait pas connu d'autre de sa vie, aucune aussi belle, aussi courageuse, aussi puissante dans la transe de s'abandonner, de s'offrir tout entière, d'un seul coup. « Ça te plaît ? et ça ? attends, ne sois pas si impatient, tu vas voir... »

Quel dommage ! songea-t-il alors, en comprenant que cette femme était ce qu'elle semblait être, une déesse, et sa peau, ses yeux, ses mains, son impeccable silhouette, des manifestations primaires, prometteuses, de sa profonde divinité. Quel dommage, Paloma ! Et pourtant, sa dernière étreinte l'émut, le secoua, l'engagea plus qu'il ne le croyait quand il la quitta dans l'entrée de l'immeuble. Ce baiser furieux, désespéré, et plein d'espoir, ne l'empêcha pas d'écrire le billet qu'il n'enverrait jamais au commandant Huertas. *Je me la suis faite, mon salaud, je me la suis faite.* Mais l'accompagna dans son voyage de retour comme s'il le portait cousu sur les lèvres.

Ensuite, même s'il avait du mal à le croire il eut des doutes, et il en vint même à prendre une décision imprévue, pour se corriger avec effort et se décider à nouveau une ou deux fois. Il était encore temps. Le passeport qui lui permit de passer la frontière à Irún – comme si les trois dernières années de sa vie n'avaient pas eu lieu – ne lui avait pas coûté cher par rapport à ce qu'il comptait gagner. Le père de Paloma ne lui ferait aucun reproche s'il revenait à Paris avec le reste de sa fortune pour chercher son prix, pour servir sa déesse, pour gagner sa dame. Ensuite, même s'il avait du mal à le croire, Paloma pesa plus lourd que sa cupidité, que son astuce, que le souvenir des moutons que son père avait toujours gardés et lui, pas question, ça non. Tout le reste lui était égal. Il avait conspiré avec l'avenir, il s'était promis à lui-même que jamais, en aucun cas, Julio Carrión González ne retournerait chez les perdants, et cette promesse l'exemptait de toute autre sorte de considération. Il ne s'attarda jamais pour se demander qui était moins bien et qui était meilleur, qui avait raison ou tort, il voulait juste gagner, et pourtant, et même s'il avait du mal à le croire, à certains moments de son long voyage, le triomphe porta le nom de Paloma Fernández Muñoz, et son prix eût été une vie différente.

Jusqu'à son arrivée à Madrid. Le 4 avril 1947, Julio Carrión González descendit d'un train à la gare du Nord par un jour de printemps, tiède et clair. Il regarda autour de lui, remercia la chaleur du soleil, respira partout un arôme familier, et se dit que le monde était rempli de femmes ; d'autres femmes. Sur le quai même où il se trouvait, il y en avait plusieurs, et juste devant lui une, vêtue de rouge, qui marchait lentement, se balançant sur ses talons comme si elle avait su mieux que personne qu'elle avait un cul magnifique. Pendant qu'il l'observait, Paloma lui faisait mal, il la sentait dans le picotement dans les yeux, la sécheresse de sa gorge, la piqûre intermittente qui lui traversait les côtes avec acharnement. Il décida de l'ignorer, de faire comme s'il ne s'en rendait pas compte et il se rappela qu'une nuit, à Paris, il avait assisté à une discussion anodine mais très amusante, entre des défenseurs de la théorie de Freud, « le sexe fait bouger le monde », et des fidèles de Marx, « l'argent est le moteur qui le fait bouger », et il sourit. Si ça se trouve, en fin de compte, il va s'avérer que je suis marxiste ? L'idée l'amusa tellement qu'il en riait encore en montant dans le taxi.

Il choisit un bon hôtel sur la Gran Vía et apprécia la surface polie des meubles, les roses qui l'attendaient dans un vase en cristal taillé, le lit moelleux et immense, avec des draps en lin. Je suis fait pour cette vie, c'est comme ça, c'est pour moi, pensa-t-il. Alors la douleur cessa, mais s'il approchait les mains de son visage, il pouvait encore sentir l'odeur de Paloma, plus puissante que l'eau et le savon. Pour l'égarer, il descendit dans la rue, flâna, étudia les vitrines, entra dans une chemiserie, s'acheta un costume neuf, s'assit à une terrasse, regarda autour de lui, écouta des bribes de conversation, s'aperçut que ce que racontaient les exilés à Paris était vrai. Madrid avait beaucoup changé et rien n'avait changé.

Là où en 1941 on pouvait encore distinguer des éclats de rage, de férocité, d'arrogance, il n'y avait maintenant que de la peur. Là où en 1941 il y avait de la peur, il y avait maintenant autre chose. Les Madrilènes ne s'en rendaient peut-être pas compte, mais lui était resté absent pendant six ans et il revenait les épaules hautes dans une ville rouée de coups, peuplée de corps crispés et de silence, où les uniformes jouissaient d'une escorte gratuite, d'un large couloir vide jusque sur les trottoirs les plus bondés, car les civils, les hommes beaucoup moins que les femmes, s'écartaient du chemin d'un militaire ou d'un policier, comme s'ils avaient reçu une décharge électrique chaque fois qu'ils en apercevaient un de loin. Là, dans le cœur élégant de la ville, il ne vit pas la misère, mais il la sentit à distance, comme la peur. C'était son pays et pourtant il lui en rappela un autre, très lointain. Au milieu des odeurs de son enfance, de sa jeunesse aventureuse et fervente, Julio Carrión González respira l'air de Riga, et comprit qu'il n'était pas rentré dans un pays pacifié, mais prisonnier, un pays occupé où il n'y avait pas de vainqueurs, mais des maîtres. D'autres auraient perdu du temps à en tirer des conclusions, mais il n'en eut pas besoin pour comprendre qu'il se trouvait au paradis des imposteurs, des usuriers, des opportunistes. Un lieu, enfin, exceptionnel pour prospérer.

Bon sang, ce que Madrid est cher, se dit-il après avoir réglé un café au lait et un *churro*. Il ne lui restait pas beaucoup d'argent. La chemiserie avait pratiquement englouti la moitié de son dernier salaire, mais cela n'avait pas d'importance. Le lendemain, il irait au village et il voulait que tout le monde le voie, sache bien que c'était lui, et qu'il était revenu. Il sentit la tentation prématurée de s'approcher de la rue de la Montera pour saluer M. Turégano, mais il la repoussa à temps. Il ne se sentait pas encore sûr, et il continua à se promener, à observer, étudiant la ville, jusqu'à ce que les trottoirs se vident soudain. C'était l'heure du dîner, mais il n'avait pas faim.

Il regagna l'hôtel, entra au bar du rez-de-chaussée, s'assit au comptoir et commanda un Martini. Presque immédiatement, une femme teinte en blond et très maquillée, qui ne lui plut pas, s'approcha pour lui demander du feu. Elle fuma une demi-cigarette à côté de lui et, constatant qu'il ne lui parlait pas, elle la rangea discrètement dans son étui à cigarettes, se leva et partit. La place fut tout de suite occupée par une fille jeune et maigre, insignifiante, qui détecta son manque d'intérêt si vite qu'elle ne se dérangea même pas pour lui demander du feu. Quand elle se leva, Julio en avait déjà repéré une autre, de l'âge des femmes qui lui plaisaient, la trentaine, les cheveux châtains rassemblés en chignon, le visage net avec un peu de fard à joues, de grands yeux, une très jolie bouche et l'air d'une fille normale, mariée peut-être, et dans une situation difficile. Alors il vit Paloma Fernández Muñoz au fond de son verre, au comptoir, dans le miroir, sur le tabouret vide, à ses côtés, et il lui fit un signe.

« Bonjour, tu prends quelque chose ?

— Oui. » Elle ne témoigna pas elle non plus d'une grande estime pour la rhétorique. « Un milk-shake au chocolat, merci.

— Comment tu t'appelles ? » lui demanda-t-il, quand il se fut remis de la stupéfaction dans laquelle l'avait plongé son extravagante et roborative demande, et qu'il constata qu'elle lui plaisait plus de près que de loin.

« Julia, répondit-elle en souriant.

— Ah oui ? C'est amusant ! Moi, je m'appelle Julio.

— Alors appelle-moi María, si tu veux. » Elle but d'un trait la moitié du milk-shake, se lécha les lèvres et le regarda. « Ça ne me dérange pas. »

Quand il demanda « Et si on allait passer un moment ensemble ? », elle marqua un prix avec ses doigts sur la paume de sa main, et il s'empressa de demander la note. « Bon sang, ce que Madrid est bon marché », murmura-t-il entre ses dents tout en la signant. La femme qui était prête à porter n'importe quel nom pour ne pas perdre le sien, se retourna vers lui : « Qu'est-ce que tu dis ?

— Non, rien, rien... »

En entrant dans la chambre, elle ôta ses gants, vieux, troués au bout, les mit dans son sac, posa celui-ci sur une commode, et le prévint avant de commencer.

« Je n'embrasse pas. Je fais tout le reste, mais pas ça, lui dit-elle.

— Même si je te donne plus ? demanda-t-il juste par curiosité, presque pour s'amuser.

— Même. » Elle reprit son sac, ressortit ses gants. Elle doit penser qu'au moins, elle a dîné, se dit Julio avant de la retenir.

« Non, non, ça va. Sans s'embrasser. Ça ne me dérange pas. » Et en la voyant se déshabiller sans enthousiasme, de façon mécanique, impropre à une professionnelle, il lui redemanda : « Tu es mariée ?

— Ça ne te regarde pas. »

« Elle est mariée, ou veuve, non, mariée et seule, se dit-il, tout en s'adaptant sans difficulté à ses exigences. Elle est mariée mais elle est jeune, jolie, elle a un beau corps, et lui doit être ailleurs, va savoir où, peut-être en France, et si ça se trouve je le connais, ou ici, en prison, ou non, parce qu'il doit être jeune lui aussi, trop robuste pour ne pas l'utiliser, et on a dû l'envoyer dans un camp de travail, il purge sa peine et il pense à sa femme, il la désire à toute heure, attend ses lettres avec impatience pour y répondre par retour du courrier, et alors ? Rien, dès qu'il sortira, elle arrêtera ça, elle redeviendra décente, et elle recommencera à vivre d'un salaire journalier, aussi tranquillement, enfin, tranquillement, c'est une façon de parler... »

Quand ils eurent fini, la femme se leva sans rien dire, s'habilla vite, partit sur un au revoir rapide, atone. Alors Julio

Carrión González, qui avait quelques nuits plus tôt été l'homme le plus important, le plus puissant de Paris, resta seul avec sa pauvreté, et comprit malgré lui quel était le véritable prix des baisers. Très bien, c'était très bien, et le plus tôt sera le mieux, s'entêta-t-il à se dire en échange. Puis il ne trouva plus rien à ajouter, et les baisers de Paloma commencèrent à lui picoter les yeux, à lui assécher la gorge, et s'alimentaient dans ses côtés comme une piqûre désordonnée, intermittente. « Très bien, Palomita, c'est fini, dit-il à voix haute. Je te jure que c'est fini, coûte que coûte », répéta-t-il comme si elle était à ses côtés, à le regarder, à l'écouter, à le consoler. « Je te jure que c'est fini, Paloma », reprit-il, et c'était vrai. Julio Carrión González avait une longue vie devant lui, mais il n'éprouverait plus jamais la tentation de se mettre à pleurer.

Les larmes n'affleurèrent même pas quand il affronta la détérioration de son père, la ruine de sa maison, mais il ressentit un profond soulagement en retournant là-bas, après avoir pris ce qu'il y avait de plus cher au bistrot de la place et payé une tournée de cognac, le bon, aux connaissances qui s'approchèrent pour le saluer. Evangelina, dont le corps ne lui permettait pas d'aller l'offrir dans les hôtels de la Gran Vía, avait travaillé vite et bien. La pièce qui occupait presque tout l'espace du rez-de-chaussée, et ce qu'ils avaient toujours appelé la salle à manger était aussi propre que si Teresa González n'était jamais partie. Dans le fond, assis à table, coiffé et avec une veste sur la même chemise qu'avant, Benigno regardait devant lui comme s'il avait été aveugle, sans fixer le regard nulle part.

« Julio ! » Evangelina descendit rapidement en entendant le bruit de la porte. « On a fini en bas, même si je n'ai fait la cuisine qu'à la va-vite. Tu n'imagines pas dans quel état elle était.

— Si, si, j'imagine. Merci, Evangelina.

— J'ai fait deux œufs sur le plat à ton père, parce qu'il n'y avait rien d'autre dans le garde-manger. Le pain n'était pas très frais, mais il l'a mangé. De toute façon il reste beaucoup à faire, et on aura besoin de plus de temps, deux ou trois jours, pour tout laver, son linge, qui est dégoûtant, et le reste, les draps, les couvre-lits, les rideaux, et...

— Ne t'inquiète pas, je t'en prie. » Il regarda à nouveau la femme et sourit encore, parce que ça ne lui coûtait rien, il le faisait facilement, ça avait toujours bien marché. Evangelina ne voulut pas faire exception quand, malgré tout et peut-être même à son insu, elle répondit à ce sourire par un autre, large, presque lumineux. « Écoute, peu importe le temps qu'il vous faudra. Ce que je veux, c'est que tout soit propre. Et j'aimerais que tu continues à venir pour le ménage, laver son linge et faire les courses, la cuisine, parce que je ne peux pas rester, je dois rentrer à Madrid. On en parle avant mon départ, d'accord ?

— Bien sûr. » Julio n'était pas très sûr qu'une femme comme elle veuille servir un homme comme son père, mais Evangelina le regarda comme s'il venait de lui sauver la vie, et il pensa que c'était probablement le cas. « Bon, eh bien je vais continuer là-haut... »

Il n'osa pas conclure le marché parce qu'il ne savait pas encore de quelle somme il disposait, combien il pourrait donner. C'était le seul détail dont il ne s'était pas soucié à Paris. Aujourd'hui l'état de Benigno projetait des ombres plus qu'inquiétantes sur ses plans alors qu'il s'efforçait de se comporter en bon fils prodigue.

« Père ! » Il le prit dans ses bras et l'embrassa sur la joue avant de s'asseoir à côté de lui, tout près.

« Julio... Alors c'était toi, tu es vraiment revenu », répondit-il de la même façon, le regardant comme s'il avait du mal à croire ses yeux.

— Oui. Je suis là, maintenant.

— Ta mère est morte en prison, à la maison d'arrêt d'Ocaña, la salope. » Ses yeux étincelèrent soudain, comme s'ils étaient revenus à la vie. « Tu le sais, non ?

— Oui, père. Vous me l'avez dit dans une lettre.

— C'est elle qui est coupable de tout, elle, ta mère. Tout ça, c'est de sa faute. »

Le vieil homme ne voulut pas fournir davantage d'explications, et Julio ferma les yeux parce qu'il ne voulait pas s'en souvenir, maintenant qu'il avait décidé de ne plus jamais pleurer. Il refusait de se rappeler cette lettre terrible qu'il avait déchirée en morceaux avant d'avoir fini de la lire, les mots de son père, « je ne le regrette pas, non, elle l'a bien cherché, elle a gagné à la force du poignet l'enfer où elle va aller tout droit, je n'ai pas de nouvelles de ta sœur et je ne veux pas en avoir, celle-là, elle sera toute sa vie une traînée, comme sa mère... » Julio se rappela les mots de Benigno, la sensation insupportable d'abandon qui l'empêcha de dormir cette nuit-là, à Grafenwöhr, se revit orphelin. Mais il était trop tard désormais, tout était fini, les reproches, l'émotion, les larmes. C'est fini, se rappela-t-il à temps, et il parvint ainsi à dire autre chose.

« Où est mon argent, père ?

— Et mes affaires ? » Benigno lui adressa à nouveau un regard perdu, plongé en lui-même. « Où sont mes affaires ? On m'a tout volé, tu ne vois pas ?

— Ce n'étaient pas des affaires, père, c'étaient des ordures. Des morceaux de choses cassées et sales. Je les ai jetées parce qu'elles ne servaient à rien. Je vous en achèterai d'autres, mais pour ça, j'ai besoin d'argent. Où est-il ? » Benigno fronça les sourcils, sourit. Julio se demanda depuis quelle ancienne ivrognerie il le regardait, et il ne put deviner. « Mon argent, père, celui qui vous a été envoyé, deux ans et demi de double solde, espagnole et allemande, le temps où je suis resté en Russie, avec la Division Azul. Vous vous souvenez, non ? Où est cet argent, père ?

— Qu'est-ce que tu crois, que je l'ai dépensé ? » Benigno réagit enfin, et lui adressa un sourire en biais, tout en désignant le tiroir du buffet.

Cette nuit-là, de retour à Madrid, Julio trouva la ville plus jolie, les lumières plus brillantes, les femmes plus belles, les voitures plus rapides et ses pieds beaucoup plus fermes sur les trottoirs.

Il était riche. À peine une part minime de ce qu'il avait prévu de devenir, mais riche. Dans ce Madrid plus cher et meilleur marché que jamais, il avait largement de quoi vivre comme un monsieur pendant plusieurs mois, le temps nécessaire pour prendre des contacts, définir une stratégie, commencer à agir. Cet argent le soignait, lui faisait du bien, et il avait tellement de valeur qu'il savait dessiner une ligne dans le temps, effacer les contours du passé, la peur et la fatigue dans un garage de la rue de la Montera, le froid, la boue et les poux en Russie, l'intermède doré de Riga, la vie grise d'un ouvrier exilé et sans horizon, d'abord à Toulouse, puis à Paris, sa mère et Paloma. Le matin, il était allé à Torrelodones en train, mais il prit le seul taxi du village pour rentrer à Madrid. « J'ai quelque chose à te dire, Julio. » Evangelina le regardait depuis qu'il avait accepté ses conditions sans discuter, quand il croyait qu'il ne leur restait plus qu'à prendre congé. « Pas à ton père, mais à toi... Tu es son fils, non ? Et moi, j'ai beaucoup regretté la mort de ta mère, Julio, de toute mon âme, vraiment. Tu sais comme je l'aimais, comme on l'aimait tous. C'était une femme merveilleuse, intelligente, combative, généreuse, courageuse, et la meilleure personne que j'aie connue de ma vie... » Même cela, il l'oublia aussitôt, alors qu'un taxi le ramenait à Madrid, dans un bon hôtel de la Gran Vía avec des vases en cristal taillé pleins de roses fraîches sur les surfaces polies des meubles.

Son corps voulait s'amuser, et pendant un jour et demi il ne fit rien d'autre que lui complaire. En cela, Madrid restait la même, une ville voyou. Ce qui n'avait pas changé avec la guerre allait encore moins changer avec la paix, bien que Franco soit une grenouille de bénitier, comme son père. Le Villa Rosa[1] était resté ouvert, et dans le sous-sol de Los Gabrieles[2], rue Echegaray, au bout d'un escalier étroit et mal éclairé qui donnait sur le couloir de la cuisine, on trouvait le joyau du bordel le plus secret de la capitale. C'était une minutieuse reproduction d'une *plaza de tientas*[3] où le vieux Primo de Rivera, dictateur militaire andalou et père de l'actuel père de la patrie, qui semblait ne pas avoir hérité ses préférences, aimait à toréer ses prostituées préférées. Romualdo, qui se vantait d'y aller de temps en temps, le lui avait raconté un jour en Russie, et Julio en avait été si impressionné qu'il n'avait pas oublié. Il ne fut pas surpris non plus de constater que, pour celui qui mettait du cœur à l'ouvrage, les nuits se prolongeaient indéfiniment.

Il lui fallut beaucoup moins de temps pour récupérer, et ainsi, après avoir passé une nuit blanche et dormi douze heures la suivante, il se leva comme neuf, prit une douche, se rasa, s'habilla avec soin et descendit déjeuner à la salle à man-

---

1. Le plus ancien bar de Madrid, ouvert en 1919, actuellement consacré au flamenco.
2. Célèbre bar dont les céramiques évoquent des scènes de tauromachie.
3. Arènes privées permettant de tester les aptitudes au combat des taureaux.

ger. Ensuite, tout en lisant le journal, il demanda un annuaire téléphonique. Il était sûr que le numéro d'Eugenio y figurerait, et il le trouva tout de suite. Il supposait que son vieil ami serait ravi d'avoir de ses nouvelles. Il avait prévu qu'il l'inviterait à déjeuner, et ils se donnèrent rendez-vous à 14 h 30.

Eugenio Sánchez Delgado vivait dans la première portion de la rue Castelló, tout près du Retiro, dans un joli petit appartement lumineux, avec sa femme, Blanca, enceinte de quatre mois alors qu'il ne s'en était pas écoulé six depuis leur mariage. Avant d'arriver à la porte, les sens encore un peu engourdis par l'accumulation d'excès souterrains, Julio distingua une certaine clarté, une propreté fraîche et différente, comme l'odeur du linge fraîchement lavé, dans ce quartier rangé de bourgeois tranquilles, prospères. Cette même sensation l'accueillit en pénétrant dans l'appartement d'Eugenio, meublé avec goût mais sans aucun luxe, et en embrassant sa femme. Elle sentait l'eau de Cologne d'Álvarez Gómez et n'était pas très jolie : une fille ordinaire aux hanches dangereusement larges pour son âge, sans beauté particulière, le visage délavé, portant une expression de douceur paisible sur les lèvres peut-être trop fines, et des petits yeux souriants.

« Tu as l'air très en forme, Eugenio ! » dit-il avec sincérité à son ami après l'avoir pris dans ses bras.

Celui-ci passa un bras autour des épaules de sa femme, et l'embrassa sur le visage avant de lui répondre : « Oui, je ne me suis jamais aussi bien porté. Mais tout le mérite en revient à Blanca.

— Ah ! » Alors c'est ça, se dit Julio, tout en adressant à son hôtesse un sourire tellement charmant qu'il la rendit un peu nerveuse. « Le bonheur conjugal avant tout... » Il était vrai qu'Eugenio avait belle allure. Il semblait plus assuré, plus mûr, et, s'il n'était pas plus beau, il était certes moins laid. Il avait grossi, mais il avait forci, pas beaucoup, mais suffisamment pour cesser de ressembler à un gringalet et devenir simplement un homme mince avec des épaules et un dos raisonnable. Cependant, quand sa femme les laissa seuls pour retourner à la cuisine, Julio détecta une lumière de mélancolie imprévue dans des yeux qui avaient perdu pour toujours leur candeur primitive.

« Bon, comment ça va ? » Il le prit par le bras pour l'emmener au salon et il lui offrit un verre de vin un peu âpre, jugea Julio, pendant que son ami lui en versait un autre. « Raconte-moi... Où étais-tu passé, pendant tout ce temps ?

— Eh bien... C'est une longue histoire. » Il lui restait encore de nombreuses explications à donner, mais Eugenio accepta celles qui lui revenaient sans l'interrompre. « Je suis resté à Riga, à la demande du colonel Arenas, tu te souviens, n'est-ce pas ? » Son ami acquiesça.

« Romualdo me l'a raconté.

— Eh bien voilà... Arenas m'a demandé d'être une sorte de lien entre la Légion Azul, la Wehrmacht et son bureau de Madrid, et je suis resté là-bas jusqu'à la fin. Puis, quand les Allemands se sont repliés, je me suis installé à Berlin, comme à Riga, sans couverture de l'ambassade, avec la protection théorique de l'armée espagnole, ce qui, au train où allait la guerre, n'était rien, comme tu peux imaginer. J'aurais dû rentrer à ce moment, mais je n'ai rien trouvé de mieux que d'avoir une liaison avec une nana. Elle s'appelait Gertrud, était blonde, aussi grande que moi, et avait les yeux verts... entre autres.

— Je vois, les ravages de la guerre... »

Julio se mit à rire, suivi d'Eugenio.

« En tout cas, tu as dû apprendre l'allemand.

— Penses-tu ! Trois mots. On se parlait en français, mais ça n'avait pas d'importance, parce que... Qu'est-ce que tu veux que je te dise ? Elle me plaisait beaucoup. Elle me donnait aussi à manger mais elle me plaisait. Le soir où je l'ai connue, elle m'a rabattu mon caquet, je me sentais idiot, complètement idiot, sérieusement, le lendemain matin je ne savais plus comment je m'appelais, tu n'imagines même pas. » Ce fut alors au tour d'Eugenio de rire. « Alors j'ai sauté le pas, et... Quand les choses se sont gâtées, je ne pouvais plus rentrer. J'ai pensé que, en dehors du fait qu'il était logique qu'ils aient tous pris leurs jambes à leur cou, chercher un diplomate espagnol à Berlin était plus dangereux que de ne rien faire, alors je me suis caché chez Gertrud et j'y suis resté un mois et demi sans descendre dans la rue, jusqu'à ce qu'elle rentre dans son village. Ensuite, la faim m'a obligé à sortir, et les Américains m'ont arrêté.

— Heureusement non ? Parce que si les Russes t'avaient pincé.... » Eugenio n'avait plus envie de rire.

« Imagine. Comme c'étaient les Américains, ça m'a pris plus d'un an pour les convaincre que je n'avais rien fait... À la fin, il m'ont relâché avec ce que je portais sur moi. Je n'avais pas un centime, ni les moyens d'en gagner, et pendant un certain temps, c'était très dur, je dormais dans une maison en ruine et je mangeais grâce à la charité, grâce à la Croix-Rouge, jusqu'à ce qu'ils me proposent eux-mêmes de la place dans un train de réfugiés qui allait à Paris. Et j'y suis allé en juin dernier. À Paris, tout était plus facile car c'est bourré d'Espagnols, tu sais ? Des républicains, ils font preuve d'une grande entraide. J'ai dû dire que j'étais des leurs, bien sûr, mais comme ça j'ai pu me débrouiller...

— Et l'ambassade ? » Eugenio le regarda avec étonnement pour la première fois. « Ils auraient dû t'aider, parce que... »

Julio l'interrompit tout de suite : « À l'ambassade, ils ne font confiance à personne, mais à personne, Eugenio. Je suis allé leur parler, souvent, je leur ai dit la vérité et je leur ai demandé de téléphoner à Madrid, au colonel Arenas. En fait, il était mort et ça ne m'a pas aidé, au contraire ! Je l'ignorais, et je le leur ai dit, mais ils ne m'ont pas cru. Ils disaient que mon laissez-passer était un faux et je n'avais personne vers qui me tourner, à Riga j'étais un clandestin, à Berlin aussi, la Guardia Civil ne se portait pas garante de moi, et pourtant ceux du détachement de Riga me connaissaient. Mais je ne sais pas ce qui s'est passé, ou si, j'imagine, ils n'osaient pas prendre de risques... Résultat, j'ai eu peur qu'ils s'arrangent pour que les Français me déportent sans autre formalité, et je me suis éclipsé pendant un temps... Bon sang ! À l'époque, j'étais très en colère mais maintenant je comprends, écoute ça, parce qu'en ce moment on ne peut se fier à personne... » Eugenio approuva de la tête avec une expression que Julio ne put interpréter. « Bref, je ne sais pas ce qui a pu se passer ensuite, mais ils m'ont donné mon passeport il y a moins d'un mois. Je l'ai pris sans poser de questions, je suis allé tout droit à Torrelodones, voir mon père, me reposer, et bien manger une fois pour toutes... Et me voilà, enfin. »

Il lâcha cela d'une traite, avec l'accent joyeux, insouciant, de qui raconte une aventure obsolète, une histoire qui fut grave et qui n'est plus que curieuse, une pirouette qui ne conserve que la grâce de ses inévitables vrilles, mais pas une seule des paroles qu'il prononça n'avait été choisie au hasard, aucune n'était improvisée ni spontanée.

« Ce qui serait amusant, commandant, ce serait que maintenant que nous avons fait le plus difficile, les choses tournent mal, et que l'affaire ne se fasse pas », avait-il dit à Huertas quand le militaire lui avait donné rendez-vous pour lui remettre le passeport dans l'espace réservé du café où ils s'étaient retrouvés la première fois. « Et pourquoi est-ce qu'elles tourneraient mal ? Tu n'as pas dit que tu avais des contacts ? Je t'ai expliqué où se trouvent les Sánchez Delgado, tu ne vas pas te plaindre... » « Oui, et j'en réponds, mais... Imaginez que je croise un jour mon colonel dans la rue, qu'est-ce que je lui dis, quel air j'adopte, parce que je crains que ce ne soit un militaire à l'ancienne, un homme honnête, et... » « Oui, le coupa Huertas, Arenas était tout ça, mais il ne l'est plus, car il est mort. Il a été ratatiné par une attaque il y a un an et demi. Tu m'as pris pour un con, Carrión ? Il était aussi très ami avec mon père, s'il était vivant, je ne ferais rien de tout ça. Mais les morts ne marchent pas dans la rue. Ils ne voient personne, ils ne parlent pas. Et à Madrid, en ce moment, un type comme toi, les vivants qui nous intéressent ne vont pas lui poser de questions non plus. Crois-moi, je sais de quoi je parle. »

À cet instant, Julio Carrión osa regarder Ernesto Huertas en face, d'égal à égal, et le commandant ne cilla pas. Cet homme qui, depuis deux ans, savait tout sur les rouges espagnols exilés à Paris ne devait pas ignorer que sa figure était aussi connue dans les cercles sur lesquels il enquêtait. Quand il alla à sa rencontre, Julio savait déjà qu'il était de Cordoue, militaire fils de militaire, tous deux sans autre fortune que leur solde, frère cadet d'un martyr du Cerro Muriano [1] et mari d'une dame aux noms aussi remarquables que la décadence de son patrimoine. Elle, qui était autant de Cordoue que lui, ne l'avait pas suivi à Paris parce qu'elle se plaisait à Madrid, avec les cinq enfants qu'ils avaient eus en guère plus de sept ans – l'aîné n'avait pas encore dix ans. Julio savait tout, et aussi que son père, en sus de son inaltérable loyauté vis-à-vis

---

1. Village sur le front de Cordoue où de terribles combats eurent lieu en septembre 1936.

des principes du Mouvement, avait une maîtresse française et de gros, de très gros frais. On murmurait qu'il se livrait à un trafic de passeports, Julio en avait les preuves dans la main. On chuchotait qu'en échange de sommes considérables il intercédait dans des procès très sévères, pour des libérations, des révisions de peines et même pour faire commuer des peines de mort. À Paris, Julio l'avait trouvé trop malin pour prendre de tels risques, à Madrid il n'en était plus aussi sûr, mais la dernière fois qu'il le vit, pendant qu'il le regardait d'égal à égal, il ne douta plus de sa cupidité.

« Je vais vous raconter une histoire, commandant, voyons si vous y croyez... » Huertas l'écouta attentivement, évoqua des fragments d'histoires semblables mais authentiques, lui suggéra des dates, des lieux, et le détail du bâtiment en ruine, il inclut dans son récit la Croix-Rouge, et lui recommanda de raconter qu'il était arrivé à Paris dans un train de réfugiés. « On croirait que tu es idiot, Carrión, comment est-ce que tu aurais pu venir à pied d'Allemagne, seul, sans papiers, sans te perdre, ni passer un seul contrôle, tranquillement ? » Julio accepta ses corrections sans s'offenser et il mémorisa tous les détails, mais la personne qu'il avait choisie pour étrenner son histoire, celle qui, pour être la plus innocente, serait également la plus exigeante, ne les lui demanda pas.

« Pauvre Julio. Quelle malchance ! » se contenta-t-il de dire, en lui adressant un regard chargé de compassion, net et sincère.

Son invité alluma une cigarette, le regarda : « Eh oui, mais bon, tout est bien qui finit bien. Et il y a eu pire.

— Bien sûr. Pancho, sans aller plus loin. Tu sais que Staline l'a mis dans un camp de travail, celui où il garde les prisonniers de la Division ?

— Ah oui ? Vraiment ? » Julio écarquilla les yeux, tenta de comprendre ce qu'il venait d'entendre, mais n'y parvint pas.

« Oui. » Eugenio acquiesça avec un regard triste. « On ne le croirait pas, mais...

— Les hommes... À table ! » Blanca passa la tête dans l'entrebâillement de la porte, sur les lèvres un sourire espiègle, comme celui d'une petite fille qui joue à la dînette.

« Je te raconterai après. Ma femme ne sait rien », murmura Eugenio en se levant.

Mme Sánchez Delgado était une très bonne cuisinière et une hôtesse attentive, généreuse. Elle gâtait beaucoup Eugenio, ne préparait que les plats qu'il aimait et était fière de l'avoir fait grossir. « Ma belle-mère n'aime pas ça du tout, tu sais, elle dit que je lui donne de mauvaises habitudes », avoua-t-elle à Julio entre deux sourires. « C'est vrai, mais je t'en remercie, je t'aime tant... », confirma-t-il. Ils se prenaient la main entre deux plats, s'embrassaient continuellement sur la bouche, et se donnaient de petits surnoms. Cela gênait Julio et Eugenio s'en aperçut.

« Qu'est-ce que tu as ? lui demanda-t-il sur un ton calme, souriant.

— Rien... » Mais il trouva tout de suite les mots pour le lui expliquer. « Enfin si, c'est que je te vois encore dans le trou, mon vieux, avec le fusil, l'uniforme, je ne sais pas... Et te trouver ici, soudain, avec ton appartement, ta femme, et sur le point d'avoir un enfant, eh bien... Je ne m'y fais pas.

— Je vois. »

Eugenio et Blanca lui sourirent en même temps. Puis elle regarda la pendule, s'affola, se leva et embrassa à nouveau son mari.

« Ouh, 16 h 15 ! Il est tard ! Je me prépare et j'y vais. »

Elle prit congé de son invité et lui expliqua qu'elle allait tous les jours prendre le café chez ses parents, qui habitaient tout près. « Je suis fille unique, et je leur manque, tu sais ? Quand l'enfant naîtra, je ne pourrai plus, mais pour l'instant... » Julio s'aperçut qu'Eugenio ne voyait pas ça d'un mauvais œil. Il est comme ça, s'il a décidé d'être heureux, il sera plus heureux que quiconque, il ne manquerait plus que ça, se dit-il. Mais, excepté lorsque Blanca était tout près pour les allumer, les yeux de son ami ne brillaient plus comme avant, et il se demanda pourquoi en le suivant au salon, en chauffant entre ses mains un verre de cognac juste acceptable, enfin pas vraiment, sans trouver le moyen de vérifier tout ce qu'il voulait savoir avant que son ami ne doive retourner au travail.

« Je ne veux pas te retarder, Eugenio, mais... Je ne sais pas, j'aurais des milliers de questions à te poser.

— Pose-les-moi, ne t'en fais pas. » Il s'assit dans le même fauteuil que précédemment, comme s'il avait tout son temps. « Moi aussi, j'avais très envie de te voir, de te parler, et maintenant je ne travaille que les matins.

— Bon sang, vous avez la belle vie, vous les fonction-naires !

— Je ne suis pas fonctionnaire, Julio.

— Non ? » Il haussa les sourcils, étonné, car c'était jus-qu'à présent le seul point qui démentait les informations de Huertas. « On ne t'a pas donné un poste au ministère, à ton retour ? D'après ce que mon père m'a raconté, et étant univer-sitaire et phalangiste, je croyais...

— Oui, ils m'en ont donné un. Dans les Travaux publics. Mais je suis parti avant Noël. Maintenant je travaille six heures par jour, de 8 heures à 14 heures, dans une entreprise de construction privée, et j'étudie l'après-midi. Je veux finir mes études.

— Tes études ? Mais ils ne t'ont pas donné l'équivalence ? Quand on est partis en Russie, ils ont dit... » Julio Carrión ne savait plus que penser.

« Oui, ils l'ont dit, l'interrompit à nouveau Eugenio en souriant. Et ils l'ont fait. J'ai suivi des cours de merde, et ils m'ont donné un titre de merde. En théorie, je suis ingénieur, mais je sais ce que je suis et ce que je ne suis pas. C'est pour ça que je veux finir mes études, des études normales, comme tout le monde. » Il fit une pause, but une gorgée, regarda son ami. « Ça t'étonne ?

— Oui, répondit-il sincèrement.

— Ça ne marche pas bien, Julio, ça ne marche pas bien. Ça pourrait, ça devrait bien marcher, mais ça ne marche pas. Quand je suis rentré, j'étais différent, parce que les Allemands devaient remonter la pente de la guerre, et ici, du moins en surface, rien ne bougeait, personne ne bougeait, au cas où... Mais Franco les a trahis à temps, pourquoi le dire autrement, et les Anglais l'ont bien payé pour sa trahison. Je sais que ça a l'air fort de café, mais c'est comme ça, c'est la vérité, il n'y en a pas d'autre. Ils peuvent continuer à l'appeler "la perfide Albion" ou comme ils voudront, mais c'est l'Angleterre qui a aidé Franco à prendre le pouvoir, et c'est l'Angleterre qui l'y maintient. Et je vais te dire autre chose. Je ne sais pas ce qui serait arrivé si Roosevelt n'était pas mort si tôt, et pourtant je sais que si Hitler avait gagné la guerre, aujourd'hui même, au Pardo, il y aurait Muñoz-Grandes, qui était leur homme, le fidèle, en qui ils avaient confiance. Et avec raison. Mais Hitler a perdu et Franco a gagné à nouveau, sans honneur, en retournant sa veste, mais il a gagné, c'est ce qui compte. Il le sait mieux que personne. Alors, il y a un an, un an et demi... Bah ! Tout ça a commencé à me dégoûter terriblement... »

Eugenio Sánchez Delgado avait vieilli. Pas seulement dans son corps et dans son discours, mais aussi dans son esprit. Et pourtant, son ancienne foi restait si précieuse pour lui qu'il était prêt à tout sacrifier, influence, argent, prestige, et même son propre bien-être, pour entretenir une flamme qui ne brillerait plus jamais avec la passion fervente et juvénile qui l'avait fait naître. Pourtant, elle le consolait encore, et sa valeur reposait justement sur cette pâleur irrémédiable. Quand ils étaient devenus amis, Julio avait immédiatement compris qu'il n'avait jamais connu d'homme tel que lui, si innocent, si candide, si malin parfois, si sot presque toujours, tour à tour si faible et si fort. Mais ce ne fut que cet après-midi, alors que ses lunettes ne glissaient plus sur son nez, quand l'indignation faisait trembler sa voix, qu'il comprit ce que cela signifiait exactement. Eugenio avait renoncé à son innocence pour le ménager, il avait abandonné ses vieilles thèses pour ne pas devoir renier la sienne. Il s'était exposé pour rester pur à l'intérieur. Julio comprit tout cela cet après-midi, mais il n'était plus capable de s'étonner, de l'admirer malgré lui, ou de penser qu'il valait mieux que lui. Il n'apprécia pas son courage. Julio Carrión González avait vieilli lui aussi. Et même s'il aimait toujours Eugenio, même s'il était son seul ami et qu'il tenait à lui, son discours lui inspirait surtout de la lassitude, et un commentaire qu'il ne pourrait jamais lui délivrer : « Fais pas chier, Eugenio, fais pas chier. » Voilà ce qu'il pensait.

« Les gens meurent toujours de faim, et ce n'est pas une phrase toute faite. Même si tu viens d'arriver, tu as dû t'en rendre compte, non ? » Julio acquiesça d'une grimace légère, presque timide. « Les gens ont toujours faim. Et il y a eu une guerre, une sécheresse, un blocus économique... ce que tu voudras. Mais les gens ont toujours faim, même si ça ne devrait pas exister. Au début, c'était compréhensible, plus maintenant. Ou plutôt, ça ne devrait plus l'être, mais on s'y fait... »

Il se tut pour nettoyer ses lunettes et poursuivit imperturbable de sa nouvelle voix, plate, sèche et amère.

« Je vais t'expliquer. Ricardo, mon beau-frère – tu te souviens de lui ? » Julio acquiesça bien qu'il ne l'ait vu que deux fois. « Quand Pilar, ma sœur, l'a épousé, il était sous-lieutenant, médiocre étudiant en deuxième année de Droit. Aujourd'hui, c'est l'un des hommes les plus riches de Madrid. Est-ce qu'il est ministre, banquier, millionnaire de naissance ? À ton avis ?

— Je n'en ai aucune idée, répondit Julio.

— Aujourd'hui, il est secrétaire technique du Département du Ravitaillement. Qu'est-ce que tu dis de ça ? » Il souligna sa réponse d'un sourire amer. « Ni plus ni moins. Dans tout pays civilisé, il serait en prison. Mais l'Espagne n'est plus un pays civilisé, Julio, non. Ici, il ne se passe jamais rien, et c'est pour ça que tout est valable, n'importe quoi. Ceux qui ne possèdent rien ont faim, et ceux qui possédaient ont tout perdu, c'est-à-dire qu'ils ont tout aussi faim... L'été dernier, j'ai emmené mon frère Arturo à une réception chez Camilo Alonso Vega, une petite villa moderne, avec un jardin très agréable, à El Viso. Tu ne t'es jamais demandé pourquoi El Viso n'avait pas été bombardé pendant la guerre ?

— Non, répondit Julio qui ne voyait pas non plus où Eugenio voulait en venir.

— Eh bien moi si. » Il prit néanmoins son temps pour le lui expliquer. « Ça me semblait bizarre, parce que le quartier de Salamanca était des nôtres. Bien sûr, ici il n'y avait pas de rouges, mais El Viso ? Besteiro[1] y vivait, avec la moitié des membres de l'Institución Libre de Enseñanza[2], socialistes, républicains, c'étaient bien eux qui l'avaient créé, non ? Au début, on l'appelait Colonia Residencia, parce que les terrains appartenaient à la résidence d'étudiants... Eh bien, cet après-midi-là, à la réception du général, j'ai tout compris. "Quelle jolie maison vous avez", ai-je dit à sa femme. C'était vrai, et je voulais me faire bien voir. "Oui, répondit-elle, l'endroit est magnifique, n'est-ce pas ?" Ensuite, comme si c'était la chose la plus normale du monde, sans chercher d'excuses ou d'euphémismes, elle m'expliqua que cette maison appartenait à un neveu de Ganivet ; un communiste exilé à Londres, et à sa

---

1. Julián Besteiro (1870-1940), professeur à l'université de Madrid et homme politique socialiste.

2. Ou ILE, Institution Libre d'Enseignement, expérience pédagogique menée au XIXe siècle, qui s'inspirait de la philosophie de Krause.

femme, communiste elle aussi, qui s'était suicidée en prison. Je faillis lui demander : "Et les propriétaires de cette maison n'avaient pas d'enfants ? Pas de parents, de frères et sœurs, de neveux, d'amis ou de famille ? Ils ne voulaient pas y installer quelqu'un qui aurait pu y vivre de façon plus légitime que vous, madame ?" »

Fais pas chier, Eugenio..., pensa alors Julio, pour la première fois. Il se tut, sans chercher à combler le vide qui le séparait de cet étranger qui avait été son plus vieil ami.

« J'ai failli lui poser la question, mais je ne l'ai pas fait, évidemment. Personne ne l'a posée, c'est pour ça que tout le monde a un poste au Ravitaillement, aux Transports, aux Travaux publics. Et c'étaient des rouges. Il n'y a rien à ajouter. Maintenant qu'on sait qu'ici rien ne va se passer, que les Alliés ne vont pas jeter Franco hors du Prado, qu'ils ont les mains libres, qu'ils n'ont plus ni peur ni honte si tant est qu'ils aient jamais eu honte... On est en 1947 mais on continue comme en 1939 : c'étaient des rouges et c'est suffisant. Tout marche comme ça, parce qu'en Espagne ils sont beaucoup plus de quarante voleurs à piller.

— Enfin, tu exagères un peu, non ? » Julio Carrión, qui se voyait bien en numéro quarante et un, fronça les sourcils, improvisant un ton grave, soucieux, tout en maîtrisant son excitation à grand-peine. « Je veux dire que c'est légal, il y a des lois qui...

— C'est du vol, Julio. » Eugenio le fixa avec l'éclat de sa candeur d'autrefois. « Même s'il y a une loi, même si c'est légal, même si tout le monde le fait. C'est du vol. Et jamais je n'entrerai là-dedans.

— C'est pour cette raison que tu as quitté le ministère.

— Oui. Et parce qu'on me chargeait des expropriations, et... Inutile de te raconter.

— Et Romualdo ?

— Ah ! Lui, il va très bien, comme toujours, tu le connais. Pour lui, ça n'a jamais aussi bien marché. Il fait partie de la bande.

— Mais tu ne parles pas de ça avec lui.

— Ni de ça ni d'autre chose. » Eugenio remplit de nouveau les verres. « Je ne lui ai pas parlé depuis des mois. »

Cela faisait plus longtemps, presque un an et demi ; depuis qu'Eugenio Sánchez Delgado avait commencé à s'intéresser au sort des prisonniers de la Division Azul en Russie. Il n'avait pas cessé d'être phalangiste, au contraire. La honte qui était arrivée au bras de la déception ne lui avait pas laissé d'autre issue que de redoubler de militantisme, de s'abandonner davantage, et plus profondément, à ce qui restait pour lui son parti. Un parti laïque et républicain fasciste dont le symbole trônait sur tous les bâtiments officiels, les gares et les routes, les en-tête et les uniformes, chaque échelon du pouvoir d'un régime totalitaire – un parti clérical et réactionnaire, qui se profilait dans le temps comme un singulier exercice différé et humiliant de restauration monarchique.

Depuis lors, et jusqu'au jour où un policier dont il ne saurait jamais le nom ferait éclater la rate de sa fille aînée – celle qui naîtrait cinq mois après ses retrouvailles avec son vieil ami Julio Carrión et deviendrait communiste avant ses dix-huit ans –, Eugenio Sánchez Delgado tenta de rester fidèle à lui-même. Pour y parvenir, il ne lui resta pas d'autre solution que de conspirer contre le régime de l'intérieur du régime, sans vouloir accuser les contradictions insurmontables d'une tâche cyclopéenne, romantique, essentiellement stérile et vouée à l'échec. Il le savait, il le sut à chaque seconde, chaque minute et chaque heure de ces dix-huit ans qu'il vécut dans un mirage, une bulle accueillante, pas si différente de celle que ses anciens ennemis fabriquèrent depuis les positions les plus opposées pour survivre dans un désert de sable, la planète désertique, à l'atmosphère poussiéreuse, irrespirable, où rien ne poussait sans efforts surhumains. Eugenio Sánchez Delgado, le plus malin et le plus sot, conserva ces deux caractéristiques jusqu'à l'âge de quarante-trois ans, jusqu'à ce qu'il n'ait pas d'autre solution que de cesser d'être, d'apprendre à continuer à vivre et à n'être rien à la fois. Mais quand Julio le rencontra dans son appartement de la rue Castelló, il était encore lui. Il avait encore des forces, et des espoirs.

« Pancho est dans un camp de travail, en Russie, je te l'ai dit tout à l'heure. Je collabore avec un bureau qui s'intéresse aux prisonniers de la Division, à travers la Croix-Rouge et l'ambassade de Suède, surtout. On ne peut pas faire grand-chose parce que ce n'est pas officiel, bien sûr, il faut éviter que les Anglais et les Américains se foutent en rogne, maintenant que ce sont nos copains. C'est pour cela qu'il y a peu de temps encore on n'avait aucune information, mais on a obtenu une liste de prisonniers, et il y figurait, Luis Serrano Romero. Je l'ai lu et je n'y ai pas cru, je te jure que j'ai dû relire plusieurs fois avant de comprendre parce que je trouvais ça incroyable. J'ai pensé qu'il devait s'agir d'une erreur, et j'ai écrit aux Suédois, je leur ai expliqué l'affaire, et ils m'ont répondu que non, que c'était exact, que Staline avait mis les déserteurs dans les mêmes camps que les divisionnaires, et je suis resté... je ne sais pas... Pétrifié, c'est peu dire.

— C'est vrai que c'est bizarre », commenta Julio, sans vraiment accorder d'importance à la nouvelle ni prévoir l'explosion qui le transporta soudain dans un train allemand, un dimanche d'automne, sur le chemin de Nuremberg.

« Bizarre ? fit Eugenio qui haussa le ton, leva la tête et se pencha en avant. Tu trouves ça juste bizarre ? C'est monstrueux, bon sang ! Scandaleux ! Même pas, c'est innomable... Pancho Serrano était un héros, Julio ! Rouge et tout ce que tu voudras, mais un héros, un type capable de traverser toute l'Europe, en avalant n'importe quoi, pour arriver en Russie avec une carte dans sa botte et des couilles, et qui se retrouve prisonnier dans un camp... Quelle horreur, quels fils de pute ! Comment ont-ils pu... ? » Alors ses traits s'adoucirent, sa stupeur recréa un instant l'étonnement craintif d'un enfant qui vient de se rendre compte qu'il est perdu. « Je ne comprends pas. C'est incroyable, non ? inconcevable ? Ici, ça ne marchait pas comme ça. Dans notre guerre, un homme comme Pancho aurait été décoré, on lui aurait donné une promotion et une permission d'un mois, des deux côtés, non ? C'est le minimum..., ce qui est logique, juste. Mais je ne sais pas...

— Enfin, il l'a cherché. » Julio tenta de mettre un point final à cette histoire pour revenir au sujet qui l'intéressait le plus, mais Eugenio l'en empêcha :

« Non monsieur ! » Ses yeux brillaient, son ton montait, ses joues s'empourpraient d'indignation comme si le temps, la guerre et la paix n'avaient pas de prise sur lui. « Il ne l'a pas cherché ! Il cherchait autre chose et tu le sais, c'est toi qui me l'as expliqué, Julio. Et ce n'est pas juste. Ce n'est pas juste. » Il fit une pause pour se calmer, se rencogna dans son fauteuil, essuya ses lunettes avec un pan de sa chemise, dans un mouvement circulaire, parcimonieux. « Pauvre Pancho. Je pense souvent à lui, j'imagine comment il va, comment il se sent, trahi par les siens, par tout ce qui comptait pour lui, tout ce en quoi il croyait, ce fils de pute de cousin Pepe... Quelle horreur ! Il semble que les Russes utilisent les rouges espagnols comme des prisonniers de confiance, ils les traitent un peu mieux, ne les obligent pas à travailler autant et leur donnent autorité sur les autres. Mais il n'a pas voulu. Il n'a pas voulu et je le comprends. Il n'a pas voulu, avec des couilles, celles qu'il lui a fallu pour passer de l'autre côté, et personne n'a dû comprendre, personne n'a dû l'admirer pour ça. Pauvre Pancho ! Je pense souvent à lui, à cette nuit, *tovarich, spanski tovarich*, ne tirez pas, je passe de l'autre côté, tu te souviens ? Et je pense... Je ne sais pas. Qu'est-ce qu'on a pu faire, nous les Espagnols, qu'est-ce qu'on a pu faire... »

On est les damnés de la Terre. Julio Carrión reconnut le tremblement des lèvres d'Ignacio Fernández dans les yeux qui le regardaient. Les damnés de la Terre, maudite soit-elle... Il n'osa pas se rappeler ces mots à voix haute et ne parvint pas non plus à les remplacer par d'autres moins compromettants. La guerre, la paix étaient passées, et ils avaient vieilli tous les deux. Julio ne sut plus que dire, ni comment accompagner Eugenio, comment le consoler de cette douleur étrange, inconvenante voire dangereuse. Il ne put l'approcher parce qu'il ne s'était jamais senti aussi loin.

« Je suis allé voir le vrai Pancho, tu sais ? Le frère cadet, celui qui s'appelle vraiment Francisco Serrano Romero. J'ai dû aller le voir parce qu'il n'y avait pas d'autre moyen de lui parler. "Ils n'ont pas le téléphone, et ici, personne ne leur laisse utiliser le leur", m'a-t-on dit à la mairie de Villanueva de la Serena. "Et vous ne pouvez pas aller le prévenir, pour qu'il parle dans ce téléphone-ci ?" ai-je demandé au concierge. C'était moi qui avais appelé, moi qui payais l'appel. Je le lui précisai mais il me répliqua qu'il n'allait pas se lever de table pour prévenir quelqu'un, et encore moins Pancho. Je l'ai remercié de son amabilité, et il a raccroché. Alors je suis allé voir Pancho, et...

— Pourquoi ? » Julio ne put dissimuler plus longtemps sa stupéfaction. « Pourquoi es-tu allé le voir, qu'avais-tu perdu... ? Excuse-moi, mais je ne comprends pas, Eugenio. »

Ce dernier ne se soucia pas de répondre à ses questions. Il le regarda, sourit, et poursuivit :

« J'y suis donc allé et je ne sais pas si j'ai bien fait, je dois dire, je ne sais pas. Il vit dans une sorte de ferme, une ruine qu'il a retapée lui-même, aux abords du village. Maintenant, c'est le seul homme de la famille. Son frère aîné a été tué à la bataille de l'Ebre, son père est dans un détachement pénitentiaire qui construit un barrage dans la province de Cuenca, et Pancho, c'est-à-dire Luis, est en Russie, bien sûr. Il habite avec sa mère, avec les femmes de ses frères et avec sa femme, tous dans la même maison – ainsi que sa sœur aînée, qui était récemment encore prisonnière à Alcalá, veuve elle aussi –, ils ont une kyrielle d'enfants. La plus jeune s'est mariée, elle est partie vivre à Badajoz et elle ne veut plus entendre parler d'eux.

— Qu'est-ce que tu cherches, Eugenio ? À quoi est-ce que tu t'attendais ? » Julio remplit son verre à ras bord, même si le cognac n'était pas bon. « Ils ont perdu la guerre, non ?

— Oui. Ils l'ont perdue. » Il sourit. Et voilà qu'en plus j'arrive et je lui dis que Staline retient son frère prisonnier. En m'écoutant, il est devenu blanc, mais blanc comme un linge, j'ai cru qu'il allait s'évanouir. "Qu'est-ce qu'il a fait ?" m'a-t-il demandé. "Qui ?" ai-je dit. "Mon frère, qu'est-ce qu'il a fait pour être prisonnier ?" "Rien, il n'a rien fait, il est juste passé du côté des Russes." Alors il s'est tu, il a commencé à m'examiner de la tête aux pieds comme s'il ne m'avait pas bien vu avant, et il s'est remis soudain. "Tu es un salaud, un fils de pute, et je vais te tuer...", a-t-il crié, en me saisissant par le col.

— Il ne le croyait pas.

— Disons qu'il refusait de le croire. Mais comme je lui disais la vérité, il a fini par comprendre. Alors il m'a relâché très lentement, il est parti à reculons pour aller s'asseoir sur un banc en pierre, comme les maisons de village en ont à côté de la porte. "Pancho, c'est moi", a-t-il déclaré, et je ne l'oublierai jamais, jamais je n'oublierai cette phrase, le ton de sa voix, la couleur de son visage. On aurait dit un cadavre, Julio, un mort qui parlait, qui bougeait, c'était terrible. Alors j'ai commencé à regretter d'être venu, j'ai commencé à réfléchir. Avec tout ce qu'il doit supporter, moi, j'arrive pour gâcher un peu plus la vie de cet homme... Mais j'étais là, non ? Et je devais le lui dire. J'essayai, mais il m'interrompit immédiatement. Il cria deux ou trois noms de suite et des enfants sortirent de la maison. "Va chercher ta tante Lupe, et demande-lui de venir", a-t-il dit à l'aîné. "C'est la femme de Luis", m'expliqua-t-il, et il n'ouvrit plus la bouche jusqu'à l'arrivée de sa belle-sœur – une femme grande, jeune, mince et vêtue de noir. Elle m'impressionna beaucoup elle aussi, parce qu'elle n'avait pas un joli visage, mais elle était séduisante, ou plutôt, elle avait dû l'être... Elle le serait toujours sans cette étrange grimace, ce rictus de mépris ou, je ne sais pas, peut-être de l'amertume, voire de la lassitude. Maintenant, elle fait peur, c'est une femme séduisante mais désagréable, je ne sais pas comment t'expliquer... Toujours est-il qu'elle est restée debout, appuyée contre la porte, et elle m'a écouté sans rien dire, en cachant son visage dans ses mains à la fin. Elle pleurait, mais elle ne me laissa pas la voir pleurer. Quand elle se calma, elle découvrit son visage, me regarda, et me dit une autre chose que je n'oublierai jamais, jamais, aussi longtemps que je vivrai. "Vous savez, je croyais qu'il avait une autre femme, et j'aurais préféré ça."

— Je ne comprends pas », répondit Julio avec sincérité au regard tendu et concentré d'Eugenio. Et le sourire paisible qu'il reçut en échange le surprit tellement qu'un instant il oublia de le supplier intérieurement de cesser de le faire chier.

« Eh bien moi si. Et je comprends ce que m'a dit Pancho en prenant congé, je le comprends très bien. "Vous devez vous tromper, ce que vous m'avez raconté ne peut être vrai. Je ne le crois pas, comprenez-moi, ce n'est pas que je vous traite de menteur, c'est que je ne peux pas le croire. Je ne peux pas. Mais si vous pouvez faire quelque chose pour mon frère..." À ce moment, j'ai pensé que lui et moi n'étions pas si différents, que chacun s'accroche à ce qu'il peut pour continuer dans cette saloperie de monde. Et j'ai essayé de faire quelque chose pour eux, pas seulement pour Pancho, mais aussi pour sa famille. J'ai parlé à Romualdo, qui a un poste au ministère de l'Agriculture et qui s'en met plein les poches, je lui ai tout raconté, je lui ai demandé de les aider comme il pourrait, une aide, une subvention, un crédit sur la récolte, au moins. Il peut, tu sais, cela n'aurait exigé aucun effort de sa part. "Je te le demande comme un service, pour moi, même pas pour eux", ai-je dit. En vain. "Qu'ils se démerdent", a-t-il répliqué. Depuis, je ne lui parle plus. »

En sortant de chez Eugenio, Julio Carrión ne fut plus capable de ressentir cette clarté, cet arôme frais et différent, comme une odeur de linge qui vient d'être lavé, qui l'avait accueilli. Il n'avait aucun motif de contrariété, car le récit d'Eugenio confirmait ses meilleures perspectives, mais il ne parvint pas à éviter un goût amer, comme un résidu de nourriture pourrie entre les dents.

L'homme sans idées ne put s'expliquer pourquoi il regrettait tant l'Eugenio d'avant, enthousiaste, fervent et joyeux, mais dans son irrémédiable absence, Madrid lui sembla être une ville triste, dure, compliquée. Ses yeux trouvèrent les sentiers tracés par le regard de son ami, et ainsi, contre sa propre volonté, il parvint à voir son revers, l'angoisse, la pauvreté, la rage domestiquée des exclus, et il écouta leur silence. La nostalgie du sous-sol le tentait, mais il la contrôla pour jouer ses cartes le plus tôt possible, confiant dans la faiblesse de ce mirage qui compromettait ses plans, son avenir. En fin de compte, Eugenio Sánchez Delgado avait toujours été un drôle d'oiseau, un homme unique, se dit-il, il ne pouvait pas y en avoir beaucoup comme lui. Et il croisa les doigts. Il ne lui fallut pas deux jours pour découvrir jusqu'à quel point il avait raison.

« Bon sang, Julito ! » Romualdo sourit de toutes ses dents en venant à sa rencontre. « Tu n'imagines pas à quel point je suis content de te voir. Nom d'un chien ! Tous les jours, quand je me lève, je regarde mes jambes et je pense à toi, mon vieux. Mais viens, serre-moi dans tes bras, allez... »

Cette accolade forte, prolongée et étroite, qui attira l'attention de certains clients, parmi ceux qui prenaient l'apéritif du soir dans un bar luxueux, élégant, de la Gran Vía, constitua le seuil de la nouvelle vie de Julio Carrión. Une vie pleine de verres, de prostituées, de salons particuliers, de calculs, de pourcentages, de commissions, de dîners qui s'achèvent à l'aube, et encore des verres, des prostituées, des salons particuliers, des rendez-vous avec des hommes sympathiques, pas autant que lui, dans des bureaux officiels ou privés, dans des bars et des cafétérias, seul ou avec Romualdo, et d'autres verres, d'autres prostituées, d'autres salons privés, et d'autres calculs, d'autres pourcentages, d'autres commissions, d'autres dîners qui s'achèvent à l'aube, et parfois l'un plus tôt, familial, dans une salle à manger présidée par une reproduction de la Cène avec une hôtesse maternelle, grassouillette, qui n'avait aucun charme et lui demandait toujours s'il préférait les

gambas ou les petites coques avant de servir la soupe de poisson avec une louche en argent gravée à ses initiales.

Romualdo évitait généralement ce genre de banquets,
mais lui y assistait toujours, à sa place. Julio s'était risqué à
lui dire la vérité, et il avait deviné juste. « Je te dois mes
jambes, je te dois mes jambes et je n'aime pas devoir quelque
chose à quelqu'un », lui répondit-il quand l'aube pointait déjà,
au lendemain de leurs retrouvailles. Il le présenta à ces
hommes, une demi-douzaine de types bien placés, et il décida
quelle partie de la vérité il convenait de dire à chacun. Julio
n'était pas pressé, et sa patience jouait en sa faveur. Aussi
attendit-il presque un mois, avant de savoir par où commencer et comment procéder, avant de sonner à la porte du
deuxième étage droite d'un grand immeuble élégant dont la
façade, située entre les rues Manuela Malasaña et Carranza,
occupait un pâté de maisons entier de la *glorieta* de Bilbao.

« Bonjour. » De l'autre côté de la porte, une jeune fille
si blonde qu'elle semblait étrangère, aussi grande qu'une
femme, le regarda avec intérêt. « Ta mère est à la maison ?

— Non. Qui es-tu ?

— Angélica ! » Une fille beaucoup plus petite et guère
plus âgée, arriva en courant dans le couloir et saisit la jeune
fille par le bras. Elle la gronda dans un murmure : « Combien
de fois est-ce que je t'ai dit de ne pas ouvrir la porte ? Je suis
là pour ça, non ? Après, je me prends un sermon de ta mère. »

Madame n'était pas là, elle était sortie un moment mais
elle n'allait pas tarder, bien sûr qu'il pouvait l'attendre, il voulait boire quelque chose ? La jeune fille appliqua sans hésiter
le protocole des visites inattendues et guida Julio jusqu'aux
pièces de réception, toutes trois de la même taille, carrées et
spacieuses. Avant d'y parvenir, par une porte ouverte, Julio
aperçut un bureau aux murs tapissés d'étagères pleines de
livres. Il eut l'impression que tout – les meubles, les tableaux,
la décoration, et même la trace de l'argenterie qui était posée
jadis à la surface à présent nue des buffets – appartenait aux
anciens propriétaires de la maison et continuait de refléter
leurs goûts, leur histoire, leur façon de vivre, comme si un fil
invisible et délicat reliait tout ce qu'il voyait à un petit appartement loué rempli d'un minimum de meubles, dans une
triste banlieue de Paris. Il y pensait et essayait d'imaginer
Ignacio, María, Paloma, traversant ces pièces, s'asseyant dans

les fauteuils, se penchant aux balcons, jouant, riant, conversant à l'endroit même où il se trouvait, quand la fillette qui lui avait ouvert la porte entra au salon sur la pointe des pieds, pour ne pas faire de bruit.

« N'écoute pas Matilde, c'est une casse-pieds », déclarat-elle en s'asseyant en face de lui, du côté du balcon, dans une position fort peu naturelle, le torse tourné dans la direction opposée à celle qu'indiquaient ses jambes, un raccourci aussi violent que si elle s'était exercée chaque jour à des poses devant un miroir. « Comment tu t'appelles ?

— Julio Carrión.

— Moi, c'est Angélica. Enfin, ça, tu le sais déjà... » Elle avait les yeux très bleus et une allure étonnante, intéressante, ou inquiétante, pensa-t-il en la regardant, car elle était trop développée pour son âge et restait pourtant une enfant, au visage rond, plein, aux jambes couvertes d'égratignures, aux genoux couronnés. Elle agissait avec une brusquerie qui correspondait davantage à son âge qu'à son corps. « J'ai douze ans, enfin, je les aurai bientôt. Et toi ?

— Vingt-cinq.

— Alors quand j'aurai vingt ans, tu en auras...

— Trente-trois.

— Vingt et trente-trois... » Elle réfléchit pendant que Julio pensait à son tour que ce serait dommage de ne pas la revoir quand elle aurait atteint l'âge qu'elle promettait. « C'està-dire que dans huit ans, on pourra se fiancer.

— Ah oui ? dit-il en riant.

— Bien sûr, répliqua-t-elle très sérieusement. Mon père avait onze ans de plus que ma mère. Entre onze et treize, il n'y a pas une grande différence, non ?

— Qu'est-ce que tu fais là, Angélica ? »

Ils regardèrent tous les deux dans la même direction et découvrirent, sur le seuil, une femme que lui ne connaissait pas et qui le surprit autant que cette fillette à laquelle il n'avait jamais songé.

Julio n'avait pas osé espérer que Mariana Fernández Viu ressemblât à sa cousine Paloma, mais il fut surpris par une autre différence, plus profonde, qui rendait difficile à croire que cette femme éteinte, boutonnée jusqu'au cou, chaussée de souliers à talons plats et coiffée d'un chapeau noir raide comme une coiffe, qui lui emboîtait le front, appartînt à la même famille qu'il avait connue à Paris. S'il n'avait pas su que Mariana avait trente-cinq ans, il n'aurait pu évaluer son âge, étouffé par la sévérité amère des matrones espagnoles qui se consacrent à la proclamation de leur vertu, avec une ferveur confuse, à mi-chemin entre le militantisme public et l'engagement intime que, dans son cas, aucun homme n'aurait eu grand intérêt à briser et dont même la femme la plus malveillante n'aurait osé douter. Elle n'était ni laide, ni jolie, juste désagréable.

Julio fut surpris de cette écorce, de cette nature ligneuse de fruit sec si incompatible avec la grâce de sa fille, qui n'avait hérité que de la couleur de ses yeux, si bleus, pas de sa sensualité, ni de son effronterie, de cette conscience précoce de son corps qui l'avait poussé à regretter à l'avance sa maturité en l'entendant programmer ses fiançailles. Mariana était grande elle aussi, robuste mais pas grosse. Son corps carré, aux os longs et larges, exprimait une tranquillité involontaire, une lourdeur proche de la fatigue qui l'éloignait sans doute davantage de ses cousins que ses caractéristiques physiques.

Tout en l'observant, Julio se rappelait la jeune sœur d'Ignacio, María, qui avait des chevilles aussi épaisses qu'elle, des cheveux châtains, de la même couleur, mais qui, en revanche, ne tenait pas en place. Elle se hâtait dans la rue, dans la maison, dans la cuisine, avec les enfants, se pressait toujours derrière une détermination qui s'étendait à sa façon de parler, d'écouter, de rire, et qu'elle partageait, dans une certaine mesure, avec ses parents, ses frères et sœurs, et sa belle-sœur. « Oui, c'est ça », songea Julio en se levant et en la voyant s'approcher d'un pas lent, curieusement souple, et d'un air indolent, ennuyé, qui confirma son intuition selon laquelle elle n'était pas très vivante, ni très intéressée par qui ou quoi que ce soit.

« Bonjour, je m'appelle Julio Carrión. » Il tendit une main qu'elle serra sans force et sans intérêt, ce qui rappela au jeune homme le surnom que lui avaient donné ses cousines. « Je viens d'arriver de Paris. Je suis un ami de votre cousin Ignacio. Ignacio Fernández Muñoz.

— Oui, oui... Ignacio. Bien sûr. »

Mais quand elle eut fini de prononcer ces paroles, tout avait déjà changé.

« Angélica, va dans ta chambre.

— Mais, maman...

— Je t'ai dit d'aller dans ta chambre. »

Quand ils se retrouvèrent seuls, Julio affronta un regard dur qu'elle sut corriger aussi vite que le sang avait su lui revenir au visage. Pendant qu'Angélica se levait, le regardait et quittait le salon en traînant les pieds, les semelles de ses chaussures, témoignant d'une rébellion inutile mais finalement en accord avec son âge, Julio eut le temps de remarquer cette métamorphose qui éclaira le regard de sa mère d'une frénétique succession d'ombres et de lumières dont la nature ne le surprit pas. Mariana Fernández Viu était très nerveuse, mais sous ce tremblement, Julio Carrión sentit la peur, la méfiance, l'hostilité, la rage, une hésitation insoluble entre deux instincts rivaux, qui lui conseillaient en même temps de s'opposer au nouveau venu et de gagner ses faveurs. De la curiosité, et encore plus de la peur.

« N'ayez pas peur, je vous en prie. Je ne vais pas vous faire de mal. » Julio lui adressa un sourire charmeur qui ne suffit pas à dissoudre l'épouvante de son regard.

Mariana resta immobile et silencieuse, s'accrochant à son sac, sans bouger, sans cesser non plus de le regarder. Au début, je pensais te demander de la tuer, se souvint-il d'avoir entendu. Julio comprit que cette femme, avait sans doute été hantée par cette menace, et il put mesurer l'ampleur de sa peur. Ce n'est pas mal que tu me craignes, songea-t-il, mais il sourit à nouveau avant de s'asseoir. Il adopta l'attitude d'un maître de maison pour désigner le fauteuil qu'Angélica venait de quitter.

« Asseyez-vous, s'il vous plaît. » Elle lui obéit comme si elle venait de comprendre qui avait commencé à commander ici, mais elle puisa encore des forces quelque part pour feindre le contraire.

« Comment vont-ils ? » Le silence de Julio l'obligea à être plus précise. « Mes cousins, et mon oncle et ma tante... Ils vont bien ?

— Ils sont en bonne santé, oui. Ils vont tous bien. Ceux qui ont survécu, bien sûr. Mateo a été fusillé. Ignacio a épousé une très jolie fille, aragonaise, ils ont deux enfants. María s'est mariée, elle aussi. Avec un garçon de Tolède, ils vivent en France mais ne se mêlent pas aux Français. Elle a une fille et elle attend un deuxième enfant. Paloma... Paloma n'a pas eu d'enfants. Son mari aussi a été fusillé. Tout cela, vous le savez, non ? »

Mariana ne répondit pas. Tout son corps se contracta, elle ferma les yeux, et se signa. Julio ne se hâta pas de la rassurer.

« Je ne suis pas armé, reprit-il au bout d'un moment, sans toutefois obtenir un regard. Je ne suis pas un tueur, ni un rouge, n'ayez pas peur. Je vous répète que je ne vous ferais pas de mal, mais si vous ne vous calmez pas, nous n'allons pas pouvoir parler affaires. »

Julio n'était pas pressé, et sa patience jouait en sa faveur. Il avait eu le temps d'élaborer une stratégie complexe, dont les détails soigneusement peaufinés l'incitaient à ne pas être explicite avant l'heure. Pour cette raison, il parla peu, juste ce qu'il fallait. Quand il partit, la seule chose que Mariana savait avec certitude était que cet inconnu avait pris la peine de se renseigner, ou de faire prendre des renseignements en son nom, sur le nombre et la qualité des appuis auxquels elle pourrait avoir recours au cas où elle aurait la folie de livrer bataille.

« Je suppose qu'à ce moment, en mai 1939, personne n'a dû vous ennuyer, n'est-ce pas ? lui avait-il dit. Après avoir facilité l'arrestation du mari de votre cousine, socialiste, professeur à l'université, issu d'une famille de professeurs, d'avocats, de juges de gauche, sans compter les Fernández... C'était une belle prise, certes, un rouge notoire, et à cette époque, ce genre de choses comptait, c'est logique. Mais nous ne sommes plus en 1939, et il s'agit ici d'un pays honnête, alors, même si votre amie Dorita et les religieuses du couvent du Divino Pastor disent le plus grand bien de vous, et je ne remets pas en cause leur parole, vous comprendrez que la situation de cette maison et des autres propriétés de vos oncle et tante est tout à fait irrégulière. C'est la raison pour laquelle je suis venu vous voir, parce que je vais faire en sorte de la régulariser, mais ne vous inquiétez pas, je vous en prie. Je suis sûr que nous trouverons une solution satisfaisante pour tous. »

Il ne dit pas un mot de plus. Et deux jours plus tard, Mariana l'invita à déjeuner pour parler plus tranquillement. Ce jour-là, elle lui ouvrit elle-même la porte. Elle portait une robe en velours bordeaux – si moulante que, malgré son épaisseur, le tissu laissait deviner la forme de la gaine – au décolleté profond, en forme de trapèze, orné d'une broche fantaisie, d'où dépassaient des seins très blancs, mous et à la surface irrégulière à cause d'une constellation de petits boutons qui se répartissaient avec une surprenante vocation d'équité autour de quelques grosses veines bleuâtres. Pour tempérer sa froideur, leur propriétaire s'était maquillé les lèvres d'un rouge foncé, semblable à celui que Paloma avait choisi pour sortir avec lui à Paris – cette nuit qui lui semblait déjà aussi lointaine que si elle s'était déroulée à l'autre extrémité du temps. En le voyant, elle lui sourit avec une dent tachée de carmin et une effronterie improvisée et si maladroite qu'elle aurait mieux fait d'imiter sa fille. Julio, satisfait, lui sourit à son tour, tout en pensant « allez, en ce qui me concerne, c'est gagné, ma cocotte... »

Quand Mariana signa un document qui l'engageait à ne pas réclamer de droit ni d'argent sur la première opération de vente des oliviers de sa tante María, elle ignorait que l'argent que Julio obtiendrait après avoir payé les commissions correspondantes ne parviendrait jamais à oncle Mateo. Elle n'imaginait pas non plus que ce document finirait déchiré en morceaux minuscules dans la première corbeille que trouva son invité en quittant la *glorieta* de Bilbao.

La renonciation que Mariana avait signée n'avait pas d'autre but que de la rassurer, et de conférer une vague apparence de légalité à une opération où la procuration qui avait accompagné Julio depuis Paris agirait comme une simple sécurité. Ses nouveaux amis lui avaient conseillé un processus beaucoup plus compliqué qu'une simple transaction, qui avait le défaut de multiplier les intermédiaires mais la qualité de blinder ses intérêts face à toute réclamation directe ou collatérale, présente ou future. Parce que chacune des propriétés de la famille Fernández Muñoz avait déjà cessé d'appartenir à Mariana quand se déroulèrent, dans un bureau fermé à clé, à 6 h 30 du matin, un simulacre d'enchères publiques qui seraient adjugées en deux minutes, pour un prix plus que symbolique, à don Julio Carrión González. Sur les documents apparaissaient divers noms propres, mais jamais celui de Mateo Fernández Gómez de la Riva, de sa femme ou de l'un de leurs enfants. À ce moment, ils n'avaient déjà plus de lien avec les terres, ni les maisons.

Le jour même où le premier document signé par Mariana Fernández Viu atterrit dans la corbeille où suivraient tous les autres, don Julio Carrión González vendit un tiers des terres de María Muñoz, une simple femme qui ne porterait plus jamais le nom de *doña*. Les conditions se révélèrent si avantageuses pour lui qu'elles lui permirent non seulement de solder sa dette envers don Ernesto Huertas sans que son compte courant en souffrît, mais l'incitèrent également à régler son dernier compte avec Freud.

« Comment vas-tu ? Tu vas bien ? » Il l'aborda sous l'une des arcades de la plaza Mayor et elle lui adressa le même regard de stupeur qu'à un fantôme.

Il était déjà venu. Cela faisait des semaines qu'il la suivait discrètement, avec patience, avec l'astuce d'un chasseur qui aperçoit de loin sa proie et se pourlèche à l'avance, en savourant le coup qu'il lui portera le moment venu, sans se précipiter ni laisser perdre la meilleure occasion. Madrid, qui avait beaucoup changé, n'avait pas changé du tout, et doña Pilar, son ancienne patronne, continuait de régenter la pension de la rue de la Sal avec la langue aussi bien pendue qu'avant. Pour être au courant de tout, il avait couru le risque que les commérages sur son retour fonctionnent en sens contraire, mais quand il la vit, et qu'il vit comment elle le regardait, il sut que cela n'avait pas été le cas, et il s'en réjouit comme d'un bon présage.

« D'où est-ce que tu sors, mon salaud ?

— Eh bien, Mari Carmen, quel accueil sympathique ! » Julio se mit à rire, et vit sourire malgré elle celle qui avait refusé d'être la femme de sa vie. « C'est un plaisir de rentrer chez soi, non ? Pour être reçu comme ça... »

La fille du Peluca, qui autrefois était une beauté, était devenue une femme impressionnante. Impressionnante, se répéta Julio sans être capable de sortir de là, de trouver un autre terme pour la qualifier. Mari Carmen Ortega n'était pas aussi jolie que Paloma Fernández Muñoz, mais elle avait toujours les plus jolies jambes de Madrid et un visage incendiaire qui transformait ses défauts en qualités, ce nez long, cette bouche trop grande aux lèvres pourtant épaisses et rouges, qui faisait oublier aux hommes qui la suivaient quel genre de beauté leur plaisait dès qu'ils la voyaient. Avant ses vingt ans, elle avait déjà un corps spectaculaire. Maintenant, en regardant lentement ce prodigieux équilibre de lignes et de courbes qui caressait les dangers de l'excès sans nulle part perdre le contrôle, Julio ne sut comment améliorer cette description. Penser qu'elle était bien roulée, très bien roulée, très très bien roulée, lui sembla être un recours d'une simplicité médiocre, presque honteuse.

« Mais non. » Elle le toisa, regarda ensuite le ciel, puis Julio, avec son expression de supériorité coutumière, qui l'énervait tant autrefois mais qui à présent l'excitait. « C'est parce que tous les orchestres sont occupés.

— Je vois... »

Alors, considérant la rencontre comme terminée, Mari Carmen se remit en marche et, pendant quelques mètres, elle fit comme si elle ne voyait pas qu'il était à son côté.

« Où vas-tu ? Si on peut savoir, bien sûr. » Elle s'arrêta soudain, le regarda à nouveau, et il comprit que son amour d'adolescent avait perdu pour toujours les avantages de la hauteur.

« Eh bien, je ne sais pas. Je ne t'ai pas vue depuis longtemps, et on était amis, non ? Camarades...

— Fais attention, Julio. » Mari Carmen bomba la poitrine, leva le menton, et retrouva son ancien regard d'animal sauvage. « Fais attention, que je n'aie pas à dire du mal de ta salope de mère !

— Bon sang, Mari Carmen, quelle langue de vipère, vraiment ! » Il se remit à rire, comme si les insultes de cette femme le mettaient de bonne humeur. « Ma mère n'était pas une salope, mais une honnête institutrice républicaine, rouge, rappelle-toi, elle est morte en 1941, d'une pneumonie, à la maison d'arrêt d'Ocaña, alors tu peux vraiment t'épargner cette peine.

— C'est vrai... » Elle hocha la tête. « J'avais oublié. Et je regrette. Pour ta mère, pas pour toi, que ce soit clair.

— Très bien, j'accepte tes excuses. » Il la prit par le bras et, surprise, elle se laissa conduire sur quelques pas. « Maintenant, on va aller boire un verre, je t'invite.

— Quoi ? » Elle tenta de résister, mais il resta près d'elle. « On va aller boire un verre, toi et moi ? Me raconte pas d'histoires ! » Julio la regarda, acquiesça et l'entraîna.

Quand il ouvrit la porte d'un bar de la rue Mayor pour la laisser passer, la fille du Peluca ne protestait déjà plus.

« Qu'est-ce que tu prends ? «

Elle ne répondit pas tout de suite. Debout, au comptoir, vêtue d'une blouse blanche très simple, sans aucun ornement, et d'une jupe droite blanche elle aussi, d'un ton différent, plus jaunâtre, qui rendait justice à ses hanches sans parvenir toutefois à dissimuler l'âge des coutures devenues apparentes au fil des ans, elle se sentait mal à l'aise dans ce lieu, que Julio avait jugé ni trop cher ni trop élégant. Il la vit lancer un coup d'œil vers les tables où quelques dames parées de bijoux et sortant de chez le coiffeur échangeaient des potins avec la bonne excuse du goûter.

« Je ne sais pas, fit-elle au bout d'un moment. Qu'est-ce que tu prends, toi ?

— Un cognac. Pour me remettre de l'émotion de t'avoir revue, répondit Julio.

— Non, pour moi, pas d'alcool. » Elle ne releva pas le compliment, mais se mit à examiner le contenu des vitrines sur le comptoir. « Un café au lait et deux toasts.

— Qu'est-ce que tu es conventionnelle ! murmura Julio en appelant le serveur.

— Ou sinon... Attends... Plutôt un de ces nouveaux sandwiches qu'on fait sur le gril. Ici, il y en a sûrement... » Il la regarda avec un sourire de satisfaction qu'elle ne put interpréter. « Au jambon et au fromage, tu sais ?

— Oui, je sais. »

Et il savait aussi qu'il avait gagné, il le sut même avant de la voir regarder sa tasse, puis le serveur et sa tasse à nouveau, avant de s'adresser à cet homme sur un ton d'une autre époque, avec une intonation soumise, presque suppliante et respectueuse de l'autorité, que Julio percevait pour la première fois dans la voix de Mari Carmen.

« Pouvez-vous m'apporter un autre sachet de sucre en poudre, s'il vous plaît ? » Quand elle l'eut obtenu, elle le prit, le plaça avec le premier et les mit tous les deux dans son sac.

« Et tu vas boire ton café sans sucre ?

— Ça ne me dérange pas, fit-elle avec un sourire. Je l'aime beaucoup comme ça et je n'ai pas l'habitude d'en prendre. Et puis comme ça, on sent mieux le goût du café, et les enfants aiment le sucre. »

Julio commanda un deuxième café avec deux sachets de sucre et les lui donna. Elle sourit, le remercia avant de fourrer les deux sachets au fond de son sac.

Puis, tout en mangeant très lentement, comme s'il voulait être conscient de chaque bouchée, il lui posa quelques questions, dont il connaissait déjà la réponse, et auxquelles elle répondit sans deviner ses intentions.

« Moi, je n'en ai qu'un, mais en ce moment je m'occupe aussi de la fille de ma sœur, qui s'est tirée et on ne sait pas où elle est.

— C'est du boulot, non ?

— Eh bien oui, je dois le reconnaître. D'un côté, je le comprends, je comprends qu'elle en ait eu marre, parce que tout est devenu très difficile, la vie ne nous a pas fait de cadeau, vraiment, tu sais, le travail va mal, avec un salaire journalier, on n'a rien. Et chez moi il n'y a pas de salaires, il n'y avait que nous trois, on faisait de la couture, alors... Pura avait un type en tête, je le savais. Elle disait que non, à cause de son mari, parce qu'elle trouvait moche d'avoir une liaison avec un autre, même si celui-là, comme ça fait deux ans qu'il n'a pas écrit...

— Où est-il ?

— En France. » Elle eut une moue sceptique et haussa les épaules. « Allez, je dis qu'il doit être en France. Avec une autre, je suppose, même s'il a pu partir en Amérique ou mourir, parce qu'on n'a aucune nouvelle. C'est pour ça que je t'ai dit que je comprends, je comprends ce qui est arrivé à Pura, mais nous laisser comme ça, d'un coup, avec la petite... Ce n'est pas juste, ni pour la gamine, ni pour nous.

— Et le tien ?

— Qui ?

— Ton mari. Il est en France, lui aussi ?

— Non... » Elle se mit à rire. « Antonio est beaucoup plus près. À Yeserías, là, à côté.

— Encore ?

— Mais non. » Elle sourit, et garda le sourire en parlant sur un ton souriant, presque doux. « Il est parti fin 1944, il a trouvé du travail, il m'a mise enceinte et quand le petit était encore au sein, il s'est fait pincer et ils l'ont remis dedans. Bon, au moins, il n'a pas eu le temps de me mettre enceinte une deuxième fois.

— Tu racontes ça comme si c'était amusant.

— Non, ce n'est pas ça. Ce n'est pas amusant, mais qu'est-ce que tu veux ? » Elle devint sérieuse, sans qu'aucune ombre n'assombrît sa voix. « C'est la vie.

— Celle des bons, suggéra Julio.

— Eh bien oui. Tu l'as dit. Celle des bons. » Et ses yeux retrouvèrent l'éclat qui brille dans le regard de certains prédateurs.

Madrid était à la fois semblable et très différent et Mari Carmen Ortega incarnait toujours Madrid, dans l'arrogance des femmes courageuses jusqu'à la stupidité et dans l'humiliation des femmes rouées de coups jusqu'à l'épuisement. Julio Carrión s'en aperçut, aussi ne releva-t-il pas les étincelles de ses yeux sombres, le vacarme violent et silencieux de ses mandibules serrées, manifestations d'une colère ancienne, féroce et périmée – une prédisposition dévouée au sacrifice, au combat, à l'héroïsme, destinée à s'étouffer seule, à s'asphyxier lentement par manque d'oxygène.

Mari Carmen Ortega ne savait pas, et ne voulait pas savoir, dans quelle ville, dans quel pays, dans quelle réalité elle vivait. Julio Carrión, modestement expert en verres, en prostituées, en salons particuliers, ne perdit pas de temps à le lui expliquer.

« Et toi, ça ne t'intéresserait pas de changer de vie, Mari Carmen ? »

Il sortit de son portefeuille un véritable pactole, un billet de cent pesetas, puis un autre, et encore un autre. Puis il les posa sur le comptoir. Il supposa qu'elle allait se fâcher d'emblée, et elle se fâcha. Ce à quoi il ne s'attendait pas était qu'elle se trompe sur la teneur de son offre, et ce fut ce qui arriva.

« Mais pour qui tu me prends ? »

Elle était encore assise sur un tabouret et parlait à voix haute, sur un ton étonné, ébranlé, mais encore propre à la conversation. Puis elle se leva, se rengorgea comme une poule et, les poings sur la taille, le menton haut, la poitrine en avant, elle se mit à vociférer :

« Je ne suis pas une moucharde, Julio, je ne suis pas une girouette, ni une traîtresse comme toi. Je préfère mourir de faim, tu saisis ? Je préfère mendier dans la rue. Plutôt la mort que la trahison ! C'est ce que je dis et je sais pourquoi, alors vous ne tirerez rien de moi, tu comprends ? Pas un mot. Pas à moi. Il n'y a pas d'argent qui puisse m'acheter en ce monde, sinon, demande au commissaire du secteur de te le dire, il me connaît très bien, il n'y en a pas...

— Ce n'est pas ça, Mari Carmen... » Il la retint par un bras, l'attira vers lui, et sourit. « Pour qui est-ce que tu me prends ? Je ne suis pas un policier, je n'ai rien à voir avec la police, ce que tu sais et ce que tu ne sais pas ne m'intéresse pas... » Elle resta immobile, ouvrit les yeux, le regarda. « Ce que je veux, c'est autre chose. Et excuse-moi de te dire ça, mais tu as vraiment l'air bête. »

Mari Carmen mit un moment à réagir. En se déplaçant très lentement, elle se rassit sur le tabouret, but une gorgée de café, se sourit à elle-même puis, sans cesser de sourire, elle le regarda à nouveau.

« Alors c'est pour le reste. Ce que tu veux, c'est coucher avec moi, non ? dit-elle, en secouant plusieurs fois la tête, comme si elle ne pouvait accepter sa propre conclusion.

— Oui. » Il n'avait rien à perdre, pensa-t-il.

« On croit rêver. Avec toute l'eau qui est passée sous les ponts, c'est incroyable, que tu aies toujours envie de moi, Julito..., dit-elle en riant.

— Qu'est-ce que tu veux ? Je suis de nature fidèle.

— Oui, eh bien... » Mari Carmen se remit à rire, elle était nerveuse, peut-être même flattée par la constance de son désir, pensa-t-il, mais ni les nerfs ni la vanité ne l'empêchèrent de saisir les billets posés sur le comptoir avec une rapidité qui le déconcerta pendant un instant. « Eh bien, écoute, pour l'instant, je prends ça et je vais y réfléchir.

— Prends aussi mon numéro de téléphone, si tu te décides à m'appeler. Même si je ne déjeune généralement pas à la maison, j'aime y faire la sieste. L'après-midi, je ne sors jamais avant 19 heures, ajouta-t-il en inscrivant son numéro sur une carte de visite.

— D'accord, mais je ne crois pas. » Elle prit la carte, la plaça entre les billets et rangea le tout dans son porte-monnaie.

« On ne sait jamais. »

Ensuite, les plus jolies jambes de Madrid entraînèrent ce corps impressionnant dans la rue. Tandis qu'il la regardait s'en aller, Julio analysa la scène qui venait de se dérouler comme si un autre venait de la vivre, et il succomba à un pittoresque paradoxe moral. C'était bien entendu une étrange idée de la décence qui avait poussé Mari Carmen à s'emporter, et Julio savait qu'elle ne le faisait pas en vain, qu'elle était prête à mourir de faim plutôt que de dénoncer l'un des siens. Mais cette détermination ne l'avait pas empêchée de lui souffler trois cents pesetas sous son nez, à valoir sur les faveurs qu'elle était prête à lui vendre contre d'autres billets de moindre valeur. Même si son corps lui consentait cela et plus, Mari Carmen Ortega n'avait jamais été volage, ni coquette. Julio l'avait souvent vue changer d'homme, mais il savait aussi qu'elle avait été fidèle à chacun d'eux avec l'unique exception du suivant. Et depuis son mariage, pour autant que doña Pilar le sache, et en cela elle était aussi omnisciente que Dieu, il n'y avait eu personne d'autre. Quelle femme étrange, se dit-il, avant de se mettre à penser à Eugenio et à rire. Il n'avait aucune intention de réunir où que ce soit Mari Carmen et son ancien ami de la Division, mais il estima que, s'il le faisait, il la trouverait peut-être respectable, voire admirable. Une vraie héroïne. Quelle sottise, bien sûr, mais je peux la présenter à Romualdo, pour qu'elle voie ce qu'il y a comme choix..., songea encore Julio.

Mari Carmen l'avait prévenu qu'elle ne l'appellerait pas, et elle ne l'appela pas, mais dix jours plus tard elle se présenta chez lui à 18 heures précises.

« Je n'embrasse pas, annonça-t-elle sur le seuil.

— Comme les prostituées ?

— Pareil. » Elle entra, posa son sac sur le canapé, le regarda. « C'est ce que je suis, non ? Une prostituée. Mais je vaux mieux que toi, et aucun de nous deux ne doit l'oublier.

— Bien sûr... » Julio alla vers elle, la prit par la taille et laissa ses doigts remonter lentement jusqu'à sa poitrine, ses épaules, ses bras, avant d'immobiliser avec les siennes les mains de la femme qu'il avait le plus désirée dans sa vie. « ...mais tu es foutue, María del Carmen. »

Cet après-midi-là, don Julio Carrión González régla définitivement ses comptes et mit la dernière main à son projet.

Les étapes restantes du processus s'accomplirent sans hâte et sans surprises avant de déboucher sur le dernier orage de l'été, ou le premier de l'automne 1949, quand Mariana Fernández Viu se résigna à monter dans le taxi où l'attendaient un avenir difficile et sa fille Angélica. Celle-ci, qui avait encore quatorze ans, fut le seul personnage capable de jouer un autre rôle que celui que Julio Carrión lui avait assigné dans ce théâtre de marionnettes dont il tirait impitoyablement les fils.

« Où vas-tu ? cria sa mère en la voyant partir en courant, la voiture déjà en marche, la pluie embuant la vitre. Angélica ! Reviens immédiatement.

— J'ai oublié quelque chose, maman. Je reviens tout de suite », répondit-elle sans se retourner.

Julio Carrión, qui était resté appuyé à l'un des piliers en granit du porche, en train de fumer, la vit arriver, mais n'y accorda pas d'importance. Angélica avait grandi seule, et c'était une fillette gâtée, capricieuse et désobéissante, qui n'en faisait qu'à sa tête. Elle n'avait pas écouté non plus sa dernière conversation avec Mariana, les insultes rageuses, stériles, qui s'étaient écrasées contre son indifférence, la courtoisie désagréable, sans enthousiasme à laquelle il attribua l'insistance frénétique avec laquelle sa mère la réclamait. Et pourtant, cette jeune fille savait une chose qu'il ne savait pas et qu'il ne parvint pas à deviner en la voyant monter dans l'escalier.

« Angélica ! » Mariana ouvrit la porte de la voiture, sortit une jambe, sans toutefois oser descendre. « Je t'ai dit de revenir ici ! » Mais sa fille était déjà en haut.

« Viens avec moi. » Elle s'approcha de Julio, le prit par la main, l'obligea à entrer. « J'ai oublié quelque chose. »

Ils entrèrent ensemble dans le vestibule et elle le poussa contre le mur, comme pour s'assurer que Mariana ne pourrait pas les voir. Ce qui se passa ensuite sembla anodin, et se déroula très vite. Avant que sa mère n'ait eu le temps de crier davantage, Angélica regarda Julio, ferma les yeux, l'embrassa sur les lèvres et partit en courant.

À la mi-juillet, le compte à rebours commença.

« Qu'est-ce que tu as ? demandais-je à Raquel de temps en temps.

— Rien », répondait-elle. Je n'y croyais pas, mais je l'enlaçais, je la voyais sourire, et je me trompais.

Ses sourires n'étaient pas différents de ceux d'avant, mais ils contenaient un nouvel ingrédient, une sorte d'emphase soudaine, qui les maintenait fermes sur ses lèvres une seconde de plus que nécessaire. Il se passait une chose semblable avec ses baisers, et certains transports lumineux, soudain plus longs, presque violents, qui la poussaient à se serrer contre moi quand nous marchions dans la rue. Je sais maintenant que j'aurais dû m'en inquiéter, mais à l'époque ce fut à peine si cela me surprit, parce que, au-delà de sa subtilité, la délicate et minime métamorphose de Raquel n'exprimait pas de doutes, de dégoût ou de fatigue. Au contraire, son aspect le plus perceptible était la concentration, une intensité qui paraissait parfois apte à être touchée, respirée dans ses airs les plus graves et les plus triviaux, les doigts qui glissaient sur mon visage comme s'ils comptaient laisser une trace durable à sa surface, les phrases qu'elle laissait inachevées comme si elle se repentait à temps et en retard de les avoir entreprises, ses yeux, grands ouverts quand j'ouvrais les miens, m'étudiant comme s'ils voulaient graver dans leur mémoire chaque forme, chaque ligne, chaque ride de mon visage, ou fabriquer un souvenir.

Je perçus, j'interprétai tout cela, et dans chacun de ces indices je me trompai. Je n'aurais jamais pu trouver, mais d'autres facteurs coopérèrent avec enthousiasme pour m'induire en erreur.

Si le tout n'avait pas eu pitié de moi, le temps se révéla encore plus cruel, car il me dépouilla de tout ce que je savais, de chaque connaissance et de chaque soupçon, des intuitions et des certitudes, sans même me laisser la consolation de choisir entre le rôle d'Achille et celui de la tortue. Dans les deux cas, je ne me sentais pas attaché au temps que je vivais, à l'exacte accumulation de secondes, de minutes, d'heures et de jours pendant lesquels les autres pensaient que se succédaient mes actions et mon inactivité, mais je me sentais le simple objet d'un phénomène temporaire, frénétique et statique à la fois, qui s'amusait de la maladresse de mes perceptions. Le calendrier ne me servait à rien. Je naviguais à travers lui avec aisance et je savais que, si le sexe est un début, mon histoire avec Raquel avait commencé le 22 avril. Mais ça – 22 et avril –, ce n'étaient que des mots, des mots de passe inutiles dans une réalité altérée, déformée par la condition instable d'un temps mou, gélatineux, qui m'empêchait de comprendre les dates que je connaissais. Ce fut la raison pour laquelle je me rendis compte qu'à la mi-juillet le compte à rebours avait commencé, mais je me trompai en interprétant la nature de ce calcul.

« Qu'est-ce que tu as, Raquel ?

— Rien. Vraiment, je n'ai rien. » Elle me regardait, et me souriait.

Je lui rendais le silence, le sourire, et je taisais ce que je ne trouvais jamais le temps de dire à voix haute – bien sûr, que tu as quelque chose, et je sais ce que c'est. Sur les pages du calendrier, notre situation n'était pas dramatique, elle pouvait encore aspirer à la légèreté, cette vaporeuse inanité des premières amours où rien n'est encore définitif, où les mots flottent comme des coquilles légères vides de mots, et où le temps se prolonge comme une promesse lente, douteuse, voire fuyante. Or nous ne vivions pas dans les feuilles du calendrier, mais sur une corde raide qui se tendait un peu plus chaque matin, qui ouvrait maintenant des blessures sous la plante de nos pieds et cultivait un vertige qui joignait les deux extrémités de l'éternité, juste trois mois longs comme la vie d'un rocher. C'était ce que je ressentais et ce qu'elle devait ressentir, que nous avions consommé toutes nos réserves, que nous avions brûlé toutes les étapes et le dernier délai s'épuisait. C'était ce que je croyais, pendant que la complicité des dates, ces outils inutiles pour mesurer le passage du temps, glissait vers un horizon d'hostilité à mesure que le mois de juillet nous filait entre les doigts.

Mais il y avait autre chose, il y eut autre chose lors de ces journées étranges où j'appris à me méfier des montres et à vivre avec Raquel sans m'en rendre compte. Un matin où je passai chez moi avec la même sensation d'étrangeté que j'aurais éprouvée si la supervision d'une équipe de maçons avait été mon seul travail, je sortis de la boîte aux lettres une enveloppe du Registre d'état civil de Madrid contenant le certificat de décès de ma grand-mère, Teresa González Puerto, qui était morte le 14 juin 1941 à la maison d'arrêt d'Ocaña, une prison célèbre, exactement comme Encarnita s'en était souvenue pour moi. Le document spécifiait aussi bien la cause immédiate de la mort, arrêt cardio-respiratoire, que la lointaine pneumonie infectieuse, pas si éloignée de la tuberculose. Y figuraient également sa date de naissance, son état civil, sa condition de prisonnière et son âge – quarante ans. Le 3 août, elle en aurait eu quarante et un, mais elle ne les faisait pas.

Deux jours plus tard, je trouvai dans la même boîte aux lettres cette traditionnelle photo de classe où une cinquantaine de collégiens posaient avec leurs instituteurs et deux agrandissements assez bons si l'on tenait compte de l'âge de l'original : une de Teresita Carrión González, avec ses nattes serrées et son bavoir si propre, et une autre de ma grand-mère, les cheveux lâchés, avec Manuel Castro. À l'intérieur de l'enveloppe, il y avait aussi un mot d'Encarnita, concis et affectueux, où elle justifiait son retard par l'émotion que ma visite avait provoquée chez sa mère. *Il n'y a pas eu moyen de lui prendre la photo jusqu'à il y a deux semaines, heureusement qu'ils n'ont mis qu'une heure à me faire les doubles*, disait-elle.

Moi, en revanche, je n'avais pas arrêté de penser à ma grand-mère. Chaque fois que je m'étonnais de l'exaspération de mes sentiments, cette faute présumée de mari infidèle qui devrait m'empêcher de dormir la nuit pour commencer à me tourmenter à chaque réveil et qui ne finissait pas de se manifester, je me demandais s'il ne lui serait pas arrivé la même chose, si en regardant mon grand-père Teresa González Puerto se serait contentée de sentir ces gouttes

d'incommodité, presque d'ennui, assaisonnées d'une pitié diffuse, sincère mais essentiellement inopérante, incapable de
rien modifier en moi, que j'éprouvais en regardant ma femme.
Peut-être, à l'instant où cette photo avait été prise, la combattante pour la liberté n'était-elle plus libre. Peut-être avait-elle
perdu la liberté, et avait-elle consenti à la laisser accrochée
avec une joie rare et furieuse dans un coin du corps de cet
homme qui la regardait comme s'ils étaient seuls au milieu de
la foule. Peut-être ne la regrettait-elle pas, et était-elle encore
capable de s'en souvenir tout en virevoltant au-dessus de ma
tête comme une fée jeune et bienveillante, guidant mes pas,
me protégeant. En montant à la maison, je plaçai la photo
que m'avait envoyée Encarnita à côté du portrait maintenant
fade, voire plombé, qui me regardait dans un cadre en argent.
Et je compris un peu mieux l'incompréhensible.

Ce matin-là, Mai vint voir les travaux. Elle le faisait tous
les deux ou trois jours, profitant de la pause du déjeuner, et
c'était pour cela qu'elle ne restait presque jamais plus de dix
minutes.

« Quelle folie, Álvaro ! » Elle m'enlaçait, m'embrassait, et
se mettait à rire. « Je ne sais pas comment tu peux travailler
ici.

— Ça, ce n'est rien, le pire, c'étaient les coups de marteau
du début... »

Les Polonais étaient très sérieux, travailleurs, consciencieux, et je n'avais eu aucun problème avec eux. Mai était
ravie des résultats, et elle ne parlait que de ça pendant que
je la raccompagnais à son travail. Parfois, nous déjeunions
ensemble, parfois avec Angélica. Et certains jours, durant
cette dernière période, pour des raisons qu'elle ne m'expliquait pas toujours, Mai bénéficiait d'un moment libre après
le déjeuner. Alors elle renonçait au dessert, commandait un
café avec des glaçons pour ne pas attendre, me regardait, souriait et présumait à voix haute que, si je retardais mes projets
d'une demi-heure, la bibliothèque de la faculté n'allait pas se
remplir de physiciens avides de connaissances qui m'enlèveraient sans pitié tous les livres dont j'avais besoin.

Aussitôt, mon corps réagissait comme s'il amorçait un
processus de congélation, qui n'avait rien à voir avec le froid.
Nous étions en plein été et il faisait chaud, mais je sentais
dans le même temps que mon sang cédait la place à un gaz

blanchâtre et métallique, glacé, qui dégageait une vapeur légère pour témoigner du contraste entre sa température et celle de mes viscères. Voilà ce que j'éprouvais. Mais je souriais, et ça marchait. Ça devait marcher, car Mai me regardait avec le même air de plaisir délégué, anticipé, qu'elle avait quand je faisais un cadeau surprise à Miguelito. Et quand elle me disait « je ne sais pas, j'ai pensé que tu avais peut-être tout aussi bien besoin d'une sieste moins académique », je comprenais que ce qu'elle faisait avec moi était la même chose – un cadeau surprise. Et j'essayais de me comporter comme un enfant bien élevé, et je la remerciais avec un acharnement, une ténacité courageuse qu'elle ne soupçonnait même pas à l'époque.

Ces coups improvisés du mois de juillet eurent le mérite d'être aussi sporadiques que si ma femme et ma maîtresse avaient échangé leurs rôles, et bénéficièrent de la complicité involontaire des Polonais, qui donnaient des coups de marteau, cassaient du carrelage, perçaient des murs, et parlaient dans un langage incompréhensible au milieu du couloir, de l'autre côté de la porte de la chambre.

« Il est devenu très difficile de se concentrer dans cette maison », reconnaissait Mai.

Je l'approuvais avec enthousiasme, et je persévérais dans l'expérience insolite de la concentration jusqu'à obtenir des résultats acceptables. Mais cela me demandait de plus en plus d'efforts.

Elle ne semblait se rendre compte de rien. Au début, l'état d'excitation universelle dans lequel m'avait précipité la simple existence de Raquel avait suffi à éliminer le devoir conjugal de la très longue liste de mes problèmes. Puis mon sexe devint de plus en plus exigeant, mais le prestige ténébreux des concours vint à mon aide. Enfin, en plein travail, je commençai à pressentir l'abîme des vacances, et à trembler, et pourtant, même alors, Mai, qui protestait généralement dans le cas contraire, ne sembla relever aucun symptôme inquiétant dans mon asthénie. Raquel, en revanche, tirait de quelque part plusieurs significations supplémentaires à ces occasions.

« Tu viens de baiser avec ta femme. »

Elle le devinait avant même que j'arrive chez elle, la porte entrouverte, sa main encore sur la poignée.

« Non », répliquais-je, très sûr de moi. Parce qu'elle ne pouvait pas le savoir, la salope ne pouvait pas le savoir.

« Si. » Alors elle me laissait entrer, fermait la porte, me prenait dans ses bras, me regardait attentivement dans les yeux, collait le nez dans mon cou, hochait la tête et riait. « Bien sûr que si.

— Et comment tu peux le savoir ?

— Eh bien parce que, parce que je le sais. Ça se sent, Álvaro.

— Je ne crois pas que tu puisses sentir quoi que ce soit, parce que je viens de prendre une douche.

— Tu vois ? Pour ça, entre autres.

— J'ai pris une douche parce qu'il est 17 heures, que dehors il fait très chaud et que je suis venu à pied, essayais-je d'expliquer de mon ton le plus pédagogique.

— D'accord. Et parce que tu viens de baiser avec ta femme.

— Non.

— Si. » Son assurance me rendait si nerveux, cela me mettait tellement en colère qu'elle ait raison, que je réagissais avec la logique impertinente et brusque des jeunes enfants.

« Bon, eh bien je m'en vais. » Mais elle riait à nouveau et me retenait fermement en passant ses bras autour des miens.

« Inutile de t'en aller. J'ai la télé. Et du pop-corn à faire au micro-ondes, idiot... »

Mais on ne mettait pas la télé, on n'utilisait pas le micro-ondes, on ne faisait pas de pop-corn, on allait au lit, pour baiser, et on baisait, parce que la Terre tournait autour d'elle-même et des hanches de Raquel, parce que le tout était si grand, si puissant, qu'il ne se donnait même pas la peine de se comparer à la somme de ses parties, parce qu'un temps mou, gélatineux, suspendait les lois physiques dans le lit où nous nous aimions et parce que j'aimais cette femme, je l'aimais tellement qu'après, quand elle était tranquille et silencieuse à mon côté, je prenais avec une exactitude aveuglante, presque douloureuse, la mesure de mon sort.

La joie n'a pas de prix. Il n'existe pas de travail, d'effort, de faute, de problèmes, de procès, ni même d'erreurs qui ne vaille la peine d'être affronté quand le but, la finalité, est la joie. Je le savais, parce que j'avais trop bien connu la couleur grise à l'époque de ma pauvreté, toutes ces années que j'avais vécues en croyant que ma vie était la vie, et qu'elle était à moi. Aussi, quand Raquel se redressait, me regardait, et que je distinguais dans ses yeux une lumière semblable et différente, comme une lueur craintive de la mélancolie, je me rendais compte que cette emphase terminale et soudaine inaugurait le compte à rebours, mais j'étais certain de ce que je devais faire, et que j'allais le faire.

Et pourtant il y avait autre chose, il y eut autre chose dans ces jours heureux, quelque chose d'une plénitude, d'une intensité qui m'étourdissait, car on ne peut pas penser et vivre en même temps – et j'avais choisi de vivre, de renaître dans cette douceur si grande et si petite qu'elle ne se laissait pas penser. Il y avait autre chose, très loin de Raquel, hors de portée de ces regards qui me tyrannisaient, me soumettaient sans effort à la détermination despotique de ne plus jamais regarder une autre femme. Il y avait autre chose, loin de Madrid, hors d'une ville qui ne mesurait qu'un mètre cinquante de large sur deux mètres de long, le jardin aux draps blancs qui nous appartenait entièrement et nous protégeait de nos propres réflexions. Cet abri s'évanouissait lentement, au fur et à mesure que ma voiture avançait sur la Castellana, m'emportant loin de moi, loin d'elle, vers un lieu qui m'était de plus en plus étranger, étrange, et qui commençait à me faire mal bien avant que mon fils ne vienne à ma rencontre en courant sur un chemin de gravier avec la fureur du taureau qui sort du toril.

« Papa ! » criait-il. Et je l'attendais, je m'accroupissais à côté du garage et ouvrais les bras, pour mettre en scène sa publicité préférée.

« Miguelito ! » Il s'écrasait contre moi, espérant me renverser par terre avec son élan. Je me laissais tomber et nous riions beaucoup tous les deux.

À cette époque, j'avais déjà commencé à mieux comprendre Julio, mon frère, cet amour presque inapproprié, maternel, qu'il éprouvait pour ses enfants, l'abnégation systématique et quotidienne qui prétendait leur assurer que, quoi qu'il arrive, il serait toujours leur père, qu'ils pourraient toujours compter sur lui même quand leurs mères respectives ne seraient plus que deux encoches pâlies sur son revolver. Cette révélation fit de mon frère quelqu'un de plus noble et de plus mesquin à la fois, bon envers ses enfants, bien sûr – et c'était presque la seule chose importante –, mais misérable dans la constance infinie de ses calculs. Ou non. Car un dimanche de cet été je ne sus plus que penser de moi, ni de lui, ni de rien.

J'étais arrivé à La Moraleja un peu avant le déjeuner avec une idée en tête, et je la mis à exécution dès mon arrivée, sans perdre de temps à enfiler mon maillot de bain avant d'aller chercher Mai à la piscine. Elle se faisait bronzer les yeux fermés et elle sourit avant de les ouvrir, tandis que mon index parcourait son corps très lentement, de la clavicule au nombril. Puis elle se releva, prononça mon nom, me regarda comme s'il était inutile que je lui explique quoi que ce soit, et tout le reste se déroula comme je l'avais prévu. Je n'avais pas compté sur la présence de Julio, aussi ne lui prêtai-je pas attention quand nous nous assîmes pour déjeuner, Mai souriante, encore un peu rouge, et moi aussi satisfait que lorsque j'étais enfant, d'avoir fait tous mes devoirs pour profiter de mon dimanche. Ensuite, après avoir annoncé à Mai, imperturbable, que je devais rentrer le soir à Madrid, elle partit faire la sieste avec Miguelito. Tandis que je m'installais sous le porche pour y lire le journal, mon frère m'en empêcha.

« Comment elle s'appelle ? déclara-t-il sans prévenir.

— Qui ?

— La fille qui te met dans cet état.

— Julio ! »

Je me relevai d'un coup, regardai autour de moi et constatai que nous étions seuls.

« Il n'y a personne, tout le monde dort. » Il fit une pause pour rire et me tendit un cuba libre semblable à celui qu'il tenait à la main. « Deuxième tentative : Comment elle s'appelle ? »

Je n'aime pas beaucoup les cuba libre mais j'acceptai celui que mon frère avait machinalement préparé pour moi, et je lui souris.

« Comment est-ce que tu t'en es aperçu ?

— Álvaro, je t'en prie, je suis l'expert de la famille, tu le sais.

— Elle s'appelle Raquel, mais dis-moi comment tu t'en es aperçu.

— Tu te débrouilles plutôt pas mal, si c'est ce qui t'inquiète. » Nous entendîmes le bruit d'une porte qui s'ouvrait à l'intérieur de la maison, nous tendîmes le cou en même temps et, même s'il n'y avait personne, Julio baissa le ton. « Je n'en étais pas très sûr, je dois dire. Je te trouve un peu bizarre depuis un moment, mais bon, entre le concours et le fait que tu as toujours été bizarre... Mais ce matin... Ce matin, c'était criant, Alvarito.

— Quoi ? » J'avais très bien compris, mais je n'étais pas très sûr de son interprétation.

« Le coup défensif, mon vieux. » Cette définition m'amusa tellement que ça ne me dérangea même plus de me remettre à rire.

« La meilleure défense, c'est l'attaque », supposai-je, et il acquiesça de la tête et avec beaucoup d'énergie.

« Eh bien oui, n'en doute pas... Tu sais combien j'en ai tiré dans ma vie ? Les anticipés et les autres, pour me préparer une nuit libre ou pour me faire pardonner avant qu'elles aient le temps de savoir le pourquoi. Le mieux est de leur tirer un coup, avec beaucoup de passion, très vite, comme au service militaire, la furia espagnole, tu sais... Elles en sortent comme neuves, ça marche toujours. Alors quand je t'ai vu à la piscine ce matin, je me suis dit aïe... Et le mieux est qu'on les prenne avec envie, n'est-ce pas ?

— Qui ? fis-je en riant encore.

— Nos femmes.

— Non, pas moi. » Je devins sérieux, le regardai et lus de l'inquiétude dans ses yeux. « C'est peut-être parce que je suis bizarre, mais je dois dire que je la prends avec de moins en moins d'envie.

— Alors c'est pire, Álvaro. » Il se leva, posa sa main sur mon épaule et la serra. « Alors c'est bien pire. Ou bien mieux, on ne sait jamais... »

Cette conversation me laissa un goût rance dans la bouche et un éclat lumineux dans la mémoire, deux traces contiguës, successives, qui naquirent de ma ressemblance fortuite avec Julio et de la certitude que ce ne serait jamais qu'une ressemblance fortuite. Moi, qui n'avais pas voulu être comme mon père, je ne voulais pas non plus devenir comme mon frère, et pourtant je commençai à mieux le comprendre et je pensai à lui en m'occupant de mon fils avec beaucoup plus d'exigence qu'avant, et beaucoup plus de plaisir aussi. Miguelito n'avait pas encore cinq ans et, à l'âge adulte, il n'aurait que peu de souvenirs de cet été. Mais je tâchais de faire en sorte que ce souvenir incluât ma dévotion pour lui, car, parfois, pendant que je le regardais, je m'imaginais sans d'autres enfants, les miens et ceux de Raquel, et je sentais soudain toute l'urgence, l'amertume de la faute que leur mère ne parvenait pas à m'inspirer. Pour cette raison, quand j'arrivais à La Moraleja, la première chose que je faisais était de m'accroupir, à côté du garage, les bras ouverts, pour le laisser m'embourtir et tomber par terre avec lui, pour que nous riions tous les deux ensemble et que je puisse l'embrasser à de nombreuses reprises avant de le prendre dans mes bras.

Nous apparaissions ainsi sous le porche et il y avait toute ma famille – tout du moins, ce qui était censé l'être –, ma mère, mes frères et sœurs, mes beaux-frères et belles-sœurs, et tous se réjouissaient de me voir. Et puis, soudain, je me rappelais ce que je savais et ce que je ne voulais pas savoir, ce que j'aurais dû penser et ce que je ne pensais pas, ce que j'avais voulu oublier et ce que je n'aurais peut-être pas dû oublier, l'impression de Fernando Cisneros et mes propres intuitions. Et Raquel me disait que je la regardais comme mon père. Je comprenais que le mieux, peut-être la seule bonne chose pour nous deux, serait que je ne découvre jamais la véritable relation qui avait uni cet homme à l'amour de ma vie.

Puis ma mère m'embrassait, ma femme, mes frères et sœurs, et il nous manquait, il nous manquerait toujours, et son absence était importante pour tous. Mais personne ne pouvait la ressentir ni la fêter autant que moi, pendant que je me laissais tomber dans un fauteuil et les informais de mes fabuleux progrès. « Tu dois être contente, maman, un fils professeur d'université... », disait Clara. Ma mère me regardait, souriait et acquiesçait de la tête, mais je savais parfaitement que cela lui était égal. La nouveauté était que à moi aussi ça m'était égal, parce que Raquel Fernández Perea était passée par moi comme passe la chance, la mort, le hasard qui transforme en une seule fois et pour toujours le destin des êtres vivants, et j'étais un homme différent, avec une vie différente, dans un monde qui devrait aussi être différent.

Et pourtant, le fantôme de mon père était plus présent dans sa maison que nulle part ailleurs, et là – où il était certain qu'elle n'était jamais –, Raquel restait sa maîtresse, pas la mienne. La photo du mariage de mes grands-parents était accrochée au même endroit, Teresa jeune et confiante, adressant à l'appareil un grand sourire, et ma grand-mère Mariana, sans une once de mystère sur son visage, ni dans son allure, prenant dans ses bras mes frères et sœurs aînés. J'examinais leurs visages, et j'examinais Mai, ma mère, et je voyais Raquel, jeune et nue, se glissant dans les bras d'un vieillard qui l'attendait dans un jacuzzi entouré de bougies allumées, je la voyais comme je ne l'avais jamais vue quand je l'avais devant moi, et cette image devenait soudain si perverse, si obscène, si insupportable qu'elle ne pouvait être comparée à aucun de mes souvenirs. Alors je commençais à étouffer, je sentais que j'étouffais, et je cherchais mon fils pour l'emmener loin de ce porche, acheter des sucreries ou jouer au foot tout au fond du jardin.

Je croyais que c'était suffisant, mais un soir, Lisette, vêtue d'un des bikinis brésiliens qui mettaient Julio au bord de l'apoplexie, vint à ma rencontre au bord de la piscine. Elle portait dans les bras le bébé de Clara, mais elle ne me parla que lorsque Miguelito fut dans l'eau.

« Álvaro, mon petit, il t'arrive quelque chose. Qu'est-ce que c'est ? » Son sourire se fit plus espiègle, presque malicieux.

« Je ne sais pas. Qu'est-ce que ça peut être ? lui répondis-je.

— Tu ne me regardes plus.

— En ce moment, je te regarde, Lisette.

— Oui, mais tu ne me regardes pas comme avant.

— Bon... » Je souris moi aussi. « Je vais essayer de me corriger, alors. »

Ce jour-là, c'était mercredi, et l'anniversaire d'un de mes neveux. C'était pour cela que j'étais allé chez ma mère et je comptais rester dormir pour éviter la nuit du samedi suivant, mais le commentaire de Lisette m'amusa et me toucha tant que je décidai de modifier mes projets sans trop réfléchir, et je ne trouvai nulle part la force ou l'envie de faire l'amour avec Mai avant de partir.

« Aïe, pas de chance ! J'ai l'air d'un imbécile, je dois dire... » Après avoir chanté « Joyeux anniversaire », je m'approchai d'elle les yeux rivés à mon téléphone portable. « Je dois rentrer à Madrid, tu sais ? je viens de me rappeler que demain j'ai une réunion à 8 h 30, avec la direction du musée.

— En juillet ? » Mai me regarda avec davantage d'étonnement que d'ironie.

« Eh bien oui, en juillet. Il s'agit précisément de planifier l'année prochaine, répondis-je avec beaucoup d'aplomb.

— Eh bien, tu peux y aller d'ici, insista-t-elle, acceptant apparemment mon argument. On met beaucoup moins de temps que de la maison, non ?

— Oui, mais la réunion a lieu au siège de la banque. » Je ne la convainquis pas et je le sentis. « José Ignacio vient de m'envoyer un message pour me le rappeler... »

J'affrontai un regard glacial, le premier, et songeai que cela devait tôt ou tard arriver. Ce fut la raison pour laquelle je n'essayai pas de protéger mon étourderie dans l'excès de travail, ni dans la nervosité que m'inspirait mon opposition fictive et si rentable. Je n'oublie jamais les réunions importantes et ma femme le savait parfaitement, elle vivait avec moi depuis presque dix ans. Elle ne voulut rien ajouter et moi non plus. Mais j'emportai aux toilettes un *piquillo* au jambon et le téléphone pour appeler José Ignacio avant de partir, parce que j'étais sûr que c'était la première chose que ferait Mai dès qu'elle me perdrait de vue.

« Arrête de me baratiner, Álvaro, s'il te plaît, me dit-il avant que j'aie eu le temps de tout lui expliquer.

— Juste pour cette fois, José Ignacio, je te jure que c'est la dernière. Je ne t'ai jamais rien demandé de ce genre, tu le sais, et c'est très important pour moi, je parle sérieusement.

— Je n'aime pas ça.

— Je sais, mais je ne te demande pas de mentir, ni d'inventer une histoire, ni même de me défendre... Tu as juste à répondre oui. C'est tout, un simple oui sans autres conséquences. Une petite réponse pour une petite question, rien de plus. Et je ne suis même pas sûre que Mai t'appelle, le plus probable est qu'elle ne le fera pas. »

Il accepta, à contrecœur mais il accepta. Et je sentis aussitôt une explosion de joie absolument disproportionnée avec le bénéfice qu'il m'avait accordé. L'euphorie, pointue et électrique, galopait sous ma peau comme les effets d'une drogue puissante et bienheureuse, si puissante et bienheureuse qu'en me retournant pour sortir, je tombai sur mon visage dans le miroir et découvris le visage d'un homme plus beau, plus jeune, plus malin, mieux que moi. Je n'essayai pas de m'expliquer ce phénomène, ni la transcendance subite d'une rencontre que j'aurais pu reporter de moins de vingt-quatre heures sans courir de risque, sans être obligé de demander des services, sans éveiller les soupçons de ma femme. Le besoin ne s'explique pas et j'avais besoin de voir Raquel, bien que j'aie déjeuné avec elle ce jour-là, bien que nous soyons allés au lit ensuite, bien qu'il ne se soit écoulé que trois heures et quarante-cinq minutes depuis que nous nous étions quittés sur le seuil de sa maison. J'avais besoin de la voir, de lui parler, de l'avoir près de moi, de l'embrasser, de la toucher, de la caresser, de lui raconter que la volonté de ses yeux s'était accomplie, que je ne savais plus regarder d'autres femmes. C'était là ce dont j'avais besoin, et non de me l'expliquer.

En sortant des toilettes, je pris un autre *piquillo* et je dis au revoir à tous par un adieu général et à Mai par un baiser de côté, presque en coin, car elle ne voulut pas approcher le visage pour le recevoir, ni me le rendre.

Lisette me raccompagna à la porte avec un sourire moqueur qui me rappela l'origine de cette crise radicale et infime, inutile et disproportionnée. Je descendis deux marches, me retournai pour la regarder et, bien que mes yeux n'accusent plus le plaisir de le faire, j'insistai un moment avant de poser la question.

« C'est mieux ?

— Non. » Et elle se mit à rire. « Désolé ! » Je levai les bras, les mains ouvertes, pour me faire pardonner ma faute.

« Aïe, mon petit ! »

Elle hochait toujours la tête quand je montai en voiture. Je comptais appeler Raquel pour la prévenir du changement de programme avant d'arriver sur l'autoroute, mais José Ignacio me devança.

« Depuis combien de temps est-ce que tu es parti ? » Je ne fus pas capable de lui répondre avec précision alors que je roulais encore dans le lotissement.

« Je ne sais pas. Quatre minutes, peut-être cinq, je n'en suis pas sûr...

— Bon, Mai vient de raccrocher.

— Ah oui ? Comment ça va ? fis-je, en prenant un ton étonné.

— Comment ça, comment ça va ? » José Ignacio parlait dans un murmure pour que sa propre femme ne l'entende pas, mais je sentais qu'il était énervé. « Mal, Álvaro, très mal, tu sais ? Parce que je lui ai menti, j'ai menti et je l'ai fait pour toi, parce que tu me l'as demandé, mais ça ne me plaît pas du tout, tu m'entends ? Du tout, entre autres parce que je mens très mal... Alors écoute bien ce que je vais te dire, juste une fois, si jamais tu recommences à me...

— Ne t'inquiète pas, José Ignacio. Il n'y aura pas d'autres fois », l'interrompis-je.

Dans le silence qui s'ensuivit, je me rendis compte qu'il n'avait pas fait que m'écouter. Il m'avait aussi compris.

« Tu as quitté la maison ? demanda-t-il sur un autre ton, neutre, favorable par-delà les précautions.

— Non, pas encore, le rassurai-je, avant de lui avouer avec une facilité stupéfiante une chose que je ne pensais pas avoir encore décidée. Mais je crains de ne pas passer l'été.

— Bon sang, Álvaro... »

Il me demanda de ne pas faire de bêtises, je lui assurai que je n'en ferais pas, je renonçai à lui rappeler qu'il s'était marié trois fois et que sa première femme l'avait quitté pour un autre, mais qu'il avait quitté la deuxième pour aller vivre avec la troisième, le remerciai et raccrochai.

« Je viens de chez ma mère, mais je n'ai baisé avec personne. Tu peux me sentir, si tu veux. » Raquel m'attendait à la porte, et elle était resplendissante.

« Non. » Elle sourit, m'enlaça, pressa sa tête contre ma poitrine comme une petite fille en quête de protection. « Je n'en ai pas besoin. » Alors, sans me lâcher, elle se redressa et me regarda. « L'odeur, ce n'est qu'une métaphore, Álvaro.

— Ah oui ? Eh bien ce n'est pas la seule... »

Quand j'arrivai, elle mangeait une glace à la confiture de lait avec un whisky. « Ça se marie très bien », me dit-elle en m'en proposant. J'acceptai, et lui racontai qui était Lisette, ce que m'en avait dit Julio, après avoir fait sa connaissance, et à quel point j'avais trouvé qu'il avait raison lorsque je l'avais vue ; la façon qu'elle avait de me saluer quand ma mère ou Mai étaient présentes, et quand nous étions seuls. Je lui racontai ce jour d'été, il y a deux ans, où quelque chose se serait passé si Clara n'était pas entrée à l'improviste dans la cuisine pendant que Lisette, serrée contre le plan de travail par moi, m'apprenait à faire la mayonnaise, nos deux mains

droites posées sur le bouton du batteur, tandis qu'elle me gui-
dait de l'autre pour verser correctement l'huile.

« Et tu as appris ? demanda Raquel en riant.

— Non, ce n'est pas un bon professeur. Elle s'occupait
trop de ce qui se passait dans son dos, c'est-à-dire, de moi.
Quand Clara est entrée, la mayonnaise est retombée, Lisette
avec.

— Et toi ?

— Moi, j'étais ravi que tout retombe, mais après seulement. Je dois avouer que sur le moment je serais allé jusqu'au
bout.

— C'est ça, la métaphore ?

— Non. Mais cet après-midi, Lisette s'est plainte parce
que je ne la regardais plus comme avant.

— Vraiment ? s'exclama Raquel avec surprise.

— Oui. Et encore, j'ai pris ça comme une sorte de défi,
tu sais. Quand elle m'a raccompagné à la porte, je l'ai regardée longuement – pas dans les yeux, bien sûr – mais elle
m'a répété que non, il n'y avait plus rien. Bref, tu vois le
tableau... »

Elle ne dit rien, mais se retourna sur le canapé, s'assit sur
moi, prit ma tête dans ses mains et l'appuya contre le dossier.
Elle m'embrassa très lentement, les yeux clos, avec autant
d'attention que si ce temps qui me rendait fou lui avait rendu
la tendresse délicate et craquante d'une pêche de vingt ans qui
mûrit encore sur une branche d'arbre. Cela me tomba dessus
sans crier gare. Je me rappelai soudain ce que je savais, je
compris ce que j'avais appris. Jamais je ne pourrai quitter
cette femme, ni ne consentirais plus à l'arrivée d'un nouvel
imbécile dans sa vie. La seule chose que je voulais, c'était
vieillir à ses côtés, voir son visage tous les matins au réveil, et
avant de m'endormir le soir et mourir avant elle. Je ne pensai
plus que ce n'étaient que des paroles, des phrases toutes
faites, éculées, galvaudées par l'usage, l'abus des millions
d'hommes et de femmes qui les avaient imaginées, prononcées et ressenties avant moi. Je ne pouvais plus penser ça
parce que la réflexion est ennemie de l'action, et pour moi le
moment de penser était terminé.

« On devrait faire quelque chose, non ? » lui demandai-je
tandis qu'elle s'écartait, les mains encore sur mes tempes.
« On ne peut pas rester toute la vie comme ça, Raquel. »

Elle me regarda, ferma les yeux, les rouvrit, sourit.

« Tu es en train de me demander qu'on s'enfuie ensemble ?

— Eh bien..., dis-je en souriant. S'enfuir... J'aime vivre à Madrid.

— Moi aussi.

— Mais je l'aimerais plus si je vivais avec toi.

— Álvaro... »

Ça y est, pensai-je tandis qu'elle recommençait à m'embrasser et que je lui répondais avec une intensité presque furieuse. Ça y est, je l'ai dit, je l'ai fait ! Je m'abandonnai à ces baisers qui étaient doux malgré leur violence, à cette émotion qui me piquait les yeux. Dans les siens brillait un éclat semblable à celui des larmes, et je continuais à penser, en me répétant les mêmes mots, ça y est, ça y est !

Ça y était. Tout le reste m'était égal. L'origine triviale de cette décision qui allait mettre ma vie sens dessus dessous m'importait peu. La seule chose que je voyais, la seule chose qui m'importait, c'était l'explosion, le cataclysme. J'avais besoin de respirer l'odeur de la poudre qui allait permettre que tout explose, de contempler mon passé sautant en l'air comme la peau écorchée et desséchée d'une réalité morte qui ne pouvait plus supporter les assauts de son avenir, de sentir sur ma propre peau les morsures d'une joie qui certifiait son inexistence irréversible, fossilisée. Le reste ne comptait pas tant que Raquel continuerait à m'embrasser, tant que ses doigts me caresseraient, tant que ses bras m'enlaceraient avec la détermination de fondre son corps en un seul avec le mien. Le reste ne comptait pas, n'existait même pas. Ce fut ce que je ressentis, et tout était logique, juste, suffisant pour supplanter toute inquiétude, toute crainte, les calculs mesquins et constants des hommes qui n'étaient pas comme moi. Parce que j'étais, je fus alors plus moi que jamais, et j'osais tout, et je savais tout, et je maîtrisais tout.

Je maîtrisai tout jusqu'à ce que Raquel sépare à nouveau sa bouche de la mienne pour me regarder, et je compris que ses yeux n'avaient pas l'éclat des larmes mais une lueur de larmes authentiques, très loin de la jubilation intense et inconditionnelle que j'avais toujours prévue en imaginant cette scène.

« Dis quelque chose.

— Qu'est-ce que tu veux que je te dise ?

— Dis-moi oui. » Elle sourit.

« Tu veux que je te dise que je t'aime, que je veux vivre avec toi, que je suis amoureuse de toi, que je ne supporte pas que tu vives avec une autre femme, que je ne supporte pas que tu baises avec elle, même que tu la touches, que je t'adore, Álvaro, que je n'ai jamais aimé personne comme je t'aime. C'est ça, que tu veux que je te dise ?

— Par exemple. » Je lui caressai le visage avec les doigts et constatai que, pour l'instant du moins, elle n'allait pas pleurer. « J'aime beaucoup l'entendre.

— Eh bien je te le dis, parce que tout cela est vrai, Álvaro. Cela et plus, c'est la vérité la plus grande, la vérité la plus... vraie que je puisse te dire.

— Alors ça y est, non ?

— Quoi ?

— Partons vivre ensemble, Raquel, partons maintenant, quand tu auras des vacances, partons ensemble où tu voudras. Je suis un riche héritier, tu le sais.

— Oui, mais...

— Oui mais quoi ?

— Je ne sais pas, ce n'est pas si facile. » Elle se tut, et je compris que la panique avait la forme de son visage, de ses yeux, leur couleur, des lèvres comme les siennes, qui étaient les lèvres, la couleur, les yeux, et le visage du bonheur. « Je suis très surprise, parce que... On n'en a jamais parlé. Et cet après-midi on était ensemble, tu étais là, et tu ne m'as rien dit, et maintenant, d'un coup, tu me sors ça...

— Bon, mais c'est logique, non ? » Je savais que je n'avais pas intérêt à perdre mon calme. J'étais disposé à le garder, mais à ce moment je commençai à ne plus faire confiance à mon propre discours, ces arguments graves et simples dont elle ne pouvait avoir besoin, dont j'étais sûr qu'elle n'avait pas besoin. « On n'en a jamais parlé, mais on le savait tous les deux, on est grands, Raquel, on savait qu'il allait se passer quelque chose un jour.

— Oui, mais pas si vite... Je ne sais pas, on n'est ensemble que depuis trois mois, et je croyais...

— Quoi ?

— Je ne sais pas... Qu'on allait continuer comme ça, comme en ce moment, plus longtemps.

— Comme en ce moment comment ? » La dureté de ma voix me surprit. « En dormant ensemble toutes les nuits, comme en ce moment, en se voyant l'après-midi, comme il y a un mois, en se donnant rendez-vous de temps en temps, comme au début ? Comment est-ce que tu comptais continuer ? » Elle ne m'avait pas regardé pendant que je parlais, ne voulut pas me répondre et sa passivité me mit en colère. « Ou alors tu veux autre chose, Raquel ? Tu veux que je t'installe dans un appartement et que je vienne te baiser le mercredi après déjeuner ? Si c'est ça...

— Non ! » réagit-elle enfin. Elle se jeta sur moi, me couvrit la bouche de sa main, la retira pour m'embrasser à plusieurs reprises tout en continuant à parler, en criant presque. « Non, non, ce n'est pas ça, ce n'est pas ce que je veux, je veux vivre avec toi, je t'aime, Álvaro, je t'aime, mais en ce moment je ne peux rien faire, pas encore... J'ai besoin de temps, de plus de temps.

— Du temps pour quoi ? » Je la pris par les épaules et la tins à distance, sa bouche entrouverte face à la mienne. « C'est moi qui risque quelque chose, Raquel. C'est moi qui suis marié, qui vais devoir arranger les choses, affronter les disputes, les avocats, et les problèmes... Moi, pas toi. » Elle ne voulut pas répondre et resta molle, faible entre mes bras. « C'est moi qui suis surpris ! – Soudain, aussi, j'étais très fatigué, et je poursuivis, davantage pour moi que pour elle. Je ne te comprends pas, je ne sais pas pourquoi... Je ne sais pas, c'est vous, les femmes, qui êtes censées être courageuses.

— Ah oui, et d'où tu sors ça ? » Elle avait profité de ma fatigue pour m'enlacer à nouveau, pour coller sa tête contre la mienne.

« Je ne sais pas », dis-je en souriant. Soudain, tout était si ridicule. « Qu'est-ce que j'en sais, des revues féminines, des séries télévisées, du cinéma espagnol, des femmes qui remportent le prix Planeta [1]...

— De celles qui disent que les hommes mariés ne quittent jamais leurs femmes.

— Exact. Oui, de celles-là. »

Ne me fais pas ça, Raquel, pourquoi est-ce que tu me fais ça, comment est-ce que tu peux me faire ça ? pensai-je.

---

1. Prix littéraire espagnol.

« Elles se trompent. » Elle m'embrassait, et ses baisers étaient d'une douceur vénéneuse. « Avec toi, elles se trompent.

— Non. C'est moi qui me trompe. Et je me suis trompé sur toi.

— Ce n'est pas vrai, Álvaro. Je te jure que ce n'est pas vrai, dit-elle avec la moue d'une petite fille.

— Non ? Eh bien partons ! » J'ignore d'où je tirai ce dernier sursaut d'espoir. « Partons une fois pour toutes, Raquel, partons. Pourquoi pas ? Je ne comprends pas, pour toi, c'est très facile, moi je n'en peux plus, mais toi... ? Tu n'as pas à supporter, à faire semblant, tu n'as pas à partir un mois en vacances avec quelqu'un que tu n'aimes pas, tu n'as d'explications à donner à personne.

— Sauf à toi. »

Elle se leva lentement mais son poids resta sur mes cuisses engourdies comme un pressentiment, comme une malédiction. Je la vis marcher dans la pièce, sortir comme si tout le corps la faisait souffrir. J'entendis le bruit des glaçons qui s'entrechoquent et la vis revenir, image maladive d'elle-même, pâle, décolorée, fragile. Je pris peur de l'aimer autant, de l'aimer à ce point maintenant que je ne pouvais rien lui donner de plus, maintenant que je lui avais donné tout ce que je possédais.

« Alors ? lui dis-je quand elle s'assit dans un fauteuil, devant moi.

— Alors quoi ? demanda-t-elle après avoir englouti d'un trait la moitié du verre.

— Tes explications. »

Avant de parler elle pleura, inaugura des larmes dociles, silencieuses, à l'air presque apaisant, plaisant, comme celles que j'avais déjà vues couler de ses yeux un jour où nous marchions rue Carranza. Ce soir-là je ne fis rien pour les arrêter. Ce soir-là je ne savais plus que faire.

« Je t'aime, Álvaro, c'est vrai, il n'y a rien de plus vrai, je t'aime trop, je t'aime tellement que je ne pourrais pas supporter... que tu me détestes, que tu me méprises, que tu te sentes humilié ou malheureux à cause de moi, que cela finisse mal, je ne pourrais pas le supporter et j'ai besoin de temps, c'est pour ça que j'en ai besoin, pour réfléchir... » Elle n'acheva pas sa phrase mais elle m'adressa un regard presque craintif, comme si elle pressentait la formidable explosion qu'allaient provoquer les mots qu'elle avait refusé de répéter depuis qu'elle avait appris, et moi avec elle, que la Terre tournait juste sous nos pieds. « J'étais la maîtresse de ton père, Álvaro.

— Laisse mon père tranquille, Raquel ! » J'étais si furieux que je me levai pour continuer à crier debout. « Mon père est mort, tu entends, mort et enterré. Mon père est mort, mort, et moi, je suis vivant ! Je suis ici, et je me fous de mon père, tu entends ? Lui, toi, ce que vous faisiez avec ce godemiché que j'ai trouvé dans un tiroir, en regardant tous ces films porno si bien rangés, je m'en fous... »

Elle ne répondit pas, ne parla pas, ne bougea pas, et je me sentis si seul, si désemparé soudain, que je commençai à perdre la tête. Cependant je savais qu'il fallait que je me taise. Je le savais, mais je ne m'écoutai pas, car elle ne disait rien, elle ne parlait pas, elle ne me regardait même plus. Ne fais pas ça, Raquel, ne fais pas ça. Je ne le méritais pas, je l'aimais tellement, tellement, que je lui avais donné tout ce que je possédais et elle l'avait refusé. Elle m'avait laissé si seul, si désemparé, que je ne résistai pas à la tentation de m'apitoyer sur moi-même. J'aurais voulu lui demander pourquoi elle m'avait tiré de ma routine, de cette paisible étendue de terres cultivées qu'était ma vie, sans grandeur, sans passion, pourquoi elle m'avait emmené si haut juste pour me laisser retomber. J'aurais aimé lui poser la question, mais je ne pouvais pas me le permettre. Je ne pouvais pas lui reprocher sa cruauté sans m'abaisser, et pour cette raison, et parce que j'avais goûté à la colère, je lui dis ce que je n'aurais jamais dû lui dire, ce à quoi je n'avais jamais voulu penser, ce que je n'avais jamais osé entendre même de ma part.

« Tu veux que je sois vraiment sincère ? Tu veux que je joue moi aussi au jeu de la vérité ? Eh bien je vais te dire une chose, Raquel, et ne l'oublie pas. Bien sûr, que je ne m'en fous pas que tu aies couché avec mon père, et non seulement je ne m'en fous pas, mais ça me tue. Ça me tue vraiment que tu aies pu baiser avec un vieux bourré de fric dans une baignoire entourée de bougies allumées ! Ça me tue, tu m'entends, ça me tue ! Ça me dégoûte, et ça me fait honte, cet appartement si cher et si vulgaire me fait honte, vous me dégoûtez, mon père, toi et votre godemiché dans ce lit, c'est pathétique, Raquel, c'est horrible, c'est vraiment horrible, putain, c'est le pire... Tu me prends pour un imbécile ? Eh bien c'est vrai aussi, je suis un imbécile. Un vrai couillon, parce que je suis tombé amoureux de toi, Raquel, je suis tombé amoureux de toi et j'ai décidé d'avaler ça, de tout avaler, pour que tu viennes m'emmerder maintenant... »

Ce ne fut qu'après avoir fini de crier que je pus me remettre à penser. Ça y est, ça y est, c'est fini. J'ai réussi à sentir la poudre, j'ai vu comment tout éclatait, j'ai tout gâché à moi tout seul, et je ne peux même pas rejeter la faute sur elle.

Raquel ne m'adressa pas un regard, ne dit rien. Elle s'était recroquevillée progressivement, se repliant sur elle-même pendant que je hurlais, pendant que je criais comme l'énergumène que je n'avais jamais été, jamais avant ce soir, et je l'avais vue s'effondrer, se couvrir le visage de ses mains, s'écrouler à chaque hurlement jusqu'à devenir une pelote tremblante qui s'agitait dans le fauteuil. Je me mis alors moi aussi à trembler. Je tremblais de colère, de peine, d'orgueil, de dépit, de honte, de désarroi, et d'amour, aussi d'amour.

« Je suis désolé, Raquel, excuse-moi. » J'attendis quelques secondes une réponse qui ne vint pas et j'insistai avant de commencer à me diriger vers la porte. « Je suis vraiment désolé, Raquel, excuse-moi, c'est vrai. Je n'aurais pas dû crier, je n'aurais pas dû te dire ça. Je ne suis pas comme ça, je... Je ne sais pas ce qui m'est arrivé mais je regrette vraiment, énormément, je te jure que je regrette. Pardonne-moi. »

Quand je sortis du salon, j'étais sûr que tout était fini, mais elle se leva soudain, se précipita vers moi et s'appuya contre la porte jambes écartées, bras ouverts comme une crucifiée.

« Ne t'en va pas, Álvaro, je t'en prie. » Maintenant enfin elle me regardait, pleurait, suppliait comme une femme condamnée, désespérée, perdue dans sa propre douleur. « Je t'en prie, je t'en prie, ne t'en va pas... Pardonne-moi, pardonne-moi, pardonne-moi. » Et elle se jeta sur moi, elle ne s'avança pas, ne se déplaça pas, ne s'approcha pas, mais elle se jeta sur moi, s'écrasa contre mon corps et s'y accrocha avec une force telle que, si j'avais été en état de le ressentir, elle m'aurait fait mal. « Ne t'en va pas, Álvaro, je t'en prie, ne t'en va pas comme ça. Pardonne-moi, pardonne-moi, toi... Ne t'en va pas, ne t'en va pas, je t'en prie, je t'en prie, ne t'en va pas... »

Elle relâcha progressivement la pression sans cesser de répéter cette litanie humble et frénétique dans laquelle elle semblait trouver une faible consolation, jusqu'à ce que ses mains me libèrent. Alors elle releva la tête et me regarda, je la regardai, mais je ne pus rien faire, rien dire, comme si j'avais soudain été atteint de la même paralysie qui l'avait auparavant maintenue immobile et recroquevillée dans le fauteuil. J'étais stupéfait, étourdi, ébranlé par la passion de cette femme que j'aimais comme aucune autre auparavant, et qui m'avait repoussé comme aucune autre auparavant, pour se traîner ensuite devant moi comme aucune autre auparavant.

J'étais ébranlé, étourdi, stupéfait, mais j'étais aussi redevenu vivant et Raquel ne s'en rendait pas compte. Aussi me ressaisit-elle par les manches, cette fois avec douceur, presque avec crainte, juste pour se laisser tomber par terre et y rester assise. Je la regardai un instant d'en haut avant de la soulever, de l'étreindre de toutes mes forces, de l'embrasser à plusieurs reprises, et de lui dire que je l'aimais, que je l'aimais, que je l'aimais.

*Le numéro que vous demandez n'est pas attribué.*
« Voyons, mademoiselle... » La première fois que j'entendis ce message, je me souvins de Fernando Cisneros et de la plus surprenante, furibonde, de ses manifestations d'entêtement. « Non, non, mademoiselle, je sais que ce n'est pas vous qui dites ça, que c'est une voix enregistrée... » Nous étions au bar de la faculté, un matin, il s'était trompé en composant le numéro et recommença exprès. « Mais enfin, c'est intolérable, c'est intolérable », dit-il soudain, et il chercha un interlocuteur vivant à travers tous les numéros gratuits des Renseignements jusqu'au moment où il tomba sur une pauvre fille qui n'avait jamais dû être confrontée à cette situation. « Bien sûr, que c'est important, mademoiselle, bien sûr, que c'est important, puisque je vous assure que ce numéro existe, il existe depuis la nuit des temps, depuis le premier instant de la vie humaine... » José Ignacio me regarda, porta l'index droit à sa tempe, et nous nous mîmes tous les deux à rire. Je réagis le premier : « Laisse tomber, Fernando. » Il ne m'écouta pas. « Comment ça, c'est une façon de parler, eh bien non, mademoiselle, bien sûr que je ne vais pas m'en contenter, et ne me

dites pas que vous ne me comprenez pas parce que c'est très simple, je vais vous expliquer, le neuf est l'unité et il existe, le un est la dizaine et il existe, le six est la centaine et il existe, le sept est l'unité du millier et il existe, le deux est la dizaine de milliers et... » Il se tut soudain, écarta le téléphone de son oreille et nous adressa un regard chargé d'une détresse comique. « Elle m'a raccroché au nez », marmotta-t-il. « Ça ne m'étonne pas », commenta José Ignacio, et cela le mit encore plus en colère. « Comment ça, ça ne t'étonne pas ? » Puis il me regarda, nous désigna tous deux du doigt nous englobant dans un cercle imaginaire. « Mais enfin, ne me dites pas que vous vous en fichez. Qu'est-ce qu'il y a, je suis le seul apôtre de la vulgarisation, peut-être ? »

*Le numéro que vous demandez n'est pas attribué.*

La première fois que j'entendis ce message, je crus moi aussi m'être trompé de numéro, mais je n'insistai pas sciemment, comme l'avait fait Fernando. Je me contentai de chercher le nom de Raquel dans le répertoire, m'assurai de l'avoir sélectionné, et appuyai sur la touche verte. Je n'utilisais habituellement pas ce système parce que j'aimais composer cette combinaison de neuf chiffres un par un, mais je ne voulais pas risquer d'entendre une nouvelle fois que le numéro n'existait plus. Ce fut cependant tout ce que j'obtins, une fois, une autre, une autre encore.

Ce jour-là était plus sinistre que nuageux, et la bruine commença à tomber avant midi. Miguelito était nerveux, de mauvaise humeur, comme s'il avait du mal à accepter de perdre des journées de plage dès le début, dans ce village du nord où s'étaient déroulés tous les étés de sa vie. Mai aimait passer l'été à Comillas, d'où la famille de sa mère était originaire, et elle acceptait sans reproches, presque avec plaisir, la surprenante gamme de gris du ciel Cantabrique, mais moi, je ne trouvais aucun charme à ce climat. C'était la raison pour laquelle, tout en appréciant la compagnie de Fernando Cisneros, moins critique que moi envers les traditions estivales de notre belle-famille commune, je ne m'étais pas encore décidé à investir nos économies dans les maisons que Mai visitait chaque année en août, sans se lasser, et que nous continuions à louer chaque été une sorte d'appartement indépendant, pas très grand mais pas trop petit non plus, au deuxième étage d'une bâtisse qui appartenait à des parents de ma femme.

Comillas avait constitué la principale source de conflit dans mon couple à l'époque où il n'y en avait pas dans mon mariage. La disparition de la deuxième proposition résolut pacifiquement la première, car Mai ne fit pas allusion à ses prospections immobilières quand nous quittâmes Madrid. Nous voyageâmes en silence, Miguelito dormait, elle se taisait, se contentant d'alimenter le lecteur de la voiture en introduisant un CD après l'autre. Quant à moi, j'étais absent, absorbé par le nombre et la profondeur de mes blessures, l'état imprécis, à mi-chemin entre la maladie et la convalescence, dans lequel m'avait plongé l'épouvantable réserve de Raquel. Mais la concentration qu'exigeait de moi le découragement ne suffisait pas à effacer l'évidence et Mai, restée si étrangère aux convulsions qui avaient agité ma vie lors de ces derniers mois, était devenue une évidence, qui plus est grave.

Tout a mal tourné, pensai-je en conduisant vers le nord. Tout avait mal tourné. Je pensais aussi que j'aurais dû rester à Madrid, j'avais failli le faire, mais au dernier moment j'avais songé à mon fils.

Je n'étais plus sûr de rien excepté que, de toute manière, ma vie ne serait plus jamais comme avant, et que Miguel serait le seul élément constant dans le paysage qui survivrait à la faille de l'ancienne plaine où je ne me retrouvais plus. J'avais souvent imaginé certaines scènes, des bureaux, des brouillons, des documents, des stylos, des inconnus faisant des allées et venues dans un couloir comme des ombres absentes de leurs propres personnages, des paroles d'encouragement, des regards réfrigérants, le silence. Je l'avais imaginé et j'avais fait plus, je me l'étais annoncé, je m'en étais averti, je m'étais préparé à le vivre et je l'avais assumé avec naturel, presque avec joie, car de l'autre côté de ce tunnel aux parois sombres, au-delà des échos profonds de la stupeur et du ressentiment, se trouvait Raquel, l'amour de ma vie. J'étais un bon garçon, je l'avais toujours été, un bon fils, un bon mari, un bon citoyen, mais j'étais disposé à me défaire de toutes ces médailles, à devenir le sujet de conversation de la saison, à me laisser emboîter dans un moule de canaille qui ne me correspondait pas, à signer ma propre banqueroute avec enthousiasme, car j'étais tombé amoureux d'une femme qui m'aimait et cela faisait de moi un homme courageux, un homme propre, pur, bon, innocent. Ce fut pour cette raison – parce que je m'étais déjà raconté à moi-même comment allait être le reste de ma vie, parce que je m'étais préparé à vivre les mauvais moments et les meilleurs – ce fut pour cette raison que la désertion de Raquel me fit tant de mal. Cette réaction confuse, équivoque, qui semblait sur le moment spontanée et qui projetait cependant dans la distance une certaine cohérence, une structure puissante, ordonnée me fit souffrir bien plus que je n'aurais pu l'imaginer.

Toujours est-il que, lorsque j'affrontai le dilemme des vacances, j'avais des espoirs et je choisis Miguelito. Si je devais quitter le domicile conjugal, je ne le ferais pas au bon moment ; pas question de fournir des armes à l'avocat de la partie adverse. Je me souviens d'avoir eu cette pensée, d'avoir formulé précisément cette expression, « l'avocat de la partie adverse », et un instant plus tard je me sentis très mal, un homme mauvais, vil, cynique, traître. Traître, moi qui partais en vacances avec l'ennemi, moi qui étais disposé à feindre, à me dissimuler, à faire n'importe quoi à condition de procéder tranquillement à ma trahison, moi, forcément traître pour avoir été trahi.

« Je comprends que c'est plus dur pour toi que pour moi. » Raquel remua ses doutes et mes certitudes dans sa tasse de café après une nuit grandiose et terrible, d'une intensité cruelle, douloureuse, magnanime. « Je comprends, Álvaro, et tu as raison, c'est ça le pire, tu as parfaitement raison, mais je suis comme je suis, et ça, je n'y peux rien... Je sais que je ne suis pas très claire, que tu ne me comprends pas, je le sais, et je l'admets, mais j'ai besoin de temps. Je t'ai dit que parfois je ne maîtrisais pas du tout ça, je te l'ai dit, tu te souviens ? » J'acquiesçai. « Et pourtant... Ce que c'est que la vie... Elle est si étrange, tout est si étrange. Parce que si j'ai parfois fait des gaffes, mais vraiment, en connaissance de cause, ce fut avec ton père. Si je regrette quelque chose dans cette vie, c'est ça. Mais si je ne l'avais pas fait, je ne t'aurais jamais connu, je n'aurais pas pu tomber amoureuse de toi, Álvaro.

— Et moi, qu'est-ce que je fais, Raquel ? » Je la regardai et compris que ma force de la nuit précédente m'avait soudain abandonné. Désarmé de la colère qui l'alimentait, moi, qui quelques heures plus tôt seulement aspirais à une reddition totale et sans conditions, j'étais devenu si fragile que j'étais disposé à accepter n'importe quoi, n'importe quelle part minime de la vie de la femme qui prenait le petit déjeuner en face de moi, à condition de ne pas la perdre. « Qu'est-ce que tu veux que je fasse ?

— Attendre. » Elle ferma les yeux. « Attendre que je trouve... Il doit y avoir un moyen d'arranger ça, et je dois le trouver, je dois réfléchir...

— Quoi ? » Je lui pris les mains, les serrai, tirai dessus et parvins à lui faire rouvrir les yeux. « Qu'est-ce que tu dois arranger ?

— Tu l'as dit hier soir, non ? Tu as dit que ça te dégoûtait et que ça te faisait honte de m'imaginer avec ton père, et je le savais, je le savais. Je te l'ai dit aussi cette nuit-là, quand tu m'as raconté l'histoire de ta grand-mère, je t'ai demandé ce que tu pensais de moi, et tu m'as répondu : le plus grand bien. Mais hier soir tu ne pensais plus ça de moi, Álvaro, et...

— D'accord. » Je posai ses mains sur la table, les étirai et les caressai lentement. « D'accord, tu veux que j'attende et j'attendrai, ça va, je ne veux plus en parler. Je ne suis pas très fier de...

— D'avoir dit la vérité ? » Une étincelle d'ironie illumina un instant le sombre tremblement de son regard.

« Ce n'est pas vrai, Raquel.

— Si.

— Non. C'est vrai, mais ce n'est pas la vérité. La vérité, c'est que je t'aime. Et dans cette vérité, qui est tout ce qui compte, tu entres avec tout ce que tu trimballes, ton passé, tes réussites, tes erreurs, tes amants. Et je ne suis pas meilleur que toi. Moi aussi, j'ai honte de beaucoup de choses. De ce que j'ai dit hier soir, par exemple. »

Très bien, Alvarito, tu es parfait, pensai-je pendant que Raquel prenait mes mains, les embrassait, l'une après l'autre, sur la paume et sur le revers, à plusieurs reprises.

Je venais d'être parfait et je m'en rendais compte, cette ironie n'était cependant pas aimable, lumineuse, comme celle qui brillait dans les yeux de Raquel quand elle était dure avec elle-même, mais acide, corrosive, si féroce que sa simple proximité suffisait à détruire le syllogisme de mon avenir. J'aime une femme qui m'aime et cela me rend courageux, propre, pur, bon, innocent. J'aime une femme qui m'aime et qui ne me ment peut-être pas, mais elle ne me dit pas la vérité non plus, et ce n'est pas le pire. Le pire, c'est que je n'ose pas la lui réclamer.

Ce fut ce qui resta à flotter dans l'air après cette conversation tranquille et ensoleillée où Raquel parvint à ne pas pleurer et moi à ne pas crier, à ne pas l'insulter. Nous fûmes parfaits, et ainsi, conscients tous les deux de la délicatesse gantée et vulnérable de notre attitude, nous nous quittâmes neuf jours plus tard sans fixer de date précise pour des retrouvailles. Elle partait à Malaga, passer deux semaines à la plage avec ses grand-mères. « Elles sont amies depuis leur jeunesse, elles s'entendent très bien, et maintenant qu'elles sont veuves toutes les deux, celle de Madrid va passer l'été chez celle de Malaga. Je vais toujours les voir, tous les ans, j'aime beaucoup être avec elles, parce qu'elles s'occupent de moi, elles me gâtent comme si j'étais toujours une petite fille, et je les sors, je les emmène partout en voiture et je les invite à dîner au restaurant chinois. Elles adorent les restaurants chinois, tu sais, c'est curieux. Je crois qu'aucun de mes deux grands-pères n'y est jamais allé, mais elles aiment beaucoup cette cuisine, elles s'empiffrent de riz, de nems, c'est incroyable... »

Je l'écoutais parler, raconter ce film tendre et rose, adulte, mais sans doute visible pour tous publics, et je trouvais Raquel plus jeune, plus blonde, les yeux soudain bleus et avec un visage plat, une frange désordonnée qu'elle se coupait elle-même avec des ciseaux à ongles, comme ces actrices qui font des publicités pour les serviettes hygiéniques à la télévision. Comme elle est jolie, gracieuse, juvénile, spontanée, me disais-je, et je souriais, je ne lui racontais pas mes projets pour les vacances, rien à voir avec la comédie féminine romantique dont je venais d'entendre le sujet, mais un film plutôt sinistre, une bâtisse en pierre face à une plage rude, un ciel gris, un enfant qui joue avec une figurine de Spiderman, une femme blessée et angoissée qui ne mérite pas ce qui lui arrive et un psychopathe pris dans l'épaisseur de son propre silence, moi. C'était ce qui m'attendait, c'était le rôle que j'allais interpréter, le rôle que je jouais en silence, avec un humble sourire idiot, pendant que j'étais parfait parce que c'était la façon la plus élégante de ne parvenir nulle part.

Rien de ce qui m'arrivait n'avait de sens. La frivolité de Raquel, sa légèreté, cette réaction absurde, cette négligence si manifeste entrecoupée de larmes, n'avait pas de sens, et pourtant, à l'instant où je commençai à m'éloigner d'elle, je commençai à apercevoir une certaine logique occulte, une structure cohérente, prévisible, dans son attitude.

« Tu as une maîtresse, n'est-ce pas, Álvaro ? » me demanda Mai la première nuit à Comillas.

Je passai beaucoup de temps à saisir ce fil douteux, fuyant, transparent, qui me glissait entre les doigts sans m'indiquer de direction, et cependant il était là, me tentant, apportant une donnée insuffisante pour résoudre un problème à l'envergure trompeuse.

« Dis-moi si tu es avec une autre femme, Álvaro. Je t'en prie, dis-le-moi, j'ai besoin de savoir. »

Mai revint à la charge deux nuits plus tard et je lui répondis que oui, que je ne l'avais pas cherché, mais que c'était arrivé, et que oui, c'était vrai. Je ne peux pas dire que cet aveu ne m'ait pas affecté, que je ne me sois pas senti mal avant et après l'avoir fait, mais je dois reconnaître que je n'y songeai guère. J'avais besoin de tout mon temps pour analyser les arguments de Raquel, les points de suspension qui jalonnaient cette succession de phrases décousues, truffées de sous-entendus qui partaient d'un point situé bien au-delà de ma capacité d'entendement.

Mai laissa passer quelques jours avant d'insister : « Et c'est une histoire importante ? Dis-le-moi, Álvaro, c'est une aventure passagère, ou... ?

— Pour moi, c'est très important. Pour elle, je ne sais pas », lui répondis-je.

Cet été, j'eus beaucoup de temps libre, des après-midi entiers où je feignais de travailler avec mon ordinateur portable allumé devant une fenêtre, sans rien faire d'autre que des patiences, surfer sur le web sans but précis, et penser à Raquel.

Je ne mis pas longtemps à découvrir que ma femme n'avait pas apprécié ma dernière réponse : « Et qu'est-ce que tu comptes faire ? Rester avec moi le temps qu'elle se décide, c'est ça ?

— Non, Mai, ce n'est pas ça. » Je soutins son regard et n'élevai pas la voix. « Mais si tu veux, je pars dès demain. »

Elle me demanda de rester et je restai, je continuai à penser à Raquel quand j'étais seul. Pendant ce temps, elle parlait de moi avec ses sœurs, ses cousines, ses amies, une foule de femmes accompagnées de leurs hommes respectifs, qui m'adressaient un drôle de regard, un regard curieux et mauvais lors des inévitables dîners de cet été.

« Tu n'aurais pas dû venir. Ils vont te mettre en pièces, Alvarito, me dit Fernando quelques jours après s'être réjoui de me voir.

— C'est déjà fait. » Je lui racontai ce qui était arrivé, et – avec Elena Galván toujours en tête de ses réflexes automatiques – il prit la chose encore plus mal que moi.

« Je ne comprends pas, ça n'a pas de sens. Nous sommes des êtres historiques, inscrits dans un époque précise, non ? Nous appartenons à une société déterminée, avec ses normes axiomatiques, fondées sur la répétition des événements et...

— Ça va, Fernando. » Je levai une main pour demander une trêve. « Ça va, la théorie, je la connais.

— Mais ce n'est pas que de la théorie, putain, c'est aussi de la pratique ! Voyons, Álvaro, regarde autour de toi et réfléchis un peu, allez... Une nana divorcée, avec un travail, sans enfants, sans problème, qui a une liaison avec un homme marié, sans autre problème que d'être marié, et prêt à tout quitter pour partir avec elle... Elle devrait sauter de joie, bon sang !

— Eh bien oui. Elle devrait, mais elle ne le fait pas », admis-je.

Je passai ainsi beaucoup de temps à parler avec Fernando, mais ses interventions m'enfonçaient davantage qu'elles ne me stimulaient. Je réfléchissais mieux seul, et même si au fil des après-midi du pire été de ma vie je m'approchai de plus en plus d'une formulation particulière de l'incompréhensible, quand je fus en état de comprendre, il était trop tard.

*Au revoir, Alvaro, je t'aime. JE T'AIME, Ra.*

Le 19 août, j'allumai mon téléphone portable vers le milieu de l'après-midi pour découvrir ce message. Je ne lui avais pas parlé depuis presque deux semaines. Son portable était toujours éteint et j'étais sûr qu'elle ne l'allumait que pour m'envoyer ces mots comptés qui tombaient comme des gouttes d'eau fraîche sur la langue d'un homme perdu dans le désert, pour provoquer la soif davantage qu'ils ne l'étanchaient. Jusqu'au moment où je reçus un au revoir mutilé de son accent, comme mon prénom [1], et deux je t'aime, un ordinaire, l'autre en majuscules, et cette abréviation qu'elle partageait avec un des plus grands dieux de tous les temps et que, prêtre suprême de son culte, je n'aimais donc pas utiliser pour l'appeler.

*Au revoir, Alvaro, je t'aime. JE T'AIME, Ra.*

La première fois que je le lus, je me laissai abuser par ces majuscules et par ma propre peur, une panique qui avait son visage, ses yeux, sa couleur et ses lèvres. La première fois que je le lus, je ne le compris pas, pas plus que je ne comprenais ce qui m'arrivait depuis que Raquel Fernández Perea était passée dans ma vie comme passe la chance, la mort, le hasard qui change en une seule fois et pour toujours le destin des êtres vivants. Mon propre téléphone m'aida à interpréter correctement ce message. *Le numéro que vous demandez n'est pas attribué.* Encore, encore et encore.

*Au revoir, Alvaro, je t'aime. JE T'AIME, Ra.*

Le lendemain, le temps était maussade et j'ai proposé à Miguelito d'aller sur le port donner à manger aux poissons. Mai n'était pas à la maison. Elle était sortie plus tôt sans me dire où elle allait. Ce n'était plus une étourderie, mais une habitude désormais.

« Allez, viens, je ne veux pas que tu prennes froid. » Mon fils, curieusement docile, ne rechigna pas pendant que je lui mettais son ciré jaune de pêcheur et le lui boutonnais jusqu'au cou. « Demain il fera peut-être beau, tu sais... »

Il resta silencieux un moment, soutenant mon regard presque comme un adulte, avant de me poser la dernière question à laquelle j'aurais voulu répondre ce matin-là.

« Tu sais pourquoi maman pleure ?

— Maman ne pleure pas. » Je lui mis son bonnet sans penser à ce que je disais.

« Si, elle pleure. Je la vois. Pourquoi est-ce qu'elle pleure, papa ? insista-t-il.

— Je ne sais pas. » Je le pris dans mes bras, l'embrassai sur le visage, m'accroupis pour être à sa hauteur. « Elle doit être triste. Parfois, on est triste, tu sais.

— Oui, dit-il en fronçant les sourcils pour me regarder. Toi aussi, tu vas pleurer ?

---

1. Allusion aux accents sur le « ó » de « adiós » (au revoir) et le Á de Álvaro.

— Non. Pas moi. »

Deux minutes plus tard, il riait comme un fou pendant que nous faisions une course qu'il allait gagner, comme toujours. Puis, sur le port, nous donnâmes à manger pendant un bon moment aux poissons le pain sec qui venait de la maison et celui que nous avions récolté dans plusieurs restaurants où on nous connaissait, et je pensai que c'était encore ma vie, et que c'était une vie bonne, tranquille, appréciable, souriante comme les éclats de rire avec lesquels mon fils se réjouissait de la gloutonnerie des poissons, qui le suivaient en bancs quand il se déplaçait le long du quai, un morceau de pain sec entre les doigts. Alors je pensai à Mai, je la revis telle qu'elle était quand je l'avais connue, quand elle ne pleurait pas, quand je l'aimais comme j'aurais pu continuer à l'aimer toute ma vie si mon père n'était pas mort, si Raquel n'était pas allée à son enterrement, si ma mère ne s'était pas entêtée à ce que ce soit moi, parmi tous ses enfants, qui aille à un rendez-vous avec un conseiller en investissements inconnu. Mais tout cela était fini, perdu. Alors, comme si j'avais pressenti qu'il restait encore une marche, un faux pas que je devrais faire avant de me précipiter dans le vide, j'allumai le téléphone et appelai Raquel.

*Le numéro que vous demandez n'est pas attribué*, anticipai-je, mais je me trompais de numéro. Je renonçai donc à composer à nouveau les chiffres un par un, et je cherchai son nom dans le répertoire, je m'assurai de l'avoir bien sélectionné, appuyai sur la touche verte, et j'entendis le message pour la deuxième, troisième, et quatrième fois.

*Le numéro que vous demandez n'est pas attribué.*

*Le numéro que vous demandez n'est pas attribué.*

*Le numéro que vous demandez n'est pas attribué.*

Ensuite, je composai d'autres numéros, son fixe, dont le répondeur était débranché, celui de son bureau, où personne ne répondait, et celui du standard de la banque, où, après une demi-douzaine de tentatives, quelqu'un me répondit qu'ils n'avaient pas pour habitude d'informer les inconnus de la situation professionnelle de leurs employés.

Avec Telefónica, ce fut pire. Oui, cette abonnée avait résilié sa ligne, non, on ne pouvait pas me dire si elle en avait ouvert une autre, oui, cette information était confidentielle, non, ça ne l'intéressait pas du tout de savoir qui j'étais, oui, elle supposait que j'avais un grand intérêt à me mettre en contact avec cette dame, mais si je continuais à la harceler, elle n'aurait pas d'autre solution que d'appeler la police. « Vous n'êtes pas le premier, j'ai connu d'autres maris de ce genre », conclut-elle. « Allez vous faire foutre », conclus-je quant à moi, et elle me raccrocha au nez.

« Tu m'avais dit que tu ne pleurerais pas... »

Miguelito me regardait avec des yeux brillants, les lèvres contractées dans une grimace triste et tremblante.

« Et je ne pleurerai pas. Je ne pleure presque jamais, tu le sais.

— En ce moment, tu pleures, papa.

— Non, dis-je en souriant pour le lui prouver. C'est le vent, qui me fait pleurer, pas moi. Tu n'as plus de pain ?

— Oui. Et j'ai froid.

— Partons. »

Pendant que nous rentrions à la maison, j'écoutai à nouveau ce message, *le numéro que vous demandez n'est pas attribué*, et je me promis que c'était pour la dernière fois, mais je ne pouvais pas croire mes propres promesses. En revanche, je compris que c'était la logique occulte, la structure cachée, le propos secret qui donnait de la cohérence et du sens à l'incompréhensible.

Raquel avait besoin de temps pour disparaître, pour s'échapper, pour me fuir. Elle voulait disparaître, elle avait disparu, et de l'autre côté de tous les points de suspension, il ne restait qu'un homme seul, un homme amoureux, détruit, moi.

Cette certitude provoqua en moi un malaise intense, froid et chaud à la fois, pointu et profond comme la fièvre. L'avenir s'était partagé en deux pour me laisser seul, et de ce côté il ne restait que moi, seul avec mon fils, un enfant de quatre ans qui sautait une dalle sur deux, pendant que je marchais en le tenant par la main dans la rue. Au début, je ne fus pas capable de penser à quelque chose d'autre. Puis je pensai que pour un homme détruit, amoureux et seul, la seule solution, le seul salut possible était de s'arracher tous les adjectifs d'un coup.

Au-delà de la solitude, venait le mépris, fruit du dégoût et de la honte. Parvenu à cette conclusion, je me rendis compte que ce n'était pas si difficile. Il suffirait de persévérer dans ces images détestables : un jacuzzi grand comme une piscine, une chambre en forme d'abside, deux douzaines de bougies, le même nombre de films bien rangés sur un chariot métallique et ce godemiché en caoutchouc mauve que j'avais trouvé dans un tiroir. Le processus consistait à projeter sans relâche dans ma mémoire les images que j'étais parvenu à éliminer pendant des mois, et à le faire avec la même discipline méticuleuse. C'étaient là les données du problème, une opération simple, soustraire là où j'avais auparavant additionné, diviser par les mêmes chiffres que je n'avais auparavant utilisés que pour multiplier. La solution était coûteuse, mais elle en valait la peine, car si je parvenais à mépriser Raquel, j'arriverais peut-être à la haïr, et à la haïr autant que je l'avais aimée, avec la même intensité, le même abandon, la même ferveur sans limites ni conditions. Cela ne me rendrait pas la vie, mais la sérénité, et ne pouvait être très compliqué, car aucune autre femme ne m'avait fait autant de bien, aucune autant de mal.

J'étais sûr qu'inverser le levier de la passion était mon seul salut, donc j'essayai. J'engageai dans cette tâche chaque infime partie de mon moi, je reculai à l'aveuglette sur le chemin de la lumière, je reniai mon corps, maudis la joie, désertai le vertige. Je m'efforçai d'analyser très soigneusement tous les éléments du problème, mais fus une fois de plus incapable de le résoudre.

Je tentai de mépriser Raquel Fernández Perea avec tout ce que j'avais, ce qu'il me restait, le peu qu'elle n'avait pas emporté avec elle, et je ne bougeai pas d'un millimètre. Ne me fais pas ça, Raquel, pourquoi est-ce que tu me fais ça, comment est-ce que tu peux me faire ça ? Je fus convaincu que je devais la mépriser pour pouvoir arriver à la haïr. Jamais ses yeux ne brillèrent comme alors, sa peau ne fut jamais plus douce, plus parfaite, son corps aussi grand ni moi aussi petit, un petit homme insignifiant, perdu sans carte et sans boussole dans l'immensité d'une planète qui s'était soudain arrêtée, et qui ne voulut plus jamais tourner sur elle-même.

Quand Ignacio Fernández Muñoz comprit que Julio Carrión González avait dépouillé ses parents de tout ce qu'ils possédaient, il s'effondra. Ce n'était pas sa première défaite, mais ce fut la plus cruelle, car jusqu'alors il n'avait été responsable d'aucun des échecs qu'il avait eus à subir. Il n'avait pu lutter plus qu'il ne l'avait fait, s'engager davantage, donner plus qu'il n'avait donné, il était disposé à tout donner à nouveau, lors d'une seconde occasion qui n'arriverait jamais. D'autres auraient pu faire plus, mieux, pas lui, et cette assurance le tenait debout, alimentait son orgueil et son intégrité, lui permettait de continuer à vivre. La conscience qu'il n'avait à se repentir de rien fut ce que Julio Carrión lui vola, en volant à ses parents tout ce qu'ils possédaient.

Au printemps 1964, quand son aîné allait être le premier membre de la famille à retourner en Espagne, à retourner à Madrid depuis 1939, cette blessure ne s'était pas encore refermée. Elle ne se refermerait jamais entièrement. C'est pourquoi, l'annonce de son fils, qui ne pouvait envisager les conséquences de ses paroles en annonçant sur un ton anodin qu'il envisageait un voyage en Espagne, le précipita dans un silence hermétique.

« Ça ne te plaît pas, n'est-ce pas ? lui demanda Anita cette nuit-là, alors qu'ils se couchaient.

— Je ne sais pas, répondit-il sincèrement. Pourquoi est-ce que tu dis ça ?

— Eh bien... » Sa femme s'approcha de lui, le prit dans ses bras, cacha sa tête dans son cou. « Moi non plus je ne sais pas, mais ça ne me plaît pas du tout. »

Cette nuit-là, Ignacio Fernández Muñoz ne trouva pas le sommeil. Pendant qu'il se retournait dans le lit, sa vie entière défila devant ses yeux par brèves rafales ordonnées, comme la bande-annonce d'un film ou le passe-temps mental d'un condamné à mort. Et ce n'étaient pas que des souvenirs. Entre les images et les couleurs, les sons et les arômes, les sensations concrètes ou ineffables qu'il possédait encore et auxquelles il appartiendrait toujours, filtraient des rais de lumière, des zones d'ombre qui s'entremêlaient en intersections troubles, déconcertantes. Ignacio Fernández Muñoz enviait son fils, avait peur pour lui, et il éprouvait les deux sentiments avec la même intensité, même s'il comprenait mieux le premier que le deuxième.

Cette nuit-là, pendant qu'il ne cessait de se retourner dans son lit, il aurait payé n'importe quel prix pour se glisser dans la peau de son fils le jour où commencerait son voyage, pour regarder avec ses yeux, écouter avec ses oreilles, respirer avec son nez, toucher avec ses doigts – sans renoncer à sa propre mémoire – la terre de ce pays qu'il désirait autant retrouver qu'éviter. Et il savait qu'il ne rentrerait pas, peut-être jamais, pas encore, mais il accompagnerait son fils dans ce voyage, même à son insu, car rien ni personne ne pourrait l'empêcher de rentrer en Espagne dans la mémoire et le souvenir d'un jeune homme de vingt et un ans qui croirait la fouler pour la première fois. C'était émouvant et triste, amer et joyeux à la fois, et surtout étrange, très étrange. C'était pour cela qu'il avait été sincère en disant à sa femme qu'elle ne savait pas le plaisir que lui faisait ce voyage qui lui inspirait autant d'envie que de peur. De la peur, même s'il n'était pas capable de se l'expliquer.

Il ne s'agissait pas seulement d'une crainte physique, mais il ne pouvait non plus écarter totalement celle plus élémentaire, la peur pure, primaire. Son fils était né en France et il passerait la frontière avec un passeport français non seulement en vigueur, mais authentique, pas comme les premières falsifications, minutieuses et habiles, qu'il avait tant admirées parfois en disant au revoir à certains camarades destinés à travailler à l'intérieur. Or, l'authenticité du papier, des signatures et des tampons, n'empêcherait pas un policier de lire les renseignements, Ignacio Fernández Salgado, fils d'Ignacio et d'Ana, né à Toulouse le 17 janvier 1943, et d'en tirer ses conclusions.

En 1964, la France était remplie d'émigrants espagnols avec des enfants de l'âge du sien. Ignacio Fernández Muñoz savait que ce passeport était sacré, que la police de Franco ne déciderait d'aucunes représailles envers son porteur, non que l'idée leur déplaise, mais parce qu'ils ne pouvaient pas se le permettre. Toutefois, il n'écartait pas les petits incidents, les commentaires méprisants, les provocations, « fils de rouges, hein ? » Je devrais lui dire de se tenir tranquille, de se taire, de ne pas répondre, pensait-il, et il voyait sa vie entière dans une succession de rafales brèves, ordonnées, incessantes. Je devrais lui dire de se tenir tranquille, mais ce ne sera pas nécessaire, parce que sa mère s'en chargera. Cette certitude le rassura, le libéra de la charge de ces quelques recommandations paternelles, simples conseils utiles pour la vie, qui auraient représenté bien plus que ça pour lui, une nouvelle défaite, reportée et même impassible, mais complète en soi. Quand la précaution de prier son fils de se nier et de nier aussi, dans ce mauvais pas, son père et sa mère, ses quatre grands-parents et tous ses oncles et tantes, la peur physique ne céda pas, elle disparut de l'horizon immédiat, mais une autre peur affleura.

Ignacio Fernández Muñoz ne cessait de se retourner dans son lit cherchant à choisir entre le mauvais et le pire, sans se décider. Son fils n'aimerait peut-être pas l'Espagne, et c'était mauvais. Il l'aimerait peut-être trop, et c'était pire. Il rentrerait peut-être en croyant que ses bourreaux, ceux de sa patrie, de sa famille, de son avenir, étaient sympathiques et bien intentionnés, et que les gens étaient contents, satisfaits de vivre, de prospérer sous le poids de leurs bottes. Il savait que ce n'était pas le cas, pas partout, pas dans des noyaux très importants de la population. Les communistes de Paris entretenaient des relations très étroites avec ceux de l'intérieur, ils avaient beaucoup de gens qui y travaillaient et l'information circulait facilement dans les deux directions. La résistance, qui était active il y avait encore très peu de temps, avait disposé de réseaux d'appui massifs et bien organisés, impressionnants dans certaines régions même lors des périodes les plus atroces de la répression, puis il y avait les mineurs, qui faisaient toujours la guerre à leur compte, et les étudiants, qui avaient mis Madrid sens dessus dessous en 1956, pendant que les travailleurs du tramway faisaient la grève à Barcelone. Huit ans plus tard, les syndicats officiels infiltrés à tous les niveaux et les principales universités du pays transformées en authentiques fiefs de la résistance clandestine, la situation était bien meilleure, mais peut-être que ces progrès, qui avaient si belle allure depuis Paris, n'étaient pas aussi appréciés au ras du sol. Ignacio Fernández Muñoz ne cessait de se retourner dans son lit, et il ne pouvait dormir en pensant à ce qu'il ferait, comment il réagirait si son fils rentrait d'Espagne en racontant ce qu'il ne voulait pas entendre, « très bien, très joli, les monuments, le vin et le flamenco, tout était formidable, les gens adorables, si joyeux, si contents, avec un niveau de vie semblable à celui d'ici, on voit que le développement économique donne de bons résultats et les Espagnols vivent bien, on dirait qu'ils ne regrettent rien... »

Quelle horreur ! Ignacio vit qu'il était 4 h 20 du matin et se leva pour aller au salon. Quelle sauvagerie, comment est-ce que je peux penser ça ? Le pire sera le mieux. C'était ce qu'il disait et entendait habituellement, mais il ne l'avait jamais analysé attentivement. Quelle injustice du destin, et quelle absurdité, se dit-il alors. C'était pourtant le sien parce qu'il l'avait choisi, il l'avait défendu avec tout ce dont il disposait, il l'avait perdu, et avait reconstruit sa vie de fond en comble juste pour l'engager à nouveau, et encore, et encore, dans la cause de ceux à qui il souhaitait aujourd'hui non seulement la pauvreté, mais aussi le malheur, cette misère indistincte, brutale, profonde, qui est capable de créer par elle-même des conditions révolutionnaires.

Quelle horreur ! Ignacio Fernández Muñoz se sentit très seul, très triste, très désemparé. Quelle sauvagerie, quelle horreur que l'exil, et cette horrible défaite qui détruit à l'extérieur et à l'intérieur, efface les plans des villes intérieures, pervertit les règles de l'amour, et déborde les limites de la haine pour faire du bon et du mauvais une seule chose laide, froide, et ardente, immobile. Quelle horreur que cette vie immobile, cette rivière qui ne se jette nulle part, qui ne trouve jamais de mer où se perdre. Et à ce moment, à la seconde la plus noire de la nuit, Ignacio se rappela Julio Carrión exactement comme la dernière fois où il l'avait vu dans le vestibule du premier appartement qu'ils avaient eu à Paris, quand ils habitaient encore tous ensemble et que Paloma l'avait arrêté avec une question qui ne semblait pas innocente, et se révéla l'être beaucoup plus que n'importe lequel d'entre eux n'aurait osé l'espérer.

Ce fut elle qui souffrit le plus, elle, qui avait déjà le plus souffert, Paloma délicate, violette et mélancolique, avec ses yeux bleus si grands et si fragiles, celle qui perdit le plus en perdant tout. En 1949, quand l'irrémédiable affleura avec la triste ténacité d'une marée noire qui dévaste une mer d'huile, ses parents gardèrent un calme admirable, Anita se soucia beaucoup plus de le consoler que d'avoir perdu une fortune qu'elle n'avait jamais possédée, et Paloma essaya de se suicider dans la salle de bains de cette maison qu'il avait déjà abandonnée, pour vivre la vie normale d'un homme normal qui ne vit qu'avec sa femme et ses enfants.

Ignacio ne pourrait jamais oublier les cris d'Anita, les sanglots de sa mère au téléphone, le désespoir de ses propres jambes courant sur le trottoir, le regard perdu de sa sœur, son visage d'une pâleur extrême quand il la trouva, assise sur le bord de la baignoire, les poignets bandés de tissu blanc, des taches de sang desséché salissant la toile. « L'ambulance arrive, je l'ai croisée dans la rue », dit-il à sa mère. « L'ambulance arrive », répéta-t-il à voix plus basse devant Paloma. Il s'était accroupi pour être à sa hauteur mais elle ne le regarda pas, ne dit rien. « Pardonne-moi, pardonne-moi, Paloma, c'est de ma faute, tout est de ma faute », la supplia-t-il ensuite, et elle fit un geste de dénégation de la tête, très lentement, à plusieurs reprises. « Oui, insista-t-il, c'est de ma faute, c'était mon idée, c'est pour ça que tu dois me pardonner, Paloma, s'il te plaît, pardonne-moi... »

« Ce n'était pas de ta faute, Ignacio. » Ce fut la première chose que dit sa sœur à son retour de l'hôpital, et qu'elle était très fatiguée, qu'on la laisse tranquille. Ensuite, elle ne parla plus, ne prononça plus un mot qui ne soit nécessaire pour rester en vie. Elle ne fit pas de nouvelle tentative, mais elle se borna dorénavant à manger, boire, dormir, à se lever le matin, à embrasser ses parents, et à caresser ses neveux, avec la fréquence rythmique, mécanique, qui convenait le mieux à sa vocation morbide de moribonde. « Laissez-moi tranquille, tranquille, tranquille, s'il vous plaît, laissez-moi tranquille », disait-elle ensuite. Ils l'observaient tous, la surveillaient, étaient attentifs, mais Ignacio ne se contentait pas de la regarder, il la reconnaissait aussi, reconnaissait la nature inférieure et différente de la femme qui avait perdu la capacité de désirer en regardant son corps décharné et desséché, la désolation qui avait opéré le miracle qui avait résisté à l'espoir, l'amertume qui fit de la belle Paloma une femme désagréable, laide.

Carrión avait été très habile, à tel point que, au moment où Ignacio commença à comprendre que cela n'allait pas, il était trop tard. Au début, jusqu'à fin 1947, Julio écrivit plus souvent que nécessaire, avertissant de la lenteur du processus, une foule d'obstacles bureaucratiques qui ne laissaient pas d'être prévisibles. Au fil de l'année 1948, ses lettres commencèrent à s'espacer, mais Ignacio se rappela son propre mariage, l'angoisse d'Anita devant le silence du prêtre et du maire de son village, ce simple certificat de naissance qui n'était pas encore arrivé, qui ne parviendrait jamais entre les mains de celle qui l'avait sollicité, et il ne s'en inquiéta pas non plus. Et puis, au printemps, Julio leur envoya un peu d'argent, une petite somme, insignifiante en soi, et cependant importante, car c'était le produit de la vente de la première oliveraie qu'il était parvenu à récupérer avant de la vendre. Mais ils ne reçurent rien d'autre, et avant le début 1949, il cessa d'écrire.

Ignacio laissa passer deux mois, il lui fallut deux mois supplémentaires pour s'inquiéter, il mit un certain temps à trouver à Madrid un avocat digne de confiance et le reste se déroula très vite. Quand le nouveau représentant s'y intéressa, toutes les anciennes propriétés de la famille Fernández Muñoz avaient cessé de leur appartenir. Paloma fut celle qui en souffrit le plus, mais son frère ne l'aurait pas mieux vécu si son père n'était intervenu à temps.

« Écoute-moi bien, Ignacio. » C'était un dimanche matin, les femmes préparaient le déjeuner, et ils étaient arrivés en se promenant lentement jusqu'à ce café où le père choisit une table tranquille et ensoleillée, près d'une fenêtre. « Il ne s'est rien passé, tu m'entends ? Nous n'avions rien et nous n'avons rien. C'est comme si on nous avait dépossédés de tout il y a dix ans, comme si ta cousine nous avait tout volé au lieu de ce salaud. Et ce n'est pas de ta faute.

— Si, papa.

— Non, répliqua son père en haussant le ton. Non. Peu importe que ce soit toi qui l'aies rencontré, qui l'aies invité à la maison, que l'idée de tout vendre vienne de toi, parce que c'était une bonne idée et que n'importe qui aurait pu l'avoir. Il nous a dépouillés, d'accord, qu'est-ce qu'on y peut, c'est la faute de ce voleur, qui nous a tous trompés. On s'est tous laissé tromper en même temps, pas parce qu'on est stupides, mais parce que les gens honnêtes sont faciles à tromper. Et voilà, inutile d'y réfléchir plus longtemps. »

À ce moment, Mateo Fernández Gómez de la Riva fit une pause pour regarder son fils avec toute la sagesse qu'ils avait accumulée en soixante-deux ans de vie, et un éclat de son autorité passée. Il méditait sur le meilleur chemin à suivre et il choisit la sincérité.

« J'ai besoin de toi, Ignacio, et tel que tu es en ce moment, tu ne me sers à rien, mon petit. J'ai besoin de toi et j'ai besoin que tu sois fort, courageux, que tu entraînes les autres. Maintenant tu es le chef de cette famille, tu comprends ? Toi, pas moi, surtout depuis que María est restée à Toulouse. Elle est forte elle aussi, mais elle est loin, et je suis vieux, Ignacio. Je suis vieux, je suis fatigué et je n'en peux plus, alors c'est fini. Je ne veux plus jamais entendre parler de Julio Carrión. C'est compris ?

— Oui, papa.

— Promets-le-moi.

— Je te le promets, papa. »

Toi aussi tu m'as sauvé la vie, tant de gens m'ont sauvé la vie, tant de fois, que j'aurais dû en faire quelque chose de grand, quelque chose de plus important que survivre, finir mes études, me marier par amour, et élever mes enfants pensa-t-il. Tu as aidé beaucoup de gens, Ignacio, lui disait Anita quand elle le trouvait dans cet état, et c'était peut-être vrai, mais ce n'était pas grand, ni important, ni ne valait le prix d'une vie dans laquelle tant de gens avaient investi tant d'efforts. Et maintenant que la bienveillance ou la cruauté du temps lui avait accordé de quitter son travail en même temps que tous ses associés, quand il ne restait plus dans la salle d'attente aucun homme obscur et désorienté, aucune femme aux yeux perdus dans la couleur sombre de sa jupe, un enfant à chaque main, qu'il avait presque oublié leurs gestes, leurs problèmes, les mots toujours semblables qu'ils employaient

pour raconter des histoires toujours énormes et toujours différentes, maintenant, précisément maintenant il souhaitait le
pire pour eux, pour les cousins, les frères, les parents de ces
Espagnols qu'il avait conseillés, assistés et défendus gratuitement pendant tant d'années. Et tout cela parce que le petit
avait décidé de rentrer en Espagne en se camouflant dans une
joyeuse expédition d'étudiants français.

« Eh bien qu'il n'y aille pas. »

Quand le réveil sonna, deux heures après que sa mémoire
se rende pour lui permettre de dormir enfin, il trouva Anita
assise sur le lit, les bras croisés, très sérieuse, très décidée.
Elle était comme ça, les contrariétés lui donnaient sommeil,
mais elles les retrouvait intactes au réveil.

« Quoi ? marmonna-t-il.

— Ignacio, ton fils lui expliqua-t-elle. Qu'il ne fasse pas
ce voyage. On le lui échange contre autre chose et voilà, ou
qu'il parte en Grèce avec un ami.

— Mais non. » Il regarda Anita, et elle lui rendit un
regard plus soucieux que perplexe. « On ne peut pas faire ça.

— Pourquoi ?

— Eh bien je ne sais pas mais on ne peut pas.

— Écoute... » Anita se leva, le regarda un instant et partit
aux toilettes en rouspétant. « Quelle aide tu m'apportes, Ignacio, "je ne sais pas, je ne sais pas, je ne sais pas". On dirait
que tu ne sais pas répondre autre chose. »

Aucun des deux ne pouvait alors imaginer que leur fils
n'avait, lui non plus, pas du tout envie de faire ce fichu
voyage. Ignacio Fernández Salgado aurait préféré aller en
Grèce, en Italie, en Hollande, ou au Maroc, vers n'importe
laquelle de ces destinations pour lesquelles il avait voté avant
de ne plus avoir d'options.

Pour lui, l'Espagne n'était pas un pays, mais un contretemps, une anomalie qui changeait de forme, de nature, selon
les dates et les circonstances, comme une maladie congéni-
tale, capable de surgir et de disparaître d'elle-même, ou un
bouton rebelle qui, sans trop démanger, n'en est pas moins
gênant pour autant. Ignacio Fernández Salgado, qui n'était
jamais allé en Espagne, en avait par-dessus la tête de l'ome-
lette aux pommes de terre et des sevillanas[1], des chants de

---

1. Suite de quatre danses flamenco originaire de Séville.

Noël et des proverbes, de Cervantès et de Lorca, des châles, des guitares, de Fuenteovejuna[1] et de Don Juan, du siège de Madrid et du Cinquième Régiment, de manger des grains de raisin la nuit du 31 décembre et de trinquer en l'air avec une coupe de champagne pour entendre toujours les même mots, l'année prochaine chez nous.

Cela n'avait pas de rapport avec le fait que ses parents étaient étrangers. Paris était plein d'étrangers et c'était supportable. Ce qui était insupportable, c'était d'être le fils d'exilés espagnols, d'être né, d'être devenu un homme dans un exil tel que celui-ci, dense, épais, concentré, stimulé à perpétuité et perpétuellement torturé par la proximité, la conscience de cette frontière aussi proche et à la fois aussi inaccessible qu'une assiette de bonbons située à un centimètre, juste un centimètre, des doigts d'un enfant affamé. Quelle horreur que l'exil, cet exil étranger qu'on l'avait obligé à vivre comme sien, lui, qui était français, qui ne l'était pas, qui ne savait pas d'où il était et ne pouvait pas se permettre le luxe de ne pas s'en soucier. Car il n'était pas né dans un pays, mais dans une tribu, un clan encouragé par son propre malheur, un campement de nomades invalides et satisfaits de leur incapacité, une société d'ingrats impuissants à apprécier ce qu'ils avaient, un petit village d'idiots qui ne savaient pas vivre dans le temps des calendriers, les inadaptés éternels et volontaires qui trouvaient un plaisir malsain dans leurs carences plaisantes, car il leur manquait toujours quelque chose et ils ne savaient profiter qu'à demi, toujours malheureux, toujours enfermés dans les minuscules dimensions d'une patrie portative, une présence posthume et fantasmatique qu'ils appelaient l'Espagne et qui n'existait pas, n'existait pas, n'existait pas.

Pour ceux qui étaient partis en Amérique, ce devait être différent, car il y avait la mer comme séparation, beaucoup de mer, beaucoup de kilomètres, d'autres accents et la même langue. Ignacio Fernández Salgado aurait préféré que ses parent se soient connus là-bas, dans un de ces pays chauds, proches malgré la distance, où Noël arrive en été. L'année prochaine à la maison serait forcément une promesse légère, souriante, dépourvue de la gravité que la proximité et le froid faisaient flotter sur la table de la salle à manger de leur mai-

---

1. Pièce de théâtre écrite en 1612 par Lope de Vega, dans laquelle tout un village s'allie contre l'injustice.

son chaque année, tous les ans, et la prochaine, à la maison. Quels couillons vous faites, quelle autre maison que celle-ci possédez-vous, pensait-il... Puis il regardait son père, sa mère, ses grands-parents, le spectre insensible de sa tante Paloma, et il regrettait d'avoir eu cette pensée, mais il savait qu'un an plus tard il aurait la même en entendant les mêmes mots et qu'il se sentirait coupable en ne l'étant pas, car il n'était pas responsable de sa naissance, parce qu'il n'avait pas pu choisir une autre date, un autre lieu où naître, parce qu'il ne pouvait pas s'arrêter de penser, s'arrêter de ressentir de cette façon.

Même si son père, sa mère, ne s'en rendaient pas compte, Ignacio Fernández Salgado était très conscient de ne pas rentrer en Espagne. Il ne pouvait pas rentrer, parce qu'il n'y était jamais allé. Aussi ne comprit-il pas la grimace, leur mauvaise mine à tous les deux, la même fatigue des nuits de veille, avec laquelle ils le reçurent quand il s'assit pour prendre le petit déjeuner avec eux le lendemain.

« Dis-moi, mon petit. Tu as envie d'y aller ? lui demanda sa mère, prenant l'initiative avant qu'il ait eu le temps de goûter au café.

— Où ça ?

— Eh bien en Espagne, où veux-tu que ce soit ?

— Disons que... J'aurais préféré aller en Grèce, mais bon, le voyage me fait envie, parce que tous mes amis y vont et je suppose qu'on va s'amuser. Ce qu'il y a... » Il fit une pause pour choisir des mots qui ne les offenseraient pas ni ne les mécontenteraient. « Enfin, je crois que j'aurais préféré aller ailleurs parce que j'ai l'impression de connaître déjà l'Espagne, même si je n'y suis jamais allé.

— Mais tu ne la connais pas, intervint son père sur un ton mystérieux, presque hermétique. Tu n'as aucune idée de ce qu'est vraiment, profondément, l'Espagne.

— Et tu n'es pas du tout obligé d'y aller. Tu peux faire un autre voyage, de ton côté, on te le paierait, dit clairement Anita.

— Mais... » Leur fils regarda lentement sa mère puis son père. Il n'en croyait pas ses oreilles. « Je ne comprends pas. Vous passez votre vie à parler de l'Espagne à comparer tout ce que vous voyez, ce que vous entendez, ce que vous mangez, avec ce qu'il y a là-bas, et ça, et puis ça, et les aubergines, maman, reconnais-le. C'est comme une maladie, vous êtes malades de l'Espagne, et maintenant... Vous ne voulez pas que j'y aille ? Pourquoi ? » Ils le regardèrent tous les deux en même temps, mais aucun ne voulut lui répondre. « Vous ne nous laissez même pas parler français, c'est interdit dès qu'on passe cette porte... Vous voulez me dire pourquoi vous préférez que je n'y aille pas ? Je ne comprends pas, vraiment je ne comprends pas.

— Ce n'est pas que je ne veuille pas que tu y ailles, ce n'est pas ça, répliqua son père. Mais ça ne me plaît pas non plus. Enfin, c'est difficile à expliquer. »

Sa mère fut plus sincère, et affronta avec sérénité la stupeur qui agrandit les yeux de son fils. « Oui, ne me regarde pas comme ça, Ignacio, c'est dangereux. Pas pour tes amis, mais pour toi, et je ne dis pas qu'il va t'arriver quelque chose, ce n'est pas ça, mais je dis que cela peut t'arriver. Ton père a raison. Tu ne sais rien, mon petit, rien. Tu as été élevé dans un pays démocratique, un pays où les policiers sont des fonctionnaires, contrôlés par le gouvernement, où il y a des lois et où on les respecte, mais l'Espagne n'est pas comme ça, pas maintenant, plus maintenant... »

Olga, qui avait quatre ans de moins que son frère et qui s'était jusqu'alors occupée de tremper ses biscuits dans le café, souffla comme une baleine fatiguée, « S'il te plaît, maman. Ne commence pas, allez.

— Eh bien si ! » Anita se leva, et éleva la voix. « Je commence parce que j'en ai envie, parce que je sais de quoi je parle et vous, vous n'en avez aucune idée, aucun des deux.

— Je ne vais pas chercher les ennuis, maman, je te le promets. Il ne m'arrivera rien parce que je n'ai rien fait, et je ne compte rien faire. Rien.

— C'est exactement ce qu'a dit mon père quand on l'a emmené.

— Ça va, maman ! éclata son fils en se levant lui aussi pour se diriger vers la porte. C'est toujours pareil...

— Eh bien oui, c'est toujours pareil ! cria-t-elle à son tour. Parce que c'est exactement ce qu'a dit mon père, je l'entends encore, il ne m'arrivera rien parce que je n'ai rien fait. Et ils l'ont fusillé, tu comprends ? À trente-six ans, avec quatre enfants, et, et... » Elle devenait si nerveuse que ses lèvres, ses mains, tout son corps tremblait, mais elle parvint encore à ajouter quelque chose. « Et je suis la seule qui reste, la seule, de tous, moi, et maintenant, tu t'en vas, là-bas... »

Ignacio Fernández Muñoz rejoignit sa femme, la prit dans ses bras, prononça son nom à voix basse.

« Anita.

— Quoi ? demanda-t-elle sans le regarder.

— Laisse, allez. » Elle s'agita entre ses bras pour lui adresser un regard furieux, mais il la calma sans difficulté. « Laisse, s'il te plaît, réfléchis un peu. Il ne va pas faire la guerre, il va faire du tourisme, juste du tourisme... »

Ce soir-là, en rentrant du travail, Anita Salgado demanda pardon à son Ignacio, son fils, qui l'attendait au salon pour lui demander pardon. Ce ne fut facile pour aucun des deux. Elle ressentait le même frisson glacé et sec qui la paralysa pendant que son père lui mettait dans la main l'abricot fraîchement lavé qu'il s'apprêtait à manger quand ces hommes frappèrent à la porte. « Ne pleure pas, bêtasse, il ne va rien m'arriver, je n'ai rien fait, tu le sais... » dit-il et il lui donna le fruit et lui caressa le visage. Il se pencha pour l'embrasser mais il ne put le faire, car le garde civil qui le tenait par le bras droit l'entraîna et l'obligea à sortir très vite de chez lui.

Vingt-huit ans s'étaient écoulés depuis qu'Anita Salgado avait mangé cet abricot, mais elle ne l'avait toujours pas digéré, elle n'y parviendrait jamais. Elle ne mangeait plus d'abricots et avait conservé le goût de celui-ci. Elle aurait aimé conserver aussi le noyau, qu'elle mordit et suça pour le laisser net du dernier fil de pulpe pour le conserver ensuite dans la poche de son tablier, sans vouloir savoir pourquoi elle agissait ainsi. Elle n'en avait pas besoin pour se rappeler son père, et donc, et pour l'accompagner toujours, elle le mit dans une poche de sa chemise quand elle le revit, tout raidi, maculé de sang, les yeux clos, le jour de l'enterrement. Ensuite, comme si elle avait été une adulte et non une fillette de douze ans, elle s'approcha d'une fontaine et y mouilla son mouchoir pour nettoyer le visage et le cou ensanglanté du cadavre. Puis elle s'évanouit, une voisine l'emmena chez elle, l'assit dans un fauteuil, lui donna de l'eau, de l'air avec un éventail, et lui fit toute la conversation qu'il fallut pour la distraire, sans autre but que de la tenir éloignée de l'enterrement. Ne pas avoir assisté à cette cérémonie brève et triste lui fit du mal, mais elle avait encore plus mal de ne pas avoir conservé ce noyau pour le mettre dans une poche de son fils.

Il connaissait par cœur l'histoire de ce noyau, du dernier abricot qu'avait mangé sa mère, cet abricot dans lequel son grand-père n'avait jamais pu mordre, mais il savait aussi qu'il s'était écoulé presque trente ans depuis ce jour-là. Il s'était écoulé presque trente ans pour les horloges, pour les historiens, pas pour sa mère. Pas pour sa mère, c'était là l'insupportable, l'angoissant, l'ennuyeux, le grotesque de sa situation. Et maintenant il partait en Espagne avec ses amis, pour exercer une autorité qu'il aurait donné n'importe quoi pour ne pas avoir à montrer, pour être expert, interprète, spécialiste dans ce pays absurde que même les Espagnols ne comprenaient pas, et bien sûr pas ses parents.

Laurent était déjà allé deux fois en Espagne, en été, une fois à Majorque, l'autre à Torremolinos, et ce qu'il avait raconté à son retour n'avait rien à voir avec ce qu'on racontait chez lui. Pour Laurent, un de ses meilleurs amis, l'Espagne était un pays agréable, bon marché et amusant, de gens sympathiques, un peu bizarres, mais aimables avec les étrangers. Il y avait beaucoup de policiers dans la rue, oui, dans les villages les femmes étaient toujours habillées en noir, tout le monde allait à la messe le dimanche, et il était très difficile de draguer, très difficile, non que les jeunes Espagnoles n'aiment pas ça, mais parce qu'elles étaient très surveillées. Les filles normales n'avaient pas le droit de sortir le soir, ni de parler avec des inconnus dans la rue. À la plage, le jour, c'était différent, mais elle s'entêtaient toujours à présenter tout de suite n'importe quel garçon à leur mère, pour ne pas avoir de problèmes ensuite. Résultat, entre une chose et l'autre, malgré les bigotes en deuil et les jeunes filles cuirassées, Laurent aimait l'Espagne, la musique, la cuisine, les fruits de mer, les bars et l'insatiable goût des Espagnols pour la vie nocturne. Et sa sœur était d'accord avec lui. À tel point qu'elle s'était inscrite à un voyage où il ne restait pratiquement pas de places libres.

— Réserves-en une de plus, lui demanda son père début mars, quand ils semblaient s'être faits à l'idée et que les scènes, les sottises étaient désormais terminées.

Ignacio regarda Olga, qui, assise à côté de lui sur le canapé, regardait la télé. « Pourquoi ? Tu veux venir ? »

— Moi ? » Sa sœur se désigna en levant les yeux au ciel, sans remarquer aucune contradiction dans les paroles qu'elle prononcerait ensuite, une des expressions préférées de sa mère. « Même pas saoule !

— Alors ?

— C'est pour Raquel, n'est-ce pas ? » intervint Anita avec un sourire auquel son mari acquiesça sans rien dire, avant de se tourner vers son fils. « La fille d'Aurelio et de Rafaela, tu la connais...

— Quoi ? » Et pendant qu'il défiait son père et sa mère du regard, Ignacio Fernández Salgado se reprocha sa naïveté, la stupidité de ne pas avoir prévu qu'une chose de ce genre allait se produire, une de ces choses qui lui arrivaient à lui et à personne d'autre. « Pas question. Je ne vais pas me charger d'une gamine...

— Mais quelle gamine ? » l'interrompit immédiatement sa mère. « Elle est plus âgée que ta sœur. Elle doit déjà avoir... Dix-neuf ans, non ? » Elle regarda à nouveau son mari mais cette fois il ne lui vint pas en aide. « Parce que, voyons, quand j'ai connu Rafaela, elle était enceinte, et ça devait être... Eh bien, quand nous sommes venus à Paris, début 45, alors...

— Je m'en fiche, maman ! Qu'elle ait dix-neuf ou vingt ans. De toute façon, je ne l'emmène pas, je ne compte emmener personne...

— Bien sûr que tu ne vas pas l'emmener, Ignacio, l'interrompit son père avec le calme auquel il recourait quand il n'était pas disposé à laisser mettre son autorité en doute. Elle va y aller seule. Elle a deux jambes et elle est très grande, ta mère te l'a dit.

— Non, papa, s'il te plaît, ne me faites pas ça ! C'est toujours pareil, bien sûr, toujours pareil. Je ne peux jamais être comme les autres ?

— Eh bien la sœur de Laurent part avec vous, rappela Anita, en voyant son fils faire un signe de dénégation de la tête ainsi qu'une magnifique grimace de désespoir.

— Mais c'est sa sœur ! Vous ne comprenez pas ? C'est sa sœur, c'est différent ! Il ne peut pas dire non, et puis... » Il savait qu'il était perdu, mais il tenta encore de résister. « Moi, cette fille, je ne la connais même pas, maman.

— Bien sûr que si ! dit sa mère en riant. Depuis toujours. Souviens-toi, aux fêtes de *L'Humanité*, quand vous étiez petits. Elle avait toujours une robe de flamenco, avec une fleur dans les cheveux, si jolie, je crois qu'elle danse toujours très bien...

— Les fêtes de *L'Humanité*, putain... "a galopar, a galopar"[1], "Antonio Vargas Heredia, fleur de gitan[2]", si tu veux m'écrire, tu sais où je suis, olé, olé, et elle n'a pas de fiancé, et vive la mère qui nous a faits. Ne me le rappelle pas, s'il te plaît, maman.

— Eh bien, avant, tu aimais y aller.

— J'aimais ça ? – Il fallait en arriver là, se dit-il. – Je n'aimais pas ça du tout, tu le sais très bien. Je n'ai jamais aimé ça. Vous m'obligiez à y aller, ce n'est pas la même chose...

— Bon, c'est fini.» Ignacio Fernández Muñoz mit un point final à la discussion. « Raquel va en Espagne avec toi, ou aucun des deux n'y va. C'est aussi simple que ça. Très simple. Tu n'as pas un sou. Le voyage, c'est moi qui le paie, et ce sont mes conditions.

— Tu vois ? C'est ça, le marxisme.» La mère regarda son fils et sourit.

« Anita, s'il te plaît... » Son mari eut un regard stupéfait.

« Eh bien, à peu près, se défendit-elle.

— Et puis, Ignacio... » Il ne voulut pas insister et regarda à nouveau son fils. « Cette fille n'est pas ta sœur, mais elle fait partie de ta famille. Son père est comme un frère pour moi depuis des années. Tu peux penser ça, si ça t'aide à te sentir mieux.

— Non, papa, non... » Ignacio Fernández Salgado fit encore un signe de dénégation de la tête, se retourna vers son père et explosa. « Cette fille ne fait pas partie de ma famille, tu comprends ? Nous sommes une tribu. Nous sommes une foutue tribu !

— Très bien. » Et Ignacio Fernández Muñoz sourit en l'honneur de l'ingénieux fruit de la colère de son fils aîné. « Eh bien on est une tribu, mais on est la tienne. Tu es un sauvage parmi les autres, je suis désolé, mais c'est comme ça... Et autre chose. Je veux que tu ailles voir ta tante Casilda, et c'est

---

1. Vers du poème de Rafael Alberti mis en musique et chanté par Paco Ibañez, devenu l'un des symboles de l'anti-franquisme.
2. Poème de Joaquín de la Oliva, Juan Mostazo, Francisco Merenciano, mis en musique et chanté par Joan Manuel Serrat.

encore moins négociable que pour Raquel. Combien de journées libres est-ce que tu as à Madrid ?

— Ne me fais pas ça, papa... S'il te plaît, je t'en prie, papa... »

Le jour qu'Anita appelait le Vendredi des Douleurs en 1964, Ignacio Fernández Salgado prit un taxi pour aller à l'aéroport. Ses parents avaient proposé de l'emmener en voiture, ensemble et séparément, mais il refusa leurs propositions successives en prétextant leurs horaires de travail. Par chance, son avion partait à 11 heures et demie, et pendant que son père serait à son bureau et sa mère à la garderie, il ne courrait pas le risque d'affronter des adieux étouffants, encore des scènes, encore des larmes, « a galopar, a galopar, Antonio Vargas Heredia, fleur de gitan, si tu veux m'écrire, tu sais où je suis, et la mère qui vous a tous eus, olé. » Il partit donc seul, et il trouva ses amis très contents, excités par le voyage et par la perspective de la nouvelle fille.

« Ne vous faites pas d'illusions. » Et il n'avait pas voulu être plus explicite. Cela n'aurait servi à rien, car aucun de ses camarades de classe n'était allé, enfant, avec ses parents à la fête de *L'Humanité* avec la délégation du Parti communiste espagnol. Il croyait l'avoir oublié, mais la dernière dispute lui avait renvoyé, intacts, le goût des *churros* et les paroles des fandangos, le bruit d'un filet de cidre choquant le verre et l'air inquiétant, presque terrifiant, de ces *empanadas*[1] monstrueuses qu'on appelait des pains enceints et qui étaient pleines de bosses. La fête de *L'Humanité,* toutes ces paellas grasses, toutes ces femmes en deuil, tous ces hommes portant un béret, les mêmes éternelles chansons et la honte de marcher dans la rue déguisé en *mañico*[2], avec ce foulard à carreaux tortillé et noué autour de la tête que sa mère l'obligeait à porter chaque année, surtout depuis qu'Olga penchait pour le costume régional paternel.

« Quel tricheur, Ignacio ! » avait dit Anita Salgado à son mari le jour où il était arrivé avec un châle de manille noir à très longues franges, brodé de fleurs de couleur, que Casilda, sa belle-sœur, lui avait envoyé de Madrid.

---

1. Sorte de chausson fourré à la viande, au thon, aux œufs ou aux épinards.
2. Paysan d'Estrémadure.

Sans le châle, sa sœur préférait déjà de beaucoup cette robe blanche à pois rouges, longue et moulante, qui se portait en plus avec des talons, comme les Andalouses. Avec le châle, il n'y eut pas de retour en arrière, et sa mère se vengea avec acharnement, sur la pauvre tête de son fils, de l'humiliation subie à cause de la jupe, du corsage et du fichu qu'elle avait elle-même coupés et cousus pour finir par tout ranger dans un coffre.

« Ah, regarde-le, comme il est mignon avec le *cachirulo* ! »

Horreur, parce qu'en plus ce foulard s'appelait un *cachirulo*. Horreur, double horreur, chante-moi une jota, l'Aragonais ! Horreur, horreur, horreur des horreurs.

Au début, Olga aimait ça, parce que maman lui faisait un chignon, lui dessinait un trait de crayon sur les paupières, lui mettait des œillets dans les cheveux, sous un foulard blanc, très raide, noué comme les foulards ordinaires, droit et sous le menton. Il fallait reconnaître qu'elle était jolie, cette robe lui allait bien, mais lui, il avait droit à une bande de tissu que sa mère lui enroulait autour de la taille un nombre incalculable de fois, et au *cachirulo*, serré juste au-dessus des ses oreilles décollées, pour qu'on les voie encore mieux, et elle lui donnait un bâton en bois qui ne servait à rien, tous les ans la même chose. Et tous les ans, Olga sortait dans la rue en souriant, les poings sur les hanches et lui derrière, les yeux rivés au sol, dans la vaine intention de se cacher derrière son père et sa mère, pour passer inaperçu. Mais il y avait toujours quelqu'un pour le voir, un voisin qui demandait : « Et toi, en quoi es-tu habillé ? » sur le ton qu'il aurait eu pour lui demander : « Et toi, de quelle tribu es-tu ? » La fête de *L'Huma*, quelle plaie, *a galopar, a galopar*, « Antonio Vargas Heredia, fleur de gitan, si tu veux m'écrire, tu sais où je suis », et une fillette maigre avec des bagues en fer aux dents qui attendait la moindre occasion pour donner des coups de talon comme une folle, *olé, olé, elle n'a pas de fiancé* tout en soulevant sa robe d'une main et en pinçant les lèvres comme si elle avait mal, *olé, olé...* Il se souvenait encore de ce qu'elle avait sur les mollets, une toison plutôt que des poils, et de la pose finale, une jambe en avant et découverte, l'autre droite et couverte, un bras tendu, le bout des doigts raide et tordu, comme s'il venait d'être frappé d'une hémiplégie, un immense sourire, la frange collée au front et le visage ruisselant de sueur. *Olé, olé, et elle n'a pas de fiancé* ! Quel fiancé pourrait-elle avoir ? Aucun, jamais de la vie... pensait-il.

« Tu es Ignacio ? »

C'était pour cela qu'il avait dit à Laurent, à Philippe aussi, le plus obsédé de tous, de ne pas se faire d'illusions. Et qu'il n'avait pas pu comprendre la question de cette jeune Française, si mignonne, en robe blanche, si moderne, les hanches soulignées par une ceinture faite du même tissu blanc avec une boucle en argent, si grande, avec à peine quelques centimètres au-dessous, les jambes lisses, nettes, nues, si jolies.

« Tu t'appelles Ignacio Fernández ? » répéta-t-elle, dans un espagnol qui aurait été impeccable si deux accents opposés, l'andalou et le français, ne s'étaient croisés à chaque mot.

« Oui, c'est moi, finit-il par répondre.

— Bonjour. Je m'appelle Raquel Perea. Tu as mon billet, non ? demanda-t-elle en lui tendant la main.

— Oui. » Il était resté muet.

« Alors prends ma valise, si tu veux bien, et va enregistrer les bagages... » La vice-reine de l'Inde ne se serait pas adressée à un serviteur d'un air moins supérieur. « Je reviens tout de suite, je dois aller dire au revoir.

— Ah ! » Il prit la valise, la reposa tout de suite par terre en constatant qu'elle pesait deux fois plus lourd que la sienne, et l'arrêta au moment où elle lui avait déjà tourné le dos. « Attends, je viens avec toi. Je voudrais dire bonjour à tes parents.

— Quels parents ? » Elle se retourna, lui adressa un regard perplexe, continua son chemin et parvint à la hauteur d'un garçon grand et corpulent, à la mine odieuse de ceux qui ont été champions de quelque chose au collège.

Raquel Perea, *olé, olé*, avait déjà un fiancé. Ignacio Fernández disposa de plus de vingt minutes pour le constater, comme le constatèrent Laurent, Philippe ainsi qu'un cireur de chaussures qui ne la quittait pas des yeux et plusieurs passagers qui croisèrent le monstre à deux têtes engendré par un baiser interminable.

« Qui c'était, ton fiancé ? se risqua-t-il à lui demander quand elle condescendit à récupérer ses possessions.

— Bien sûr ! dit-elle en le regardant comme s'il avait été stupide. Qui veux-tu que ce soit ? Il part en Dordogne demain, chez sa grand-mère, pour manger du foie gras. Je pensais partir avec lui mais mon père s'est obstiné à m'envoyer en Espagne avec toi. » Elle fit une pause et leva le menton dans un geste qui frôlait le défi. « Pour y manger de l'ail. »

Ce commentaire, très semblable à ceux qu'il faisait lui-même d'habitude, le gêna autant qu'une piqûre d'insecte en plein hiver. « Écoute, je n'ai jamais demandé à ce que tu viennes.

— Tant mieux. Je t'ai reconnu à tes oreilles, même si maintenant, avec les cheveux longs, je dois dire qu'on ne les voit plus autant. »

Sympa, pensa Ignacio, et il faillit répondre que lui, en revanche, ne l'avait pas reconnue parce qu'elle n'avait plus de toison sur les jambes, mais il se tut, car il comprit qu'elle apprécierait sûrement ce commentaire. Il ne trouva rien d'autre à dire, et ils n'échangèrent plus un mot jusqu'à ce qu'il la retrouve assise à côté de lui, dans l'avion.

« Et on ne va même pas à Málaga. » Elle ne ressemblait plus à une impératrice irritée, mais à une petite fille à laquelle on vient de voler un bonbon.

« Oui, mais on va à Séville, précisa-t-il sans se demander pourquoi il cherchait à lui remonter le moral. Et à Cordoue, à Grenade... Tout ça, c'est l'Andalousie, non ?

— Oui, mais ce n'est pas pareil. Écoute, je suis désolée de t'avoir parlé de tes oreilles tout à l'heure. Peut-être que ça ne t'a pas plu, mais... Je ne voulais pas venir, ça ne me disait rien du tout. Mon père a refusé de me laisser partir avec mon fiancé, tu sais comme ils sont vieux jeu et s'imaginent le pire. Je lui ai dit : "Mais enfin, papa, ça veut dire que tu refuses que je parte en voyage avec Jean-Pierre, qui est mon fiancé, que tu connais parfaitement, et que tu t'entêtes à m'y envoyer avec un garçon que tu ne connais absolument pas, parce que tu ne l'as pas vu depuis des années." Et tu sais ce qu'il m'a répondu ? Que ce n'était pas pareil, parce que tu es le fils de ton père et qu'en plus, tu es espagnol. Tu as déjà entendu une chose aussi absurde ? C'est qu'ils sont insupportables, vraiment, il n'y a pas moyen de les comprendre... Ils parlent toujours de liberté, et après, pan !

— Ça, ce n'est rien, dit Ignacio en souriant. Ma mère m'a dit qu'elle ne voulait pas que j'y aille parce que c'était dangereux pour moi, et quand je lui ai répondu qu'il ne m'arriverait rien parce que je n'avais rien fait, elle m'a balancé que c'était exactement ce qu'avait dit son père quand on l'avait emmené pour le fusiller.

— Ah oui ? » Elle le regarda en écarquillant les yeux. « Bon sang, c'est incroyable qu'ils en soient encore là. On dirait qu'ils aiment ça, non ? »

Ce ne fut que lorsque l'hôtesse annonça qu'ils amorçaient la descente, qu'ils cessèrent de critiquer leurs pères, leurs mères et les autres membres de leur tribu commune, pour se taire en même temps, comme s'ils s'étaient mis d'accord. En atterrissant, Ignacio regarda par le hublot et observa la piste, du bitume gris et de la peinture blanche, identique à celle qu'il avait vue avant de décoller, à Paris. Cette piste n'avait rien de particulier, et cependant, en la regardant, contrairement à ce qu'il avait prévu, et même à ce qu'il souhaitait, Ignacio Fernández Salgado se retrouva avec un trou à la place de l'estomac, et tous ses boyaux serrés, tordus, noués juste au-dessous de la gorge. Il sentit aussi une pression sur le bras gauche, mais il était si absorbé dans la rébellion imprévue de son corps, qu'il mit un certain temps à s'interroger sur son origine. Quand il le fit, il découvrit que Raquel Perea s'était penchée sur lui afin de voir, à travers le hublot, la même quelconque et monotone portion de piste d'atterrissage de l'aéroport de Séville.

« Le sol espagnol, murmura-t-elle alors sur un ton humble, soucieux, presque doux.

— Oui, répondit-il, lui aussi dans un murmure.

— Je ne sais pas si je vais aimer ça.

— Moi non plus, mais il fallait bien venir un jour, non ?

— Si, c'est vrai. Toi non plus, tu n'étais jamais venu ?

— Non.

— Eh bien, comme ça on va partager...

— Comme la varicelle. »

Et comme s'ils avaient été deux enfants que l'on a enfermés dans la même pièce pour qu'ils se transmettent la maladie, Raquel sortit de l'avion à ses côtés et elle ne le quitta pas avant qu'ils aient récupéré leurs bagages. Ils allaient au même rythme, sérieux et silencieux, sans se regarder, comme s'ils ne se connaissaient pas mais n'avaient rien à voir non plus avec le groupe bruyant d'étudiants français qui, autour d'eux, riaient, criaient, et se poursuivaient dans les couloirs. Au début, Ignacio ne pouvait penser qu'au goût d'abricot qu'il avait dans la bouche. Puis, au moment où il avait commencé à se demander quel goût pouvait avoir la bouche de Raquel, une voix de femme commença à leur parler dans les haut-parleurs de l'aéroport.

« Ah ! dit-elle alors, s'arrêtant soudain tout en lui serrant un bras avec les deux mains. Écoute-la parler...

— Elle parle bien, non ? fit-il après avoir écouté un moment.

— Oui, mais je le disais à cause de l'accent, parce qu'elle parle comme ma mère, en espagnol mais aussi en français, elle prononce aussi mal le français. C'est incroyable, non ? Je suis très impressionnée, c'est comme si j'entendais ma mère parler dans cet appareil. »

Ensuite, elle ne lui lâcha plus le bras et elle le serra à nouveau, beaucoup plus fort, quand ils se placèrent dans la queue pour le contrôle des passeports.

« La Guardia Civil.

— Oui, fit Ignacio qui avait lu les panneaux en même temps.

— Bon sang... »

À ce moment, Ignacio Fernández Salgado remercia la tyrannie de son père, et même la punition d'avoir dû emmener Raquel Perea dans ce voyage, car jusqu'à ce moment il avait juste été nerveux. Peut-être aussi ému, tremblant voire repentant, sans très bien en connaître la raison, d'être monté dans l'avion à Paris, mais surtout nerveux, à tel point que cet adjectif contenait tous les autres. Cependant, en s'approchant de ce hublot, tous les abricots qu'il avait mangés dans sa vie pourrissaient un peu plus dans sa bouche, le trou dans son estomac s'agrandissait et ses boyaux obstruaient le centre de sa gorge comme le noyau impossible d'un fruit sec. À chaque pas qu'il faisait, Ignacio Fernández Salgado sentait ses mains transpirer, et des courants alternativement chauds et froids le long du dos, les jambes de plus en plus cotonneuses, le sang fuyant son visage glacé, mais à chaque pas, aussi, il entendait le halètement de Raquel, qui respirait la bouche ouverte, et il sentait la pression de ses doigts, qui s'enfonçaient dans son bras droit comme s'ils voulaient le perforer, et il savait qu'elle tremblait, il le savait, et cela suffisait à le soutenir. S'il était bien, tranquille, elle le serait aussi. Quand son tour arriva, ils avancèrent tous les deux jusqu'au guichet. Il posa son passe-

port sur le comptoir, regarda dans les yeux l'homme en uniforme vert olive qui le regardait avec la même fixité, et le
salua en espagnol.

« Bonjour.

— Bonjour... » Le policier ouvrit le passeport, regarda la
photo, puis Ignacio, commença à écrire sur une feuille de
papier. « Fernández Salgado. Espagnol, non ?

— Non. » Et il récita intégralement la réponse que lui
avait suggérée son père. « Français fils d'Espagnols.

— D'accord... » Le policier tourna quelques pages en
avant et en arrière, observa les tampons. « C'est la première
fois que vous venez, n'est-ce pas ?

— Oui.

— Très bien, dit-il avec un sourire. Soyez le bienvenu. »

Quel couillon tu fais, Ignacio, se dit-il en contemplant
une version féminine – « Perea Millán, n'est-ce pas ? », « oui,
moi aussi je suis française fille d'Espagnols. Est-il possible
d'être plus couillon, Ignacio ?, et il se bornait à se répondre
que non, avec la rage, l'extrême dureté avec lesquelles il inter-
pellait en silence ses grands-parents, ses parents, ses oncles et
tantes, lors des toasts de toutes les nuits de la Saint-Sylvestre.
Très bien, soyez le bienvenu, très bien, soyez la bienvenue,
cela avait été tout, si peu, si facile, que de l'autre côté du
contrôle, Raquel s'écarta de lui comme si elle avait eu honte
d'avoir tremblé.

« Bon, ça y est, dit-elle en grimaçant. En fait, ce n'était
pas si difficile... »

Ignacio haussa les épaules, acquiesça de la tête et sourit.
C'était vrai, que ça n'avait pas été si difficile, en fait, il ne
s'était rien passé. Pendant les premiers jours de son voyage,
tout semblait devoir être réduit à ça, à rien, Séville, éblouissante, ça oui, Cordoue aussi, et Grenade resplendissante
comme une fiancée qui tend son voile de maisonnettes blanches entre les montagnes enneigées et la vallée verte. Ce fut
sa meilleure photo, même s'il en fit de très jolies dans le quartier de Santa Cruz, et un portrait nocturne, splendide, de
Raquel souriante, ravissante et à moitié ivre, devant le Cristo
de los Faroles.

L'Andalousie lui plut beaucoup parce que, son père
madrilène, sa mère aragonaise, n'en attendaient pas grand-
chose. Elle lui plut réellement parce que ce à quoi il s'atten-

dait, l'image typique du cavalier avec une brune en robe à volants et des boucles d'oreilles en plastique en croupe, était bien inférieur à ce qu'il trouva, la lenteur du temps dans ces villes esclaves de leur propre beauté, l'ancien équilibre de l'eau qui résonne toujours, entre la chaux et les fleurs, la dentelle labyrinthique des rues étroites qui créent en se croisant des recoins étonnants, et une élégance particulière, une subtilité naturelle des personnes, mais aussi des choses. C'était beau, très beau, et lui inspirait une paix étrange, la mélancolie étrange de l'impossible, car ces maisons blanches avec leurs patios en pierre sombre, humide, et leurs plantes vertes en pot, hautes et touffues comme des arbres, devaient être un bon endroit pour y vivre, mais ce n'était pas le sien. Il aurait peut-être aimé vivre ici, mais il ne le ferait jamais, il ne pourrait jamais se pencher de l'intérieur sur ces balcons avec des grilles et des pots de géraniums rouges où sa mère, qui luttait en vain depuis deux décennies contre les gelées hivernales de Paris, aurait été si heureuse.

Ce fut la sensation, chaude mais tempérée, ni joyeuse ni trop triste, que le pays de ses parents et non le sien, lui inspira lors des premiers jours de son voyage. Il était en Espagne, oui, enfin, oui, et il se trouvait que l'Espagne existait, qu'elle occupait vraiment un espace sur la surface de la planète. Mais, parce qu'elle ne ressemblait en rien à la patrie héroïque, posthume et portative où les membres de sa tribu avaient planté leurs tentes, la véritable Espagne était pour lui un pays inconnu et étranger.

« Tu es toujours à Séville ? demanda sa mère dont la voix tremblait à l'autre bout du fil.

— Oui, toujours. On part demain.

— Et c'est beau ? » Anita Salgado n'était jamais allée au sud de Teruel.

« C'est beau, maman, vraiment, tu adorerais. » Dans le silence de sa mère, il entendait sa fébrilité. « Il faudrait que tu viennes voir un jour.

— Oh oui, mon petit ! Quelle joie de te savoir là-bas, Ignacio... » *Laisse-moi lui parler, Anita ! La communication peut être interrompue comme hier.* Le fils entendait au loin la voix de son père. « Il faut que tu appelles la grand-mère, elle est andalouse... Penses-y, elle sera ravie de bavarder avec toi. »

En raccrochant, Ignacio se sentait perplexe et coupable. Il était habitué à la première de ces sensations, à la deuxième aussi, mais à Séville, à Cordoue, à Grenade, la culpabilité devint plus grande, plus profonde que la stupeur. Sa mère aurait préféré lui voir faire n'importe quel autre voyage que celui-ci, mais elle semblait sur le point de se mettre à pleurer chaque fois qu'ils se parlaient au téléphone. Difficile à comprendre, mais il ne comprenait pas lui non plus ses propres réactions dans ce pays étrange où tout, la langue, la cuisine, les coutumes, lui était si familier, et où certaines personnes, certaines scènes, le paralysaient, cette fadeur inquiétante de l'impossible qui surgit de la certitude d'avoir déjà vécu des moments que l'on n'a jamais vécus.

Ignacio Fernández Salgado comprit très tard, en Andalousie, que ses parents avaient raison, qu'il n'était pas allé en Espagne, qu'il y était rentré même s'il n'en avait jamais foulé le sol, jamais de sa vie. Mais cela ne l'aida pas à s'orienter, à se trouver lui-même dans le labyrinthe intime où il allait comme un enfant perdu, arraché aux bras de ses parents, qui, eux, auraient dû être là, rentrer pour se reconnaître dans cette réalité qu'il ne se sentait pas capable d'interpréter. C'était ce qu'il pensait, ce qu'il croyait, ce qu'il souhaitait et redoutait en même temps lorsque commença la dernière nuit andalouse de son voyage.

On leur avait dit que c'était une grotte, mais à l'intérieur cela n'y ressemblait pas. Les murs de cette salle voûtée, longue et étroite comme un tunnel aux parois blanchies à la chaux, étaient irréguliers, rugueux, mais les ustensiles en cuivre et les assiettes en céramique vernissée – motifs verts aux reflets métalliques sur fond blanc –, qui couvraient les murs, lui donnaient un air bigarré et baroque, inhabituel dans un logement creusé dans la roche. Et cependant c'était une authentique grotte, une particularité de plus dans ce pays de sauvages mangeurs d'ail.

« Du flamenco, la bonne idée ! » s'était-il exclamé le matin où ils avaient appris que la fin de la fête serait une visite à un *tablao*[1], dans une grotte du Sacromonte. « Juste ce qu'il nous fallait...

---

1. Cabaret andalou où l'on danse le flamenco.

— Ne dis pas ça » fit Raquel en espagnol, avant de revenir au français qu'ils utilisaient quand ils étaient avec les
autres. « Vous allez adorer, c'est une chose unique, très émouvante, ça ne ressemble à rien et ne peut être comparé à
aucune musique.

— Je déteste le flamenco, insista Ignacio, à nouveau en
espagnol.

— Tu es bête, mon vieux », répondit-elle dans la même
langue, et elle se tourna sur sa droite pour continuer à expliquer aux autres, Philippe le plus proche, penché sur elle, en
admiration comme d'habitude, ce qui les attendait.

Alors Ignacio pensa à nouveau que Raquel se débrouillait
beaucoup mieux que lui. Cela venait peut-être du fait que ses
parents étaient andalous, mais, pour commencer, elle était en
train de perdre l'accent français. Les autres ne s'en rendaient
pas compte parce que, même si un certain nombre d'entre
eux parlait espagnol, aucun n'avait le niveau suffisant pour
détecter ces nuances, mais Raquel et lui s'étaient connus dans
la langue de leurs parents, ils avaient continué à la parler
entre eux sans avoir besoin de le décider, et pour cette raison,
Ignacio apprécia sans aucune difficulté le processus particulier qui culmina dans une boutique de la rue Zacatín [1], un
instant après qu'un commerçant trop pressé eut refermé une
vitrine trop tôt.

« Aïe, mon *deo* ! protesta Raquel, avant de porter à sa
bouche l'index rougi de sa main droite.

— Comment ça, ton *deo* ? lui dit Ignacio, quand le
commerçant eut fini de s'excuser. Tu veux dire ton *dedo* [2] ?

Raquel le regarda un moment comme si elle ne le
comprenait pas, et à sa réponse, il constata qu'elle ne l'avait
effectivement pas compris.

« Eh bien oui, mon *deo*... Il me l'a *pillao* [3], tu n'as pas vu ? »

Alors maintenant, tu as vingt *deos*, pensa-t-il, renonçant
à lui expliquer qu'il était sûr qu'à Paris il l'avait entendue prononcer tous les –d, dix *deos* aux mains et dix *deos* aux pieds...
Et il n'y avait pas que ça. Si elle pensait à la Dordogne, et à
l'indigestion de foie gras que son fiancé devait être en train
d'attraper, elle n'en laissait rien paraître. Raquel aimait beau-

---

1. Située à Grenade.
2. Prononciation andalouse de « dedo », « doigt ».
3. Prononciation andalouse de « pillado », « pincé ».

coup plus l'Espagne qu'Ignacio ne considérait que c'était raisonnable. Le poisson frit, oui, il l'aimait aussi, le jambon *de
pata negra* beaucoup plus, et la façon d'assaisonner les
tomates, avec de l'ail, bien sûr, le goût de l'huile d'olive et les
flans, le pain perdu, même le vin de manzanilla, il appréciait
tout cela, on pouvait aller jusque-là, mais... les processions ?
Eh bien, elle n'en loupait pas une. Elle envoyait Philippe en
éclaireur, pour qu'il lui ouvre la voie comme le ferait un chien
d'aveugle, finissait par arriver à la barrière, et elle restait là-
bas jusqu'au passage du dernier pénitent tenant un cierge
allumé. Cela faisait beaucoup d'enthousiasme pour Ignacio,
qui se mettait à boire dans un bar bondé de gens qui buvaient,
et il ne se rendit pas compte que la tradition de ceux qui
fuyaient les processions en allant d'un verre à l'autre était
aussi espagnole que celle qu'elle adoptait en suivant les processions à travers les rues. Mais ce n'était pas que ça non plus.

Ignacio regardait Raquel et la voyait ouvrir grand les
yeux, les lèvres à demi dans un sourire ébahi, devant des sti-
mulations qu'il n'identifiait même pas, et il reconnaissait qu'il
aimait la regarder, qu'il en avait besoin, comme s'il avait pu
s'alimenter de son enthousiasme, de sa joie, une chaleur qui
tempérait son âme givrée de stupeur et de culpabilité. La
sixième nuit de leur voyage, la dernière nuit andalouse qu'ils
partageraient avant longtemps, Raquel ne disait non seulement plus de mal de l'Espagne, mais elle n'acceptait pas non
plus que les autres, lui compris, se plaignent de quoi que ce
soit devant elle. Deux nuits plus tôt, à Cordoue, juste après
avoir posé pour ce portrait sur lequel elle était plus jolie que
jamais, elle lui avait avoué qu'elle ne s'attendait pas à ce que
le pays de ses parents puisse lui plaire autant.

« Pas toi ? » Ignacio secoua la tête. « Eh bien moi, si, tu
vois, c'est bizarre, non ? Parce que j'en ai toujours eu marre
de l'Espagne, marre d'entendre des proverbes, des petites
batailles, marre d'entendre que ce qui est espagnol est toujours mieux, et pourtant... Je ne sais pas comment t'expliquer,
mais maintenant, je sens que je suis d'ici. Et je sais que ce
n'est pas vrai, et que c'est peut-être même un mirage. Je sais
que ça me passera sûrement en arrivant à Paris, mais en ce
moment, c'est ce que je ressens. Et je suis ravie que mes
parents m'aient obligée à venir ici.

— Tu dois être à moitié arabe, plaisanta Ignacio.

— Oui, c'est sûrement ça. Ce n'est pas mal non plus, non ? Regarde autour de toi... »

Sur ce point, elle avait raison, et Ignacio fut content de le reconnaître, de savoir que, au moins, la mystérieuse alchimie de l'exil s'exerçait en elle, même si cela n'était pas le cas pour lui. Mais la mosquée était une chose et les sons gutturaux une autre, bien différente. Aussi, et par-delà Raquel, sa joie, son enthousiasme et toutes ses raisons, en entrant dans cette grotte du Sacromonte, Ignacio détestait toujours le flamenco, cette musique incisive à la cadence primitive et phonétique incompréhensible à laquelle son père vouait un culte absurde, profond et profondément irrationnel.

« Je ne comprends pas comment tu peux aimer ça, papa », s'était-il risqué à lui dire un jour, après trois quarts d'heure de torture sonore. « Je n'aime pas ça, mais j'aime l'écouter », avait répliqué son père. Ils construisaient tous deux un bateau en bois, sous le porche de la maison que ses parents louaient pour l'été quand Olga et lui étaient petits, dans le sud, près de Collioure. Le fils aimait beaucoup travailler avec son père, car il était très patient, très habile. Ignacio Fernández Muñoz racontait toujours que lorsqu'il était arrivé en France il était un parfait inutile, qui ne savait rien faire de ses dix doigts, mais au camp de concentration il avait beaucoup de temps libre, trop, et il s'ennuyait tellement qu'il avait eu envie d'apprendre des métiers. Il était bon menuisier, le seul métier qu'il avait continué à pratiquer par la suite, mais il aimait écouter du flamenco en travaillant. Quand ils commencèrent ensemble l'avion qu'il lui avait promis, son fils se rappelait encore le martyre qu'avait été la maison de poupées à quatre étages qu'il avait fabriquée pour sa sœur, aussi, afin de s'épargner un supplice équivalent, insista-t-il sans grand espoir : « Ce n'est pas possible, papa, tu ne peux pas aimer écouter quelque chose que tu n'aimes pas. » Son père le regarda en souriant : « Si, c'est possible. Mais si tu préfères, pense que j'aime le flamenco, c'est tout. » « Eh ! bien, pas moi, papa. Je dois dire que moi, je n'aime pas ça du tout. »

Ce fut ce qu'il dit alors, et il se le répéta en s'asseyant sur l'une des chaises à dossier en bois et siège en osier qui les attendaient, rangées le long des parois de la grotte, après avoir manœuvré avec succès pour s'assurer une place à côté de Raquel.

Mais le vin lui plaisait, et au début il crut que c'était à cause du vin et parce qu'il en buvait beaucoup. La troupe – une gitane forte et jolie, une autre plus mince et beaucoup moins jolie, les deux très mûres, presque âgées, plusieurs jeunes *bailaoras* aux cheveux très foncés et aux yeux très maquillés, deux guitaristes vêtus de noir, et trois jeunes gens qui s'assirent ensemble, à côté d'elles – se plaça autour d'une estrade qui occupait le fond de la salle. Il y eut des paroles de bienvenue, des plaisanteries douteuses, les guitares se firent entendre.

« Ce soir, je vais commencer par des *bulerías* [1] », annonça la gitane corpulente, rides profondes, peau brune, yeux vifs et bijoux en or, et elle se mit à chanter.

Ignacio l'entendit sans l'écouter. Il était moins attentif au spectacle qu'à Raquel, très raide, très sérieuse, les yeux fixés sur la femme qui chantait, les mains encore immobiles, posées sur sa jupe. Puis la gitane se tut, on l'applaudit, les guitares résonnèrent à nouveau, et l'un des jeunes gens assis à côté des guitaristes, de petite taille, mince, nerveux, commença à marquer le rythme avec les mains sans faire de bruit, ébauchant à peine le mouvement de joindre les mains, comme s'il comptait seulement s'encourager lui-même.

« Je vais chanter des *granaínas* [2] », annonça-t-il.

*L'homme désire une chose, il s'en fait un monde, puis, quand il l'obtient, ce n'est que de la fumée, ce n'est que de la fumée, cousine, ce n'est que de la fumée, l'homme désire une chose, il s'en fait un monde...*

Il avait une voix gracile, fine comme le cristal, cassée à la fois, une voix qui volait en éclats, riche et profonde, personnelle et étrangère. Ignacio trouva tout cela dans sa voix en l'écoutant, et il ne se demanda pas pourquoi lui et pas elle. Il n'eut même pas conscience de l'écouter, il ne le décida pas, ne le pensa pas, ne se le proposa pas, or il reçut ces paroles une par une, les accueillit, les comprit, les caressa et les laissa entrer, conquérir le fond de son oreille, de son corps, de sa mémoire.

*L'homme désire une chose, il s'en fait un monde, puis, quand il l'obtient, ce n'est que de la fumée.* Le *cantaor* était

---

1. Improvisations sur un rythme très vif, accompagnées en battant des mains.
2. Forme libre ponctuée de « ay », originaire de Grenade.

jeune, guère plus âgé que lui, et il fermait les yeux pour égre-
ner ces paroles si simples, si complexes, et Ignacio aimait le
vin, pas le flamenco, mais le vin si, et il buvait beaucoup, trop.
Ce devait être ça, car il s'aperçut soudain qu'il était ému, ému
d'entendre ces paroles, cette chanson. *Ce n'est que de la fumée,
cousine, ce n'est que de la fumée, l'homme désire une chose, il
s'en fait un monde.* La voix de cet homme connaissait un chemin qu'il ignorait, un chemin qui le parcourait d'une extrémité à l'autre, qui parvenait à battre dans son cœur, et il
n'avait jamais entendu cette chanson, il n'en connaissait ni
les paroles ni la musique et pourtant il la reconnaissait, il se
reconnaissait en elle comme dans aucune autre, aucun
miroir, aucun paysage. Il pensa alors que cette chanson,
une simple chanson, toute une définition de la condition
humaine, pouvait peut-être représenter l'Espagne pour lui,
aussi loin du menu touristique des restaurants populaires que
des tentes nomades de l'exil perpétuel. *L'homme souhaite une
chose, il s'en fait un monde, ensuite, quand il l'obtient, ce n'est
que de la fumée.* Des vers si simples, si complexes, si élégants,
si exacts, si catégoriques, si petits et si universels à la fois dans
cette voix qui volait en éclats, aiguë et rauque, fine comme le
cristal, comme une aiguille joueuse, une arme transparente.
L'émotion est rare, et celle-ci fut plus rare qu'aucune autre,
même si la faute en incombait peut-être au vin, car il n'aimait
pas le flamenco, mais le vin, ou alors, pensa-t-il, il connaissait
déjà les paroles et avait pu oublier que sa grand-mère María,
qui était originaire de Jaén et chantait fort bien, l'avait bercé
avec un soir.

C'était ce qu'il pensait quand, soudain, tout changea. Le
*cantaor* se tut, il l'applaudit avec enthousiasme, Raquel lui
adressa un regard surpris, et les *bailaoras* commencèrent à
agiter les volants de leurs robes au rythme de la guitare, des
claquements de mains de tous les autres. Ignacio comprit que
c'était le numéro principal, celui qui avait le plus de succès
parmi les touristes, mais pendant que ses amis se concen-
traient, tendaient le dos contre le dossier de leurs chaises, et
se penchaient en avant pour admirer les coups de talon
furieux qui claquaient contre les planches comme si ces
femmes avaient eu des fouets à la place des jambes, il regretta
son propre bouleversement, imprévu, privé, les caresses et les

coups prodigués par cette voix qui disait de très grandes choses avec de tout petits mots.

Il les entendait toujours, les choyait toujours par-delà le vacarme qui assourdissait ses oreilles, quand Raquel commença à s'agiter sur la chaise voisine, bougeant les jambes, les épaules, la taille, tout le corps au rythme des claquements de mains, qui produisaient ce son particulier, puissant, creux, que seuls obtiennent ceux qui savent joindre les mains dans un geste qui ressemble à un applaudissement mais n'en est pas un, car l'air prisonnier dans la légère concavité centrale en fait un instrument à percussion dont il faut apprendre à jouer, comme de n'importe quel autre. Elle va se lever, pensa-t-il, et juste après, l'un de ceux qui frappaient dans leurs mains, un gitan de haute taille, mince, brun, le nez aquilin et la peau brillante, les yeux très noirs, lui tendit une main pour l'inviter à monter sur l'estrade. Un instant plus tard, Raquel Perea Millán, la fille d'Aurelio et de Rafaela, la fillette maigre et hystérique qui portait des robes à volants aux fêtes de *L'Huma* dans le seul but de monter sur une table et d'enquiquiner le monde aussi longtemps qu'on la laisserait faire, dansait dans une grotte du Sacromonte avec sa mini-jupe blanche et jaune, sa caractéristique frange parisienne et sa ceinture autour des hanches, pas de volants, pas de collier aux boules de couleur, mais avec un art consommé.

C'était ce que disaient les gitans, « *ole*, *ole*, tu es une artiste, petite... » Et elle se renversait, agitait les jambes et les bras au rythme de la musique, se penchait en avant en tenant les pointes d'une robe imaginaire puis se redressait soudain, pour parcourir enfin la scène en faisant de petits pas gracieux, les épaules placées comme si elle comptait s'en aller, mais elle ne s'en allait pas et tout recommençait. « Olé, quelle artiste, je te le dis, il faut voir, tu as vu la gamine ?, *ole*, *ole*... » Raquel dansait, et très bien, aussi bien que si elle ne l'avait jamais fait que pour danser cette nuit, dans ce lieu, avec ce gitan grand et mince, brun, qui avait le nez aquilin, la peau lustrée, brillante, moelleuse, de belle facture, et avec une intuition certaine, dangereuse, qui lui permettait d'adapter son rythme à celui de Raquel comme si aucun des deux n'avait jamais dansé seul ou avec un autre partenaire.

« Antonio Vargas Heredia, fleur de gitan » se rappela Ignacio, pendant que cet homme se collait et se décollait du corps de Raquel avec la paresse tendue d'un animal en rut, et l'entourait entièrement de ses bras sans la toucher pour autant afin de l'envelopper dans l'air qui l'enveloppait lui-même. *L'homme désire une chose, il s'en fait un monde.* Le *cantaor* frappait dans ses mains et les regardait, sérieux, concentré, comme Ignacio, comme tous les autres, car plus personne ne criait, n'applaudissait ni ne riait, comme au début, on les regardait seulement, tous les regardaient, et eux, en revanche, ne semblaient voir personne, ils n'avaient besoin de voir personne, juste de se regarder, ils se regardaient et se souriaient, ouvraient la bouche avec une expression de reconnaissance féroce, presque sauvage, qui excluait tout le reste, tous les autres, ceux qui ne dansaient pas, ceux qui n'entraient pas dans la réalité qu'ils partageaient, la seule qui existait pour eux en cet instant. Antonio Vargas Heredia, se rappela Ignacio, et son propre désir crût jusqu'à engendrer un monde complet, la vache, ce que tu es belle.

« D'où es-tu ? » lui demanda le gitan à la fin, quand le spectacle fut terminé et que les artistes se mêlèrent aux clients, en buvant tous le même vin. « Parce qu'on n'apprend pas à danser comme toi.

— Je suis de Malaga. Je vis en France, mais je suis de Malaga, répondit Raquel, tournant le dos au regard halluciné que lui adressa Ignacio en l'entendant.

— Bien sûr. Ça se voit. » Le gitan sourit, montra ses dents d'une blancheur extrême, approcha son verre de celui de sa partenaire de danse, le fit s'entrechoquer avec celui de Raquel.

« Va te faire foutre, connard. » Quand il se retourna pour évaluer la situation, Ignacio Fernández Salgado ne savait plus jurer en français. Ce qu'il vit ne lui remonta guère le moral. Il ne pouvait pas compter sur Philippe, dont la dévotion inconditionnelle pour la danseuse lui aurait été utile. Il était complètement saoul, et Laurent avait du mal à le garder assis sur sa chaise, tout en appelant Ignacio à grands cris pour l'aider à le sortir de là. Ce n'était pas la seule perte. L'une des filles avait été emmenée hors de la grotte au moment où elle allait vomir, et les autres avaient déjà mis leur veste. Pendant ce temps, le danseur avait fait quelques progrès, qui se manifestaient dans la couleur écarlate des joues de sa proie. Ignacio le vit, le comprit, prit sa respiration et s'approcha d'eux.

« Raquel. On s'en va. » Il la prit par le bras sans serrer, esquissant à peine le geste de tirer sur le coude, et parla en espagnol sans se poser la question de choisir entre ses deux langues.

Elle le regarda, regarda le gitan, puis lui à nouveau. Elle hésitait et ils s'en aperçurent tous les deux, ils la regardèrent tous les deux en même temps avec la même convoitise, ils se regardèrent l'un l'autre, puis elle à nouveau, conscients à parts égales et séparément de leur force et de leur faiblesse, les signes de leurs tribus respectives, si exotiques toutes les deux, si différentes entre elles.

Le gitan eut la faiblesse de parler le premier : « Tu vas partir avec le *gabacho* [1] ?

— Ce n'est pas un *gabacho* répondit-elle enfin. Il est espagnol, et... Oui, je vais devoir partir, parce que demain on part à Madrid très tôt, tu sais ? On doit se lever aux aurores. »

Il encaissa la réponse avec élégance. Ignacio dut le reconnaître en le voyant prendre la main droite de la jeune fille dans ses mains pour l'embrasser lentement et prendre congé de la façon la plus simple, avant de faire demi-tour et de les laisser seuls. Alors, pour faire quelque chose et parce qu'il ne trouva rien de mieux que ce geste maladroit, emprunté, il reposa les doigts sur le bras de Raquel et cette fois il l'entraîna, très doucement, vers la porte. Quand ils étaient déjà dans la rue et à la merci du vent de la sierra, ce couteau acéré, glacé, sec, qui dément chaque matin la bienveillante constance du soleil de midi de Grenade, il la lâcha soudain, quoique pas assez vite pour devancer un sourire moqueur, ironique mais flatté, perspicace mais heureux, qui lui fit penser que, peut-être, elle s'était rendu compte que sa grande conquête amoureuse ne serait pas Philippe, même avant lui.

« Je croyais que tu étais de Nîmes, lui dit-il au bout d'un moment.

— Et moi, je croyais que tu n'aimais pas le flamenco, lui répondit-elle, et ils se mirent tous deux à rire en même temps.

— Maintenant j'aime ça. Grâce à toi, avoua-t-il sans lui révéler toute la vérité.

— Je suis contente, parce que... Je dois dire que, quand on était petits, je te trouvais très antipathique, Ignacio. Je

---

1. Terme péjoratif pour désigner les Français.

m'en souviens encore, aux fêtes de *L'Huma*, à chaque fois que je te voyais, j'en étais malade. Tu étais le seul à ne pas m'applaudir, tu sais ? Je dansais, parce que j'adore ça, tu l'as vu, et en France il n'y a pas tellement d'occasions de danser le flamenco, alors je passais toute l'année à attendre, à répéter dans ma chambre, toute seule, j'allais à la fête toute joyeuse, et puis, à un moment donné, pan !, je voyais un foulard à carreaux, des oreilles immenses, et je devenais très nerveuse, vraiment, parce que je savais ce qui m'attendait. Ce que je n'ai jamais compris, c'est pourquoi tu t'approchais si près, pourquoi tu te collais à la table pour me regarder ensuite avec tant de mépris. Et à la fin, ta mère arrivait et me faisait plein de bises, elle me disait que je dansais de mieux en mieux chaque année, et tu étais à côté d'elle, le foulard autour de la tête et cet air de souffrance que tu prenais, comme si on t'avait torturé... »

Ils descendaient la côte de Chapiz, s'approchaient déjà de la promenade des Tristes, elle s'arrêta, l'observa.

« Pourquoi est-ce que tu éprouvais une telle antipathie pour moi, Ignacio ? Et pourquoi est-ce que tu t'approchais si près, puisque tu n'aimais pas me voir danser ? »

Il ne savait pas, il ne connaissait pas la réponse à ces questions, mais il savait ce qu'il devait faire, ce qu'elle attendait qu'il fasse.

Ce baiser ne dura pas aussi longtemps que celui que Raquel avait partagé avec son fiancé en lui disant au revoir à Paris, mais il fut doux et craquant, comme un fruit que l'on goûte pour la première fois. Quelques minutes avant, ils n'auraient pas pu croire que cela allait se produire, mais l'intensité de ce baiser les émut plus qu'il ne les étonna. L'hôtel était proche, et aucun des deux ne parla, ne trouva quoi que ce soit à dire en chemin. Ignacio se demandait ce qui s'était passé, et ce qui allait se passer. Raquel, un pas devant, se demandait juste quand, comment, où cela se passerait. Ce ne fut pas à Grenade, mais pas non plus dans des circonstances semblables à ce qu'elle aurait pu imaginer.

« Je ne pleure pas de chagrin. Ce n'est pas du chagrin. » Ignacio la regarda à ces feux de circulation perdus au bout de Madrid, et du monde.

Et à cet instant, Raquel Perea Millán, qui avait un fiancé grand, fort et joueur de basket, qui l'attendait en France tout en se goinfrant de foie gras, comprit que sa vie allait irrémédiablement changer de cours.

« Où est-ce qu'on va ? » avait-elle demandé à Ignacio ce soir-là, quand ils avaient quitté les autres, qui profitaient de leur temps libre pour faire des achats.

Il la regarda, frissonnant encore de l'ampleur de sa chance. « Eh bien... Je ne sais pas. Ma tante à dit à mon père qu'elle habitait maintenant au fin fond de Moratalaz[1], mais même lui il ne sait pas où c'est, alors... Le mieux est de prendre un taxi.

— Oui. Et puis ils sont si bon marché... » Elle leva la main pour en arrêter un.

« Cet après-midi, j'ai une visite à faire », avait annoncé Ignacio au petit déjeuner, le premier jour où ils se réveillèrent à Madrid, et sur le moment, Raquel n'avait rien dit. « Qui est-ce que tu vas voir ? » lui demanda-t-elle ensuite, alors qu'ils déambulaient sur le paseo del Prado, « la femme du frère aîné de mon père », répondit-il, et il lui raconta l'histoire de cette inconnue qu'aucun membre de la famille Fernández n'avait revue depuis le 19 février 1939, mais qu'on lui avait appris à appeler tante Casilda. « Eh bien je t'accompagne », dit-elle alors, comme si elle venait d'y penser « on est là depuis une semaine et en fait, on n'a pas encore vu comment vivaient les gens... Enfin, je t'accompagne si ça ne te dérange pas », ajouta-t-elle tout de suite, parce que ce baiser nocturne et étrange ne s'était pas répété, et ne les avait pas suffisamment rapprochés pour éliminer les politesses. « Non, non, au contraire, ça me plairait beaucoup », assura Ignacio très vite.

« Où avez-vous dit qu'on allait ? » Le chauffeur de taxi se retourna pour le regarder et il répéta l'adresse très lentement, sans parvenir du tout à atténuer la stupéfaction sur le visage qu'il contemplait. « Eh bien je n'ai aucune idée de l'endroit où ça se trouve.

— Au bout de Moratalaz. C'est ce qu'on m'a dit, insista Ignacio.

— Oui, oui... dit-il en démarrant Bon, pour l'instant, on va à Moratalaz, et on verra bien. »

Il arriva sur la Gran Vía, déboucha sur une rue encore plus étroite, la Cibeles dans le fond, passa la Puerta de Alcalá,

---

1. Localité située au sud-est de Madrid.

circula pendant un moment le long de la grille du Retiro, et c'était Madrid, Ignacio le savait, le connaissait, il l'avait souvent vu sur les photos, dans les films, entendu raconter plus d'une fois. C'était peut-être la raison pour laquelle il se trouvait mieux ici, parce que dans les bâtiments, les noms des rues, les arbres, les palais, les allées, les statues, confluaient enfin ses deux Espagnes, celle qu'il voyait et celle qu'il avait apprise, celle des menus touristiques et celle des tentes nomades.

En arrivant à Madrid, il ne s'attendait pas à trouver autre chose que ce qu'il y trouva, Madrid, une ville trop grande, trop pleine de maisons, de choses, de voitures, de gens, de magasins, et d'ardeurs pour se laisser frapper par la nouveauté du tourisme, et cela lui avait plu. Madrid lui plaisait et à Raquel aussi, même si elle n'avait aucun mérite, car cela avait même été le cas pour le paysage monotone de La Mancha qu'ils avaient vu en chemin. Cependant, après le Retiro et la rue O'Donnell, Madrid commença à s'estomper pour ressembler de plus en plus à elle-même. Ignacio eut l'impression que la ville de son père avait pris fin, et pourtant, cela restait une ville, un quartier neuf aux maisons ordinaires, bon marché, des tours et encore des tours, toutes pareilles, et c'était Madrid même si cela pouvait être n'importe quelle autre ville, mais c'était Madrid. Le chauffeur roulait encore vite, il connaissait encore le terrain sur lequel il progressait, et pourtant, il ne tarda guère à ralentir pour baisser la vitre et commencer à demander aux gens. Si ce qu'ils avaient traversé était Moratalaz, eh bien ils étaient arrivés au bout, car devant eux il y avait la campagne, une campagne sèche, déserte, avec des terrains rocailleux et des remblais, une voie de chemin de fer dans le fond. « On dirait qu'on est allés trop loin », fit le chauffeur en faisant demi-tour ; il avança un peu, choisit une entrée de rue, redemanda, annonça qu'il s'était encore trompé, et cette séquence se répéta encore deux fois avant qu'il ne trouve la porte d'entrée de la maison qu'ils cherchaient.

« Bon, eh bien on est enfin arrivés au bout du monde. »

C'était une maison laide, de trois étages, aussi grande que le pâté de maisons qu'elle occupait, subdivisée en plusieurs entrées très étroites et encore plus laides avec des portes en aluminium et en verre poli. Les murs étaient en brique blanchâtre ou peut-être blanche et sale, et sur les terrasses il y avait du linge étendu, du bric-à-brac, des escaliers, de temps en temps une malheureuse plante verte, fanée, rien à voir avec les géraniums, les œillets andalous. Ce n'était pas un endroit agréable pour y vivre, pensa Ignacio en poussant la porte, qui était ouverte et les fit arriver dans un couloir aux murs nus éclairé par deux ampoules, l'une encastrée dans le plafonnier en verre blanc, l'autre nue, bien qu'autour d'elle, au plafond, on voie toujours le cercle en plastique auquel avait dû être suspendu un jour un plafonnier identique à celui qui avait résisté, aujourd'hui disparu. Le sol était en granit gris avec des taches blanches, sur la droite une rangée de boîtes à lettres métalliques avec deux portes forcées, d'autres absentes. L'une de ces dernières avait appartenu à la boîte de sa tante, mais Ignacio avait l'adresse complète, sur un bout de papier, escalier C, deuxième gauche.

« Tu es nerveux ? lui demanda Raquel avant qu'il sonne.

— Oui. »

Elle lui prit la main, la serra, et ils entendirent tout de suite le bruit d'un verrou que l'on tourne.

« Bonjour. Tu dois être Ignacio, non ? »

De l'autre côté de la porte il y avait un homme jeune, assez grand, avec le nez aquilin des Fernández dont il avait eu la chance de ne pas hériter, et les yeux aquatiques des Fernández dont il n'avait malheureusement pas hérité.

« Oui, c'est moi. » Et pendant qu'il s'apercevait que sa voix tremblait, ainsi que la main que Raquel ne tenait pas, il soupçonna son cousin d'être aussi nerveux que lui. « Et tu es Mateo, bien sûr. »

Il sourit et recula d'un pas pour les laisser passer. « Bien sûr. Et la fille ? C'est ta fiancée ?

— Enfin... Non, c'est une amie, elle s'appelle Raquel. Elle est aussi fille d'Espagnols, ses parents sont très amis avec les miens et je lui ai proposé de venir. J'espère que ça ne vous dérange pas.

— Non, pas du tout, mais venez, ne restez pas là... »

Raquel relâcha la pression de ses doigts mais il lui serra la main et la regarda pour la supplier sans paroles de ne pas la lâcher, de ne pas le laisser seul dans ce voyage. Elle acquiesça de la tête, comme si elle lisait dans ses pensées, et ils entrèrent en se tenant par la main dans un simulacre de vestibule où ils se tenaient à peine tous les trois.

À droite, une porte avec un encadrement en bois et une vitre couleur ambre conduisait à un salon en longueur où il y avait tout juste la place de circuler entre les meubles, un canapé et deux fauteuils à gauche, une table ronde avec quatre chaises au fond, à côté de la porte donnant sur la terrasse et un buffet à droite, en face du canapé. Au-dessus de ce dernier, au mur, il y avait un tapis. Ignacio dut regarder à deux fois avant d'y croire, un tapis en laine, avec un dessin de cerfs dans des tons foncés avec des franges blanches pendant sur les côtés, un tapis au mur, et horrible, par-dessus le marché. Il n'eut guère le temps d'en voir plus. Il était encore absorbé par une telle brutalité décorative quand il entendit un cri, en se retournant il vit une femme qui ne pouvait être tellement plus âgée que sa mère et qui le semblait pourtant. Elle était petite et forte, elle avait les cheveux châtains, frisés, et elle entra dans le salon en s'essuyant les mains à un torchon de cuisine qu'elle laissa tomber sur un fauteuil pour le prendre dans ses bras avec autant de force que si elle avait voulu réchapper d'une catastrophe avec lui.

« Ignacio ! Aïe, mon dieu, Ignacio, aïe... » Sans relâcher son étreinte, elle écarta la tête pour le regarder, et vit l'émotion dans ses yeux. « Voyons, laisse-moi te regarder, mon petit, allez... J'ai l'impression de voir ton père. Quel âge as-tu ?

— Vingt et un ans.

— Eh ! bien c'est l'âge qu'il devait avoir la dernière fois où je l'ai vu, je m'en souviens encore, j'y pense tous les jours, aïe... Ses paupières ne pouvaient plus supporter la pression des larmes, mais elle ne voulut pas se séparer de lui pour s'essuyer le visage. « Tu es comme lui, comme lui. Pas tellement les cheveux, il était blond, ni le nez, bien sûr, mais le reste, les yeux, le front, les oreilles, le cou... J'ai l'impression de le voir. C'est effrayant ! » dit-elle en secouant la tête, comme si elle avait quelque chose à se reprocher, et alors, enfin, elle se sépara d'Ignacio, regarda autour d'elle, vit Raquel. « Et cette jeune fille ? C'est ta sœur ? »

Ignacio intervint à temps. « Non, non. C'est la fille d'amis de mes parents, espagnols eux aussi, elle s'appelle Raquel...

— Ah ! Très bien, fais comme chez toi, ma petite. »
Casilda lui planta deux baisers sur les joues, reprit le torchon,
désigna le canapé. « Ne restez pas là, debout, voyons, qu'est-
ce que vous voulez prendre ? J'ai fait un gâteau, mais si vous
préférez une bière... »

À ce moment, un homme d'une cinquantaine d'années,
mince, vieilli prématurément, le cheveu poivre et sel, rare, et
une moustache triste à la pointe tombante, traversa le salon
sans desserrer les dents, sans faire de bruit. Ses pantoufles en
laine à carreaux et à semelle de caoutchouc glissaient sur les
dalles, comme si elles ne pesaient rien. Ce fut ainsi que, muet,
opaque, il arriva à la table, s'assit sur une chaise et les
regarda.

Casilda lui renvoya un regard neutre : « Voici Andrés,
mon mari. Tu sais, ce garçon... »

Il regarda d'abord sa femme puis les nouveaux venus.
« Oui, je sais. Bonjour.

— Bonjour, répondit Ignacio, et ils se turent tous en
même temps.

— Bon, je vais à la cuisine, chercher les choses... »

Casilda disparut et le silence resta intact jusqu'à ce que
son fils se lève de la chaise sur laquelle il s'était assis et la
place devant le canapé.

« Alors, qu'avez-vous fait, vous aimez l'Espagne ? leur
demanda-t-il.

— Oui. Beaucoup, répliqua Raquel en souriant.

— C'est ce que je dis. » Mateo sourit, croisa les jambes et
se désintéressa de son cousin pour se concentrer sur son
amie. « On ne vit nulle part comme ici. Il suffit de voir ce qui
se construit à Alicante et par ici, pour les touristes, parce que
vous ne savez pas combien il en vient tous les étés, ouh ! Et ce
n'est que le début... Ici, on est comme des princes, vraiment, le
soleil, le climat, parce que, voyons, comment est-ce que tu
peux comparer ce que c'est que de se lever le matin ici, et
dans ces endroits où on ne voit que des nuages, encore dans
nuages, et où il pleut tout le temps... ? Et la cuisine ?
Comment avez-vous trouvé la cuisine, hein ? Pareil en Allemagne, je te le dis, j'ai un ami qui vient de partir à Cologne et
qui en a déjà assez de manger du porc, des saucisses, des
patates, ça n'est pas pareil. Bien sûr, là-bas, on gagne plus, et
il a besoin d'argent pour se marier tout de suite, mais je ne

crois pas qu'il supporte même les deux ans pour lesquels il est parti, parce que... Ici, tout est différent, ici il y a de tout, regarde les fruits, sans aller plus loin, moi je n'aime pas ça, mais pour ceux qui aiment... Sans compter le jambon, si bon marché, je ne sais pas comment les gens peuvent vivre dans des pays qui n'ont pas de jambon serrano. Et avec de la tranquillité, ça aussi, on peut aller dans la rue à n'importe quelle heure, sans être volé, sans se faire agresser à chaque coin de rue, comme ça se passe là-bas... »

Pendant que Mateo parlait à Raquel, qui l'écoutait en silence, avec un sourire indéchiffrable, Ignacio compara son discours au contenu de l'étagère fixée sur le buffet qu'il avait en face de lui, six petits verres en cristal, chacun d'une couleur différente, un trophée sportif scolaire, un petit ours en peluche, deux petits pots en terre marron au ventre jaune, comme tous ceux qu'il avait vus dans les restaurants où ils avaient demandé le vin de la maison, un pot en miniature en céramique blanche avec des fleurs en relief, un flacon d'eau de Cologne avec le bouchon en forme de fleur et une boîte faite avec des coquillages peints. Rien d'autre et aucun livre.

La pauvreté de l'ensemble l'impressionna encore plus que le tapis accroché au-dessus de sa tête. Depuis qu'ils avaient cessé de le considérer comme un enfant, six ou sept ans plus tôt, ses parents ne l'obligeaient plus à les accompagner quand ils allaient déjeuner, dîner chez leurs amis espagnols, mais il s'en souvenait, et il connaissait la maison de son oncle et de sa tante de Toulouse, celle de ses grands-parents, sa propre maison. Il était né, il avait grandi, dans le foyer d'exilés qui étaient arrivés en France avec ce qu'ils avaient sur eux, qui avaient dû accepter des travaux très inférieurs à leur formation, à leurs capacités, qui avaient travaillé comme des bêtes, pendant des années, pour arriver à vivre dans un pays étranger comme ils auraient vécu dans le leur, c'était du moins ce qu'il croyait. Il l'avait toujours cru, jusqu'à cet après-midi où il découvrit une réalité grotesque, insoupçonnée, sur le même canapé où il était assis, ce mauvais meuble, défoncé et bon marché, entouré de mauvais meubles, défoncés et bon marché, dans une maison où il n'y avait que l'indispensable et où un simple flacon d'eau de Cologne servait d'ornement. Ainsi vivaient ceux qui étaient restés, que l'on enviait, qui avaient de la chance, les hommes qui n'avaient pas dû dormir à la belle étoile sur la plage, les femmes qui n'avaient pas dû voler son jupon à une moribonde. Et ils veulent encore rentrer, ils lèvent encore un verre en l'air, toutes les nuits de la Saint-Sylvestre, en trinquant à leur retour dans ce pays se dit-il. Alors, au moment où il n'avait pas encore fini de tirer ses conclusions, la propriétaire de la maison revint, et il eut le temps d'entendre les arguments de son fils pendant qu'elle plaçait sur la table des tasses vertes en duralex et un plat de la même matière avec un gâteau dessus.

« ... Et les femmes ? Ici, les femmes sont très jolies, enfin, tu le sais, tu n'es pas espagnole pour rien. Ce qui est dommage, c'est que tu doives vivre en France, enfin, que vous viviez tous les deux là-bas. Vous devriez venir ici, vraiment, parce que, je vous assure, on ne vit pas comme ici...

— Ne dis pas de sottises, Mateo. »

Casilda commença à servir le café sans le regarder, mais il se retourna sur sa chaise pour lui adresser un regard offensé.

« Ce ne sont pas des sottises, maman. C'est la vérité. Et... »

Sa mère l'interrompit, regarda son neveu, la jeune fille qui était venue avec lui. « Non. Ce n'est pas vrai. Ici, on ne vit pas bien. Vous le voyez. »

Mateo éleva la voix, mais ne parvint pas à impressionner Casilda : « C'est toi qui ne vis pas bien, maman ! Toi, tu n'es jamais contente de quoi que ce soit ! »

— Eh bien ce doit être ça, concéda-t-elle, d'une voix sereine, et elle regarda à nouveau son neveu. Je ne vis pas bien, c'est certain. Andrés, tu veux un café ?

— Je veux que vous vous taisiez.

— Et un café ? » répéta sa femme avec ironie.

Son mari se contenta de faire un signe de tête affirmatif pendant qu'une jeune fille d'âge ambigu, à mi-chemin entre l'enfance qu'affirmait son visage et l'adolescence qui affleurait à son corps, intervenait depuis la porte.

« Maman a raison, dit-elle, avant de traverser la pièce en direction des invités.

— Tais-toi, morveuse ! » et au ton qu'il employa, soudain vif, autoritaire, Ignacio et Raquel comprirent en même temps que cet homme était son père.

« Je ne suis pas une morveuse, j'ai seize ans. Et si je dois me taire, je me tais, mais avant, je dis que maman a raison. » Alors, avec beaucoup plus de naturel que son frère aîné, elle s'approcha d'Ignacio et lui donna deux bises. « Bonjour, je m'appelle Conchita.

— Il en manque encore un, Andresito, le petit, qui a douze ans. Mais il est descendu dans la rue avec son ballon, il y a un moment, et va savoir où il est... » expliqua Casilda en souriant.

Le footballeur amateur n'arriva pas, et le goûter se poursuivit sans encombre, les hommes silencieux, la femme posant sans cesse des questions, la fillette suspendue à ce que répondaient les nouveaux venus, les études qu'ils faisaient, où ils vivaient, ce que faisaient leurs parents, ce qu'on pensait de l'Espagne en France, quelles choses on disait, ce que pensaient les gens. Ils parlaient en faisant attention, en choisissant les mots, le ton de leurs réponses, car ils avaient tous les deux deviné que ce n'était pas la première fois que cette famille s'empêtrait dans la même discussion et ils ne voulaient pas assister à un épilogue, mais parfois Ignacio regardait son cousin, qui accueillait les paroles de sa mère – « c'est-à-dire que tu fais des études pour être ingénieur, c'est très bien, tu ressembles à ton grand-père, et à ses fils, bien sûr, bon, dans cette maison ils étaient tous très intelligents, et très studieux, aussi... » – avec un hochement de tête de mécontentement, et il ne comprenait pas, il ne saisissait pas qu'il puisse être aussi satisfait, aussi content des réussites des assassins de son père.

Alors, l'espace d'un instant, dans cette petite maison pleine de gens, il pensa à nouveau que l'Espagne était un pays impossible, et que tout ce qui pouvait arriver aux Espagnols représentait fort peu au regard de ce qu'ils méritaient. Mais il n'eut pas le temps d'approfondir cette réflexion car Raquel regarda sa montre et lui donna un coup de coude.

« Ouïe !, il est déjà 8 heures, on va devoir s'en aller.

— Oui, nous avons rendez-vous dans une demi-heure dans le centre pour dîner », ajouta-t-il.

Mateo écarquilla les yeux en les entendant.

« Vous dînez à 8 heures et demie ?

— Non, pas moi, du moins. Chez moi, on dîne à 9 heures et demie, parfois même à 10 heures, répondit Raquel.

— Oui, chez moi aussi, mais les autres sont français et ils ont l'habitude de dîner avant, confirma Ignacio.

— Bon, mais attendez un instant, j'ai quelque chose à vous donner, je vous raccompagne à la porte..., » leur demanda Casilda.

Pendant qu'elle allait le chercher, Mateo, son fils, dit au revoir à Ignacio et à Raquel comme s'il ne s'était rien passé, mais il esquissa à nouveau une grimace de désapprobation quand il vit sa mère arriver avec un sac en plastique à la main.

« Ne les écoutez pas, ce ne sont pas eux qui parlent, mais la peur qu'ils éprouvent. Ils sont morts de peur, et ils ne savent pas ce qu'ils disent. » Puis elle s'arrêta sur une marche et se retourna pour les regarder.

« Nous avons enduré beaucoup de choses. Beaucoup. Et il nous en reste encore. C'est pour ça que les gens ne veulent rien savoir, personne ne veut avoir de problèmes. Et ils finissent par croire ce qu'ils entendent, ils oublient ce qu'ils ont vécu, ce qui est encore pire. » Sa voix était sereine, aussi ferme que son regard.

Ignacio risqua une supposition. « Pas toi. »

Casilda sourit, se remit à descendre. « Non, pas moi, mais ils ne comprennent pas. C'est pour ça que je suis descendue avec vous, je ne voulais pas qu'ils soient là, et puis... Enfin, Andrés est jaloux de Mateo, depuis toujours. Au début, je comprenais, parce que avant de me demander en mariage, il m'a posé la question et je lui ai dit la vérité, que je ne l'aimais pas autant que j'avais aimé Mateo, que je ne croyais pas que je puisse jamais l'aimer autant, ni lui ni un autre. "C'est parce qu'il a été tué, juste pour ça", a-t-il fait, et je lui ai répondu que non, enfin, que je croyais que ce n'était pas à cause de ça, mais il disait que si, que si... Il l'a très mal pris, c'était terrible, et pourtant il s'est entêté à m'épouser, et il a fini par me convaincre. »

Elle les regarda à nouveau, et Ignacio regarda Raquel, vit qu'elle le regardait, mais aucun des deux ne sut que dire, et ils continuèrent à descendre l'escalier en silence, se concentrant sur les mots qu'ils entendaient.

Casilda, en revanche, avait beaucoup de choses à raconter : « Il venait de sortir de prison, parce que, tel que vous le voyez, il a tiré plus de cinq ans. Là-bas, l'envie de s'occuper de politique lui est passée. Il était seul, sans famille, il vivait dans une pension, et pour moi, c'était encore plus difficile. Je faisais des ménages chez des particuliers pendant des heures et je ne gagnais même pas de quoi payer mon loyer. J'avais dû quitter l'appartement de mes parents et je n'avais trouvé qu'une mansarde pleine de fuites dans le toit, rue Ventura de la Vega... Ce n'était pas une vie, ni pour le petit ni pour personne, c'est pour cela que j'ai épousé Andrés, mais je ne sais pas si j'ai bien fait, je dois dire que je ne sais pas, parce que nous nous sommes mariés, nous avons eu deux enfants, et je n'ai rien oublié, mais lui non plus. Il n'a pas encore oublié, il est vivant et Mateo est mort, mort depuis plus de vingt ans, les vingt-cinq ans de paix que fêtent ces salauds... » L'insulte sortit naturellement de ses lèvres, le même accent, le même ton sur lequel elle avait parlé jusqu'alors. « Ce n'est pas normal, non ? Je crois que ça ne l'est pas, parce que je me conduis bien avec lui, je l'ai toujours fait, mais ça ne lui suffit pas et je ne peux pas faire plus, je ne peux pas. Et tout va de mal en pis, parce que il est de plus en plus jaloux de Mateo, une jalousie terrible, il se fâche dès que je parle de lui, vous avez vu comme il devient désagréable, et mon fils... Bref, mon fils a été élevé par Andrés, il n'a pas eu d'autre père, voilà la vérité. C'est pour ça qu'il n'aime pas non plus que je parle de mon autre mari, il l'appelle comme ça, mon autre mari. J'enrage, mais je ne peux rien faire, parce que si je me dispute avec lui c'est pire... Enfin, je ne voulais pas qu'ils soient présents. »

Il étaient déjà arrivés dans l'entrée, mais elle ne continua pas jusqu'à la porte. Appuyée dans un coin, comme si elle ne voulait pas qu'on la voie de la rue, elle passa la main droite dans la sac en plastique et la ressortit fermée. Elle regarda en haut, puis vers l'extérieur, vérifia qu'ils étaient seuls et elle ouvrit la main. Sur sa paume il y avait un bracelet en or avec des brillants, des saphirs, et une perle énorme au centre.

Elle prit une main d'Ignacio et y déposa le bracelet. « Tiens. Garde-le bien, et ne le perds pas. Ça vaut beaucoup d'argent. C'est le bracelet de demande en mariage de ta grand-mère, elle me l'a donné la dernière fois que je l'ai vue quand elle a appris que j'étais enceinte. Je l'aimais beaucoup, elle a toujours été bonne avec moi. C'est pour cela que je veux que tu le lui rendes.

Il regarda ce bijou dont on ne lui avait jamais parlé et la femme qui le lui avait donné : « Pourquoi ? Si elle te l'a donné, il est à toi.

— Oui, mais je préfère que ce soit elle qui l'ait, ou une de tes tantes, ou ta mère, l'une d'elles... "Prends, m'a-t-elle dit, si les choses empirent encore, tu peux le vendre, l'argent t'aidera." Tu penses, s'il m'aurait aidée, plus qu'aidée, c'est sûr, mais je n'ai pas pu le vendre, je n'ai pas osé. D'un autre côté, ça n'aurait servi à rien, et on m'aurait mise en prison pour vol, sûrement.

— Pourquoi ? Tu étais sa belle-fille, dit Raquel.

— Pas pour eux. Pour eux, je n'étais pas sa belle-fille. Ils ont dit que mon mariage n'était pas valable, aucun mariage de la République. J'étais une rouge, et une rouge ne pouvait pas avoir un bracelet comme celui-ci sans l'avoir volé, vous comprenez ? » Elle sourit. « Non, vous ne comprenez pas, personne ne peut comprendre, mais à l'époque c'était comme ça. Personne n'aurait osé me l'acheter, ils auraient appelé la police... Pour quelqu'un comme moi, tout était très dangereux, tout, même sortir dans la rue. »

Raquel insista : « Et maintenant ? Maintenant, tu ne pourrais pas... ?

— Le vendre ? Oui, bien sûr, que je pourrais. Maintenant je pourrais le vendre, mais je n'en ai pas envie, voilà. Pourquoi, pour qui ? Pas question...

Si Mateo avait été une fille, passe encore. Je pourrais le lui garder jusqu'à ce qu'il soit un peu plus grand, au cas où il retrouve le sens commun un jour, mais... » Elle se tourna vers son neveu. « Enfin, je préfère que tu l'apportes à ta grand-mère, que tu lui dises que je l'aime beaucoup, que j'ai continué à beaucoup l'aimer pendant toutes ces années, et que tu la remercies de ma part. Et tu lui dis aussi... Ah !, attends, je vais te donner autre chose... » Ses lèvres tremblèrent soudain, et la main qu'elle introduisit dans le sac pour en ressortir une photo aux bords crantés, le blanc déjà jauni, le noir devenu gris au fil du temps. « Celle-là, tu n'as jamais dû la voir, n'est-ce ? Apporte-la-lui. J'en ai une autre que nous avons prise le même jour.

— Elle est très jolie, dit Ignacio, qui n'avait effectivement jamais vu ce portrait, mais il reconnut immédiatement son oncle Mateo dans le soldat souriant qui abritait une jeune fille menue et amusante, qui souriait à la fois avec les lèvres et les yeux très brillants, accrochée aux revers de sa capote.

— Elle est jolie, confirma Raquel.

— Oui, répondit Casilda en souriant. Mateo est très beau dessus, et moi aussi, à l'époque, j'étais beaucoup plus jolie. Nous étions tous beaux, c'est pour ça que je veux que tu l'apportes à tes grands-parents, et que tu leur dises... Dis-leur que je pense à Mateo tous les jours, sans faute, avant de m'endormir et juste après m'être réveillée, que je me souviens... » Ses lèvres se crispèrent dans une grimace de chagrin qui l'empêcha de poursuivre, mais elle se reprit vite, et parvint encore à sourire. « Dans ma vie, je l'ai vu en tout cinquante-six jours. Cinquante-six jours, pas deux mois au total, en plus de deux ans ! Et souvent pas même une journée entière, mais un moment, deux heures, trois, ou même pas ça... Même pas ça, et pourtant... Je me souviens encore de la première nuit où il arriva chez moi, à l'aube, ruisselant, je me souviens comme il pleuvait, cette nuit, et comme il avait dû partir en courant, parce que son commandant lui avait dit que s'il arrivait en retard il le faisait passer devant le conseil de guerre et fusiller pour désertion. » Et bien qu'elle eût les larmes aux yeux, elle se mit à rire. « Tous les matins, je pense à cette nuit, à la deuxième, et aux suivantes, je les revois pour ne pas les oublier, et je peux le voir, je vois son visage, j'entends sa voix, et je me souviens de ce qu'il me disait, de la façon dont il me le disait, et comme ça jusqu'à la cinquante-sixième fois, le matin où il est venu me chercher à la maison et où il m'a accompagnée à la caserne où se trouvait le camion qui m'a emmenée à Cartagena. Tous les matins et tous les soirs, je le revois, immobile sur le trottoir, agitant la main en l'air. Je mourais de chagrin et il souriait ; et quand je l'avais perdu de vue, je l'ai entendu dire : "Au revoir, ma jolie !" C'est la dernière chose qu'il m'a dite, "ma jolie", et je ne l'ai pas revu... »

Elle se tut soudain, passa une main autour de sa taille, se couvrit le visage de l'autre, et se mit à pleurer, à pleurer vraiment, avec autant de chagrin que si le temps n'avait pas passé, vingt-quatre ans d'affilée, presque vingt-cinq depuis qu'elle était devenue veuve, vingt-cinq ans de suite, jour après jour, semaine après semaine, et un mois après l'autre, pour les calendriers. Pas pour elle.

Ignacio Fernández Salgado connaissait la tragédie que la mort de Mateo avait représentée pour son père, pour ses grands-parents. Il l'avait souvent entendue raconter, trop souvent à son goût, après tant d'années, mais il ne put éviter un frisson spontané, sincère, plus intense que la stupeur, car il ne doutait pas de la douleur de cette femme, qui avait un autre mari, trois enfants, et une vie à vivre, une vie qui ne l'intéressait pas. Si on le lui avait raconté, cela lui aurait paru comique, ridicule, absurde, un épisode supplémentaire du pathétique manque de bon sens espagnol, mais il le voyait, il le vivait et sa bouche avait un goût d'abricot, il avait froid, très froid soudain, et très envie de prendre cette femme dans ses bras, de l'entourer de ses bras pour se cacher en elle, pour pouvoir pleurer tous les morts pour lesquels il n'avait jusqu'alors pas versé une seule larme sans que Raquel le voie. Ce mystérieux élan l'impressionna, mais pas autant que ce qu'il vit, ce qu'il entendit quand Casilda recouvra son calme, et prononça d'un accent différent, ferme et brillant de colère.

« Je m'en souviens chaque matin. Je me réveille toujours avant le réveil et je me souviens de ces cinquante-six jours, un par un, je les revois pour ne rien oublier, pour ne jamais les oublier. C'est ce que je fais et ce que je continuerai à faire jusqu'à ma mort, parce que personne ne peut me le défendre, ni Franco, ni sa salope de mère... Dis ça à ta grand-mère, et dis-lui aussi... » Elle ferma les yeux, serra les paupières, les dents, et poursuivit. « Dis-lui que tous les 29 du mois, j'achète un bouquet de fleurs, je m'habille en noir et je me rends devant le mur du cimetière, parce que... Je ne sais pas où il est enterré, ils ne me l'ont pas dit, ils disent qu'ils ne savent pas, mais je m'en fiche, je m'en fiche parce que... »

Elle se tut soudain, comme si elle ne pouvait pas aller plus loin, et Ignacio lui prit les mains, les lui serra. Il voulait lui dire qu'elle n'avait pas besoin de continuer, mais elle interpréta son geste autrement et affirma de la tête à plusieurs reprises, comme si elle pouvait ainsi se faire parler elle-même.

« Je n'ai pas pu porter le deuil quand je suis rentrée à Madrid. Dans mon quartier, tout le monde me connaissait, et moi... J'ai été lâche, je n'ai pas osé. Le deuxième jour où je suis descendue dans la rue habillée en noir, un policier qui vivait dans la maison voisine m'a emmenée au commissariat et là on m'a demandé comment je pouvais savoir pour qui je portais le deuil, puisque j'étais une putain qui allais nue sous ma salopette et qui couchais avec n'importe qui. Ça, pour commencer, ensuite... » Elle fit une pause, regarda Ignacio, puis Raquel, et agita la main en l'air comme pour repousser une tentation « Bah !, pourquoi vous raconter ce qu'ils m'ont dit ensuite. Je ne pouvais pas m'habiller en noir, vous comprenez ?, pas nous, juste elles, leurs veuves. Et moi, qui avais toujours été féroce, qui l'étais juste quelques mois avant, j'ai été lâche, lâche, et je n'ai pas osé... »

Raquel dit alors exactement ce que pensait Ignacio. « Ça ne compte pas, Casilda. Le deuil ne signifie rien, ce n'est qu'un vêtement, une couleur... »

Elle la contredit avec véhémence : « Si, si, ça compte. Pour moi, ça comptait. Mais j'avais aussi très peur, et avec un bébé, alors... C'est pour cela que je porte le deuil maintenant, en cachette, oui, mais juste pour ne pas avoir de problèmes avec mon mari. J'emporte mes vêtements au travail et je me change avant de sortir. Mon fils le sait et il dit que je suis folle, mais je m'en fiche. Je m'habille en noir, j'achète un gros bouquet, avec le peu que je gagne, mais je l'achète, et à l'heure du déjeuner, je vais au cimetière, je pose les fleurs sur le mur de clôture et je reste là un moment, jusqu'à ce qu'on me renvoie, parce que tôt ou tard un garde arrive pour me renvoyer : circulez, madame, circulez... C'est ce qu'il dit, et je sais que les fleurs ne durent pas, qu'ils les emportent. Ils doivent les offrir à leurs femmes, j'imagine, à leurs fiancées, mais je m'en fiche. Je continue à acheter des fleurs, pour les emmerder, et je continue à les laisser dans le mur où on l'a fusillé, pour les emmerder, et je continue à m'habiller en noir pour les emmerder, pour les emmerder, pour les emmerder... » Et l'espace d'un instant, ses yeux brillèrent autant que ceux de cette jeune fille qui cherchait un abri entre les revers de la capote d'un soldat. « Un jour, il y a presque dix ans, j'ai vu un nom écrit sur le mur, à la craie, Victoriano López Aguilera. Ça non plus, ça ne s'oublie pas, je ne sais pas qui était cet homme, mais jamais je n'oublierai son nom. J'ai demandé, parce que à force d'y aller, j'ai rencontré quelques femmes qui y vont aussi, et personne ne savait qui l'avait écrit. "Ça doit dater d'un autre jour, parce que, bien sûr, on vient ici les 29, mais on ne peut pas savoir qui vient aux autres dates..." m'a dit l'une d'elles. Alors depuis, je l'écris moi aussi. J'écris Mateo Fernández

Muñoz tous les mois, et j'écris 1915, une petite barre, 1939, et je sais aussi qu'ils l'effacent tout de suite, mais avant de l'effacer, ils doivent le lire. Qu'ils aillent se faire foutre ! Parce que ce qu'ils veulent, c'est que Mateo n'ait jamais vécu, voilà ce qu'ils veulent. Vous comprenez ? Tu comprends, Ignacio ? »

Elle fit une pause pour regarder son neveu, et il acquiesça sans très bien savoir pourquoi, parce qu'il ne comprenait pas encore, il ne comprendrait jamais vraiment, mais elle soupira comme si elle venait enfin d'arriver quelque part, un lieu où se reposer.

« Ils veulent qu'il n'ait jamais vécu. Cela ne leur a pas suffi de le tuer, maintenant ils veulent qu'il ne soit pas né, et c'est pour cela qu'ils disent qu'il ne m'a jamais épousée, et donc que notre fils ne peut pas porter son nom, qu'il n'y a aucune tombe à son nom, pour l'effacer, pour l'éliminer, pour le tuer totalement. Mais Mateo a vécu, il a vécu et j'ai vécu avec lui, et c'est pour cela que je continue à vivre, juste pour ça... "Comment est-ce que tu peux continuer comme ça, maman ? où est-ce que tant de haine, tant de rancœur va te mener ? me dit mon fils". » Alors elle ferma les yeux comme pour s'adresser à elle-même un sourire savant, amer. « Il ne comprend pas. Il ne comprend pas que c'est la seule chose qui me garde debout dans ce pays de merde, dans ce monde de merde, parce que je vis pour ça et je vivrai pour ça, d'un 29 à l'autre, jusqu'à ce que tout soit fini, jusqu'à ce que ton père revienne, jusqu'à ce que tes grands-parents reviennent, les gens qu'il a connus, ceux qu'il a aimés. Pour l'instant il n'a que moi, mais il n'a besoin de personne d'autre, parce que je vais continuer à m'habiller en noir, je vais continuer à acheter des fleurs et je vais continuer à écrire son nom à la craie sur un mur jusqu'à ma mort, même si ça finit par me poser des problèmes à la maison, même si mon fils me dit que je suis folle. Raconte-le à tes grands-parents, Ignacio. Raconte-leur, et dis à Paloma que quand j'ai le temps, parce que parfois les gardes viennent tout de suite, j'écris aussi le nom de son mari, même si je ne me souviens pas de son année de naissance, mais je mets 1910, parce qu'il était plus âgé que Mateo.

— Il était de 1911. » Ignacio ne saurait jamais d'où était sortie la voix avec laquelle il prononça ces mots, mais il sut

qu'il ne pouvait pas partir à ce moment sans le dire. « Il devait être de 1911, parce qu'il avait vingt-huit ans quand on l'a tué.
— Eh bien dorénavant je mettrai 1911. » Elle porta à nouveau les mains à son visage, le frotta énergiquement, comme si elle avait voulu effacer les traces des pleurs et de la colère, remettre chaque chose en place, et elle sourit enfin. « Je suis très contente de te connaître, Ignacio. » En 1971, à la naissance de leur premier fils, Ignacio Fernández Salgado et Raquel Perea Millán décidèrent de l'appeler Mateo. Personne ne leur demanda pourquoi, mais tous supposèrent que c'était une façon de refermer le chaînon qui s'était ouvert en septembre 1944, quand Ignacio Fernández Muñoz dit à Anita Salgado Pérez qu'il aurait préféré que son premier-né porte le nom de son frère aîné au lieu du sien. Les parents du nouveau-né ne cherchèrent pas à les contrarier.

Personne ne les avait vus ce soir d'avril 1964, tandis qu'ils marchaient seuls sur un trottoir désert d'un quartier désert d'une ville qu'ils ne connaissaient pas, elle guettant les taxis qui ne circulaient nulle part, lui se demandant s'il devenait fou ou s'il avait soudain recouvré la raison par miracle.

« Dis à ton père que je pense aussi beaucoup à lui », lui avait demandé Casilda à la fin, après l'avoir serré très fort dans ses bras, pendant un long moment. « Vous ne pouvez pas comprendre, personne ne le croirait en nous voyant maintenant, mais ici nous avons fait quelque chose de grand, de très grand, vraiment. Ces années ont été les meilleures de notre vie, avec la guerre, les bombardements, la faim, et malgré tout, les meilleures, parce qu'on faisait quelque chose de grand, et on le savait, et on croyait que cela valait tous les sacrifices... »

Ignacio Fernández Salgado ne savait pas s'il était en train de devenir fou ou s'il avait soudain retrouvé la raison par miracle, mais les paroles de Casilda résonnaient à son oreille et en appelaient d'autres qu'il avait souvent entendues sans jamais les comprendre avant cet après-midi-là. « Non, Gloria, non, pas avec la racaille, avec le peuple de Madrid, tu es réveillé, Ignacio ?, alors dis-moi, tu n'as pas peur ?, celui qui part en courant, je le descends, bien sûr, ce sont eux qui ont commencé, qui ont voulu que je supporte tout ça, ne pleure pas, bêtasse, il ne va rien m'arriver, je n'ai rien fait, tu le sais, nous sommes ce que nous sommes, María, et nous devons être à notre place, avec les nôtres, ils ne passeront pas sur mon cadavre, écoutez ce que je vous dis, ils ne passeront pas sur mon cadavre, ils ne t'ont pas encore tué, hein ?, non, comme je n'ai pas pu m'inquiéter pour toi, et le saucisson..., on pourrait le placer en haut du garde-manger et l'adorer pendant quelques jours avant de le manger ? J'ai pensé à toi quand on m'a arrêté, papa, j'ai été si content que tu ne voies pas ce qui arrivait, comment on nous livrait, papa, je t'ai aimée jusqu'à la limite de mes forces, Paloma, je continue à t'aimer avec tout ce que je suis, rappelle-toi toujours cela et oublie-moi, Mateo a été tué parce qu'il était le fils de papa, et de maman, ton frère, et le beau-frère de Carlos, la seule chose qui me vient à l'esprit est de la tuer, et de me tuer ensuite, pour en finir une bonne fois pour toutes, nous n'avons rien à regretter, Ignacio... » Ce soir-là, après tant d'années, la voix de son grand-père semblait lui parler à lui, et non à son père : « Je ne regrette rien, mon petit. »

Ignacio Fernández Salgado, qui n'était pas espagnol et n'était pas français, qui ne savait pas d'où il était mais ne pouvait pas non plus se permettre le luxe de n'être de nulle part parce qu'il n'était pas né dans une ville, ni dans un pays, mais dans une fichue tribu, comprit enfin que sa mère avait raison, et que ce voyage avait été dangereux pour lui, parce qu'il ne pourrait plus être le même qu'avant. Et plongé au cœur des contradictions qu'il avait esquivées avec tant de précaution toute sa vie, à l'instant où il accepta son destin, il se trouva en paix avec lui-même et en larmes, presque sans s'en rendre compte.

Ils étaient arrêtés devant un feu rouge, et Raquel le regarda, le prit dans ses bras, lui caressa le visage, et ne lui posa aucune question, mais il y répondit quand même.

« Je ne pleure pas de chagrin. Ce n'est pas du chagrin », dit-il, et elle l'embrassa.

Tout le reste fut très rapide, très facile et le taxi à peine une formalité entre les deux moitiés d'un baiser interminable.

Ils n'arrivèrent dans le centre qu'à 9 h 15 et aucun des deux ne perdit de temps pour demander à l'autre s'il avait envie de dîner. À partir de ce soir-là, Laurent dormit avec sa sœur, et eux ensemble, d'abord à Madrid, puis à Barcelone, dans des lits dont ils ne voyaient pas l'étroitesse. En rentrant à Paris, Raquel quitta son fiancé et ses parents en furent ravis, autant que les parents d'Ignacio la première fois que leur fils l'amena déjeuner chez eux. Ils se marièrent deux ans plus tard et au printemps 1969 naquit leur premier enfant, une fille.

Quand son grand-père Ignacio la prit dans ses bras pour la première fois, il se sentit aussi fier, aussi ému que tous les jeunes grands-pères novices. Il lui arriverait la même chose avec chacun de ses petits-enfants, mais il n'en aimerait jamais aucun autant que cette petite-fille, qu'on appela Raquel Fernández Perea.

« Oui ?

— Bonjour, c'est moi.

— Pardon ? » Ce n'était pas sa voix.

« Raquel ?

— Non, Raquel n'est pas ici. » Ce n'était pas sa voix, ce n'était pas sa voix, ce n'était pas sa voix.

« Ah, eh bien...

— Je suis désolée. Au revoir. » C'était une femme jeune, et elle parlait avec un accent français.

Quand je vis la lumière allumée de l'autre côté du balcon, je devins si nerveux que je ne sus comment réagir, et je fis trois tours complets de la place, le premier très rapide, les derniers de plus en plus lentement, la tête vide, le cœur au bord des lèvres. Puis j'entrai dans le bar au coin de la rue, commandai un verre et le bus en quelques gorgées, sans quitter l'entrée des yeux. Je montais la garde au même endroit depuis plus de quinze jours, mais jusqu'à ce soir-là je n'avais obtenu aucun résultat.

Je cherchais Raquel. Je la cherchais car elle le voulait. C'était la seule chose dont j'étais sûr depuis mon retour à Madrid, seul, le 26 août, juste une semaine après avoir reçu son dernier message, *Au revoir, Alvaro, je t'aime. JE T'AIME, Ra.* Je ne l'avais pas effacé et je continuais à le lire, pour m'assurer qu'il disait ça et qu'il était là, qu'elle me l'avait envoyé et que je l'avais vraiment reçu. Vraiment. Je ne savais plus ce qui était vrai et ce qui ne l'était pas, mais chaque fois que j'appuyais sur la touche, ces sept mots apparaissaient, et leur compagnie me rassurait. Raquel l'avait écrit et envoyé, comme les suicidaires qui ne veulent pas mourir décrochent le téléphone juste après avoir avalé tous les comprimés d'un tube de somnifères. Ce message n'était pas un appel mais une piste, une réclamation, une de ces traînées de boulettes de pain auxquelles ont recours les enfants aventureux qui partent courir le monde mais ne veulent pas oublier le chemin de la maison. Raquel était partie courir le monde, elle avait débranché son répondeur fixe, résilié l'abonnement du mobile que je connaissais, changé de bureau et déménagé, mais avant cela, le 19 août 2005, à 11 h 39 du matin, elle m'avait envoyé ce message.

« Mme Fernández Perea ne travaille plus ici. »

Le premier jour de septembre, à 9 h 05 du matin, je ressortis de l'ascenseur qui me déposa là où je la vis pour la première fois, mais cette fois la réceptionniste du Département commercial de la Société de gestion des Institutions d'Investissements collectifs, SA, n'attendit pas que je m'adresse à elle.

« Elle a demandé sa mutation pour une autre agence. » Mariví, aussi maquillée qu'en avril et encore plus grosse, devança ma première question, mais elle ne put esquiver la deuxième.

« Et vous ne pourriez pas me dire où elle travaille maintenant ? » Elle me regarda, agita la tête d'un côté à l'autre et je détectai une lumière surprenante de compassion dans ses yeux. « Je vous en prie.

— Non, je suis désolée. » Elle fixa le regard par terre. « Je ne suis qu'une secrétaire, alors...

— Mais je ne lui dirais pas que c'est vous qui me l'avez dit, je ne le dirais à personne.

— Oui, mais laissez-moi finir... » À ce moment elle sourit et je sus que j'étais perdu. « Je ne peux pas vous le dire parce que je ne le sais pas. Personne ne me l'a dit et je ne l'ai pas demandé. C'est une très grande entreprise et ces situations sont assez fréquentes. Je suis vraiment désolée, mais je ne peux pas vous aider. »

Elle ne me disait pas la vérité. À ce moment, étourdi comme je l'étais, plongé dans une honte intime et sans nom connu, je me rendis compte que Mariví ne me disait pas la vérité, mais aussi qu'elle me regardait avec une sympathie soudaine et mystérieuse. Je n'en fus pas surpris. En me rappelant mes propres illusions, les calculs de l'homme qui avait répété pour la dernière fois tout un discours plein de passion, de magnanimité et d'une compréhension que je n'éprouvais pas, dans un bref voyage en ascenseur, je pensai que n'importe qui aurait eu pitié de ma stupidité.

« Pourtant... » Et comme si elle avait voulu me montrer qu'elle était de mon côté, elle baissa la voix : « La première fois que vous êtes venu ici c'était pour une démarche, n'est-ce pas ? » J'acquiesçai et elle retourna s'asseoir dans sa chaise, alluma une cigarette, me regarda. « Mais vous savez bien qu'il y a des démarches qui n'en finissent jamais. »

À l'âge de vingt ans, Mariví pesait trente kilos de moins et ne fumait qu'après les repas. Son fiancé l'avait quittée pour un jeune homme alors que sa robe de mariée était exposée dans la salle à manger de ses parents. Raquel m'avait raconté cette histoire, et elle me revint en mémoire ce matin-là. En regagnant l'ascenseur, je sentis le bruissement de ma propre robe de mariée sur les dalles, et la fatigue d'un pèlerin qui, à la fin de la dernière étape, non seulement n'a pas atteint son but mais se trouve à une nouvelle croisée des chemins.

Je rentrai chez moi à pied, traînant sur les trottoirs mes tentations, et le désir d'abandonner la lutte, d'accepter d'avoir perdu, mais aussi celui de retrouver l'espoir grâce au fil ténu que je tenais encore entre les doigts. Rien n'était facile pour moi depuis que les chiffres avaient cessé d'exister, et pourtant je voulais croire, je voulais continuer à croire. Le verbe *croire* est le plus large et le plus étroit de tous les verbes, car même le condamné à mort qui marche vers l'échafaud tend l'oreille dans l'espoir d'une grâce de dernière minute. Quand je me suis résigné à comprendre l'incompréhensible, le fait que Raquel voulait disparaître, qu'elle avait disparu sans m'expliquer le pourquoi, j'ai espéré jusqu'à la dernière minute. Ce furent des journées noires, horribles, des journées pesantes et maladroites faites de secondes pesantes et maladroites, de sable sombre, humide et sale, toujours identiques dans leur lourdeur, leur maladresse, avec des secondes semblables à de brèves éternités répétées, le dernier grain d'un tourment insupportable, suivi d'un autre, puis d'un autre encore, jamais le dernier, de ce sable tombant sur ma tête.

« Qu'est-ce que tu as, papa, tu es malade ? » me demandait Miguelito.

Je hochais la tête, et il partait à la plage avec sa mère.

Tous se réjouissaient du retour du beau temps, sauf moi. Je me couchais avant qu'ils ne rentrent déjeuner, et, quand ils ressortaient, je me rasseyais sur le canapé et le sable recommençait à tomber sur ma tête.

Je passai ainsi un, deux, trois jours, me réveillai le quatrième, jusqu'au moment où, me retrouvant pour la énième fois à penser que tout aurait mieux valu que cette incertitude, je compris ce que signifiait cet espoir auquel je m'accrochais. Le verbe *croire* est le plus large et le plus étroit de tous les verbes, le plus généreux, le plus traître. Tout aurait mieux valu que cette incertitude, pensai-je. J'aurais tout préféré : qu'elle me dise qu'elle était fiancée à un autre, qu'elle ne m'aimait pas, qu'elle me quittait, voilà ce que je pensai. J'aurais préféré qu'elle me quitte et elle n'a pas voulu faire ça pour moi... Je m'arrêtai là, et je m'obligeai à me le répéter plus de deux fois jusqu'à ce que je comprenne.

Raquel avait disparu, mais elle ne m'avait pas quitté. Au début, je voyais là une hypothèse ridicule, une sotte consolation pour un sot encore plus grand. Or, en l'analysant plus lentement, il me sembla qu'elle prenait sens, la structure était chancelante, certes insuffisante, mais capable de se tenir mieux que tout autre. Si Raquel avait voulu me quitter, elle l'aurait fait. C'était facile pour elle. Cela aurait été aussi simple que de ne pas me retenir à la fin de cette nuit orageuse où l'ordre engendra le chaos pour m'abandonner devant l'imprévisible. Regarde autour de toi, elle devrait sauter de joie..., avait dit Fernando. Mais il était physicien, lui aussi avait besoin de prédire, lui aussi aurait succombé à Raquel crucifiée sur la porte de sa maison le suppliant de rester. Cette scène étrange me trottait dans la tête. Il lui aurait suffi de me laisser partir, et elle m'avait retenu.

Pourquoi ? me demandai-je, et je me levai du canapé, me lavai le visage, les dents, m'habillai, mis mes chaussures, sortis dans la rue. Pourquoi ? Raquel avait disparu, mais elle ne m'avait pas quitté. Elle avait disparu, mais avant elle avait pris la précaution paradoxale en me quittant de me dire adieu, et qu'elle m'aimait. Si je le répétais plusieurs fois de suite, je pouvais presque en entendre la musique, une mélodie ancienne et languide, comme une chanson surannée. « Adieu, je t'aime. » Pourquoi ? La journée était chaude, ensoleillée, je marchai lentement le long de la plage. Je profitai de la lumière et de la vision des baigneurs comme un convalescent, sans trouver de réponse satisfaisante à cette question.

Raquel n'était pas en train de mourir, n'était pas mariée, n'avait pas un fiancé qui revenait de l'autre bout du monde, ne projetait aucun long voyage, n'était pas enceinte, ne souffrait d'aucune maladie incurable, n'irait pas en prison, ne jouait pas son salaire à la roulette. Elle n'était ni droguée, ni alcoolique, ni folle, n'avait pas d'enfant caché quelque part, n'appartenait pas à une secte, n'était pas devenue religieuse, espionne ou membre d'un réseau terroriste. J'étudiai toutes ces possibilités et je les rejetai avec plus de volonté que de raison. Je ne pouvais pas exclure la possibilité d'un amour secret, un lien clandestin qui l'engagerait au point de l'empêcher de partager sa vie avec moi ou avec n'importe quel autre homme. Mais s'il avait existé, elle me l'aurait dit, c'était le meilleur argument pour me dire non, ou pour m'imposer ses propres conditions. Cela dit, Raquel Fernández Perea était une femme normale. Elle travaillait depuis de nombreuses années dans la même entreprise, habitait le même appartement, les gens de son quartier la connaissaient, elle appelait les commerçants par leur prénom et recevait d'eux le même traitement avec naturel. Il n'y avait rien d'étrange en elle, cependant sa disparition confirmait le diagnostic de Fernando Cisneros, ce jugement qui ressemblait à une devinette : ce qui était étrange était qu'elle ne le soit pas, qu'elle fasse des choses aussi étranges sans l'être. Quand je me résignai à abandonner l'analyse de ce vieux problème, je me concentrai sur un autre qui semblait plus simple et s'avéra l'être immédiatement. Si Raquel avait vraiment voulu disparaître, elle n'aurait pas décroché le téléphone des suicidaires menteurs, ni semé les miettes de pain des aventuriers prudents. Si elle n'avait pas voulu que je la cherche, que je finisse par la retrouver, Raquel n'aurait pas pris congé de moi.

Cette conclusion me rendit l'agilité, la décision que j'avais perdue au cours de la période stérile de l'anéantissement. Si elle voulait que je la cherche, j'allais la chercher, car aucune femme ne m'avait fait autant de mal, ni aucune autant de bien. L'incertitude est une maison inhospitalière, froide, pleine de fuites, de parasites, de menaces invisibles et nocives. Mieux valait la douleur, l'humiliation, la colère ou la glace, n'importe quel fruit amer ou acide, le goût du sang sur les gencives, que cette chambre aseptique à l'air vicié et aux fleurs subtiles mais épineuses, pâles mais carnivores, ombres de la foi inutilisable de celui qui espère sans vouloir savoir. Je voulais savoir, j'étais disposé à payer le prix de la connaissance, et j'aimais Raquel, je voulais vivre avec elle, je voulais l'avoir près de moi, respirer le bonheur de l'air qui l'entourait ou du moins m'en souvenir sans angoisse, sans tristesse. Parfois, elle me regardait comme si sa vie avait été entre mes mains, et je sentais que c'était exactement ce qui se passait. Aujourd'hui mes mains soutenaient ma vie avec la sienne, et dans les messages archivés de mon téléphone portable s'agitait un drapeau blanc, le gage du chevalier mis à l'épreuve par sa dame et conjuré par son sort pour tuer le dragon. J'étais disposé à tuer le dragon, mais je devais auparavant le trouver, l'identifier, savoir qui il était, où il vivait, pourquoi il crachait du feu. Ce soir-là, je sortis dîner avec ma femme et mon fils. Assis à une terrasse qui donnait sur la mer, j'unis ma voix à celles qui me déchiquetaient, et sur le chemin du retour, j'annonçai que je rentrais à Madrid. Mai ne me regarda même pas. « Bien, mais je garde la voiture. »

Le 26 août, je rentrai à Madrid en train, pris un taxi devant la gare et me fis conduire place des Guardias de Corps. Il n'y avait personne chez Raquel, du moins personne ne répondit à mon appel. L'interphone était muet, le physicien en vacances, toutes les boutiques fermées et il y avait largement la place de se garer rue Conde-Duque. Je m'assis à une table du seul bar ouvert et attendis que la nuit tombe. Aucune lumière n'éclaira de l'intérieur la jungle domestique de ses balcons, mais je continuai à attendre un bon moment avant de partir vers une maison qui me reçut dans l'indifférence de ses nouvelles odeurs de peinture, plastique et silicone, agents passifs de mes propres convictions. Ce lieu flambant neuf n'était plus ma maison et me poussait dehors, à la recherche des couleurs, des odeurs et de la chaleur du foyer que j'avais perdu. Mais je ne parvins qu'à me décomposer peu à peu au cours des étapes de ce vain et interminable pèlerinage.

J'étais rentré à Madrid pour y chercher Raquel et je la cherchai partout, en vain. Deux jours après mon arrivée, son concierge, bronzé et détendu, me dit qu'il ne savait rien, mais qu'il supposait qu'elle allait bientôt rentrer. Le 31, je le revis, appuyé contre la porte d'entrée, et il m'adressa alors un regard méfiant, presque alarmé par mon insistance. Il ne savait toujours rien, mais cela n'était plus si grave, car je comptais trouver Raquel à son bureau, le lendemain. Lorsque Mariví dessina les nouvelles frontières de sa disparition, je faillis m'écrouler, mais je résistai. J'avais décidé de résister jusqu'au bout, et avant de rentrer chez moi, je m'assis sur un banc et téléphonai à Rafa, mon frère.

« Non, tout s'est bien passé. Je lui ai expliqué qu'on voulait tout vendre et elle n'y a vu aucun inconvénient, me dit-il. Cela m'a surpris, et je lui en ai été vraiment reconnaissant, parce que je m'attendais à une contre-attaque, mais quand je suis arrivé, elle avait déjà préparé les papiers, on a signé et je suis reparti. Je n'ai pas dû rester dix minutes dans son bureau, c'est pourquoi je ne m'en souviens pas très bien... Une fille aux cheveux châtains, aimable, comme il se doit, mais... pourquoi veux-tu lui parler ? »

J'avais très bien préparé ma réponse : « Pour qu'elle me donne l'adresse d'une librairie d'occasion dont elle m'a parlé le jour où je suis allé la voir. Ce n'est rien, une bêtise, mais on a discuté un moment, je lui ai dit que j'étais professeur de physique, et elle m'a raconté qu'elle connaissait un libraire d'occasion qui avait généralement des choses intéressantes, des monographies et de vieux manuels. J'ai noté l'adresse sur un bout de papier, je l'ai perdu, et je viens tout à coup de m'en souvenir, parce que la semaine prochaine c'est l'anniversaire d'un ami, et... »

Mon frère, toujours conscient de sa condition d'homme riche, puissant et très occupé, préféra s'épargner les détails anecdotiques ou sentimentaux : « Eh bien, appelle-la ! Oui, je ne crois pas qu'elle soit fâchée ou gênée avec nous, au contraire. Ce que je ne peux pas te dire, c'est comment elle s'appelle. Je ne m'en souviens pas, mais si tu veux, je chercherai.

— Non, ça n'est pas la peine. J'ai retrouvé la lettre qu'elle a envoyée à maman. »

J'avais espéré qu'il me fournirait une piste, une donnée précise de façon à pouvoir l'interroger, mais je n'osai pas lui en demander. Je pensai appeler Julio pour qu'il me renseigne sur le genre de problèmes fiscaux qu'entraînent généralement les héritages, mais j'estimai qu'une vague allusion suffirait.

J'avais vu juste, et pourtant, la jeune fille qui me répondit au standard de Caja Madrid ne me passa pas Raquel.

« Je regrette, mais... je la cherche, et elle ne figure pas sur la liste. Elle ne doit plus travailler ici.

— Ce n'est pas possible, dis-je pour moi comme pour moi-même.

— Ce que je veux dire, c'est qu'elle ne travaille certainement plus dans ce département, ni dans aucun autre qui ait son siège dans ce bâtiment. » Elle semblait jeune, dynamique et très patiente. « C'est une très grande banque, elle a beaucoup de départements. Ils ont pu la muter dans une centaine d'endroits différents. Ici, je ne la trouve pas.

— Alors... » Ne me fais pas ça, Raquel, pourquoi est-ce que tu me fais ça, comment est-ce que tu peux me faire ça ? « Je dois dire que je ne sais pas quoi faire.

— Ne vous inquiétez pas. Je vais prendre vos coordonnées et transmettre l'information à une secrétaire du Département commercial. Même si vous avez liquidé les fonds, quelqu'un doit être en charge de ce dossier. Si vous me donnez un numéro de téléphone, je veillerai à ce que la personne responsable vous appelle le plus tôt possible. »

Je la remerciai avec un faux empressement, sûr que cela ne servirait à rien, mais trois jours plus tard un garçon appelé Francisco José Regueiro me téléphona pour se mettre à ma disposition. Il avait terminé ses études quelques mois plus tôt, la banque l'avait engagé le 1$^{er}$ septembre et six jours plus tard il n'avait encore aucune idée de quoi que ce fût. Aussi, pour l'instant, l'avait-on chargé des dossiers non résolus, « pour trouver le truc concernant les fonds », me dit-il, très bavard, et aussi sympathique que tous les interlocuteurs inutiles avec qui j'avais parlé ces derniers jours. Bien sûr, il n'avait pas connu Raquel, bien sûr, il ne savait pas où elle avait pu aller et bien sûr, il ne savait pas non plus qui pourrait le savoir, à part la secrétaire du département, qui s'appelait Mariví et savait tout. « Et Paco ? osai-je demander.

— Paco ? répéta-t-il.

— Raquel travaillait avec un collègue qui s'appelait Paco, et peut-être qu'il...

— Paco comment ? » Soudain, Regueiro cessa de me sembler sympathique. « Dans ce département, il y en a plusieurs. Moi aussi je m'appelle Paco.

— Bien sûr, mais je ne me souviens plus de son nom... »
Je ne l'avais jamais su, pas plus que je ne savais le nom de
Berta, ni de Marga. Elle n'appelait pas ses amis par leur nom
de famille, personne ne le fait, et je ne pouvais pas non plus
demander à Regueiro de me réciter le nom complet de tous
les Pacos qu'il connaissait. « Ça ne fait rien, merci beaucoup. »

Puis je rappelai les renseignements, une, deux, trois fois,
et j'obtins enfin qu'une standardiste plus compatissante que
ses collègues me donne le même numéro que, depuis le
19 août, j'appelais inutilement à toute heure.

Ne me fais pas ça, Raquel, pourquoi est-ce que tu me fais
ça, comment est-ce que tu peux me faire ça ? Je me sentais
parfois pris dans un labyrinthe épais, pervers, dont les murs
s'ouvraient et se refermaient dans mon dos pour m'obliger à
reculer de deux pas chaque fois que je croyais avancer d'un.
Et pourtant, quelque part dans cette ville qui m'appartenait
jadis et qui ne me reconnaissait plus aujourd'hui telle une
mère amnésique et sans cœur, m'attendait un dragon, une
bête sauvage cruelle mais mortelle, mon destin et ma victime.
Pendant que je l'entendais souffler à travers ma propre respiration, je le cherchai avec une détermination qui méritait de
moins en moins ce nom. Je me rendais compte que cela ressemblait plus à une maladie, à une obsession morbide sans
autre horizon qu'un implacable diagnostic de folie passagère.

C'était ce que devaient penser de moi toutes les personnes
que j'abordai sans relâche pendant les premiers jours de septembre, le concierge de la maison de Raquel, celui de l'immeuble de la rue Jorge Juan, Mariví, que je retournai voir une
ou deux fois en vain, Regueiro, que j'appelai avec le même
résultat nul, et d'autres personnages secondaires, parfois insignifiants, de sa vie précédente. Je demandai de ses nouvelles
à la fleuriste qui lui avait vendu un système d'arrosage automatique à la fin juillet, à la boulangerie où elle aimait acheter
le pain, au kiosquier qui passait ses journées devant sa porte
d'entrée, et aux serveurs des deux ou trois bars que nous
avions fréquentés ensemble au cours de l'été, quand j'allais la
chercher à la sortie de son travail. Ils se souvenaient tous de
Raquel, certains de moi aussi, mais faisaient un signe de tête
négatif dès ma seconde phrase et n'attendaient guère pour
confirmer cela par des paroles. Puis ils adoptaient un air

d'ennui pendant que j'insistais sur l'importance pour moi de retrouver cette femme qui n'était pour eux qu'un élément du paysage, un accident trivial, une femme parmi tant d'autres. Certains se montraient plus aimables, d'autres plus impatients, mais à la fin, tous me considéraient comme un importun, un contretemps immérité dans leur horaire de travail. « Pourquoi n'engageriez-vous pas un détective ? » me demanda le kiosquier quand je lui donnai une carte avec mon numéro de téléphone en le priant de m'appeler s'il la revoyait, tandis que l'un des serveurs regretta pour moi la disparition de cette émission de télévision qui se consacrait à la recherche des disparus. « Bien sûr, ajouta-t-il ensuite, ils ont une liste sur laquelle s'inscrivent ceux qui ne veulent pas être retrouvés, alors votre fiancée... » Il n'acheva pas sa phrase, c'était inutile, mais son scepticisme me fit moins mal que la terreur qui assombrit le regard de la fleuriste. Je compris qu'elle était convaincue que je ne pouvais chercher Raquel que pour de mauvaises raisons.

Et pourtant, elle voulait que je la retrouve, si cela n'avait pas été le cas, elle n'aurait jamais pris congé. Je ne pouvais partager cette certitude avec personne, mais de temps en temps j'allumais mon mobile, cherchais son message et le relisais. Je perdis mes derniers jours de vacances à me promener dans son quartier, passant mon temps devant les stands de babioles qu'elle aimait regarder et à traîner sans but dans Canillejas, jusqu'au moment où je trouvais un panneau indiquant la direction pour regagner le centre ville. Pendant ce temps, septembre avançait avec son indolence de mois intermédiaire, divisé entre l'été et l'automne, entre les vacances et le travail, les dernières chaleurs et les premiers froids, et je m'accommodai lentement avec la patience ambiguë de celui qui veut croire qu'il va se passer quelque chose et qui découvre seulement qu'il ne se passe jamais rien.

Je n'osais plus parler à personne, ni au concierge, ni au vendeur de journaux, ni à la fleuriste, ni aux serveurs, mais je continuais à les voir et ils me voyaient. Revoilà le fêlé, devaient-ils penser quand ils me voyaient, tout en détournant le regard. Je me promenais généralement sur la place des Guardias de Corps en fin de journée et je faisais toujours la même chose, rien. J'arrivais à la porte d'entrée, pressais un bouton et me rappelais sa voix, mais personne ne répondait.

Raquel Fernández Perea n'était plus là pour m'inviter à monter, et le silence raréfiait le souvenir de sa voix, de la mienne, et, l'espace d'un instant, me faisait douter de tout, d'elle, de moi, de ce bâtiment peint aux couleurs de l'acier et de la crème fouettée, de la porte, de l'ascenseur, de l'escalier, et même de l'orbite de la Terre, qui avait appris à tourner autour de ses hanches dans un lit qui avait été ma maison et ma ville, moi-même, un monde, la planète entière.

Le verbe *croire* est le plus large, le plus étroit de tous les verbes, et son imprécision m'emprisonnait chaque soir dans une cuirasse grise et poussiéreuse qui me recouvrait des cendres de la joie que j'avais perdue et que je n'avais peut-être jamais vraiment possédée. J'étais las, je me faisais de la peine, je m'apitoyais sur mon sort, et cette grande lassitude était accompagnée d'un pressentiment glauque. Peut-être tout se terminera-t-il ainsi pensais-je, peut-être tout s'en tiendra-t-il là, car un jour les cours recommenceront, un jour je sauterai mon rendez-vous quotidien avec l'interphone muet, un jour je commencerai à oublier Raquel, à regarder d'autres femmes, à rire. Je redeviendrai l'homme que j'étais, je serai à nouveau bien dans ma peau.

Maintenant c'était Mai qui passait son temps à la maison, à m'attendre. Nous nous adressions rarement la parole mais elle savait que quelque chose avait changé et je m'en rendais compte. Ce n'étais pas difficile à deviner parce que j'étais maintenant beaucoup plus souvent à la maison. Je n'avais pas envie de sortir le soir, pas envie de travailler, je ne faisais rien, sauf me promener en fin d'après-midi jusqu'à une maison vide et la surveiller pendant une heure ou deux d'une terrasse en lisant un livre ou un journal, pour ne pas m'ennuyer. Mai ne pleurait plus, elle ne me faisait pas de reproches, et me préparait à dîner chaque soir. Elle m'enlaçait parfois au milieu de la nuit, elle n'était coupable de rien, elle ne méritait pas ce qui lui arrivait. Moi non plus, mais je ne voulais pas reprendre le cours de ma vie d'avant, et pourtant, c'était là le paysage qui commençait à se dessiner à l'horizon pendant que les montagnes s'enfonçaient, pendant que les vallées s'élargissaient, que le temps retrouvait son ancienne précision routinière pour ordonner la monotonie stérile de ma recherche dans une séquence implacable d'adverbes successifs, avant, maintenant, après. Tout s'achèverait peut-être ainsi, et septembre, peut-être octobre, et novembre, l'année finirait, la Terre se remettrait sur son orbite traditionnelle, médiocre, et je ne saurais même pas ce qui avait été vrai et ce qui restait un mensonge.

« C'est mieux comme ça, non ? dit Fernando Cisneros, m'offrant la consolation nauséabonde de la capitulation le premier jour où nous nous croisâmes à la Faculté.

— Non. Non seulement ce n'est pas mieux, mais c'est la pire chose qui me soit jamais arrivée, répondis-je, encore disposé à résister jusqu'au bout.

— Bon, mais mieux vaut maintenant que plus tard », insista-t-il, et je m'armai de patience pour ne pas céder à la relative injustice de penser qu'il commémorait ses propres erreurs dans mon désespoir.

« Non, Fernando. Il aurait mieux valu que ce ne soit jamais arrivé. »

Il me regarda avec pitié, sans rien dire.

« Et ton amie ? lui demandai-je alors.

— Quelle amie ?

— Cette fille qui travaille dans une antenne universitaire, celle qui devait se renseigner pour le théâtre...

— Ah ! Eh bien, rien. Elle ne m'a pas appelé. Je t'ai dit que c'était très difficile... »

Quand il rentra de Comillas, deux jours avant ma femme, il avait choisi une voie très différente pour me rassurer.

« Tu as très mauvaise mine, Álvaro », me dit-il. Je lui racontai ma première et désespérante conversation avec Mariví. « Mais elle ne peut pas disparaître, c'est impossible. Même si elle le voulait, elle ne le pourrait pas, il reste toujours une trace, tu comprends ? Elle peut partir vivre à l'autre bout du monde, tôt ou tard tu trouveras quelqu'un qui saura où elle est, ce qu'elle fait... C'est toujours comme ça que ça se passe, non ? » m'assura-t-il entre deux sourires. Je lui dis que je ne le savais pas et lui, qui pensait naturellement à Elena Galván, et à cet après-midi de courses de Noël où je l'avais croisée place Callao, m'interrrogea sur sa famille, ses amis. Je pensai alors à Berta, à ce montage de trois pièces qu'elle était en train de répéter, dans une mise en scène qui allait durer six heures.

« Tu vois ? C'est ça ! s'exclama Fernando. — Mais je ne me souviens pas du titre de la pièce, ni du nom de l'auteur,

bien qu'il soit espagnol, très célèbre, extrêmement célèbre, même. Raquel l'a mentionné, et je le connaissais, et je connaissais le titre de l'œuvre, mais je ne m'en souviens plus...
— Ça ne fait rien. J'ai une amie à l'université qui sait tout. Elle s'appelle Pilar et elle est professeur de littérature, tu la connais peut-être, une fille très jeune, très efficace, de celles qui croient encore en ce qu'elles font... »

Cet après-midi, tout lui semblait facile, mais quinze jours plus tard il ne s'en souvenait plus. Ce sera plus long, pensai-je cette nuit-là en regardant une porte close, un balcon plongé dans l'obscurité, peut-être qu'il faudra plus de temps, et qu'un jour à n'importe quel moment, dans n'importe quel endroit, je reverrai Raquel par hasard, mais il sera désormais trop tard.

La place des Guardias de Corps me faisait du mal. Son nom, son aspect, l'orgueil obstiné de cette maison fermée à ma mémoire me faisaient du mal. On ne peut pas tuer un dragon qui se cache, qui se dérobe, qui n'existe peut-être pas vraiment, et j'étais fatigué, de plus en plus fatigué. J'étais disposé, en théorie, à résister jusqu'à la fin, mais je ne savais pas ce que cela signifiait en pratique. « Cela vaut mieux, non ? » m'avait suggéré Fernando ce matin-là, et pourtant, le lendemain, 17 septembre, un samedi, je pus enfin distinguer les couleurs d'une prospère plantation de géraniums.

Quand je vis la lumière allumée, derrière les balcons, je devins si nerveux que je ne sus que faire, sinon parcourir la place à plusieurs reprises comme un animal attelé à une noria. Et, tandis que ma légendaire intelligence et ma non moins légendaire imagination se retrouvaient bloquées dans la préparation d'un discours impossible, mon humble corps me démontra qu'il était capable de ressusciter sans moi. Je percevais son humidité, la vitesse du sang qui y circulait, l'état d'alerte qui détendait ma peau, des fourmillements dans les doigts et ma bouche était pleine de salive. C'était un réflexe primaire, conditionné, comme ceux qui permettent de dresser les lions des cirques ou les chevaux de course. La lumière que mes yeux avaient vue allumée de l'autre côté d'un balcon avait déchaîné en moi une métamorphose si essentielle qu'elle n'avait même pas besoin de mon approbation.

Si j'ai un jour cru en mon destin, ce fut ce soir-là, et si j'ai un jour compris que j'avais besoin de prendre un verre avec la fabuleuse urgence que n'éprouvent que les détectives des romans policiers, ce fut à ce moment-là. L'interaction de la foi et de l'alcool fit preuve d'une efficacité si totale que je n'envisageai pas une seconde que ce ne soit pas Raquel. Oui ? imaginai-je. Bonjour, c'est moi. Monte ! En appuyant sur le bouton de l'interphone, je me délectais de ces mots, je pouvais les mordre, les mâcher, les avaler et sentir leur chaleur au centre de mon estomac.

« Oui ?

— Bonjour, c'est moi.

— Pardon ? »

Quand l'accent français inconnu de cette jeune femme coupa les voiles de mon espoir d'un couteau récemment affûté, la déception faillit me paralyser, mais le destin récompensa ma resplendissante conversion en la personne de la voisine du deuxième étage, une femme âgée et sympathique, qui apparut à cet instant pour prendre les décisions à ma place.

« Bonsoir, me dit-elle, en me tendant un paquet rectangulaire attaché par une ficelle. Vous voudriez bien me tenir ces gâteaux un instant ?

— Bien sûr, dis-je en tendant les mains, sans bien comprendre ce que je faisais.

— Merci, me dit-elle avant de se concentrer sur le contenu de son sac. Ce sont des bouchées à la crème et elles fondent rien qu'à les regarder... »

Quand elle trouva les clés, elle entra sans regarder si je la suivais, comme les bonnes fées des contes décident de la fortune de leurs protégés. Quand nous pénétrâmes dans l'ascenseur, elle récupéra ses gâteaux et appuya sur le deuxième bouton sans hésiter.

« Vous allez au quatrième, n'est-ce pas ? supposa-t-elle à voix haute.

— Oui », confirmai-je en souriant.

Elle le sait, elle au moins le sait. C'était là la signification de mon sourire. Cette inconnue le savait, elle me reconnaissait, elle venait de témoigner en ma faveur, en faveur d'une histoire qui existait, qui avait existé dans la réalité des témoignages objectifs, au-delà du concierge, de la femme qui vendait des fleurs deux coins de rue plus bas, du patron du kiosque que l'on voyait de ses balcons, du serveur du bar de la place. Elle savait, elle le savait, elle me connaissait, elle reconnaissait le lieu que j'occupais dans le monde, elle ne doutait pas de ma raison ni de mes intentions. Maintenant elle va s'évaporer, maintenant elle va être enveloppée par un nuage de fumée et elle se dissipera, et elle n'aura jamais existé non plus craignis-je. Mais elle me salua et sortit de l'ascenseur avec ses gâteaux, incarnée, matérielle, authentique. Quand j'arrivai au quatrième, son ombre affermit mes pas, tendit mes muscles, dirigea mon doigt sans hésitation vers la sonnette d'une maison dont la porte était auparavant toujours ouverte pour moi.

« Bonjour... »

Ce fut tout ce que je pus dire avant de me retrouver bloqué, pris dans la vision de l'espace, de la lumière, des objets, la table, le portemanteau, les tableaux, la lampe qui était toujours là, avec les mêmes ampoules, une grillée, au même endroit qu'avant.

« Bonjour », me répondit une jeune femme, à peu près de l'âge de Raquel, à peu près de sa taille, qui était enceinte, portait des lunettes et avait une queue-de-cheval.

Je la regardai attentivement et vis une peau ordinaire, deux yeux bleus, une mâchoire carrée et un vilain menton, rien à voir avec la splendeur harmonieuse qui unissait le cou au visage de ma maîtresse, mais je découvris aussi qu'elle lui ressemblait par certains détails que je ne parvins pas à définir avec exactitude, peut-être était-ce la proportion des traits, simple géométrie ou seulement cette similitude vague et puissante qui identifie les membres d'une même famille aussi différents soient-ils.

« C'est moi qui ai sonné tout à l'heure », poursuivis-je après une pause trop longue qu'elle accepta sans donner de signes d'impatience mais qui attira l'attention du voisin d'en face, qui sortait promener son chien. « Je m'appelle Álvaro, Álvaro Carrión, et je cherche Raquel Fernández Perea, la propriétaire de cet appartement. »

Elle acquiesça de la tête : « Oui, mais je t'ai dit qu'elle n'était pas là.

— Oui, bien sûr... »

Le voisin faisait semblant de ne pas retrouver ses clés ou peut-être les avait-il vraiment perdues, mais ses manœuvres me rendaient encore plus nerveux. Mon interlocutrice le regardait aussi et je me rendis compte qu'elle partageait mes soupçons, l'intuition qu'il feignait juste pour pouvoir écouter notre conversation. Je me retournai pour le regarder et il soutint mon regard pendant qu'il continuait à fouiller dans ses poches.

« Je peux entrer ?

— Bien sûr. »

Elle ouvrit la porte, s'écarta du seuil, la referma derrière moi, et fit le tout avec un trop grand naturel, une hospitalité excessive envers un étranger.

« Tu savais que j'allais venir, n'est-ce pas ? me risquai-je alors à demander.

— Eh bien... » Elle parlait avec un fort accent et s'arrêtait de temps en temps pour chercher ses mots. « Ma mère m'a dit que Raquel... avait eu une... relation ? » Elle me regarda, j'acquiesçai. « Avec un homme, que c'était fini et...

— Mais ce n'est pas fini ! » protestai-je. Elle écarquilla les yeux et je compris que je devais modérer le ton et le volume de mes paroles. « Enfin, ce que je veux dire, c'est que je ne présenterais pas les choses comme ça, je crois que ce n'est pas ce qui s'est passé. Elle a disparu sans me dire pourquoi, mais avant elle m'a dit au revoir, non, ce n'est pas ça, elle m'a envoyé un message...

— Écoute, m'interrompit-elle, je ne sais rien. Je n'ai pas vu ma cousine. Et je ne la reverrai pas. Demain, je rentre à Paris. Les vacances sont finies.

— Je vois... Tu es de passage ? » Elle fit un signe de tête affirmatif et je cherchai quelque chose à dire, n'importe quoi qui me permit d'étirer le temps. « Tu es une cousine de Raquel...

— Oui. Ma mère est une sœur de son père. Je m'appelle Annette.

— Comme ta grand-mère, dis-je en souriant

— *Oui*... Comme ma grand-mère. » Alors, pour la première fois, elle sourit, et je compris qu'elle avait compris ce commentaire, aussi insignifiant en apparence qu'un mot de passe, comme une preuve spontanée de l'intimité que j'avais partagée avec sa cousine, une garantie que je lui disais la vérité.

« Tu veux que je te dise ? Tu ressembles beaucoup plus à Raquel quand tu souris. »

À ce moment, un homme de mon âge, qui portait dans ses bras une fillette d'un ou deux ans avec un bavoir taché de restes de bouillie, passa la tête dans l'encadrement de la porte qui donnait sur le salon et haussa les sourcils dans une interrogation universelle à laquelle elle répondit tout de suite sur un ton rassurant,.

« *C'est... un ami de ma cousine.* » Puis elle se tourna vers moi. « C'est Claude, mon mari. Il ne parle pas espagnol. »

Cette précision sonna comme un avertissement, presque un coup de sonnette destiné à marquer la fin de ma visite, mais nous étions si bien élevés qu'il fit quelques pas dans ma direction pendant que je raccourcissais la distance dans la direction inverse, et après nous être serré la main, je le suivis jusqu'au salon bien que sa femme ne m'y ait pas invité.

« Écoute, Annette, je... » Je suis désespéré, allais-je lui dire, mais cet adjectif me sembla trop creux, trop théâtral pour être vraisemblable. « Tu pourrais me rendre un service ? Pour toi, ce n'est rien, et pour moi, ce serait très important, vraiment. Même si tu ne vois pas Raquel, je suppose que tu dois laisser les clés quelque part, non ?

— Chez ma mère, enfin, c'est aussi chez ma grand-mère... » Elle sourit à nouveau et son sourire ressemblait tellement à celui de sa cousine que mes yeux me firent mal et se réjouirent pendant que je la regardais. « Chez ma grand-mère Anita.

— Et ça ne t'ennuierait pas de lui laisser un mot ? Je l'écris en deux minutes, je ne serai pas long, je ne veux pas te déranger, mais je vais... très mal. J'ai besoin...

— Mais... » Elle baissa la tête et commença à agiter ses mains comme si elle voulait me décourager ou me prier de me taire. « Je n'ai pas de papier. Je ne sais pas où il y en a.

— Moi si. Je sais. » Je comptai sur mon aplomb pour dissiper ses doutes.

« *Alors...* » J'empruntai le couloir et elle me suivit pendant que sa fille se mettait à pleurer, son mari essayait de la consoler en émettant des claquements sonores et rythmiques comme le cliquetis d'une locomotive. Cette musique étrangère, étrange, m'accompagna jusqu'à la chambre de Raquel comme la bande sonore d'un cauchemar ou un certificat de l'actualité ordinaire qui gouvernait maintenant la scène la plus brillante de ma vie passée. Cependant, en ouvrant la porte, je vis un peu plus qu'une valise ouverte sur le lit, des vêtements inconnus éparpillés sur le couvre-lit, des pots et des flacons d'eau de Cologne pour enfants sur ce qui était auparavant ma table de nuit. Je vis aussi que celle de Raquel était vide, et un vide là où se trouvait ma photo avec le prix scolaire de calcul mental. Si elle avait laissé le cadre à sa place, j'aurais pensé qu'elle l'avait cassé avant de le jeter à la poubelle, mais ses grands-parents avaient disparu, comme le pendule qui les accompagnait. Elle les a emportés, elle a emporté leur photo et la mienne, elle a emporté l'ordre et le chaos là où elle est maintenant, pensai-je alors, et je pus presque la voir, mais sa cousine me regardait avec inquiétude, comme si elle avait soudain des doutes sur moi, sur cet inconnu qui s'était immobilisé au centre de la pièce. Elle avait peut-être aussi emporté le bloc, mais en ouvrant le tiroir central de son secrétaire je vis qu'il était resté à sa place.

Je m'assis dans le fauteuil en cuir, sortis mon stylo et écrivis :

*Appelle-moi, Raquel. S'il te plaît, appelle-moi, raconte-moi ce qui s'est passé. Peu importe ce que c'est, ça n'a aucune importance, je n'ai peur de rien. Je t'aime, Raquel, je t'aime, je t'aime, et tout le reste m'est égal. Appelle-moi. Ne me laisse pas comme ça, s'il te plaît, s'il te plaît. Je t'aime tellement, tellement, tu n'imagines même pas, je t'aime tellement que je deviens fou, je t'aime plus que tout, plus que personne au monde, je t'aime, Álvaro.*

Quand j'eus fini, je relus ce que je venais d'écrire et je trouvai cela effroyable. Effroyable, horriblement maladroit, affecté et bête. Truffé de répétitions, de phrases toutes faites, et je pouvais mieux faire, j'aurais pu mieux faire si j'avais corrigé, si je m'étais arrêté un instant pour choisir, mesurer, peser chaque mot. Mais j'arrachai la feuille du bloc, la pliai et la donnai à Annette sans la mettre dans aucune des enveloppes que j'avais vues en ouvrant le tiroir. C'était mieux comme ça, maladroit, affecté, et bête, effroyable et plein de répétitions, de phrases toutes faites. Il vaut mieux que sa cousine, sa tante et sa grand-mère le lisent avant elle, il vaut mieux les avoir toutes de mon côté. Ce mot avait une seule qualité, la sincérité brutale, irréfléchie mais émouvante, du désespoir. Et pourtant, en méditant dessus, j'avais déjà cessé d'être un homme désespéré.

Ce fut peut-être une prémonition, un pressentiment. C'était peut-être parce que j'étais si effondré, que la simple nouvelle que Raquel continuât à exister, la possibilité, presque la certitude que tôt ou tard elle lirait le texte le plus maladroit que j'aie jamais écrit, suffit à me secouer, à me réveiller du sommeil léthargique de l'autocompassion dans laquelle je me berçais, pour exciter mon imagination romanesque par des images nouvelles, fabuleuses mais aussi curieusement précises. Je ne savais pas où elle était et pourtant je pouvais la voir en train de lire mon mot, je pouvais imaginer son étonnement, le sursaut qu'elle ressentait en le recevant, la tête qu'elle ferait et ce qui lui arriverait, ce qu'elle penserait de moi et d'elle-même quand elle aurait constaté à quel point pouvaient être bêtes, affectés, maladroits, les seuls mots que j'avais été capable de lui adresser.

C'était peut-être parce que j'étais si effondré qu'il suffisait d'un rien pour me remonter que, quelques jours plus tard, alors que je surveillais l'examen de mes élèves de première année – des pauvres innocents qui, au milieu de l'année, m'avaient entendu affirmer, avec l'accent catégorique des vérités absolues, que le tout n'est égal à la somme des parties que lorsque les parties s'ignorent entre elles –, lorsque Fernando Cisneros entra dans la salle, s'assit à mes côtés pour demander tout bas de mes nouvelles, je lui répondis que j'allais mieux.

« Alors je ne sais pas si je dois te donner ceci », ajouta-t-il, se méprenant sur ma réponse, et il posa sur la table une page web imprimée mentionnant les horaires et les prix d'un théâtre de Salamanque.

Il était 23 h 10 et j'avais déjà passé mon pyjama. Ce soir du mercredi 28 septembre, une chaîne de télévision rediffusait une émission que je ne me lassais jamais de regarder, la reconstruction très fantaisiste de ce qu'aurait été la vie sur Terre à l'ère des dinosaures, un véritable exploit de vulgarisation scientifique.

Je la connaissais presque par cœur, et j'attendais que le méchant tyrannosaure attaque par-derrière le pauvre et pacifique tricératops qui paissait tranquillement dans un pré, quand j'entendis le petit sifflement des SMS. Le portable se trouvait sur une table basse, à côté de moi. Je le pris sans quitter l'écran des yeux, mais ne le consultai pas avant que le crime pré-humain de l'abuseur musclé sur le petit gros sympathique n'ait été consommé, et alors, l'espace d'un instant, tout s'arrêta, mon cœur, le sang qui circulait dans mes veines, le temps, l'histoire, l'air, cette chronique impitoyable d'une cruauté éteinte. Il ne me fallut qu'un instant pour lire ce message envoyé depuis ce que mon téléphone considérait comme un numéro inconnu, juste cinq mots, *Suis rue Jorge Juan. Viens*. Ce n'étaient que cinq mots, vingt et une lettres, vingt-sept caractères au total, en comptant les points et les espaces. *Suis rue Jorge Juan. Viens*. Cinq mots sans en-tête ni signature, vingt et une lettres pour tracer la frontière entre le bien et le mal, le bonheur et le malheur, la paix et l'angoisse. *Suis rue Jorge Juan. Viens*. Quand j'appuyai sur la touche réponse, mes doigts tremblaient, mes lèvres, mes paupières, tout mon corps tremblait de chaleur et de froid, d'inquiétude, d'angoisse, de plaisir, de terreur. *J'arrive tout de suite*, écrivis-je, *attends-moi*. En me levant, je m'étonnai que mes jambes me soutiennent.

Mai était au lit, et regardait un film d'espionnage. « Encore les dinosaures ? » m'avait-elle demandé quand le petit se fut endormi, et j'avais acquiescé. « Et ce sont des nouveaux, ou les mêmes ? » Et j'avais souri : « Je crains que ce ne soient les mêmes, mais je vais aller les voir dans la chambre, ne t'inquiète pas. » « Non, non », elle repoussa mon offre avec la même sollicitude discrète avec laquelle elle me traitait depuis qu'elle avait compris que la situation avait changé en sa faveur, « il vaut mieux que ce soit moi, parce que j'aime ces films, tu sais, mais ils finissent par me donner sommeil... » C'était vrai. Quand elle me vit arriver, elle était à moitié endormie et avait juste la force de me regarder les yeux mi-clos, avec l'air plein de bonté d'une infirmière qui veille un soldat se remettant d'une grave blessure. C'était ainsi qu'elle me regardait dernièrement ; mais mes pas ne firent pas la trajectoire escomptée. Je passai devant le lit pour prendre dans le placard une chemise propre, et en me retournant je trouvai ma femme assise et bien réveillée.

« Tu sors ?

— Oui. »

Je m'enfermai dans la salle de bains pour m'habiller et en me regardant dans la glace je compris que les signaux d'alarme auraient clignoté de la même façon si je ne m'étais pas changé pour ce rendez-vous. J'avais le teint très pâle, les joues écarlates et un cercle rouge sous les yeux. Je n'avais pas de temps à perdre, et cependant ce visage inattendu, qui était le mien, attira mon attention comme s'il avait appartenu à quelqu'un d'autre, un homme différent de celui que je ressentais de l'intérieur. Le pire est passé, pensai-je, je ne souffre plus, mais mon visage ne voulait rien savoir. Il y avait quelque chose de douloureux, une sagesse cachée et presque tragique dans l'expression que je contemplais. Je ne parvins pas à la déchiffrer, car la fin de mon analyse fut aussi brutale que son début.

« Álvaro, Álvaro... » Mai tambourinait contre la porte.

Je boutonnai ma chemise à toute vitesse, ouvris le verrou, la regardai.

Elle s'était enveloppée dans ce châle en velours que je lui avais rapporté un jour de La Corogne, elle avait les bras croisés, les épaules contractées et un regard furieux, blessé, étonné de l'arrogance qui couvrit sa voix quand elle me parla.

« Si tu t'en vas, ne reviens pas. »

Très bien, faillis-je répondre, mais cela me sembla être une réponse si triviale, si absurde, si cruelle dans sa brièveté, que je préférai ne rien dire, et pourtant, ce fut tout ce que je trouvai à dire, la seule phrase que je pus construire. « Très bien, alors je pars et je ne reviens pas. » Mai me regarda, tourna les talons, et je finis de m'habiller rapidement. Je ne voulais pas penser, je ne voulais pas analyser l'avertissement que je venais d'entendre, je ne pouvais pas me le permettre. Raquel est revenue, elle m'a appelé, elle m'attend, me disais-je, et je le répétais en mettant mes chaussures, ma veste, et en vérifiant toutes mes poches.

Je quittais la maison, je quittais enfin la maison, et je ne savais pas très bien où j'allais, ni pourquoi, ni vers quoi. Je partais simplement, sans aucune garantie, juste une adresse, un rendez-vous exprimé en cinq mots, mais je ne voulais pas y penser, je ne voulais pas reconnaître que le mieux, le plus raisonnable, ce qu'aurait fait tout homme sensé, aurait été de composer ce numéro qui n'était plus inconnu, lui parler, reporter de quelques heures la rencontre qu'elle me proposait, protéger mes arrières et garder une carte dans la manche. Je n'avais plus de manches, je n'avais pas d'arrières, car Raquel était revenue, elle m'avait appelé, elle m'attendait et c'était tout ce qui comptait pour moi. C'était pour ça que je partais, sans savoir où, pourquoi, ni vers quoi, je partais, simplement, comme un homme insensé qui ne veut pas, qui ne peut pas, qui ne sait pas penser, qui renie sa pensée. Le miroir ne me tentait plus. Je ne me regardais plus, je ne voulais pas me regarder, juste tout faire très vite, pas même bien, juste vite. Je savais que les paroles de Mai n'étaient que des paroles, qu'elles étaient très loin de représenter ce qu'elles signifiaient, que je pourrais revenir une fois, dix fois si je le voulais, mais je savais aussi que je n'allais pas vouloir, que je ne le ferais pas, et que si ma femme m'avait menacé d'un fusil, je serais quand même parti, car Raquel était revenue, elle m'avait appelé, elle m'attendait, et rien ne pourrait m'empêcher d'aller à sa rencontre...

« Tu m'as entendue, Álvaro ? » Mai était appuyée au mur de l'entrée, près de la porte.

« Oui.

— Et tu as compris ?

— Oui.

— Et tu vas partir ?

— Oui. »

Dans la rue, je tentai d'éprouver de la joie, de la percevoir, de la réclamer, de me laisser prendre par elle, mais je ne la trouvai pas. Et pourtant elle devait être là, quelque part, je le savais, comme je savais que le dragon se coucherait docilement à mes pieds, renonçant par avance au défi inutile de mon épée. Je l'avais appris dans des paroles prudentes, différentes.

« Raquel va revenir, elle apparaîtra le jour où tu t'y attendras le moins, m'avait dit Berta le samedi précédent. Elle reviendra parce qu'elle ne devrait pas le faire, parce qu'elle est dans un état où personne ne fait jamais ce qui lui convient. »

Quand j'ai essayé de lui demander ce qu'elle voulait dire exactement, elle avait levé une main, fermé les yeux, et souri en soulevant à peine la commissure de ses lèvres. « Ne me pose pas de questions, Álvaro, je t'en ai déjà dit trop... »

« Pourquoi es-tu femme, Pichona ? »

L'acteur qui interprétait *Gueule d'Argent* [1] avait déjà la main dans le décolleté de Berta. Elle jeta ses épaules en arrière afin de faciliter les manœuvres du séducteur local, tout

---

1. Deuxième pièce de la trilogie de Valle-Inclán écrite en 1922, *Les Comédies barbares*.

en le regardant le menton levé, avec une expression de satis-faction plus puissante que ses plaintes.

« Ne commencez pas ! » Et pourtant, ses bras restèrent le long du corps, et ne firent rien pour enrayer la convoitise de la main qui lui pressait les seins.

« Ils sont durs.

— Laissez-les.

— Pourquoi es-tu femme ?

— Vous pouvez le comprendre.

— Eh bien non.

— Je suis femme, c'est mon intérêt, pour que vous veniez me voir un jour, et un an, si cela vous tient si longtemps. Pour dépenser une once avec toi, si je l'ai. Mais je n'approuve pas que tu le rendes public. »

Sûre que le désir de Visage d'Argent l'entraînera dans son lit le soir même, Pichona la Bisbisera passe du vous au tu sans transition ni avertissement : « Ça ne te dérange pas que je te tutoie, n'est-ce pas ? »

Quand Fernando Cisneros partit, il ne restait plus que trois étudiants dans la salle. L'un abandonna avant la fin, mais les autres profitèrent de la demi-heure de grâce que j'avais ajoutée aux deux heures dont ils disposaient officielle-ment pour l'examen. La dernière à partir, une grande blonde, aux longues jambes, à la forte poitrine et à la taille de guêpe, m'adressa un sourire malicieux, en murmurant qu'elle espé-rait avoir réussi. Elle attendit quelques secondes, pour le cas où j'aurais eu envie de dire quelque chose d'intéressant, mais je me bornai à préciser que l'examen n'était pas très difficile et qu'elle n'aurait qu'à attendre dix jours pour les résultats.

Ensuite je m'enfermai dans mon bureau et cherchai le site web de la compagnie qui annonçait la représentation des *Comédies barbares* de Valle-Inclán dont Fernando m'avait parlé. En le trouvant, je découvris Berta, cheveux châtains plus longs et épaules nues, dans la distribution de *Gueule d'argent* et *L'Aigle emblématique*. Elle ne figurait pas dans *Romance de loups*. « Ils n'ont manifestement pas osé monter les trois ensemble », m'avait dit Fernando, mais ils les don-nent dans l'ordre et plusieurs jours d'affilée. Ils avaient joué pendant l'été d'un bout à l'autre de l'Espagne mais avaient pris des vacances début septembre. C'est pourquoi son amie qui avait immédiatement reconnu les noms de la pièce et de l'auteur avait mis si longtemps à les trouver. Elle avait commenté sur un ton goguenard : « C'est incroyable, vous passez votre temps à vous plaindre de ce que les littéraires sont incapables de lire une formule mais vous, vous êtes d'un obtus... »

Ce matin-là, j'achetai une place d'orchestre au milieu du cinquième rang pour la première représentation de *Gueule d'argent*, et ensuite, à la librairie du département de Philologie, les trois pièces dans une édition critique que je lus d'un bout à l'autre au cours des jours suivants. Mai ne fit aucun commentaire sur mon intérêt soudain pour Valle-Inclán, et aucun muscle de son visage ne bougea quand je lui dis que je devais aller à Salamanque, le samedi, pour participer à des journées dont je ne lui précisai pas la nature. Je me demandai ce qui se serait passé si Berta avait débuté ce week-end dans une ville n'ayant pas une université aussi importante mais, au fond, je me fichais de la réponse. La pièce, que je n'avais pas prévu de voir lors de l'achat du billet, m'intéressa en revanche autant que si son auteur ne l'avait écrite que pour que je la lise.

« Ouvre, Pichona !

— Je suis nue dans mon lit.

— Ça me fera gagner du temps !

— Aïe, roi maure ! Dis-moi qui tu es ?

— Tu ne le sais que trop bien.

— Mais non, je ne te reconnais pas.

— Ouvre !

— Attends que je mette un jupon. N'enfonce pas la porte, mon trésor ! » Mais Berta, qui était effectivement nue dans le lit, se contenta de passer les bras dans les manches d'une sorte de boléro en dentelle blanche qu'elle ne fit pas mine d'attacher pour traverser la scène, et se diriger vers la porte. « Tous les metteurs en scène la déshabillent, et nue elle est impressionnante », m'avait assuré Raquel. Les deux choses étaient vraies.

Elle avait ajouté que c'était une très bonne actrice, et elle l'était à tel point qu'en traversant la scène elle donnait l'impression d'être habillée par son propre talent et celui de l'auteur dont elle disait le texte avec tant d'aplomb et de naturel qu'on n'imaginait pas qu'elle ait eu à l'apprendre. L'effet de cette nudité était moins excitant qu'émouvant, et son interprétation rendait problématique celle de l'acteur qui jouait son amant.

J'eus l'impression que ce garçon ne comprenait pas la lumineuse obscurité des passions de son personnage, l'impuissance du fils cadet qui se dresse contre son père pour la femme qu'ils désirent tous les deux, le dépit qui le pousse vers Pichona, l'indolente trahison de sa maîtresse, cette demoiselle moins fragile que pusillanime que Montenegro séduira, et perdra, dans l'exercice d'un orgueil impitoyable et indifférent qui viole toutes les lois humaines et divines. Gueule d'argent est beau, fort, jeune, ambitieux et capable d'inspirer à Sabelita le même amour que celui qu'il ressent pour elle, un amour qu'il est disposé à jurer devant l'autel, pour lequel il aspire à s'engager à vie, mais c'est son père qui commande, et il veut la jeune fille pour lui. Son désir constitue le début et la fin de tout. Quand j'achetai ma place, je n'étais pas très sûr d'avoir envie de voir la pièce avant d'avoir parlé à Berta, mais il restait encore deux jours avant la représentation, je finis de corriger les examens très vite et il fallait trouver autre chose, pour surmonter ce délai. Ce fut ainsi que je découvris ce texte féroce, brillant, sauvage et émouvant à la fois, et aussi sage, profond, impie, exact, écrasant. « Les histoires espagnoles abîment tout », m'avait dit Raquel. Cette histoire espagnole semblait écrite dans le pressentiment brutal de l'état d'esprit avec lequel j'arriverais à la représentation, et cependant, rien de ce que j'avais vu ou entendu sur la scène ne m'émut autant que de voir sortir Berta, habillée et démaquillée, par la porte devant laquelle je l'attendais depuis un peu plus d'un quart d'heure.

Elle prononça mon prénom presque sans intonation : « Álvaro ! Comment vas-tu ? »

Elle paraissait fatiguée mais heureuse. Elle avait eu beaucoup de succès, si le succès d'une actrice peut être mesuré par le nombre de bravos qui s'ajoutent aux applaudissements du salut final, et elle m'avait reconnu. J'avais du moins eu cette impression en l'applaudissant debout, toutes les lumières du théâtre allumées. Je l'avais vue regarder vers l'orchestre, très souriante, s'arrêter un instant sur moi, devenir sérieuse et faire un bref signe de tête. C'était ce que j'avais cru voir, et quand elle sortit avant les autres pour venir vers moi, je

compris que j'avais bien vu. Puis elle m'embrassa si naturellement que je répondis sincèrement à sa question qui n'avait
pas été une vaine formule de politesse.

« Très mal. Vraiment très mal, c'est pour ça que je suis
venu.

— Ça ne m'étonne pas... Allons manger, tu veux bien ? Je
meurs de faim. Tu as vu la pièce ? » Je fis un signe de tête
affirmatif. « Ça t'a plu ?

— Beaucoup. » Je ne mentais pas, et elle me remercia
d'un sourire. « Et puis ça me concerne assez.

— Ah bon ? » Elle me regarda et je me rendis compte
qu'elle ne m'avait pas compris, mais elle se reprit aussitôt :
« Ah ! Tu dis ça à cause du père...

— Et du fils, complétai-je, oui. Mais je ne peux pas partir
à la guerre.

— Alors tu connais les pièces... » Elle semblait surprise.

« Oui. J'ai commencé par lire celle-ci, pour voir de quoi
il s'agissait, puis je n'ai pas résisté à la tentation de voir
comment finissait l'histoire.

— Elle ne finit pas très bien.

— Elle finit très mal, mais toi, au moins, tu joues une
gentille.

— Oui, c'est vrai, dit-elle, et elle me prit par le bras pour
m'entraîner vers un café qui semblait très animé. La pauvre
Pichona, vagabonde et à moitié prostituée, est généreuse et
bonne oui, la seule capable de tomber vraiment. amoureuse.
C'est la grandeur de Valle-Inclán. Il y a toujours une putain,
un mendiant, un enfant, un fou qu'il traite avec une telle tendresse que cela compense la cruauté avec laquelle il détruit
les autres. Mais de toute façon, Álvaro... Ne te fie pas aux
apparences. Gueule d'argent est bon lui aussi à sa façon, meilleur que son père, bien sûr, et un ange en comparaison de
n'importe lequel de ses frères. C'est pour cela que Valle-Inclán
l'envoie à la guerre, pour le sauver, pour qu'il ne prenne pas
part au pillage de l'héritage de sa mère, pour que Montenegro
n'ait pas à le maudire comme les autres. Mais malgré tout,
Gueule d'Argent n'a rien à voir avec toi. On s'assied ici ? »

Le café semblait plein, mais elle trouva une table libre
dans le fond, appela un serveur, lui commanda un sandwich
à trois étages et une bière, me demanda ce que je voulais, je

lui dis que cela m'était égal et elle commanda la même chose pour moi.

« Où est Raquel, Berta ? lui demandai-je dès que le serveur nous laissa seuls.

— Elle est... » Elle s'arrêta une seconde pour réfléchir. « À Madrid.

— À Madrid, où ?

— Ça, je ne peux pas te le dire. Tu le sais. Raquel est mon amie, et on ne trahit pas les amis.

— Mais...

— N'insiste pas, Álvaro. Si tu continues à me poser des questions, je vais devoir te raconter n'importe quoi. Je fais ça très bien, je suis actrice, tu as vu. Tout cela est... était une folie, une ineptie, je... Ce que je peux te dire, c'est que je ne savais rien, que je n'ai rien su jusqu'à ce dîner, quand tu es venu avec nous à la pizzeria et qu'elle a eu un malaise, tu te souviens ? » Je me souvenais, et je la croyais, je sentais qu'elle me disait la vérité, qu'il était important pour elle que je le sache. « Quand je l'appris, je fus pétrifiée. Je n'en avais aucune idée et cela me sembla incroyable, impossible. Si je l'avais su, je ne l'aurais pas laissée... » Elle ne termina pas sa phrase et je ne parvins pas à la compléter. « Raquel est la sage de l'équipe, jusqu'alors elle l'avait toujours été. C'est moi qui fais des gaffes, qui me lie avec des hommes qui ne me conviennent pas, des hommes mariés avec des fils malades, des femmes déprimées, et des problèmes à n'en plus finir...

— Mais moi, je suis prêt à divorcer, à l'épouser si elle le souhaite, et Raquel le sait, je le lui ai dit. Ça ne me dérange pas, je...

— Álvaro. Mon dieu, Álvaro ! » Elle prononça mon prénom comme s'il lui faisait mal, ferma les yeux, tendit les bras, me prit le visage dans les mains avec une intention confuse, comme si elle voulait tout à la fois me tenir et me caresser.

« Alors ce n'est pas ça.

— Non, ce n'est pas ça. » Ses mains me lâchèrent ; mais ses yeux exprimaient une compassion coupable.

L'arrivée de la commande marqua une pause forcée entre sa pâleur et la mienne. Berta avait le sourcil froncé et n'appréciait pas le tour de notre conversation. La pitié discrète avec laquelle elle me traitait me blessait, mais me faisait du bien, comme un chien abandonné se nourrit de la caresse affectueuse d'une main qui ne lui donne pas à manger.

« Qu'est-ce qui s'est passé, Berta ? »

Elle avait saisi les trois étages de son sandwich à deux mains, et me regarda avant de fermer les yeux pour mordre un morceau aussi grand que sa bouche.

« Je ne peux pas te le dire, Álvaro, vraiment... » Elle avait commencé à parler la bouche pleine et elle agita sa main pour que j'attende un instant. « Ce n'est pas à moi de le faire, tu n'aimerais pas l'apprendre par moi. C'est à elle de le faire. En revanche, ce que je peux te dire... »

Elle prit une nouvelle bouchée, et je me rendis compte qu'elle était moins affamée qu'angoissée par le besoin de choisir ses paroles, de décider dans l'urgence ce qu'elle pouvait me dire.

« Raquel souffre beaucoup, Álvaro. Autant que toi, ou plus, car c'est de sa faute. Tout cela est... sauvage, et elle le sait. Elle est partie pour ne pas te faire de mal, mais elle ne peut pas, elle ne peut pas supporter ça, elle non plus. Je... je ne sais pas. Parfois, je pense que le remède a été pire que le mal, parce que au début, on aurait dit qu'il valait mieux qu'elle parte, oui, moi aussi je le croyais, mais aujourd'hui... Je ne pouvais pas supposer... Les hommes dont je tombe amoureuse ne me poursuivent jamais à ce point. Je ne pouvais pas supposer que tu étais aussi tenace, mais l'autre jour je suis restée avec elle et elle m'a montré un mot que tu lui avais écrit, et... Elle était dévastée, elle voulait t'appeler, et moi... Eh bien, tu vas peut-être me gifler, mais je dois dire que c'est moi qui lui ai ôté l'idée de la tête, parce qu'elle doit bien réfléchir, elle ne peut pas t'appeler comme ça, sans savoir ce qu'elle va te dire, comment elle va t'expliquer... Mais ne te fâche pas contre moi, Álvaro, s'il te plaît, parce que... Je veux juste que cela se passe bien, et puis je ne suis pas toujours avec elle, je suis en tournée, tu as vu, alors... Bref, ce que j'essaie de te dire, c'est que Raquel va revenir, qu'elle arrivera le jour où tu t'y attendras le moins. Parce que ça ne lui convient pas, mais elle est dans un état où personne ne fait jamais ce qu'il devrait faire.

— Qu'est-ce que tu veux... ?

— Ne me pose plus de questions, Álvaro. » Elle leva une main, ferma les yeux, et sourit avant de m'interrompre. « Je t'en ai déjà dit plus que je n'aurais dû. » Pourtant, elle me dit encore une chose en me quittant, après avoir insisté pour payer, m'avoir pris dans ses bras, donné les deux baisers de rigueur, et écouté pour la dernière fois que vraiment, non vraiment, je n'étais pas fâché contre elle. Je n'étais pas parti. Je la regardais de la porte du café pendant que je pariais qu'elle allait prendre son téléphone dans son sac pour appeler Raquel avant d'arriver au centre de la place, quand soudain elle se retourna et revint sur ses pas.

« Autre chose, Álvaro. » Je compris à son ton, au calme avec lequel elle me regardait dans les yeux, que ce qu'elle allait me dire ne lui semblait pas grave, ni compromettant ou important. « Il n'y a pas eu d'autre homme, ni maintenant, ni avant l'été. Pendant tout le temps où elle a été avec toi, il n'y a eu personne d'autre. Je te le dis parce que... Bref, nous sommes tous très adultes, très mûrs, et très géniaux, mais... Si j'étais à ta place, je serais heureuse le savoir.

— Merci, Berta. » J'étais heureux de le savoir.

« De rien. »

Nous nous embrassâmes à nouveau, elle partit et, bien avant d'arriver au point d'où elle était revenue, elle sortit quelque chose de son sac. Je n'eus pas besoin de parier avec moi-même, car un instant plus tard elle se retourna et me montra qu'elle avait le téléphone collé à l'oreille. Elle agita la main pour prendre définitivement congé de moi et pendant un moment je caressai l'idée de partir en courant, de lui arracher le téléphone et de parler à Raquel. Mais nous savions tous les deux que je ne ferais jamais ça. Aussi me contentai-je de la regarder jusqu'à ce qu'elle se perde sous une arcade de la place, j'allai chercher ma voiture et rentrai à Madrid.

Pendant le voyage, je tentai de mettre de l'ordre dans ce que j'avais appris ce soir-là. Cela semblait peu de chose et pourtant, c'était plus que ce que j'avais pu découvrir en un mois. Les silences de Berta, la séquence irrégulière d'indécisions qui s'étaient accumulées dans les points de suspension de toutes les phrases qu'elle avait abandonnées en cours de route, m'avaient semblé plus remarquables que ses paroles, et dans celles-ci l'obscurité brillait davantage que la lumière, avec l'unique exception de son dernier avertissement. Pour elle ce n'était pas important, pour moi si, non tant à cause de l'intégrité de mon orgueil que parce que cela renversait une hypothèse qui avait pris corps dans mon imagination par simple exclusion de toutes les autres. Mais la certitude que Raquel ne se sentait attachée à aucun homme éloigné dans l'espace, ni dans le temps, ne m'aidait pas à la comprendre. La vague prophétie dans laquelle Berta avait enveloppé la promesse de son retour, cette manière alambiquée et pudique de me dire qu'elle était amoureuse de moi m'était plus utile, et surtout le récit de l'appel téléphonique qu'elle avait elle-même empêché, la preuve que mes paroles les plus sottes, les plus affectées, les plus maladroites, s'étaient aussi révélées les plus efficaces. Et cependant, aucune de ces données ne méritait un tel nom, aucune ne m'aidait à tracer un chemin, ni ne m'emmenait dans un lieu différent de celui que j'occupais depuis que j'avais découvert que Raquel avait disparu. Je devais continuer à attendre, c'était la seule conclusion, le véritable résultat de ce voyage. Je devais attendre et j'attendis. Je n'imaginais pas que ce serait aussi court.

Dans le taxi qui me ramenait à l'origine de tout, à ce somptueux immeuble de la rue Jorge Juan où nous n'avions jamais été ensemble et qui était le dernier endroit où j'aurais pensé la retrouver, je sentis une mystérieuse nostalgie de l'attente, l'incompréhensible désir d'arrêter cette voiture au rouge infini d'un feu de circulation en panne pour ne jamais arriver et rester sur le point de tout avoir pendant quelques heures supplémentaires. *Je n'ai peur de rien*, avais-je écrit dans ce mot maladroit et sot, précipité, *je n'ai peur de rien*, mais ce n'était pas vrai. Le chauffeur de taxi, qui ne pouvait le savoir, ne mit pas plus de dix minutes avant de s'arrêter devant le portail en marbre, froid et aseptique comme un mausolée. La porte était fermée, mais je pris la précaution de la pousser avant de caresser la touche de l'appartement E d'un doigt tremblant, plus effrayé que moi. J'éprouvai une sensation d'irréalité à la fois physique et aérienne, une brume blanchâtre, mousseuse enveloppant tout, comme la lumière incertaine des rêves avec moi au centre.

Cela n'a pas lieu, rien ne va se passer, rien ne peut se passer, me dis-je. Mais j'appuyai le doigt sur la touche métallique et quelqu'un ouvrit d'en haut sans poser de questions ni poser de conditions. Mes chaussures foulèrent la pureté du marbre ciré de frais avec un bruit sourd et régulier, et l'ascenseur fit beaucoup plus de tapage que mes pas en s'arrêtant dans l'entrée déserte. Pendant le trajet vers le septième étage, je me regardai dans la glace et m'apitoyai sur un visage que je comprenais mieux maintenant que quelques minutes auparavant. C'était le visage d'un homme effrayé, consumé, seul et épuisé, c'était mon visage. Mais en arrivant en haut, je me trouvai devant une porte ouverte, et derrière elle, Raquel, habillée comme le jour où je l'avais connue, un T-shirt noir avec des motifs blancs et un jean de la même couleur qui trahissaient à peine la lumineuse disproportion de ses hanches. Elle était beaucoup plus mince, plus pâle, avait les yeux gonflés et la peau des paupières fine et tendue comme un parchemin. En la regardant, je vis le visage d'une femme terrifiée, consumée, seule et épuisée, si semblable au mien, si différent, mais je vis aussi Raquel, une fille intelligente, si belle qu'il fallait bien la regarder, et la regarder à deux fois, avant de la voir entièrement, et l'amour de ma vie.

« Álvaro. » Elle fit quelques pas vers moi aussi lents que si elle avait tout le corps meurtri, et moi je ne pouvais rien faire, je ne pouvais pas parler, ni bouger, seulement la regarder. « Álvaro, il faut que je te raconte...

— Ne me refais plus ça, Raquel. »

Mes bras prirent d'eux-mêmes l'initiative de l'étreindre et la serrèrent fort, mes mains parcouraient son dos, le reconnaissaient, me reconnaissaient, moi qui pus alors redevenir quelque chose, quelqu'un, qui redevins moi en la respirant, en la voyant, en la touchant, et je fus ému de penser que j'allais l'embrasser, je fus conscient que j'allais l'embrasser, et je l'embrassai, et tout recommença à couler avec facilité, avec l'habitude paisible de l'eau qui coule.

« Ne me refais plus jamais ça... »

Pendue à mon cou avec la détermination d'un naufragé qui s'accroche à l'unique planche qui flotte sur l'Océan, elle se serrait contre moi, elle me rendait mes baisers, me regardait comme si sa vie avait tenu entre mes mains.

« Si je pouvais, je te mangerais tout de suite, je t'avalerais d'un coup pour t'avoir toujours en moi, pour toujours savoir où tu es, parce que je suis mort, Raquel, c'était comme de mourir, je suis mort pendant tout ce temps, et je ne le supporte pas, je ne pourrais pas supporter... Ne me refais pas ça, jamais, sur ce que tu aimes le plus... »

Alors, sans cesser de m'étreindre, elle écarta sa tête de la mienne, me regarda dans les yeux et me dit la seule chose que j'avais besoin d'entendre.

« Ce que j'aime le plus, c'est toi, Álvaro.

— Et moi, je t'aime, je t'aime, je t'aime tellement... » L'émotion me faisait mal comme une blessure, une coupure nette, le sang joyeux, rouge, chaud.

« Je dois te dire une chose.

— Pas maintenant. » Je recommençai à l'étreindre, à l'embrasser, je redevins moi-même. « Pas maintenant, s'il te plaît, maintenant je ne veux rien savoir, ça ne m'intéresse pas, pas maintenant, Raquel, non... »

En arrivant, j'avais eu conscience que j'allais l'embrasser et j'étais ému. Ensuite, quand nous étions nus dans ce lit étranger qui savait battre avec le cœur de la planète, car la Terre tournait sur elle-même et autour des hanches de Raquel, je fus plus conscient que jamais de la beauté, du plaisir, de la joie, de la condition de tout ce qui vit, car tout restait suspendu au fil transparent et fragile des lèvres de Raquel.

Sur ces lèvres, je jouais tout.

J'en eus aussi conscience quand elle s'écarta de moi, s'allongea toute droite à l'autre bout du lit, plaça ses deux mains jointes sous sa poitrine, ferma les yeux, et, comme un cadavre, parla enfin.

« Je n'ai jamais couché avec ton père, Álvaro. »

Elle dit cela...

Elle me dit qu'elle n'avait jamais couché avec mon père, et soudain j'eus très envie de rire, et très envie de pleurer en même temps.

Le 5 mai 1956, don Julio Carrión González, âgé de trente-quatre ans, épousa Mlle Angélica Otero Fernández, âgée de vingt et un ans, en l'église Santa Bárbara de Madrid. La mariée, arrière-petite-fille du comte de la Riva, portait une robe en soie de Balenciaga et un voile en dentelle de Malinas, un héritage de famille. Les témoins furent le père du marié, don Benigno Carrión Moreno, et la mère de la mariée, doña Mariana Fernández Viu. Ensuite, les mariés fêtèrent leur bonheur par un dîner de plus de deux cents couverts dans les salons de l'hôtel Palace.

« Écoute, Julio, tu es riche, mais tu n'es pas respectable. » Angélica avait tourné vers lui ces yeux aquatiques, magnétiques, si bleus, qui l'attiraient et l'inquiétaient à la fois. « Jusqu'à présent, cela n'avait pas grande importance, parce que tu étais jeune, et en Espagne on a toujours cru que c'est bon pour les hommes de faire les quatre cents coups dans leur jeunesse et de se vacciner pour le restant de leur vie, mais tu as déjà plus de trente ans et les messieurs respectables ne restent pas célibataires à cet âge. Pas dans ce pays. Combien de temps est-ce que tu crois que tu vas tenir, toujours seul, pâle et avec des cernes, dans toutes ces réceptions pleines d'évêques et de grosses femmes de généraux qui te soupçonnent d'emmener leurs maris au bordel ? Cela va s'arrêter, Julio, et tu le sais. À moins que tu ne te maries bientôt avec une vierge de bonne famille, et que tu ne lui fasses très vite deux ou trois enfants. C'est ce qu'il te faut, mais ce n'est pas facile à trouver, pas pour toi, aussi riche sois-tu. Il y a une seule femme au monde qui te convienne, et cette femme c'est moi. D'abord, parce que mon deuxième nom est Fernández, et peut-être qu'un jour cela te servira pour répondre à certaines questions. Franco ne vivra pas éternellement, tu le sais. Et puis, et surtout, parce que je sais très bien qui tu es, et je sais ce que tu es, Julio... Un voleur, un escroc, un imposteur, un menteur, un voyou et un homme à putes. Je le sais, mais je t'aime. Je t'ai toujours aimé, depuis la première fois où je t'ai vu. » Elle parla sans changer de ton, avec un accent si calme, si froid qu'il ne pouvait être naturel, mais un recours artificiel et bien répété. « Réfléchis, Julio. »

Il sourit presque timidement, et ne répondit pas. Ils étaient assis à une terrasse de Rosales, profitant d'une tiède soirée de septembre, un soleil languissant, mais encore capable de briller, trompant les arbres qui n'avaient pas encore commencé à perdre leurs premières feuilles. Il ne faisait pas froid, et pourtant Angélica constata que le silence de son chef durait, elle tint une cigarette entre ses doigts tremblants et dut frotter plusieurs fois une allumette avant de parvenir à l'allumer, comme si elle grelottait. En la voyant, Julio sourit de façon plus décidée et il sentit une chaleur diffuse, immatérielle, qui naissait de sa vanité, mais aussi de l'admiration que lui inspirait cette femme.

« Tu es nerveuse, supposa-t-il à voix haute.

— Oui. Très nerveuse. » Et Angélica lui prouva une fois de plus qu'il existait de nombreuses façons d'être courageuse.

Angélica Otero avait toujours plu à Julio Carrión González. Dès le début et ce malgré son impertinence et cette arrogance presque suicidaire qui se cristallisait dans les insolences quotidiennes de la plus insupportable de ses employées. Quand elle soutenait son regard le menton exagérément relevé et les ailes du nez gonflées par le simple effort de respirer, il trouvait Angélica odieuse, irritante et stupide mais, même alors, elle ne cessait de lui plaire. Il avait beaucoup joué avec elle quand elle était une petite fille, et il avait parfois la sensation qu'elle n'était revenue de Galice que pour ça, pour continuer à jouer avec lui, bien qu'elle soit maintenant devenue une femme.

« Fais-le-moi, le truc de Russie, Julio... »

En l'entendant, il percevait un écho perturbateur dans sa voix, la promesse équivoque et insolente qui flottait autour de ces paroles qui étaient innocentes, qui devaient l'être, même si elles suggéraient à distance une proposition sexuelle masquée. Peut-être y pensait-il parfois, elle en était consciente, même si c'était d'une façon incomplète et vague. C'était pour cela qu'il aimait se faire prier, qu'il aimait la regarder à douze, treize, quatorze ans, avec ce corps toujours trop développé pour son âge, ces poses impossibles de vamp qui laissaient voir ses genoux couronnés, et ses joues lisses, roses, enfantines, la rugosité des jambes nues et pas encore épilées, elle faisait une grimace grognon, un geste brusque de la tête, et ses cheveux frisés, dorés, si blonds, lui cachaient soudain la moitié du visage avec la facilité trompeuse d'un petit animal bien dressé.

« Fais-le-moi, s'il te plaît, Julio... » Et elle le disait d'une voix câline, feignant une timidité qu'elle ne connaissait pas. « Fais-le-moi, allez ! »

Il ne pouvait réprimer un sourire en se rappelant ce que d'autres femmes lui demandaient avec les mêmes mots, un accent semblable, sincère ou professionnel, c'était pareil pour lui. Ensuite, il se levait, la regardait, et pensait que ce n'était qu'une fillette, mais il n'arrivait pas à le croire.

« Bon, attends-moi ici. Je vais à la cuisine, chercher un verre et une tasse. »

À cette époque, entre les étés 1947 et 1949, c'était devenu l'un de ses tours préférés. Le succès était tel, surtout chez les femmes, qu'il avait toujours un morceau d'éponge dans la poche. En arrivant à la cuisine, il le plaçait au fond d'une tasse aux bords opaques, puis frappait avec un poinçon l'une des barres de glace que l'on utilisait pour conserver la viande et le poisson, pour en décoller un petit morceau qu'il mettait sur l'éponge. Il revenait au salon, la tasse dans une main et un petit verre à liqueur avec un peu d'eau, dans l'autre.

« J'ai eu une fiancée en Russie », disait-il en regardant Angélica, qui applaudissait, souriait et se penchait en avant pour s'asseoir enfin comme une fillette normale, droite avec les coudes appuyés sur les genoux. « Elle s'appelait Nadia et je l'aimais beaucoup, beaucoup. Je l'aimais tellement que, quand on s'est séparés, je pleurais tout le temps. J'ai recueilli dans ce verre mes dernières larmes et je les lui ai envoyées par courrier. » Alors avec les gestes théâtraux, qu'il avait appris de Manuel Castro, il renversait le verre dans la tasse, où l'éponge absorbait immédiatement l'eau. « À son tour, elle m'envoya ses propres larmes, mais en Russie il fait tellement froid qu'elles gelèrent en chemin. »

Alors il inclinait la tasse jusqu'à la renverser dans la paume de sa main, et au lieu de l'eau, sortait un petit morceau de glace qu'il déposait dans la main d'Angélica. Puis, pendant que la fillette le regardait, bouche bée, il récupérait l'éponge d'un geste rapide du pouce, l'égouttait sur le tapis, la remettait dans sa poche et posait la tasse sur la table, à côté du verre vide, pour que, au moment où elle le regarderait à nouveau, elle le trouve les bras croisés sur la poitrine.

« C'est incroyable ! Comment est-ce que tu fais ?

— Ça, je ne peux pas te le dire. Les magiciens ne dévoilent jamais leurs trucs. » Et il souriait en retrouvant dans ces yeux aquatiques le reflet de son propre enthousiasme de jadis.

Mais, même s'il était sûr qu'elle le ferait un jour, Angélica ne proposa pas de devenir son apprentie. Elle ne voulait pas être comme lui, mais être avec lui, devant lui, à côté de lui, le regardant, le flattant, l'admirant toujours.

« Je ne te ferai jamais pleurer comme cette Russe », lui disait-elle quand sa mère n'était pas à proximité. Lorsque Mariana apparaissait, c'en était fini de la magie.

Julio pensait parfois que la fille ne l'aurait pas autant amusé si elle n'avait pas été si différente de sa mère, avec laquelle elle ne partageait que la caractéristique, séduisante chez la plus jeune, malheureuse chez l'aînée, de faire plus que son âge. Mariana était née deux ans avant sa cousine Paloma, qui, à son tour, avait presque six ans de plus que Julio, mais son corps, son allure, cette sévérité raide et abrupte qu'elle cultivait comme une garantie de sa décence, démentait les vertus de la chronologie. Quand ils firent connaissance, la mère d'Angélica venait d'avoir trente-trois ans. Elle avait à peine dépassé l'âge que Julio préférait chez les femmes, mais personne ne pouvait le croire. Elle tenta cependant de le séduire.

Les premiers temps, quand elle ignorait encore les véritables intentions de ce garçon si sympathique, Mariana pensa que, quels que soient les problèmes que sa soudaine apparition lui causerait éventuellement, elle ne trouverait jamais de meilleure solution que de l'épouser. Julio l'appelait deux fois par mois pour annoncer qu'il voulait venir déjeuner ou dîner, et il le faisait si habilement qu'en raccrochant elle ne savait jamais si c'était elle qui l'avait invité ou s'il s'était invité tout seul, et au début ses visites ne la dérangeaient pas, bien au contraire. Son invité était toujours ponctuel et ne venait jamais les mains vides. Il faisait envoyer des fleurs, ou parfois les apportait lui-même ou venait avec le dessert, des gâteaux, des tartes, des chocolats et, quand la précédente était presque vide, avec une bouteille de Pedro Ximénez car son hôtesse, qui était très gourmande, était encore plus portée sur le vin doux.

Mariana le recevait avec un visage invariablement satisfait et la même plainte molle, protocolaire : « Mais enfin, Julio, tu n'aurais pas dû te déranger ! »

Il formulait lui aussi une réponse identique avec son plus charmant sourire : « Ça ne me dérange pas du tout.

— Tu es toujours si généreux, et moi... » Elle détournait alors le regard vers le sol pour adopter un air pudique, humble, aussi calculé qu'inefficace, presque ridicule, pour les yeux auxquels il était destiné. « Je n'ai rien à t'offrir, rien pour répondre à toutes ces attentions. Je ne suis qu'une pauvre femme...

— Et grosse », complétait-il, reconnaissant à distance les bourrelets de chair molle qui dépassaient d'une gaine dure comme une cuirasse, à hauteur des omoplates et plus bas. « Et maladroite », ajoutait-il, en constatant qu'elle était incapable de se mettre du rouge à lèvres sans se tacher les dents de carmin, ni se mettre de fard sur les joues sans qu'il déborde sur les tempes. « Idiote », se disait-il ensuite. Seule une folle à lier avait pu conserver l'espoir de le conquérir. « Pute, espèce de pute, sale pute », parce que avec toutes ces neuvaines, toutes ces années de messes quotidiennes, elle était prête à écarter les jambes sans rechigner au moment même où il le lui demanderait. C'était ce que Julio Carrión González pensait de Mariana Fernández Viu, mais il se garda bien de le lui dire avant l'heure.

« Je t'en prie, Mariana, c'est moi qui dois t'être reconnaissant de beaucoup de choses, répondait-il en échange.

— Ne dis pas de bêtises, tu fais quasiment partie de la famille. Allez, entre, je vais apporter ça à la cuisine, je reviens tout de suite... »

Alors, tandis qu'elle disparaissait dans le couloir avec ses minauderies et s'efforçait d'éliminer les plis de sa robe sans y parvenir, Julio se retournait, et là, appuyée contre le mur ou le chambranle de la porte, le corps tendu, se tenait Angélica dans son uniforme du collège. Avec une grâce instinctive, un charme que Mariana n'aurait jamais, et dans les yeux, le bleu profond d'une mer aux eaux claires, elle feignait une colère aussi fausse que les gracieusetés de sa mère « Et à moi ? Tu ne m'as rien apporté ? »

Il s'approchait avec la discrétion d'un chat, à pas lents, sans faire de bruit, ce qui provoquait une excitation joueuse, instantanée, chez sa victime imminente. « Voyons, voyons... Je ne sais pas, vraiment, quoique... Attends, qu'est-ce que tu as là ? » Et il approchait de son visage une main ouverte pour la refermer près d'une de ses oreilles. « Mais enfin, qu'est-ce que c'est que ça ! Il te pousse des barres de chocolat dans la tête... »

La joie déréglait Angélica, la rendait à sa véritable condition de fillette qui ne contrôle pas ses mouvements et se pend au cou d'un adulte, pour l'embrasser et l'étreindre tout en sautant de joie. Julio se laissait serrer, humait le parfum de son eau de Cologne enfantine, et pensait que c'était une chance qu'elle soit si jeune, car si elle avait eu l'âge d'élaborer un discours semblable à celui de Mariana, il aurait peut-être fini par céder un jour et accepter les compensations que sa mère lui proposait régulièrement en vain. Puis la maîtresse de maison revenait avec un apéritif pour deux délicatement disposé sur un plateau chargé de petits plats, de serviettes, de petits napperons et de biscuits, et pendant qu'elle servait le vermouth comme si sa fille n'existait pas, elle multipliait ses maigres atouts de piètre séductrice. Au milieu de ces chichis, Julio s'amusait franchement, des réactions moqueuses ou scandalisées d'Angélica. Elle gonflait les joues, fronçait les sourcils, agitait la tête ou fermait les yeux pour dérouler le catalogue complet des mimiques de désapprobation chaque fois que sa mère se penchait un peu trop sur son invité ou lui caressait un bras sans raison. Ensuite, ils déjeunaient tous les trois, mais Mariana ne s'adressait à sa fille qu'à l'arrivée de Matilde avec le café.

« Va dans ta chambre, Angélica. »

L'invité choisissait ce moment pour assener des coups successifs, mais sa stratégie était astucieuse. Il attendait toujours que Mariana se fût entièrement remise de la contrariété précédente pour lui faire franchir une étape supplémentaire vers sa ruine. Julio pensait généralement que la première usurpatrice du patrimoine des Fernández Muñoz n'était pas une femme très intelligente et qu'elle manquait d'acuité visuelle, car elle semblait incapable de distinguer les desseins authentiques de son invité, qu'elle remerciait de temps en temps à voix haute des efforts qu'il faisait pour améliorer la situation de sa famille exilée. Il lui arrivait cependant de percevoir dans les yeux de sa victime un éclair de lucidité qui le faisait douter de ses jugements précédents. Il se rappelait alors qu'au fond cela n'avait aucune importance. Intelligente ou sotte, Mariana ne pouvait rien faire, c'était lui qui menait la danse.

« Tu ne te sens jamais seul, Julio ? Si jeune, sans personne pour veiller sur toi, pour s'occuper de toi, te rendre heureux... Je ne sais pas, certains soirs, je pense que moi-même...

— Ne t'inquiète pas pour moi, Mariana. Je suis un solitaire, je te l'ai déjà dit. Je ne regrette rien. »

La plupart de ces déjeuners se bornaient à cela, la visite, les cadeaux et un peu de conversation, juste infructueuse dans les premiers temps, même si elle se chargea progressivement d'angoisse pour en venir à frôler le désespoir. Julio se laissait aimer, avec une distance souriante, polie. Il essayait de ne pas trop décourager Mariana car son attitude lui convenait bien mieux qu'une hostilité déclarée avant l'heure. De fait, tandis qu'elle calculait qu'un mariage mettrait un terme à tous ses problèmes, il envisageait de son côté la possibilité de la mettre dans son lit. Il l'aurait fait sans problème s'il l'avait voulu, mais Mariana Fernández Viu, sous le carmin et les vêtements ajustés, restait rugueuse, et son bourreau n'était pas pressé.

« Mon mari était un homme bon, sérieux, travailleur, mais de santé très délicate, il est tombé malade très jeune encore, tu sais, et il ne s'en est jamais remis. Je ne sais pas ce que c'est qu'un homme viril, fort, qui a de l'allant, de l'ambition, capable de me protéger, de m'offrir un refuge, et je donnerais n'importe quoi...

— Tu es encore très jeune, Mariana. Je suis sûr que tu rencontreras un jour un homme à ta mesure, pas un gamin comme moi, mais un monsieur, comme celui que tu mérites. »

L'année 1948 fut la première année vraiment bonne pour Julio Carrión González depuis que, en 1933, sa mère avait décidé de faire de la politique. Au printemps, il acheva de liquider les oliviers de María Muñoz, et à la fin de l'été, ce fut l'alcool, les prostituées et les salons particuliers dans certaines grandes propriétés de loisir de Tolède et de Salamanque ; il vendit la ferme mieux que prévu. À l'époque, il avait déjà commencé à réinvestir ses gains au fur et à mesure qu'il les obtenait, et c'était encore de l'alcool, des prostituées, des salons particuliers, et des permis de construire dans un Madrid rasé par les bombardements et habité par une masse d'êtres timorés dont la seule préoccupation était de trouver un endroit où vivre. Les entreprises immobilières fleurissaient sous l'impulsion d'une spéculation sauvage pour rendre riches des hommes tels que lui, séduisants, sympathiques, intelligents et avec du talent. Il en possédait suffisamment pour savoir qu'il n'avait pas intérêt à se presser, à attirer l'attention, à s'enrichir trop vite pour provoquer l'envie ou le soupçon dans le tissu délicat des élites corrompues, la pourriture dorée où il était encore contraint d'évoluer en double parvenu, social et économique. Julio Carrión González n'avait pas oublié que même les plus malins deviennent sots devant quelqu'un de plus intelligent qu'eux, mais il savait encore mieux qu'il ne devait pas se faire confiance. Aussi agissait-il avec beaucoup de précautions, assurant chacun de ses pas, sans montrer sa richesse soudaine ni prononcer un seul mot de plus que nécessaire. Ses fréquentes visites à Mariana Fernández Viu n'étaient que des pièces supplémentaires dans l'engrenage conçu avec la patience et la méticulosité d'un horloger.

« Angélica m'inquiète, tu sais, Julio ? Elle est si impulsive, si capricieuse... Elle me rend folle, un de ces jours, elle aura ma peau. Bien sûr, en vivant seules toutes les deux, sans l'autorité d'un homme, qu'est-ce que je peux faire... Mais avec son caractère, j'ai aussi peur de faire venir quelqu'un ici parce que... Je crois que tu es la seule personne avec qui elle s'entende bien.

— Je ne crois pas que tu doives t'inquiéter de ça. Angélica est très vive. Intelligente, rapide, forte, capable de se protéger elle-même. Et belle.

— Tu crois ? » demanda-t-elle en fronçant les sourcils, pour que son invité lise dans cette ride à quel point cette affirmation la dérangeait.

Mais il la confirmait avec véhémence : « Bien sûr, que je le crois. Ta fille est très jolie, et elle le deviendra encore plus. D'ici peu, ce sera elle qui veillera sur toi, tu verras. »

Mariana Fernández Viu ne put jamais prouver que Julio Carrión González était un voleur. Jamais elle n'entendit ni ne vit rien qui lui permette de prouver ce qu'elle savait, ce qu'elle pressentit et ne devina qu'à la fin, sans parvenir à lui arracher des aveux complets même alors. Julio l'appelait, venait à ses rendez-vous, lui apportait des fleurs ou des chocolats, s'asseyait à sa table, lui parlait, la remerciait en partant et se comportait comme un gentleman dans tous les sens du terme, mais ne lâchait rien. Mariana ne savait pas précisément ce qu'il faisait « disons que j'ai quelques affaires, ici et là », ni le montant de sa fortune, « maintenant les choses commencent à bien marcher je n'ai pas à me plaindre, mais tout va lentement », ni quelles étaient ses idées politiques, « nous vivons une période très délicate, tu ne trouves pas ? avec ses bonnes et ses mauvaises choses, mais l'important n'est pas ça, c'est de travailler pour l'Espagne, chacun à sa place », ni ce qu'il attendait vraiment d'elle, « merci beaucoup, Mariana, pour le déjeuner et pour la compagnie, je ne saurais te dire ce que j'ai préféré... »

Il l'égarait volontairement, et optait parfois pour une fausse timidité, parfois pour une mélancolie tout aussi imaginaire, ou il choisissait d'autres façons d'être charmant, plus ou moins gaies, plus ou moins insolentes, plus ou moins séduisantes, mais il ne s'écartait jamais du trait essentiel de son personnage. Il avait décidé que, dans cette maison, Julio Carrión González devait être plus qu'une connaissance mais moins qu'un ami, un contact agréable mais aussi précaire que tous les événements fortuits, un homme à l'air bien placé dans le régime mais, en même temps, l'ombre des Fernández Muñoz, et c'était le cas. Il ne perdait pas une occasion de donner à Mariana des nouvelles d'Ignacio et de ses parents, mais il ne négligeait pas non plus l'obligation de lui raconter des anecdotes où figuraient les frères Sánchez Delgado ou leurs proches. Avec le temps, il découvrit que le plus efficace était de relier les deux mondes.

« Tu sais, c'est curieux », commentait-il comme incidemment, quand Mariana avait envoyé Angélica dans sa chambre, en la voyant servir le café, « l'autre jour, on m'a présenté un général... Aujourd'hui, je ne me souviens pas de son nom, enfin, ça m'est égal, c'est Romualdo Sánchez Delgado, qui me l'a présenté, ce sous-secrétaire du ministère de l'Agriculture avec qui je suis si ami, je t'en ai déjà parlé, non ? » Elle acquiesçait d'un air prudent et se forçait à sourire. « Eh bien, il se trouve que ce général était un grand ami de ton oncle Mateo avant la guerre, et il m'en a dit beaucoup de bien. Un Espagnol intègre, honorable, capable, précieux dans tous les sens du terme, a-t-il dit. Et il a ajouté qu'il était disposé à remuer tous les papiers qu'il faudrait pour l'inciter à revenir. Nous ne pouvons pas nous passer de gens tels que lui, Carrión, voilà ce qu'il m'a dit. L'autre jour, j'ai écrit à Ignacio pour lui en faire part... »

Mariana ne répondait jamais à ces nouvelles, mais Julio la voyait pâlir, s'agiter sur son siège, se frotter les mains avec une insistance frénétique, et ce spectacle le rassurait tant qu'il faisait fleurir son plus charmant sourire d'une façon presque automatique, pour le garder imperturbablement sur les lèvres lors des deux ou trois visites suivantes. Cette femme avait peur de tout, que sa famille revienne et qu'elle continue à vivre en France, que Julio soit content et qu'il lui dise que ça n'allait pas bien, qu'il l'appelle régulièrement et qu'il disparaisse soudain quelques mois sans expliquer pourquoi, ni avant ni après. Pendant ce temps, il découvrait qu'elle manquait toujours d'entregent, qu'elle ne jouissait d'aucune protection plus efficace que son amitié avec celle de deux ou trois prêtres et certaines bigotes de son quartier, une garantie qu'elle n'avait pas su mettre à profit huit ou neuf ans plus tôt pour tenter de légaliser son usurpation, et qui ne servait maintenant plus qu'à risquer des avancées progressivement hystériques, si lamentables qu'elles en faisaient même rougir son invité.

« Il fait chaud, aujourd'hui, tu ne trouves pas ? C'est comme si le printemps s'insinuait dans l'air, je ne sais pas, je sens... Je sens une sorte de fourmillement dans tout mon corps, une démangeaison, ou non, mais quelque chose comme ça, comme la sensation que l'on éprouve après avoir bu un ou deux verres de champagne, ou trois, quand on a envie de faire des folies, et... Si tu voulais, on pourrait ouvrir une bouteille et trinquer à...

— Non, Mariana, on ne va pas trinquer. » Elle avait déjà ôté sa veste, s'était penchée sur la table, plissait les lèvres dans une grimace capricieuse, et Julio ne pouvait la supporter une minute de plus. « Il faut qu'on parle. De l'appartement de la rue Hartzenbusch.

— L'appartement d'Hartzenbusch... ? » Cette sensualité fausse et mal apprise qu'elle prétendait arborer comme un vêtement emprunté, trop grand, s'évapora d'un seul coup. « Et pourquoi ? Il y a un problème avec l'appartement de la rue Hartzenbusch ?

— Aucun, dit son invité, impassible. Au contraire, l'autre jour, j'y suis allé. J'ai parlé à tes locataires, qui se sont montrés très aimables et m'ont fait visiter. Un très joli appartement, à propos, un quatrième étage, donnant sur la rue, une assez grande cuisine, deux salons et trois chambres, n'est-ce pas ? »

Mariana fit un signe de tête affirmatif en refermant sa veste et Julio sourit à nouveau, comme s'il comptait célébrer son retour à la décence, avant de poursuivre.

« Ensuite, nous avons... échangé des impressions. J'ai dû leur expliquer la situation, bien sûr, que tu n'es pas la propriétaire de l'appartement, que tu n'avais aucun droit de le leur louer quand tu l'as fait, que tu touches depuis dix ans un loyer indu... Ils n'étaient pas très contents, bien entendu, mais j'ai passé un accord avec eux. Ils se sont engagés à libérer l'appartement au début juin, en échange d'une petite indemnisation que je ne compte pas te faire payer, c'est moi qui la leur verserai, ne t'inquiète pas... Ils vont s'installer dans un appartement neuf, dans un immeuble que je suis en train de terminer près des arènes, dans un quartier moins bien, certes, plus loin, avec moins de métros et le même loyer, parce que tout augmente terriblement, et les loyers encore plus. Au début, l'idée ne les enchantait pas, mais ils ont fini par comprendre et ils vont devoir partir, ils le savent. Et maintenant tu le sais toi aussi.

— Mais moi... Pourquoi est-ce que je dois savoir... ? »

Mariana avait réussi à grand-peine à garder une contenance, mais elle ne pouvait pas contrôler la couleur de son visage, ni le petit tremblement qui lui secouait parfois les mains, les lèvres, les paupières. Julio ne l'avait jamais vue aussi perturbée mais il ne fut pas surpris, car jusqu'à ce soir de février 1949, ses démarches successives l'avaient dépouillée de biens considérables mais très lointains, que produisaient des oliviers qu'elle ne connaissait même pas avant la guerre L'appartement que Mateo Fernández Gómez de la Riva avait acheté pour sa fille Paloma, rue Hartzenbusch, était une propriété de bien moindre valeur, mais il représentait l'irruption de Julio Carrión sur son territoire, Madrid, son quartier, une intervention directe dans les coordonnées immédiates de sa vie, le cercle proche, intime, qui était jusqu'alors resté en marge de tout changement. Il le savait, et il savait aussi que Mariana avait dû réorganiser ses finances autour de ce loyer qui était son seul revenu régulier à l'exception de sa pension, mais il adopta l'accent le plus rassurant parmi ceux dont il disposait pour lui expliquer ses projets, comme si elle avait la moindre possibilité de s'y opposer.

« Cet appartement est immense, Mariana, et d'une très grande valeur. Tu le sais, dit-il en désignant ce qui les entourait d'un geste de la main. Et puis, il est trop grand pour vous et la pauvre Matilde, qui se tue au travail et n'arrive pas à faire le ménage à elle seule. Combien de pièces en trop avez-vous, cinq, six ? Sans compter le bureau, qui ne te sert à rien... Si tu réfléchis un peu, tu comprendras que l'appartement de la rue Hartzenbusch est bien mieux pour vous. Il est plus petit, plus intime, plus facile à ranger. Si vous vous organisez bien, vous n'aurez même pas besoin de Matilde, et vous aurez de la place à revendre. C'était l'appartement de Paloma, tu le sais, elle était mariée, et elle devait avoir une bonne, c'est-à-dire plus ou moins comme toi qui vivais alors rue Blasco de Garay, dans un appartement qui, d'après ce qu'on voit de l'extérieur de l'immeuble, devait être plus petit et moins joli que le sien. C'est pour cela que j'ai pensé que le mieux serait que vous y emménagiez après l'été. Angélica n'aurait pas à changer de collège. C'est juste à côté.

— Oui, non, tu as raison sur ce point, mais... » Mariana se tordit à nouveau les mains tout en cherchant, sans y parvenir, la meilleure façon de s'expliquer.

« Et pour cet appartement-là je peux trouver tout de suite un bon acheteur, poursuivit Julio, car il peut servir de logement pour une famille nombreuse, tu sais qu'il y en a beaucoup actuellement, mais aussi comme bureau. Il est idéal pour une étude de notaire, ou un important cabinet d'avocats, et...

— Oui, dit Mariana en levant une main pour s'imposer à son invité. Mais je vis du loyer de la rue Hartzenbusch.

— Mariana ! » Julio la regarda en écarquillant les yeux, comme s'il ne pouvait croire ce qu'il venait d'entendre, et il les ferma un instant, tout en hochant la tête, d'un air ironique où l'indignation le disputait à l'embarras. « Mariana, je t'en prie, ne m'oblige pas à te rappeler...

— Non, non, je sais. » Les épaules affaissées, les yeux humides, elle ne l'obligea à rien, mais insista d'un filet de voix terrifié. « Tout ce que je veux dire, c'est que... Eh bien, je vis de ce loyer.

— Mais tu as ta pension. J'ai cru comprendre que les amis de ton mari s'étaient arrangés pour que tu touches le maximum, comme s'il avait été descendu par les rouges.

— Oui, mais la pension me donne juste de quoi survivre.

— Et qu'est-ce que tu veux de plus ? » Julio durcit le ton tout en souriant davantage. « Ton oncle et ta tante auraient bien aimé avoir de quoi survivre quand ils ont passé la frontière, non ? Et puis, c'est ce que nous faisons tous, survivre. Ta situation n'est pas si mauvaise, au fond. Tu gardes un appartement gratuit, où tu auras largement la place, je te l'ai dit. Tu peux louer une pièce, même deux, si tu dors dans la même chambre que ta fille.

— Des pensionnaires ? Tu me demandes de prendre des pensionnaires ?

— Je ne te demande rien, Mariana, je ne ferais jamais ça. Je n'ai pas le droit de me mêler de ta vie, tu le sais. Je te donne un conseil, rien d'autre. Tu verras bien si tu le suis ou non, mais je te ferais remarquer que, par les temps qui courent, avoir des pensionnaires n'est pas déshonorant du tout. De nombreuses veuves respectables le font et elles n'ont pas de problèmes, parce qu'elles choisissent des gens d'excellente moralité, des étudiants de bonne famille, des séminaristes, des fonctionnaires, des jeunes filles... C'est pour ça que je crois que tu devrais y penser, juste ça, et il n'y a pas urgence non plus. Vous n'auriez pas à déménager pour la rue Hartzenbusch avant septembre. Vous pouvez passer l'été à Torrelodones, comme tous les ans. Après, on verra... »

Mais il n'y eut rien à voir. Mariana ne déménagerait jamais ni ne choisirait soigneusement ses pensionnaires, car lorsque les vacances arrivèrent, l'appartement de la rue

Hartzenbusch était déjà vendu. Julio voulait éloigner Mariana de Madrid pour faire le moins de bruit possible, camoufler son absence parmi celle de tous les voisins partis se reposer en dehors de la ville, limiter le nombre de connaissances auxquelles elle aurait pu avoir recours pour chercher une protection. Ses relations ne l'inquiétaient pas, mais il ne tenait pas non plus à ce que son nom circule, à ce qu'on parle de lui, à devenir un sujet de conversation dans certains cercles, inoffensifs en soi, mais qui auraient pu en croiser d'autres, plus dangereux. Il préférait rester un homme sympathique, charmant jusqu'à la fin. Début juillet, quelques jours avant de vendre l'appartement de la *glorieta* de Bilbao, il fit empaqueter tous les objets personnels de Mariana, et les remisa dans l'un de ses entrepôts jusqu'à la dernière semaine d'août. Au cours de l'été, ses visites à Torrelodones furent moins nombreuses que les deux années précédentes, et l'exaspération de Mariana ne fit que s'accroître.

« Julio, si tu voulais...

— Rhabille-toi, Mariana, s'il te plaît. Je ne veux pas abuser de toi, je ne me le pardonnerais jamais. »

Jusqu'au 12 septembre. Ce jour-là, à 10 heures du matin, Julio passa la grille de la Maison Rose dans un taxi plein de paquets, de boîtes, de valises et de paquets de toutes tailles que leur propriétaire reconnut avant que le chauffeur ait eu le temps de les déposer sur le sol.

« Qu'est-ce que cela signifie ? s'exclama Mariana dont le sang semblait avoir déserté son corps épouvanté, telles les troupes d'une armée en déroute.

— Ce sont tes affaires, Mariana. J'espère ne pas m'être trompé en les choisissant. J'ai vendu l'appartement de la *glorieta* de Bilbao, ajouta Julio en souriant.

— Déjà ? Mais, alors... » Elle se tut, avala sa salive, parvint à se reprendre un peu. « Mais, tu m'avais dit qu'on devrait déménager rue Hartzenbusch, et je suis d'accord, tu sais, tu as raison, mais je ne m'attendais pas à ce que ce soit si rapide, j'aurais aimé ranger la maison, emporter quelques meubles, et...

— Les meubles ne t'appartiennent pas, Mariana. Je les ai vendus aussi. Ils sont très beaux, on n'en fait plus de semblables.

— Alors, rue Hartzenbusch... Bien sûr, il y aura les meubles de Paloma, parce que, sinon...

— Eh bien, non plus, continua Julio en souriant. L'appartement d'Hartzenbusch est vide. Les acheteurs ne l'occupent pas encore, je crois. Je l'ai vendu le mois dernier.

— Mais... mais... » Mariana Fernández Viu chancela, recula de quelques pas, s'assit sur une chaise, le regarda, les yeux écarquillés. « Tu me mets à la rue, Julio. »

Son sourire disparut enfin, mais son absence ne se refléta pas dans son ton toujours doux. « Exactement là où tu mérites d'être. »

« C'est ce que tu voulais, n'est-ce pas, Palomita ? » Julio Carrión, debout sous le porche de la plus jolie maison de son village, alluma une cigarette, regarda autour de lui, et sentit palpiter l'entaille durcie et desséchée qui occupait dans sa poitrine l'endroit à la place duquel d'autres hommes ont le cœur. « Tu ne diras pas que je ne tiens pas mes promesses, Paloma. » Et elle avait beaucoup grandi depuis cette nuit à Paris, elle avait tellement grandi qu'il savait désormais qu'il ne devait pas écrire un autre billet qu'il n'oserait ensuite pas envoyer, mais il ne put se mordre la langue non plus.

« Tu sais pourquoi je n'ai pas couché avec toi, Mariana ? » Les yeux rivés sur sa jupe, elle ne releva pas la tête. « À Paris, je couchais avec Paloma, ta cousine.

— Salaud ! »

Mariana Fernández Viu se leva soudain pour se jeter sur Julio Carrión González tel un animal furieux, les poings en avant, frappant, donnant des coups de griffe, des coups de pied qui ne parvinrent pas à toucher le corps de l'homme qui réussit à la maîtriser, mais pas à l'empêcher de continuer à parler, à cracher des insultes avec l'instinct désespéré, impuissant, d'un serpent immobilisé qui siffle, montre les dents, agite la langue, bien qu'il sache qu'on vient de lui ôter tout son venin.

« Fils de pute, salaud, misérable ! Comment oses-tu me parler sur ce ton ? Comment est-ce que tu as pu... ? Salaud de plouc, je vais couler ! Tu m'entends ? Je vais te faire couler, j'aurai ta peau, fils de pute, salaud, porc, tu n'es qu'un porc ingrat, et un monstre, tu es un monstre, fils de pute...

— Non, Mariana. » Julio était très calme, et il veilla à ce que cet état d'esprit se reflète sur son visage pendant qu'il sentait se relâcher le corps qu'il soutenait. « Tu ne vas pas me faire couler parce que tu ne le peux pas. Et tu as raison sur un point, je suis un plouc, mais à part ça, ce que tu dis sur moi, tu peux te l'appliquer à toi-même. Avec une différence. Je suis le plus malin des deux, Mariana, et j'ai tout ce que tu n'as pas. Pour commencer, la loi est de mon côté.

— Qui es-tu, Julio ? Qu'es-tu ? » Elle se dégagea de ses bras dans un geste de répugnance soudaine, se rassit, le regarda dans les yeux. « Tu es communiste, comme mon cousin ? Tu es un espion, un voleur ? Dans quoi travailles-tu vraiment, que fais-tu de l'argent ? Tu le gardes pour toi, tu l'envoies à mon oncle, tu le donnes au parti ? Ou tu es franc-maçon ? Et si tu ne le voles pas, comment se fait-il que les affaires marchent aussi bien pour toi ? Et pourquoi... ? » Elle fit une pause, baissa la tête, la releva, le regarda de toute l'intense pitié qu'elle s'inspirait en cet instant à elle-même. « Pourquoi est-ce que tu m'as enfoncée, Julio Carrión ? Qu'est-ce que je t'ai fait ? »

Il alluma une deuxième cigarette, aspira la fumée, regarda sa victime avec bienveillance, une promesse de sourire sur les lèvres et le charme pacifique de l'homme le plus sympathique du monde. « Rien. Tu ne m'as rien fait, Mariana, mais tu étais là où tu ne devais pas être. C'est juste ça, je n'ai aucun compte à régler avec toi. Et puis, je veux t'aider. Là-dedans... » Il mit la main dans la poche intérieure de sa veste, en ressortit une enveloppe blanche et l'ouvrit pour en vérifier le contenu, comme s'il ne le connaissait pas avant de le poser sur la table, « il y a deux billets de train, en première classe, pour l'express de Galice qui part demain matin à 8 heures et demie. Je vous ai réservé une chambre double au Carlton, si vous avez envie de passer cette nuit à Madrid pour ne pas vous lever si tôt. Et j'ai ajouté un peu d'argent, pour que vous ne manquiez de rien pendant le voyage. Comme ça, en arrivant à Pontevedra, vous pouvez prendre un taxi et voyager commodément jusqu'à la maison de tes parents. Je suppose qu'ils seront ravis de vous voir. D'ailleurs... » Il consulta sa montre et haussa les sourcils pour montrer qu'il se faisait tard. « ... je vais descendre au village pour voir mon père, qui a dû revenir de la messe. Ensuite, je l'inviterai à déjeuner à l'auberge sur la place, de l'agneau grillé, il adore ça, le pauvre. Je reviendrai l'après-midi, pour te dire au revoir... Ah ! Autre chose... » Il se retourna pour la regarder quand il avait déjà commencé à se diriger vers l'escalier. « Ne te presse pas, ce n'est pas la peine. J'ai engagé le taxi pour toute la journée. Ce monsieur t'attendra ici jusqu'à ce que tout soit prêt.

— Et si je refuse ? »

Il avait déjà commencé à descendre quand il entendit cette question et il se retourna pour trouver Mariana debout, toute raide, rouge d'indignation et serrant l'enveloppe à deux mains.

« Tu peux le faire, bien sûr, mais je ne te le conseille pas, répondit-il avec la tranquillité avec laquelle il s'était adressé à elle à toute cette matinée. Crois-moi, Mariana, ça ne te servira à rien. Tu ne peux rien faire, vraiment. Et je ne serai pas toujours aussi généreux. Bien sûr, tu peux rester ici jusqu'à ce que j'obtienne un ordre d'expulsion. Je serais incapable de te faire sortir d'ici en te traînant par les cheveux, tu le sais, et tu gagnerais quelques jours. Seulement quelques jours, parce que je reste le représentant légal du propriétaire de cette maison et toi une locataire indésirable qui ne paie pas son loyer. Cela ne me prendra pas beaucoup de temps pour convaincre le juge, ensuite tu devras subir la honte que la police te mette dehors par la force et jette tes affaires dans la rue. Tu crois que cela en vaut la peine ? Tu pourrais aussi t'installer à Madrid, dans une auberge, car je ne crois pas que tes revenus te permettent de t'offrir autre chose, oui, mais pourquoi ? Qu'y gagnerais-tu ? Tout est si cher et sans argent pour couvrir vos frais, Angélica et toi auriez du mal à payer la note et à acheter deux billets bien moins bons que ceux que je viens de t'offrir. Cependant, si tu acceptes et que tu rentres chez tes parents maintenant, avec ta pension de veuvage tu auras largement de quoi subvenir à tes dépenses et à celles de ta fille. Je sais que tu préfères vivre à Madrid, mais il faut parfois choisir entre ce que l'on veut et ce que l'on peut, et tu ne peux pas faire autre chose, Mariana. Écoute-moi, car je sais très bien ce que je te dis. Tu en as déjà parlé à un avocat, non ? Un garçon jeune qui s'appelle Tejerina et a un bureau rue Velarde, je ne sais pas qui m'en a parlé, mais je le sais, et je sais qu'il t'a dit la même chose que moi. Si tu ne nous crois pas ni cet avocat ni moi, tu peux en chercher un autre, ça ne te prendra pas beaucoup de temps, mais aller en voir un à Pontevedra ou ici, c'est pareil. Ils ont tous fait les mêmes études, ils connaissent les mêmes lois et te donneront la même réponse. C'est pour ça que je pense que tu as intérêt à accepter mon offre. Et aussi parce que je ne compte pas la renouveler. »

Mariana soutint son regard pendant quelques instants mais n'ouvrit pas la bouche. Quand il constata qu'il ne lui restait rien à ajouter, Julio descendit l'escalier, parcourut le chemin sans regarder en arrière, passa la grille, donna des instructions au chauffeur de taxi, qui s'était garé à l'extérieur, et descendit au village en faisant une promenade pour suivre la routine de toutes ses visites. Il paya Evangelina, salua des connaissances, réserva la meilleure table de l'auberge, l'occupa à 14 heures précises, sourit en voyant à quel point son père appréciait l'épaule d'agneau qu'il lui avait commandée, invita à un café, puis à un verre, un brigadier de la Guardia Civil, et paya plusieurs tournées aux amis de Benigno, avec lesquels il joua un bon moment aux dominos. Ensuite, aux environs de 19 heures, il prit congé de tous, glissa quelques billets dans la poche d'une veste flambant neuve qu'il lui avait lui-même achetée quinze jours plus tôt. « Tenez, père, pour vous, et si vous avez besoin d'autre chose, s'il vous manque quelque chose, n'importe quoi, appelez-moi, s'il vous plaît, ou dites à Evangelina de m'appeler, elle aussi a mon numéro. »

Il ne retrouva pas le taxi garé devant la grille. Il était à l'intérieur, devant le porche, le coffre ouvert et rempli de paquets. Mariana, son chapeau sur la tête et un visage aussi dépourvu d'expression qu'une statue, supervisait les efforts du chauffeur de taxi et de Matilde, aussi tranquille que si elle n'avait pas été renvoyée, tout en ayant été très attentive à ne dire à personne que don Julio lui avait demandé quand ils étaient encore à Madrid, si cela l'intéresserait de rentrer à son service après les vacances, bien sûr, que ça l'intéressait, car il avait commencé par augmenter son salaire à la seule condition qu'elle n'ouvre pas la bouche pour ne pas contrarier sa maîtresse, qui était ruinée et ne voulait pas encore s'en rendre compte, la pauvre.

« Je suis très content de constater que tu as décidé d'être raisonnable, Mariana.

— Ce n'est pas la dernière fois que nous nous voyons, Julio, répliqua-t-elle sans le regarder. Souviens-toi bien de ce que je te dis. »

Ensuite, ses calculs se vérifièrent avec exactitude et sans contretemps. Le temps passa, 1949 s'acheva, 1950 commença, il vendit aussi à un bon prix la maison de Torrelodones, constata que rien ni personne ne reliait son nom à celui de la famille Fernández Muñoz, se détendit, abandonnant peu à peu ses anciennes précautions, se sentit plus sûr, plus audacieux, s'habitua à fréquenter la bonne société, devint populaire chez les hommes et encore plus chez les femmes. Son nom commença à apparaître dans les chroniques des journaux parmi ceux d'autres invités aux fêtes et aux banquets les plus choisis de chaque saison, et il s'habitua à ce que personne ne s'adresse à lui sans faire précéder son nom de *don*. Jusqu'à ce matin de mars 1954, quand il avait presque oublié qui avait été un jour Julio Carrión González, où sa secrétaire frappa à la porte de son bureau.

« Vous avez une visite, don Julio.

— Si tôt ? » fit-il en fronçant les sourcils avant de regarder l'agenda qui se trouvait sur la table.

Amparo, qui était une beauté, le tira de son erreur avec un sourire.

« Non, ce n'est pas don Alejandro. C'est une très jeune fille, qui n'a pas téléphoné avant. Je ne la connais pas, mais elle m'a dit qu'elle était sûre que vous alliez la recevoir, car elle est quasiment de la famille. Elle s'appelle Ángela... Non, pas Ángela, Angélica. Angélica Otero Fernández.

— Angélica ! » Julio regarda sa secrétaire bouche bée et il fut incapable d'ajouter quoi que ce soit.

Sa secrétaire insista timidement, au bout de quelques secondes :

« Bon... Qu'est-ce que je fais ? Je l'introduis, ou je lui dis de revenir un autre jour ?

— Non, non. » Il regarda sa montre pour gagner du temps, se demanda ce qu'il pouvait attendre de cette visite, et ne fut pas capable de trouver une réponse. « Qu'elle vienne maintenant, c'est mieux. »

Un instant plus tard elle se tenait devant lui, avec la même chevelure frisée, dorée, si blonde, le corps en tension, un air arrogant sur le menton et les yeux couleur d'une mer aux eaux claires. Elle n'avait pas beaucoup changé, car la femme qu'elle était devenue était un développement impeccable de la fillette dont Julio se souvenait, et les détails qu'il voyait pour la première fois, les talons, le sac, les bas, la rondeur consciente de la poitrine, les hanches, le surprirent beaucoup moins qu'ils ne contribuaient à renforcer ce souvenir. Il fut plus ému par ses vêtements, un tailleur qui respectait deux préceptes fondamentaux, mettre le corps en valeur et obéir au commandement de la mode de cette saison, mais trahissait irrémédiablement le travail d'une modiste bon marché, qui n'avait pas eu à sa disposition du bon tissu.

« Quelle surprise, Angélica ! » Julio la salua de son siège, mais il se leva en la voyant avancer dans sa direction d'un pas décidé.

« Oui, j'imagine que tu ne m'attendais pas, dit-elle avec une certaine ironie malveillante, bien à elle. Tu ne m'embrasses pas ?

— Bien sûr que si. » En s'approchant, il constata qu'elle portait toujours la même eau de Cologne, une trace nostalgique de cette enfance où elle semblait ne jamais s'être trouvée très à l'aise. « Assieds-toi, je t'en prie. Comment vas-tu ?

— Pas très bien, je dois dire... » Elle s'assit droite, comme une dame, et croisa les jambes de la façon la plus conventionnelle avant d'allumer une cigarette pour rejeter la fumée avec un soupir si profond qu'il les fit sourire tous les deux en même temps. « C'est pour ça que je suis venue. La vie en Galice ne me plaît pas du tout ; enfin, je ne parle pas des villes. Santiago est une belle ville toujours très animée, et La Coruña aussi, seulement je vis dans un petit village perdu de la province de Pontevedra où il pleut tout le temps, il y a plus de vaches que de gens, et je m'ennuie à mourir. Je ne connais personne ni à Santiago, ni à La Corogne, pas même à Vigo, c'est pourquoi... je suis venue à Madrid pour te voir.

— Magnifique. Et je suis ravi de te voir. Mais je ne suis pas sûr de t'avoir bien comprise.

— Tu m'as parfaitement comprise, Julio, tu es très malin, tu l'as toujours été. Je veux vivre à Madrid, je suis d'ici. Ici, je connais du monde, mes amies du collège, celles du quartier. Je leur manque beaucoup, et elles me manquent encore plus, on a continué à s'écrire pendant tout ce temps...

— C'est très bien.

— N'est-ce pas ? Mais pour pouvoir rester ici, j'ai besoin d'un travail. Je suis pauvre, tu le sais mieux que personne. Pour toi, en revanche, ça marche très bien, il n'y a qu'à voir ce bureau. Je suis sûre que, en faisant un petit effort, tu me trouveras quelque chose. J'ai eu dix-neuf ans en décembre dernier, et la fille qui m'a accompagnée ici ne doit pas être tellement plus âgée que moi. Je suis plus grande qu'elle, et intelligente, tu le sais, j'ai mon bac, je parle français, et avant que tu me le demandes, je te dirai que j'ai aussi un diplôme de sténodactylo. Je l'ai obtenu par correspondance, il y a deux mois, et le directeur de l'école m'a écrit pour me féliciter car il n'avait jamais eu d'élève aussi appliquée. J'ai la lettre dans mon sac. Si tu veux, je te la montre.

— Non, ce n'est pas la peine... »

Julio fit une pause pour la regarder, pour la reconnaître dans son audace, cette arrogance farouche, dangereuse, qui, avant, quand c'était une enfant, l'amusait, et lui semblait maintenant beaucoup plus intéressante que la disponibilité humble et inexpérimentée de toutes ces jeunes filles en âge de se marier que lui envoyaient leurs mères de temps en temps, chaque fois avec leur écriteau invisible, « ne pas toucher », tatoué sur le front. Angélica soutint son regard comme si elle avait pu y lire que la faiblesse de Julio Carrión González, c'étaient les femmes courageuses, mais il pensait à autre chose. Il pressentait qu'engager Angélica pourrait lui poser des problèmes. Et que ne pas le faire impliquerait plus ou moins le même risque.

« Et ta mère ? lui demanda-t-il, avant de prendre une décision. Qu'est-ce qu'elle en pense ?

— Ma mère, comme tu peux imaginer, ne sait rien. Elle croit que je suis venue demander du travail au père de mon amie Maruchi. Elle te déteste toujours évidemment, et elle prie tous les jours pour ta ruine. Mais ma mère est ma mère, et moi je suis moi. Elle a vécu sa vie et je vais vivre la mienne.

— En travaillant avec moi.

— Par exemple. »

Julio Carrión regarda sa montre, fronça les sourcils, prit une carte, la lui tendit. « Très bien. Appelle-moi après-demain. Où est-ce que tu loges, chez une amie ? » Elle acquiesça. « Tu as besoin de quelque chose ?

— D'un travail, c'est tout. » Elle lut la carte, la rangea dans son porte-monnaie, le regarda. « Je t'appellerai demain, plutôt, si ça ne te dérange pas... »

Julio sourit, l'embrassa à nouveau pour lui dire au revoir, et le lendemain répondit à son appel en l'invitant à déjeuner. Il avait décidé de réserver sa proposition pour le dessert, mais elle ne le lui laissa pas le temps. Quand il lui proposa un poste de réceptionniste avec un salaire légèrement supérieur à celui que touchaient ses secrétaires, il la vit resplendir.

« Et ta réceptionniste ? Qu'est-ce que tu vas en faire ? demanda-t-elle ensuite.

— Je vais la mettre au magasin. Elle est beaucoup moins jolie que toi. »

Les deux choses étaient vraies, et la réception des Constructions Carrión s'améliora beaucoup avec Angélica Otero Fernández derrière le comptoir. « D'où sors-tu cette beauté ? » lui demanda Romualdo Sánchez Delgado un jour où Julio dut venir le chercher en personne, parce que, après avoir été annoncé par Angélica, il était resté flirter avec elle de l'autre côté du comptoir. « Pour toi, de nulle part », lui répondit-il avec un sourire, et son ami émit un petit rire tout en lui tapant dans le dos. « Quel salaud ! » Et quand il partit, après l'avoir raccompagné, Julio fit signe à sa réceptionniste de le suivre dans son bureau.

« Je t'ai déjà dit que je n'aimais pas que tu flirtes avec les visiteurs, Angélica. Ce n'est pas sérieux, dit-il, après avoir fermé la porte.

— Mais je ne flirte pas, Julio ! protesta-t-elle. Ce sont eux, vraiment, ce sont toujours eux. Je te jure que je ne cherche absolument pas à...

— Et vouvoie-moi. Je te l'ai déjà dit plusieurs fois.

— Oui, don Julio.

— Sans moquerie, s'il te plaît.

— Bien sûr. »

Les premiers mois, les choses s'en tinrent là. Angélica se comporta en bonne travailleuse, ponctuelle, responsable, patiente et aimable avec tout le monde. Julio l'observa à distance pendant quelques semaines, puis il s'en désintéressa. Sa réceptionniste lui plaisait, elle lui avait toujours plu, mais il n'avait pas l'intention de commettre l'erreur de payer ses petites provocations par autre chose que des sourires, et des baisers chastes, inoffensifs, sur la joue, en réponse à ceux qu'elle lui donnait sur la commissure des lèvres, pour lui dire bonjour ou au revoir quand il n'y avait personne à proximité.

Il n'obtint jamais qu'elle le traite avec le respect qu'il aurait souhaité, mais elle se montrait si reconnaissante que l'abandon languide de ses regards compensait le tutoiement.

Cela avait fait beaucoup de bien à Angélica Otero Fernández de revenir à Madrid. Elle s'était installée chez une vieille amie de sa mère, veuve d'un commandant de la Guardia Civil, qui louait deux chambres dans une belle maison de la rue Mejía Lequerica, ce qu'elle avait pu trouver de plus près de la *glorieta* de Bilbao. Elle ne devait pas envoyer un centime en Galice, mais, même comme ça, il était difficile d'accepter l'effet de son premier salaire sur son apparence. Alors, et bien que ses revenus l'obligent à respecter certaines limites, les vêtements de confection, bon marché, qui copiaient avec beaucoup d'insolence et plus ou moins de réussite les modèles de haute couture, ainsi que les deux paires de chaussures classiques, sans aucun ornement, l'une noir, l'autre marron lui donnaient, Julio dut le reconnaître, l'allure d'une femme élégante. À son charme d'antan, cette grâce innée qu'elle n'avait pas héritée ni apprise de sa mère, Angélica ajoutait maintenant la manière puissante de marcher, d'écraser les trottoirs comme si elle entendait les perforer de ses talons, qui surgit spontanément chez les femmes qui ne se soucient pas de se retourner pour constater qu'autour d'elles, tous les hommes les regardent. Et elle aimait plaire, elle savait dire à chacun ce qu'il fallait, sourire sans s'engager aux admirateurs qui ne l'intéressaient pas et laisser tomber un mot, toujours étudié et volontairement ambigu, à ceux qui lui semblaient plus intéressants, sans en encourager ni décourager aucun. Julio la regardait, l'analysait, souriait et ne s'inquiétait pas, même s'il pensait parfois qu'Angélica jouait avec lui, comme il avait jadis joué avec elle.

« Tu as une visite, Julio... »

Le jour où il découvrit que c'était effectivement le cas, elle s'était discrètement annoncée en frappant sa porte, mais au lieu de la laisser entrouverte, elle était entrée dans son bureau et l'avait fermée derrière elle.

« C'est cette fille si grosse, elle s'appelle Rosi, non ? » Et pendant qu'il la regardait les yeux écarquillés et avec une expression de stupéfaction non dissimulée, elle plissa le visage et se toucha le nez. « Tu devrais lui dire de ne pas se parfumer autant, sauf si tu lui achètes du parfum de bonne qualité, parce que... pouah !, ça empeste. On dirait qu'elle s'est plongé la tête dedans. Et dis-lui de s'acheter des vêtements à sa taille, parce que je ne sais pas comment elle peut respirer tellement elle est serrée...

— Qu'est-ce que tu dis, Angélica ? » Le ton de sa réceptionniste avait achevé de le mettre en colère et il ne fit rien non plus pour le dissimuler. « Répète, si tu oses, s'il te plaît.

— Vous avez une visite, don Julio. » Elle bougea les hanches un peu plus, dégagea les cheveux de son visage et sourit, mais ne cessa à aucun moment de soutenir son regard. « Mlle Rosi. Je la fais entrer ?

— Oui, s'il te plaît. Et si tu sais ce qu'il convient, veille à ce que cette scène ne se reproduise pas. »

Rosi était sa maîtresse officielle cette saison, une choriste du Fontoria, qui venait d'avoir vingt-huit ans et qui était magnifique, massive, potelée et très spectaculaire, comme les femmes qui lui plaisaient, une beauté vulgaire, le visage trop rond et trop de chair sur les joues, qui se laissait aimer sans poser de problèmes et qui restait à sa place. Une bonne affaire, la seule chose qu'il cherchait chez ses maîtresses depuis que Mari Carmen Ortega lui avait échappé pour la dernière fois.

« Écoute, Julio ! » Il avait apprécié tout de suite son ton farouche, rageur, ce jour de juin 1950, à 11 heures du matin. « C'est fini et cette fois c'est pour de vrai. Je t'appelle pour que tu le saches. Mon mari sort de prison la semaine prochaine. S'il entend un seul mot de ce qui s'est passé entre toi et moi, tu comprends, un demi... Je te tue. Si ce n'est pas lui, c'est moi. C'est clair ? Tu sais parfaitement de quoi je suis capable, alors je ne veux plus jamais te revoir, tu saisis ? Pas même dans la rue.

— Nom d'un chien, Mari Carmen, tu me fais bander.

— Va te faire foutre, fils de pute ! »

En raccrochant, Julio Carrión continuait à sourire et cependant il était presque sûr que c'était la dernière fois qu'il parlait au téléphone à la fille du Peluca, du moins d'ici longtemps. Ce n'était pas la première fois que Mari Carmen le quittait, mais jusqu'à présent il avait toujours su qu'elle allait revenir, et maintenant il savait qu'elle ne reviendrait pas.

Sa possession des plus jolies jambes de Madrid avait duré trois années très mouvementées, pleines de moments difficiles, de conflits, d'interruptions. Elle ne l'avait jamais bien supporté, et quand elle oubliait, quand elle consentait à ce que Julio l'emmène au cinéma, ou dîner, ou acheter des jouets aux enfants, quand elle était si triste ou si soucieuse qu'elle se laissait emmener, et s'amusait, se soûlait jusqu'à l'inconscience, le seul état où elle acceptait de lui rendre un baiser, le lendemain elle le supportait encore moins bien. Alors elle le quittait, mais il insistait, il allait la chercher, la trouvait, la suivait dans la rue, lui faisait des cadeaux, lui racontait des histoires drôles, la faisait rire. Et tôt ou tard, elle apparaissait, boudeuse et brusque, furieuse contre elle-même, rouge de honte et plus désirable que jamais, et elle disait : « Ça y est, tu ne parles plus ? Ne dis rien si tu ne veux pas que je m'ouvre tout de suite... » Il ne parlait pas mais il la déshabillait lentement, parcourait son corps du bout de ses doigts, la couvrait de baisers sans approcher de sa bouche. Ainsi elle se calmait, s'adoucissait peu à peu et au deuxième rendez-vous elle lui parlait, au troisième elle avait retrouvé le sourire, et au quatrième, ou au cinquième, elle s'arrangeait pour consentir, avec la passivité la plus absolue et sans accorder aucune sorte d'approbation volontaire, à ce qu'il la caresse jusqu'à ce qu'elle atteigne le plaisir qu'elle ne s'autorisait à connaître d'aucune autre façon... « Julio, tu es vraiment un salaud ! » en raison d'une règle intime qu'il ne comprenait pas mais il ne perdait pas non plus de temps à discuter, « il faut voir, quel fils de pute tu fais ! » car il aimait la regarder jusqu'à ce que son corps se détende entièrement et que les insultes qui sortaient de sa bouche ne parviennent à masquer totalement un large sourire satisfait, « comment peux-tu être aussi mauvais ! » Alors il se mettait à rire, elle l'imitait, et ils préparaient le terrain pour la rupture suivante.

La mesquinerie sexuelle de Mari Carmen Ortega l'excitait autant que la générosité sans limites de Paloma Fernández Muñoz, et beaucoup plus que n'importe quelle attitude de celles qui, entre les deux, s'étaient succédé et continuaient à se succéder dans son lit. Julio Carrión aimait les femmes courageuses, et il sentait confusément que la possession de la fille du Peluca compensait la perte de la sœur d'Ignacio. Mais, d'un point de vue rigoureux, égoïste jusqu'à l'impudeur, il se rendait compte que la plus grande qualité de Mari Carmen était aussi sa principale faiblesse.

« Mais enfin, pourquoi moi ? lui demandait-elle régulièrement. Avec le nombre de bonnes femmes qu'il y a dans cette
ville, qui ne demandent qu'à écarter les jambes pour trois
sous... »

Il souriait sans répondre, car il n'était pas très sûr que
sa maîtresse aurait aimé connaître la vérité, qu'il appréciait
surtout son caractère irrésolu, son ambiguïté, la violence
qu'elle exerçait sur elle-même chaque fois qu'elle se déshabillait
devant lui, mais qui ne l'empêchait pas de le traiter au bout d'un
moment comme ce qu'il était en réalité, un vieil ami, traître, et
cependant assez intime pour lui faire confiance. Mari Carmen,
ridicule, effrontée et entêtée, était également une gentille fille,
trop pour se sentir à l'aise dans la froide indifférence ou l'euphorie mécanique des professionnelles. Aussi, même contre sa
volonté, finissait-elle par se comporter comme elle n'aurait
pas dû, et elle lui racontait ses problèmes quotidiens, les
commandes qu'elle recevait et qu'elle livrait, le peu qu'elle
touchait, ses mauvais rapports avec sa mère, qui devenait une
vieille grognon. Julio lui en était reconnaissant parce que
Mari Carmen Ortega lui plaisait beaucoup, elle lui plaisait
tant qu'il aspira toujours à avoir avec elle un peu plus qu'une
simple relation commerciale, même s'il savait qu'un jour ou
l'autre sa seule ambition serait de l'effrayer au point de l'obliger à partir en courant. Quand elle s'en alla pour de bon, la
certitude qu'il n'aurait peut-être jamais été capable de la faire
fuir représenta une consolation si douteuse qu'il ne voulut pas
l'accepter.

Elle l'avait prévenu qu'elle le tuerait si elle le revoyait ne
serait-ce que marcher dans la rue, mais il savait qu'elle ne le
ferait jamais. Au moins tant qu'il garderait la bouche close, et
il ne gagnait rien à l'ouvrir. Il ne voulait pas la perdre non
plus, rompre définitivement avec elle, et il comprenait que
Mari Carmen avait raison, que Madrid, l'Espagne, le monde,
étaient pleins de femmes plus jolies, plus jeunes, plus
complaisantes, plus faciles, meilleur marché. Il ne s'en souvenait que lorsqu'il se promenait aux abords de la plaza Mayor
avec les gestes posés d'un touriste las de voir des monuments,
la guettant en cachette dans toutes les vitrines, les bars, les
boutiques, les étalages du marché San Miguel et les ruelles
environnantes. Un jour, il la vit de très loin. Peu après, il la
croisa et n'osa pas lui parler car elle était flanquée de deux

autres femmes. Elle feignit de ne pas l'avoir vu, et pourtant il continua à la chercher, jusqu'à ce samedi, où à la tombée de la nuit, au moment où il allait s'asseoir à une terrasse, il l'aperçut derrière les vitres du bar, appuyée au comptoir.

Quand il poussa la porte, il découvrit qu'elle n'était pas seule.

Antonio, ce sergent grand et massif, portait les cheveux très courts, mais on voyait beaucoup de cheveux blancs, trop chez un homme d'une trentaine d'années, âge que Julio préférait chez les femmes, celui que Mari Carmen Ortega n'aurait jamais dans ses bras, elle qui cette fois voulut bien le voir, et le regarder, tandis qu'elle étreignait son mari, et s'abritait derrière des épaules qui restaient puissantes malgré leur minceur nouvelle. Elle était très jolie. Elle s'était lavé les cheveux et frisé les pointes, qui retombaient comme des boucles de velours sombre sur ses épaules nues, entre les bretelles d'une robe jaune, neuve, moulante, décolletée, comme celles qu'elle mettait avant, parfois, pour sortir avec lui, comme celles qu'elle ne mettrait plus jamais pour Julio Carrión González. Il devint nerveux, même après tant d'années, devant cet homme qu'il ne voyait pas de face, seulement de profil grâce à sa femme, qui lui avait pris le visage entre les mains pour l'embrasser sur la bouche avec une urgence démesurée, une passion soudaine que l'autre ne saurait, ne pourrait jamais interpréter aussi bien que le destinataire d'un regard qui parlait, car les yeux de Mari Carmen Ortega étaient écarquillés et plongés dans les siens pendant que sa bouche se confondait avec celle d'Antonio Rodríguez Méndez, un rouge, ancien prisonnier, avec toutes les chances de le redevenir souvent, un perdant, un malheureux.

« Imbécile ! »

Derrière le serveur, qui haussa les sourcils avant de décider que cette insulte ne le concernait pas, il y avait un miroir, mais Julio ne s'y regarda pas et laissa sur le comptoir le double du prix du verre qu'il ne boirait pas. Il avait les yeux rivés sur ses chaussures, s'il les avait levés, il aurait trouvé une image intéressante de son propre visage, enflammé par un accès confus de rage mêlé aux ombres détestables d'une humiliation ancienne, insupportable pour qui ne tolérait la compassion de personne, fût-ce la sienne. Et quand il sortit dans la rue en claquant la porte, il se sentit aussi petit, aussi démuni, aussi impuissant que la première fois qu'il avait traversé cette place, chargé comme une mule avec la cage contenant la perruche de son père accrochée au petit doigt.

« Imbécile, niaise, tu reviendras, tu viendras te traîner, me demander pardon, qu'est-ce que tu crois ? Ça n'est pas fini, Mari Carmen, ça n'en finira jamais, idiote, tu es une idiote, et alors tu vas voir, alors tu vas voir qui je suis, imbécile, quand tu viendras à genoux, à genoux... »

En s'apercevant que les gens qu'il croisait le regardaient avec étonnement, il comprit qu'il parlait tout haut et cela le mit encore plus en colère. Puis il s'engagea rue Mayor, prit un taxi, alla chez lui, but deux verres d'affilée et retrouva son calme, la capacité de raisonner. Ce soir-là, Eugenio et Blanca l'avaient invité à dîner « avec des amis », et il savait bien ce que signifiait cette expression, un autre couple aussi exemplaire que celui qu'ils formaient et des amies de la maîtresse de maison, célibataires et encore plus fades qu'elle. Quand Blanca les lui présenta, il fut aussi sympathique qu'avec les autres, celles qu'il avait rencontrées avant, celles qu'il lui restait encore à connaître, mais la perte de Mari Carmen Ortega lui avait inspiré une idée beaucoup plus précise sur le genre de femme qui lui convenait, en marge du manque d'intérêt absolu qu'il éprouvait envers les jeunes filles avec qui Eugenio aspirait à l'associer. À compter de ce jour, Julio Carrión González abdiqua l'instinct qui le poussait vers les femmes courageuses en faveur d'une qualité beaucoup plus simple. Depuis, la seule chose qu'il demandait à une femme qui lui plaisait était de ne pas lui poser de problèmes.

Rosi, la choriste du Fontoria avec laquelle il avait commencé une liaison peu avant le retour d'Angélica, était non seulement potelée, massive et spectaculaire, mais elle remplissait également cette condition d'une manière admirable. À tel point que sa visite inattendue ce matin-là n'avait d'autre but que de consulter son protecteur sur le tour à donner à son avenir. Le directeur du théâtre avait décidé de changer de programme et elle n'avait pas obtenu de rôle dans la nouvelle revue. L'après-midi même, elle devait décider si elle partait en tournée avec sa compagnie actuelle ou si elle restait à Madrid pour attendre mieux.

« Voilà, Julio... Je ne sais pas trop quoi dire. »

Il la regarda, réfléchit et décida qu'il était un peu las d'elle. Rosi était gentille, oui, elle était complaisante, facile, mais ne possédait aucun charme particulier. Il pouvait rencontrer des douzaines de filles comme elle sans beaucoup chercher, et elle n'aurait guère de mal non plus à rencontrer un homme par qui elle pourrait le remplacer.

« C'est compliqué, Rosi, parce que..., finit-il par répondre, avec son plus charmant sourire. Je ne peux pas m'immiscer dans ta carrière. Je sais que pour toi il n'y a rien de plus important, alors... Je crois que tu ne dois laisser passer aucune occasion. Pars en tournée. » Elle ne dit rien, mais elle plissa les lèvres d'un air ennuyé qu'il se proposa d'effacer en un instant. « Où a lieu la première ?

— À Saragosse, le 20 décembre.

— Ah ! C'est une très bonne date, si près de Noël, et Saragosse n'est pas si loin... Je viendrai te voir. »

Quand un sourire surpris et satisfait illumina le visage de son interlocutrice, Julio avait déjà écrit dans son agenda, au jour correspondant, deux mots : Rosi, fleurs. « Avec un beau bouquet, ça marchera à merveille, ma jolie. » Il la raccompagna pourtant à la porte et fut très attentionné, beaucoup plus affectueux que d'habitude, juste pour ennuyer Angélica.

Elle vint le voir tout de suite, avec un air mélodramatique pas très réussi et un filet de voix qu'elle n'avait même pas à douze ans. « Je suis vraiment désolée, Julio. Je ne voulais pas t'embêter, mais c'est que... Cette fille ne te convient pas, il n'est pas bon qu'elle vienne ici, qu'on te voie avec elle. Elle est si vulgaire, si ordinaire. Elle ne sait même pas parler ! Je voulais juste...

— Angélica, dit-il sur un ton qui suffit à l'arrêter net. Je me fous de ton avis. Et si tu veux continuer à travailler ici, n'essaie pas, même en pensée, de recommencer à passer les bornes avec moi. Ici, c'est moi qui commande, et ma vie ne te regarde pas. C'est clair ? »

Elle ne lui répondit pas tout de suite, mais quand elle le fit, la jeune fille repentante qui avait capitulé à la porte moins d'une minute plus tôt, s'était complètement estompée de son visage, de son corps, de sa voix.

« Tu vas me renvoyer ? Je ne crois pas que tu oseras, répliqua-t-elle avec arrogance.

— Tu me menaces ? » Cette réponse l'avait rendu tellement furieux qu'il se leva et, ce faisant, il frappa la table avec les poings.

« Moi ? » Elle recommença alors à piailler comme un oiseau effrayé. « Pauvre de moi ! »

Elle sortit du bureau sans faire de bruit et pendant quelques jours elle tenta de se rendre invisible. Elle y parvint si bien que le 19 décembre, en regardant ses rendez-vous du lendemain, Julio décida de faire appel à elle plutôt qu'à sa secrétaire. Quand elle avait commencé à travailler, Angélica lui avait demandé, très étonnée, pourquoi il n'y avait pas de plantes vertes, ni de fleurs, dans les bureaux. Il avait haussé les épaules et répondu qu'il n'y avait pas de raison particulière. « Personne n'y a pensé », lui avait-il dit, et elle avait haussé les sourcils avec étonnement, car quelqu'un aurait dû y penser... En très peu de temps, Julio constata la quantité d'idées qu'avait presque quotidiennement sa nouvelle employée qui, en plus d'un réfrigérateur, de boissons, de biscuits, d'olives, d'analgésiques, de petites serviettes en lin, car celles en papier étaient trop vulgaires, achetait des fleurs fraîches toutes les semaines et les répartissait très agréablement dans deux ou trois vases placés dans des endroits stratégiques, les plus fréquentés par les regards des clients. C'était une experte et la fleuriste lui consentait des réductions, mais, surtout, Julio voulait voir quelle tête elle faisait en notant sa commande, et ce jour-là Angélica ne le déçut pas. Elle n'en fit aucune.

« Des glaïeuls ? demanda-t-elle seulement, à la fin. Je dis ça parce qu'ils prennent beaucoup de place, ils sont très voyants, mais meilleur marché que les roses.

— Non, plutôt des roses », dit-il dans un élan de générosité.

Elle ne leva pas le regard de son bloc-notes « Une douzaine ? Deux ?

— Plutôt deux.

— Rouges ? demanda-t-elle avec un rictus.

— Non. Pas rouges.

— Roses alors, supposa-t-elle enfin. Les jaunes sont très jolies, mais il ne convient pas que ce soit un homme qui les offre, à mon avis. Et les blanches sont plus indiquées pour une dame âgée, ou pour une jeune fille. Enfin, tout ça si cela vous convient, bien sûr.

— Oui, cela me convient. Deux douzaines de roses, alors.

— Très bien, je les commande tout de suite... » Elle s'était déjà tournée pour sortir de la pièce, quand elle se ravisa, le regarda. « Je suis de ton côté, Julio. Je suis toujours de ton côté. C'est incroyable que tu ne le voies pas. »

Elle sortit du bureau sans attendre de réponse et, quelques heures plus tard, quand elle revint pour l'informer de ce qu'elle avait prévu d'acheter pour inviter les employés le 23, « ah, vous n'offrez pas un verre pour Noël, ici ? », « eh bien non, on ne l'a jamais fait », « et pourquoi ? » « qu'est-ce que j'en sais, parce que personne n'y a jamais pensé », « eh bien, vous auriez dû, parce que ça fait très mauvais effet, c'est sûr », aucun des deux ne mentionna plus ni Rosi ni ses fleurs.

L'apéritif de Noël, moins raffiné qu'abondant, auquel Angélica l'obligea à assister : – « Réfléchis un peu, Julio, pourquoi ne serais-tu pas là ? à quoi tout cela servirait-il, dis-moi ? » – n'aurait pas eu tant de succès si elle ne l'avait pas persuadé d'accorder l'après-midi à tout le personnel – « Qu'est-ce que tu veux, qu'ils se mettent au travail maintenant, avec tout ce qu'ils sont en train d'engloutir ? » Et elle assura la popularité éternelle de la réceptionniste qui, arrivée moins d'un an plus tôt, jouissait déjà de plus d'influence sur Julio que jamais aucun employé n'en avait eu, mais au lieu de se pavaner dans les couloirs, elle l'utilisait toujours au bénéfice de justes causes.

« Et je vais te dire autre chose, maintenant que je suis un peu éméchée. » Angélica ne s'approcha qu'une fois, quand il en avait eu assez d'entendre des plaisanteries bonnes et mauvaises, et l'entraîna dans un coin d'où il pouvait voir venir toute compagnie indésirable. « Si tu étais malin, Julio, juste si tu étais malin... Tu devrais offrir une jouet à chacun des enfants de tous ces gens, pour les Rois.

— Ah oui ! Et quoi d'autre ? lui demanda-t-il, avec inquiétude.

— Rien d'autre. C'est de ça qu'il s'agit, tu ne peux pas faire moins, je ne sais pas si tu comprends... Tu sais combien t'a coûté cette fête ? » Elle fit un geste de la main pour englober les tables sur lesquelles il restait des sandwiches, et des bouteilles de vin et de bière qui n'avaient pas été ouvertes, des plats à demi remplis de chips, et il fit non de la tête. « Moins que d'inviter deux personnes dans un bon restaurant, et pas des plus chers. Et les jouets seraient encore moins chers, mais tu serais très bien vu, de ceux qui ont des enfants et de ceux qui n'en ont pas. On pourrait faire un goûter pour les enfants. Deux galettes et un pot de chocolat, l'après-midi du 7 janvier. Imagine. Quel patron, non ?, qui veille même à écrire des lettres aux Rois pour les enfants de ses employés. On ne voit ça qu'au cinéma, et tu sais comme les gens aiment les films avec des enfants... »

Ce jour-là, Julio Carrión n'était pas ivre. Aussi regarda-t-il Angélica qui, elle, avait trop bu, et il la vit venir pour la première fois, mais il étudia ses arguments.

« Dis-moi, Angélica, commença-t-il en souriant. Qu'est-ce que tu penses de moi ? Que je suis un plouc, non ?

— Non, tu n'es pas un plouc. » Elle se rapprocha, le frôla dans un mouvement qui lui sembla conscient, approcha la bouche pour continuer à lui parler à une distance presque inconvenante. « Plus maintenant. Mais il te reste encore beaucoup à apprendre.

— Pour être un monsieur, souffla-t-il sans écarter ces boucles si blondes.

— Pour être un monsieur, exactement.

— Très bien. » Julio fit un pas vers la gauche, se retourna pour la regarder en face, et s'ils avaient été seuls il l'aurait peut-être embrassée, mais par chance ils n'étaient pas seuls. « Et qui va acheter ces jouets ?

— Moi. Dès que je rentrerai de Galice, le 27, si tu veux. J'y ai déjà pensé. Des camions à benne pour les garçons et des poupées pour les filles, toutes du même modèle, des blondes, des brunes, toutes dans des grandes boîtes, spectaculaires, et avec beaucoup d'espace autour, pour qu'elles prennent le plus de place possible. »

Le 23 décembre 1954, Julio Carrión González vit venir Angélica Otero Fernández pour la première fois, et le spectacle ne lui déplut pas, mais il ne lui accorda pas tellement d'importance non plus. Or les choses ne se passèrent pas comme il s'y attendait, lorsqu'il pensa le soir même qu'il pourrait peut-être profiter de l'ivresse de sa réceptionniste pour la convaincre de rester un moment avec lui, dans son bureau, pendant que la femme de ménage remettait de l'ordre dans les locaux.

« Ne te trompe pas sur moi, Julio. » Elle repoussa son offre sans cesser de sourire, en finissant de boutonner son manteau, et ajouta : « Dans ta situation, un faux pas peut être fatal. »

Ce fut ce qu'elle dit, mais elle partit si vite, après l'avoir embrassé à la commissure des lèvres et lui avoir souhaité un Joyeux Noël, qu'il n'eut pas le temps de se mettre en colère ni d'analyser tranquillement ce qu'il venait d'entendre, un avertissement qui prendrait plus de sens la première nuit de l'année suivante.

Quand il la vit entrer dans ce salon, il fut tellement stupéfait qu'il ne remarqua même pas l'homme qui se trouvait à ses côtés. Angélica portait une robe noire, étroite, courte et sans manches, si classique qu'elle pouvait être très coûteuse ou très bon marché, si simple que sur la majorité des femmes elle aurait paru quelconque, mais produisait sur elle un effet extrêmement élégant. Il en allait de même du simple ruban de velours qui retenait ses cheveux, du châle en tulle raide et crissant, sans aucun ornement, qui encadrait son décolleté, et de la broche qu'elle portait sur l'épaule gauche, comme si elle entendait proclamer que, bien sûr, elle était fausse, mais qu'elle l'avait choisie parce qu'elle lui plaisait et non parce qu'elle n'en avait pas d'autre. Arrêtée au sommet des trois marches qui donnaient accès au salon, elle ressemblait à une porcelaine exquise, très coûteuse, digne de tous les regards. Ce fut ce que ressentit Julio en la voyant, avant de tourner son regard vers l'apprentie actrice qui l'accompagnait, âgée de vingt et beaucoup d'années, teinte en blond platine pour souligner sa ressemblance avec Lana Turner et qui ne le faisait même pas payer pour coucher avec lui. Elle était spectaculaire, et jusqu'à cet instant il croyait qu'elle lui plaisait beaucoup, mais la simple apparition d'Angélica avait fait d'elle une grosse dondon vulgaire et ordinaire, indésirable. Alors, Gustavo Aguirre, à qui il n'avait pas prêté attention, l'invita avec délicatesse à avancer et ce ne fut qu'à ce moment que Julio comprit que c'était son partenaire, d'où la présence de sa réceptionniste à cette fête que Romualdo Sánchez Delgado donnait tous les ans.

L'accompagnateur d'Angélica, un garçon grand, jeune, mince et pas très séduisant jusqu'à ce soir, était un médiocre architecte de très bonne famille dont le nom, et non le talent, lui avait ouvert les portes des Constructions Carrión deux ans auparavant, ses études récemment terminées. Gustavo Aguirre était le revers de sa médaille, pensa Julio en le voyant circuler avec un aplomb qu'il ne lui aurait jamais attribué, tout le contraire du brillant homme sans aucun avantage, aucun nom, qui était parvenu à devenir ce qu'il était. C'était peut-être pour cela que ce gringalet maladroit et sans grâce avait vu en Angélica ce que lui n'avait pu ou n'avait su voir encore. Cette sensation ne lui plaisait pas, mais il ne fut pas capable de la définir avec exactitude parce qu'il y réfléchissait encore quand Angélica vint droit vers lui.

« Bonsoir, don Julio, lui dit-elle, sur un ton moqueur sûrement imperceptible pour tout autre que lui. Alors, vous vous amusez ? »

Il n'avait pas trouvé de bonne réponse à cette question quand Gustavo, qui ne la perdait pas de vue, les rejoignit.

« Comment vas-tu, Julio ? Je suis ravi de te voir », dit-il en lui tendant la main sans le regarder, les yeux fixés sur Angélica. « On va boire quelque chose ? Je suis mort de soif. »

Mort de soif, singea-t-il dans un murmure, en les voyant s'éloigner en direction du buffet, et il répéta entre les dents cette phrase ridicule, d'homme du monde à la mode, qui semblait copiée sur les dialogues d'un roman bon marché, je suis mort de soif, quel imbécile... Eh bien je ne vais pas te faire danser, Angélica, se promit-il ensuite, et il ne le fit pas. Elle ne le regretta pas non plus.

1955 fut la grande année d'Angélica Otero Fernández, non seulement à cause du succès irrésistible qu'elle commença à connaître auprès des hommes qui l'entouraient que par l'habileté avec laquelle elle les utilisa pour toucher le gros lot de sa vie, l'objectif principal qui avait guidé ses pas depuis cet après-midi du printemps 1947 où elle s'était amusée à calculer l'âge de Julio Carrión González quand elle aurait vingt ans. Gustavo Aguirre, qui ne lui plaisait guère, ne fut que le premier et ne dépassa pas le mois de mars. Son successeur, qui s'appelait Emilio Alvar et qui en plus de ses tempes argentées de séducteur mûr occupait un poste important au ministère des Travaux publics, se révéla beaucoup plus efficace.

« Tu vas l'épouser ? lui demanda Julio un soir de mai, après avoir expédié en un instant le sujet pour lequel il l'avait convoquée dans son bureau.

— Pourquoi ? Ça te dérangerait ?

— Non, non, dit-il en fouillant dans les papiers qui se trouvaient sur sa table. Mais j'aimerais le savoir à temps, pour te chercher une remplaçante. Et puis... » Il la regarda, fit une pause, changea de ton : « Tu es très jeune, Angélica, et je te connais depuis que tu étais une gamine. C'est pour cela que je trouve qu'un veuf quadragénaire, avec deux enfants, n'est pas le meilleur parti pour toi.

— Il vient d'avoir trente-neuf ans. J'ai toujours aimé les hommes mûrs. Tu le sais », l'interrompit-elle.

Julio, qui n'avait que six ans de moins qu'Alvar, se tut, la regarda et éprouva la tentation de lui proposer de s'engager avec lui, qui était plus près, plus à portée de main. Mais il ne le fit pas, car il pensa, et ce n'était pas la première fois que cela lui arrivait, qu'elle n'accepterait jamais une offre de ce genre. Angélica lui plaisait, elle lui avait toujours plu, mais elle ne faisait pas partie du genre de femmes qu'il recherchait, celles qui ne posent pas de problèmes, et il ne s'intéressait encore pas trop à explorer d'autres variantes de la conduite féminine. Cependant, Angélica lui plaisait. Depuis qu'il pouvait l'imaginer entre les bras d'autres hommes connus, plus qu'avant.

« Il veut qu'on se marie, ajouta-t-elle alors, comme si elle savait ce que pensait son chef, mais pour moi ce n'est pas clair, parce que... Je ne sais pas, il me pose trop de questions.

— Sur quoi ?

— Sur toi. »

Elle le regarda d'un air aimable, tranquille, tourna les talons et sortit du bureau où son chef mijota dans son incertitude pendant le reste de l'après-midi.

« Qu'est-ce que tu as voulu dire tout à l'heure ? » s'enquit-il, feignant une curiosité plus simple que celle qu'il éprouvait, quand il fit semblant de la croiser par hasard, à la sortie.

Angélica le regarda avec toute l'innocence dont étaient capables ses yeux si bleus. « Tout à l'heure ? Quand ? »

Julio serra les poings, respira profondément, contrôla avec succès une attaque précoce de fureur, mais ne parvint pas à empêcher son visage de laisser transparaître une certaine raideur.

« Ne joue pas avec moi, Angélica, dit-il enfin. Ça ne te va pas. » Mais elle se mit à rire.

« Ah ! s'exclama-t-elle. Je te comprends. Tu me parles d'Emilio, bien sûr...

— Non. Je te parle des questions d'Emilio.

— Oui, bon, eh bien... Je crois que ce n'est pas grave. » Ils étaient arrivés dans l'entrée et Angélica regarda dehors, sourit et agita à plusieurs reprises pour saluer quelqu'un. « Regarde, il est là, dans cette voiture rouge, tu le vois ? » Julio regarda dans cette direction, le vit, le salua avec un sourire forcé. « Et lui, enfin, il me pose des questions, c'est normal, non ? Comme il veut qu'on se marie... Il sait que je te connais depuis que j'étais petite, et ça l'intéresse, bien sûr, tout ce qui me concerne l'intéresse, comment nous nous sommes connus, quand, pourquoi, comment j'ai eu l'idée de venir te demander du travail... » Le propriétaire de la voiture rouge avait déjà klaxonné une fois quand il recommença, avec plus d'insistance. « Je dois partir, Julio, je suis désolée. Nous avons des billets pour le théâtre et nous ne pouvons pas arriver en retard. À demain. »

Ce jour-là, elle ne l'embrassa pas en prenant congé. Elle partit, traversa la rue en courant et se glissa à toute vitesse dans cette voiture rouge, qui se confondit bientôt avec les nombreuses autres voitures jusqu'à disparaître de la vue de l'homme qui était seul, immobile, debout, sur le trottoir. Il eut besoin du temps que mirent de nombreuses voitures à passer pour réagir, mais il reconnut le goût métallique qui lui emplissait la bouche, la sensation particulière de creux dans les os, une blancheur ancienne et éblouissante lui blessant les yeux. Soudain, à contretemps, presque traîtreusement, Julio Carrión González recommençait à avoir peur. Après tant d'années, après tant de succès, c'était incroyable, mais vrai.

Ce soir-là, il avait rendez-vous avec une fille, mais il ne prit même pas la peine d'annuler le rendez-vous. Il perdit beaucoup de temps dans les rues, en faisant et en refaisant le chemin pour rentrer chez lui, essayant de penser, avec difficulté. « De l'argent, je peux lui offrir de l'argent, ou non, je peux la renvoyer, anticiper ses mouvements, parler à Emilio, lui raconter que c'est une pute, qu'elle a un autre amant, que sais-je, inventer quelque chose, chercher de faux témoins, la menacer, je peux dire qu'elle m'a volé, mettre une liasse de billets dans son sac, faire un scandale au bureau, laisser un autre le découvrir, la menacer de prison, je peux lui faire peur, engager quelqu'un... »

Quatre mois plus tard, pendant qu'il marchait à côté d'elle sur le trottoir de droite de la rue Marqués de Urquijo et comprenait qu'il allait l'épouser, Julio Carrión González se rappela tout cela, et ce qui se produisit le lendemain de cette nuit noire de peur et de maladresses, cette nuit longue et insomniaque dont il sortit les nerfs si vrillés que lorsqu'il la vit entrer dans son bureau, avec plus d'une heure de retard, quand il lui avait ordonné de venir immédiatement, il oublia tout ce qu'il avait prévu, les mots qu'il pensait prononcer, l'accent dur et sec qu'il avait prévu d'employer.

Angélica se tourna vers lui, le regardant de très haut.

« Alors ? Tu voulais me parler ?

— Oui. »

Ce fut tout ce qu'il parvint à dire avant de se lever pour aller vers elle, de lui immobiliser les deux mains avec sa main gauche, d'approcher sa tête très près de cette femme pendant qu'il la tenait par la mâchoire, lui pressant les joues avec les doigts jusqu'à ce qu'il l'oblige à plisser les lèvres dans la grimace d'un baiser ridicule.

« Tu es une saloperie, Angélica ! Tu m'entends ? Une saloperie, c'est tout ! » Elle le regardait les yeux écarquillés et ne tentait pas de se dérober à ses mains comme si ce qu'il disait l'avait intéressée. « Tu es un insecte, une chenille, une mouche à merde, et je peux en finir avec toi quand je voudrai, tu comprends ? Comme je voudrai, je peux t'écraser entre mes doigts comme une mie de pain, en un instant. Tu te crois très maligne, Angélica, mais tu ne sais pas qui je suis, ni qui sont mes amis, tu n'as aucune foutue idée de ce qui peut te tomber dessus quand je déciderai de décrocher ce téléphone, c'est clair ? » Il espérait qu'elle ferait un geste affirmatif de la tête, qu'elle murmurerait un oui pâle, exsangue, et voir l'éclat de la peur dans ses yeux, mais elle ne bougea pas quand il la secoua avant de lui lâcher le visage sans diminuer la pression de son autre main. « C'est clair ? »

Et à cet instant, Angélica Otero Fernández ferma les yeux, entrouvrit les lèvres, approcha sa bouche de la bouche qui l'insultait, et sans savoir comment, sans savoir pourquoi, Julio Carrión González l'embrassa, et continua à l'embrasser, l'embrassa beaucoup, pendant longtemps, et lui libéra les bras parce qu'il avait besoin des siens pour l'étreindre. Il avait besoin de ses mains pour la toucher, et il les employa pour parcourir son corps avec une étrange émotion au bout des doigts, comme s'ils reconnaissaient la peau et la chair qu'ils goûtaient pour la première fois, avec une convoitise récente, qu'elle sut frustrer au bon moment, quand ni ses doigts, ni ses mains, ni ses bras, ni ses lèvres, ni lui-même, ne pourraient plus mépriser le désir que leur inspirait cette femme.

« Ça suffit. » Angélica guida hors de son soutien-gorge la main qui s'y était logée sans sa permission, recula d'un pas, boutonna deux boutons et remit sa robe en place. Elle regarda Julio Carrión dans les yeux, avança du pas qu'elle avait fait en arrière, s'empara des bras qui l'emprisonnaient auparavant, les plaça autour de sa taille, leva les siens, jusqu'à entourer le cou de son chef, et l'embrassa sur la bouche jusqu'à ce qu'elle sente les signes qui annonçaient un nouveau désordre. « Bon, je dois partir. J'ai beaucoup de choses à faire.

— Angélica..., murmura-t-il.

— Oui ? » répondit-elle avec son accent chantant, indemne.

Il ne trouva rien d'autre à dire et elle ouvrit la porte pour sortir, mais avant elle le regarda avec la même expression de triomphe qui incendiait ses yeux quand il consentait à se lever pour aller chercher une tasse et un verre à la cuisine. Ensuite, elle s'arrangea pour ne plus se retrouver seule avec lui de toute la journée.

« J'ai rompu avec Emilio, lui annonça-t-elle une semaine plus tard. C'est ce que tu voulais, non ? »

Julio se contenta de sourire, mais au bout d'un moment il alla la chercher pour l'inviter à dîner. Elle lui répondit qu'elle ne pouvait pas. « Je suis prise », déclara-t-elle, sans préciser par qui, mais elle contre-attaqua à temps, proposant une autre date à la vitesse nécessaire pour éviter de décourager son chef. Au cours de ce dîner, Julio Carrión découvrit ce qu'il pressentait déjà, qu'Angélica était disposée à ne poser aucun problème à condition qu'il soit disposé à résoudre le problème principal.

Elle qui avait encaissé son discours avec un sourire imperturbable qui le rendait de plus en plus nerveux interrompit ses circonlocutions sans se troubler. « Voyons si je t'ai bien compris, Julio... Tu me proposes de devenir Rosi et de commander de temps en temps deux douzaines de roses, rouges, ça oui, pour moi-même ? »

Il eut du mal à conserver son calme et eut recours aux phrases toutes faites pour masquer ses véritables intentions : « Ce n'est pas ça, Angélica. Tu le sais parfaitement. Tu sais quel genre de femme tu es et quel genre d'homme je suis.

— Justement. Justement pour ça. » Et tout en parlant, elle hocha la tête à plusieurs reprises, comme si elle se résignait à abandonner parce que c'était impossible. « C'est incroyable, vraiment. Avec l'intelligence que tu as, que tu ne comprennes jamais rien... Quel rustre tu fais, Julio !

— Très bien. » L'offensé opta pour feindre de ne pas l'être et récolta un succès discret dans son objectif, les yeux fixés sur la nappe. « Eh bien je n'ai rien dit. »

Mais ce n'était pas vrai. Il savait très bien ce qu'il avait dit, et elle, qui en sortant du restaurant se pendit à son cou pour l'embrasser avec l'abandon qu'elle avait jusqu'alors réservé à l'intimité de son bureau, le savait aussi. Les variations, les épisodes successifs de passion, d'indifférence, et encore de la passion, de l'audace et encore de l'audace, et à nouveau de l'indifférence, et de la passion, les malédictions qu'il marmonnait entre ses dents et l'angle des décolletés qu'elle ouvrait ou fermait selon les circonstances, dura tout l'été pour atteindre à la mi-septembre son point culminant et le plus délicat, le degré de saturation qui conduit à l'ébullition un instant avant de se résoudre en pure lassitude. Angélica sut choisir ce moment pour l'inviter à boire quelque chose en sortant du travail, pour l'emmener sur une terrasse de Rosales et lui lâcher ce discours qui commençait par l'avertissement que Julio Carrión González était un homme riche, oui, mais pas un monsieur respectable.

« On demande l'addition ? dit-elle, quand elle se lassa de se regarder dans le souriant miroir de son silence.

— Demande-la toi-même. Tu devais m'inviter non ? répondit-il.

— Bien sûr. »

Il avait dit ça pour la voir rougir. Quand il obtint cette satisfaction minime, il se leva, alla chercher le garçon, lui régla l'addition en lui donnant un bon pourboire, la rejoignit et la prit par le bras.

« Tu rentres chez toi à pied ? » Pour la première fois depuis des mois, il avait le contrôle absolu de la situation, et il se proposa de profiter un peu plus de son avantage. « La soirée est très belle.

— Pourquoi est-ce que tu me demandes ça ? » En la voyant, encore rougissante, raide, il se rendit compte qu'il ne savait que penser.

« Pour te raccompagner. Si ça ne te dérange pas, bien sûr.

— Non. Bien sûr, que ça ne me dérange pas. »

Pendant qu'ils marchaient sur le trottoir de droite de la rue Marqués de Urquijo, Julio savait déjà qu'il allait l'épouser. Il ne s'agissait pas que de l'impeccable qualité des arguments d'Angélica. Il comptait déjà qu'il devrait se marier tôt ou tard, mieux valait tôt. C'étaient les règles du jeu et il avait déjà repoussé trop de mères puissantes, trop de filles à papa. Romualdo, qui tout en étant un voyou était déjà le père de trois enfants, l'avait averti du risque des commérages qui avaient commencé à fleurir. Les vipères se demandaient à voix haute s'il n'était pas homosexuel, s'il n'avait pas une maladie inavouable, s'il ne s'adonnait pas à des penchants pervers, et il n'existait qu'un moyen d'enrayer la situation, de résoudre le problème. Les noces scellent la paix, disait son père. Angélica voulait l'épouser, toujours, depuis toujours, et le courage qu'elle avait déployé en le lui disant en face lui semblait non seulement admirable en soi, mais éliminait également un nombre considérable d'ennuis. S'il choisissait Angélica, il s'économiserait le dérangement du cortège. S'il choisissait Angélica, il rejoindrait l'aristocratie, une famille ruinée, défaite, couverte d'éléments indésirables, mais aristocratique en fin de compte. Personne ne verrait la moindre objection à son mariage, et Angélica lui plaisait, elle lui avait toujours plu, il l'avait toujours senti, et puis, elle lui ressemblait. Maintenant il le savait.

En arrivant rue Princesa, il avait déjà décidé qu'il allait l'épouser, mais il ne lui dit rien avant d'avoir atteint la *glorieta* de San Bernardo. Alors qu'ils attendaient à un feu rouge, il la prit doucement par une épaule et lui posa une question.

« Que va dire ta mère ? »

Angélica lui adressa un regard encore peu assuré, prudent, mais beaucoup plus doux que tous ceux qu'elle lui avait adressés dans l'après-midi.

« Ce que ma mère va dire... de quoi ?

— Ce qu'elle va dire quand elle apprendra que tu te maries avec moi ? »

Elle sourit lentement, comme si elle goûtait une friandise délicieuse, si exquise qu'elle dépassait les capacités de son palais, incapable d'en apprécier la saveur avant que sa pensée ne puisse l'élaborer avec sa propre douceur.

« Ah ! dit-elle seulement. Nous allons nous marier ?

— Bien sûr. Tu n'avais pas compris ?

— Non. Tu ne me l'as même pas demandé. »

Les piétons qui les entouraient commencèrent à traverser, mais aucun des deux ne bougea. « Angélica, veux-tu m'épouser ?

— Oui. » Le feu passa au jaune, au rouge, à nouveau au vert, avant qu'elle n'ait fini de l'embrasser. « Ma mère fera semblant d'être contente, je suppose. Tu es un bon parti, tu le sais, et une bonne mère ne cherche que le bonheur de sa fille... »

Le 5 mai 1956, don Julio Carrión González épousa Mlle Angélica Otero Fernández à l'église Santa Bárbara de Madrid, et doña Mariana Fernández Viu fut la marraine de la cérémonie. Elle n'osa ni alors, ni avant, ni après, dire un mot sur ces noces, programmées, conçues et contrôlées à chaque instant par la mariée, qui choisit non seulement un modèle de robe en soie sauvage de Balenciaga, mais aussi la date, les fleurs, la musique, les invités, les témoins, le menu du banquet, le costume du marié, celui du témoin, sa propre bague de fiançailles et, bien sûr, les conditions du contrat de mariage.

« Nous pourrions aller un moment chez moi, faire la sieste », lui proposait Julio de temps en temps, après l'avoir emmenée déjeuner chez Eugenio ou à Torrelodones avec son père. Il l'avait déjà présentée aux femmes de deux ou trois ministres et aux Constructions Carrión tout le monde savait qu'ils étaient fiancés, en regardant le brillant qui étincelait à l'annulaire de sa main droite.

« Bien sûr que non, Julio ! s'exclamait-elle en secouant la tête. Il n'en est pas question ! Va faire la sieste chez toi, et j'irai la faire chez moi. Je te l'ai dit souvent, et tu sais que c'est pour ton bien. Tu ne peux pas attendre quatre mois ?

— Non, je ne peux pas... » Dans le taxi, il la tripotait, la touchait par-dessus ses vêtements, et elle se laissait faire jusqu'au moment où elle ne se laissait plus faire, évaluant toujours à la perfection le temps, les risques et les bénéfices.

Il ne pouvait pas, mais il le fit tout de même. Il attendit quatre mois, puis trois, puis deux, et enfin un, et quatre semaines, trois, deux, et encore sept jours. Il lui convenait d'épouser une vierge de bonne famille et ce fut ce qu'il trouva devant l'autel. Il lui convenait aussi de lui faire deux ou trois enfants très vite, mais Angélica savait très bien ce qui lui convenait à elle, et elle mit une année entière à tomber enceinte. Quand elle lui annonça la nouvelle, elle était devenue une véritable experte dans l'usage contraceptif de certains péchés qu'on ne confesse jamais, et son mari, depuis douze mois raisonnablement éloigné des plaisirs souterrains, souriait quand elle lui demandait si cela n'avait pas valu la peine d'attendre. À l'époque, la seule chose qui échappa au contrôle d'Angélica fut la raison de ce sourire, car elle n'imagina jamais que ce que Julio appréciait le plus chez elle au lit était la même chose qui l'attachait le plus à elle dans n'importe quel autre endroit de la maison. Tout au long de son ascension escarpée, dangereuse et triomphale vers la gloire, Julio Carrión González s'était soucié de tout sauf d'être aimé. Ce fut en constatant à quel point sa femme l'aimait qu'il comprit que, depuis que sa mère avait quitté la maison, personne ne l'avait aimé. Et il s'habitua à l'amour d'Angélica, une ferveur inconditionnelle, religieuse, totale. Sa dévotion lui devint nécessaire, puis indispensable, jusqu'à ce qu'elle commence à lui manquer chez toutes les femmes avec lesquelles il lui fut infidèle tandis qu'il apprenait à l'aimer à sa façon.

En 1958, naquit Rafael, leur premier enfant, blond et blanc, les yeux aussi bleus que sa mère. Un an plus tard, arriva Angélica, les yeux verts et un teint de porcelaine lumineuse, rose, si différent de celui de son père. En 1961, naquit enfin un fils qui promettait de lui ressembler, aussi le baptisa-t-il de son propre nom. Mais Julio, qui avait son expression, ses gestes, son caractère, finit par éclaircir avec le temps et, bien que ses yeux fussent marron, ses cheveux et sa peau devinrent de plus en plus clairs, semblables à ceux de ses frères, quand, au début 1965, Angélica fut enceinte pour la quatrième fois.

En novembre, elle donna naissance à un autre fils. Il avait les cheveux noirs, la peau mate et, sur cette imprécision naturelle des nouveau-nés, quelque chose qui faisait s'exclamer toutes les personnes qui le virent dans son berceau à l'hôpital : « C'est ton portrait tout craché, Julio, vraiment, on n'a jamais vu un bébé qui ressemble autant à son père... »

Il se contentait de sourire, mais il éprouvait une satisfaction particulière à prendre dans ses bras cet enfant, qui s'appelait Álvaro Carrión Otero et qui avec le temps, deviendrait son fils préféré.

« Je n'ai jamais couché avec ton père, Álvaro. »

J'eus alors très envie de rire et de pleurer en même temps, mais je ne fis ni l'un, ni l'autre. Je restai tranquille, silencieux, incapable de penser, de dire, de ressentir quoi que ce fût. J'étais là et j'avais entendu. C'était tout ce que je savais, ce que je parvenais à savoir quand elle se tourna vers moi pour voir sur mon visage ce rien ou ce quelque chose qui lui fit encore plus mal. Alors, en la voyant recroquevillée sur elle-même, me tournant le dos au bord du lit, comme une petite fille, perdue et désemparée, je compris que je devais faire quelque chose, il ne s'agissait plus de penser. Il fallait que j'embrasse Raquel. J'avais besoin de le faire, pas de me l'expliquer.

Je me rapprochai d'elle, la retournai et elle se laissa faire, sans m'aider mais sans opposer de résistance, comme si son corps s'était détaché de sa volonté, comme si sa volonté s'était annihilée dans la lourde mollesse d'un corps inerte, un cadavre, une masse, une poupée de chiffon. Raquel Fernández Perea, l'amour de ma vie, était à moi et rien qu'à moi, à moi et pas à mon père, plus mienne qu'avant, plus mienne que jamais quand je l'étreignis, sa peau parfaite souple et tiède, lumineuse, exacte comme un souvenir net et neuf. Je la serrai fort pour la coller à moi jusqu'à reconnaître dans mon corps le relief du sien, et je maintins l'étreinte pendant longtemps sans parvenir à la sauver de cette immobilité aussi entière que celle que seuls donnent le sommeil ou la mort. Mais elle était vivante, éveillée. Je surveillais sa respiration, j'en sentais le va-et-vient sur mon cou et j'appréciais sa chaleur, l'image pacifique de cette étreinte que je pouvais encore contempler avec les yeux de l'homme qui l'avait poursuivie sur tous les trottoirs, dans toutes les entrées, par tous les téléphones, comme s'il poursuivait sa propre vie. L'homme qui aurait dû maintenant embrasser cette femme, qui voulait l'embrasser et ne le pouvait pas.

Je devais faire quelque chose et ce n'était sûrement pas penser, mais des images anciennes et récentes, statiques et en mouvement, me revinrent en mémoire, des scènes entières et des fragments de scènes, des phrases, des mots isolés. Excusez-moi, mais j'attendais votre mère, asseyez-vous, je vous en prie, vous voulez boire quelque chose ? Ça ne t'a pas dérangée que je te tutoie, n'est-ce pas ? Tu es très romanesque, Álvaro, tu as beaucoup d'imagination, pour un physicien, et ça ne te fait pas peur ? Quand il souriait, ton père ressemblait à un de ces soleils que peignent les jeunes enfants, pleins de rayons et de couleurs jusqu'à trouer le papier. – Je me demande ce que tu peux penser de moi, elle va très bien avec toi mais tu ne ressembles pas à ton père, Álvaro, et celui avec qui elle ne va pas du tout c'est lui, ne me dis pas que tu ne t'en étais pas rendu compte...

Dans un lieu éloigné de ma conscience, par-delà la stupeur, la tentation d'assaillir, la rage aveugle du jeune taureau qui vient de comprendre le mécanisme de la muleta et n'aspire plus qu'à la vengeance, à la couleur du sang du tricheur, battait une pointe d'orgueil satisfait, une relique inutilisable, quoique tenace, de mon ancienne intégrité d'homme ordinaire. Je me souvenais très bien de la séquence de mes intuitions, et surtout de celle qui révéla avant l'heure que le pire qui pouvait m'arriver était de découvrir un jour la véritable relation qui avait uni Raquel à mon père. Maintenant, au bord de cet abîme pressenti, je me réjouissais de ne pas avoir partagé cette femme avec Julio Carrión González, et cette satisfaction me faisait mal, m'effrayait, menaçait l'avenir que j'avais été disposé à vivre sous l'ombre insupportable, rassurante, d'une passion odieuse.

Je pensais à tout cela sans le vouloir, j'étreignais Raquel, et je n'osais pas parler, elle non plus, elle ne bougeait pas, mais elle était vivante, éveillée. Je surveillais sa respiration, je sentais son va-et-vient sur mon cou, je percevais sa peur et que celle-ci était plus grande que la mienne, car elle savait, elle savait tout, elle l'avait toujours su, depuis le début, tout sauf, peut-être, qu'elle allait tomber amoureuse de moi, tout sauf, peut-être, que j'allais tomber amoureux d'elle. Je compris alors la véritable condition de mon malheur, cette démesure sans limites, l'implacable cruauté d'une défaite dont je n'avais pas encore commencé à souffrir, car l'amour, mon amour, ne suffisait pas pour tuer le dragon, car tant d'amour ne servirait jamais à combler par des mots ordinaires le silence dans lequel il était né, où il avait grandi et était devenu fort comme un arbre robuste, mais jamais exposé au gel de l'hiver. C'était ça, une plante gâtée, protégée, fragile à l'intérieur, par-delà le bouclier ligneux de son écorce, c'était mon amour, et j'étais coupable, de ne pas avoir voulu savoir, de ne pas avoir osé interroger, d'avoir voulu le vivre en marge de certaines questions qui n'avaient qu'une seule réponse. Cela aurait été très facile : quand as-tu connu mon père, Raquel, où, comment as-tu eu une liaison avec lui, combien de temps cela a-t-il duré ? Cela aurait été très facile, mais je choisis l'autre facilité, et ce fut tout. Et cependant, tout cela était arrivé, tout était vrai, et je le savais, mon corps et ma mémoire le savaient, mes yeux et mes mains, les bras qui maintenaient cette femme collée à moi comme si nous étions les deux seules parties d'un tout qui ne se laisse diviser par aucun nombre.

Aussi, pendant un instant, pensai-je que je pouvais aussi ne rien faire. Je parvins à l'imaginer, à élaborer les éléments du discours : Ça ne fait rien, rien n'a d'importance, je ne veux rien savoir, je n'aime que toi, Raquel, et je suis disposé à tout ignorer, car tu n'étais pas cette femme-là, tu es cette autre, celle que je connais, et je te connais, alors maintenant on se lève, on s'habille, on va dormir place des Guardias de Corps, ta véritable maison, que je préfère nettement à celle-ci, et on n'en parlera plus jamais...

Il n'est pas facile d'enterrer les morts, de contempler l'air indifférent des fossoyeurs qui adoptent une expression de condoléances artificielle et prévisible, si humaine, quand leur regard trébuche sur celui des proches, d'entendre le bruit des pelles, la brutalité du cercueil frôlant les murs de la fosse, la silencieuse docilité des cordes qui se déroulent. Il n'est pas facile d'enterrer les morts, mais de les enfouir entièrement et pour toujours dans une sépulture plus profonde que la terre des cimetières. « Ta grand-mère était institutrice, très bonne, elle aimait beaucoup son mari, elle jouait du piano, très mal, mais elle aimait ça, la pauvre. » Et je pouvais faire la même chose, rien, séparer ma tête de celle de Raquel, la regarder, l'embrasser sur la bouche avec le soin que celle-ci méritait et la remettre sans poser de questions dans la serre chaude et sûre que mon amour avait fabriquée pour elle.

Je pouvais aussi ne rien faire, faire comme si je ne faisais rien, feindre d'oublier son mensonge, simuler que je ne m'étais jamais senti floué, qu'elle ne m'avait jamais menti, me convaincre que je n'avais jamais profité de ses mensonges, et vivre, faire comme si je vivais dans le silence rose et habitable de ceux qui préfèrent ne pas faire, ne pas savoir, ne pas demander, et vivent, ou le croient. Mais j'aimais cette femme. Je l'aimais tellement que, parfois, l'amour que j'éprouvais pour elle m'étourdissait, me débordait, devenait plus grand que moi et se concentrait entre mes tempes comme un accès de fièvre tropicale et soudaine. Je l'aimais tellement que, en ce moment, pendant que je sentais le sol se dérober sous mes pieds et le vide toucher le centre de mon estomac, un prix beaucoup plus élevé que le plaisir de tous les vertiges – la certitude que je n'éprouverais jamais plus de dégoût ni de honte en me souvenant de la lumineuse disproportion de son corps nu – parvenait à maintenir un fil de chaleur dans mon cœur engourdi par le froid. Je l'aimais tellement que je ne pouvais mépriser son silence, les raisons de sa fuite, son secret, ni la condamner à la demi-existence d'une fiction satisfaite de sa pauvreté.

« Parle-moi, Raquel. » J'écartai ma tête de la sienne, la regardai, l'embrassai sur la bouche, et j'aurais pu ne rien faire d'autre de toute ma vie, mais elle ne le méritait pas, et moi non plus. « Dis-moi quelque chose, s'il te plaît.

— Je t'aime, Álvaro.

— Et moi aussi. »

Puis elle se libéra de mon étreinte et écarta son corps, mais resta proche, allongée sur le côté, me regardant en face.

« Je ne sais pas par où commencer... »

Je m'appuyai contre les oreillers, allumai une cigarette et attendis.

Raquel souffre plus que toi, m'avait dit Berta, et je ne l'avais pas crue, je n'avais pas été capable d'imaginer une angoisse plus grande que mon incertitude, mais maintenant je la voyais souffrir, fermer les yeux, serrer les paupières, les rouvrir, me regarder, regarder le plafond, puis le drap puis refermer les yeux, de plus en plus pâle, plus mal à l'aise, aussi inquiète qu'un rat de laboratoire enfermé dans une cage, un animal sans défense, torturé par la passive indifférence de son propriétaire, et ce rôle était le mien, et il ne me plaisait pas.

Je me tournai vers elle et glissai la main droite sous sa tête.

« Commence n'importe où. Je suis de ton côté.

— Ça, tu ne le sais pas, Álvaro.

— Si, je le sais. » Elle avait raison, je ne le savais pas, mais je pouvais compenser ce mensonge par une vérité plus importante. « Parce que je ne veux pas que tu repartes. »

Alors elle referma les yeux, acquiesça plusieurs fois de la tête comme une petite fille qui accepte sa punition, s'assit sur le lit et me regarda.

« La première chose qu'a faite mon grand-père Ignacio avec ma grand-mère Anita, après avoir couché avec elle, fut de lui apprendre à lire et à écrire. » Elle parlait d'un ton calme, sans hésitation, loin encore de la honte et des larmes. « Elle avait dix-huit ans, mais elle était analphabète car elle avait grandi dans la montagne, à plus de trois kilomètres du village le plus proche. Son père était garde forestier, et il ne pouvait l'envoyer à l'école. Ignacio avait six ans de plus qu'elle, et il avait abandonné ses études de droit en troisième année, pour s'enrôler. Quand ils se connurent, ils étaient à Toulouse, en pleine guerre mondiale, ma grand-mère réfugiée sans papiers chez mes arrière-grands-parents, et il s'y cacha aussi car il venait de s'enfuir d'un camp. Il s'est enfui souvent, de beaucoup d'endroits. Comme ils n'avaient pas de livres de lecture en espagnol, mon grand-père l'envoya acheter deux cahiers et il les lui fabriqua. Il avait appris à lire à de nombreux miliciens, et à force de s'en servir, il connaissait les livres par cœur. La première phrase que ma grand-mère parvint à lire en entier fut : Anita est une petite pomme. Il lui écrivait ça, pour la faire rire. »

Elle s'arrêta sur le rire de sa grand-mère pour étudier ma réaction et n'observa dans mes yeux aucun signe d'impatience ou de découragement. Je n'étais pas pressé

« C'est la première chose que j'aurais dû te raconter. Et j'ai failli le faire l'après-midi où tu m'as emmenée au musée, quand cette fillette si laide qui trouvait que quelque chose était bizarre, mais ne savait pas quoi, s'est approchée de nous et...

— Elle était laide ? l'interrompis-je, et je la vis sourire pour la première fois depuis longtemps.

— Oui, très. Tu ne t'en souviens pas ?

— D'elle si, mais je ne l'ai pas trouvée laide.

— Elle l'était. Elle avait une face de poisson, les yeux très écartés, et elle était grosse, lourde...

— Elle était très intelligente, me rappelai-je.

— Oui, dit-elle. C'est ce que tu as dit : une fille intelligente, c'est pour cela que cela vaut la peine de travailler ici. Tu t'en souviens ? Et tu étais si content, si satisfait, que j'ai failli te raconter... eh bien, l'histoire des cahiers, de ma grand-mère, parce que... Je ne sais pas, soudain tu ressemblais tellement, aux gens dont on m'avait toujours parlé, à ma famille, à leurs amis... Ce fut comme si j'avais déjà vu cette scène, comme si je l'avais vécue avant, ou non, comme si je ne l'avais pas vécue mais qu'on me l'avait souvent racontée. Quand j'étais petite, on m'a raconté de nombreuses histoires semblables. Tu ne comprends peut-être pas, c'est difficile à expliquer, mais c'était la seule chose qu'il leur restait, la culture. Éducation, éducation et éducation, disaient-ils, c'était comme une devise, une consigne répétée à de multiples reprises, la formule magique pour arranger le monde, pour changer les choses, pour rendre les gens heureux. Ils avaient tout perdu, ils s'en étaient sortis en faisant des métiers bien en dessous de leurs capacités, écoles, boulangeries, standards téléphoniques, mais il leur restait ça. Il leur resta toujours ça. Et ils ne l'oublièrent jamais, même après, quand mon grand-père acheva ses études, quand il trouva du travail dans un cabinet d'avocats puis en monta un autre avec un ami français et commença à gagner de l'argent. Pour ma grand mère, ce fut encore plus remarquable, parce qu'elle obtint un titre d'institutrice dans les garderies, tu sais ? C'est amusant, mais elle s'y est consacrée pendant de nombreuses années, prélecture et préécriture, ce fut elle qui m'apprit l'alphabet, enfin, à moi, à mon frère, à ma sœur et à tous mes cousins.

— À Annette aussi, dis-je.

— Oui, à Annette aussi. Au fait, tu lui as beaucoup plu, à Annette. Quand elle est venue nous dire au revoir et m'a remis ton mot, elle était entièrement de ton côté. Elle t'avait trouvé

charmant, très bien élevé, et au bord du suicide. Elle m'a
demandé comment je pouvais te traiter aussi mal, ce que tu
avais fait pour que je te punisse aussi durement. Et je lui ai
dit que tu n'avais rien fait... » Sa voix s'éteignit et ses yeux
évitèrent les miens. « Que c'était moi qui avais tout fait... J'aurais dû te raconter l'histoire de mes grands-parents cet après-
midi-là, Álvaro, mais je n'ai pas osé. J'ai eu peur que tu continues à poser des questions, que tu finisses par comprendre...
C'est pour ça que je t'ai dit que je n'avais pas envie de parler
de ton père. Tu me plaisais beaucoup, il y avait longtemps
qu'un homme ne m'avait pas plu autant, et je ne voulais pas
tout gâcher, tout perdre avant de commencer, et comme tu
m'as dit que toi non plus tu n'avais pas envie de parler de lui,
eh bien... Ça y est, me suis-je dit. Ça y est. Quelle idiote. J'aurais dû penser que tout ce qui arriverait ensuite serait de ma
faute, que tu finirais par apprendre un jour que je t'avais
menti. J'aurais dû y penser, t'en parler, te dire la vérité avant
de commencer. Mais j'ai eu peur, et maintenant... Tout est de
ma faute. »

Jusqu'à ce moment, les sourires qui voyageaient dans la
voix de Raquel étaient parvenus à caresser mon âme meurtrie,
à nettoyer mes blessures avec la promesse d'une suture nette
et éclairée, de pressentir les cicatrices roses qui ne seraient
pas toujours douloureuses, et nous étions rue Jorge Juan,
dans cet appartement que mon père lui avait offert je ne
savais encore ni comment ni pourquoi, une souricière à ma
mesure, des bougies à demi consumées autour du jacuzzi et
un godemiché en caoutchouc dans le tiroir de la table de nuit
de mon côté. Je n'avais pas oublié, je ne pourrais jamais
oublier, mais je ne voulais pas perdre Raquel non plus, renoncer si vite à cette histoire qui était trop longue, trop ancienne
pour déboucher sur un lieu aussi proche, aussi petit que la
distance qui nous séparait, mais qui parlait de moi, et d'elle,
et nous laissait encore sourire. Aussi me redressai-je entièrement, l'étreignis-je, l'entraînai-je avec moi avant d'obtenir
qu'elle s'accroche à mon corps comme un naufragé à l'unique
planche qui flotte sur l'Océan, et je l'embrassai avant de lui
offrir une sortie qu'elle ne m'avait pas demandée.

« Tu étais chez ta grand-mère ?

— Oui.

— Je le savais. Je te jure que je le savais. J'étais sûr que tu étais allée là-bas.

— Pourquoi ?

— Je ne sais pas, mais je le savais. Et je suis souvent allé à Canillejas, crois-moi. Au hasard, bien sûr, parce que c'est un quartier que je ne connais pas, mais je conduisais en regardant tout le temps par la fenêtre pour le cas où je te verrais. Tu m'as vu ?

— Non.

— Mais tu ne m'aurais pas dit bonjour.

— Je ne sais pas.

— Mais si tu avais été avec ta grand-mère, certainement, car elle aussi aurait été de mon côté, je suppose.

— Ne crois pas ça, elle... Ouh ! »

Alors elle répéta la séquence de mouvements qu'elle avait commencée auparavant, quand je l'avais priée de me dire quelque chose, comme si elle ne pouvait pas parler et me prendre dans ses bras en même temps, et elle se releva d'un coup, s'assit sur le lit, se couvrit le visage des mains, les laissa glisser lentement avant de les appuyer sur ses cuisses et me surprit beaucoup plus que la première fois.

« Dis-moi, Álvaro, commença-t-elle d'une voix devenue adulte, sérieuse, presque solennelle, tu ne sais pas qui je suis ?

— Eh bien... » J'étais si déconcerté que je ne parvins pas à lui offrir la réponse la plus évidente, mais elle sut interpréter mon silence.

« Non, je sais que tu sais qui je suis, Raquel Fernández Perea, qui habite place des Guardias de Corps, et travaille à Caja Madrid. Je veux parler de... Avant de me connaître comme tu me connais maintenant. Tu n'as jamais entendu parler des Fernández Muñoz ? Chez toi, par tes parents... Ça ne te dit rien ?

— Je ne sais pas... » Je réfléchis un instant parce que j'eus la sensation que c'était une question très importante et je voulais être sûr de ma réponse. « Non, je ne crois pas. Ce sont des noms très courants, mais... Non. Je ne me souviens pas d'avoir entendu mes parents les mentionner.

— Vous ne parliez pas de nous, récapitula-t-elle, avec ce sourire triste qui palpitait avec modestie, mais aussi avec orgueil, comme ces douleurs auxquelles les malades ne savent ni ne veulent renoncer. C'est mieux pour moi, et moins bien pour toi.

— Pourquoi ? »

J'étais encore serein et ma curiosité était innocente, mais elle ne me répondit pas tout de suite, comme si elle devait faire un effort pour trouver une réponse.

« Parce que ce que je vais te raconter va te prendre au dépourvu, et ne te plaira pas, répondit-elle, en parlant très lentement, mais pour moi le contraire serait pire. J'y pense depuis longtemps, et je savais que ce n'était pas possible, car si tu l'avais su et que tu avais eu une liaison avec moi sans rien me dire... Tu ne serais pas... Non. Je savais que ce n'était pas possible, mais j'avais très peur de te le demander. Et pourtant, c'était possible, parce que... » Je la regardais, l'écoutais et n'osais pas l'interrompre, car elle était partie loin, dans un endroit où je pouvais à peine faire autre chose que la regarder, entendre sa voix sans comprendre le sens des mots qu'elle prononçait, jusqu'à ce qu'elle lève soudain la tête pour me regarder dans les yeux. « Tu te souviens de moi, Álvaro ?

— Je ne fais rien d'autre depuis un mois, tu le sais », lui dis-je, et je me rendis compte que ce n'était pas la réponse qu'elle attendait, mais je n'en avais pas d'autre à lui fournir.

« Non... Il y a beaucoup plus longtemps... » Elle fit une pause et regarda à nouveau de tous côtés, comme un animal traqué, avant de revenir à moi. « En mai 1977.

— En mai 1977 ? » Je me mis à rire devant cette drôle d'idée, une date absurde, si lointaine qu'elle ne semblait même pas réelle. « Mais Raquel, en 1977 j'avais... !

— Douze ans, m'interrompit-elle. Et moi huit. Tu habitais rue Argensola, dans un appartement très grand et très joli, qui avait un couloir immense avec un tapis qui s'achevait à un tournant, et ensuite, dans le fond, il y avait la cuisine, avec des portes à battants de bois blanc, avec sur chacune une fenêtre ronde, comme celles des bateaux. »

Elle fit une pause pour me regarder et ce furent alors mes yeux qui cherchèrent le secours des murs, du plafond, avant de revenir à son visage, à l'expression neutre à laquelle je ne sus répondre.

Raquel poursuivit, prononçant maintenant les mots justes, d'une voix claire, nette, qui excluait les doutes, les hésitations : « Ce jour-là était un samedi, et je suis venue chez toi, avec Ignacio, mon grand-père. Je ne vous connaissais pas. Je n'avais jamais entendu parler de vous. Les samedis après-midi, mon grand-père m'emmenait toujours en promenade, et ce jour-là il m'annonça qu'il devait aller voir un ami. Mais ça ne va pas être amusant, avais-je protesté, et il me répondit que si, parce que son ami avait des enfants de mon âge. Quand nous sommes arrivés, ta mère m'a demandé si j'avais envie d'aller à la cuisine, pour goûter avec toi et avec Clara, ta sœur. Je n'avais pas envie, mais mon grand-père m'y a poussée et je n'ai pas osé protester parce que tout était très bizarre. Ta mère avait eu très peur en nous voyant, elle était très nerveuse, et elle se frottait tout le temps les mains. » Raquel s'arrêta, me regarda à nouveau, et je perçus une ombre d'angoisse dans sa voix. « Tu ne te rappelles pas ?

— Non.

— Au centre de la cuisine, il y avait une table en bois et ta sœur et toi vous étiez déjà assis. La première chose que j'ai pensée, c'est que vous ne vous ressembliez pas du tout, et ensuite qu'elle était très jolie, une fillette comme on en voit dans les publicités, si blonde, la peau si blanche, des yeux immenses, très beaux, et des cils longs et recourbés comme s'ils avaient été faux. Alors la cuisinière, qui s'appelait Fuen-santa, nous a servi le chocolat, et elle a posé sur la table un saladier contenant des brioches et un autre avec des croûtons, et elle nous a dit de ne pas tout manger parce que tes frères allaient revenir du football, affamés. Mais on a beaucoup mangé, parce que le chocolat était très bon, et tu m'as demandé si j'étais ta nièce.

— Moi ? Mais comment est-ce que je t'aurais demandé ça ? »

Cette énormité me fit réagir, mais elle ne sembla pas le remarquer, et elle hochait la tête pendant que je commençais à buter sur ma langue, mes dents, sur un instinct obscur qui me poussait à refuser cette histoire absurde, fausse, qui ne pouvait être exacte même si elle avait beau s'entêter et conti-nuer à la défendre de la tête dans une séquence de mouve-ments lents, qui ne servirent qu'à augmenter mon impatience pour la conduire au bord de la colère.

« À quoi jouons-nous, Raquel ? Et toi, à quoi joues-tu ? Ne dis donc pas de bêtises, vraiment, je ne comprends pas... Je ne vois pas où tu veux en venir, ni d'où tu as tiré tout ça, vraiment, je ne sais pas qui te l'a raconté, comment tu as appris le nom de Fuensanta, comment était ma maison, mais je n'en crois pas un mot, tu sais, et je vais te dire une chose : ça suffit...

— Tu ne te souviens de rien ! » Son insistance avait réussi à me rendre furieux et Raquel s'en était rendu compte, mais mon manque de mémoire l'affecta beaucoup plus que sa mémoire n'était parvenue à m'irriter, et l'étonnement me laissa à nouveau bouche bée tandis qu'elle commençait à cracher les détails avec la véhémence d'une mitraillette. « Ce n'est pas possible, Álvaro, tu dois t'en souvenir, je suis restée longtemps, après le goûter, nous sommes allés dans une pièce où il y avait un train électrique monté sur un panneau, entre deux balcons, à gauche il y avait ta chambre, à droite celle de Clara, elle voulait jouer à la poupée avec moi, elle avait deux jumelles que lui avaient apportées les Rois, une blonde, habillée en bleu, et une rousse, habillée en vert, mais tu ne l'as pas laissée jouer avec moi, tu voulais me montrer le train, tu l'as mis en marche, tu en étais très fier, tu avais deux locomotives et tu me montrais les tunnels, les feux de signalisation, alors ton père est arrivé et il a sorti deux chupa-chups de derrière mes oreilles, la première à l'orange, la deuxième à la fraise, et ta mère est venue le chercher. Tu dois t'en souvenir, Álvaro, quand je suis partie je tenais encore la poupée à la main, Clara m'a demandé de la lui rendre mais ta mère s'est entêtée à me l'offrir, et je ne la voulais pas, mais elle ne l'a pas laissée s'approcher, ta sœur pleurait. Mais ce sont des jumelles, maman, comment est-ce que je pourrais lui en donner une ? disait-elle, et alors... » À cet instant, l'expression de mon visage changea, et Raquel le découvrit à temps. « Tu t'en souviens, maintenant ?

— C'était toi... », dis-je, et je pus à peine croire le son de ma propre voix. « La fillette à la poupée, c'était toi...

— Oui. » Et elle ferma les yeux pendant que son corps se relâchait soudain, comme si elle venait d'arriver au sommet d'un grand effort. « C'était moi.

— Mais je ne me souviens pas de toi, Raquel, pas de toi. » Je hochai la tête, j'étais totalement abasourdi. « Je ne me souviens pas de toi, il y a de quoi se fier au destin, décidément... Ce dont je me souviens, c'est de la poupée, ou plutôt, de la colère de ma sœur en voyant que c'était Mariloli, la fille du concierge, qui l'avait. Je me souviens qu'elle est allée la lui réclamer et que la fillette a dit non, qu'elle l'avait trouvée jetée dans la rue et que c'était la sienne.

— Je ne l'ai pas jetée. Je l'ai laissée sur un banc, avec une chupa-chups de chaque côté.

— C'est pareil. Clara l'a très mal pris, elle m'en a parlé, ainsi qu'à mon frère Julio, elle a tellement insisté qu'à la fin nous avons dû descendre pour demander la poupée à Mariloli, mais elle n'a pas voulu nous la donner non plus. Et Clara, qui était la plus petite, et très gâtée, l'a raconté à mon père, ma mère était présente et ne l'a pas laissée finir son histoire. Elle lui a donné une gifle terrible. Je n'avais jamais vu ma mère frapper aucun d'entre nous, et ne l'ai jamais revue, bien sûr. Je me souviens de cet épisode, et ma sœur aussi ne l'a jamais oublié. Elle en en parle encore de temps en temps : quelle injustice, maman n'aurait pas dû l'offrir à cette petite fille et encore moins permettre à Mariloli de la garder. Maintenant tout le monde en rit, mais elle en a pleuré pendant très longtemps.

— Je suis désolée. » Et soudain, sans aucune raison, ses yeux se remplirent de larmes. « Je suis vraiment désolée. Clara avait raison. Je l'avais dit à ta mère, mais elle ne m'a pas écoutée.

— Mais alors... » Ce ne fut qu'après avoir confirmé l'authenticité de cette histoire que j'osai songer à ses conséquences. « Alors, toi et moi...

— Nous sommes cousins, répondit-elle avec une tranquillité qui me sembla presque offensante, tant elle était inconcevable. Au troisième ou quatrième degré, je ne sais pas. Le père de mon grand-père Ignacio, Mateo, était le frère du père de ta grand-mère Mariana, qui s'appelait Lucas. Notre arrière-arrière-grand-mère était manifestement très croyante, et elle a donné des noms des saints évangélistes à ses fils... » Alors elle se brisa à nouveau, et une angoisse concrète, plus définie, grandit dans sa voix, et devint plus forte qu'elle. « Mais tu ne le savais pas, n'est-ce pas, Álvaro ? Tu ne pouvais pas le savoir, dis-moi que tu ne le savais pas. Quand tu m'as demandé s'il était possible qu'on soit parents, la première fois où nous avons déjeuné ensemble, tu n'avais aucun idée...

— Non. Je ne le savais pas, répondis-je, encore ébranlé par ces deux mots, notre arrière-arrière-grand-mère, cet adjectif qui nous avait réunis dans un lieu où je n'avais jamais imaginé qu'on puisse être ensemble.

— Et pourtant, cet après-midi-là, quand nous nous sommes connus, pour la première fois, l'idée t'a plu, elle vous a plus à tous les deux. « Nous n'avons pas de cousins », a dit Clara. Et je vous ai raconté que j'en avais plein, que certains vivaient à Paris, j'ai parlé d'Annette, je vous ai dit que j'étais née là-bas, et tu doutais que je sois espagnole. Tu as dit : Ceux qui sont nés en France sont français. Tu ne te souviens pas de ça non plus ?

— Non, mais ça n'est pas la peine. D'après ce que je vois, tu t'en souviens pour nous deux.

— Oui, je me souviens de tout. Pour toi, c'était sûrement un samedi normal, une fillette qui vient en visite, qui goûte, qui s'en va... J'y ai pensé souvent. Si j'étais toi, je ne m'en souviendrais pas non plus. En fait, je ne me souviens pas des enfants qui venaient chez moi quand j'étais petite, je ne me souviens même pas très bien des quelques amis français de mes parents qui venaient parfois passer le week-end. Mais là je me souviens de tout parce que, pour moi, cette journée fut très importante. Cet après-midi, en sortant de chez toi, j'ai vu pleurer mon grand-père... Et mon grand-père ne pleurait jamais. Jamais... Il n'a pas pleuré le jour de la mort de Franco, ni le jour où il est rentré en Espagne après trente-sept ans d'exil, ni même quand il a bu à nouveau du vermouth, à une terrasse de las Vistillas, car pour lui, cela prouvait qu'il était vraiment à Madrid, à nouveau, après si longtemps, mais même ce matin-là il ne lui échappa pas une seule larme. Et pourtant, en sortant de chez toi, ce samedi de mai 1977, il s'est assis sur un banc, place des Salesas, et il a pleuré... »

Alors ce fut elle qui se mit à pleurer, mais les pleurs ne l'arrêtèrent pas. Les larmes tombaient doucement de ses yeux, à un rythme lent, presque harmonieux, et semblaient souligner chacune de ses paroles, et elle ne les essuyait pas mais les acceptait comme un destin juste et continuait à parler.

« Je lui ai demandé ce qui s'était passé, je le lui ai demandé... Il m'avait offert une glace et il avait retrouvé son calme. Nous marchions tous les deux sur Recoletos, vers Cibeles, mangeant nos glaces, je lui ai demandé : que s'est-il passé, grand-père ? Et je croyais qu'il n'allait pas me répondre... »

Je la voyais pleurer et je ne faisais rien, je ne la caressais pas, je ne la consolais pas, je n'osais pas parler, ni même la toucher, car ces pleurs étaient encore incompréhensibles pour moi et ne m'appartenaient pas, je n'avais aucun droit d'intervenir.

« Je n'avais que huit ans, mais il aimait parler avec moi... On parlait beaucoup, beaucoup, mais j'ai cru qu'il n'allait pas... Et il m'a répondu : C'est une très longue histoire, et très ancienne, tu ne la comprendrais pas et tu ne dois pas la connaître non plus. Et je lui ai demandé pourquoi, et j'ai cru qu'il n'allait pas répondre à ça non plus, mais il me l'a dit... Il me l'a dit... »

Et soudain, ses sanglots explosèrent, se répandirent avec la nécessité catastrophique d'un barrage qui craque, d'une digue qui se brise, une rivière qui déborde pour tout inonder. Ainsi les sanglots l'inondèrent et je les vis, je vis ses yeux liquides, sa peau colorée, les joues mouillées et les lèvres tendues, crispées dans une grimace aussi forcée que la bouche d'un masque. Je les vis, je la vis, mais elle continua à parler, bousculant la tristesse par des mots, et je l'écoutai, je continuai à l'écouter.

« Nous sommes de retour, maintenant. Voilà ce qu'il m'a dit... Il m'a dit que la logique serait que je vive toujours ici... Et que pour vivre ici... Pour vivre ici, il y a des choses qu'il vaut mieux ne pas savoir, et même ne pas comprendre... Voilà ce que m'a dit mon grand-père, et il savait pourquoi il me le disait, il le savait, et c'est... C'est le plus important... Personne ne m'a jamais dit quelque chose d'aussi important, mais le temps a passé, beaucoup de temps, il est mort et je l'ai oublié... Je ne l'ai pas écouté, il avait raison et je ne l'ai pas écouté, et pourtant... »

Alors elle marqua une pause consciente, différente de toutes celles qui avaient fait couler ses larmes, à sa congestion, à l'intermittence des gémissements qui avaient annoncé ou achevé ses sanglots. Cette pause fut différente et m'appartint, car elle ne la fit que pour moi, pour me regarder.

« Et pourtant, si je l'avais écouté, si je n'avais pas oublié ses paroles et ce qu'elles signifiaient, je ne t'aurais jamais connu, Álvaro, je ne t'aurais jamais connu, Álvaro, je ne t'aurais jamais connu... »

Quand Raquel s'endormit, il faisait presque jour. J'eus plus de mal à m'endormir qu'elle, et je me réveillai le premier. Il était très tard. Le soleil réchauffait la pièce par-delà les persiennes closes, les rideaux tirés, et on entendait le murmure intermittent, faible mais soutenu, d'une rue à la circulation difficile aux heures de pointe, klaxons, coups de frein, camions. Je recevais ces sons avec étonnement, sans me décider à fêter leur compagnie, cet indice de réalité qui certifiait le cours de mon existence, ou à me lamenter sur leur irruption dans la solitude absolue qui m'entourait. J'étais seul. Raquel dormait à côté de moi et j'aimais la voir dormir, car dans la tranquillité du sommeil ses traits s'affirmaient, l'irrésistible proportion de ses hanches s'accentuait et sa peau reposait dans sa propre perfection. Raquel dormait toujours, je la regardais dormir, et j'étais seul. Absolument, épouvantablement, seul. Seul au milieu d'un désert, une étendue infinie de terre brûlée, un champ de bataille dévasté jusqu'aux racines, où les vautours se sont lassés de picorer les cadavres et les feux ont cessé de fumer. J'étais là, au centre du néant. Seul.

« Pourquoi m'as-tu amené ici ? » avais-je demandé à Raquel vers la fin, pendant que la vérité prenait la forme d'un gigantesque grumeau de poussière grise, une pelote informe de saleté éclaboussée de quelques gouttes de sang séché, du vieux sang, précieux ou inutilisable, mais du sang. « Je n'aime pas cet endroit. »

À l'époque, j'avais commencé à calibrer la nature répugnante de la vérité congelée, sale, laide et triste, qui colonisait mon palais, et descendait dans ma gorge pour infecter mon œsophage, mon estomac, mes poumons. Je respirais de la poussière, j'en mâchais, j'en avalais, et la poussière pesait sur mes cils, se répandait entre mes dents, je pouvais la voir sous mes ongles, la sentir remplir progressivement toutes les cavités de mon corps, percevoir son craquement dans mon cerveau, et je lui demandai cependant pourquoi elle m'avait amené ici, je le pensai, je le dis, c'était ma voix, ce furent mes yeux qui la regardèrent, qui sentirent la brûlure des larmes en contemplant ses yeux, gonflés, aussi tendres que sa faute. Je pleure très peu. « Prends ça, Álvaro, m'avait dit ma sœur Angélica le jour de l'enterrement de mon père, tu n'as pas pleuré et ça te fera du bien. » Je pleure peu, très peu, presque jamais. Cette nuit-là je n'arrivai pas à pleurer, mais je sentis l'épuisement des yeux de Raquel dans les miens quand elle me répondit, avec l'expression de qui ne pleure pas parce qu'il n'y a plus de larmes à verser.

« Moi non plus je n'aime pas ça, me répondit-elle, mais j'ai pensé que, si un jour nous nous sortons de cette histoire... Si un jour tu oublies quel genre de femme je suis, quel genre de choses je suis capable de faire, si tu parviens à me regarder, et à m'écouter, sans penser que je te trompe, que je te trompe depuis le début, eh bien... Je ne sais pas. J'ai pensé qu'alors ce serait bien que nous ayons parlé ici, parce que nous n'aimons cette maison ni l'un ni l'autre, parce que nous n'y reviendrons jamais. »

Nous n'y reviendrons jamais. Quand je me réveillai, il était très tard, mais Raquel dormait toujours, je la regardais dormir, et j'étais seul. Je ne me supportais pas, ni la présence de ma mémoire, son inévitable, insupportable activité, maintenant que je ne savais plus qui j'étais, et le tout avait grandi au point de déborder les limites du chaos, d'une petite envergure domestique, face à l'incomparable étendue de l'ordre. Je suis physicien, et j'ai besoin de prédire. Cette définition s'était écrasée contre elle-même comme tous les calculs, tous les principes, tous les axiomes que j'avais acquis, appréciés, et appris à manipuler pendant la première partie de ma vie. La seule chose que je pouvais savoir était que, à ce moment, pendant que Raquel dormait et que le soleil chauffait la pièce à travers les persiennes baissées, les rideaux tirés, et que le faible écho d'une rue à la circulation problématique parvenait à mes oreilles, commençait la deuxième partie de ma propre histoire, un horizon vide, nu, aux contours gigantesques et diffus, que je ne pouvais contempler qu'avec l'imprécision d'un nouveau-né, d'un regard qui n'a pas encore commencé à être conscient de sa fonction, de sa nature.

Ma vie avait tellement changé et si vite, comme si mon passé avait appartenu à la mémoire d'un autre homme. Cependant c'était ma mémoire qui m'accompagnait, ma mémoire qui me bombardait sans trêve d'images, avec des gestes, des paroles vieilles et récentes, toutes anciennes désormais, toutes inutiles, et surtout, la joie et le doute, l'émotion et la fatigue de l'homme qui était arrivé dans cette maison seulement quelques heures plus tôt. Cet homme était généralement moi, avait été moi, mais ne l'était plus. Et je ne savais plus qui j'étais, ce que je pouvais attendre, ce que j'attendais, ce que j'aurais dû faire, ce que j'allais faire quand la femme qui dormait à côté de moi se réveillerait. « Pardonne-moi, Álvaro, s'il te plaît, pardonne-moi, pardonne-moi... » Je n'avais pas répondu, je ne pouvais pas répondre, mais je l'avais prise dans mes bras, je l'avais embrassée, je l'avais serrée contre moi et j'avais maintenu la pression pendant long-temps. J'aimais cette femme, je le savais, mon corps, mes yeux, mes mains le savaient, ainsi que la seule parcelle de cette mémoire mystérieuse, étrangère, que je pouvais encore connaître comme mienne. La seule chose que je savais était que j'aimais cette femme, et pourtant, je ne savais que faire, que dire, quelle décision prendre quand elle se réveillerait. Il faisait presque jour et Raquel s'endormit, mais j'eus plus de mal.

« Ne t'y trompe pas, Álvaro, ce ne fut pas une vengeance, me dit-elle quand tout semblait terminé et n'avait fait que commencer. Je ne voulais pas, je ne pouvais pas me venger. Il s'était passé trop de temps, j'étais trop loin de Paris, de la défaite, de la victoire, de 1946, de 1947... Je ne le dis pas pour me défendre, ce n'est pas ça, au contraire. La vengeance est noble, car c'est une passion. Une passion maladroite, faible, toujours inutile, car elle ne rend jamais ce que l'on y a investi, mais une passion, et moi... J'ai tout fait sans passion, Álvaro, par pur calcul. Je suis économiste, tu le sais. »

Et elle continua à couper tous les raccourcis, à me dépouiller de toutes les consolations, me désignant, un par un, chaque trou, chaque ronce, chaque marais qui accidentait l'unique sortie du labyrinthe. Désormais écrasée par l'épuise-ment physique qui suit la fatigue morale, elle parlait avec sérénité, sans compassion pour moi ni pour elle-même.

« Quand j'ai lu le nom de ton père sur ce contrat, je n'avais aucune idée de l'histoire de Paloma. Je savais pour son mari, oui, je savais qu'une de ses cousines l'avait dénoncé, qu'il avait été fusillé, et qu'il lui avait écrit de prison une lettre pleine d'amour, ça, je le savais, je l'avais souvent entendu raconter. Mon grand-père disait toujours qu'il n'avait jamais vu d'homme aussi amoureux d'une femme que son beau-frère de sa sœur. Et je la connaissais, c'était une femme très étrange, qui semblait plus âgée que ses frères et sœurs et qui ne parlait presque pas. Je l'avais toujours vue assise dans un fauteuil, chez María, sa sœur, qui était formidable, sympathique, amusante et très bonne cuisinière, et possédait une maison avec un jardin, remplie d'enfants, de petits-enfants, et un mari que je trouvais aussi sympathique qu'elle, l'oncle Francisco, qui venait d'un village de la province de Tolède et... »

Alors elle me regarda, fit non avec la tête comme si elle avait voulu se mordre la langue et se tut soudain.

« Et alors ? demandai-je.

— Rien. J'allais dire une bêtise.

— Laquelle ? »

Elle hocha à nouveau la tête pour me regarder.

« J'allais te dire que l'oncle Francisco faisait des pâtes d'amandes pour tout le monde à Noël. Et que je n'aime pas la pâte d'amandes, mais je mangeais toujours une figurine en sa présence quand on allait les chercher chez lui, pour ne pas le vexer. Et que c'était la seule chose que je savais, rien d'autre. Quand ma grand-mère m'a raconté ce qui s'était passé, alors j'ai mieux compris la vie de Paloma, cette morte-vivante, mais en théorie seulement, tu sais, parce que j'étais trop loin de Paris, de la victoire, de la défaite, de tout. Et des veuves tragiques, cette exagération, toute cette dramatisation, la vie en noir des deuils perpétuels... En théorie, j'ai mieux compris, en pratique cela ne m'a servi qu'à confirmer que la vengeance est une mauvaise affaire. J'en ai ras le pompon de la guerre civile, chantait mon père tous les dimanches, quand nous rentrions à la maison après le déjeuner. Grand-mère Anita faisait toujours de la paella le dimanche pour nous inviter tous.

— Ma mère aussi fait la paella le dimanche. Et elle aussi nous invite tous.

— Oui, enfin, on sait qu'il n'y a rien de mieux que la paella. Mais quand on sortait dans la rue, mon père chantait "j'en ai ras le pompon de la guerre civile", et ma mère et ma tante Olga faisaient le chœur, zim-boum, zim-boum, et nous les enfants, on riait parce que c'était comme le blasphème pour les catholiques, une horreur, une chose qu'on ne pouvait pas dire, qu'on ne pouvait même pas penser... "J'en ai ras le pompon du Cinquième Régiment, zim-boum, zim-boum..." Nous étions morts de rire, et mon oncle Hervé, le mari d'Olga, qui était français et ne comprenait rien, nous regardait comme si nous étions fous. Nous l'étions peut-être, mais cette folie m'empêcha de comprendre l'histoire de Paloma, les paroles de mon grand-père, "pour vivre ici, il y a des choses qu'il vaut mieux ne pas savoir et même ne pas comprendre..." Je ne voulais pas me venger, Álvaro. Cela aurait été mieux, plus noble, plus honnête. Mais je suis pire que mes grands-parents, je suis pire que Paloma, ou je l'étais, du moins, quand tout cela a commencé. Nous sommes tous pires, non ? les Espagnols d'aujourd'hui, pires que ceux d'avant. Ce pays n'a fait que dégénérer, tu t'en souviens ? C'est ce que vous disiez, Berta et toi, ce soir-là, quand j'ai dit que je me sentais mal parce que je ne pouvais pas continuer à t'écouter, Álvaro, parce que j'étais malade de chagrin, de honte. Tu parlais de ta grand-mère et je me méprisais tellement que je ne pouvais plus le supporter. Je ne voulais pas me venger, je suis une Espagnole, de celles d'aujourd'hui, et je voulais seulement faire une bonne affaire, gagner beaucoup d'argent, réussir le coup de ma vie, c'était tout, en assurant mes arrières, ça oui, en souvenir de passions si vieilles que je ne les comprenais même plus. Mais ton père est mort avant l'heure, et cela a tout gâché. C'est ce qui est arrivé, Álvaro, ne t'y trompe pas. »

Alors elle s'arrêta, me regarda, lâcha le drap qu'elle avait torturé de ses doigts en parlant et j'en étudiai les plis, un par un, sans rien trouver à dire. De tout ce que j'avais appris cette nuit, ce qui me faisait le moins de mal était l'attitude de Raquel, froide, oui, et plus que ça, astucieuse, impitoyable, pas comme celle de mon père, mais comme celle de ma mère, comme celle de Mariana, ma grand-mère, et je ne pouvais pas les repousser, je ne pouvais pas les abandonner. Mes parents seraient toujours mes parents, je ne pouvais pas prendre la décision de les écarter de ma vie, mais elle n'y avait pas pensé, elle ne se rendait pas compte de ce que je pensais, de ce que j'éprouvais à cet instant.

« Tout cela n'avait pas de rapport avec toi, Álvaro, ce n'était pas contre toi. Je ne pouvais pas savoir que c'est toi qui viendrais me voir, je n'étais même pas sûre de qui tu étais quand je suis arrivée au cimetière, le jour de l'enterrement, et je t'ai vu seul, loin des autres. Tu ressembles beaucoup à ton père, c'est vrai, tu es identique à lui, comme une copie du Julio Carrión que j'avais vu sur les photos de fêtes d'anniversaire et de repas de Noël, posant avec les autres comme s'il était de la famille, mais j'ai pensé que tu pouvais tout aussi bien être un neveu ou quelque chose comme ça, parce qu'il n'était pas logique que tu ne sois pas avec ta mère. J'ai dû compter tes frères, tes beaux-frères, pour m'apercevoir qu'il en manquait un et tant que je ne t'ai pas vu embrasser les autres, à la fin, je n'ai pas été sûre. Je cherchais le seul enfant brun qui habitait dans cette maison où j'étais allée goûter quand j'avais huit ans, et c'était toi, mais je ne voulais pas que tu me voies. Je voulais que personne ne me voie, je voulais vous voir vous, seulement. C'est pour cette raison que je suis allée à l'enterrement de ton père, pour voir vos visages, pour connaître celui de ta mère, pour mieux me préparer. Mais rien ne s'est passé comme je l'escomptais. »

Elle s'arrêta à nouveau et, quand je la regardai, je vis qu'elle me regardait, qu'elle tendait prudemment les doigts de la main droite vers les miens, et les caressait, les posait sur eux, très lentement, les avançait jusqu'à entourer ma main et recevait leur pression avec soulagement.

« Tout cela n'avait pas de rapport avec toi, mais avec ta mère. J'étais contre ta mère... Quelle horreur, n'est-ce pas ? » Elle tenta de sourire, sans grand succès. « Quelle horrible façon de me défendre, je n'étais pas contre toi, je voulais juste enfoncer ta mère... Et pourtant... pourtant, tu as tout changé, Álvaro. Et c'est ça le plus ridicule, le plus absurde, parce que j'avais un plan pour gagner beaucoup d'argent, et ta mère ne s'en serait pas aperçue si ton père n'était pas mort avant l'heure, mais elle en a hérité en un certain sens. Quand il a disparu, je me suis retournée contre elle et elle ne le saura jamais, elle ne saura rien parce que tu es arrivé et que rien ne s'est passé comme je le voulais, et c'est bon pour tout le monde sauf pour toi, qui es le seul bon... Tu as sauvé ta mère, qui ne mérite pas de vivre tranquillement, et tu m'as sauvée moi, parce que si tu n'avais pas tout fait échouer sans le vouloir, j'aurais échoué moi aussi... »

Elle fit une pause, essaya à nouveau de sourire et y parvint cette fois. Mais je ne pus faire de même. La fermeté avec laquelle elle appliquait sa méthode, cette façon si méticuleuse, si perfectionniste, de se mépriser elle-même, avait commencé à me faire du mal, même si j'avais plus mal pour elle que pour moi.

« Au début, je ne m'en rendais pas compte. Au début, j'étais si sûre de savoir qui étaient les bons et les méchants, qui j'étais, quelle était mon histoire, je ne sais pas... Je ne voulais pas me venger, je ne pouvais pas penser que je voulais me venger, cela ne me revenait pas, ce n'était pas à moi de le faire, tu comprends ? Au passage, en faisant une bonne affaire, je gâchais la vieillesse de ton père, et tant mieux, j'étais vraiment sûre de ce que je faisais, j'étais si sûre de tout et qu'il ne méritait rien d'autre... Je ne voulais pas me venger, je ne pouvais pas, mais la vengeance me rassurait, assurait mes arrières, me servait à être plus indulgente envers moi-même. Jusqu'à cet après-midi au musée, Álvaro, où je t'ai vu parler à une fillette très laide, mais si intelligente que tu ne te souviens même pas de sa laideur. Je connaissais cette scène, je l'avais déjà vue, on me l'avait racontée tant de fois qu'il me semblait l'avoir déjà vécue, et alors, sans le vouloir, comme si un interrupteur automatique avait sauté tout seul, je t'ai vu avec les yeux de mon grand-père, Álvaro, je me suis retrouvée à te regarder avec les yeux de mon grand-père et j'ai compris que tu lui aurais beaucoup plu, beaucoup, beaucoup. Et ensuite je ne pouvais plus m'arrêter, parce que moi aussi j'étais là, avec toi, et mon grand-père avec nous, alors je me suis regardée, je me suis vue avec ses yeux et j'ai compris que je ne lui plairais pas du tout, en revanche. Je sais que c'est difficile à croire, que tu vas trouver que c'est une excuse facile, mais jusqu'à ce moment, je ne m'étais pas rendu compte de ce que je faisais. Jusqu'à ce moment, je n'avais pas compris ce que signifiaient mes projets, ce que j'allais devoir perdre pour pouvoir gagner autant d'argent. Il était mort, oui, mais ça ne faisait rien. Je restais sa petite-fille – je le serai toujours –, et je le traitais plus mal que quiconque, je le maltraitais plus que jamais, je le détruisais, c'était ce que j'étais en train de faire, moi qui l'aimais tant, qui l'aimais plus que tout, en devenant comme ton père...

— Non. »

Je me taisais depuis longtemps, traitant avec difficulté ce que j'entendais, mais cette réponse monta de mes lèvres spontanément.

Il lui fallut plus de temps pour me contredire.

« Non.

— Si.

— Non, Raquel. » Alors je la repris dans mes bras, la serrai très fort, me rappelai les bougies à demi consumées autour du jacuzzi, le godemiché en caoutchouc mauve qui semblait rempli d'une sorte de gel, les comprimés bleus dans cette petite boîte en argent au couvercle rayé. « Non.

— Pardonne-moi, Álvaro, s'il te plaît, pardonne-moi, pardonne-moi... »

Il faisait alors presque jour, et elle s'endormit, je restai éveillé, enviant sa faute, son sommeil. « C'est bon pour tous sauf pour toi », m'avait-elle dit, et elle avait raison, parce que je l'avais prise dans mes bras, je l'avais embrassée, je l'avais serrée contre moi et je la gardais encore comme ça. Elle s'était endormie en sachant que j'étais à ses côtés, mais moi, j'étais seul. Absolument, épouvantablement seul. Loin du sommeil, loin de la faute, loin de moi. Près de Raquel mais seul, l'unique habitant d'une réalité congelée et sale, laide et triste, aussi vaste que le monde, qui n'avait rien à voir avec moi et se trouvait pourtant à l'origine de ma propre existence. J'étais là, au centre du néant. Seul.

Maintenant que je connaissais enfin toutes les données du problème, sa résolution était plus difficile que jamais. À tel point que la première chose que je réussis à établir avec certitude fut que, même contre mon propre instinct, il aurait mieux valu pour moi que Raquel restât la maîtresse de mon père. Cette hypothèse traditionnelle, voire biblique, que j'étais parvenu à oublier dans les bons moments et au-delà de l'invraisemblance qu'avait formulée mon ami Fernando sous forme de devinette – ce qui était bizarre était qu'elle ne soit pas bizarre –, me faisait horreur et honte dans les mauvais moments, m'avait situé dans un endroit plus commode, plus habitable et civilisé, que le strict désert où la vérité venait de me déposer.

La solitude absolue n'est pas un bon endroit pour réfléchir et la poussière que je continuais à avaler, à mastiquer, à digérer pendant que Raquel dormait, troublait mes yeux et salissait ma pensée d'une patine épaisse, confuse. Je pouvais l'imaginer en train de parler à mon père, posant ses exigences sur le même ton qu'elle avait employé avec moi le jour où nous nous étions vus dans son bureau, cet accent sûr, confiant, solide et aseptisé à la fois, qu'elle avait acquis lors de nombreuses entrevues avec des clients tels que lui, des héritiers tels que moi. Je pouvais imaginer sans difficulté cette scène tendue et immorale, la plus grave, la plus dure à se rappeler pour elle, mais j'avais beaucoup plus de mal à la voir dans la maison où nous étions ensemble, semant des mines sur un terrain dessiné, conçu, armé pour ma mère, mais qui n'exploserait que sous mes pieds. Cette petite astuce du haschisch et des bougies, des peignoirs usés et l'alarme du réveil, me faisait mal, m'inquiétait, me désespérait beaucoup plus que le grand projet de son chantage. Parce que cela n'avait pas de rapport avec le passé, mais avec l'avenir.

Cette conclusion, si pauvre en apparence, signifiait que j'avais déjà choisi, mais je ne m'en rendis pas compte avant de m'être endormi d'épuisement. Je le compris le matin, et je compris aussi que ce n'était même pas une décision complète, mais sa carapace, à peine un simulacre de volonté. Entre se retrouver avec quelque chose et se retrouver sans rien, tout le monde préfère la première solution. Cela n'est pas choisir, c'est plutôt ne pas choisir, car le néant ne peut être comparé qu'avec lui-même.

« Comment te sens-tu ? »

Raquel se réveilla bien avant d'oser ouvrir les yeux. Je détectai le changement de rythme de sa respiration, contemplai un tour caractéristique, perçus le frôlement de ses pieds contre les miens, et aucun de ces signaux, dont l'absence avait défini tous mes réveils des deux derniers mois, ne m'émut autant que l'obstination de ses paupières closes. Raquel se réveilla bien avant d'oser ouvrir les yeux, mais elle osa s'approcher de moi, me prit dans ses bras avant de me demander comment j'allais, et ne me regarda qu'alors.

« Bien, répondis-je, même si ce n'était pas vrai.

— Non, tu ne vas pas bien. Tu ne peux pas aller bien. Je le sais, je le savais, c'est pour ça que je suis partie. Et je ne comptais pas revenir, tu sais ? Je ne serais pas revenue si tu ne m'avais pas autant cherchée. »

Je la peignai avec les doigts, lui caressai le visage, m'étonnai de sa beauté le matin : « Parce que tu m'as dit au revoir. Si tu n'avais pas voulu que je te cherche, tu n'aurais pas dû le faire.

— Mais je t'aime, Álvaro. J'avais besoin que tu le saches.

— J'avais besoin de le savoir.

— Oui, mais maintenant ça ne sert plus à rien, n'est-ce pas ? » Elle avait les yeux secs, le visage calme, et cependant, depuis que nous étions à nouveau ensemble, je ne l'avais pas entendue prononcer de phrase plus triste. « Rien ne sert à rien. Cela aussi je l'ai pensé, j'ai eu beaucoup de temps pour penser. Tu ne me feras plus jamais confiance, personne ne le ferait, et ce ne sera pas de ta faute, bien sûr, tout est de ma faute, je te l'ai dit hier soir, tout. Cela aussi je l'ai pensé, je l'ai retourné dans tous les sens, je le sais. Je me suis trompée trop souvent, trop. Et tu ne le méritais pas, tu ne le mérites pas ça...

— Partons. » Encore plongée dans l'implacable examen de ses erreurs, le seul discours dans lequel elle semblait trouver une consolation, elle me regarda les yeux écarquillés.

« Partons d'ici immédiatement, répétai-je. Partons d'ici. Habille-toi et partons. »

La dernière fois où je lui avais demandé de partir ensemble, elle était restée paralysée, pétrifiée par ce verbe. Mais cette fois-là, en revanche, elle obéit très vite, avec la diligence d'une fillette docile, contente de pouvoir être utile.

Nous ne croisâmes personne dans les couloirs ni dans l'ascenseur. Le concierge n'était pas à son poste non plus, il était 14 h 30. Quand nous sortîmes dans la rue, l'air chaud nous submergea d'un coup dans la réalité vaporeuse, suffocante, dont nous avions été absents dans ces limbes polis à air conditionné.

« Quelle chaleur ! » Elle me regarda et je fis un signe de tête affirmatif, parce que j'étais du même avis mais surtout parce que la trivialité de ce commentaire me faisait du bien.

C'était vrai, il faisait chaud. Le soleil tombait sur nous comme s'il voulait nous écraser contre les trottoirs, et il n'y avait pas que le soleil, il y avait aussi le bruit, la fumée, les pots d'échappement des voitures, les enfants mal à l'aise avec leurs sacs à dos, traînant les pieds pour retourner à l'école, un couple de quinquagénaires s'embrassait impétueusement au coin de la rue, les accords électroniques d'une machine à sous en passant devant un bar, trois hommes morts de rire devant la porte, une mère qui grondait son fils, une autre qui promenait deux jumelles dans une petite voiture, d'autres gens qui criaient ou riaient, deux conducteurs se disputant à grands cris une place de stationnement, des fragments de conversation, des échos de klaxon, la rue, la vie, les vertus du chaos, leur effet anesthésiant.

Je lui passai un bras autour des épaules et remarquai qu'elle les haussait un instant en sentant le poids de mon bras. « Il fait très chaud. »

Raquel avait vu juste en me donnant rendez-vous dans cette maison étrangère qui, une fois dans la rue, semblait aussi fausse, aussi fictive qu'un décor. Nous savions tous les deux que tout serait plus facile de l'autre côté, au-delà des murs de verre, de l'air conditionné, de cette atmosphère sans autre odeur que celle des lieux inhabités. Elle s'était souvent trompée, avait commis trop d'erreurs, mais sur ce point, avait vu juste. Nous descendîmes par la rue Jorge Juan en ligne droite, sans parler, en sentant la chaleur, le bruit, les odeurs de la rue, et nous marchions vers l'autre moitié de Madrid, la nôtre. Quand nous commençâmes à la voir de l'autre côté de Recoletos, le silence fit place à la réalité.

« J'ai faim.

— Tu as toujours faim, Raquel.

— Oui, c'est vrai, mais..., dit-elle d'un ton repenti. Pas toi ? Hier, je n'ai pas déjeuné, aujourd'hui nous n'avons pas pris de petit déjeuner, et il est déjà 15 heures.

— En Espagne, les gens déjeunent à cette heure, lui rappelai-je, et je la vis sourire. Je dois dire qu'un café me ferait du bien.

— Juste un café ? »

Nous nous assîmes à une terrasse et elle retint d'un geste de la main le garçon qui apporta les cartes.

« Ne partez pas, on va commander. Deux cafés au lait, une bouteille d'eau minérale et pour moi un toast au jambon cru, un grand, coupé dans une miche, et une portion de tortilla.

— Seule ou avec du pain ?

— Non, non, avec du pain... » Elle se tourna vers moi. « Et toi, qu'est-ce que tu veux manger ?

— Eh bien... Je ne sais pas. Une autre portion de tortilla. »

Quand le garçon nous laissa seuls, je regardai Raquel et elle me rendit un regard que je connaissais, comme elle en avait eu souvent en face de moi aux nombreuses tables de bars et de restaurants. Je connaissais la pression de la faim sur sa voix, la confiance illimitée avec laquelle elle donnait des ordres aux serveurs pour les remercier ensuite de leur attention avec autant d'emphase que si elle avait quelque chose à se faire pardonner, mais aujourd'hui tout était différent. Vingt-quatre heures plus tôt, et quarante-huit, et soixante-douze, et quatre-vingt-seize, et cent vingt heures auparavant, et ainsi de suite jusqu'à un chiffre difficile à manipuler, j'aurais donné n'importe quoi pour être ici, avec elle. Sa disparition avait réduit ma vie à cette phrase, n'importe quoi pour Raquel, n'importe quoi pour arriver à Raquel, pour arriver avec elle dans un lit, une nuit, un matin, il est 15 heures et j'ai faim, n'importe quoi pour entendre à nouveau qu'elle avait faim, pour m'asseoir en face d'elle à une table, pour la voir manger. J'aurais tout donné pour ce qui représentait le bonheur, et maintenant je les avais récupérées, mais le bonheur n'était pas là, et je ne savais que faire d'elles.

« Je te l'avais dit. » Quand elle se lassa d'attendre, son regard s'éteignit, devint inquiet et rebondit au ciel, sur la table, sur les voitures, les arbres, avant de me revenir. « Je t'ai dit que c'était très difficile, que ce serait très difficile...

— Ce n'est pas ça, Raquel. Tu es vivante, je peux te parler, te poser des questions, écouter tes réponses, rester avec toi ou partir. Tu es vivante et tu es un petit problème – les bougies à demi consumées autour du jacuzzi, le godemiché en caoutchouc mauve qui semblait rempli d'une sorte de gel, les comprimés bleus dans cette petite boîte en argent au couvercle rayé –, un problème relativement facile à résoudre. Mais il y a plus, beaucoup plus. Au point que je ne peux pas l'admettre. Et c'est cela qui est difficile. »

Le dire à haute voix m'aida à le comprendre, mais ne m'indiqua aucun chemin à suivre, et je me tus, calculant dans quelle mesure ce que je venais de dire était exact, ce que je voulais croire, ce qui me sauverait ou non ; ce qui sauverait ou non Raquel avec moi. Mon père avait été un homme beaucoup plus extraordinaire que nous ses enfants ne le deviendrions jamais, me rappelai-je, et c'était moi qui le savais le mieux, parce que j'étais aussi le fils qui s'était le plus éloigné de lui, le seul qui ne s'était pas efforcé de lui ressembler. Les deux choses restaient vraies, elles ne l'avaient jamais été autant quand le serveur revint avec les cafés et les portions de tortilla. « Je vous apporte tout de suite le jambon », dit-il, et Raquel ne lui jeta pas un regard, elle plongeait ses yeux dans les miens avec un air d'abandon, de peur, d'amour aussi que je connaissais bien. Très bien. Auparavant, je sentais qu'avec ce regard elle voulait me dire que sa vie reposait entre mes mains, et que c'était exactement le cas. Maintenant je savais tout de ces yeux qui me brûlaient, qui me faisaient mal, et qui auraient dû être capables de me guérir.

« Tu ne vas pas manger ? » Le serveur venait de poser devant elle une tartine aussi grande que la moitié de la table, mais elle n'avait même pas saisi ses couverts.

— Je n'ai pas faim.

— Je ne le crois pas, répliquai-je en souriant.

— C'est vrai..., dit-elle, au bord des larmes. Ça m'a passé. »

Je fis une pause pour la regarder, et je regardai la promenade, les voitures, le ciel, deux amies qui jacassaient comme des pies à la table voisine.

Je vis le serveur et cessai tout de suite de le voir tant il se déplaçait vite, et je regardai à nouveau Raquel, la ligne de sa mâchoire, son menton, la perfection de son long cou, ses grands yeux à la couleur étrange, sombre et glauque. Une fille intelligente, une beauté secrète, une femme si belle qu'il fallait la regarder à deux fois, et la regarder attentivement pour parvenir à le voir, car l'impeccable harmonie de ses traits se refusait aux yeux qui ne la méritaient pas. Je voyais Raquel, je la regardais, et tout était si triste, si sombre, si sec, si gris, si sale, si terrible. Et pour nous qui avions tellement l'habitude de rire, qui avions tellement ri, aucun autre moment ne parviendrait à être pire que celui-ci, plus sombre que cette terreur, plus noir que cette lumière, plus bruyant que ce silence.

« Mange, Raquel. » J'entendis le son de ma voix et m'étonnai qu'elle m'ait obéi, que ma langue et ma gorge aient généré le son que je leur avais ordonné de produire. « Mange, s'il te plaît.

— Je n'ai pas faim...

— Mange ! » Je pleure très peu mais je pressentais l'apparition de mes larmes et refusai de les laisser s'échapper. Pas avec Raquel, pas à ses côtés, pas encore, même si je devais aussi la prendre en charge, même si mes épaules criaient qu'elles ne pouvaient plus supporter le poids de tous ces cadavres. « Commence à manger tout de suite. Allez !

— Comme tu es devenu autoritaire, Álvaro... » Elle coupa un tiers du toast, y empila le jambon, l'approcha de sa bouche, mordit dedans, et eut une grimace proche du rire, un rire amer, triste, la bouche pleine, comme si elle venait de se rendre compte de ce qu'elle avait dit. « J'ai dit une sottise.

— Oui. » Je n'avais pas faim moi non plus mais je m'obligeai à manger, et pendant que je commençais à mâcher, je me réjouis de l'avoir fait. « J'aime les sottises. Raconte-m'en une autre.

— Quoi, par exemple... ?

— Je ne sais pas, ça m'est égal. » Elle était déconcertée, soucieuse, elle avait peur, et je n'aimais pas qu'elle ait peur. « Parle, Raquel, raconte-moi quelque chose, n'importe quoi, ce que tu voudras.

— Mais je ne sais pas...

— Parle. » Elle resta paralysée, à réfléchir, le toast à la main, mais je ne pouvais pas m'arrêter, je ne pouvais pas l'attendre, je ne pouvais pas supporter à nouveau le bruit du silence dans les oreilles. « Raconte-moi ce que tu demandais aux Rois mages quand tu étais petite, quels étaient tes jouets préférés, quels étaient les professeurs que tu n'aimais pas, n'importe quoi, ça n'a pas d'importance.

— Les Rois venaient chez moi quand j'étais petite, commença-t-elle en souriant. Je veux dire que quand j'étais petite, les Rois venaient chez nous. Car, même si on vivait en France, mes parents fêtaient les Rois, pas le père Noël... Je suis très nerveuse, Álvaro. »

J'avais fini sans enthousiasme la moitié de la tortilla et toujours sans enthousiasme, mais avec du pain, j'entamai la deuxième. « Ça ne fait rien. Continue.

— C'était très significatif pour eux, tu sais ? Maintenir les traditions d'ici, comme les grains de raisin, par exemple. Le 31 décembre, on les mangeait, et grand-mère Anita se plaignait toujours : ils sont tellement chers et tellement difficiles à trouver. Alors une larme coulait de son œil gauche, une seule, mais elle l'essuyait immédiatement, et continuait à manger, à parler pour moi. Chez mes grands-parents, il y avait une horloge qui sonnait l'heure. Elle était dans le salon et, après le dîner, on devait tous se lever pour y aller, chacun avec ses grains de raisin. Une année, grand-père Ignacio appela mon autre grand-père Aurelio qui vivait ici, à Torre del

Mar, et il écouta les cloches de la Puerta del Sol au téléphone, mais arrêta quand nous en étions au quatrième ou au cinquième coup, nous protestâmes tous avec virulence et il ne recommença jamais... Aïe ! » Elle mit sa main devant la bouche, se mordit la lèvre inférieure et me regarda comme si elle venait de commettre un péché impardonnable. « Quelle sotte, peut-être que ça te fait du mal que je te raconte ça... C'est peut-être mieux si je te parle du lycée...

— Non. » La nature de sa crainte et cette soudaine dépendance à la faute me firent vraiment sourire. « J'aime bien.

— Ah oui ? Bon, bien sûr, mes amies du lycée trouvaient cette histoire de raisin très bizarre, et celle des Rois aussi... »

Quand je demandai la note, nous en étions à un supermarché en plastique avec des roues, un store à rayures et une caisse-enregistreuse avec des billets et des pièces de monnaie, qui avait été son jouet préféré à sept ans et aurait pu l'être pendant de nombreuses années s'il n'avait pas été abîmé dans le déménagement.

« C'est incroyable, ce fut la seule chose qui se cassa. Enfin, avec une horrible petite lampe à abat-jour en crochet, que grand-mère Rafaela avait envoyée à ma mère peu de temps auparavant. Une de ses amies l'avait tissé, mais elle ne l'aimait pas du tout, alors... Mais moi, j'ai été très contrariée, et le pire c'est que je ne me l'explique pas, parce qu'il était en plastique, tu sais, je ne comprends pas comment il a pu se fendre en deux, de haut en bas... On s'en va ?

— Oui. » J'avais payé la note et je me levai le premier. « On prend un taxi ?

— D'accord. »

Je donnai l'adresse au chauffeur et elle ne dit rien. La radio de la voiture était réglée sur une station qui diffusait une émission spéciale de musique des années 1980 et nous permit de nous taire. Raquel se laissa tomber sur moi, me prit la main, et commença à chantonner qu'elle me chercherait au Groenland, à Hawaii, au Tibet, au Japon et sur l'île de Pâques. Cela aurait pu être n'importe quelle chanson mais c'était précisément celle-là qu'on donnait, ensuite ils passèrent un succès d'un autre groupe mais de la même époque, « horreur au supermarché, terreur à l'épicerie, ma copine a disparu et personne ne sait ce qui s'est passé... » À la fin du refrain, Raquel me regarda et nous éclatâmes de rire en même temps. C'était la première fois depuis que nous nous étions retrouvés, nous nous en rendîmes compte en même temps, et ce rire nous laissa, me laissa, un parfum de mélancolie. Alors le taxi enfila la rue Conde-Duque, elle sortit son porte-monnaie et ne me laissa pas payer. « J'ai plein de monnaie », dit-elle.

« Bon, eh bien.. » Nous restâmes tous deux immobiles sur le trottoir, et je vis ses lèvres trembler, et cette fois ce n'était pas l'imminence des sanglots qui les agitait, mais une nervosité si accablante qu'elle sautillait sur le trottoir, comme une petite fille qui fait la queue pour aller chercher ses notes de fin d'année. « Je... Je reste ici, bien sûr, et toi, et bien... Je ne sais pas...

— Je reste avec toi. » Je ne saisis pas le double sens de cette phrase avant de l'avoir prononcée, et il me sembla si sérieux, si solennel, que je m'empressai de lâcher du lest. « Si ça ne te dérange pas, bien sûr.

— Non, non, dit-elle en m'entraînant vers l'entrée. Ça ne me dérange pas, au contraire... Mais je pensais que tu avais peut-être envie d'être seul.

— Je suis déjà seul, Raquel.

— Tu es avec moi, précisa-t-elle sans me regarder.

— Je suis avec toi et seul.

— Bon, alors disons que c'est moi qui suis avec toi », répliqua-t-elle en arrivant à la porte.

C'était juste un jeu de mots, mais je fus heureux de l'entendre, et je fus heureux d'entrer avec elle dans ce couloir frais et sombre que j'avais guetté tant de fois de la rue, et d'appuyer sur le bouton de l'ascenseur, et de l'entendre arriver pourtant, je perçus mieux que dans aucun autre lieu la qualité assourdissante du silence dans lequel nous entendîmes le bruit du moteur qui se mettait en marche, le frôlement discipliné des engrenages, le sifflement de la machine qui arrive au sol. C'était un ascenseur long et étroit. Pour y être côte à côte il fallait s'écraser l'un contre l'autre, nous nous mîmes en file indienne, Raquel devant, moi derrière, et la précaution de ses mouvements, le soin qu'elle mettait à ne pas me toucher, cette difficulté soudaine de ses bras, de ses jambes, les yeux que la peur lui avait ouverts dans le dos, me plongèrent dans un chagrin immédiat et dévastateur.

Nous avions l'habitude de faire d'autres choses, nous savions faire d'autres choses. Je ne les avais pas oubliées, elle non plus, mais nous arrivions au quatrième étage raides, muets, aussi séparés que le sont généralement les hommes et les femmes à la frontière de leur première fois. Et ce n'était pas la première fois. Quand elle ouvrit la porte, entra devant moi, s'effaça pour me laisser passer et me regarda, je pensai que je devais l'embrasser. Tu devrais l'embrasser, Álvaro, pensai-je sans faire le moindre geste. J'entrai dans le vestibule, passai à côté d'elle, et Raquel continuait à me regarder, elle me regardait comme si sa vie en dépendait et je savais que c'était exactement ce qui se passait, et alors, maladroitement, à contretemps, je fis un pas vers elle, qui venait maintenant vers moi, et nos épaules se cognèrent.

Sa tête s'approcha de la mienne au moment où j'amorçais un mouvement identique et nous nous cognâmes à nouveau. Puis mon nez heurta sa pommette mais sa bouche me trouva, et nous nous embrassâmes debout, enlacés, pendant très longtemps, celui qui fut nécessaire pour que mon corps décide pour moi. Jadis, je savais me perdre en lui, me confier sans limites ni précautions à son instinct, dissoudre mon autorité dans la sienne, m'annuler jusqu'à être réduit à sa stricte dimension organique, chair, peau et os, moi. Mais maintenant n'était pas jadis, et pourtant il avait recommencé à exister dans cette maison où c'était toujours maintenant, et je ne sus plus que faire, et je le regardais comme si j'étais ailleurs, comme si nous n'étions pas la même chose, mon corps s'émancipa de moi, mes mains commencèrent à déshabiller cette femme, mes jambes la poussèrent dans le couloir, mes pas se rappelèrent la façon d'esquiver les meubles sans les frôler. Je fis tout cela, mais ce n'était pas moi, parce que je pouvais voir les yeux fermés, toute mon attention absorbée par la bouche, la peau, la fermeture Éclair de Raquel, la splendeur du corps nu, doré et sinueux, qui s'étala sur le matelas au dernier instant de mon étonnement.

Plus rien n'était pareil, innocent, et nous étions plus vieux, plus et moins sages, mais la Terre gardait le souvenir de son orbite et obéissait à l'ordre des hanches de Raquel, et je lui obéis, dans le torrent fou d'un fleuve qui déborde de tous ses lits précédents, un débit plus puissant que sa routine, cette habitude tranquille de l'eau qui coule que je regrettais et que je ne regrettais pas, tout en pressentant que je pourrais peut-être rester accroché à la fluidité dans laquelle j'avais un jour perdu ma liberté.

Mon corps reconnaissait celui de Raquel, je me reconnaissais dans celui de Raquel, le miracle consistant à annuler le temps opérait, mais le sexe était devenu un piège, une arme tranchante, dangereuse, un exercice épuisant, quoique capable aussi de me rassurer et même de me transporter, au-delà du plaisir, dans un lieu vaguement apparenté au bonheur. Je ne l'éprouvais pas, mais me le rappelai, quand je m'endormis. Je plongeai dans un sommeil absolu, profond et lourd, pendant deux ou trois heures, et je me demandais où j'étais quand j'ouvris les yeux et vis ceux de Raquel, qui me regardaient.

« J'ai fait du café, me dit-elle, pendant qu'elle me coiffait du bout des doigts, tu en veux ? »

J'acquiesçai et elle se leva tout de suite. Je la vis sortir nue de la pièce et ne pus compter combien de fois je l'avais vue sortir ainsi. Mais avant la télévision n'était jamais allumée, et maintenant elle projetait un éclat grisâtre sur le mur. Pendant que je dormais, Raquel avait regardé un vieux film en noir et blanc, avec le son si bas qu'on entendait à peine les dialogues. Alors je pensai à Mai, au fait qu'elle regardait elle aussi un film au lit quand j'étais entré dans la chambre pour mettre une chemise propre. C'était arrivé moins de vingt-quatre heures auparavant, et cela ressemblait à une scène du même genre : James Cagney tirant à la mitraillette depuis le marchepied d'une voiture. Mais il y avait aussi Miguelito.

Je me redressai sur un coude pour regarder l'heure au réveil. Il était 6 h 50. Il devait lui aussi regarder la télévision, assis par terre, et suivre les dessins animés. Je m'y étais préparé. J'avais imaginé de nombreuses fois certaines scènes, des bureaux, des avocats, des brouillons, des documents, des stylos, des pourcentages, des inconnus allant et venant dans un couloir comme des ombres étrangères à leurs propres personnages, des mots d'encouragement, des regards glaçants, le silence. La joie m'avait rendu fort, car Raquel m'avait appris qu'il n'existe pas de travail, ni d'effort, de faute, de problèmes, de procès, ni même d'erreurs qui ne vaillent pas la peine d'être affrontés quand le but est finalement la joie. Je m'étais préparé à tout cela, à me souvenir de mon fils dans un moment comme celui-ci, dans ce même lit, la télévision allumée, des mots qui résonnaient comme le ronronnement monotone et tranquille d'une mascotte bien élevée, et j'étais arrivé jusqu'à cette maison, cet après-midi, cette heure, et tout était si dur, si injuste, si cruel pour moi, pour tous, que j'éprouvai la tentation d'abandonner, de disparaître pour toujours, de partir loin, mais seul, et de ne jamais revenir, comme si je pouvais ainsi cesser d'être le fils de mon père, de ma mère, l'amant de Raquel, le mari de Mai, le père de Miguel. Comme si je n'étais pas le petit-fils de ma grand-mère, et oui un homme lâche.

Raquel revint avec un plateau et je me rendis compte que je n'avais pas pensé à Teresa depuis longtemps. Sa présence tenace et bénéfique, comme le vol d'une jeune fée au-dessus de ma tête, était resté absent des négociations dans lesquelles je m'étais embrouillé avec moi-même depuis la nuit précédente. Tout ce qui m'était arrivé depuis le jour de l'enterrement de mon père découlait d'une pure coïncidence, une succession d'événements triviaux, fortuits, mais ma grand-mère avait été une étape supplémentaire de ce processus et il y avait longtemps que je n'avais pensé à elle.

« Je t'ai apporté des biscuits, dit-elle en me posant le paquet sur les jambes. Au chocolat, tu les aimes, non ? »

J'acquiesçai et la regardai. Raquel se recroquevilla sur elle-même pendant que sa voix s'amenuisait jusqu'à la frontière du murmure.

« Je peux te poser une question, Álvaro ?

— Ne parle pas avec cette petite voix, Raquel. On dirait que je te fais peur.

— C'est que tu me fais peur, enfin, pas toi, mais... » Elle se redressa entièrement, me regarda. « Je peux te poser une question, oui ou non ?

— Oui.

— Quand est-ce que tu vas aller chez toi ?

— Je n'irai pas. »

Je mangeai un biscuit en deux temps, très lentement, tout en la regardant.

Elle me rendit mon regard les yeux écarquillés, autant que les lèvres, les poings serrés en revanche, tendue, mais elle ne voulut pas parler, elle ne dit rien.

« Je ne peux pas, lui expliquai-je, et je mordis dans un autre biscuit. Hier soir, Mai m'a dit que si je partais, il était inutile de revenir. Puis elle m'a attendu près de la porte. Elle m'a demandé si je l'avais entendue, si j'allais partir, et j'ai dit oui à tout. Et je suis parti.

— Bon... » Elle tenta de se reprendre et ne fut pas capable de surmonter l'impact, mais elle adopta un ton de petite fille pédante presque amusant, plus agréable que les murmures d'avant. « Ce sont des choses qu'on dit, tu sais. Elle te l'a dit pour que tu ne partes pas, pour essayer de te retenir, rien de plus. Je suis sûre qu'elle te laisserait revenir, elle t'attend sûrement.

— Je ne vais pas revenir, Raquel, je ne peux pas. » Je la regardai et la trouvai soudain si triste, à nouveau, que je ne compris pas. « Aujourd'hui moins qu'avant. Aujourd'hui je ne peux retourner nulle part, il n'y a plus aucun endroit, il n'y a rien, je suis seul, je te l'ai dit. Tout a sauté, volé en éclats, et ils sont si petits que personne ne pourrait les recoller... Je ne peux pas retourner à la maison et dire à Mai que je rentre parce que mon père était un salaud, un voleur, un escroc, qui a ruiné une veuve qui était aussi salope que lui, ou plus, car elle a dénoncé le mari de sa cousine pour le faire fusiller et se retrouver sans témoins pour dépouiller toute une famille qui s'était exilée avec ce qu'elle portait sur le dos, et que cette femme, avec le temps, est devenue ma grand-mère, car sa fille l'a trahie pour épouser son pire ennemi et finir par être ma mère, tu ne comprends pas ? Si je ne peux pas le dire à haute voix, si même moi je ne peux pas le croire, comment est-ce que je pourrais le dire à quelqu'un ? Et surtout... Surtout, je ne veux pas y retourner, Raquel. Hier soir, j'ai quitté la maison pour ne pas y revenir, et je ne savais rien sauf la raison pour laquelle je partais. Cela, je le savais fort bien... » Je la regardai à nouveau et ne la vis pas, parce qu'elle s'était caché le visage dans les mains. « Maintenant, si je te dérange, je peux aller à l'hôtel.

— Non, ce n'est pas ça, Álvaro, je ne veux pas que tu t'en ailles, au contraire... Mais c'est que tout est dégueulasse, tellement dégueulasse... »

Elle se pencha sur moi, prit le paquet de gâteaux, le posa sur la table de nuit, m'étreignit, et je ne pus plus voir son visage, seule sa tête, les cheveux répandus sur mon épaule, mais je sentais mon propre échec dans sa voix.

« Je savais déjà que ce serait comme ça, que ce devrait être comme ça, il n'y avait pas d'autre solution, je le savais, et tout est de ma faute, mais je t'aime, Álvaro, je n'ai jamais été aussi amoureuse, parfois je perdais la tête et je pensais... Je ne sais pas, je pensais que tout le monde mourait, ta mère, ta femme, que sais-je, qu'on restait seuls, soudain, que tu avais un accident, une crise d'amnésie... C'est bête, non ? Mais j'y pensais parfois, je pensais à nous comme si nous étions d'un autre pays, comme si nous n'avions rien en commun, comme si nous nous étions connus à un dîner, à une fête, dans ces endroits où on connaît les gens parce que je savais que cela allait être comme ça, que cela devrait être comme ça, et c'était de ma faute, mais je ne voulais pas, je ne pouvais pas m'imaginer ça, cette tristesse... Alors j'imaginais que tout le monde mourait, qu'ils n'étaient même pas nés, et que toi et moi vivions ici, et le samedi matin il y avait du soleil, je rentrais des courses avec des fleurs, et je les mettais dans des vases et on riait, parce qu'on était heureux, parce que je n'étais pas devenue folle, parce que je n'avais rien mis dans aucun carton, parce que je n'étais pas arrivée un matin avec une valise pleine de choses usagées dans un appartement où personne ne s'était jamais servi de rien, parce que je n'avais pas eu l'idée d'acheter deux douzaines de bougies chez le Chinois à côté de chez moi, et que je ne les avais pas placées, ni allumées, ni soufflées une par une quand elles étaient à moitié consumées, comme si c'était mon anniversaire... »

Cette tristesse, qui m'appartenait autant qu'à elle, m'inonda très doucement, comme une drogue nocive et compatissante de celle dont je ne savais pas me défendre. Et pourtant, je me sentais si proche de Raquel, que je serrai sa tête contre ma poitrine, l'embrassai sur les cheveux, l'embrassai à nouveau, et encore, à de multiples reprises. Je ne savais pas très bien pourquoi je le faisais, mais elle poursuivit comme si elle savait tout pour nous deux.

« Et je pensais que nous étions heureux parce que tu avais confiance en moi, Álvaro, parce que je ne t'avais jamais menti, parce que tu m'aimais, et que je t'aimais, et nous riions beaucoup, et tu aimais me voir rentrer le samedi matin, avec des sacs de courses et des fleurs que je mettais dans des vases, et il y avait toujours du soleil... C'était ce que j'imaginais, ce que j'aimais penser, et pas ça, cette saloperie, même si je savais déjà que cela allait être comme ça, que ce devrait être comme ça, qu'on ne serait jamais seuls toi et moi, Álvaro, qu'on ne pourrait jamais vivre seuls toi et moi. On ne pourra jamais, maintenant tu le sais. Il y aura toujours trop de gens autour de nous, vivants ou morts, avec toi et avec moi, se couchant avec nous, se levant avec nous, mangeant, buvant, marchant avec nous et gâchant tout, toujours... Je savais que ce serait comme ça, que ça allait être comme ça, mais c'est si triste, c'est si injuste, si horrible... »

Alors elle se redressa, appuya un coude sur le lit, se retourna, me regarda.

Moi qui pleure si peu, jamais, presque jamais, je pleurais.

Elle m'essuya le visage de ses doigts, m'étreignit à nouveau et se cacha contre mon épaule.

« Tu vas y arriver, Álvaro ?

— Je ne sais pas, Raquel. » Mes pleurs, humbles et soumis, s'étaient taris. « Vraiment, je ne sais pas. »

# III

# LE CŒUR GLACÉ

Les vieux disent *(sic)* que dans ce pays il y eut une guerre *(sic)*, qu'il y a deux Espagnes qui gardent encore la rancœur des vieilles dettes. [...] Mais je n'ai vu que des gens qui souffrent et se taisent, douleur et peur, des gens qui ne souhaitent que leur pain *(sic)*, leur femme *(sic)* et la paix. *(sic)*. [...] Les vieux disent *(sic)* que nous faisons ce que nous voulons *(sic)* ; et qu'il n'est pas possible qu'il puisse y avoir ainsi un gouvernement qui gouverne quoi, rien *(sic)* [...] Mais je n'ai vu que des gens très obéissants, même au lit *(sic)*, des gens qui demandent juste de vivre leur vie, sans mensonges *(sic)* et en paix. Liberté, liberté, sans colère liberté, garde ta peur et ta colère car il y a la liberté, la liberté sans colère, et s'il n'y en a pas, il y en aura certainement *(sic)*.

Jarcha, *Libertad sin ira* (1977) [1]

« Aux derniers jours d'oisiveté estivale, m'est revenu cette année, par deux voies différentes, un poème d'Antonio Machado depuis longtemps absent de mon esprit : le sonnet *A Líster, chef des armées de l'Ebre* [...] La poésie de circonstance, quelle qu'elle soit, peut être détestable ; mais pourtant, toute poésie est de circonstance : les Coplas de Jorge Manrique à la mort de son père, le Lamento de García Lorca pour Ignacio Sánchez Mejías et le poème d'Antonio Machado sur l'assassinat de García Lorca l'étaient [...] Pourquoi, alors, ce sonnet a-t-il connu une si mauvaise fortune critique ? Pourquoi, aujourd'hui, celui qui veut en vanter la valeur esthétique doit-il lui chercher une excuse ? [...] Après cette période, quand la guerre se généralisa, Líster, fidèle à sa vocation, participa aux batailles en Europe, aujourd'hui, après tant d'années, sa loyauté pourrait ressembler à un anachronisme ; aujourd'hui, le sonnet où Machado a voulu le célébrer produit une sensation de malaise diffus. Aujourd'hui on est tellement prévenu ! On est tellement au-dessus de certaines choses ! »

Francisco Ayala (1988)

---

1. Groupe espagnol de musique folk célèbre dans les années 1970. Leur chanson *Libertad sin ira* (*Liberté sans colère*) fut classée numéro 1 en 1976.

Mai avait rangé la maison avant de partir, mais en entrant dans la chambre, je trébuchai sur une bétonnière en métal jaune avec des roues en plastique, cachée dans l'encadrement de la porte. Je la ramassai et la remis à sa place, entre un camion de pompiers et une Ferrari rouge, sur l'étagère où mon fils avait déployé son écurie. Mes doigts me faisaient mal, comme l'odeur de cette pièce, les dessins de l'édredon assortis à ceux des rideaux et la toile d'araignée sur laquelle grimpait Spiderman. Je sortis rapidement de la pièce, sans bruit, comme jadis la nuit, mais Miguelito ne dormait pas dans son lit et je ne me sentis pas mieux. En avançant dans le couloir vers ce qui était désormais la chambre de mon ex-femme, je pus presque le voir, voir sa mère, entendre sa voix, retrouver les bruits, les rires, les pas, les échos encore présents de ma première vie. Je me rappelai également chaque mot et chaque pause de la conversation que nous avions eue la veille au soir.

« Oui ?

— Bonjour, Mai, c'est Álvaro.

— Oui... Je reconnais encore ta voix. »

Ce dialogue avait mis un terme à l'un des jours les plus cruels, les plus violents et désagréables de ma vie, un jour qui aurait pu être le pire de tous si je n'avais pas perdu le compte des candidats à ce titre. « Je croyais que tu n'allais pas revenir », me dit Raquel quand elle m'ouvrit la porte, à 20 heures, ce jour néfaste du vendredi 30 septembre.

« Je dois partir travailler. Hier j'ai demandé ma journée, parce que j'imaginais que j'allais en avoir besoin, mais aujourd'hui... Je dois y aller. »

En la voyant se lever et passer la porte sans se retourner, je me rappelai ses paroles, le brillant et terrifiant diagnostic de ce qui m'attendait. Je savais que cela serait comme ça, que cela devait être comme ça, mais je ne voulais pas, et j'imaginais que le samedi matin, il y avait toujours du soleil, et que je revenais de la rue avec des sacs de courses, des bouquets de fleurs que je mettais dans des vases en cristal... Je ne me levai pas pour petit-déjeuner avec elle. J'aurais dû le faire, mais j'étais très fatigué. Place des Guardias de Corps, je n'avais guère mieux dormi que rue Jorge Juan.

À 8 h 05, elle revint habillée en femme d'affaires, tailleur, chaussures à talon, mallette en cuir marron, mais cette fois je n'ai pas froissé ses vêtements en la faisant rouler sur les draps. Elle ne s'y attendait pas non plus. Elle arriva avec un bout de toast à la main, qu'elle mit dans sa bouche avant de s'asseoir à mon côté.

« Qu'est-ce que tu vas faire ?

— Aujourd'hui ? Je ne sais pas... Je devrais aller chez moi, prendre une douche et me changer, mais je n'en ai pas envie. Après... Je ne sais pas, vraiment.

— Et bien..., dit-elle en m'embrassant, moi, quand je sortirai du travail, je serai ici. »

Je me contentai d'acquiescer et elle partit sans rien ajouter. Je me retrouvai seul, et dans la quiétude des objets, le silence d'une maison vide, je compris que mes sens m'avaient à nouveau abusé.

La deuxième partie de ma vie n'avait pas commencé par la confession de Raquel dans une chambre étrangère et inhabitée, confession cruelle mais d'une certaine façon, consolante par son exceptionnel naturel. La deuxième partie de ma vie n'avait pas encore commencé, elle commencerait quand je me lèverais de ce lit où j'avais dormi tant de nuits, pour affronter la routine que Raquel avait déjà eu la chance de récupérer.

Nous avions dormi tout près l'un de l'autre, et avions fait l'amour furieusement, sans parler, à 4 ou 5 heures du matin, à un moment où nos insomnies avaient coïncidé, mais cela ne nous facilita pas les choses quand le réveil sonna. Je le regardai à nouveau et constatai qu'il était déjà 9 h 40. Je ne pouvais pas rester toute la journée au lit, et je me dis que le plus sensé serait de commencer par le début.

J'aurais dû appeler Mai. C'était la première chose que j'aurais dû faire ce jour-là. Je ne le regrettai pas. « Tu es le seul qui sois bon, Álvaro », m'avait dit Raquel. Ce n'était pas entièrement vrai. Pour ma femme, pour mon fils, j'étais le méchant, je le serais toujours. C'était pour cette raison que j'aurais dû l'appeler, mais je pris une douche chez Raquel, fouillai dans les tiroirs de son placard et finis par trouver un T-shirt bleu marine assez grand pour moi. Puis je m'assis pour prendre mon petit déjeuner à la table de la cuisine et succombai à l'enchantement d'un mirage rétrospectif, la douceur d'une scène que je n'avais jamais vue, la félicité de l'air qui entourait le corps de Raquel pendant que je l'imaginais sans être encore capable de me le rappeler avec précision, à peine quelques heures après l'avoir abandonné pour la première fois, quand je croyais que rien n'était en jeu, presque rien, ma liberté et sa peau parfaite, veloutée comme celle d'une pêche rare.

J'aurais dû appeler Mai, mais je n'en avais pas envie. J'avais besoin d'appeler Fernando, mais je ne pouvais pas. Si je ne peux même pas le dire à voix haute, si je ne peux même pas le croire moi-même, comment en parler à quelqu'un ? Mes propres mots flottaient comme un écho amer sur les fleurs que Raquel n'avait jamais placées dans un vase de cristal et ce n'était pas samedi matin, même si le soleil entrait par la fenêtre avec une joie irritante, presque cruelle. Je terminai ce qui était généralement ma seule tasse de café du petit déjeuner et m'en versai une deuxième. Il y en aurait une troisième, plus tard.

J'étais un homme ordinaire, raisonnable, voire banal, sans autre extravagance qu'une aversion morbide des enterrements. Ma vie n'était qu'une paisible plaine de terres cultivées n'exigeant généralement pas d'excès de mes yeux, ni de ma conscience. C'est une longue et ancienne histoire et, pour vivre ici, il y a des choses dont il vaut mieux ne rien savoir, voire ne rien comprendre. Je pouvais aussi ne rien faire. On peut toujours ne rien faire, apprendre à vivre sans questions, sans réponses, sans fureur et sans pitié. On peut toujours ne pas vivre et faire comme si l'on vivait, du moins ici, en Espagne, territoire insensible à la loi de la gravité, à la loi de la cause et de l'effet. C'est un pays où personne ne voit jamais une pomme tomber d'un arbre, car toutes les pommes sont déjà par terre depuis le début et c'est plus pratique, plus sage, plus commode pour tout le monde, tant que les mains sont plus rapides que la vue, tant que les paradoxes les plus élémentaires de l'optique jouent en faveur de celui qui manipule les lentilles, tant que le prestige moderne des petites gens, qui font tout pour survivre, oppose leur transparente actualité au prestige caduc des hommes et des femmes admirables, si démodés, si inutiles, si lassants dans leur abnégation, dans leur entêtement, dans la stérilité de leur sacrifice. Car s'ils étaient restés tranquilles, s'ils s'étaient donnés pour vaincus, s'ils n'avaient pas joué leur vie en vain tant de fois, il ne se serait rien passé non plus. Ils ne seraient pas admirables, mais nous les aurions compris de la même façon. Comment ne les aurions-nous pas compris, puisque la loi de la gravité ne nous concerne pas ?

Petit Espagnol qui viens au monde, que Dieu te préserve. Car, pour vivre ici, il y a des choses qu'il vaut mieux ne pas savoir, voire ne pas comprendre. Mais je t'aime, j'ai confiance en toi, et je sais que tu seras un homme digne, bon, assez courageux pour pardonner à ta mère qui t'aimera toujours et qui ne pourra donc jamais se le pardonner entièrement. Je t'aurais aimée, grand-mère, j'aurais été un homme meilleur si j'avais pu t'aimer à temps, si j'avais pu lire cette lettre sans avoir dû la voler avant. Je me trompe peut-être, mais je sens que je fais ce que je dois faire, et je le fais par amour. Je t'aime, grand-mère, et je ne t'ai jamais vue, mais je t'aime, et tu ne m'as jamais connu, mais je t'aime, et tu ne m'as jamais touché, jamais pris dans tes bras, jamais embrassé, mais je t'aime, je t'aime soudain vraiment.

Petite Espagnole qui viens au monde, que Dieu te préserve. Ni Dieu ni maître. Pas même le droit de savoir qui tu es, parce que pour vivre ici, il vaut mieux ne rien savoir, voire ne rien comprendre, tout laisser en l'état : les branches du pommier perpétuellement nues, les fruits par terre, disposés avec soin, astuce avantageuse et mesquine qui plaît au scénographe habitué à travailler sans témoins, car ceux qui ne sont pas encore des cadavres sont déjà morts de peur. Pas même le droit de savoir qui je suis, car à cette époque, être l'enfant de certains, de quelqu'un comme ta grand-mère, était difficile, voire dangereux. Par amour ou par calcul, pour protéger une fillette en particulier ou ses propres arrières, il vaut mieux ne pas savoir, ou mieux encore, que personne ne sache, et tant d'années se résument à ça, deux, trois générations entières, presque un siècle de douleur et d'orgueil. C'est là que confluent les stratégies de l'inquiétude et du prestige, la mémoire des vainqueurs et celle des vaincus, des intérêts différents et un résultat unique pour les enfants, pour les petits-enfants de tous.

Petit Espagnol qui viens au monde, d'où que tu sois, ne compte jamais que Dieu te préserve. Préserve-toi tout seul des questions, de leurs réponses et de leurs raisons, ou une des deux Espagnes te glacera le cœur.

Mon cœur était glacé, et il brûlait.

Je pouvais aussi ne rien faire, mais je n'y arrivais pas.

Il y eut une troisième tasse de café, puis une quatrième. Puis j'appelai Julio, mon frère. Quand je sortis de la maison, je me sentis étranger à mon corps, comme si je n'étais pas très sûr d'être moi, l'homme qui s'arrêtait au coin de la rue regardait à gauche, levait la main pour arrêter un taxi, et prononçait une adresse d'une voix claire, qu'il reconnaissait sans difficulté comme sa propre voix. Cet homme, c'était moi, le même qu'avant et différent, mais qui ne serait plus jamais l'autre. C'était la seule chose que je savais avec certitude.

Julio m'avait donné rendez-vous dans une cafétéria qui se trouvait dans le premier tronçon du Paseo de La Habana, tout près de son bureau. En y arrivant, j'étais convaincu qu'il ne pouvait plus rien m'arriver de trop grave, mais quelques heures plus tard, en retraversant la Castellana, j'étais si furieux, si triste, si ravagé, que je décidai de rentrer à pied. La marche me fit du bien, mais les jointures de mes doigts et la moitié droite de mon visage me faisaient souffrir à mesure que je retrouvai mon calme, et à mi-chemin, la douleur m'obligea à m'arrêter. J'entrai dans un bar, pris un verre et ne trouvai plus aucun taxi libre. Trop fatigué pour continuer à marcher, je pris le métro, mais il était déjà très tard, et Raquel n'avait pas eu le temps de se reprendre entre le moment où j'appelai à l'interphone et celui où je la retrouvai, devant la porte ouverte les yeux humides et un air indéchiffrable.

« Je croyais que tu ne reviendrais pas », me dit-elle, et je pensai qu'elle me parlait comme à un soldat qui revenait de la guerre.

« Mais je suis revenu », dis-je, et j'étais revenu de la guerre.

Elle m'étreignit et je l'étreignis, puis elle m'embrassa et je l'embrassai, et je sentis la chaleur, le plaisir, l'écho pâle d'un ancien bonheur. J'aimais Raquel Fernández Perea, et cet amour, qui peu à peu était devenu tout pour moi, ne remplissait plus ma vie, mais c'était aussi tout ce que j'avais.

« Que t'est-il arrivé, Álvaro ? demanda Raquel sans cesser de m'étreindre. Tu t'es cogné à l'œil ? » Elle approcha un doigt tremblant de mon visage et toucha ma paupière sans appuyer. « Il est gonflé et un peu rouge.

— Ce n'est rien, c'est que... J'ai parlé avec mes frères aînés, répondis-je en riant sans très bien savoir pourquoi. Je me suis battu avec Rafa. C'est drôle, je ne l'avais pas fait depuis vingt ans, et je croyais qu'il se débrouillerait mieux que moi, mais non, c'est finalement lui qui a le plus dérouillé, on a dû lui faire un tas de points de suture... Pour le reste, j'ai pas mal bu, mais... Je prendrais bien un autre verre. Ça te dit ?

— Mais, ça... » Elle s'écarta de moi, me prit les mains et observa mes jointures gonflées, écorchées. « Mon dieu... Parle-moi, dis-moi, qu'est-ce que tu as fait ? » Elle était effrayée, et mon sourire ne la rassura pas. « Tu es ivre, Álvaro ?

— Un peu, oui, mais... ça va, rien de grave.

— Comment ça, un peu ?

— Je vais bien, Raquel, je t'assure... Je vais reprendre un verre, parce que je dois appeler Mai. Je reviens tout de suite. »

Je partis à la cuisine avec mon portable, et là, avec des mouvements peu sûrs, je posai sur le plan de travail un plateau avec un verre, des glaçons, une bouteille de whisky. « Ça ne va pas me faire de bien », pronostiquai-je. Je n'avais pas déjeuné. Pourtant la première gorgée me réchauffa de l'intérieur, m'installa dans mon corps, gouverna l'audace de mes doigts, tandis que ceux-ci se déplaçaient avec une assurance factice sur le clavier du téléphone.

« Oui ?

— Bonjour, Mai, c'est Álvaro.

— Oui... Je reconnais encore ta voix.

— Comment va le petit ?

— Bien. Il demande de tes nouvelles.

— J'aimerais le voir.

— D'accord, on en parlera.

— Bien sûr, mais j'avais pensé... »

Jusque-là, tout allait bien. Jusque-là, j'étais parvenu à atteindre mes objectifs, encaisser la dureté de sa voix avec sérénité, répliquer par des phrases courtes, dépourvues d'agressivité mais aussi de toute complicité qui aurait pu être équivoque. Jusque-là, tout s'était bien passé, mais j'étais beaucoup plus ivre que je ne le pensais, je m'enlisai dans les points de suspension et Mai profita de mon hésitation.

« Tu n'as pas à penser quoi que ce soit, Álvaro. Tu n'as pas pensé à lui quand tu as quitté la maison, alors ne viens pas me raconter d'histoires maintenant. Tu verras le petit quand le juge le décidera.

— Je ne crois pas qu'on doive en arriver là, Mai... » Je sentis l'état pâteux, confus, de ma voix, et je tentai de parler plus clairement, plus lentement. « Nous devrions être capables d'arranger ça...

— Comme des gens civilisés ? Va te faire foutre, Álvaro ! »

Je crus qu'elle avait raccroché, mais je pouvais entendre sa respiration à l'autre bout du fil, tout d'abord agitée, comme un essoufflement, puis entrecoupée et progressivement sourde, l'écho de sa fureur, son amertume, et je faillis lui dire que je regrettais, et cela aurait été vrai. Il était vrai que je déplorais sa douleur, une souffrance de plus, un autre cadavre à porter sur mes épaules dans la désolation de ce désert où rien ne poussait. Je faillis lui dire que je regrettais, mais elle éclata à temps pour m'épargner les insultes que ma compassion aurait méritées.

« Je n'ai pas envie d'être une personne civilisée ! Tu m'entends ? Je n'en ai pas envie. Parce que tu m'as détruite, tu m'as pulvérisée, tu comprends ? Tu es un salaud, un fils de pute, faux et menteur, et je ne méritais pas ça, je ne le mérite pas. Je t'aimais, Álvaro, je t'aimais, et maintenant je veux seulement que tu meures, que tu pourrisses avec cette... » J'entendis un début de sanglots, leur fin, le silence d'un calme apparent. « Je regrette. Je n'aurais pas dû te parler comme ça. J'ai passé ma vie à critiquer les femmes qui... Je regrette vraiment. Je vais très mal.

— Ce n'est rien. » Je préférais la légère supériorité morale que me donnaient ses cris, ses insultes, et pourtant je ne profitai pas des avantages stratégiques de cette trêve, je ne pus le faire, j'étais trop ivre, trop endolori et meurtri, trop fatigué. « Je voudrais passer à la maison, Mai. Je dois prendre quelques affaires.

— Bien sûr. Mais je préférerais ne pas te voir, alors... Demain matin tôt, quand Miguel sera levé, nous partons dans la sierra pour le week-end. Tu peux venir à la maison à partir de 11 heures. Ce serait bien que tu emportes tout le plus vite possible.

— Je t'appelle lundi, alors, pour voir comment va le petit, et...

— D'accord. »

La conversation n'avait pas duré plus de deux ou trois minutes, mais quand elle prit fin, j'étais aussi épuisé que si je venais de fournir un exercice physique démesuré, destiné à sauver ma propre vie. Je finis mon verre sans en mesurer les conséquences, et tout l'alcool que j'avais bu inonda soudain la pièce aux murs capitonnés qu'était devenue ma tête. J'allai la mouiller à la salle de bains, et, en sortant, je me cognai l'épaule contre un mur du couloir mais ce coup ne fit pas aussi mal que le regard de Raquel, qui m'attendait assise dans un fauteuil, les coudes sur les genoux et le visage entre les mains.

L'amour de ma vie me regardait comme le prisonnier qui attend des nouvelles de sa grâce aurait regardé le directeur de la prison. Cela me fit mal, son angoisse me fit mal. Comme me faisait mal la scène que j'étais en train de vivre si différente de celle que Mai devait imaginer : musique de violons et chérubins blonds, potelés, si charmants avec leurs ailes postiches en plumes collées sur un carton, pluie de fleurs dans une lumière tamisée, et un couple qui danse, tourne, sourit, et s'embrasse, telle une publicité pour une eau de Cologne, ni très chère ni très bon marché, de celles qui accaparent les pauses publicitaires de la télévision chaque année, à Noël. C'est ce qu'imaginait Mai et ce que j'aurais dû être en train de vivre, la version la plus édulcorée et la plus cucul, la plus niaise d'une bonne histoire d'amour, la meilleure que j'aie eue de ma vie. C'était ce qui aurait dû m'arriver et j'étais moi aussi capable de l'imaginer, car je m'en souvenais, je me souvenais de l'époque du bonheur, ces jours où le sol se fendillait par pur plaisir sous le rire de Raquel, et ces sourires profonds, lumineux, qui étaient l'expression d'une petite jubilation intime, sa façon de me dire qu'elle était contente de moi, de me voir, de m'avoir auprès d'elle, de célébrer ma présence dans sa vie, de me dire que je lui plaisais, qu'elle m'aimait. Cette femme-là était la même, mais sa compagnie n'était plus suffisante pour que cet homme soit toujours moi.

« Tu as mal ? » me demanda-t-elle alors, désignant son propre œil, et je fis un signe ambigu avec les lèvres, comme si même cela m'était égal. « Tu veux prendre quelque chose ? Je dois avoir de l'ibuprofène quelque part. C'est efficace.

— Non... » Je faillis lui avouer que j'étais reconnaissant à la douleur, parce qu'elle me gardait éveillé. « Ce n'est pas la peine. »

Je m'écroulai sur le canapé et je tentai de calculer combien de temps durerait la gueule de bois, le marais du silence dans lequel nous nous étions enlisés, l'épaisseur des murs qui asphyxiaient la spontanéité de tous les gestes, toutes les paroles, et les précautions de Raquel, cette façon de marcher sur la pointe des pieds, sur les syllabes, les regards, les caresses. Elle savait que cela serait comme ça, que cela devait être comme ça, elle savait tout, depuis le début, peut-être aussi ce que je pensais quand je la regardai, et je vis qu'elle me regardait.

« Viens ici, viens près de moi », lui demandai-je.

Les violons ne jouaient pas. Les fleurs ne tombaient pas en pluie et deux chérubins blonds et potelés, si gracieux avec leurs ailes postiches en plumes collées sur du carton, ne virevoltaient pas sur nos têtes. La lumière, directe et jaune, provenait de trois ampoules de soixante watts, mais Raquel s'assit à côté de moi, me prit dans ses bras, écrasa sa tête contre mon épaule et je l'embrassai comme j'avais l'habitude d'embrasser mon fils. J'étais ivre et je ne savais pas combien de temps allait durer ma gueule de bois.

« Tu ne vas pas me raconter ce qui s'est passé ?

— Non, répondis-je. Pas maintenant... Je n'en ai pas envie, Raquel, je ne veux pas parler de ça... Je préfère attendre et tout te raconter en juin, quand tout sera fini.

— Qu'est-ce ça veut dire, Álvaro ? » Sa voix tremblait, et je ne voulais pas qu'elle recommence, qu'elle se remette à pleurer, je ne pourrais pas le supporter.

« Ce n'est pas toi », lui dis-je, et je ne m'étais peut-être pas bien expliqué, mais la simple idée d'essayer de mieux faire m'ennuya. « Ce que je veux dire, c'est que... Je suis ici, avec toi, Raquel, j'ai beaucoup bu, et je veux être bien, tranquille. J'en ai ras le bol des conversations transcendantales, tu comprends ? J'en ai marre des secrets, des fautes et des pleurs. Je n'en peux plus, vraiment, je n'ai pas envie de continuer...

— D'accord, d'accord, dit-elle dans un murmure. Je pense qu'il vaut mieux que tu ne prennes rien pour l'instant, parce qu'il est déjà 20 h 30, et qu'il vaut mieux que tu prennes une aspirine en te couchant, tu ne crois pas ? »

J'acquiesçai et ne trouvai rien d'autre à dire, bien que sa dernière phrase, si banale, si routinière, aussi chargée de sens commun que la décision d'une mère experte et responsable, ait réussi à m'émouvoir.

« Tu veux qu'on sorte ? me proposa-t-elle après un silence trop long, comme l'étaient soudain tous les silences. On pourrait aller au cinéma. Cela te distrairait.

— J'y suis déjà allé, répondis-je.

— Ah, oui ? elle s'écarta de moi, très surprise. Quand ?

— Vers 15 heures, 15 h 30, je ne suis pas très sûr... J'avais quitté Julio et je n'avais pas faim. Dans la rue il faisait chaud, et il me restait deux heures avant mon rendez-vous avec Rafa, et... je ne savais pas où aller. J'ai vu un cinéma et je suis entré.

— Qu'est-ce que tu as vu ?

— Je ne sais pas. » Et c'était vrai. « Je ne m'en souviens pas. Je suis sorti avant la fin, et... Je ne regardais pas l'écran non plus.

— Tu n'as pas déjeuné ? » Je secouai la tête. « Eh bien alors je vais préparer à dîner. »

Je pus presque entendre la cloche, mesurer son soulagement, et le mien, quand l'un des deux trouva quelque chose à faire. Raquel faisait très bien la cuisine et il y en avait toujours trop mais ce soir-là je lui fus reconnaissant de l'excès. J'avais besoin de manger, et encore plus de la douceur domestique de cette scène, de son avis sur les épinards, le poisson et les pommes de terre.

« N'est-ce pas, qu'il n'a pas l'air d'avoir été congelé ? Le bar, je veux dire... » Je hochai la tête et continuai à manger. « C'est aussi grâce à la mayonnaise, parce que la mayonnaise en boîte gâche tout, elle donne un goût factice à n'importe quel plat, c'est comme si elle transmettait les conservateurs au poisson, aux légumes, et je ne te parle pas des asperges. Manger de bonnes asperges avec de la mayonnaise en boîte est un crime et une sottise, parce que ça se fait en un rien de temps, et ce n'est pas comparable, je dois dire. La purée de pommes de terre instantanée, je comprends mieux, parce que... » Elle se tut, me regarda, se mordit la lèvre inférieure comme si elle comptait la couper en deux. « Je dis des bêtises.

— Non. Alors, la purée de pommes de terre instantanée ?

— Ça t'intéresse vraiment ?

— Non. Mais j'aime t'entendre parler.

— Comme s'il pleuvait...

— Oui. Mais j'aime aussi entendre pleuvoir. »

Et il continua à pleuvoir, il plut beaucoup, pendant long-temps, il plut toute la nuit sur la purée de pommes de terre et les artichauts, sur les omelettes aux pommes de terre dures, molles, avec et sans oignon, sur les avantages et les inconvé-nients des livres de recettes anciens et modernes, sur la mira-culeuse condition du chocolat, et l'échec du premier dessert d'une Raquel Fernández Perea de dix-sept ans, et les *Sacher-torte* qu'elle réussissait maintenant mieux, mais vraiment, sans exagérer que celles qu'on achète à Vienne. Il plut sur tout cela et il continua à pleuvoir, dedans et dehors, sur ses paroles et sur les miennes.

La voix de Raquel filait une pluie tempérée et paisible, qui glissait sur les vérités, les incertitudes, mais était capable de chevaucher le temps, de pousser les minutes en avant, d'al-léger son poids et de donner au plomb une consistance légère, écumeuse, presque aérienne, comme celle du sirop dont elle me parlait pendant que la pluie tombait de ses lèvres, cette pluie qui la faisait parfois sourire, et parfois moi aussi, et réussissait même le prodige de rendre à certains instants l'écorce craquante et douce des jours où c'était toujours main-tenant parce qu'il n'existait qu'un adverbe de temps. Ou c'était peut-être seulement parce que j'étais ivre et qu'il pleuvait, et il continua à pleuvoir.

Il plut toute la nuit, cette nuit étrange où tous les secrets étaient désormais épuisés, toutes les fautes, toutes les larmes, et il ne restait que le silence, sa férocité, l'hostilité discrète mais implacable d'une épée sans fil et sans arêtes. J'étais saoul et j'ignorais combien de temps allait durer ma gueule de bois, mais Raquel parlait, sa voix pleuvait sur moi, sur le comprimé d'ibuprofène qu'elle m'avait apporté au lit avant de s'allonger à côté de moi, sur mes paupières, sur mon corps et sur le sien, et il continua à pleuvoir, il plut toute la nuit, sur notre sommeil, long et profond à la fin. Il plut et un samedi radieux se leva tard, un matin qui semblait fait pour le sexe et la paresse. Les draps étaient tièdes, les persiennes entrebâillées, et Raquel nue, sa peau dorée, douce, sans la moindre imperfection, aucun accident sur la surface moelleuse et lisse de son ventre, un décolleté immaculé et des hanches qui avaient le pouvoir de faire sortir la planète de son orbite. Raquel Fernández Perea était nue et me regardait avec ses yeux d'une couleur étrange, glauques mais sombres.

« Je dois partir », dis-je finalement, et nous avions réussi à faire l'amour comme si aucun de nous deux n'éprouvait l'obligation de se taire, mais aucun des deux n'avait prononcé un seul mot non plus.

« Où ?

— Voir ma mère.

— N'y va pas, Álvaro. »

Auparavant, en lui disant que je partais, je lui avais fait peur sans le vouloir, mais aujourd'hui elle était beaucoup plus effrayée, à tel point qu'elle me prit une main et la serra très fort, comme si elle ne voulait pas me laisser partir.

« N'y va pas, répéta-t-elle, sans relâcher sa pression. Pourquoi ? À quoi ça sert ? Tu sais déjà tout, et tout est vrai, je te le jure sur ce que tu voudras, que tout ce que je t'ai raconté est vrai. Laisse, Álvaro, s'il te plaît, n'y va pas. Cela ne servira à rien, rien ne sert à rien et je me suis déjà assez trompée, je me suis déjà trompée pour nous deux, vraiment, si j'avais su... N'y va pas, Álvaro, écoute-moi, je sais de quoi je parle. N'y va pas, n'y va pas, n'y va pas... »

Je m'approchai d'elle, l'embrassai sur les lèvres, libérai ma main de la sienne, me levai et commençai à m'habiller lentement.

« N'y va pas, Álvaro.

— Je t'aime, Raquel. »

Je lui avais souvent dit que je l'aimais, mais ces mots n'avaient jamais été plus vrais que ce matin où j'allai voir ma mère pour moi, mais aussi pour elle, pour lui acheter le soleil d'autres samedis matin, pour arriver à la voir entrer par la porte avec des sacs de courses et des bouquets de fleurs, pour lui offrir des vases en cristal où les placer. Pour pouvoir vivre avec moi, pour pouvoir vivre avec elle, pour pouvoir vivre, et ne pas faire comme si je vivais, je lui dis que je l'aimais, et je partis.

J'allai rue Hortaleza à pied pour faire passer le temps, et j'arrivai à 10 h 40, mais je téléphonai de l'entrée pour m'assurer qu'il n'y avait personne en haut. Mai avait rangé la maison avant de partir, mais en entrant dans la chambre, je tombai sur une bétonnière miniature, en métal jaune avec des roues en plastique. Quand je la remis en place, je vis la valise des grands voyages sur le lit et éprouvai à nouveau un mirage d'humidité, le climat de la tristesse, comme si derrière les fermetures Éclair et les sangles il y avait plus que des vêtements, la mémoire inerte de mon corps, un paysage étranger que mes yeux auraient pu contempler d'un lieu que celui qu'ils occupaient maintenant sur mon visage.

Une valise fermée peut devenir un objet aussi triste qu'un rêve accompli, dépourvu des espoirs qu'elle contient quand elle est encore ouverte sur un lit. L'attente du bonheur est plus intense que le bonheur lui-même, mais la douleur d'une défaite consommée dépasse toujours les prévisions les plus pessimistes. C'est à cela que je pensai, en ouvrant cette valise pour contempler l'impeccable géométrie de mes chemises pliées, une perfection atroce dans son ambivalence, les mains de Mai les pliant des centaines de fois aux mêmes endroits, les mains de Mai les pliant la veille au soir, peut-être ce matin même, une seule image et deux significations opposées. Je m'y étais préparé, je l'avais souvent imaginé, je m'étais cuirassé, car la joie n'a pas de prix. La tristesse non plus, et pendant que je cherchais en soulevant délicatement les vêtements pour ne pas en défaire l'ordonnance, je devinai qu'à l'intérieur, je ne trouverais pas ce dont j'avais besoin.

Mon seul costume gris, celui des thèses et des concours, était toujours accroché dans l'armoire vide, avec la chemise blanche, et la cravate que je mettais habituellement dans une des poches de la veste. Je ne l'avais pas portée depuis plus d'un an. « Álvaro, mon petit, tu aurais pu mettre une cravate. » Le jour de l'enterrement de mon père, le jour de ses funérailles, le jour du rendez-vous chez le notaire et de nom-

breuses autres fois, banquets, commémorations, anniversaires. « Álvaro, mon petit, tu aurais pu mettre une cravate. »
« Oui, mais je n'y ai pas pensé, oui, mais j'avais oublié, oui,
tu as raison, je suis désolé, maman. »

Aujourd'hui je vais mettre une cravate, maman. En sortant de la douche, je me demandai si cela en valait la peine,
mais cela n'avait plus d'importance. Je m'habillai dans l'ordre
et sans enthousiasme, comme lorsque j'avais neuf, dix, onze
ans, et que je montais sur la scène de la salle des fêtes du
collège à toutes les fêtes de fin d'année, pour recevoir le prix
de calcul, avec l'air d'un petit homme. Je ne suis pas comme
mes frères, je ne leur ressemble pas. Ce samedi matin, avec
soleil et sans Raquel, me regardant dans la glace vêtu de son
T-shirt, avec mon œil droit déjà tout violet, je pensai à Julio,
Rafa, Angélica, exactement comme je les avais vus la veille.
On ne s'était jamais aussi peu ressemblé.


« Putain, Álvaro, tu aurais pu prévenir ! Tu n'imagines
pas le cirque, et bien sûr, tout le monde croit que je savais
que... »

Mon frère Julio était venu vers moi en souriant, mais
avant d'achever sa phrase il s'arrêta net, fronça les sourcils,
me prit par les épaules et me regarda.

« Tu n'as pas bonne mine, murmura-t-il. Qu'est-ce qui
t'arrive ? »

Quand Raquel me raconta qu'elle n'avait jamais couché
avec mon père, je n'avais pas pensé à eux. La vérité n'était pas
seulement trop laide, trop brutale, sale, et amère. Elle était
aussi trop à moi. C'était mon amour qui était en jeu, c'était ma
vie, l'amour de ma vie, l'avenir qui allait commencer quand le
passé le dynamita. Cela n'avait pas été une explosion nette,
furieuse, joyeuse comme l'odeur de la poudre dans les fêtes
villageoises, dans les passions qui fulminent avec justice la
pauvreté d'une existence inutile, dans les batailles des guerres
justes. Non. Cela avait plutôt été une implosion, une détona-
tion sourde, silencieuse, contrôlée à distance par la volonté
rigide de certaines femmes, certains hommes morts. Ainsi
tout avait été détruit, mon amour, ma vie, l'amour de ma vie,
comme un grand bâtiment qui disparaît en un instant et fait

beaucoup de bruit, soulève beaucoup de poussière, et fabrique au sol un trou aussi grand que son périmètre, mais rien de plus, pas de gravats, délimités par les palissades. Il en avait été ainsi, je l'avais cru, et cela ne regardait que moi, depuis le début, depuis que ma mère n'avait pas envoyé le bon fils à ce rendez-vous où tout sembla s'achever, dans ce bureau, où tout commença seulement pour pouvoir s'achever ensuite. Ce n'était qu'une pure coïncidence, une chaîne d'événements triviaux, fortuits, une série d'accidents sans aucun lien logique entre eux si ce n'est ma présence fatale dans chacun d'eux. Raquel me concernait moi, elle était à moi, et rien qu'à moi, à moi et à aucun autre homme qui aurait eu le même nom, à moi pour toujours.

Quand elle me raconta qu'elle n'avait jamais couché avec mon père, je n'avais pas pensé à eux. La vérité avait brûlé la terre, l'avait rasée comme une gelée de printemps pour me laisser seul, sans personne derrière, ni d'un côté, ni de l'autre, la silhouette floue et recroquevillée de Raquel sur un point encore lointain de l'horizon. Et pourtant, parallèlement à cette ombre, ils étaient là, ma mère, mes frères et sœurs, petites têtes découpées dans l'arbre généalogique qui restait accroché dans un coin du salon de La Moraleja, un indice, et pas le plus ridicule, de la ferveur pour les travaux manuels auxquels la maîtresse de maison, à une époque, avait occupé son temps libre. Il y avait eu la restauration de meubles anciens, ensuite le point de croix, les petits tableaux, encore les petits tableaux, les napperons, les serviettes de toilette, les draps de bébé avec les initiales de tous ses petits-enfants, des majuscules, en cursive ou non, chevauchant des animaux, voyageant en bateau, servant de cachette à des garçons habillés en bleu ou à des filles habillées en rose. La chambre de mon fils était pleine des fruits du temps libre de sa grand-mère. Auparavant, elle s'était lancée dans les arbres généalogiques et en avait fait des douzaines, pour ses enfants, ses gendres et ses belles-filles, ses amis. Elle avait gardé le plus grand, et elle avait peint les branches, les feuilles, avec des teintes spéciales aux reflets métalliques et le trait impeccable du miniaturiste. Nous étions tous là, nos petites têtes découpées composant un étrange dessin, un arbre à la cime modérément frondeuse qui s'étranglait au centre pour s'étaler dans l'abondance des branches inférieures, rien par ici, rien par là et soudain, la famille Carrión Otero, mes parents et mes frères et mes sœurs, pourquoi davantage ? Sept, puis quatorze, puis vingt et un, les hauts et les bas conjugaux, des naissances, encore des naissances et enfin une mort, qui n'arracherait jamais un sourire humiliant tant elle faisait partie du bristol doré qui servait de fond.

Ce matin-là, Raquel était allée travailler pour me laisser seul sur le seuil de ce qui restait de ma vie. Je m'assis à la table de cuisine et pris un café, puis un autre, un autre encore, fumai comme un pompier, d'une manière obsessionnelle, incessante. Je songeai à mon père, à moi, à des affaires graves et à des détails triviaux, jusqu'à ce que ce cadre s'installe dans ma mémoire avec son chargement de feuilles vertes et de visages souriants, d'espaces vides que ma mère avait prévus malgré elle pour les futurs mariages des enfants, et ces commentaires qui résonnaient comme un avertissement et qu'elle n'adressait à personne en particulier, même si elle les faisait toujours les yeux plongés dans ceux de Julio, son fils préféré malgré tout. Moi, laissez-moi tranquille, parce que je ne compte pas le refaire, alors celui qui ne tiendra pas dedans restera dehors...

Mon père était désormais hors de notre vie, mais ma mère n'enlèverait jamais sa photo de cet arbre. Raquel était désormais dans ma vie, mais personne ne découperait jamais son visage d'une photo pour le coller à la place qui lui revenait. Je n'ai jamais ressemblé à mon père, je suis le seul de ses enfants qui n'ait jamais essayé de lui ressembler. Je ne ressemble pas non plus à mes frères et sœurs, mais peut-être n'ont-ils jamais connu la signification exacte de ce verbe. Celui qui ne tiendra pas restera dehors. Moi, j'étais déjà dehors, mais je restais dedans, j'y serais toujours, comme Teresa González Puerto, qui était institutrice, bonne, aimait son mari, et jouait mal du piano, très mal, mais elle aimait ça, la pauvre. Pour son fils, ma grand-mère était morte le 2 juin 1937, quand elle était le plus vivante. Pour mes frères et sœurs, peut-être pour ma mère aussi, je commencerais à mourir à l'instant où je parviendrais à me lever de cette table où je fumais et buvais du café d'une manière incessante, obsessionnelle, pour tenter de redevenir vivant.

Le temps avait passé, beaucoup de temps. « C'est une longue histoire, très longue et très ancienne, tu ne compren-

drais pas, et puis je crois que tu n'as pas à la connaître... »
Quand Raquel me la raconta, les grands épisodes m'écrasèrent tellement que je ne remarquai pas les recoupements à
faire. « Mon grand-père rencontra ton père un jour, dans un
café à Paris, et l'invita chez lui, il commença à les fréquenter,
il était tellement sympathique que tout le monde se prit d'affection pour lui et qu'il fit tout de suite partie de la famille... »
Entre le troisième et le quatrième café, je pensai à nouveau
que je devrais appeler Mai, que c'était la première chose que
j'aurais dû faire ce matin-là, mais je composai le numéro de
Raquel pour écouter le spectre de son ancienne voix, un filet
angoissé, cassant.

« Bonjour, Álvaro. Tu... ? Il t'est arrivé quelque chose ?
dit-elle d'une voix serrée par l'angoisse.

— Non, mais je voudrais savoir. Je viens d'y penser...
Quand ton grand-père a rencontré mon père à Paris, d'où se
connaissaient-ils ?

— De Torrelodones, bien sûr. » Elle était plus calme.
« Ma famille y allait en vacances avant la guerre. Ils avaient
une maison là-bas...

— Oui, oui, ça, je le sais. Mais à Torrelodones, même si
c'est un village, il devait y avoir beaucoup d'enfants, non ? Et
mon père, avant la guerre, était jeune, car il est né en 1922.
C'est pour cela que je me suis dit que c'était bizarre que ton
père le reconnaisse, après tant d'années.

— Oui, mais sa mère, c'est-à-dire Teresa, ta grand-mère,
était l'amie d'eux tous. Pas tellement de mon grand-père,
parce qu'il était le plus jeune, mais elle avait été l'amie de son
frère Mateo, et son beau-frère, tous les deux fusillés. Ils
étaient socialistes, du même parti qu'elle, ils allaient aux réunions de la Maison du Peuple en été, et puis, je ne sais pas...
Toujours est-il que mon grand-père connaissait ta grand-
mère, et il n'a pas reconnu ton père en tant que tel, mais parce
que c'était son fils. Je ne sais pas si tu me comprends...

— Si, bien sûr. »

Teresa, ma grand-mère, sa petite tête découpée, souriante, était dedans, mais elle était dehors, elle était dedans et
dehors à la fois, et j'étais le seul à le savoir. Ou peut-être pas.
Le dernier café – à peine deux doigts d'un liquide désormais
tiède et trop épais – ne parvint pas à me sortir de ma torpeur.
Ma grand-mère Teresa, sa petite tête découpée, souriante,

j'étais peut-être le seul à le savoir, à moins que Rafa et Angélica ne l'aient peut-être su depuis toujours, ma mère n'avait jamais appris le destin de sa belle-mère, mais elle savait le reste, elle devait le savoir.

Petit Espagnol qui viens au monde, que Dieu te préserve. « Et pourquoi ? Pourquoi ? » Vingt-quatre heures avant que Raquel ne me pose ces mêmes questions et n'y réponde pour elle-même – « ça ne sert à rien, rien ne sert à rien » – pour tenter de me dissuader d'entreprendre la visite qui bouclerait la boucle, je me les posai également. « Et pourquoi ? Pourquoi ? » Elles n'étaient pas très originales. Elles étaient épaulées par une immense clameur, si serrée qu'on l'aurait crue unanime, des millions de voix se taisant à la fois pendant trois décennies entières, un silence plus assourdissant que n'importe quel cri. « Pourquoi ? Pourquoi ? » Dans les questions, la stratégie des vainqueurs confluait vers celle des vaincus. Dans les réponses, si cela ne sert à rien, rien ne sert à rien, aussi...

« Pourquoi ? Pourquoi ? » À cause de moi, pour moi, un mauvais fils qui prête l'oreille à la version de l'ennemi, Álvaro l'ingrat, le traître, un bon professeur, un bon père, un bon fils, un bon citoyen. Je n'avais peut-être pas le droit de ne penser qu'à moi, mais cela n'avait plus de rapport avec la figure, avec la mémoire de mon père. C'était ma propre identité, ma propre mémoire qui me poussait, et ils étaient là eux aussi, leurs petites têtes souriantes, découpées et collées sur le même bristol. Je n'avais peut-être pas le droit de ne penser qu'à moi, mais penser à moi c'était penser à eux, à nous tous, lavés, coiffés et habillés de frais pour poser devant un appareil, sur la photo des livrets de famille nombreuse que maman conservait dans le même grenier où se trouvaient aussi les carnets de notes et les livrets scolaires. Photos individuelles, photos de groupe, une famille, ma famille. Il était encore temps de la sauver, de consacrer son image exemplaire et souriante, de leur épargner la contrariété de savoir qui ils étaient. Ou peut-être pas. Ils le savaient sans doute déjà, et cela ne les intéressait pas. Le verbe *croire* est un verbe particulier, le plus large et le plus étroit de tous les verbes.

Il ne restait plus de café, mais je continuai à fumer, à réfléchir au verbe *croire*, au verbe *savoir*, seul et en compagnie des deux autres. Je pensai au mot *générosité*, au mot *responsabilité*, au mot *égoïsme*. Je pensai à l'ordre et au chaos, au passé et au futur, je pensai à Teresa, à Raquel. Quelle malchance, grand-mère, quelle malchance, Álvaro, quelle malchance, mon amour, quelle malchance nous avons eue, quelle malchance nous continuerons à avoir ! Comment commencer à vivre ainsi, comment surmonter tout ça. Nous ne serons jamais seuls, toi et moi, nous ne pourrons jamais vivre ensemble et seuls, parce qu'il y aura toujours trop de gens autour de nous, vivants ou morts, avec toi et avec moi, se couchant avec nous, se levant avec nous, mangeant, buvant, marchant avec nous. Et tellement d'amour, et que ça ne serve à rien.

« Pourquoi, pourquoi ? » Pour moi, parce que. Parce que la réflexion est ennemie de l'action et je ne pouvais plus réfléchir. Parce que j'étais pris dans un labyrinthe pervers qui avait de nombreuses issues mais aucune bonne. Générosité, responsabilité, égoïsme. Julio répondit tout de suite au téléphone, et me salua sur un ton jovial et soucieux à la fois que je fus incapable de m'expliquer sur l'instant. Puis, pendant que je sortais dans la rue et traversais la place, je levais une main pour arrêter un taxi sans être très sûr de ce que je faisais, je compris que Mai avait parlé. Alors je m'aperçus que j'avais négligé un point très important, et le besoin de protéger Raquel, de lui chercher un alibi, n'importe quelle excuse pour minimiser son intervention dans cette histoire laide, sale, triste, me prêta le genre de sérénité que trouve en lui un pompier prêt à sauver des vies quand il constate qu'il est cerné par les flammes. Pourtant je ne fus pas capable de répondre rapidement à la question de mon frère.

« Asseyons-nous à une table. J'ai à te parler », proposai-je en échange.

Je le lui avais dit au téléphone, mais il resta silencieux.

« D'abord, j'ai quitté la maison, mais ça, tu le sais déjà, non ?

— Bien sûr, que je le sais, dit-il en souriant comme s'il n'avait pas entendu ma phrase précédente. Mai a appelé Angélica hier et, comme tu peux l'imaginer, une demi-heure plus tard, même maman était au courant. En plus elle m'a passé une engueulade terrible. Tu devais le savoir, Julio, tu le savais sûrement, il t'a toujours couvert, et toi, aujourd'hui, tu as fait de même, parce que vous les hommes, vous êtes tous pareils,

tous des porcs, etc. C'est pour ça que tout à l'heure je t'ai dit
que tu aurais pu me prévenir, mon vieux.

— Oui. Je suis désolé. Qu'est-ce que Mai a dit exactement ?

— À Angélica, je ne sais pas. Moi, j'ai reçu une avoinée
parce que tu avais quitté ta femme pour une plus jeune.

— Elle n'est pas plus jeune. Mai n'a pas un an de plus
qu'elle.

— Eh bien pour ta sœur, c'est comme si elle venait de
passer le bac. Et c'est tout ce que je sais.

— Oui, bon... Raquel a trente-six ans, mais... C'est une
femme spéciale.

— Je n'en doute pas, dit-il en riant.

— Non, il n'y a pas que ça. Je ne sais pas comment te
dire... Tu te souviens de l'enterrement de papa, Julio ?

— L'enterrement de papa ? répéta-t-il en haussant les
sourcils. Oui, bien sûr que je m'en souviens, mais je ne vois
pas le rapport...

— Tu te souviens qu'ensuite nous sommes allés déjeuner,
je vous ai interrogés sur une fille qui était arrivée vers la fin,
vous m'avez tous répondu que vous ne l'aviez pas vue, et l'on
s'est demandé qui cela pouvait être ? »

Il m'adressa un regard perplexe, réfléchit et, fit un signe
de tête négatif.

« Ça me dit quelque chose, mais... Je ne sais pas. C'est
important ?

— Oui.

— C'est elle ?

— Oui.

— Et que faisait-elle à l'enterrement de papa ?

— C'est notre cousine.

— Une cousine ? demanda-t-il, finalement impressionné.

— Oui, au troisième degré. Son arrière-grand-père et le
nôtre, le père de grand-mère Mariana, étaient frères... »

Il colla ses coudes sur la table, se tint la tête à deux mains,
se frotta le visage à plusieurs reprises et me regarda. « Bon
sang ! Et pourquoi on ne la connaît pas ?

— C'est le problème, lui dis-je. Pourquoi on ne la connaît
pas... »

Je fis une pause. Je m'encourageai moi-même et lui lâchai
d'un trait :

« Quand j'ai trouvé la boîte à pilules avec le Viagra, tu te souviens ? J'ai pensé à papa à quel genre d'homme il aurait pu être sans qu'on le sache. À l'époque, tu étais très occupé avec les droits de succession, et maman m'a demandé d'aller à La Moraleja à ta place. J'y étais déjà allé une fois, mais je n'avais rien emporté, ni photos, ni objets, et comme quand je suis arrivé, j'étais seul, parce que cet après-midi Lisette avait un cours de je ne sais quoi, j'ai fouillé un moment dans le bureau. J'ai regardé dans les placards et trouvé un dossier cartonné contenant les papiers de la Division Azul. Sur le dessus, il y avait des notes très récentes, avec des noms, des dates, des phrases que je n'ai pas comprises et un numéro de téléphone. C'est comme ça que j'ai connu Raquel, c'était son numéro. Je lui ai parlé, je lui ai demandé qui elle était et elle m'a dit qu'elle préférait me donner un rendez-vous. » Je me demandai si je mentais bien et ne trouvai rien qui suggère le contraire sur le visage de mon frère. « Tout cela me sembla très mystérieux, mais nous finîmes par nous fixer rendez-vous et elle me raconta qu'elle avait connu papa par hasard, parce qu'elle possédait un appartement dans un immeuble de la zone de Tetuán que vous vouliez acheter, pour le réunir avec un autre que vous possédiez déjà et construire quelque chose de plus grand et de plus haut, je suppose que tu vois de quoi je parle...

— Attends, parce que ça aussi ça me dit quelque chose, mais on a acheté plusieurs immeubles dans la zone de Tetuán, et là, maintenant je ne vois pas...

— C'est égal. Tu ne t'en souviens certainement pas, étant donné qu'elle a refusé pendant longtemps de vendre. Elle travaille dans une banque et elle est très intelligente. Elle a supposé que plus elle attendrait, plus vous lui proposeriez une somme importante, ce qui fut le cas. À la fin, papa lui a échangé son appartement contre un de ceux que Rafa voulait nous vendre, enfin, à moi du moins, rue Jorge Juan. Elle était soucieuse, parce que l'opération avait eu lieu deux jours avant que papa entre à l'hôpital et elle n'était pas sûre que l'achat-vente soit effectif. C'est pour ça qu'elle était venue à l'enterrement. Elle allait devoir parler un jour à l'un d'entre nous, et elle voulait nous connaître, voir nos têtes... Bref, ce fut ce qu'elle me raconta et cela me sembla très bizarre. Bien sûr, que c'était bizarre, mais, à ce moment, ça m'était égal, parce que c'était une bizarrerie inoffensive et puis surtout, parce qu'elle me plaisait. On a commencé à flirter au bout de dix minutes et bien sûr, et alors... À partir de là, le reste n'avait pas d'importance. Chez le notaire, je constatai que cet appartement ne figurait pas parmi les propriétés dont nous allions hériter et je me suis disputé avec Angélica, tu te souviens ?

— Oui, ça, je ne l'ai pas oublié, sourit-il.

— Et bien ce soir-là, j'ai rappelé Raquel, on a repris rendez-vous et elle ne m'a plu que davantage. Elle me plaisait tellement que nous sommes tout de suite sortis ensemble. Elle me plaisait toujours, jusqu'à ce que je devienne fou d'elle, tu le sais, et j'ai fini par lui dire que j'allais quitter Mai. Alors elle a disparu et je suis devenu fou, mais pour de bon, je me sentais très mal, c'était vraiment horrible. Tout a été le fruit du hasard, tu comprends ? Cela aurait pu arriver à Rafa, à toi, la société immobilière qui s'intéressait à l'immeuble où elle vivait aurait pu être différente, je n'aurais pas reconnu le nom de papa, et nous ne nous serions pas connus. Mais c'est arrivé comme ça, à moi et je me suis lancé, je suis tombé amoureux comme un adolescent. Et maintenant je viens d'apprendre qu'elle m'avait caché une partie de l'histoire. »

Mon récit était plein de lacunes, d'imprécisions, de zones d'ombre, mais je l'avais déjà lancée avant de m'apercevoir que Rafa allait tôt ou tard faire la connaissance de Raquel. S'il reconnaissait en elle la conseillère en investissements qu'il avait rencontrée un jour, même s'il n'était pas resté plus de dix minutes dans son bureau, mes explications s'effondreraient comme un château de cartes. Mais à ce moment, c'était le moindre de mes soucis, et si ma relation avec ma famille survivait à ce week-end, ce serait également le moindre des siens. Et puis Rafa ne faisait pas tellement attention aux femmes, et Julio, qui lui reprochait de ne s'y intéresser que modérément, c'est-à-dire très peu, était tellement stupéfait qu'il avala l'histoire en bloc.

« Je crois que je sais qui c'est, dit-il ensuite. Enfin, je ne l'ai jamais vue, je ne m'occupais pas personnellement de l'affaire, mais je me souviens que dans l'une des maisons de Tetuán, à un moment, il y avait une nana qui nous rendait fous. Ce que je ne comprends pas, c'est... Comment papa a-t-il pu lui échanger un appartement aussi bon marché contre un autre si cher. Il était vieux, mais pas idiot. Et pourquoi est-ce que tu fais cette tête, Álvaro ? Après tout, la nana est revenue, tu es avec elle. Tu devrais être ravi, non ? »

Je le regardai, me frottai les yeux, et commandai une autre bière.

« Tu te souviens de Mariloli, Julio ?

— Mariloli ? dit-il en hochant la tête, comme s'il craignait que son frère ne soit devenu fou. La fille du concierge de la rue Argensola ?

— Oui, exactement. La poupée de Clara, elle l'avait trouvée dans la rue et refusait de la rendre, tu te souviens ? »

Le souvenir de cette poupée rousse habillée de vert était si puissant qu'il avait traversé le temps, et mon frère changea d'expression. À cet instant, je compris qu'il savait, qu'il le savait probablement depuis toujours, peut-être depuis ce jour-là, mais je lui racontai tout, qui était notre père, cet homme admirable, et comment il avait réussi à se faire tout seul, depuis les deux carnets qu'il avait gardés comme trophées jusqu'à ce que la visite de Raquel le mette face à sa propre vie au bord de la mort. Je ne lui donnai pas davantage d'explications et il ne m'en demanda pas.

« Eh bien c'est une vacherie, dit-il en souriant tout de même. Maintenant, ce que je ne comprends pas, ce sont les problèmes de cette nana, ses remords, qu'elle se sente coupable d'avoir couché avec toi sans te dire la vérité. En fin de compte, ce fut un hasard, tu l'as dit... Elle doit être aussi bizarre que toi, Alvarito, parce que si elle n'avait rien dit... Elle savait que ton père était un salaud ? Bon, très bien, moi aussi, je le sais, je te l'ai dit un jour. Je vis avec ça depuis des années, et je suis là. Elle a soudain eu l'occasion de le contrarier et elle en a profité ? Eh bien, tout le monde le fait... Papa est mort parce qu'une inconnue est arrivée un beau jour dans son bureau, chargée de papiers qu'il n'aurait souhaité revoir pour rien au monde ? Ça ne change rien, Álvaro. Elle ne l'a pas tué. Il avait quatre-vingt-trois ans, il devait mourir un jour. Il est mort et tu es vivant. C'est la seule chose qui compte.

— Les morts ont toujours tort.

— Comme tu dis, s'exclama-t-il en levant son verre.

— Mais... je ne comprends pas. » Je fis une pause pour regarder mon frère et je vis son sourire se défaire en une grimace mélancolique. « Ça ne te fait rien à toi ?

— Je le savais déjà, Álvaro. Je le sais depuis très longtemps. Depuis ce même après-midi où ta copine, elle s'appelle
Raquel, non ? est venue à la maison avec son grand-père. » Il
finit sa bière, regarda le verre et leva la main. « Je crois que
je vais commander quelque chose de plus fort... tu veux un
gin tonic ?

— Non. » Cela ne signifiait pas que je ne voulais pas
boire et mon frère s'en aperçut.

« Un whisky ? Cet après-midi... On avait un match de foot
et je marquai trois buts, je m'en souviens parfaitement. Je
jouai super bien, et papa était très content, très fier de moi. À
cette époque, c'était ce qui comptait le plus. J'aimais beaucoup papa, je l'admirais, je jouais pour lui, pour qu'il me voie,
pour qu'il me prenne dans ses bras à la fin des matchs. La
semaine suivante, je devais faire un essai pour l'équipe junior
du Madrid, tu t'en souviens ?

— Bien sûr. J'ai passé des mois à me vanter de toi au
collège. J'ai parié avec tous mes amis qu'ils allaient te prendre.

— Bref... Je regrette. Maman était terrifiée, mais lui, ça
lui faisait très plaisir d'avoir un fils footballeur. On en a parlé
en sortant du stade, seulement papa et moi parce que Rafa
s'est tu pendant tout le chemin, il boudait. À l'époque, il était
très jaloux de moi, parce qu'il avait passé toute la saison sur
le banc de touche. Alors nous sommes arrivés à la maison, et
il y avait une fillette avec Clara, et... Et rien. Je ne me suis
rendu compte de rien. Avant de dîner, maman est venue chercher Rafa. Papa voulait lui parler et, vois comment sont les
choses, j'étais sûr qu'il allait lui parler de moi, lui demander
de ne pas être aussi jaloux, de m'aider, de m'encourager, de
se résigner à être un moins bon footballeur que moi. Je le
croyais, et j'étais content, parce que Rafa était insupportable,
tout le temps vexé, à chercher la bagarre... Mais ce n'était pas
ça. Au dîner, tout le monde était très sérieux, papa, maman,
Rafa et Angélica.

— Et moi ? Où étais-je ? » Cette partie de l'histoire où
coïncidaient maintenant Julio et Raquel m'avait ramené à une
époque tellement insignifiante pour moi que je ne pouvais pas
me la rappeler précisément.

« Eh bien, à la cuisine, je suppose. Clara et toi, vous
deviez encore dîner là-bas. C'est sûr, vous n'étiez pas à table.

Je me souviens de tout parce que... Ensuite, le soir, Angélica est venue dans notre chambre.

— Et moi, je dormais déjà », supposai-je de mon côté, et je pensai à nouveau que le destin était un mauvais allié en mesurant mon étonnante et systématique absence, dans un épisode qui finirait par devenir plus important pour moi que pour n'importe lequel de mes frères.

« Oui. Tu dormais, et j'allais t'imiter, mais ils me réveillèrent très vite. Ils avaient tout prévu. Ils me dirent qu'ils devaient me parler, que c'était très important. Je les suivis dans la salle de jeux et ils ne me laissèrent pas allumer la lumière. Nous nous assîmes par terre, on y voyait à peine. C'était très émouvant. La porte de la chambre était ouverte, et l'éclat de ta veilleuse arrivait, la bleue que maman t'avait rapportée de Paris, tu te souviens ? Ils l'avaient allumée avant de sortir et... Je ne sais pas, ça avait l'air très émouvant, je te l'ai dit, mais Rafa se mit à parler, à me raconter une histoire très bizarre, et moi, au début, je ne comprenais rien... »

Il jouait depuis un moment avec les glaçons de son verre. Il le posa sur la table pour me regarder, et je m'étonnai de la qualité de sa mémoire, de l'assurance avec laquelle il reconstruisait pour moi sans le moindre doute, sans hésitation, les détails de cette nuit lointaine, des mots, des gestes, des sensations, lui, Julio, mon frère, qui ne s'intéressait pas à grand-chose, qui ne s'intéressait jamais à rien, à qui tout était égal parce qu'il ne savait pas prendre la vie au sérieux.

« "La situation est très grave, m'a dit Rafa. Tu dois en être informé parce que nous sommes tous en danger, surtout papa, mais il l'a fait pour nous..." C'était ce qu'il disait, et il a failli me faire rire parce qu'il parlait comme s'il avait tout appris au cinéma. Tu sais, on aurait dit un acteur dans un mauvais film. Papa l'a fait pour nous, parce qu'il était très pauvre et qu'il ne voulait pas qu'on le soit... » Alors Julio qui se mit à gesticuler, à écarquiller les yeux, à parler dans un murmure, et à agiter les mains comme s'il jouait un rôle, imitant l'acteur imaginaire que Rafa aurait singé ce soir-là. « "Il voulait qu'on vive bien, et les autres étaient méchants, ils tuaient les gens, tu comprends ? Ils brûlaient les églises, ils brûlaient tout, et puis ils étaient partis parce que c'étaient des criminels, alors ce qui leur appartenait n'était à personne..." » Julio retrouva enfin sa propre voix, sourit, et continua : « " Je ne te comprends pas, Rafa, ai-je dit. Qu'est-ce que papa a fait ? Et qui étaient les autres ? — Laisse-moi faire", est intervenue alors Angélica. Elle était déjà beaucoup plus froide que lui, plus intelligente, et moins nerveuse. Elle s'est levée, a ouvert la porte sans faire de bruit, est passée dans le couloir pour revenir au bout d'un instant, marchant sur la pointe des pieds, avec un très grand livre entre les mains. "Tiens, regarde", m'a-t-elle dit. Le livre s'intitulait *L'Espagne en flammes*. Tu l'as déjà vu ?

— Non. Ça ne me dit absolument rien. Il était à la maison ?

— Bien sûr, qu'il y était. Vous aviez beau vous plaindre, mais faire partie des petits a bien des avantages, tu sais, parce que c'était... le catalogue d'une boucherie. Des cadavres, encore des cadavres, des enfants égorgés, des hommes fusillés, des femmes qui pleuraient... Et beaucoup d'incendies, ça oui, des crucifix brûlés, des vierges renversées à terre... Bref, tu peux imaginer. Rafa voulait continuer à parler, mais Angélica, qui est beaucoup plus intelligente, ne l'a pas laissé faire. Elle voulait que je voie toutes ces photos et je n'ai pas pu arriver à la fin. "Qu'est-ce que c'est ?" ai-je demandé, et elle me l'a expliqué bien mieux, beaucoup plus clairement que Rafa. "C'est ce que les rouges ont fait pendant la guerre. Et aujourd'hui est venu un monsieur qui est un oncle de maman et qui était rouge, pour dire à papa qu'il était rentré vivre ici, et qu'il savait que c'était lui qui avait tout pris. — Comment ça, tout pris ? ai-je demandé, parce que ça avait l'air mauvais, très mauvais. — C'est ce que t'a dit Rafa tout à l'heure. Les rouges sont partis, ils ont tout laissé, leurs maisons, leurs affaires, m'a-t-elle répondu, très calme. — Et papa a tout pris, ai-je dit. — Eh bien, ce n'est pas exactement comme ça, tout a été vendu aux enchères, réparti, pour ainsi dire, entre plusieurs personnes, et papa... C'était aussi la famille de maman. — Ah bon ! ai-je fait, rassuré, si c'était celle de maman...

— Je crois que je vais commander un autre verre, annonçai-je à ce moment.

— Tu vas être ivre, Álvaro.

— Tant pis et... Mais ça n'est pas le plus grave, parce que...

— Oui. » Il tendit une main par-dessus la table, la posa sur mon bras droit, la serra un moment. « J'imagine. Résultat, même si c'est incroyable, ils m'ont dit que tout était à maman, mais je ne l'ai pas cru. J'ai tout de suite compris que ça ne pouvait pas être vrai, alors, pourquoi ce monsieur était-il venu ? Et pourquoi étaient-ils tous aussi nerveux ? Je l'ai demandé, mais ils n'ont pas voulu me répondre. Ils ne pouvaient pas, bien sûr, mais je ne l'ai compris que plus tard.

"L'important, c'est que tu restes attentif, que tu n'en parles à personne, et encore moins aux plus jeunes, mais que tu me dises si quelqu'un te suit ou te pose des questions, parce que maintenant papa peut avoir des problèmes, comme Franco est mort et que les rouges se sentent encouragés..." m'a alors dit Rafa, sur ce ton de frère aîné responsable qui m'a toujours fait sortir de mes gonds. J'ai répondu oui à tout, qu'ils ne s'inquiètent pas. »

Le garçon me servit le premier verre en trop que j'allais boire ce jour-là, et Julio, qui se contenta d'un tonic, attendit son départ pour reprendre.

« Je faisais dans mon froc, Álvaro, dit-il ensuite, comme s'il avait besoin de se justifier de la réponse qu'il fit alors : je n'avais pas encore seize ans. Quand je suis allé me coucher, les photos que j'avais vues n'arrêtaient pas de me tourner dans la tête et ne me laissaient pas dormir. À cette époque... tout était politique. Les rues étaient pleines d'affiches des uns et des autres, les gens parlaient tous les jours de la même chose, les curés nous parlaient aussi, au collège, impossible de ne pas le savoir, de ne pas voir tout ça. Et les nôtres... Qu'est-ce que j'en sais, papa, maman, les parents de mes amis, le père Aizpuru, ils étaient très soucieux, morts de peur eux aussi. Ce qui se passait ne leur plaisait pas du tout, on aurait dit qu'un désastre, une catastrophe allait nous tomber dessus, on venait de légaliser le parti communiste et c'était la fin du monde. Je le savais, je m'en rendais compte mais malgré tout... Malgré tout, je ne pouvais pas dormir. Et tu sais pourquoi ? » Je secouai la tête. « À cause de la petite.

— Quelle petite ?

— Ta fiancée, dit-il en souriant. Cette fille, elle s'appelle Raquel, n'est-ce pas ?

— Oui, mais je ne te comprends pas, Julio.

— Mais c'est très facile. J'avais vu les photos, tout ce sang, ces morts, mais avant de l'avoir vue elle. C'est amusant, que tu ne t'en souviennes pas, parce que moi, je m'en souviens parfaitement. Elle portait une robe blanche avec de petites fleurs grenat, une veste de la même couleur que les fleurs, et deux nattes avec des rubans au bout. Elle était comme Clara, elle était habillée comme elle, elle parlait comme elle... Je ne l'ai vue qu'un moment et je n'ai pas fait très attention, elle ne m'a même pas adressé la parole, mais ensuite, au lit, en réfléchissant à tout ça, je me suis souvenu d'elle, une petite fille, ordinaire, qui jouait à la poupée avec ma sœur, et cette fillette... Je ne sais pas comment expliquer, mais je n'ai pas pu faire le lien entre elle et l'histoire que m'avaient racontée Rafa et Angélica, les photos que j'avais vues. Je n'ai pas vu son grand-père, mais elle... Elle était tellement normale, tellement petite, tellement innocente, tellement d'ici... Tu comprends ?

— Oui. » Je comprenais, mais je ne trouvai pas d'autres mots pour le remercier de s'être mis du côté de cette petite fille, dont je ne parvenais pas à me souvenir, même après avoir entendu la description des vêtements qu'elle portait cet après-midi-là.

« Eh bien, voilà. J'ai pensé qu'en fait, ce qu'on possédait aurait dû être à elle. Et elle n'avait pas l'air pauvre, bien sûr, elle n'était pas pauvre, elle avait la même allure que Clara, que ses copines, je te l'ai dit, et pourtant... Cela revenait au même, parce qu'elle avait notre âge, elle était de notre génération et il paraît que le temps efface tout, mais... J'ai pensé que ses grands-parents s'étaient retrouvés sans rien, que ses parents avaient grandi sans rien, dans un pays étranger, seuls, et nous, papa, et maman, et les gens, et les gens comme eux, ici, vivaient comme des rois... Je ne sais pas, je ne peux pas bien l'expliquer, mais cette fillette m'a soudain fait ressentir de la peine et une grande honte, même si ce n'était pas de ma faute, parce que cela n'aurait pas dû être comme ça, parce que ce n'était pas juste. J'ai trouvé que ce n'était pas juste. Alors j'ai demandé à Rafa qui ne dormait pas : Est-ce que papa est un voleur, Rafa ? Et il s'est fâché contre moi : comment papa pourrait-il être un voleur ? Salaud, tu es un salaud... Voilà ce qu'il m'a répondu et je refusai d'en parler avec lui, pour quoi faire ? Tu le connais. Ni moi ni personne n'allait le faire changer d'avis.

— Et qu'est-ce que tu as fait ?

— Quand ?

— Je ne sais pas, le lendemain, plus tard...

— Rien. Qu'est-ce que je pouvais faire, puisqu'on ne pouvait rien faire ? Le lendemain, c'était dimanche. Nous sommes allés déjeuner à Torrelodones en voiture, et pendant qu'on faisait une promenade dans le village, les gens s'arrêtaient pour nous saluer, et je regardais papa, je le voyais sourire à tout le monde, et je pensais qu'ils le savaient, qu'ils devaient le savoir, que maman le savait, et la dame du bureau de tabac, le patron de l'auberge, ceux qui nous saluaient, ceux qui nous embrassaient et nous touchaient la tête, tout le monde devait le savoir mais personne n'avait jamais rien dit, c'était comme si personne ne savait quoi que ce soit... J'ai gardé cette sensation pendant plusieurs jours. D'un côté, si je remarquais que quelqu'un me regardait dans la rue, dans le métro ou dans une boutique, j'avais l'impression que tout le monde le savait, que tout le monde savait que mon père était un voleur, mais ensuite je m'apercevais que les gens que nous connaissions, ceux qui devaient le savoir, les amis de papa, les amies de maman, ceux de Torrelodones, faisaient comme s'ils ne savaient rien.

— Et Rafa ? Angélica, maman... Ils ne t'en ont pas reparlé ? Ils ne t'ont rien expliqué ?

— Non. Je n'ai plus jamais entendu un mot sur la question. Avant que tu ne m'en parles, personne ne m'en avait jamais parlé. Alors... » Il sourit, comme si, dans le fond, ce qu'il m'avait raconté n'avait pas tellement d'importance. « Ce n'est pas pour l'avoir oublié, parce que je ne l'ai jamais oublié, mais... Je me suis habitué à vivre comme les autres, à vivre comme si je ne l'avais pas su, comme si ça n'avait aucune importance pour moi. J'ai raté le test pour l'équipe junior du Madrid, ça oui.

— Oh oui ! » La nature inattendue, abrupte, de cette conclusion, me fit sourire. « Je me suis terriblement ridiculisé, et j'ai perdu tous mes paris.

— Oui, bon... J'étais très nerveux, mais, en plus, je dois dire que je ne voulais pas être engagé. Je ne savais pas exactement ce que papa avait fait, mais ça n'avait pas d'importance, parce que je savais que ce n'était pas bien. Je n'ai jamais été une grenouille de bénitier, encore moins un saint, je ne suis même pas sûr d'être quelqu'un de bien, mais... Je dois dire que je ne l'admirais plus et que je ne me souciais plus qu'il soit fier de moi. Je n'avais que quinze ans, mais je ne m'en suis plus jamais soucié.

— Et pourtant... » Je n'osai pas continuer, mais il me comprit tout de même.

« Et pourtant je suis ici, non ? » J'acquiesçai et il sourit. « Je suis arrivé jusqu'ici, sans souffrir, sans parler, et aussi heureux. Je ne suis pas comme toi, Álvaro, tu le sais. Il est vrai aussi que je ne couche pas avec cette fille en robe blanche à fleurs grenat, au fait, tu devrais me la présenter, parce que je suis très curieux de voir ce qu'elle est devenue, mais de toute façon, tout cela ne m'intéresse pas tellement, plutôt moins que toi, et bien moins que Rafa. Ce n'est pas ma vie et ce n'est pas la tienne, Álvaro, écoute-moi. Papa n'était pas bon, je te l'ai dit une fois, mais ça n'a rien à voir avec toi, ni avec moi, et puis... On ne peut rien faire. À quoi ça rime ? À ce stade... »

Julio, mon frère, fut le premier à me dire que rien ne servait à rien. Alors je pensai à Teresa González Puerto, à sa vie et à sa mort, sa petite tête sur un bristol doré et ses paroles, cet héritage que je devrais partager avec l'homme blond et souriant qui regardait sa montre, demandait la note, et me souriait à nouveau.

Julio était lui aussi son petit-fils, même si cette lettre ne changerait jamais rien pour lui, n'en ferait pas un homme meilleur, ni différent. Peut-être, après tout, le mieux est-il qu'on reste seuls toi et moi, grand-mère, pensai-je. Mieux vaut te garder pour moi, t'épargner l'indifférence ou l'hostilité de mes frères et sœurs, t'emmener avec moi par les matinées ensoleillées et pluvieuses, parmi les fleurs qui ne remplissent aucun vase en cristal. Mais lui aussi était son petit-fils. Et peut-être le meilleur de ceux qui lui restaient.

Il avait déjà refermé le couvercle de son portable, l'avait rangé dans une poche, palpait sa veste pour s'assurer qu'il n'oubliait rien. « Il y a autre chose, Julio. Le jour où j'ai trouvé le dossier bleu, j'ai aussi découvert une lettre de grand-mère Teresa, la mère de papa. Elle l'a écrite pour lui dire au revoir quand elle a quitté la maison, parce qu'elle n'est pas morte en juin 1937, comme nous l'a dit papa... La vérité, c'est qu'elle est morte à la prison d'Ocaña, quatre ans plus tard, en 1941. » Mon frère me regarda les yeux écarquillés, reprit sa tête entre ses mains, s'agita sur sa chaise.

« Bon sang !

— Oui, bon sang... Mais ça n'est pas tout, tu sais ? » Alors que j'allais continuer, il m'arrêta de la main.

Il jeta à nouveau un coup d'œil à sa main et prit peur. « Un autre jour, Álvaro. Ne te fâche pas contre moi, mais... Pour l'instant je ne peux pas rester, vraiment. J'ai un rendez-vous pour déjeuner, et c'est très important, c'est... » Il fit une pause, me vit sourire. « D'accord, c'est une nana. Je ne vais pas coucher avec elle ni rien, vraiment, on s'amuse, mais je ne voudrais pas passer pour un malappris. Je te rappelle, cet après-midi, demain, quand je pourrai, et l'on se voit, et tu me racontes tout, parce que ça m'intéresse vraiment beaucoup, mais... Je dois partir, je suis déjà en retard.

— Bon, comme tu voudras.

— Tu ne vas pas te fâcher, c'est sûr ?

— Sûr.

— D'accord, mais avant de partir, je vais te donner un conseil, deux, en fait... » Et c'étaient les derniers mots aux-quels je m'attendais de sa part à ce moment. « Le premier est le meilleur, et le plus important. Écoute-moi, Álvaro, et tire-toi. Va-t'en, ce soir, demain, prends cette nana et tire-toi. Va dans un bel endroit, amusant, enferme-toi avec elle, et baise un maximum. Baise-la jusqu'à ce que tu n'en puisses plus, jusqu'à ce que tu aies mal à la queue à force de t'en être servi, et après, continue à baiser jusqu'à ce que tu ne la sentes plus. Baise-la comme si ce n'était pas la petite-fille de son grand-père, comme si elle n'avait jamais connu papa, comme si tu venais de la rencontrer, comme si ce n'était pas notre cousine. Et quand tu parviendras à te sentir comme si tu n'avais plus de queue, décide-toi. Tu restes avec cette fille ou tu rentres à la maison pour t'agenouiller par terre, appuyer la tête sur les genoux de ta femme et lui demander pardon. J'ai fait les deux, et les deux marchent. Écoute-moi, Álvaro, je sais de quoi je parle. Consacre-toi à la vie, et pense à toi, bon sang. Oublie papa pour toujours. Ça aussi, ça marche, et je le sais aussi par expérience. Et maintenant je m'en vais, mais... »

Alors il se leva, me prit dans ses bras, m'embrassa sur la joue.

« Et l'autre ? Le deuxième conseil ? lui demandai-je.

— Le deuxième conseil est de ne pas en parler à Rafa.
N'y songe même pas, Álvaro, je te le dis sérieusement. »

Mais je ne suis pas comme toi, Julio, pensai-je en le
voyant sortir du bar à toute vitesse, je ne suis pas comme toi,
tu le sais.

Les lettres commencèrent à arriver durant la dernière semaine d'avril 2004, mais Raquel Fernández Perea, qui avait profité du pont de mai pour aller à Istanbul avec son amie Berta, connaissait leur contenu avant d'ouvrir la sienne.

Elle cherchait encore les clés dans sa poche quand Nati vint à sa rencontre, comme si elle avait guetté son retour tout l'après-midi. « Tu es au courant ? Quelle contrariété, mon Dieu ! Je ne sais pas ce qu'on va faire... »

Raquel ne se formalisa pas de cet accueil. Le drame systématique, presque sportif, faisait partie du caractère de sa voisine, une femme âgée en très bonne santé, malgré un ennui chronique.

Nati vivait seule. Elle avait été mariée puis veuve avant quarante ans. Elle avait eu deux enfants et l'aîné, très jeune, s'était tué dans un accident de moto. À l'époque, sa fille vivait déjà à Tenerife, où elle avait trouvé du travail comme femme de chambre dans un hôtel. Puis elle avait rencontré un garçon, l'avait épousé et était restée là-bas. Elle venait voir sa mère quand elle le pouvait et lui avait souvent proposé de l'emmener avec elle aux Canaries, mais Nati ne voulait pas quitter sa maison. « Tant que je peux faire la cuisine, le ménage et ma toilette toute seule, je ne bouge pas d'ici », disait-elle. En revanche, la solitude l'avait exilée de sa propre vie pour l'installer dans la fiction perpétuelle de ces émissions qui prétendent reproduire en direct la réalité des vies.

Raquel ouvrit la porte, posa sa valise dans le vestibule, se retourna pour prendre Nati dans ses bras en lui donnant deux bises. « Que s'est-il passé, Nati ? Ce n'est sûrement pas si grave.

— Ouh, non ! » Sa voisine porta les mains à son visage, puis sur ses joues, ferma les yeux et hocha plusieurs fois la tête. Elle semblait au bord des larmes, mais Raquel savait qu'elle se contentait d'imiter ce qu'elle avait vu à la télévision. « On nous jette à la rue, voilà ce qui se passe !

— Qu'est-ce que tu racontes ?

— Tu verras, tu... »

Quand ils avaient emménagé, huit ans plus tôt, Raquel n'était mariée que depuis trois ans, et elle s'entendait encore bien avec son mari. Cet appartement devint leur premier problème. Au début, il refusait d'acheter, parce que ce n'était pas vraiment une bonne affaire. Il finit par reconnaître que l'offre était trop intéressante pour la laisser passer, mais il ne se plut jamais dans ce nouveau logis. Elle, en revanche, était ravie, et elle s'empressa de mettre son nouvel appartement sur la longue liste de faveurs qu'elle devait à Paco Molinero, son meilleur ami au travail, lui-même ami d'un directeur de succursale qui, avant de saisir un client pour impayés, lui avait proposé de trouver un acheteur qui aurait repris l'hypothèque à son compte. L'immeuble, vieux sans être ancien, était laid, quelconque, et n'avait pas d'ascenseur. L'appartement, un deuxième étage de soixante-dix mètres carrés, trop bas de plafond, avec deux petites chambres donnant sur cour, pas très lumineux, n'était guère mieux, mais Raquel l'obtint à un si bon prix qu'il compensait tous ses défauts. Elle ne comptait pas y vivre longtemps. Son idée était de le vendre dans les trois ou quatre ans pour réinvestir la plus-value dans un logement qui lui plairait vraiment, mais quand le délai fut atteint, elle s'y sentait beaucoup plus à l'aise. Depuis l'été 1999, elle avait l'appartement pour elle seule. Cette année-là, Josechu et elle avaient décidé de partir en vacances, chacun de son côté, pour faire le point. Ils parvinrent tous deux à leur objectif : il ne revint pas, elle s'en félicita.

Cet été-là, Raquel réfléchit longuement à sa vie. Elle s'efforça de comprendre ce qui lui était arrivé et n'y parvint pas totalement. Elle ne comprendrait jamais comment son mariage avait pu se dissoudre avec autant de naturel, et cette douceur plus proche de la lassitude que de la paix. Elle avait fait un mariage d'amour, du moins le croyait-elle, et n'avait pas le sentiment de l'avoir jamais regretté. Ce qui s'était passé était plus facile et plus difficile à comprendre, plus simple et beaucoup plus compliqué. À un certain moment, Raquel s'aperçut qu'elle préférait vivre seule plutôt qu'avec Josechu et, à partir de là, toutes les petites manies de son mari, les désaccords les plus stupides sur les projets du vendredi soir ou les programmes TV prirent des proportions gigantesques et d'un problème, on passa vite à la crise. Il n'y eut pas de raison particulière, ce ne fut pas nécessaire. La stupeur était réciproque, et fut plus forte que l'inertie. Aussi se séparèrent-ils, sans passion, sans rancœur, et presque sans s'en apercevoir. De la même façon qu'ils avaient vécu ensemble pendant plus de six ans.

Nati, la voisine d'en face, fut l'une des grandes bénéficiaires d'un divorce qui ne fit du tort à personne. Elle devint l'un des rares éléments stables dans la vie de Raquel, pendant que toutes ses tentatives sentimentales échouaient inexorablement. Après la séparation, Paco Molinero revint à la charge. Il l'avait fait en d'autres occasions, si souvent qu'elle ne les comptait plus, avant et après son mariage, dès qu'il percevait le plus subtil symptôme de découragement chez une femme dont il était tombé amoureux presque à l'instant où il l'avait connue. Raquel le savait, et elle l'aimait, elle ne pourrait jamais cesser de l'aimer, car Paco était l'une des rares personnes qui accaparent tous les champs sémantiques de l'adjectif « aimable ». Il était sympathique, généreux, amusant, bon compagnon, solidaire, compréhensif, charmant sans être collant, et très attirant. En le regardant de loin, comme si elle ne le connaissait pas, Raquel le trouvait même séduisant. Il l'était, les femmes le savaient et lui aussi. Grand, bien bâti mais corpulent, les yeux clairs et une barbe soigneusement négligée, il offrait une approche assez exacte du genre d'homme qu'elle pourrait désirer. Pour cette raison, chaque fois qu'il attaquait, Raquel pensait que l'erreur était en elle, que c'était elle qui se trompait, et elle essayait de trouver en elle la faille, la déficience, cette protéine qu'elle ne savait pas synthétiser et qui devait constituer l'obstacle à cette histoire.

Elle rassemblait alors ses arguments, ses raisons, se décidait, décidait que cette fois ce serait différent, et c'était toujours pareil. Paco Molinero lui plaisait beaucoup habillé. Paco Molinero lui plaisait beaucoup nu. Jusque-là. Jusque-là seulement, parce que lorsqu'il la touchait, Raquel éprouvait une sensation désagréable. Elle sentait qu'il en touchait une autre, qu'elle n'était pas la femme qu'il embrassait, qu'il prenait dans ses bras, qui se laissait entraîner vers le lit, tant elle se trouvait loin de son propre corps. Ensuite, c'était pire. Car désespérée d'avoir été incapable de se concentrer sur ce qu'elle faisait, elle le regardait, et le voyait sourire, se laissait embrasser et enlacer, et elle comprenait qu'il ne s'était aperçu de rien, qu'il ne se rendait compte de rien et chaque fois la frustration, la culpabilité et la tristesse augmentaient l'énigme du sexe impossible, injuste, odieux et absurde, mais surtout impossible. Le jour suivant, Raquel ne savait plus que faire avec Paco, à part se promettre à elle-même qu'elle ne recommencerait jamais plus, et profiter de la première occasion pour revenir sur le fabuleux plan de l'escroquerie multimillionnaire avec laquelle ils se distrayaient depuis des années. Ce projet, qui avait commencé comme un simple jeu, un passe-temps dont ils savaient tous les deux qu'il ne se réaliserait jamais, finit par fonctionner comme le mot de passe de leur échec mutuel. Chaque fois qu'elle approchait de son bureau, au lieu de murmurer avec un sourire reconnaissant que la veille cela avait été épatant, elle lui annonçait à voix haute qu'elle croyait avoir résolu la transparence informatique de certains transferts vers une banque des îles Caïman, Paco savait qu'il devait la laisser tranquille pendant un certain temps.

« Et ce garçon ? » Nati enfonçait le clou à chacune de leurs rencontres.

« Quel garçon ? répondait innocemment Raquel.

— Celui qui était là ce week-end et qui est déjà venu plusieurs fois, il s'appelle Paco, non ?

— Oui, c'est ça.

— Eh bien, où est-il ?

— Chez lui, Nati, où veux-tu qu'il soit ?

— Quel dommage, non ?

— Quel dommage quoi ?

— Je veux dire, il a l'air si gentil, je pense qu'il serait très bien pour toi et... » Raquel ne cessait de soupirer. « Aïe, ma fille, ne me regarde pas comme ça, je me tais ! »

Dans ces occasions, Raquel revoyait le visage de Josechu, et elle était tentée de lui donner raison en se rappelant l'insistance avec laquelle il se plaignait des visites quotidiennes de cette vieille femme tenace et solitaire, qui vivait en épiant en permanence la vie de ses voisins, et était capable d'exagérer n'importe quoi pour se donner l'occasion de sortir de chez elle et sonner chez les autres. Mais cela ne se produisait que lorsque Nati faisait campagne en faveur de Paco Molinero, et son irritation ne survivait généralement pas aux excuses. En fin de compte, après chaque amélioration théorique de son grand délit financier, Raquel alternait des instants d'anéantissement et des élans de tendresse qui ne donnaient pas lieu à un meilleur équilibre. Le théâtre l'ennuyait par excès, la banque par défaut. Les hommes que connaissait Berta étaient innombrables, et souvent très bons au lit, car ils avaient désespérément besoin de plaire, mais ils ne savaient parler que d'eux-mêmes, de leurs succès, de leurs critiques et du plaisir qu'elle leur ferait en venant les voir répéter. Ses clients à elle étaient plus ennuyeux, généralement mariés et baisaient moins bien, toujours pressés et trop riches pour se soucier de plaire ou non à quelqu'un. Le résultat de tout cela était que, tôt ou tard, Raquel se retrouvait à regarder Paco Molinero, comprenait clairement qu'il était le seul homme qui lui convenait, et tout recommençait, depuis le début.

Mais ce n'était pas la seule raison de l'indulgence perpétuelle qu'elle déversait sur sa voisine d'en face. Elle était habituée à s'occuper de ses grand-mères et avait grandi dans une famille marquée par la culture de l'exil, l'obsession permanente de créer des réseaux d'entraide. Nati avait besoin d'elle, et lui faisait de la peine, mais surtout, Raquel l'aimait bien. Elle était amusante, sympathique, très vive, et prête à tout en échange d'un peu de compagnie. Son mari ne le comprit jamais, mais Raquel était sûre qu'elle méritait le quart d'heure qu'elle consacrait à commenter avec elle, ou plutôt à compléter par des monosyllabes et des exclamations la version de l'actualité, dramatique à l'extrême, qui se déroulait tous les après-midi, vers 19 heures.

« Tu es au courant ? »

Si un homme politique avait été hospitalisé, il était sûrement mort, si une bonbonne de butane avait explosé dans un immeuble de Leganés, tout le quartier avait sûrement brûlé, si une actrice s'était séparée de son mari, il l'avait sûrement trompée avec sa meilleure amie, s'il y avait eu un embouteillage sur la M-30, un car scolaire qui transportait cent beaux enfants blonds s'était sûrement renversé. Elle racontait toujours les choses ainsi, non par goût du mensonge, mais parce qu'elle s'ennuyait. Ses exagérations étaient les fruits de la solitude et de l'ennui, sa faiblesse consistant à mettre un peu d'émotion dans sa vie quitte à semer des morts et des destructions imaginaires. Nati avait découvert que le bonheur ne donne pas grand-chose dans le domaine de la fiction et elle cultivait le recours au malheur avec enthousiasme sans percevoir la petite et constante humiliation qu'elle s'infligeait à elle-même ce faisant. C'était ce qui émouvait le plus Raquel lorsqu'elle l'écoutait. Cependant, la compassion ne suffit pas à la lui faire prendre au sérieux cet après-midi d'avril 2004, quand elle la vit arriver avec une mauvaise nouvelle qu'elle n'avait exceptionnellement pas apprise par la télévision.

Nati revint vite, un papier dans une main et un moule dans l'autre. « Regarde, le voici... Ah ! et je t'ai fait un gâteau. » Raquel sourit et lui tint la porte ouverte. « Génial ! Allez, entre, pose-le sur la table. Je vais faire du café.

— Si tu veux, je m'en charge.

— D'accord, je préfère... »

Elle arrivait d'Istanbul très fatiguée. Il était presque 20 heures et elle devait encore défaire sa valise, mettre une lessive en route, étendre le linge, prendre une douche, se laver les cheveux et s'organiser pour recommencer à se lever tôt le lendemain. Elle n'avait ni l'envie, ni l'énergie de supporter sa voisine, mais quand elle s'assit avec elle dans la cuisine et lut cette lettre, elle se réjouit de lui avoir répondu.

« Ne t'inquiète pas, Nati, dit-elle à haute voix en poursuivant sa lecture. C'est la première chose...

— Tu parles ! Explique-moi comment je pourrais ne pas m'inquiéter. » Alors Raquel la regarda et s'aperçut qu'il faudrait plus de deux phrases toutes faites pour la rassurer.

Il faut dire qu'il y avait de quoi s'inquiéter. Raquel avait déjà eu vent de rumeurs et avait même lu un article dans un journal à ce sujet, mais les termes en étaient si ambigus qu'elle avait classé le tout comme une rumeur de plus. Et pourtant, cela devait arriver tôt ou tard, car son appartement et celui de Nati, leur immeuble, la rue où ils se trouvaient et le quartier dont ils faisaient partie, étaient irrémédiablement soumis, à l'implacable logique de la spéculation.

Quand Paco Molinero, toujours désireux de marquer des points, lui avait parlé de l'appartement de la rue Ávila, Raquel avait annoncé à Josechu qu'ils iraient habiter rue du Général

Perón. Ce n'était pas vrai, mais pas faux non plus. Général Perón, artère distinguée de ce que l'on entend par quartier bourgeois, commençait précisément où se terminaient les navires industriels abandonnés, les petites usines du XIXᵉ siècle, les anciennes villas de vacances et les maisons bon marché de la rue Ávila. De la frontière de Tetuán on voyait les lumières de la Castellana, les tours d'Azca et le stade Santiago Bernabéu, malgré cela Tetuán restait toujours Tetuán, le vieux quartier populaire, bigarré qui plaisait à Raquel et pas à son mari. Les derniers mois, elle avait pensé que ce n'était peut-être qu'une question de temps. Si les démolitions continuaient à ce rythme, Josechu ne tarderait pas à apprécier la rue plus qu'elle, mais elle n'avait jamais envisagé que son tour arriverait aussi vite.

« Tu as parlé au président de la copropriété, Nati ?

— Oui, et il va y avoir une réunion, je crois. Mais je ne sais pas... » Elle désigna alors la lettre que Raquel tenait à la main. « Ils disent qu'ils vont nous mettre dehors, n'est-ce pas ?

— Non, ce n'est pas ce qu'ils disent. » Et pourtant, Raquel rapprocha sa chaise de celle de sa voisine, lui prit la main et commença à parler très lentement, comme si elle s'adressait à une petite fille. « Ils disent que notre immeuble est entré dans un plan de rénovation urbaine. C'est-à-dire que la mairie – ou d'autres salauds pensa-t-elle sans le dire – a décidé de moderniser tout le secteur, tu comprends ? De démolir les vieux immeubles pour construire des bâtiments neufs à la place.

— Mais cette maison n'est pas vieille », protesta Nati, avec le filet de voix qui lui restait après avoir constaté que sa voisine, qui était jeune, savait se servir d'un ordinateur et fait des études, avait compris la même chose qu'elle.

« Disons qu'elle n'est pas jeune non plus.

— Eh bien, à ce compte-là, qu'ils cassent celles de la Puerta del Sol, qui sont beaucoup plus vieilles ! s'exclama Nati au bord des larmes.

— Oui, mais elles sont protégées, Nati. Le centre ne peut pas être démoli, parce que... » Raquel décida de s'épargner les arguments. « Écoute, on ne va pas se mettre à en discuter maintenant. La mairie a édicté une norme, c'est-à-dire une loi. Mais il faut réfléchir, en discuter, ça ne peut pas être appliqué aussi facilement. On va sûrement pouvoir présenter un recours, on va le faire, et si on ne peut pas, eh bien... Ils devront acheter nos appartements. Parce que ton appartement est à toi, Nati, et personne ne va te le prendre, tu comprends ? S'il ne nous reste pas d'autre solution que de vendre, on vendra, mais contre une forte somme, ou un appartement dans le nouvel immeuble.

— Oui, mais alors... où vais-je aller le temps qu'on me construise un nouvel appartement ?

— Eh bien, à Tenerife, par exemple. » Raquel sourit, mais la vieille dame ne lui rendit pas la pareille. « C'est ce que souhaite ta fille, tu le sais.

— Oui, mais si je vais à Tenerife, je ne rentrerai pas. » C'était ce qui lui faisait le plus peur.

« Ne t'inquiète pas... Ces choses-là prennent beaucoup de temps. Entre le recours, la réponse, un nouveau recours, etc., tu vas avoir envie d'aller chez ta fille, tu verras.

— C'est sûr ?

— Sûr. »

Ce jour-là, Raquel parvint à faire dormir Nati, mais sa stratégie ne survécut pas au contact de la réalité. Quarante-huit heures plus tard, sa voisine vint la chercher pour se rendre à une réunion de copropriétaires où ses prédictions furent mises à bas, l'une après l'autre, comme un jeu de dominos placés en file indienne. Le président du conseil syndical conseilla la reddition sans condition avec autant d'ardeur que s'il avait déjà touché une commission de la société immobilière, mais ses arguments semblaient solides. Ils l'étaient. La maison présentait une série de vices structuraux qui pouvaient justifier un arrêt de démolition et même si la copropriété pouvait envisager sa réhabilitation, aucune banque n'accorderait de crédit aux propriétaires d'un immeuble condamné. Cependant, et c'était une chance, une entreprise de construction était intéressée par l'achat des logements pour s'assurer la propriété du terrain bâtir. Le président leur proposait de profiter de l'occasion et de vendre au plus vite, car ils n'avaient pas d'autre solution. « C'est à voir », dit Raquel, qui avait été l'une des plus combatives, avant de partir. « Et qu'est-ce qu'on va voir ? » lui demanda-t-il avec un sourire qui acheva de la convaincre que tout était déjà décidé. « Eh bien tout, tout... », répondit-elle en le menaçant du doigt. Mais le lendemain matin à 10 heures, elle découvrait que cette totalité était si insignifiante qu'elle pouvait se résoudre par deux simples coups de fil.

Mateo, son frère, qui était avocat, ne mit qu'un quart d'heure à la rappeler : « Vous ne pouvez pas déposer de recours, Ra. Je suis désolé. »

Elle n'était pas disposée à se décourager facilement. « Et pourquoi ? On peut déposer un recours contre toutes les lois.

— Non, pas toutes. Il y a des lois, qui n'admettent pas de recours, car elles vont dans le sens de l'intérêt général, et donc ne peuvent pas être bloquées lorsqu'elles sont en conflit avec des intérêts particuliers.

— L'intérêt général ? » Ces deux mots la révoltèrent tellement qu'elle sentit qu'elle rougissait en les répétant. « Je vais te dire... »

Son frère l'interrompit à temps : « Non, Ra, ne me dis rien. Ce n'est pas moi qui ai créé cette règle, et je n'ai rien à voir avec elle. Je t'explique comment ça marche, tout simplement. »

Elle venait de raccrocher quand le téléphone sonna à nouveau. C'était une de ses relations du Département de crédits.

« Rien à faire, n'est-ce pas ? On est fichus, dit Raquel avant de laisser à sa collègue la possibilité de le faire.

— Eh bien, oui. Je regrette, mais en plus, je vais te dire une chose. Vous n'avez pas intérêt à faire des travaux dans l'immeuble. Ce serait jeter l'argent par les fenêtres, parce que...

— On ne peut présenter de recours contre cette loi, n'est-ce pas ?

— Exact.

— Je viens de l'apprendre. Merci d'avoir répondu aussi vite...

— De rien. Et bonne chance. »

Oui, il nous faudrait, de la chance..., se dit Raquel pendant toute la journée.

Elle ne pensait pas à elle, qui avait acheté à un si bon prix qu'elle y gagnerait de toute façon, mais à Nati, au retraité du premier étage, à Maruja, qui habitait deux étages plus haut sans mari et avec trois adolescents. Ils étaient restés silencieux pendant la réunion, elle les avait vus, elle avait observé leurs visages, leurs expressions, elle les avait vus devenir de plus en plus abattus, recroquevillés sur leurs sièges, le regard au sol et les bras ballants. Leur maison était leur bien le plus précieux, ils l'avaient payée peu à peu et, à la fin, ils avaient pensé soulagés : il ne peut plus rien nous arriver, maintenant elle est à nous pour toujours, c'en est fini de l'incertitude, de l'accablement de l'angoisse. Et tout ça pour la perdre maintenant à cause d'un salaud de spéculateur décoré des lauriers de l'intérêt général, c'était toujours pareil, toujours la même histoire. Eh bien, non.

Raquel Fernández Perea se le répéta à plusieurs reprises jusqu'à ce que cela sonne bien à ses oreilles, puis s'empara à nouveau du téléphone.

Paco Molinero, qui négociait mieux que personne et était le conspirateur le plus appliqué qu'elle connaisse, commença par exiger le calme : « Ne t'énerve pas, Raquel. Voyons, raconte-moi tout mais dans l'ordre et lentement, depuis le début...

— Qu'est-ce que tu en penses ? lui demanda-t-elle, après avoir respecté ses conditions.

— Disons que... Pas du bien, parce que ça ne se présente pas bien. » Et il tenta de rendre son diagnostic moins solennel.

« Oui, mais j'ai un plan. »

Au lit, ils ne s'entendaient pas. Devant une table, face à un problème à résoudre, ils formaient une équipe presque imbattable, car chacun possédait les qualités qui manquaient à l'autre. Raquel était plus imaginative et plus audacieuse, Paco plus astucieux et plus réaliste. C'était pour cela qu'ils aimaient tellement travailler ensemble, car cet équilibre apportait généralement la solution. Celle du jour, résister c'est vaincre, ne fut pas très brillante, mais elle ressemblait au moins à une solution.

« Alors ? » Ce soir-là, Nati s'approcha de sa porte tandis que Raquel sortait à peine de l'ascenseur. « Ça va mal, n'est-ce pas ? Ils nous jettent à la rue ?

— Qu'est-ce que tu racontes ! » Mais soudain elle lui fit tant de peine que Raquel la prit dans ses bras et l'embrassa plus fort que d'habitude, même si cet excès diminuait l'efficacité de ses mensonges. « Il n'en est pas question. J'ai fait des démarches et... Bon, j'en ai parlé à mon frère, qui est avocat, et à Paco, tu sais, et je vais tout de suite aller voir le géomètre du dernier étage, qui était très bien hier, à la réunion, tu n'as pas trouvé ? »

Avant d'avoir entendu son nom répété par le président qui lui demandait en vain de se calmer, Raquel ignorait son nom. Sergio était un jeune homme de petite taille, mince, presque insignifiant et plus jeune qu'elle, mais elle avait eu l'impression qu'il était aussi le seul voisin sur lequel compter. Il le lui confirma immédiatement.

« On ne peut pas présenter de recours », lui dit-il en lui ouvrant la porte, et ce ne fut qu'après qu'il la salua. « Bonjour.

— Je sais. Mais il va falloir faire quelque chose, répondit-elle, passant outre les salutations.

— Bien sûr. Tout ce qu'on pourra. »

Il leur fallut moins de deux heures et une demi-douzaine de bières pour élaborer un plan articulé en trois phases bien définies : assaut du pouvoir, entraves bureaucratiques, résistance acharnée.

Ils tombèrent vite d'accord. Sergio trouvait, lui aussi, louche l'indolence du président, cette urgence incompréhensible à négocier un prix global pour tous les appartements. « On a dû lui graisser la patte », conclut-il. Tout en sortant un cahier de son sac, Raquel lui donna raison et proposa de faire de lui leur premier objectif. Puis elle prit beaucoup de notes : informer les voisins, faire une campagne électorale souterraine, créer un conseil d'administration, contester le président, provoquer une réélection, présenter notre candidature, Sergio président et moi vice-présidente, non, le contraire, il préfère que je sois présidente et lui vice-président, et, ensuite, ne renvoyer aucun document dans les délais ; ne répondre à aucune mise en demeure ; ne jamais prendre les promoteurs au téléphone ; continuer à payer le loyer et les charges comme si de rien n'était ; réévaluer le prix de chaque appartement, l'augmenter de dix pour cent ; le baisser de vingt à la fin et pas un centime de plus ; ne pas se faire remarquer ; communiquer avec les médias ; passer à la télé ; tenir même si on nous coupe l'eau et l'électricité ; prévoir de les conserver en se branchant sur le réseau des voisins. Ils ne peuvent pas démolir la maison avec nous dedans, ils ne peuvent rien faire si on est dedans. À la fin, elle souligna cette dernière phrase et prit congé de son acolyte.

« On va se donner vingt-quatre heures pour y réfléchir, proposa-t-il en la raccompagnant à la porte. On se donne rendez-vous demain à la même heure, tu veux bien ? Au cas où il nous soit arrivé quelque chose... »

Raquel sourit, l'embrassa sur les joues. « Alors à demain. Et n'oublie pas, résister, c'est vaincre.

— Quoi ? » Il la regarda comme s'il n'avait jamais entendu cette phrase.

« Non, rien. »

Résister, c'est vaincre, répéta-t-elle pour elle-même. Résister, c'est vaincre, bien sûr, il faut bien que cela soit vrai un jour... bon sang !

Pendant très longtemps, elle fut sûre que cela marcherait parce que tout alla bien, très bien, dès le début. Ils obtinrent l'appui de tous les voisins à la seule exception du précédent président et d'une dame qui louait son appartement et ne venait jamais sur place, et la semaine suivant leur élection, quelqu'un de Promociones del Noroeste, S.A. les appela pour leur dire qu'il avait très envie de les rencontrer et que ce serait pour lui un plaisir que de les inviter à déjeuner.

« Pas question, répondit Raquel. Si vous voulez nous voir, retrouvons-nous chez moi l'après-midi qui vous conviendra. Pas cette semaine, parce que je ne peux pas, la suivante non plus, car le vice-président est en vacances... »

Ils le firent attendre plus d'un mois et arrivèrent à la réunion avec deux avocats, Mateo Fernández Perea, que l'indignation de sa sœur aînée divertissait immensément, et la fiancée de Sergio, qui venait de terminer ses études de droit et était morte de peur. L'envoyé des promoteurs était un cadre, style Armani, d'une trentaine d'années, avocat et économiste, avec des lunettes à monture Truman aux cheveux très courts pour dissimuler une calvitie plus que naissante. Il s'appelait Sebastián López Parra et donna à chacun sa carte de visite avant de s'asseoir. Puis il les regarda lentement, un par un, et Raquel se rendit compte qu'il était suffisamment intelligent pour apprécier les particularités du panorama qu'il contemplait. Il commença donc par être courtois, presque onctueux, pendant qu'il énumérait les avantages qu'une collaboration mutuelle rapporterait à toutes les parties, et durcit peu à peu le ton de son discours, pour les convaincre qu'ils n'avaient aucune possibilité réelle d'opposition. Il n'osa pas leur proposer d'argent, mais s'arrangea pour que le reflet doré de la corruption passe sur ses paroles et ses silences. Quand il eut fini, il les regarda à nouveau et s'arrêta sur Raquel, comme s'il avait deviné que c'était par là qu'il fallait attaquer.

« Parfait, eh bien maintenant c'est à mon tour de parler. » Elle lui adressa son plus charmant sourire avant de prononcer un chiffre auquel son interlocuteur répondit par un sourire encore plus large.

« Je vous en prie, madame ! Je croyais que nous parlions sérieusement.

— Et je parle sérieusement, je vous assure. Je suis conseillère en investissements et je travaille dans la gérance de fonds de Caja Madrid, je suis dans l'entreprise depuis des années, je connais beaucoup de monde. J'ai parlé à quelques experts et, comme vous le savez sans doute, leur évaluation est plus proche du montant de notre demande que de celui de votre offre. Si vous refusez de prendre notre prix au sérieux, nous pouvons nous arrêter là et commencer à négocier avec un autre acheteur. Je suis sûre que vous n'êtes pas les seuls intéressés. Et le fait que vous soyez déjà propriétaires des immeubles voisins est plus important pour vous que pour nous. Une chose est de devoir vendre nos appartements, et une autre, bien différente, de devoir les vendre à Promociones del Noroeste. Comme vous le savez, personne ne nous y oblige. »

Alors, Sebastián López Parra sourit à nouveau, ôta ses lunettes, en essuya très lentement les verres avec le bout de sa cravate, les rechaussa et regarda Raquel, qui avait pu deviner sans grand effort l'enchaînement de ses pensées et calculait maintenant, avec la même exactitude, le degré de surprise de son interlocuteur, le genre de pauvres gens qu'il s'était attendu à rencontrer cet après-midi.

« Vous savez, si vous ne parvenez à aucun accord préalable avec notre entreprise, ou avec une autre, quand la loi entrera en vigueur vous serez expropriés bon gré mal gré et vous en sortirez perdants, poursuivit-il sur un ton très calme, voire respectueux.

— Oui, répondit calmement Raquel, mais comme vous le savez sans doute, nous ne sommes pas à Chicago à l'époque de la prohibition, alors vous m'expliquerez quels procédés légaux – et elle insista sur ce dernier terme – vous pouvez utiliser pour nous empêcher de parvenir à un accord avec un autre acheteur. Sans compter que, si nous perdons, il y a de fortes chances pour que vous perdiez autant, voire davantage. »

Les lunettes de Sebastián López Parra brillaient, mais il les nettoya encore avec le même soin avant de se lever : « Très bien. Vous comprendrez que nous devons procéder à une évaluation...

— Bien sûr.

— Je continue à penser que votre prix est excessif et même qu'il ne correspond pas à la réalité du marché, mais, le temps que nous songions à une nouvelle proposition, je vous demanderai de ne pas commencer à négocier avec d'autres acheteurs éventuels. Nous avons tous intérêt à trouver un accord, je crois. »

Il prit congé de Mateo, de Sergio et de sa fiancée par des poignées de main et suivit Raquel jusqu'à la porte.

« Au revoir », se contenta-t-il de dire, avec un sourire ambigu, où l'étonnement se mêlait à l'admiration et peut-être même à un léger indice de ce que, en d'autres circonstances, elle aurait pu interpréter comme de la complicité.

« À bientôt », répondit la présidente, tout en pensant qu'on leur avait au moins envoyé un homme intelligent.

« Tu as été très bien ! cria la fiancée, en traversant le salon pour la serrer dans ses bras.

— Mais pourquoi as-tu augmenté le prix ? Ce n'est pas ce qu'on avait dit, fit remarquer Sergio.

— Oui, effectivement. Mais, soudain... je ne sais pas. J'ai eu l'impression qu'ils n'allaient pas avoir besoin de nous couper l'eau ou l'électricité, tu sais ? Je parierais n'importe quoi qu'ils vont s'incliner bien avant. C'est pourquoi j'ai augmenté le prix, parce que, si j'ai raison, nous allons avoir besoin d'une bonne marge pour négocier, non ?

— Espérons-le ! »

C'était exactement ce qu'elle pensait en sachant que ça ne serait pas facile. Ce ne le fut pas, et pourtant, la résistance continua, désignant avec entêtement le chemin de la victoire. Il y eut d'autres réunions, avec et sans avocats, avec et sans experts, avec et sans mises, et ils bluffaient parfois tous deux, parfois l'un menait le jeu et pas l'autre. Le printemps s'acheva ainsi, l'été passa, l'automne arriva et il commença à faire froid.

Jusque-là, Sebastián López Parra, qui avait commencé à négocier individuellement avec les propriétaires le lendemain du jour où il avait connu la nouvelle présidente, n'était parvenu à convaincre que les retraités du premier étage, qui avaient peur de tout et possédaient une maison à Guadalajara où ils déménagèrent afin d'éviter les problèmes. Les autres avaient préféré croire Raquel quand elle leur assurait que, s'ils restaient fermes et unis, la victoire commune était au bout du chemin. C'était un calcul très simple et elle était sûre qu'ils finiraient par s'en sortir. Et ils le devaient, car 2004 s'achevait et la nouvelle réglementation entrerait en vigueur au premier semestre de l'année suivante. Résister, résister résister. Le 10 janvier 2005, Sebastián López Parra fit sa dernière proposition. Elle était de quatre pour cent inférieure au chiffre auquel Sergio et Raquel avaient décidé de se tenir pour ne pas baisser d'un centime presque un an auparavant, mais ils la reçurent tous deux comme une victoire. C'en était une. Résister, c'est vaincre, et ils avaient vaincu.

Trois jours plus tard, un coursier remit une proposition d'achat-vente à chacun des propriétaires, et quand sa voisine l'appela au travail pour lui annoncer qu'elle avait reçu la sienne, Raquel se dit qu'il fallait fêter ça. « Cet après-midi, pas question que tu fasses un gâteau, Nati. J'achèterai des gâteaux, et des canapés de Majorque, ceux que tu aimes tant. Ah ! Et une bouteille de Bailey's.

— Olé !

— C'est ça. Préviens Maruja, je m'occupe de Sergio. »

Raquel sourit en raccrochant. En fait, ce n'est pas si important... Effectivement, mais cela signifiait qu'ils n'allaient pas se retrouver à la rue, et c'était déjà beaucoup. Avec ce qu'ils allaient toucher pour chaque appartement, ils ne pourraient jamais acheter l'équivalent dans l'immeuble qu'on allait construire à l'emplacement du leur. Ils auraient tout au plus de quoi verser un bon apport personnel et payer un crédit pas trop lourd. Vu comme ça, c'était une victoire à la Pyrrhus, et pourtant ils avaient obtenu bien plus que les autres voisins de Tetuán, tous ceux qui s'étaient rendus sans se battre.

Le plus curieux était qu'aucun des deux ne pensait rester dans cet endroit qu'ils avaient défendu avec tant d'ardeur.

Nati avait décidé que, avec l'argent et la liberté de l'utiliser pour rentrer si elle ne s'habituait pas à la vie sur les îles, elle pouvait partir à Tenerife. Le solde de son compte courant représentait pour elle une autonomie semblable à celle qu'elle proclamait en affirmant qu'elle pouvait encore faire son ménage, sa toilette et la cuisine seule, et elle parlait maintenant du déménagement avec enthousiasme, presque avec joie, parce que ce n'était plus une capitulation, mais un changement d'air. Sergio, de son côté, partait vivre à Aluche, chez sa fiancée, un appartement qu'ils avaient déjà mis en vente dans l'intention de réunir à eux deux l'argent nécessaire pour acheter quelque chose à Madrid. Et Raquel était presque certaine que sa grand-mère accepterait de lui vendre l'appartement de la place des Guardias de Corps, qui était vide depuis plus d'un an, depuis qu'Anita avait décidé qu'elle n'avait plus envie d'y vivre sans son mari.

Elle avait déménagé à Canillejas, chez Olga, sa fille, qui n'avait pas voulu rester à Paris non plus après l'accident de la circulation qui l'avait laissée veuve. Tous, et Raquel la première, avaient essayé de la convaincre de louer son appartement, mais elle disait toujours la même chose, plus tard, plus tard peut-être. En réalité, cela lui faisait de la peine de mettre quelqu'un dedans, et pour cette raison, Raquel comptait l'obtenir, même si sa grand-mère lui avait dit non.

Anita devenait nerveuse chaque fois qu'on abordait le sujet. « Mais comment est-ce que je pourrais faire une affaire avec toi, ma petite, comment est-ce que je pourrais te vendre ma maison ? Si je pouvais, je te l'offrirais, mais...

— Mais tu ne peux pas car tu n'as qu'une maison, et deux enfants, quatre petits-enfants, cinq arrière-petits-enfants, et ce n'est pas juste que tu me favorises par rapport à eux. C'est ça, non ? complétait Raquel.

— Oui, bien sûr que c'est ça, affirmait-elle.

— Eh bien, vends-le-moi, grand-mère ! Je te l'achète, tu gardes l'argent, il est à toi et tu le répartis comme tu voudras, tu ne comprends pas ?

— Mais comment est-ce que je pourrais faire une affaire avec toi, ma petite ? » répétait Anita. Et tout recommençait, jusqu'au jour où Ignacio Fernández Salgado décida qu'il en avait assez d'entendre la même chose tous les week-ends.

« Eh bien, en faisant affaire, maman, ne sois pas pénible. » Et il supporta, imperturbable, le regard scandalisé de sa mère. « Tu ne comprends pas que ça vaut mieux pour tout le monde ? Personne ne veut cet appartement, sauf elle, et on va la mettre dehors de chez elle... Qu'est-ce que tu veux, que Ra soit obligée d'aller vivre dans un endroit qui ne lui plaît pas et que ce soit un étranger qui te l'achète ? Ce serait mieux ? L'argent est toujours le même, maman, il n'a ni nom ni prénom. »

Depuis le jour où son père était intervenu en sa faveur, Raquel savait que sa grand-mère ne tarderait pas à accepter, et cet après-midi-là, quand elle arriva chez elle chargée de plateaux, la perspective de déménager pour l'appartement des jours meilleurs, le lieu des samedis qu'elle avait partagés avec Ignacio, son grand-père, dans ce qui restait la meilleure histoire d'amour de sa vie, la réjouissait bien plus que le succès des négociations. C'était la véritable fin heureuse de sa relation avec les lunettes et la cravate de Sebastián López Parra, et une preuve parfaite de la façon dont le hasard influe sur le destin des gens. Elle ne s'attendait pas à en trouver une autre quand elle embrassa Nati, Sergio, sa fiancée, et Maruja, la mère divorcée du troisième, qui s'était jointe à la fête avec son plus jeune fils, et qu'elle disposa les plateaux sur la table du salon, et des boissons pour tous, avant de sortir un document d'une enveloppe et de commencer à le lire, enfin, à voix haute.

« À Madrid, le 17 janvier 2005, en présence de Mme...

— Aujourd'hui, c'est le 13, objecta Nati.

— Mais nous allons chez le notaire lundi prochain, précisa Sergio. Laisse-la lire, tu poseras des questions après.

— Natividad Melero Domínguez, soussignée vendeuse, et M. Julio Carrión González, soussigné... », poursuivit Raquel. Ce n'est pas possible, ce serait un trop grand hasard, c'est impossible, se dit-elle.

« Qu'est-ce qu'il y a ? demanda Nati.

— Rien, c'est que... » Raquel se reprit très lentement, en se répétant que non, non, ce n'était pas possible, le monde était plein de Julio, et de Carrión, qu'il y avait même une cave à ce nom, et que c'était une coïncidence, c'était certainement une coïncidence. « Je ne sais pas, ce nom me dit quelque chose, mais... Bon, je continue, M. Julio Carrión González, soussigné acheteur, conviennent... »

Elle lut le contrat jusqu'à la fin, et elle se joignit aux sourires et aux applaudissements des autres, mais elle ne signa
pas au-dessus de son nom, comme le firent Nati, Sergio, et
Maruja, après avoir constaté que sur tous les exemplaires
figurait la même somme, celle qui avait été négociée. Puis elle
s'occupa de ses invités pendant plus de deux heures, parla, rit,
écouta, remplit les verres, mais à aucun moment ne cessa de
penser à ce nom, Julio Carrión González, ni de se répéter que
non, ça ne pouvait être vrai, c'était impossible.

Elle était presque sûre de ne jamais avoir connu le
deuxième nom de l'homme qui avait sorti deux chupa-chups
de ses oreilles, un lointain après-midi de mai 1977, car elle
n'en avait presque plus entendu parler depuis ce jour-là. Chez
ses parents, on n'avait jamais parlé de la guerre, ni de l'exil,
ni du retour. C'était comme si rien de tout cela n'était arrivé,
comme si la famille Fernández n'avait jamais quitté Madrid,
comme si la famille Perea avait toujours vécu à Torre del Mar.
Comme si son père n'était pas né à Toulouse, sa mère à
Nîmes, comme si aucun des deux ne conservait la trace infime
mais encore perceptible d'un accent étranger, qui étirait leurs
s et flûtait leurs u pour imprimer à leurs paroles une musique
étrange, qui n'avait pas le même son que celle qui sortait de
la voix de leurs parents, de leurs enfants ou des inconnus qui
marchaient dans la rue.

Ignacio Fernández et Raquel Perea n'aimaient pas parler
de cela, ils n'aimaient pas qu'on en parle devant eux, et quand
ils n'avaient pas d'autre solution que de mentionner cette
époque devant quelqu'un, ils utilisaient des termes si ambigus
que n'importe qui aurait pu croire qu'ils étaient allés en
France pour faire des études, ou passer des vacances. Julio
Carrión constituait le plus bel exemple de cette stratégie à
laquelle Raquel n'avait guère prêté attention avant de trouver
son nom sur un contrat. Au moment de l'histoire avec Carrión, disait parfois son père, ou avant, ou après l'histoire avec
Carrión, et si l'un de ses enfants lui demandait de quoi il
s'agissait, il répondait que ce n'était rien, un associé du grand-
père qui lui avait fait une crasse. Et cependant, elle en savait
plus que son frère et sa sœur. Elle savait que son grand-père
l'avait traité de salaud, elle savait qu'ensuite il avait pleuré, et
elle savait ce qu'Ignacio Fernández Muñoz avait bien voulu
lui raconter des années plus tard, un après-midi de printemps

où ils parcouraient, en se tenant par la main, Recoletos par pur plaisir de la promenade, sans aller ni revenir d'où que ce soit.

« Si on mangeait une glace ? C'est moi qui invite. » Elle avait déjà dix-neuf ans, mais elle continuait à passer presque tous les samedis après-midi avec ses grands-parents et elle suivait fidèlement des rites de son enfance.

« Non. C'est moi.

— D'accord, mais... » Alors elle pensa que cette occasion était aussi bonne qu'une autre pour revenir à la charge. « Dis, grand-père... Tu te souviens du jour où nous sommes allés en visite dans cette maison où il y avait des enfants, et où on m'a offert une poupée ? » Il acquiesça avec un sourire chargé d'ironie qu'elle interpréta comme une réponse. « Tu ne me le raconteras jamais, n'est-ce pas ?

— Quoi ?

— Ce qui s'est passé cet après-midi. »

Ignacio Fernández Muñoz s'arrêta au milieu du boulevard pour regarder sa petite-fille sans cesser de sourire. « Ce que tu es pénible, Raquel ! Tu as dû me le demander...

— Des centaines de fois, je sais, reconnut-elle, mais comme tu ne me réponds jamais...

— Si, je te réponds. » Il tendit une glace à sa petite-fille, goûta l'autre et se remit très lentement en route. « Je te réponds toujours. Je suis allé voir cet homme parce que je devais lui parler. Et je l'ai fait, c'est tout, tu le sais.

— Oui, mais, parler, parler... Ça ne veut rien dire, grand-père, nous aussi, nous parlons, maintenant.

— Et ça ne veut rien dire ? »

Raquel sourit malgré elle. « Tu vois ? Tu recommences à m'embrouiller. C'est toujours pareil, je ne sais pas pourquoi je te pose la question, parce que... »

Il se mit à rire et ils poursuivirent leur chemin, mangeant la glace que chacun tenait dans la main qui ne serrait pas celle de l'autre, et elle pensa qu'elle n'allait pas lui arracher un mot de plus, comme d'habitude. Mais cette fois ce fut différent.

« Nous allons passer un marché. Je te raconte ce qui est important et tu ne me poses pas de questions, d'accord ? proposa-t-il au moment où ils arrivaient à Cibeles.

— Pourquoi ?

— Cette question n'entre pas dans le marché.

— Ah, grand-père, tu es vraiment pénible !

— Et toi... »

Ils se mirent tous deux à rire mais elle parla la première. « D'accord. Pas de questions », se résigna-t-elle.

Le feu passa alors au vert. Ils traversèrent la rue Alcalá en silence, longèrent la façade du bâtiment de la Poste, et s'arrêtèrent à un nouveau feu rouge.

« Prenons le boulevard, c'est mieux, non ? » Raquel acquiesça. « Cet après-midi-là, je suis allé voir un homme qui s'appelle Julio Carrión. À Paris, il y a des années, nous étions amis, enfin moi, je le considérais comme tel. Alors quand il nous a dit qu'il allait rentrer, nous lui avons demandé de vendre les propriétés de la famille pour nous envoyer l'argent qu'il en tirerait, car là-bas, mes parents étaient riches, mais à Paris, nous étions pauvres, nous n'avions rien. Il a promis de s'en charger et il a tout gardé.

— Il vous a volés ? demanda Raquel à son grand-père qui acquiesça. Tout ? Et comment a-t-il pu... ?

— Nous avons passé un marché, mademoiselle.

— Oui, mais...

— Oui, mais non. » Ignacio Fernández passa un bras autour des épaules de sa petite-fille, l'attira à lui, l'embrassa sur la tête. « Les marchés doivent être respectés. »

C'était tout ce que Raquel Fernández Perea savait de Julio Carrión quand elle trouva ce nom à côté du sien, sur un document juridique.

Seize ans s'étaient écoulés depuis l'après-midi où elle était parvenue à arracher cette confidence à son grand-père et presque le même temps depuis qu'elle n'y pensait plus, car en arrivant à la fontaine de Neptune, il lui avait fait promettre de ne jamais en parler à personne. « À nouveau ? » lui avait-elle demandé. « À nouveau », avait-il répondu avec un sourire. Cependant, Raquel s'aperçut que la raison de son silence n'était plus sa grand-mère, mais son père, et elle n'eut pas de mal à accepter cette clause. Cela ne plaisait pas à Ignacio Fernández Salgado que sa fille sache autant de choses dont il préférait ne pas parler, et comme il n'osait pas le reprocher à voix haute à son père, c'était Raquel qui se faisait gronder chaque fois qu'il lui échappait un détail, un nom, une date qu'elle aurait dû garder pour elle. En 1988, quand elle apprit enfin la signification de cette expression énigmatique, « l'histoire Carrión », qu'elle n'avait même pas dû entendre une douzaine de fois, le passé n'était plus à la mode. S'en souvenir semblait de mauvais goût, et sa vie était pleine de choses à faire et auxquelles penser.

À dix-neuf ans, Raquel Fernández Perea se satisfaisait de presque tout, et de l'Espagne aussi. À trente-cinq, en revanche, ce nom la troubla tant que, lorsque ses voisins partirent, avant de ramasser les verres sales et de vider les cendriers, elle s'assit devant son ordinateur et croisa les doigts en écrivant le nom de la société immobilière à laquelle elle allait vendre son appartement.

Promociones del Noroeste, S.A. possédait une bonne page web, moderne, qui attirait l'attention et avec des animations assez sophistiquées. Elle était conçue pour inciter les gens à acheter un appartement, avec des plans en ligne et divers simulateurs d'intérieurs et d'agencements. À gauche, apparaissait sur une barre latérale le traditionnel *Qui sommes-nous*, qui renvoyait à un autre lien, celui du Grupo Carrión, qui possédait cette entreprise et cinq autres. Dans une épigraphe intitulée *Ressources humaines*, Raquel trouva un accès à l'équipe de la direction : président, don Julio Carrión González, conseiller délégué, M. Rafael Carrión Otero, directeur gérant, M. Julio Carrión Otero. À côté de chaque nom, une petite phrase en rouge, *en savoir plus*. Elle cliqua et en sut davantage. Ils étaient là, une photo après l'autre, le magicien aux chupa-chups et ses deux fils aînés, presque aussi blonds que lorsqu'ils étaient enfants mais avec beaucoup moins de cheveux. Raquel Fernández Perea constata que ce qui était impossible cessait de l'être et elle n'eut pas d'autre solution que de croire à l'incroyable quand elle commença à lire. « M. Julio Carrión González, né à Torrelodones (Madrid) en 1922. Autodidacte, il a fondé sa première entreprise, Construcciones Carrión, fin 1947... »

Elle regarda les photos pendant longtemps, lut les biographies à plusieurs reprises, regretta ce garçon brun qui, sûrement parce que c'était le plus jeune, n'exerçait pas encore de charge au sommet de la pyramide familiale, puis elle resta immobile, assise devant l'écran sans très bien savoir que faire, où aller après ça. Elle pensait à son grand-père, mort d'une embolie cérébrale au printemps 2003, quand il allait fêter quatre-vingt-cinq ans d'une vie belle et terrible à la fois, belle car il l'avait faite ainsi, terrible parce que d'autres l'avaient faite ainsi pour lui. La mort d'Ignacio Fernández Muñoz avait été le coup le plus dur que sa petite-fille avait reçu de la vie, parce qu'elle l'avait aimé plus que quiconque, et elle continuait d'avoir besoin de lui, elle aurait toujours besoin de lui. En cet instant, seule devant son ordinateur, il lui manquait plus que jamais, elle ne savait que faire, comment résoudre cette plaisanterie du hasard, comment classer ce qui était peut-être une occasion, une sottise ou l'humiliation posthume, définitive.

« Qu'est-ce que je fais, grand-père ? »

Elle posa la question à voix haute et personne ne lui répondit, alors elle ramassa les verres, vida les cendriers, lava le tout et partit se coucher, mais elle ne put trouver le sommeil.

Elle pouvait aussi ne rien faire, signer le contrat, vendre l'appartement, déménager pour la place des Guardias de Corps et continuer à vivre comme si elle n'avait jamais lu le nom de Julio Carrión sur un document. Dans l'agitation de cette longue nuit, en se tournant et en se retournant dans son lit, elle imagina qu'il lui disait : ne fais rien, Raquel, pourquoi, pour quoi faire, puisqu'on ne peut plus rien faire. C'était la traduction approximative du conseil avec lequel il l'avait protégée quand elle avait huit ans. Nous sommes de retour n'est-ce pas ? et le plus logique est que tu vivras toujours ici, et pour vivre ici, il y a des choses qu'il vaut mieux ne pas savoir, ne pas comprendre. Elle pouvait aussi ne rien faire, on peut toujours ne rien faire, ne rien savoir, ne pas vouloir, mais elle n'avait plus huit ans. C'était aussi grâce à son grand-père qu'elle était devenue une femme forte, intelligente, capable de se défendre seule, sans la protection de personne. Ne fais rien, Raquel, on ne peut rien faire, pourquoi, pour quoi faire ? Les draps étaient froissés et elle était épuisée, mal à l'aise dans son corps, dans sa mémoire et dans ses noms. Mais je dois savoir, grand-père, quitte à ne rien faire, même si ensuite je ne fais rien, je dois savoir, je dois comprendre, tu ne le vois pas ? Au cours de ce dialogue imaginaire, elle s'endormit et rêva que le réveil se mettait à sonner. Alors elle se réveilla, et son réveil sonnait.

« Qu'est-ce que je fais, grand-père ? »

Tout en préparant son petit déjeuner, elle l'entendit à nouveau. Ne fais rien, Raquel, pourquoi ? pour quoi faire ? on ne peut plus rien faire... Mais à la lumière du jour sa découverte de la nuit lui sembla laide, et dure, si dure, le même nom, le même homme, une histoire semblable, tant d'années après, la loi toujours de son côté et rien qui ne changeait jamais. Elle exagérait, elle le savait mais elle savait aussi que ce n'était pas de sa faute. Pour ne pas exagérer, elle aurait dû savoir. Pour juger avec sérénité et ne rien faire, elle devait d'abord savoir.

« Qu'est-ce que tu fais ce soir, grand-mère ? » Il était déjà 11 heures du matin et elle avait beaucoup réfléchi, mais elle n'avait trouvé aucun argument susceptible de la faire changer d'avis.

« Ah, Raquel, je suis si contente que tu m'appelles ! J'allais le faire, tu sais ? » Anita Salgado se mit à rire, et sa petite-fille sentit que ce rire la réchauffait de l'intérieur. « Tu sais pourquoi...

— Oui ? Ah ! c'est bien ! » Mais à ce moment, l'appartement de la place des Guardias de Corps l'intéressait fort peu. « Je dois te parler, grand-mère. Peut-on se voir en fin d'après-midi ? On pourrait...

— Non. Cet après-midi, je vais au théâtre avec Olga et ta mère.

— Eh bien alors, nous pourrions déjeuner demain. Je t'invite au restaurant chinois, ça te dit ? »

Ça lui disait, ça lui disait toujours. Le faible de ses deux grand-mères pour la cuisine chinoise avait été l'une des grandes trouvailles de Raquel, et son succès l'amusait tant qu'elle ne se lassait jamais d'y revenir. Anita avait été la première et restait la plus inconditionnelle. « Tout est si joli, n'est-ce pas ? Les petits plateaux, les bols, ces cuillères en porcelaine assorties, et les couleurs, le rose orangé de la sauce, qui donnent envie de se faire une robe comme ça, n'est-ce pas ? Et manger comme les oiseaux, un peu de ci, un peu de ça, sans abuser de rien, et avec tellement de plaisir... » Sa petite-fille souriait et lui donnait raison même si ce n'était pas le cas, parce que Anita s'empiffrait tellement qu'à la fin du repas elle la regardait et lui disait : « Pour aujourd'hui, on n'en parle pas à ton frère, hein ? »

Ignacio, le médecin de la famille, était très préoccupé par l'excès de poids de sa grand-mère, qui avait de l'hypertension et faisait fi de tous les régimes qu'il fixait avec une patience infinie sur la porte de son réfrigérateur. Raquel savait qu'il avait raison, mais elle redoutait davantage qu'Anita, qui frisait maintenant les quatre-vingts ans, ne jette l'éponge, comme lorsqu'elle était devenue veuve et avait cessé de se teindre les cheveux, de se mettre du vernis à ongles, et de sortir. Le jour où elle décida de passer ses journées au lit, elle leur fit si peur qu'ils commencèrent à s'occuper d'elle à tour de rôle. Depuis, sa fille, sa belle-fille, ou les deux ensemble, l'emmenaient au théâtre toutes les semaines, son fils à la corrida quand il y en avait, et ses petits-enfants allaient la voir le samedi ou le dimanche. Mateo venait avec ses enfants, Ignacio avec sa fille et un tensiomètre. Mais Raquel, qui n'avait pas d'enfants et ne travaillait pas l'après-midi, était celle qui s'occupait le plus d'elle. Elles se voyaient deux fois par semaine pour aller au cinéma, chez le coiffeur, et de temps en temps, sans que personne ne le sache, déjeuner dans un bon restaurant chinois.

Ce samedi-là, elle réserva une table dans un des meilleurs restaurants avant de passer la prendre en voiture. Anita l'attendait dans l'entrée et, en la voyant, elle lui adressa un sourire si radieux que Raquel se reprocha de devoir le gâcher.

« Laisse-moi t'embrasser, d'abord. »

Et elle appliqua sur les joues de sa petite-fille deux longues séries de baisers sonores, brefs et rapides, aussi rapprochés que des rafales de mitraillette et impossibles à rendre, avant d'accepter le bras qu'elle lui offrait pour l'accompagner jusqu'à la voiture. La surcharge pondérale qui inquiétait tant le troisième Ignacio Fernández de la famille n'avait pas ôté de l'agilité à son corps jusqu'à peu, quand ses jambes accusèrent soudain les années que son visage ne parvenait pas encore à refléter.

« Ah, ma petite, je suis si contente ! » Et après l'avoir proclamé, elle amorça une manœuvre complexe qui lui permit de s'installer seule sur le siège, pendant que Raquel lui tenait la porte ouverte sans faire le moindre geste pour lui apporter une aide qui l'aurait offensée.

« Ça y est ? lui demanda-t-elle.

— Bien sûr ! » Sa grand-mère la regarda comme si elle ne comprenait pas ce qu'elle faisait debout, à la contempler.

« Qu'est-ce que tu attends ? » Ce ne fut que lorsqu'elle fut assise à ses côtés, le moteur en marche, qu'elle se décida à lui expliquer les raisons de sa joie. « J'ai parlé à tout le monde de l'appartement, tu sais ? D'abord Jacques, qui était dans la lune, comme d'habitude, et ne voyait même pas de quoi je lui parlais. Mais je vis à Milan, maintenant, grand-mère, qu'est-ce que je ferais d'un appartement à Madrid ? Alors, de ce côté... Et Annette était très contente, tu vois, parce qu'elle aime beaucoup venir à Madrid, pas comme son ingrat de frère, et être là où ça bouge, elle m'a dit : Génial, grand-mère ! Comme ça, quand je viendrai, au lieu d'aller chez vous, au diable vauvert, j'irai chez Ra, qui vit dans un quartier très agréable, et qui a largement la place, et je ne crois pas que ça la dérange. Et je lui ai dit que sûrement pas, car vous vous entendez si bien... Je n'ai pas fait de gaffe, n'est-ce pas ?

— Bien sûr que non, grand-mère. J'aime beaucoup Annette, tu le sais, nous sommes très amies, et j'aurai largement la place, bien évidemment.

— Voilà. Alors après, j'en ai parlé à ton frère, c'est lui qui m'inquiète le plus, parce que comme il dit toujours que tu as été la fille chérie et la petite-fille préférée, et que c'est pour ça que je t'ai offert le bracelet de grand-mère María, et que lui, on ne l'emmenait pas dormir à la maison le samedi quand il était petit...

— Mais il le dit pour plaisanter, grand-mère. » Raquel se gara, descendit du véhicule, ouvrit la porte et attendit qu'Anita descende toute seule, comme elle était montée. « Tu sais comme il était trouillard. Il n'osait jamais dormir hors de la maison.

— Bon, bon, mais au cas où, je lui en ai parlé. Je suis devenue très sérieuse et je lui ai dit : Mateo, s'il te plaît, si ça te gêne que je vende l'appartement à ta sœur, si tu le veux pour toi, dis-le-moi... Et il m'a envoyée promener. Pour Ignacio, c'était encore mieux, écoute ça... Tu sais, grand-mère, ce que tu dois faire, c'est vendre une fois pour toutes l'appartement à Ra et ensuite me donner l'argent sans que personne ne le sache, et toi et moi on part ensemble à Las Vegas et on claque tout en trois jours... C'est ce qu'il m'a dit, qu'est-ce que tu penses de ça ? Il est si amusant ! Il me fatigue quand il me parle de régimes, mais pour le reste, je reconnais qu'il me fait mourir de rire. Et pourtant il n'aime pas vivre dans le centre, personne n'aime ça, à part toi. Tu es comme ton grand-père, c'est pour ça... C'est pour ça que je pense que c'est bien que ce soit toi qui gardes l'appartement, parce que... Il l'adorait, et il t'aimait tellement... Il t'adorait, tu le sais, pour lui, tu as toujours été sa petite fille, la seule qui... Bon, je n'ai pas besoin de te le dire. »

Raquel crut qu'elle avait pu passer par-dessus tous les points de suspension, mais quand elle regarda sa grand-mère, elle la vit indécise.

« On ne va pas se mettre à pleurer, hein ? dit-elle alors, tout en battant très vite des paupières.

— Non, dit Anita, en effaçant ses larmes avec ses doigts, bien sûr que non. Dis, au fait, c'est bien, que nous soyons venues ici. Ce n'est pas l'endroit où ils font ce riz qui a l'air collé et que j'aime tellement ? Et ce canard qu'on mange dans des galettes ?

— Oui, ils le font aussi.

— Ouah... On va s'en mettre jusque-là ! »

Puis, pendant que le garçon les accompagnait à leur table, elle serra le bras de sa petite-fille par pure excitation, et avant de regarder la carte, elle annonça qu'elle ne savait pas si elle devait commencer par une soupe ou un rouleau de printemps, juste pour qu'elle lui dise que, si elle le souhaitait, elle pouvait prendre les deux. Raquel la consulta pour le menu avant de commander et choisit un bon vin, rouge, que sa grand-mère ne voulut pas goûter avant d'avoir d'abord trinqué.

« À ta maison ! dit-elle.

— À la tienne ! » Et elles se mirent à rire.

« Bon, de quoi est-ce que tu voulais me parler ? s'enquit Anita.

— Eh bien, voilà... » Je vais te gâcher le repas, grand-mère, pensa Raquel, et je ne le veux pas. « On en parlera tout à l'heure d'accord ? Maintenant raconte-moi quelle pièce tu es allée voir hier, qui jouait, si le héros était beau, si l'histoire t'a plu... »

Elles préservèrent ainsi les entrées, les crevettes, les nouilles, le riz et le canard avec ses galettes mais avant de commander le dessert, Anita Salgado regarda sa petite-fille comme lorsqu'elle était petite et qu'elles se retrouvaient toutes les deux dans la cuisine de sa maison de Paris.

« Merci beaucoup, tout était très bon. Et maintenant, tu vas me dire pourquoi tu es si nerveuse ?

— Je ne suis pas nerveuse, grand-mère.

— Bien sûr que si, répondit Anita avec un sourire. Je suis vieille, j'ai du mal à marcher, je deviens sourde et de temps en temps la mémoire me fait défaut, tu le sais, mais je ne suis pas sotte, je ne l'ai jamais été.

— Non, c'est vrai.

— Alors ? »

Raquel fit une pause, la regarda, remplit son verre de vin et le vida d'un trait.

« La société immobilière qui veut acheter mon appartement s'appelle Promociones del Noroeste, Société Anonyme. Ça te dit quelque chose ? » Sa grand mère fit un signe de tête négatif. « Le propriétaire s'appelle Julio Carrión González.

— Ce n'est pas possible ! » Anita secoua la tête à plusieurs reprises pour dire non, comme si elle pouvait ainsi éliminer ce nom de toutes les conversations présentes et futures. « Il doit s'agir de quelqu'un d'autre, c'est une coïncidence, il y a même des caves...

— Oui, je sais, l'interrompit sa petite-fille. Moi aussi, j'ai pensé aux caves. Mais après, j'ai cherché sur Internet et...

— Ah, Internet ! » Elle souligna son scepticisme avec force grimace.

« On ne peut pas s'y fier, c'est moi qui te le dis, va savoir les sottises qu'il y a là-dedans...

— Grand-mère. » Raquel devint sérieuse et parvint à faire taire Anita. « C'est lui. Je l'ai vu sur la page de sa propre société, Julio Carrión González, né à Torrelodones, en 1922, qui a créé sa première entreprise de construction en 1947. C'est lui, tu comprends ? Lui.

— 1922... » Anita cessa de la regarder et murmura pendant qu'elle poursuivait du bout des doigts une miette de pain imaginaire sur la nappe. « Oui, il était entre Ignacio et moi. Je suis de 1924, alors...

— C'est lui, grand-mère. » Raquel lui prit la main et la serra jusqu'à ce qu'elle obtienne son regard à nouveau. « Sur la page, il y avait aussi une photo et je l'ai reconnu. Il est très bien conservé.

— Mais tu... » Et la stupeur agrandit un peu plus ses immenses yeux noirs. Comment est-ce que tu pourrais le reconnaître, toi, ma petite, puisque tu ne l'as jamais vu ? Enfin, peut-être sur une photo de Paris, ça c'est possible, mais à l'époque c'était presque un enfant, tu ne peux pas être sûre...

— Si, grand-mère. J'en suis sûre, parce que je l'ai vu, je l'ai connu. Des années après, en 1977. Grand-père m'a emmenée chez lui un samedi après-midi. Il m'a dit qu'on allait en visite chez un ami, et l'ami, c'était lui.

— Grand-père... ? » Anita Salgado, à deux mois de ses quatre-vingts ans, abasourdie, regarda sa petite-fille, comme une fillette regarderait une passoire, sans comprendre pourquoi elle ne peut retenir l'eau qu'elle vient de verser dedans. « Mon mari ? Ignacio est allé voir Carrión... ? En 1977 ? L'année de notre retour... ? »

Raquel acquiesça d'un geste, et cela suffit pour que sa grand-mère s'effondre. Le silence s'éternisa, aussi épais que si le bruit des couverts, les cris des enfants, les paroles et les rires des personnes qui les entouraient, n'avaient d'autre objet que de souligner la désolation d'une vieille femme qui s'était couvert le visage de ses mains et appuyait avec force, comme si elle comptait l'enfoncer en elle ou disparaître totalement. Mais autour d'elle, le monde continuait à exister et sa petite-fille la regardait sans savoir que faire, que dire, ni comment la consoler.

Avant de parler, elle découvrit son visage pour que Raquel voie ses yeux brillants, les joues soudain plus lisses. « Il me l'avait promis à plusieurs reprises, je l'ai obligé, je lui ai dit que je ne rentrerais pas s'il ne me le promettait pas et il me l'a promis. Il m'a juré qu'il n'irait pas le voir, qu'il ne le chercherait pas, qu'il ne... Pour tes enfants, lui avais-je dit. Pour mes enfants, je te le jure, avait-il répondu. Et après, tu vois... Et en plus, il t'a emmenée toi, il a fallu qu'il t'emmène, parce que... Il était si têtu ! Le plus entêté, le plus imprudent, le plus crâneur, celui qui devait être le plus fort, toujours, toujours pareil... »

La colère se transforma en tristesse et Anita se mit à sangloter, et cette fois elle ne voulut pas se cacher le visage. Cela fit tant de peine à Raquel de la voir ainsi, si petite, si seule, si âgée et si triste, qu'elle alla s'asseoir à côté de sa grand-mère et la prit dans ses bras, et la garda serrée contre elle.

« Pardonne-moi, grand-mère, s'il te plaît... Pardonne-moi. Je suis désolée, je t'assure. »

Ces paroles la firent réagir. « Tu n'as pas à me demander pardon. Tu n'es coupable de rien, ma petite... » Alors elle s'assit bien droite sur sa chaise, s'essuya le visage avec le coin de la serviette, regarda Raquel, lui prit une main et respira, comme si elle voulait se donner des forces. « Et que s'est-il passé ? Il n'était pas armé, n'est-ce pas ?

— Armé ? » Et Raquel, encore ébranlée par les pleurs de sa grand-mère, conséquence retentissante de sa révélation, ne sut pas si elle devait s'effrayer davantage de ce mot ou du naturel avec lequel elle l'avait prononcé. « Non, bien sûr que non, mais qu'est-ce que tu racontes ? Pourquoi aurait-il été armé, grand-mère ?

— Non, bien sûr, en 1977... » Le ton paisible, presque doux de cette réflexion lui sembla à nouveau incroyable. « Mais alors ? Pourquoi est-il allé là-bas ?

— Eh bien... » Raquel dut réfléchir à une question que, de façon incompréhensible, elle ne s'était jamais posée. « Je ne sais pas. Je dois dire que je ne sais pas, grand-mère. Il portait une serviette en cuir marron, très fatiguée, avec des papiers m'a-t-il dit,... Je n'en sais pas plus. La femme de Carrión m'a emmenée à la cuisine pour goûter avec ses enfants, et j'ai joué avec eux tout le temps. Lui, je ne l'ai vu qu'une fois, quand il est rentré, parce qu'il est d'abord venu voir les enfants, et je l'ai trouvé très sympathique. Il m'a fait un tour de magie, il m'a sorti...

— Des bonbons de derrière les oreilles.

— Oui, plus ou moins, confirma Raquel, pendant qu'Anita acquiesçait d'un air entendu et amer. C'étaient des chupa-chups. Puis sa femme est venue le chercher, il est parti, et il a dû parler un bon moment avec grand-père, mais je ne l'ai pas revu. Quand nous sommes partis, il... » Raquel la regarda, et pensa qu'elle avait déjà suffisamment pleuré. « Il m'a demandé de ne pas t'en parler, grand-mère. Il m'a fait le lui promettre, et après, quand je lui ai demandé ce qui s'était passé, il m'a dit que c'était une histoire très longue et très ancienne, que je n'allais pas comprendre et que je n'avais pas besoin de la connaître parce que j'allais vivre ici pour toujours et que pour vivre ici, il y avait des choses qu'il valait mieux ne pas savoir.

— Heureusement », dit la veuve d'Ignacio Fernández Muñoz en souriant.

Raquel n'attendait pas autre chose, et pourtant elle n'était pas disposée à capituler. « Mais je dois le savoir, grand-mère. J'ai besoin que tu me racontes cette histoire, même si elle est longue et ancienne. Maintenant je dois la connaître, et je n'ai plus huit ans. »

Anita lui adressa un regard étonné direct et dépourvu de duplicité. « Et pourquoi ? À quoi ça te servirait de le savoir ? »

Mais Raquel avait préparé ses propres questions.

« Et à quoi ça me sert de savoir comment je m'appelle, grand-mère ? À quoi ça me sert de savoir comment tu t'appelles, et comment s'appelaient tes parents, et pourquoi tu ne manges jamais d'abricots. À quoi ça me sert, de ne jamais t'avoir entendue dire, pas une seule fois, le nom de ton village ? À quoi ça me sert, grand-mère ? À rien, non ? Ça ne me sert à rien, rien du tout. Excepté à savoir qui je suis, et pourquoi je m'appelle comme ça. Ça ne te semble pas suffisant ? »

Anita Salgado Pérez la regarda et ne trouva pas de mots pour répondre à ces questions, mais elle porta une main tremblante au visage de sa petite-fille, le caressa, l'attira ensuite à elle, et plaça sa tête sur sa poitrine, comme lorsqu'elle était enfant, pour l'embrasser à plusieurs reprises.

« Partons, dit-elle ensuite. Ce n'est pas l'endroit où parler. »

Raquel demanda l'addition, paya et n'attendit pas qu'on lui rapporte la monnaie.

« Où veux-tu aller ?

— Ramène-moi à la maison. » Elle justifia son choix avant que sa petite-fille n'ait eu le temps de protester. « Olga n'est pas là. Elle avait rendez-vous avec ta mère pour aller faire les soldes. »

Elles marchèrent en silence jusqu'à la voiture et aucune des deux ne parla avant d'avoir effectué la moitié du trajet dans le Madrid désert du samedi après-midi.

« Je vais tout te raconter. Je ne sais pas si je fais bien, sûrement pas, mais je ne le ferai que si tu me promets deux choses.

— Ne rien dire à personne, dit Raquel avec un sourire.

— Oui, ça, c'est la première. Qu'est-ce qui te fait rire, peut-on savoir ?

— Ce qui me fait rire, grand-mère, c'est que c'est toujours pareil ! Chaque fois que Julio Carrión apparaît dans ma vie, quelqu'un me demande de n'en parler à personne. D'abord grand-père, et maintenant toi...

— Bon, tu me le promets ?

— Oui, je te le promets. Et la deuxième ?

— La deuxième est que tu ne fasses rien de bizarre à la suite de ce que je vais te raconter, Raquel. Carrión veut t'acheter l'appartement ? Très bien, le monde est petit, un hasard comme un autre, qu'est-ce qu'on peut y faire ? Tu le lui vends, tu emménages dans le mien, et ensuite il n'en sera plus jamais question, d'accord ? » Raquel se contenta d'un signe de tête affirmatif, mais cela suffit à sa grand-mère. « C'est vraiment incroyable... Qui aurait cru... Et je vais te dire une chose. Heureusement que ton grand-père est mort. Je n'aurais jamais cru pouvoir dire une chose pareille, mais j'y pense depuis un bon moment, parce que s'il était en vie, lui qui t'aimait tellement, je ne veux même pas imaginer... »

Raquel Fernández Perea n'aurait pas pu croire non plus qu'elle entendrait un jour ces paroles sortir de sa bouche, et cela l'impressionna tellement qu'elle commença à douter de ses propres raisons. Mais elle ne pouvait plus reculer, et en arrivant à Canillejas, elle regarda sa grand-mère et comprit à son air résolu qu'elle ne l'aurait pas accepté. Elle pensa alors que le silence pèse peut-être davantage sur celui qui se tait, que l'incertitude sur celui qui ne sait pas. Si c'était le cas, les deux femmes qui avaient le plus aimé Ignacio Fernández Muñoz avaient quelque chose à gagner par cette conversation.

« Tu veux que je fasse du café ? lui demanda-t-elle en entrant dans l'appartement.

— Non, pourquoi ? On vient d'en prendre un. Apporte le flacon d'eau-de-vie de cerises, plutôt. Tu sais où il se trouve ? »

Elle choisit un fauteuil qui se trouvait près du balcon, et ne reprit la parole que lorsque sa petite-fille servit les verres, assise sur le tabouret qu'elle aimait quand elle était petite et qu'elles regardaient toutes les deux un film à la télévision pendant qu'Ignacio partait faire sa sieste.

« Ce qui s'est passé, tu le sais, non ? Carrión nous a tout volé. Enfin, pas à moi, parce que je ne possédais rien. Il l'a volé à mes beaux-parents, qui étaient très riches.

— Oui, je le sais, reconnut Raquel. Mais je ne sais rien de plus. Ni comment il l'a fait, ni qui il était, ni d'où vous le connaissiez... »

Anita Salgado leva une main, comme si elle avait voulu demander à sa petite-fille de ne pas aller aussi vite.

« En fait, ton grand-père l'a très mal vécu, tu sais ? Il se sentait coupable de tout ce qui s'était passé, il a toujours pensé que c'était de sa faute, et pourtant on lui a dit que c'était faux. Tous, ses parents, ses sœurs. Et moi, je le lui ai répété un million de fois, que ce n'était pas de sa faute, ce n'était la faute de personne, juste de cette canaille, qui nous avait escroqués, qui nous avait dépouillés parce que c'était un voleur, ni plus ni moins. C'était la vérité, mais lui... Lui, il se fichait de l'argent, enfin, peut-être pas tout à fait, mais ce n'était pas ce qui comptait le plus pour lui. Ce qu'il ne pouvait pas supporter, c'était que Julio nous ait trompés, qu'il nous ait menti pour nous voler, c'est ce qui lui faisait le plus de mal. Pas l'argent. Si cela avait été... Je ne sais pas, un inconnu, un avocat qu'on aurait engagé de Paris ou un ami d'ami, il aurait trouvé que c'était un mauvais tour, une saloperie, comme il disait, oui, mais que Julio soit capable de nous faire ça, à nous qui l'avions toujours si bien traité, qui étions comme sa famille, parce qu'il était toujours fourré à la maison...

— Bien sûr ! » Et soudain, Raquel comprit qui était l'homme dont elles parlaient. « C'est pour ça que tout à l'heure tu as parlé des photos de Paris, n'est-ce pas ? Carrión est ce garçon qui porte une chemise blanche aux manches relevées, sur les photos où vous êtes tous ensemble, derrière une table avec un gâteau, un anniversaire de papa, non ? Ou d'Olga.

— C'était l'anniversaire d'Aída, la fille de María, mais oui, celui-là, c'est Carrión.

— Bien sûr. Comme vous ne nous avez jamais rien raconté...

— Non, pour quoi faire ? Et sur lui, encore moins, parce que... C'est ce que je te disais, ton grand-père n'a jamais pu avaler cela, jamais, jamais... Et vint un moment où nous avons cessé de parler de lui, puis on a fait comme si on avait oublié, et à la fin, heureusement, on a vraiment oublié, mais ça ne fait rien. Je suis sûre qu'Ignacio est mort avec ce chagrin, avec cette angoisse... Je me souviens encore des premiers jours, des premières nuits. Devant la famille, il le cachait, parce qu'il devait être fort. Ses parents, qui étaient ceux qui avaient le plus perdu, parce qu'ils étaient les propriétaires de tout, prirent les choses très calmement. Il y a un an, nous n'avions rien, n'est-ce pas ? et maintenant non plus nous n'avons rien, qu'est-ce que ça fait de savoir qui nous l'a pris ? Cela aurait pu être Franco, en 1939, et l'on en serait au même point, ont-ils dit.

— Oui, mais ce n'est pas pareil, objecta Raquel, très sérieuse.

— Bien sûr, mais que veux-tu ? répondit sa grand-mère avec un sourire triste. On leur avait tué un fils, puis un gendre, ils avaient un petit-fils à Madrid qu'ils ne connaissaient même pas. Que leur importait l'argent ? Ignacio le comprenait, il leur donnait raison, mais la nuit, au lit... Encore une trahison, encore un traître, je n'en peux plus, Anita, je n'en peux plus. Pourquoi est-ce que je vis ? Je vis pour qu'on me trahisse une fois, et encore, C'était ce qu'il me disait, le pauvre, et je lui répondais : ne meurs pas, Ignacio, ne meurs pas, c'est une sottise. Puis je me taisais parce que je ne savais plus quoi dire, comment le réconforter, et il recommençait à parler avec cette tristesse, cette amertume. Pourquoi est-ce qu'il doit toujours nous arriver la même chose, pourquoi est-ce que cela doit toujours être pareil ? Nous sommes les damnés de la Terre, Anita, les damnés de la Terre, malédiction... Il répétait ça, et il avait raison, parce que tout le monde nous avait laissés tomber, tout le monde nous avait abandonnés et rien ne marchait, rien ne marchait jamais, nous étions de plus en plus seuls, de moins en moins nombreux, et Franco plus puissant, tout était plus difficile, et alors, Julio, qui était un des nôtres, un des bons, nous a trahis lui aussi, et ce fut ce qui fit le plus de mal à ton grand-père. »

Anita se tut pour contempler sa tristesse dans les yeux de sa petite-fille, et Raquel lui rendit son regard en silence. Elle devinait qu'il lui faudrait du temps pour accepter ce qu'elle venait d'entendre, mais ce n'était que le début. À voix basse, presque avec crainte, elle demanda :

« Julio Carrión était du parti, grand-mère ? » Sa grand-mère la regarda comme si soudain elle ne comprenait rien. « Il était socialiste, anarchiste, il militait dans une... ?

— Qu'est-ce que j'en sais ! » Anita interrompit sa petite-fille, la regarda d'un air de détresse puis finit par hausser les épaules dans un mouvement brusque, presque violent. « Bien sûr. Enfin c'était ce qu'il disait, et je le croyais, on le croyait tous. Il avait une carte de la JSU, c'est sûr, je l'ai vue de mes propres yeux, et c'était une vieille carte, en plus, faite à Madrid, pendant la guerre. Ce que je ne sais pas, c'est qui était vraiment Julio Carrión, ou plutôt si, je le sais. C'était un opportuniste, une crapule, un cynique. Et quelqu'un de mauvais.

— Mais... » Raquel ne trouvait pas le moyen d'exprimer sa perplexité. « Je ne comprends pas. Comment est-ce possible... ? Vous ne vous êtes jamais rendu compte de rien ?

— Eh bien non. » Anita sourit. « Qu'est-ce que tu veux que je te dise ? Nous n'avons jamais rien trouvé de bizarre en lui, et nous n'avons pas cherché non plus. C'est que ce n'était pas logique de penser... La mère de Julio était socialiste, tu sais, une de ces institutrices républicaines que tout le monde admirait. Ton grand-père l'avait connue, et il disait toujours que c'était une femme charmante, très rouge, très courageuse. Elle était de Torrelodones et mes beaux-parents avaient une maison là-bas, ils y allaient tous les étés, ils se connaissaient, alors quand Ignacio a rencontré leur fils, seul, perdu, exilé et entouré d'exilés, dans un café à Paris, il l'a amené à la maison. C'était le fils de sa mère, non ? qui avait été l'amie de Mateo, de Carlos, mort en prison quand elle était condamnée, à trente ans. À l'époque, c'était comme ça, ça nous suffisait. Pourquoi nous serions-nous méfiés de lui ? »

Quelques mois plus tard, Raquel Fernández Perea apprendrait que cette femme s'était appelée Teresa González Puerto, et entendrait sa voix dans celle de son petit-fils, un homme brun dont les traits s'inscrivaient presque comme une réplique dans le visage du traître qu'elle conservait en mémoire. Quand cela se produirait, Raquel découvrirait que la capacité de trahir de Julio Carrión était infinie, mais l'amour qui opérait le miracle de rendre à la vie une femme morte depuis si longtemps l'affecterait beaucoup plus. Teresa González Puerto revivrait dans le corps que Raquel aimait, dans la passion des lèvres qui la nommaient, dans le relief des mains qui la caressaient, et cette nouvelle vie serait bonne, juste, elle serait belle et émouvante, et aussi terrible que le noir présage d'une tempête dévastatrice. Quand cela se produirait, Raquel comprendrait pourquoi elle était tombée amoureuse du petit-fils de cette femme, pourquoi elle n'avait jamais aimé un homme comme elle l'aimait lui, cette indispensable détermination à se dissoudre dans son corps qui lui était aussi nécessaire que le réflexe de boire quand elle avait soif, de dormir quand elle avait sommeil. Quand cela se produirait, elle se rendrait également compte que son sommeil était condamné, qu'il n'y aurait jamais de samedis matin avec du soleil pour arriver de la rue avec les courses et un gros bouquet de fleurs fraîches à répartir entre plusieurs vases en cristal. Mais cet après-midi de janvier 2005, pendant que sa grand-mère essayait de lui apprendre qu'il ne faut jamais se fier aux histoires espagnoles, parce qu'elles finissent toujours par tout gâcher, Raquel Fernández Perea ne savait encore rien de tout cela.

Anita Salgado avait promis à sa petite-fille qu'elle lui raconterait ce qui s'était passé et elle tint sa promesse. Elle parla pendant près de trois heures, parfois dans l'ordre, parfois dans le désordre. Elle reconnut qu'elle avait oublié certaines dates, certains noms, et elle passa très vite sur des détails pour s'arrêter sur d'autres qu'elle préférait, mais sa mémoire soutint sans grande difficulté une version précise, cohérente et complète d'un épisode qu'elle n'avait jamais pu oublier. Ainsi, Raquel put voir Julio Carrión comme il était à vingt-cinq ans, l'homme le plus sympathique du monde, un séducteur né, brillant, ingénieux, séduisant au point de briser les résistances de Paloma Fernández Muñoz – c'était une partie de l'histoire qu'elle ignorait totalement. Sa grand-mère reconnut que tout le monde aimait bien Julio, mais, même s'il se gagnait les hommes avec la même facilité et que les enfants l'adoraient, c'est surtout aux femmes qu'il plaisait. C'était la raison pour laquelle elle pensait que sa belle-sœur n'aurait jamais fait avec un autre ce qu'elle fit avec lui et que, de surcroît, la possibilité de venger son mari à travers Carrión n'avait pas été un motif, mais le prétexte d'un désir qu'elle ne croyait peut-être pas éprouver, et qu'elle n'avait bien sûr pas osé exprimer à haute voix. Mais Anita était certaine que ce désir avait existé, et en arrivant à la fin, elle permit à Raquel de découvrir qu'elle n'avait jamais eu autant pitié de personne comme de Paloma.

« Ce fut elle qui souffrit le plus, à l'époque. C'était bien pire pour elle que pour ton grand-père, et aussi des années plus tard, quand nous avons appris que Julio avait épousé la fille de sa cousine Mariana, celle qui avait dénoncé son mari, tu comprends ? Nous ça nous était égal, mais pour elle ce fut le comble, une chose bien pire qu'une trahison, le double, le triple, que sais-je... Résultat, après tout, il s'avéra que l'argent n'était vraiment pas le plus important, car Paloma se sentait tellement humiliée, tellement honteuse d'elle-même, elle regrettait tellement ce qu'elle avait fait, qu'elle cessa de parler, de manger, et elle passait ses journées silencieuse, sans regarder personne, sans rien dire. J'ai souvent essayé de lui parler parce que je l'aimais beaucoup, je l'ai toujours beaucoup aimée.

— Vous travailliez ensemble, n'est-ce pas ? » Raquel avait vu une autre photo, toutes les deux derrière un comptoir, avec des tabliers blancs, Anita enceinte et très souriante, Paloma non.

« Oui, au début, à Toulouse... Elle a été la seule à m'aider pour ma mère et c'est encore elle qui m'a le plus soutenue quand Ignacio a dû quitter la maison pour ne pas être dénoncé. J'allais la voir sous n'importe quel prétexte, et quand nous étions seules, je lui disais : Mais enfin, Paloma, tu es veuve, tu étais libre, tu as passé une nuit avec lui, bon, eh bien, qu'est-ce que cela signifie ? Rien, cela ne signifie rien, tes nuits t'appartenaient, et tu ne pouvais pas savoir ce que ce salaud allait faire, personne ne le savait, aucun d'entre nous... Laisse-moi, Anita, je n'ai pas envie de parler de ça, me répétait-elle toujours. Mais j'insistais, pour elle, pour son bien. Tu n'étais pas avec le Julio Carrión qui est aujourd'hui à Madrid, Paloma, tu étais avec un autre homme qu'on aimait tous, en qui nous avions tous confiance... Ça suffit ! disait-elle alors. Et elle se levait, allait dans sa chambre, poussait le verrou, et personne ne la revoyait jusqu'au lendemain. Tu sais qu'elle a essayé de se suicider ? »

Raquel secoua la tête, d'un air triste. « Non, grand-mère. Je ne sais rien, comment le saurais-je ? Vous ne m'avez jamais rien raconté !.

— Eh bien elle s'est ouvert les veines avec une lame de rasoir quand elle a appris que Julio... Enfin, pauvre Paloma ! » Anita semblait encore souffrir à chaque mot. « Ton grand-père m'avait moi, il avait les enfants, mais elle... Elle était seule, toujours seule. Et elle était tellement jolie, une véritable beauté en fait et beaucoup d'Espagnols lui couraient après bien sûr, mais aussi beaucoup de Français... C'est comme cela que nous avons connu l'oncle Francisco, tu sais. Nous étions encore à Toulouse et il attendait tous les soirs, devant la boulangerie, qu'elle sorte, puis il la suivait jusque chez nous sans rien dire, et il restait longtemps devant la porte, au cas où elle se serait montrée ou serait ressortie. On se moquait beaucoup de lui, surtout María, car elle était très effrontée, et figure-toi comment est la vie, c'est comme ça qu'ils ont commencé à sortir ensemble. Un beau jour, le pauvre Francisco s'est aperçu qu'il préférait les plaisanteries de la petite aux grands airs de l'aînée et il changea d'objectif. Il cessa de suivre Paloma, se mit à suivre María, elle lui dit oui, et cela dure encore. Mais pas sa sœur, jamais elle ne s'intéressait à aucun homme, elle ne les regardait même pas, et je crois que c'est pour ça... Elle a dû se sentir si mal quand elle s'est rendu compte qu'avec tous ces hommes qui lui tournaient autour, elle était allée choisir le pire...

— Eh bien ! » Raquel, suspendue aux lèvres de sa grand-mère, n'avait pas entendu le bruit de la porte, mais reconnut immédiatement la voix. « Vous êtes là toutes les deux ? »

Sa mère, qui portait plusieurs sacs et arborait un sourire éloquent qui traduisait le succès de son expédition, entra au salon devant Olga, sa belle-sœur.

Sa fille se leva pour les saluer. « Comme tu vois. Grand-mère me vend l'appartement. Nous avons déjeuné au restaurant chinois et puis nous sommes venues fêter cela ici. »

Olga embrassa sa nièce puis sa mère. « C'est très bien, maman ! Il était temps que tu te décides.

— Nous allons peut-être pouvoir parler d'autre chose pendant les repas... », déclara sa belle-sœur.

Elle demanda alors s'il y avait du café, sa fille lui répondit que non, Olga proposa de mettre la cafetière en route, le téléphone sonna et cet après-midi se transforma en un après-midi habituel pendant que Raquel Perea leur montrait ce qu'elle avait acheté en soldes.

« Et j'ai vraiment failli t'acheter une jupe, ma petite, en jean, longue et à franges, avec du tulle et des paillettes, très à la mode. Je la trouvais très jolie, mais comme avec toi je ne suis jamais sûre, j'ai pensé que tu allais me dire qu'elle était vulgaire, et... » Alors, en remplissant à nouveau les sacs, elle regarda la pendule. « Oh ! là là, 8 heures moins 20 ! Je dois partir. Tu es venue en voiture ? » Sa fille fit un signe de tête affirmatif. « Tu pourrais me ramener, et au passage monter embrasser ton père.

— Non, je te ramène, mais je ne monte pas. Il vaut mieux que je voie papa demain, je pensais déjeuner avec vous, et puis... Tu peux me donner les clés de Guardias des Corps, grand-mère ? » Anita haussa les sourcils. « Maintenant que je sais que cela va enfin être ma maison, ça me ferait plaisir de la voir, de commencer à réfléchir à la façon dont je vais l'arranger, et... Au fait, que deviennent les meubles qui restent ? Je peux les garder ?

— Il n'y a pas grand-chose, ne te fais pas d'illusions, la prévint sa mère.

— Non, confirma Olga. Mais ce qu'il reste, personne n'en a voulu, n'est-ce pas, maman ? Les lits sont petits, il y a le grand canapé du salon, qui n'entrait pas ici, deux lampes et le secrétaire de papa. Celui-là, tu as dit que tu voulais le garder, n'est-ce pas, Raquel ?

— Oui, mais il ne tenait pas à Tetuán. » Et elle poursuivit en faisant très attention, sans regarder sa grand-mère. « C'est pour ça que j'aimerais aller jeter un coup d'œil, pour me faire une idée.

— Maintenant ? s'exclama Anita. Mais il fait nuit.

— Mais il y a l'électricité. Ou on te l'a coupée ? répliqua Raquel d'un ton égal, comme si elle n'avait pas perçu une certaine méfiance dans son ton.

— Non, non... Comme Jacques a dit qu'il allait venir pour Noël et qu'on ne tenait pas tous ici... » Sa grand-mère la regarda droit dans les yeux et elle lui rendit un regard tout aussi intense. « Les clés de ton grand-père sont dans le tiroir de sa table de nuit, enfin, celui qui est à droite. » Mais quand Raquel se leva, elle l'arrêta. « Un instant. Souviens-toi de ce que tu m'as promis.

— Oui.

— Oui quoi ?

— Je m'en souviens.

— De quoi ? » s'enquit Olga. Mais aucune des deux ne répondit à cette question.

Huit mois plus tard, quand Raquel, sa petite-fille, avant de lui demander de l'héberger, lui raconta la dernière histoire qu'elle aurait voulu entendre dans ce qu'il lui restait de vie,

Anita Salgado hocha la tête à plusieurs reprises. Puis elle la prit dans ses bras, l'assura qu'elle pouvait rester aussi long-temps qu'elle voudrait, et enfin, lui dit que, cet après-midi de janvier où elle l'avait vue passer la porte avec les clés de son mari à la main, elle était déjà sûre qu'elle ne tiendrait pas sa promesse. Elle le devinait peut-être elle aussi, car le récit de sa grand-mère pesait trop lourd, ses paroles et ses silences pesaient, surtout le désespoir d'un homme aimé qui était mort. « Une autre trahison, un autre traître, je n'en peux plus, Anita, je ne peux pas vivre comme ça, je préfère mourir. »

Raquel Fernández Perea ne pourrait jamais oublier ces paroles. Elles auraient dû rester lettre morte. Mais sa grand-mère lui avait donné ses propres clés, elle avait dû ouvrir un tiroir qu'elle n'avait vu ouvert qu'une fois dans sa vie et elle y avait trouvé un vieux pistolet, une boîte de munitions et un porte-documents fatigué en cuir marron qui contenait plus que des papiers.

« Tu l'aurais trouvé de toute façon, avait dit Anita, huit mois plus tard. C'est de ma faute, j'aurais dû tout jeter, le porte-documents, le pistolet, c'est ce que j'aurais dû faire. Je ne voulais pas le donner à ton père, à Olga non plus. Cela m'aurait contrariée, tu sais à quel point ils détestent ces his-toires, alors j'aurais dû le jeter et j'y ai pensé, mais ça m'a fait de la peine, une peine terrible, parce que ces objets apparte-naient à Ignacio, étaient Ignacio. Alors je ne me suis pas déci-dée, j'ai tout laissé tel quel, et tu vois le résultat. »

Raquel ne la contredit pas, mais elle pensa que si elle avait écouté son grand-père, si elle avait tenu la promesse faite à sa grand-mère, elle n'aurait jamais rencontré Álvaro Carrión Otero.

Et pourtant, Álvaro n'existait pas quand Raquel sortit ce porte-documents du tiroir sans toucher à l'arme. Ses mains tremblaient d'une émotion confuse où s'entremêlaient trop de choses, à tel point qu'elle préféra aller au salon pour lire le tout. Il s'agissait de titres de propriété au nom de Mateo Fernández Gómez de la Riva et de titres de propriété au nom de María Muñoz Palacios. Il y avait des copies légales des testaments de leurs parents respectifs, la copie d'un pouvoir notarial émis à Paris le 27 mars 1947, par Mateo Fernández Gómez de la Riva au nom de Julio Carrión González, la copie d'un pouvoir notarial également émis à Paris, à la même date et dans le même bureau, par María Muñoz Palacios au nom de Julio Carrión González. Elle lut une demi-douzaine de lettres avec leurs enveloppes toutes datées et postées de Madrid, où Julio, tout court, embrassait tout le monde après avoir rendu compte des démarches et des multiples difficultés qu'il rencontrait pour les mener à bien. Raquel retrouva aussi le reçu d'un virement de cinq mille pesetas effectué en février 1948 d'une succursale du Banco Español de Crédito vers un compte courant ouvert dans une agence de la BNCI, à Paris, au nom de Mateo Fernández Gómez de la Riva, une demi-douzaine d'autres lettres à en-tête d'un cabinet juridique de Madrid, datées de l'automne 1948 et où un certain Manuel Rubio Martínez, qui était avocat et prenait congé de ses correspondants en leur souhaitant une bonne santé, informait progressivement don Mateo Fernández Gómez de la Riva et doña María Muñoz Palacios qu'à cette date ils ne figuraient plus nulle part en tant que propriétaires d'aucun des biens auxquels ils s'étaient intéressés. Les terres et les biens immobiliers avaient fait l'objet de saisies extraordinaires successives, protégées par la Loi de Responsabilités politiques, pour être ensuite vendus à des tiers par leur précédent propriétaire, M. Julio Carrión González.

Il était 8 heures du matin et on était lundi, mais elle se dit qu'attendre davantage n'avait pas de sens : « Bonjour, Sebastián. Je suis Raquel Fernández Perea, la présidente de...

— Oui, oui. » Il était vif, la voix souriante. « Je te reconnais. Comment vas-tu ?

— Bien. Je t'appelle pour te dire que je n'irai pas chez le notaire cet après-midi. »

Elle lui annonça la nouvelle d'un ton neutre, et perçut à l'autre bout de la ligne un silence aussi compact que si Lopez Parra avait essuyé ses lunettes du bout de sa cravate.

« Bon, si tu as un problème, on peut prendre rendez-vous pour un autre jour de la semaine, le matin ou l'après-midi, quand cela te conviendra. Les autres pourront venir, n'est-ce pas ? s'enquit-il enfin, s'efforçant de formuler sa réponse dans les meilleurs termes.

— Oui, tous les autres seront là, mais mon cas est différent. Je ne savais pas que Promociones del Noroeste était une entreprise de Julio Carrión. Ma famille a des relations très anciennes et très compliquées avec ce monsieur, et j'ai besoin de lui parler avant de me décider à vous vendre ma maison. »

Sebastián López Parra commença à perdre patience :

« Raquel, je t'en prie ! On est sur cette affaire depuis presque un an. Je croyais qu'on avait dépassé la phase des finasseries, tu sais, et je ne trouve pas sérieux...

— Ce n'est pas une finasserie, Sebastián, je t'assure. » Elle disait vrai et il s'en aperçut. « Et ça n'a rien à voir avec toi. Je veux rencontrer Julio Carrión, j'ai besoin de lui parler, et je ne signerai rien avant.

— Bon, si tu y tiens vraiment, je peux essayer d'arranger ça. Je viens de le voir, il est dans son bureau, lui aussi est avocat, alors je ne crois pas que ça le dérange...

— Je crois qu'on ne parle pas du même homme, Sebastián. Je ne veux pas voir Julio Carrión fils. Je veux parler à son père.

— Mais ce n'est pas possible ! » Elle s'aperçut que son interlocuteur était devenu très nerveux. « Pas ça, mon Dieu, impossible, don Julio est un homme très âgé, il a plus de quatre-vingts ans, on ne peut pas le déranger... Écoute, Raquel, je me suis très bien comporté avec toi, je crois, alors ne me crée pas de problèmes. Don Julio est le patron de l'entreprise, oui, et il vient tous les jours deux heures au bureau, pour ne pas s'ennuyer, mais il n'a plus rien à faire ici. Mes patrons sont ses fils, tu comprends ? Et je ne peux pas faire ça, ils ne me le pardonneraient pas. Ça me coûterait mon poste, je t'assure.

— Je ne crois pas qu'il tienne à ce que ses fils soient au courant de cette affaire. » Raquel Fernández Perea s'étonna de son sang-froid, du calme qu'elle-même détectait dans ses paroles. « J'en suis presque sûre, alors je vais te proposer une chose. Parle-lui, ou laisse une note à sa secrétaire. Dis-lui seulement que la petite-fille d'Ignacio Fernández veut le voir, seulement ça. Et que s'il ne veut pas me recevoir, je vais devoir parler à ses fils. Je dois te laisser maintenant, Sebastián, je suis très occupée. »

Quand elle raccrocha, elle eut à peine le temps de se demander si ses calculs étaient exacts avant que les nerfs, l'angoisse, l'anxiété et la peur qu'elle avait réussi à mettre entre parenthèses au cours de cette conversation ne la pressent de l'intérieur comme un corset de fer. Elle ressentit une pression insupportable à l'estomac, elle avait le cou brûlant, les mains moites, et un désir subit de se tromper. Elle avait calculé que la famille Carrión ne devait pas être très différente de la famille Fernández, et si les victimes avaient tenu leur spoliation secrète pendant tant d'années, le bourreau avait dû observer les mêmes règles à plus forte raison. Quelques secondes plus tôt, elle en était sûre, et cependant elle comprenait maintenant non seulement que ses soupçons étaient dénués de tout fondement, mais elle espérait que la réalité la contredirait, que Julio Carrión n'accorderait pas d'importance à son appel, qu'il ne répondrait pas, qu'il ne la recevrait pas, qu'elle n'aurait jamais à regarder cet homme en face.

« Mais où me suis-je fourrée ? Comment ai-je pu avoir l'idée de cette folie ? » se demanda-t-elle à plusieurs reprises ce matin-là. Ce qui était si clair le samedi soir, ce qui l'avait éblouie le dimanche depuis qu'elle avait regardé les photos encadrées avec plus d'attention que jamais chez ses parents, lui semblait maintenant une énormité, une folie démesurée. La photo de mariage de Carlos et Paloma, Mateo protégeant Casilda dans sa capote pendant qu'ils regardaient tous deux l'objectif, Ignacio revêtu de l'uniforme français et Anita avec son fils dans ses bras, enlacés dans un parc de Toulouse, cinq hommes souriants exhibant un tank allemand comme un trophée, Ignacio Fernández Salgado et sa sœur Olga en costumes régionaux, lui en Aragonais et elle en Madrilène, le visage barbouillé et une glace à la main, Raquel Perea avec une mini-jupe et une frange à Cordoue, devant le Cristo de los Faroles, et d'autres photos de ses arrière-grands-parents, de ses grands-parents, de ses oncles et tantes, cousins et cousines, de ses parents, des photos qui parlaient, qui la regardaient, qui la faisaient sourire et lui remplissaient les yeux de larmes. Alors, en les voyant, en conversant avec les visages des photographies, tout était très clair, à tel point que le lundi matin elle pensa que c'était faux. Je suis devenue folle, ou quoi ? Ensuite, quand elle se lassa de récriminer contre elle-même, elle eut pitié du pauvre Sébastián, qui s'était très bien conduit avec elle et profitait de la moindre occasion pour insinuer qu'il était disposé à se comporter encore mieux dès qu'elle le laisserait faire.

Mais Raquel Fernández Perea, qui avait tellement parlé de tellement de choses avec Ignacio, son grand-père Ignacio, ne savait pas que les hommes et les femmes courageux ne craignent jamais rien, ni personne, à l'instant de la bataille. La peur vient ensuite, quand ils commencent à se demander comment ils ont pu être aussi fous. Aussi, ce soir-là, quand elle sortit de sa douche et vit qu'elle avait un message sur son portable, elle reconnut le numéro qui l'avait appelée et éprouva à nouveau un calme presque absolu, dont elle ne parvint pas à être consciente en appelant son répondeur. « Salut, Raquel, c'est Sebastián. J'ai parlé à la secrétaire de don Julio puis il m'a appelé. Si ça te convient, vous pouvez vous rencontrer dans son bureau après-demain, mercredi, à 11 h 30. Confirme-le-moi le plus tôt possible, s'il te plaît, parce qu'il m'a demandé de le prévenir. » Elle apprécia le ton neutre, prudent, de cette voix, et répondit par un SMS : *Très bien, j'y serai.* Quand elle eut fini, ses mains tremblaient tellement que son téléphone tomba par terre.

Le reste fut plus facile. Il n'était plus possible de reculer, et la nécessité lui rendit son courage. Le mercredi matin, Raquel Fernández Perea se leva, prit son petit déjeuner et partit travailler avec du plomb dans les veines. Avec la même froideur, à 11 heures, elle prit un taxi, lui indiqua l'adresse d'un imposant immeuble de bureaux sur la Castellana à la hauteur d'Azca, et essaya de faire le vide dans son esprit. Elle ne put empêcher ses genoux de trembler en s'approchant de la réceptionniste, mais parvint à s'annoncer d'une voix sereine. La secrétaire de Julio Carrión González l'attendait devant la porte de l'ascenseur du troisième étage. Après l'avoir saluée avec la formule la plus sobre possible, elle la guida en silence dans un couloir au sol recouvert de moquette jusqu'à une salle d'attente décorée de beaux meubles, chers et classiques.

« Don Julio va vous recevoir tout de suite, l'informa-t-elle en lui désignant un siège d'une main. Veuillez attendre ici. »

Raquel s'aperçut que cet endroit avait peu de choses à voir avec le reste du bâtiment, une construction moderne et élégante aux façades en verre nu, mais elle n'eut guère le temps de réfléchir davantage.

« Don Julio vous attend. » Un instant plus tard, Raquel se retrouva dans une salle si immense qu'elle dut s'approcher de l'homme qui la regardait de la table du fond pour s'assurer que c'était bien lui. Ce qu'elle éprouvait en ce moment n'était pas différent de ce qu'elle ressentait chaque matin face à un client inconnu, et son hôte ne fit rien pour modifier son état d'esprit. Julio Carrión González ne se leva pas pour la saluer, et elle répondit à cette impolitesse en restant debout pour l'étudier d'en haut. Elle se rappela alors la description de sa grand-mère, ce qui confirma l'impression que lui avait faite la photo de la page web. Julio Carrión était un vieillard séduisant. Il avait toujours les cheveux de sa jeunesse, blancs maintenant, et cette force dans le visage, les yeux étincelants.

Ce fut lui qui commença à parler, et il la prit au dépourvu : « Tu ressembles beaucoup à ta tante Paloma. On a dû te le dire, non ? Elle avait les cheveux plus foncés et les yeux plus clairs que toi, très bleus, mais la forme du visage, le menton et le cou, ces mâchoires si nettes, si... jolies... C'est en cela que tu lui ressembles. »

Raquel ne répondit pas. Elle continua à le regarder de haut, avec un goût métallique dans la bouche. Son sang s'était soudain épaissi.

Julio Carrión se résigna à la politesse : « Assieds-toi, s'il te plaît. Et dis-moi ce que tu veux.

— Pour l'instant, que vous arrêtiez de me tutoyer. Moi, je n'ai pas l'intention de vous tutoyer. » Raquel entendit le son de cette voix comme si ce n'était pas la sienne, mais elle puisa des forces dans ses paroles.

En l'écoutant, le vieil homme se mit à rire et son visage se transforma en un soleil radieux, comme ceux que peignent les jeunes enfants, pleins de rayons et de couleurs à en déchirer le papier. Raquel ignorait que Julio Carrión avait toujours apprécié les femmes courageuses, et qu'il ne savait pas encore qu'elle allait être la dernière, et l'exception.

« Je ne voulais pas vous offenser... Mais vous êtes beaucoup plus jeune que moi, ajouta-t-il en riant.

— Certes, admit-elle.

— Très bien, alors, vous pourriez me dire ce que vous voulez ? M'avertir que le prix de votre appartement a beaucoup augmenté, n'est-ce pas ? » Il venait d'avoir quatre-vingt-trois ans et restait un homme très sympathique qui semblait jouir de cette condition.

« Non. » Alors il devint sérieux, et Raquel devina qu'elle ne le reverrait pas rire. « Pas précisément. Je ne sais pas si vous vous souvenez de moi, mais je suis la petite fille qui accompagnait Ignacio Fernández quand il est venu chez vous, un samedi après-midi, au mois de mai 1977. » Elle fit une pause pour étudier l'effet de ses paroles et le vit hocher la tête. « Cet après-midi-là, il avait emporté ce porte-documents. » Elle le sortit de sa mallette et le lui montra lentement, intérieur et extérieur. « Vous l'avez vu, n'est-ce pas ? C'est le même, et il contient les mêmes documents. Ce que je veux savoir, c'est de quoi mon grand-père vous a parlé cet après-midi. C'est pour cela que je suis venue.

— Et pourquoi devrais-je vous le dire ? »

Il posa la question sur un ton complètement différent de celui qu'il avait employé jusqu'alors, et Raquel s'en aperçut. Elle le regarda attentivement et vit qu'il s'était raidi. Il s'était maintenant étiré sur son siège, la tête droite, une expression dure dans le regard, sur la bouche, mais elle sentit que tout cela, loin de l'apaiser, l'éperonnait.

« Parce que, si vous ne me le dites pas, je ne vais pas vous vendre ma maison.

— Écoutez, mademoiselle, dit-il d'un ton méprisant. Je me fiche de votre appartement, vous comprenez ? J'ai largement de quoi acheter cent immeubles comme le vôtre. Alors ne me menacez pas, je vous le dis pour votre bien.

— Bien. » Raquel Fernández Perea se sentit beaucoup mieux, car son sang redevint liquide, chaud, et se remit à circuler vite dans ses veines. « Très bien, en ce cas, je parlerai moi-même à M. López Parra pour l'informer que mon appartement n'est plus à vendre. Il va être terriblement contrarié, bien évidemment, car il a beaucoup travaillé pour cette opération, mais là où il y a un capitaine, le marin ne commande pas, et vous êtes le propriétaire de cette entreprise, n'est-ce pas ? Je ne lui donnerai pas d'explications, ne vous inquiétez pas. Comme ça, vous pourrez tout lui raconter vous-même. Cela vaut mieux, vous ne croyez pas ? »

Elle laissa cette question en suspens, le regarda et vit que le mépris, le sarcasme, sans parvenir à se dissoudre, s'intégraient progressivement à une expression plus complexe.

« Je ne sais pas où vous voulez en venir, mais si vous pensez que vous allez me faire peur, vous vous trompez lourdement. » Pourtant, Raquel se rendit compte qu'il avait déjà commencé à la redouter. « Je ne veux pas gâcher le travail d'un de mes meilleurs employés, ni courir le risque de paralyser un projet aussi ambitieux que celui de Tetuán pour une sottise, mais je ne peux pas non plus perdre toute la journée avec vous, alors dites-moi votre prix et je vous le paierai.

— Je veux savoir de quoi vous avez parlé avec mon grand-père cet après-midi-là. Voilà mon prix. »

Julio Carrión González fit claquer ses lèvres et serra les poings, sans chercher à dissimuler son impatience. Puis il se frotta le front, appuya sa tête sur une main, réfléchit.

« Votre grand-père est mort, dit-il enfin. Comment saurez-vous que je vous dis la vérité, que je ne vous trompe pas ?

— Essayez, l'encouragea-t-elle, et il ne voulut rien ajouter. Je ne crois pas que vous puissiez me tromper, monsieur Carrión. Je connaissais très bien mon grand-père. Je le connaissais à tel point qu'après avoir parlé un instant avec vous, je suis presque sûre de ce qui s'est passé cet après-midi-là.

— Ah oui ? » Il fit une pause pour la regarder à nouveau avec la hauteur du début. « Alors dites-le-moi.

— Vous lui avez offert de l'argent, n'est-ce pas ? Et il n'a pas voulu l'accepter. »

Elle sut qu'elle avait visé juste quand les yeux de Julio Carrión fuirent les siens pour parcourir la pièce aussi lentement que s'il la découvrait pour la première fois.

« Je vais vous dire une chose qui va vous surprendre, mademoiselle…, dit-il enfin.

— Raquel.

— Très bien, alors… Je vais vous dire une chose qui va vous surprendre, Raquel. J'admirais beaucoup votre grand-père. Ignacio était un homme entier, un homme courageux, honnête, généreux. » Il regarda son interlocutrice et constata que son expression n'avait pas changé, mais il insista pourtant. « J'ai connu peu de gens tels que lui, et je l'ai toujours admiré, vraiment. Le fait qu'on ne se ressemble pas, que je ne pense, ni ne croie, ni n'éprouve la même chose que lui, ne m'a jamais empêché de l'apprécier. Je ne vous dis pas ça par cynisme, croyez-moi. En fait, je n'ai aucun besoin de vous le dire, mais c'est la vérité.

— Je ne vous ai pas demandé votre avis sur mon grand-père. » Et je ne vais pas m'énerver avant l'heure, salaud. « Je n'ai aucune envie de le connaître.

— Oui, mais… » Julio Carrión ébaucha un sourire qui s'écrasa sur la dureté des yeux de la femme qui le regardait.

« Je voulais que vous le sachiez... Cet après-midi là... » Il fit une pause, se frotta à nouveau les sourcils, finit par parler : « Ignacio est venu me voir pour que je sache qu'il était revenu vivre en Espagne, à Madrid, et qu'il avait conservé les documents concernant les biens de ses parents et... bref, tous les papiers. C'était tout ce qu'il voulait, que je le sache. Et je lui ai proposé de l'argent, vous avez raison, beaucoup d'argent, mais il n'a pas voulu me vendre le porte-documents qui se trouve maintenant dans votre mallette. Je préfère t'ôter le sommeil, m'a-t-il dit. Je préfère que tu vives dorénavant dans l'angoisse de ne pas savoir ce que je fais, de ce que je vais faire. Je t'aurai, Julio, mais tu ne sauras jamais comment, ni quand, ni d'où arrivera le premier coup. Je veux que tu le saches, c'est pour ça que je suis venu... ce fut tout. Puis il s'est levé et il est parti sans dire au revoir. Je vous ai épargné les insultes et j'ai beaucoup résumé, mais je vous assure qu'il ne m'a rien dit d'autre. »

Ce fut alors au tour de Raquel de se taire. Elle était saisie d'effroi par ce qu'elle venait d'entendre, et encore plus par la certitude que cet homme ne l'avait pas trompée. Ce qu'il lui avait dit était vrai, ce devait l'être car cela ressemblait bien à son grand-père, mais elle avait besoin de temps pour l'assumer, pour l'analyser et pouvoir commencer à y croire.

Pendant ce temps, Julio Carrión la regardait.

Un instant plus tard, il se trompa.

« Vous n'allez pas me demander ce que j'ai fait ? » Son accent redevint sarcastique, presque gai. « Vous ne voulez pas savoir comment j'ai réagi ? » S'il n'avait pas posé ces deux questions, Raquel Fernández Perea aurait pu se rappeler les avertissements d'Ignacio, son grand-père, cette recommandation pacifique qu'il avait lui-même observée en réduisant sa vengeance à l'armature succincte d'une menace qu'il n'allait jamais mettre à exécution. Sa petite-fille avait ouvert le tiroir de son bureau et y avait vu une arme, une boîte avec des balles. L'une d'elles au moins devait porter le nom de Julio Carrión González gravé dessus depuis trente ans, mais son propriétaire n'avait jamais voulu lui donner le destin qu'il lui réservait. Raquel le comprit, accepta ses actes et ses raisons, éprouva beaucoup de peine, beaucoup d'orgueil, beaucoup d'amour. *Pour vivre ici, il y a des choses qu'il vaut mieux ne pas savoir, voire ne pas comprendre.* Peut-être avait-il raison, sûrement, elle allait accepter le fait qu'il avait raison quand elle entendit ces deux questions, et elle regarda Julio Carrión pour se fracasser sur son humiliant sourire.

« Je n'ai jamais pris Ignacio au sérieux, poursuivit-il, je n'ai jamais éprouvé la moindre peur, croyez-moi. Je lui ai proposé de l'argent, oui, parce qu'à l'époque tout était bouleversé, et je ne savais pas qui pouvait le conseiller, le diriger contre moi. Et puis, à l'époque, on ne savait pas si ces affaires ne se résoudraient pas par un jugement. C'était ce qui m'inquiétait, pas lui. Parce que je le connaissais. Peut-être pas aussi bien que vous, mais je le connaissais, et je savais qu'il était trop bon, trop sérieux, sensé et raisonnable pour gâcher sa vie, dans le seul but de ruiner la mienne. En 1947, il m'aurait tué, bien sûr. Mais, en 1977... Même les hommes les plus courageux se ramollissent avec l'âge, et les communistes, qui étaient les plus courageux de tous, n'arrêtaient pas de parler de réconciliation nationale, alors, vous voyez... Votre grand-père est mort, et moi je suis ici, à bavarder avec vous. Comme dans la vie normale. C'est pour cela que le mieux est d'arrêter les chimères et de commencer à parler affaires une fois pour toutes, car les bons ne gagnent que dans les films, mademoiselle. »

Salaud. Gros salaud. Énorme salaud.

C'est ce que pensa et dans cet ordre, Raquel Fernández Perea quand elle se leva, prit son sac et sa mallette, avant de tourner le dos à son hôte pour se diriger vers la porte d'un pas ferme et décidé.

« Mais... où allez-vous ? »

Elle s'arrêta à mi-chemin et se retourna. Julio Carrión González s'était enfin levé et il la regardait les mains appuyées sur la table, il n'y avait plus trace de la supériorité dont il avait fait preuve quelques secondes plus tôt.

« Je dois réfléchir à tout cela, lui dit-elle sur le ton professionnel, serein et courtois, qu'elle utilisait avec ses clients. Je ne peux pas encore prendre de décision, comme vous le comprendrez, mais ne vous inquiétez pas, vous aurez de mes nouvelles. » Elle pressa le pas et ferma la porte derrière elle. La secrétaire leva la tête de son écran d'ordinateur en la voyant.

« S'il vous plaît, j'ai besoin d'aller aux toilettes », demanda Raquel avec un sourire.

Après avoir vomi son petit déjeuner, elle se sentit un peu mieux. Quand elle sortit dans la rue, elle reçut le coup de poignard du vent glacé de la sierra comme une caresse, et elle respira à nouveau. Elle n'avait plus peur. Ses jambes la soutenaient sans difficulté, mais la scène qu'elle venait de vivre l'avait plongée dans un état d'insensibilité particulière, une sorte d'anesthésie spontanée qui lui permit de retourner au travail, de s'asseoir devant son bureau, de répondre au téléphone et de traiter les affaires en cours avec l'efficacité d'une machine bien programmée. Elle ne se sentait pas tout à fait dans son corps, mais sa tête fonctionnait sans problème dans n'importe quelle direction excepté dans celle qui conduisait au bureau où elle s'était rendue dans la matinée. Ce fut peut-être la raison pour laquelle, en sortant de la banque, elle n'alla pas chez elle, mais chez ses grands-parents. Là, assise sur le canapé, le seul meuble du salon qui avait survécu au déménagement, elle retrouva lentement le contrôle de ses terminaisons nerveuses, et put enfin penser comme si elle n'avait pas été la petite-fille d'Ignacio Fernández Muñoz.

Ce n'était pas la première fois qu'elle se voyait contrainte de prendre une décision dans des conditions difficiles. Les négociations, avec la tension qu'elles impliquent, même les plus simples, faisaient partie de son travail. Elle ne savait pas jouer au poker, mais elle avait appris à bluffer, à miser sans autre sécurité que ses propres intuitions, pures spéculations théoriques. Elle parvenait parfois à faire gagner beaucoup d'argent à ses clients, mais elle ne se trompait généralement pas. Aussi décida-t-elle d'attendre. Elle analysa sa situation comme si elle l'avait trouvée ce matin dans un dossier, sur son bureau, et elle parvint à la conclusion que l'étape suivante ne lui revenait pas. Carrión s'en chargea. Et très vite.

« Ah, Sebastián, je suis ravie de te parler. Comment vas-tu ? » Elle le salua comme si le fait de l'avoir à l'autre bout du fil, quarante-huit heures après avoir vu son chef, avait constitué une surprise extraordinaire.

« Bien, dit-il d'un ton incertain. Écoute... Tu travailles ?

— Bien sûr. Pas toi ? Nous sommes encore vendredi, que je sache.

— Oui, je ne parle pas de... Je voulais savoir si tu étais dans ton bureau, parce que... Je peux monter te voir un moment ?

— Ici ? Place de las Descalzas ? demanda Raquel avec étonnement.

— Oui, bien sûr... C'est pour cela que je te le disais... Si tu as un moment... »

Raquel consulta son agenda, puis sa montre, renouvela l'opération deux voire trois fois, avant de comprendre ce qu'elle voyait.

« J'ai un rendez-vous à 13 heures, mais si tu ne restes pas longtemps..., finit-elle par dire.

— Non, non. J'en ai seulement pour un moment. »

Il s'en écoula quelques-uns, six minutes au total, avant que Sebastián López Parra ne frappât à la porte de son bureau. Quand elle l'eut devant elle, Raquel n'était pas encore parvenue à s'expliquer sa visite, mais elle pressentait que cette nouveauté jouait en sa faveur.

Elle se leva pour l'accueillir et le trouva nerveux, comme mal à l'aise dans son costume. « Entre, entre ! Assieds-toi, je t'en prie. » Il obtempéra sans rien dire. Elle lui sourit. « Bon, eh bien... Je ne sais pas, je trouve ça si bizarre, de te voir ici...

— Oui. J'imagine, mais... En fait, je suis un envoyé, le terme n'a jamais été aussi approprié. »

En entrant, il avait à la main une enveloppe blanche qu'il plaça sur la table avec une clé qu'il sortit à ce moment d'une poche. Puis il la regarda et fronça les sourcils, comme s'il n'était pas très sûr de la signification de ce qu'il allait dire, ni de la réaction que cela provoquerait chez la femme qui se trouvait devant lui.

« Don Julio Carrión m'a demandé de passer te voir pour t'apporter ceci. Il a insisté pour que je vienne personnellement et il m'a précisé qu'il ne voulait pas attendre. Il a manifestement décidé de se charger tout seul de l'achat de ton appartement. Il ne m'a pas donné d'explications et je n'ai pas osé lui en demander non plus, mais je dois dire... » Alors il ôta ses lunettes, les regarda, et renonça à les essuyer. » Écoute, Raquel, je ne sais pas qui tu es, ni ce qu'il y a derrière tout ça, ni pourquoi tout est soudain si urgent, mais... »

Il bafouilla pour la deuxième fois au même endroit et hocha la tête, comme s'il n'allait jamais oser dire à voix haute ce qu'il pensait.

« Dans cette enveloppe, il y a une proposition d'échange, se contenta-t-il de dire sur un ton neutre, du troc, pour ainsi dire. Don Julio Carrión garde ton appartement de soixante-dix mètres carrés qui donne en partie sur la rue Ávila, sans ascenseur, et toi, tu reçois en échange un dernier étage de cent quatre-vingts mètres carrés habitables, plus soixante mètres carrés de terrasse en angle, dans un immeuble de luxe situé rue Jorge Juan au niveau de Núñez de Balboa, à deux pas du Retiro et dans une des zones les plus chères du quartier de Salamanca. Et comme si cela ne suffisait pas, il prend à sa charge tous les impôts, les tiens et les siens. En plus des papiers, je t'ai apporté une clé, parce que don Julio suppose que tu voudras aller le voir, même si, à mon avis, tu peux signer les yeux fermés.

— Ah oui ? Tu l'as déjà vu ? demanda Raquel en souriant.

— L'appartement ? Bien sûr, mais il n'y a pas que ça... »

Puis, comme un élève qui se détend après avoir réussi son oral, il s'appuya dans son fauteuil, déboutonna sa veste, croisa les jambes et lui rendit son sourire.

« Écoute, Raquel, c'est la chose la plus étrange, la plus incroyable qui soit jamais arrivée chez Promociones del Noroeste, S. A. Crois-moi. Je travaille là depuis plus de dix ans, et je n'ai jamais rien vu de pareil. Don Julio Carrión n'est pas une bonne sœur comme tu le sais. Son fils Rafa est encore pire, un vrai requin. Bien sûr, il n'est pas au courant, et son frère non plus, c'est la première chose que m'a dite leur père, "le plus important est que personne ne le sache", sur ce point tu avais raison. Pour te dire à quel point, il ne s'agit pas d'un échange, mais d'une opération beaucoup plus compliquée. Il te donne l'appartement, tu lui donnes le tien, ensuite il le revend à la société immobilière pour le prix que vont toucher les autres voisins. Pourquoi ? Eh bien pour qu'il n'en reste aucune trace, bien sûr, pour que personne ne puisse prouver qu'il t'a donné un super appartement de luxe en échange d'un appartement merdique et n'ait à se demander pourquoi. En fait... Bon, écoute, je vais te le dire, parce que je te trouve très sympathique, tu le sais, et... » Il la regarda attentivement et se mit à rire. « Tu vas faire un gros coup, Raquel. Un méga coup, je t'assure. »

Raquel rit avec lui pour gagner du temps, mais elle avait déjà commencé à sentir le fourmillement de l'euphorie, comme un crépitement électrique sous la peau.

« Très bien », dit-elle enfin et elle prit l'enveloppe, la clé, pour les mettre ensemble dans un tiroir. « Bon eh bien... je vais aller à l'appartement, bien sûr, quand j'aurai un moment libre, cela devrait se faire d'ici quelques jours, parce que je veux profiter du week-end pour commencer le déménagement. Je vais m'installer dans l'appartement de mes grands-parents, qui est vide depuis longtemps et j'ai beaucoup de choses à faire, alors... Je t'appelle lundi, d'accord ? Mardi au plus tard. »

Sebastián López Parra acquiesça, mais ne bougea pas.

« Tu ne vas rien me dire ? Je t'en serais très reconnaissant... », osa-t-il enfin lui demander.

Elle l'interrompit à temps. « Oh ! là là ! C'est une longue et vieille histoire, Sebastián. Tu ne la comprendrais pas, et puis je crois que tu n'as pas besoin de la connaître. »

Elle se leva pour mettre un terme à la conversation et l'accompagna jusqu'à la porte. Il n'était encore que 12 h 45, mais le client à qui elle avait donné rendez-vous à 13 heures se présenta tout de suite. En parlant et en revoyant avec lui l'historique et les statistiques de ses investissements, elle n'arriva plus à agir comme si l'enveloppe qu'elle n'avait pas eu le temps d'ouvrir et la clé qui l'accompagnait n'étaient pas rangées dans son tiroir. Elle avait menti à Sebastián, car elle ne pourrait emménager dans l'appartement de la place des Guardias de Corps avant au moins quinze jours. Sa grand-mère avait décidé de faire repeindre l'appartement avant de le lui vendre, et c'était le délai qu'avaient imposé les peintres, mais elle avait découvert que Julio Carrión n'aimait pas attendre, et après avoir constaté que le contrat que lui avait apporté Sebastián correspondait scrupuleusement à ses paroles, elle se proposa de persévérer dans cette stratégie. Cela ne l'empêcha pas, en sortant du travail, de commander une portion de tortilla dans le bar le plus proche, et après l'avoir engloutie debout, au comptoir, d'aller prendre possession de sa propriété flambant neuve.

L'entrée suffisait à cataloguer la maison – qui se trouvait effectivement à deux pas du Retiro et dans l'une des zones les plus chères du quartier de Salamanca – comme un immeuble de luxe, mais cela ne l'impressionna pas autant que l'appartement en soi. Le vestibule était si grand qu'elle le prit tout d'abord pour le salon, et quand elle le traversa pour accéder au reste de l'appartement, elle se trouva dans une superficie si gigantesque qu'elle ne sut pas quel nom lui donner. Partagé en deux pièces par trois marches, cet espace comportait une table de salle à manger avec huit chaises qui ressemblaient à des jouets. Dans le tronçon qui la séparait de trois énormes canapés blancs placés en U, aurait tenu le salon-salle-à-manger d'un appartement de trois pièces. Ici, il n'y avait qu'une chambre à coucher, avec le mur du fond incurvé comme l'abside d'une église. Mais le plus surprenant était peut-être la taille de la salle de bains, composée de deux parties, une première immense et une seconde occupée par un jacuzzi qui ressemblait à une piscine, au bord d'un merveilleux mur de verre avec une vue aussi spectaculaire que celle que l'on voyait de la terrasse. Ce fut ce qu'elle préféra. En comparaison, la cuisine était si ridicule qu'elle eut du mal à la trouver au-delà de ce qu'elle prit d'abord pour une double rangée de placards encastrés dans un couloir. Cela, elle ne le comprit pas très bien. Le reste, parfaitement.

Alors comme ça, tu n'as pas peur de moi, hein, mon salaud ?

Elle parcourut à nouveau l'appartement, cette fois plus lentement, en observant les détails. Une cheminée en marbre rose et gris, ancienne, qu'ils avaient dû trouver en démolissant un vieux palais, deux immenses téléviseurs à écran plasma, l'un dans le séjour et l'autre dans la chambre à coucher, tellement stylisés et élégants, tellement chers, qu'ils semblaient faire partie de la décoration, et un parquet provenant peut-être de la construction originale, comme les moulures du plafond. Et encore du marbre, du bois noble, une technologie sophistiquée jusque dans la salle de bains, où la douche à massage, protégée par un resplendissant pare-douche en verre, s'activait au moyen d'un panneau digital comportant davantage de touches que le tableau de bord d'une voiture de luxe. Au début, Raquel se sentait comme une petite fille qui vient d'arriver dans un parc d'attractions, mais elle y resta tout l'après-midi, voyant, regardant, touchant, allumant et éteignant tout, jusqu'à ce qu'elle s'habitue à habiter cet espace. Alors elle s'assit sur un canapé, regarda en face comme si Julio Carrión González pouvait la voir d'un endroit quelconque, et elle se mit à rire.

« Tu vas déguster, mon salaud ! » Et elle le répéta plus lentement, insistant sur chaque syllabe, s'amusant du son. « Tu vas déguster... »

À ce stade, elle avait déjà cessé d'écouter. Cela n'avait pas été facile car depuis le début, depuis l'instant où elle avait compris ce qui lui arrivait, elle sut qu'elle allait trahir en même temps son grand-père et sa grand-mère. Elle avait promis à cette dernière qu'elle ne ferait rien de bizarre, et il lui aurait arraché la même promesse, s'il avait été en vie. Ignacio Fernández Muñoz avait renoncé à la vengeance, il l'avait réduite aux proportions d'une menace qu'il ne mettrait jamais à exécution, il avait choisi l'avenir de ses enfants, de ses petits-enfants, de sa propre vieillesse paisible, et sa femme avait fait le même choix de nombreuses années plus tard avec un franc sourire. Mais c'est différent, c'est une affaire, juste une affaire, pensait leur petite-fille. Elle ne songea pas que le propriétaire de cet appartement avait fait le même raisonnement au printemps 1947 parce qu'il avait cessé d'écouter.

Ce fut difficile, mais elle parvint à se convaincre qu'en réalité cette situation n'avait rien à voir avec sa famille mais tout avec son talent. En fin de compte, elle perfectionnait depuis plus de dix ans un projet d'enrichissement soudain qui ne lui permettrait jamais de prendre un avion avec Paco Molinero pour profiter à parts égales des trois ou quatre millions d'euros qu'ils ne déposeraient jamais sur un compte courant dans une banque des îles Caïman. Ce n'était qu'un jeu, mais c'était son jeu préféré. Raquel Fernández Perea calcula également la valeur de cet appartement qui lui appartiendrait dès qu'elle apposerait sa signature sur un document, et elle sourit. J'ai maintenant la possibilité d'emporter presque la même somme sans enfreindre la loi, sans fuir l'Espagne et presque sans me décoiffer d'un cheveu, pour ainsi dire, songea-t-elle ensuite. Et elle pensa une fois de plus à Julio Carrión, aux derniers mots de son discours, pour lui parler pour la dernière fois comme s'il était devant elle.

« Comme dans la vie, mon vieux. »

Dès lors, tout fut lumineux, facile, simple.

« Qu'est-ce que tu as, Raquel ? Tu es très bizarre, lui demanda Nati le lundi après-midi.

— Moi ? Mais non ! Je n'ai rien.

— Comment ça ! Depuis que tu n'es pas venue avec nous chez le notaire, tu fais une tête... On dirait que tu es dans la lune, vraiment.

— Ne dis pas de sottises, Nati, je n'ai rien, vraiment », répondit Raquel en s'efforçant de sourire.

Effectivement, il ne s'était encore rien passé. Il ne se passa rien jusqu'à ce que Sebastián López Parra, un peu las d'attendre toujours en vain ses appels, ne lui téléphonât le mercredi, en fin de journée. Elle se montra très sympathique. Elle lui expliqua qu'elle avait vu l'appartement, qu'elle l'avait adoré, que la vue était merveilleuse, qu'elle n'aurait jamais osé rêver de ce genre d'appartement, et qu'elle viendrait le voir vendredi, dans la matinée, pour signer le contrat.

« Mais il est inutile de te déranger. Tu as dû voir que j'ai signé les deux exemplaires pour des pouvoirs au nom de don Julio. J'ai seulement besoin que tu m'en renvoies un signé, par coursier, et on verra le reste chez le notaire.

— Oui, mais ça me fait plaisir, et vendredi j'ai le temps, précisa-t-elle, avec la même voix d'adolescente enthousiaste qu'elle avait eue pendant toute la conversation.

— Bon, comme tu voudras. Pour moi, c'est toujours un plaisir de te voir, tu le sais. »

Pauvre Sebastián, pensa Raquel en raccrochant, et le vendredi, dans son bureau, elle pensa de même en prenant congé de lui.

« Très bien, alors, on se voit chez le notaire et... » Il la regarda en rougissant. « Je ne sais pas, maintenant que tout est fini, on pourrait peut-être dîner un soir... »

Puis il s'embrouilla en l'embrassant sur les joues et, toujours plus rougissant, la précéda jusqu'à la porte.

« Très bien, tu m'appelles ? » dit alors Raquel, et elle se retourna en s'apercevant qu'il avait l'intention de sortir en même temps qu'elle. « Ce n'est pas la peine de me raccompagner, Sebastián, vraiment. Je connais le chemin, tout droit à partir des ascenseurs du vestibule, c'est facile à trouver... »

Elle agita la main pour lui dire au revoir et appuya sur le bouton du rez-de-chaussée, mais après que les portes se furent ouvertes et refermées, elle monta au troisième.

Cette fois, plus personne ne l'attendait, mais elle se rappelait le chemin et le dessin de la moquette. Elle traversa la salle d'attente, et trouva ouverte la porte du bureau où ne se trouvait plus à ce moment la secrétaire qu'elle avait rencontrée la semaine précédente. Elle pensa alors qu'elle s'était trompée, que Julio Carrión González avait peut-être préféré ne pas venir travailler ce matin. Elle ne perdit pas une minute à élucider ce mystère, si insignifiant que la solution était à portée de la main avec laquelle elle saisit la poignée de porte. Il était là, au téléphone dans ce bureau qui ne lui sembla plus aussi grand.

« Je l'ai devant moi, l'entendit-elle dire tandis qu'elle s'approchait. Oui, oui, eh bien elle est là. Je te dis que je la vois...

— Sebastián n'a rien à voir là-dedans. »

Un instant après le lui avoir annoncé sur le ton qu'elle avait utilisé dix jours plus tôt pour lui demander de ne pas la tutoyer, elle s'assit dans un fauteuil sans que personne lui propose de siège, croisa les jambes et le regarda.

« Sebastián croyait que je partais, insista-t-elle. C'est ce que je lui ai dit. »

Carrión essaya de rassurer son employé : « Bon, bon. Non, ça ne fait rien. Oui, je te rappelle. »

Il raccrocha, se redressa sur son siège et la regarda. Raquel lui rendit un regard serein et légèrement insolent.

« Je croyais que nous n'avions plus rien à nous dire, déclara-t-il.

— Par rapport à l'appartement de la rue Tetuán, bien sûr que non, répliqua-t-elle. Comme M. López Parra a dû vous en informer, j'ai accepté votre offre, certes très généreuse et avantageuse pour moi, et je ne peux rien vous reprocher sur ce point.

— Je suis ravi de l'apprendre, car je n'ai pas l'intention de continuer à perdre mon temps avec vos questions.

— Ah ! Non, mais ne vous inquiétez pas, aujourd'hui, c'est moi qui vais parler. Vous n'aurez qu'à m'écouter. Et ce ne sera pas une perte de temps, je vous l'assure. En fait, je crois que vous n'allez pas regretter le temps que vous consacrerez à cette conversation.

— Excusez-moi, mademoiselle, mais je ne pense pas que vous ayez quoi que ce soit d'intéressant à me dire. » Et il recommença à la regarder de haut, avec la morgue qu'elle connaissait déjà et qui ne produisit aucun effet cette fois.

« Eh bien vous vous trompez, monsieur Carrión. En fait, ces derniers jours, vous vous êtes souvent trompé, trop souvent, je dirais. Même les hommes les plus courageux se ramollissent avec l'âge, avez-vous dit l'autre jour, et vous avez sûrement raison, mais je vais vous dire autre chose... Les hommes les plus astucieux, les plus malins, deviennent sots eux aussi en vieillissant. » Elle sourit sans attendre de réponse, et n'en obtint pas. « Je ne m'en doutais même pas, mais vous m'avez fourni suffisamment d'éléments pour le comprendre. Le plus important est, bien sûr, l'appartement que vous venez de me donner en échange de mon humble appartement de soixante-dix mètres carrés rue Tetuán. C'est une proposition très généreuse, je vous l'ai dit, mais si disproportionnée qu'elle m'a fait réfléchir. J'ai beaucoup réfléchi et, à force, je suis parvenue à plusieurs conclusions. La première est que vous êtes le plus menteur de nous deux. L'autre jour, vous m'avez prévenue que vous n'aviez pas peur de moi et au début vous m'avez trompée, je le reconnais. Mais maintenant, après avoir considéré l'intérêt que vous avez pris à vous occuper de cette opération en personne, je ne le crois plus. Vous avez peur de moi, monsieur Carrión, très peur. Et vous avez eu la maladresse de me le montrer. »

Elle fit une pause mesurée, calculée, la première d'une longue série d'interruptions stratégiques, et y mit un terme par un sourire franc, sincère en apparence.

« Oh, ne croyez pas que je ne comprenne pas vos arguments, vos raisons... Pour quelqu'un de riche comme vous, des centaines de milliers d'euros de plus ou de moins n'ont pas d'importance, n'est-ce pas ? Vous aviez calculé qu'avec l'appartement j'allais m'estimer satisfaite, et vous vous êtes trompé. » Alors elle improvisa un regard de stupéfaction, encore aimable. « Vous avez cru que les petits-enfants de mon grand-père n'avaient pas fait d'études ? » Elle sourit à nouveau. « Sebastián ne vous a pas parlé de mon métier ? Non, monsieur Carrión ! Une personne intelligente aurait su se mettre à ma place, anticiper ma réaction, et vous, vous n'y avez pas songé... C'est la raison pour laquelle, au début, je vous ai dit que vous avez fait beaucoup de sottises pour un homme si brillant, si astucieux. Et moi, modestement, j'ai essayé de me mettre à votre place, d'analyser cette situation de votre point de vue de votre position, de vos intérêts. Cela n'a pas été très difficile et m'a permis de parvenir à de nouvelles conclusions. C'est pourquoi je suis sûre qu'après notre conversation, vous avez pensé que la paix et la tranquillité n'ont pas de prix. »

Elle s'arrêta encore, pour lui donner la possibilité d'intervenir, mais il resta silencieux, tranquille, la regardant du même air curieux, pas très attentif, qu'il aurait jeté sur un objet exotique enfermé dans une vitrine. Tu es un dur à cuire, se dit Raquel, mais elle ne se découragea pas. D'un côté, elle s'y était attendue, mais elle n'avait rien à perdre.

« Sur ce point, vous vous êtes encore trompé, mais je vous comprends, je vous le dis sérieusement. Je vous comprends si bien que je veux vous proposer un marché. Je suis venue vous offrir votre paix, votre tranquillité, celles que n'a pas voulu vous vendre mon grand-père. Achetez-les-moi. Je suis moins bien que lui, je le reconnais. Je ne suis pas aussi digne, ni aussi courageuse, mais cela doit vous être égal, je suppose même que cela doit vous réconforter, car l'admiration n'aide pas à faire des affaires... » Elle le regarda à nouveau et fut à nouveau incapable d'interpréter son expression. « Pour quelqu'un comme moi, une humble habitante de la rue Tetuán, il ne va pas être facile d'emménager à Jorge Juan, vous savez ? J'aurai bientôt de nombreux frais. Vous pouvez imaginer : meubles, vêtements, accessoires... Être à la hauteur de ma maison va me coûter une fortune, j'espère que vous le comprendrez, comme moi, je vous ai compris. »

Il choisit ce moment pour commencer à agir, mais limita son intervention au strict minimum. Avant d'ouvrir la bouche, il agita une main, comme s'il avait voulu effacer ce qu'il venait d'entendre, et il sourit.

« Vous comptez me faire chanter, mademoiselle Fernández ? dit-il seulement.

— Vous faire chanter ? » Raquel écarquilla les yeux, avec une expression d'innocence absolue. « Quel mot affreux ! » Elle fit un signe de tête négatif et sourit. « Mon Dieu non, il ne s'agit pas d'un chantage. C'est une transaction commerciale très courante. Je possède une chose que vous désirez, et je suis disposée à vous la vendre, c'est tout. J'ai scanné tous les documents dont nous avons parlé l'autre jour pour que vous puissiez constater que je ne vous mens pas... » Elle sortit de sa mallette une enveloppe blanche, assez volumineuse, et la posa sur le bureau. « L'imprimante a enregistré sur toutes les feuilles la date et l'heure auxquelles chaque copie a été réalisée, et je les ai placées par ordre chronologique. » Comme il ne faisait pas le moindre geste pour la toucher, elle ouvrit l'enveloppe et lui en montra le contenu. « Tout est là, vous voyez ? Les certificats de propriété des biens de mes arrière-grands-parents, les pouvoirs qu'ils ont rédigés à votre nom, vos lettres, avec tous les baisers que vous envoyiez aux enfants, le récépissé du virement que vous leur avez envoyé pour les égarer, les lettres de l'avocat qu'ils avaient engagé et les documents qu'ils ont ajoutés... » Il jeta un coup d'œil distrait sur chacun de ces papiers, comme s'ils ne lui importaient guère. « Tout. Votre paix et votre tranquillité. Un million d'euros et ils seront à vous. »

Julio Carrión se mit à rire. « Un million d'euros ? Vous êtes devenue folle ? Vous vous croyez toujours en 1977 ? »

Raquel garda son calme. Elle avait minutieusement prévu cette réaction, et elle se contenta de sourire.

« Je sais que je vous ai dit tout à l'heure que je ne vous poserais pas de questions, mais... Dites-moi, monsieur Carrión, vous aimez lire ? » Elle le regarda attentivement, mais il ne voulut pas répondre même d'un geste. « Je suppose que non, et cela signifie que vous ne fréquentez pas les librairies n'est-ce pas ? Eh bien, c'est dommage. Vous le devriez, parce que c'est très intéressant, regarder les vitrines, observer les couvertures, feuilleter les nouveautés au fur et à mesure de leur parution, bref... Vous particulièrement, vous devriez vraiment être au courant du marché de l'édition, parce que, de surcroît... vous ne pouvez pas imaginer le nombre de livres qui sont actuellement publiés en Espagne sur des personnes comme vous et des vies comme la vôtre. C'est incroyable, mais il n'y a qu'à regarder les couvertures, avec des brigadistes, des miliciens, et des miliciennes aussi, bien sûr. C'est un phénomène très intéressant, et dans une certaine mesure encore inexplicable, même pour moi, qui suis petite-fille de rouges. Enfin, ce n'est pas à vous que je vais le raconter, vous connaissez par cœur l'histoire de ma famille... Et nous ne sommes pas en 1977, bien entendu, il n'y a qu'à regarder les quatrièmes de couverture pour s'en apercevoir. En 1977, tout le monde était mort de peur. Plus aujourd'hui.

— Certes, admit-il. C'est ce que j'essaie de vous faire comprendre.

— Oui, mais c'est vous qui ne me comprenez pas. Je crains que nous ne parlions de peurs différentes. C'est pour cela que vous devez me laisser finir... Cela vous dérange, si je fume ? »

Elle avait envie de fumer, mais ce n'était pas le plus important. Sortir son paquet de cigarettes de son sac, choisir une cigarette, l'allumer et approcher le cendrier qui se trouvait sur la table, ne furent que les étapes d'un prétexte, la condition d'une nouvelle pause stratégique, soigneusement mesurée et calculée.

« Il n'y a pas que les livres, les films, même si c'est encore autre chose, la quantité de documentaires qui se font sans arrêt sur la guerre, l'après-guerre, les prisons, les camps espagnols, français, les enfants volés aux prisonnières républicaines, les disparus... » Alors elle improvisa un aimable ton de surprise. « Personne n'osait parler de ces deux derniers points en 1977, n'est-ce pas ? C'est à ça que je faisais allusion, mais ce n'est pas le plus important, je vous l'ai dit. » En arrivant à ce point, elle durcit à la fois la voix et le regard. « Les juges autorisent les exhumations de tous les gens que les fachos ont exécutés sommairement pendant la guerre, et après. On les déterre des bas-côtés le long des routes, on les remonte des puits, du fond des ravins... Vous suivez la question dans la presse ? Vous pouvez même le faire à la télévision, car aux informations on en parle de temps en temps. Imaginez ce que peuvent ressentir les assassins, parce que beaucoup sont encore en vie, des phalangistes, des caciques, des gardes civils... Ils doivent avoir plus ou moins votre âge, et il y en a sûrement de plus jeunes, parce que dans certains secteurs la guérilla a duré presque aussi longtemps que la dictature. Imaginez-les. Ils sont chez eux, à la retraite, tranquilles, ils regardent la télévision, et soudain, arrive un ordre du juge et, paf ! Tout sort au grand jour... »

Raquel Fernández Perea misait tout sur une carte, et elle venait de sortir le premier coin de sa manche. Rien ici, rien là, et soudain la lumière des projecteurs, les moteurs en marche, les micros ouverts, la presse, la radio, la télévision. C'était son seul tour, et elle allait au hasard, mais elle faisait confiance à la peur, une peur ancienne, caillée, qui fermentait lentement depuis un chaud après-midi du mois de mai 1977, pour faire son travail. L'impassibilité de son adversaire ne lui permit pas de deviner son degré de réussite, mais au moins ne s'était-il pas mis à rire, ne se moquait-il pas d'elle. Cela l'incita à poursuivre, sur le ton faible, compatissant, presque tendre, qui lui convenait mieux.

« Bon, je sais qu'ils savent que personne n'ira plus loin, qu'on ne les jugera pas et qu'on ne les mettra pas en prison, bien sûr, mais leurs enfants, leurs amis, leurs voisins, les camarades de classe de leurs petits-enfants... » Elle ferma les yeux et agita la tête dans un geste de contrariété improvisé. « Quel tableau, n'est-ce pas ? Non que je croie qu'ils ne le méritent pas, mais ce ne doit pas être très agréable non plus. Alors, vous savez, tout change et rien ne demeure, surtout dans ce pays. Il est passé beaucoup d'eau sous les ponts, depuis 1977, mais alors que l'Histoire semblait parvenue à consolider le changement climatique, il se trouve maintenant que les bourrasques sont devenues folles. » Elle reprit alors courage, sourit. « Pourquoi vous le cacher ? j'en suis ravie. Je pense que c'est juste, mais je sais très bien que ce qui est juste arrive rarement en Espagne. C'est la raison pour laquelle je vous ai dit depuis le début que je vous comprends, je comprends la tradition de l'impunité. Il est raisonnable que vous ne trouviez pas de raison de changer d'habitudes, mais je crois que vous vous trompez, monsieur Carrión, je vous le dis sincèrement. Vous vous trompez, comme se sont trompés tous ces messieurs qui ne peuvent maintenant éviter que leurs petits-enfants sachent ce qu'ils furent, des criminels, qui ont torturé, enlevé et assassiné.

Raquel Fernández Perea éteignit sa cigarette dans le cendrier et constata que son cœur battait la chamade. La carte était sortie de sa manche. Elle était sur la table et elle n'en avait pas d'autre. Du fauteuil dans lequel elle se trouvait, on aurait dit un as, mais elle ignorait quel aspect elle pouvait avoir vu de l'autre côté. Toutefois, en regardant Julio Carrión, elle crut le trouver plus pâle.

« D'autre part, j'ai beaucoup réfléchi à la question, je vous l'ai dit, et un million d'euros, cela me paraît être un prix raisonnable, parce que... Je sais que personne ne va vous intenter un procès, monsieur Carrión, du moins pour l'instant. J'espère qu'à ce stade, vous avez compris que je n'étais pas sotte. Je sais que personne ne va vous arracher ce qui ne vous appartient pas, parce que les partis politiques et les syndicats, qui

comme vous le savez certainement – et elle insista lourdement
sur cette phrase – sont en train de récupérer ce qu'ils vous ont
volé, sont une chose, et les citoyens en sont une autre bien
différente. Ne croyez pas que je ne le sache pas, c'est clair.
Mais si vous ne parvenez pas à un accord avec moi, vous vous
exposez à ce qu'il vous arrive d'autres choses, pas aussi graves
qu'un procès, bien sûr, mais très désagréables de toute façon.
Parce que je ne suis pas aussi bonne que mon grand-père, je
vous l'ai dit. »

Julio Carrión desserra sa cravate pour pouvoir déboutonner les deux premiers boutons de sa chemise. Il commençait
à avoir mauvaise mine, et il n'aurait pas pu choisir pire
moment pour le montrer. Ce fut ce que pensa Raquel en sentant son corps se relâcher, son sourire s'élargir, son pied
s'adapter naturellement à la pédale d'un accélérateur qui faisait de plus en plus de bruit. Alors il défit également sa ceinture et elle appuya à fond.

« Si nous ne parvenons pas à un accord, il est possible
que je fasse publier ces documents. Vous n'imaginez pas
comme ils seraient bien comme annexe documentaire de
n'importe lequel des livres que je viens de mentionner, un
livre qui raconterait votre histoire, monsieur Carrión, et celle
de votre belle-mère, qui a livré le mari de Paloma aux phalangistes, bref... »

Elle s'obligea à faire une pause qu'elle n'avait pas prévue
pour se détendre, et elle y parvint avec difficulté. Elle avait
une envie folle de fumer à nouveau, mais elle se retint.

« Ma famille a conservé d'assez bonnes photos de votre
belle-mère et de votre femme, Angélica, quand celle-ci était
enfant. Nous pourrions même publier cette belle lettre que
Carlos a envoyée à Paloma de la prison de Porlier, quelques
jours avant d'être fusillé. Ce ne serait peut-être pas un bestseller, mais il se vendrait certainement bien, le sujet a du
succès actuellement, je vous l'ai dit. Je n'y gagnerais pas
grand-chose, car je devrais partager avec l'écrivain ou le journaliste qui serait l'auteur du livre, mais cela n'a pas d'importance. J'ai suffisamment gagné avec mon appartement de la
rue Tetuán, alors... Réfléchissez un moment à cette possibilité, monsieur Carrión. Je ne deviendrais pas célèbre, mais
vous si. » Elle eut un petit rire, comme si sa dernière phrase
l'amusait. « Je sais que les scandales sont beaucoup moins

graves dans les villes que dans les villages, car ici tout est ato-
misé, dilué, et il est probable que vos enfants sachent déjà que
vous êtes un escroc, car vous travaillez tous ensemble, mais
je veillerais à ce que vos entreprises deviennent célèbres elles
aussi. »

En entrant dans ce bureau, elle n'était pas très sûre qu'il
faille aller aussi loin. Elle avait préparé cette partie du discours aussi soigneusement que les autres, mais elle était
consciente de sa condition, plus fragile, plus précaire et risquée que les menaces personnelles. Elle était disposée à la
reporter, à attendre un meilleur moment, à la réserver pour
le moment où il exploserait, mais Julio Carrión avait très
mauvaise mine, une pâleur maladive, et sa respiration s'était
transformée en halètement. Raquel ne savait pas jouer au
poker, mais elle était habituée à prendre des décisions dans
des conditions difficiles, et à miser.

« Je ne crois pas que cela vous convienne, sincèrement, car,
de même que tous les grands constructeurs, vous dépendez en
grande partie des investissements publics, commandes, crédits
subventions, bref... Si les gens apprennent qui vous êtes, d'où
provient votre richesse, fini les autoroutes, Don Julio, fini les
dispensaires et les hôpitaux, fini les collèges, les lycées, et les
licences pour construire des logements à prix libre en échange
d'un pourcentage destiné à des logements protégés. » Pas un
muscle ne cilla, il ne dit rien, ne se moqua pas d'elle, ne
retrouva pas son calme, ne sourit pas. « C'est comme ça que
ça marche, n'est-ce pas ? Aucun parti politique ne va affronter
le discrédit de continuer à vous rendre riche, et si je suis sincère avec vous, je ne crois pas qu'une entreprise privée s'y
risque non plus. Et vous trouvez qu'un million d'euros c'est
beaucoup ? J'ai beaucoup réfléchi à la question et je crois que
je suis assez raisonnable. Je ne prétends pas vous enfoncer,
ni même vous appauvrir. J'aurais pu multiplier mon prix par
n'importe quel chiffre, mais cela vous obligerait à fournir des
explications, à vous séparer de certains biens, à faire un trou
dans vos comptes courants qu'il ne vous serait ensuite plus
possible de justifier. Comme vengeance ce ne serait pas mal,
bien sûr, mais je ne veux pas me venger. Ce que je veux, c'est
faire seulement une bonne affaire. Et dans le fond, tout est de
votre faute, car je ne serais jamais allée si loin si vous ne
m'aviez pas offert un appartement avant de savoir où je vou-

lais en venir. Je ne crois pas qu'il vous soit difficile de réunir un million en sous-main. Sinon, je vous le fabrique moi-même, il n'y a pas de problème. Je le fais souvent. Sebastián a dû vous dire que je suis conseillère en investissements, n'est-ce pas ? Et vous êtes client de l'établissement pour lequel je travaille, je l'ai vérifié dans les archives que j'utilise tous les jours. Il suffirait donc de liquider vos fonds d'une manière adéquate. »

Alors Julio Carrión commença à bouger. Ses mains trem-blaient quand il porta la droite à la poche de sa chemise pour y prendre une boîte à pilules en argent, carrée et au couvercle rayé, qu'il dut renverser sur la table pour y prendre un comprimé blanc, petit, qu'il n'avait pu saisir de ses doigts tremblants. Il l'introduisit dans sa bouche et le prit sans eau, malgré la présence à ses côtés d'une grande bouteille et de plusieurs verres. Raquel prit peur. Elle le vit fermer les yeux, laisser retomber la tête contre le dossier de son fauteuil, et comprit que la représentation était terminée.

Elle ramassa les photocopies des documents, les replaça dans l'enveloppe, celle-ci dans la mallette, et se leva. Elle était sûre qu'il n'allait rien se passer d'autre, mais alors Julio Car-rión González, se remettant en apparence de la crise qu'il venait de subir, ouvrit les yeux, se pencha en avant, s'accrocha aux bras de son fauteuil, et s'exprima enfin :

« Tu es une salope !

— Effectivement, dit-elle avec un sourire, mais il est temps que le salaud s'appelle un jour Fernández, vous ne croyez pas ? »

Puis elle se dirigea vers la porte dans un état d'esprit très différent de la première fois où elle était sortie de ce bureau. Elle était si excitée qu'elle aurait voulu crier, mais en arrivant à la porte elle s'adressa à lui avec toujours le même sang-froid.

« Sebastián possède toutes mes coordonnées, adresse, téléphones, courrier électronique. J'espère que vous ne tarde-rez pas à me répondre. Je suis une femme très impatiente. »

Mais Julio Carrión González ne put jamais répondre à Raquel Fernández Perea. Ce fut le seul détail qui lui échappa, la seule éventualité qu'elle ne parvint pas à mesurer, à soupe-ser, à analyser, en préparant cette entrevue, ni après, en élabo-rant avec la même méticulosité ses projets d'avenir.

Dans son entreprise, ils ne virent aucun inconvénient à lui accorder un crédit hypothécaire sur l'appartement de la rue Jorge Juan pour qu'elle puisse payer comptant la maison de sa grand-mère. Ensuite, quand tout serait fini, Raquel avait déjà décidé de vendre l'appartement, de liquider le crédit et de profiter de la différence. Le restant de la somme, ce million d'euros qu'elle toucherait à un moment donné, irait à Anita, pour qu'elle-même, le moment venu, hérite seulement de la part qui lui revenait. Voler un voleur, c'est cent ans de bonheur, mais Raquel croyait encore pouvoir choisir, et elle n'était pas disposée à partager la condition de sa victime. La façon d'y parvenir était le seul point faible de ses plans. Elle ne savait pas comment obtenir qu'une partie de la fortune des Fernández Muñoz revienne aux mains de sa famille sans que sa grand-mère ne se fâche contre elle pour ne pas avoir tenu ses promesses, mais elle avait beaucoup de temps pour y réfléchir. Le retard de la réponse de Carrión ne l'inquiétait pas non plus. Il n'est pas facile de rassembler de l'argent caché sans éveiller les soupçons, elle le savait, et elle supposait de surcroît que le propriétaire de Promociones del Noroeste ferait à nouveau appel à Sebastián López Parra pour s'occuper de tout. Aussi, quand elle arriva chez le notaire chez qui elle avait pris rendez-vous, était-elle sûre que les écritures qui les avaient réunis là ne représentaient qu'une partie de l'opération.

« Je suppose que tu es au courant, non ? »

Et pourtant, quand Sebastián lui posa cette question, après l'avoir saluée, elle comprit qu'il s'était passé quelque chose d'important, qui avait échappé à son contrôle.

Elle essaya de paraître souriante, mais cette fois il ne l'imita pas. « De quoi ?

— Don Julio a eu un infarctus, il y a dix jours, pas vendredi dernier, mais celui d'avant, quand tu es passée au bureau.

— Non ! » Son air inquiet était si intense que son interlocuteur ne douta pas un moment de son authenticité. « Mais... quelle horreur ! En fait, je l'ai trouvé très pâle, avec une mauvaise mine...

— Oui, confirma Sebastián. Moi aussi. Quand je suis allé le voir dans son bureau, il était déjà dans le couloir. Il m'a dit qu'il partait chez lui, qu'il ne se sentait pas bien... Il m'a dit aussi de ne pas me fâcher contre toi, que tu étais venue le consulter pour une bêtise.

— Oui, mais quand j'y ai pensé, j'étais presque à la porte, et... bon, ce sont des histoires de famille, longues, compliquées, je te l'ai déjà dit. » Elle fit une pause pour regarder Sebastián, et en déduisit qu'il ne disposait d'aucun indice pour soupçonner la vérité. « Mais ce n'est pas important, parce que... Pauvre homme, comment va-t-il ?

— Très mal. Il avait déjà eu un autre grave infarctus il y a six mois et il s'en était bien remis, mais auparavant il avait déjà eu des alertes et son cœur est très fatigué, manifestement... Je ne sais pas, on dirait que les médecins ne croient pas qu'il s'en sorte cette fois. »

Il ne s'en sortit pas. Deux semaines plus tard, la famille Carrión publia son avis de décès dans trois journaux madrilènes. Le faire-part était discret, élégant, et il n'indiquait ni l'heure ni le lieu de l'enterrement, mais Raquel Fernández Perea eut un pressentiment. Elle n'était pas sûre que dans les cimetières de Madrid on lui aurait donné cette information si la famille du défunt en avait disposé autrement, mais à Torrelodones on ne lui demanda même pas comment elle s'appelait.

Le 1er mars 2005, il faisait un soleil radieux dans un ciel bleu cobalt, aussi pur, aussi vif, aussi intense que l'illustration d'un conte pour enfants. Raquel arriva au village avant le cortège et le laissa passer. Quand le corbillard s'engagea sur le chemin du cimetière, elle ferma sa voiture et alla prendre un café dans un bar, mais il faisait si froid qu'elle ne parvint pas à se réchauffer.

Un quart d'heure plus tard, elle reprit la voiture et partit au cimetière. Là, à l'écart de tous, à mi-chemin entre la porte et la fosse, un homme brun se tourna vers elle et la regarda dans les yeux.

J'avais onze ans, et mes parents possédaient une villa dans le village de Navacerrada. C'était une maison à deux étages avec garage et jardin, dans un lotissement comportant des parcelles de mille huit cents mètres carrés, toutes pareilles, même si certaines avaient une piscine. Situé au flanc d'une montagne couverte de pins, il offrait un panorama classique pour une villégiature de la classe moyenne aisée. Sans enceinte clôturée ni surveillance d'aucune sorte, il possédait des rues en terre battue, une esplanade avec un espace suffisant pour jouer au foot. Une douzaine d'enfants de mon âge y habitait.

« Rafa ?
— Oui.
— Bonjour, c'est Álvaro. »

Quatre ans plus tard, mon père fit construire à La Moraleja une maison pour qu'on y vive toute l'année, avec un jardin si grand qu'on ne parvint jamais à l'utiliser entièrement et une piscine où tenait plusieurs fois celle que nous avions à Navacerrada. Sa famille avait cessé d'appartenir à la classe moyenne et, par conséquent, la villa fut vendue. Moi excepté, personne ne sembla la regretter. Mes frères aînés étaient désormais trop grands pour apprécier la monotonie des étés dans la sierra, et Clara n'avait pas encore découvert la liberté de la bicyclette, mais moi, j'avais été très heureux dans cet endroit, et j'aurais toujours une cicatrice à la jambe gauche pour m'en souvenir.

« Oui, je pensais que tu allais appeler.
— Tu es au bureau ? Je dois te parler.
— Pas maintenant, Álvaro, il est presque 14 h 30... »

Cet après-midi-là, nous étions allés au barrage à vélo. C'était expressément défendu et c'était pour ça que nous le faisions. Pour y arriver, il fallait pédaler pendant un bon moment sur une route dangereuse, très fréquentée, et la traverser ensuite pour atteindre le triomphe, le pont qui s'élevait au-dessus de la digue du barrage. Les pêcheurs ne tournaient même pas la tête pour nous regarder, mais nous nous sentions très fiers de cette prouesse qui s'épuisait d'elle-même, car une fois en haut il n'y avait pas grand-chose d'autre à faire que regarder l'eau, laisser les vélos dans un tournant pour se reposer sur l'herbe qui recouvrait les collines de l'autre côté du pont, nous prévenir mutuellement que c'était Becerril, et non Navacerrada, et penser au chemin du retour, une pente beaucoup plus redoutable que le raidillon qu'on avait dû grimper à l'aller.

« Bon, alors on peut déjeuner ensemble.
— Non, je ne peux pas. J'ai rendez-vous avec un conseiller du ministère des Travaux publics de Castilla-La Mancha.
— Et à quelle heure est-ce que tu reviens au bureau ? »

Jusqu'au jour où l'un d'entre nous pensa qu'il existait plusieurs façons de faire des courses. Ce fut la faute du Tour de France, ou du Tour d'Espagne, ces étapes qu'on suivait tous les après-midi dans une maison ou une autre, en respectant toujours un ordre précis pour qu'aucune mère ne se fâche et en fréquentant le moins possible celles qui possédaient une piscine. Nous préférions continuer à nous baigner ensemble tous les matins sans recevoir des commentaires sur les comportements de notre bande. Nous n'avions pas de chronomètre, mais nous synchronisions nos trotteuses avant de commencer, comme dans les films d'espionnage, et nous courions contre la montre dans la rue où s'achevait le lotissement bien que pour fêter les finales nous montions toujours jusqu'au pont-barrage.

« À 17 heures, mais... Je ne sais pas, Álvaro, ce n'est pas non plus la peine de se fixer rendez-vous aujourd'hui, non ? Je sais que tu as quitté Mai, et je sais que tu l'as quittée pour une autre, et je ne dis rien, bien sûr, je préfère supposer que tu sais ce que tu fais. Ni Isabel ni moi n'avons la moindre intention d'intervenir dans cette histoire, alors...

— Oui, mais je dois aussi te parler d'autres choses.

— Ah oui ? Bon, alors... »

Cette semaine-là, je ne m'étais pas qualifié, mais j'entrai sur le pont en sprintant, debout sur les pédales, le corps oscillant d'un côté à l'autre. Je suppose que je prétendais me montrer à moi-même, et aux autres au passage, que j'avais juste eu une mauvaise journée, mais que je restais parmi les meilleurs, les plus rapides. Je ne le fus peut-être jamais autant que cet après-midi, car il suffit que la roue frôle le bord pour que la bicyclette saute en l'air et moi avec. J'atterris de profil sur l'une des pédales du vélo d'un garçon qui marchait. Il tomba derrière moi. C'était un modèle ancien, aux bords dentelés, et le fil métallique se planta dans mon mollet gauche comme une esquille de mitraille.

« Je passe te voir à 17 heures, d'accord ? Autre chose... Cela t'ennuie, si j'appelle Angélica pour lui proposer de venir aussi ?

— Moi, non, mais je pense que c'est toi que cela devrait ennuyer. Elle est folle furieuse. Je ne sais pas si tu es au courant que c'est elle qui a parlé avec Mai.

— Oui, je sais, Julio me l'a dit. J'ai pris une bière avec lui, il vient de partir. Mais je dois de toute façon parler à Angelica, je veux parler à tous. »

La première fois que j'essayai de lever le pied de la pédale, la bicyclette bougea en entier. Le métal était trop incrusté et mes amis durent m'aider. Quand ils tirèrent sur mon pied, je hurlai de douleur, mais cela ne m'impressionna pas autant que le sang. Je m'étais bien coupé, et j'étais seul, à onze ans, au milieu d'autres garçons de onze ans, loin de la maison, loin du village, sur le pont du barrage. Mon éternel rival, l'autre cycliste le plus rapide de la bande, était déjà parti prévenir ses parents, mais le sang n'arrêtait pas de couler, alors je me rappelai les illustrés de *Hazañas Bélicas*[1], et ces films sur la guerre du Pacifique que je voyais avec papa et Julio le samedi soir. Je l'avais vu faire plusieurs fois et je savais pourquoi. Je n'hésitai pas. J'ôtai mon T-shirt, le déchirai le long de la couture, l'attachai juste au-dessus de la blessure et serrai très fort avec l'aide d'un bâton qui servit de vis. En me levant, la blessure me faisait si mal que je crus que j'allais m'évanouir, mais je ne me plaignis pas, car la perspective de la réprimande et de la punition me faisaient beaucoup plus peur que l'aspect de ma jambe. Déjà à l'époque, je pleurais peu, presque jamais, mais je savais que mes parents étaient à la maison et que ce serait mon père qui viendrait me chercher, car maman ne savait pas conduire.

« Très bien, comme tu voudras. Alors on se voit à 17 heures... 17 h 30, plutôt.
— D'accord, à 17 h 30.
— Bon, je dois te laisser, je vais être en retard... »

Ce fut papa qui vint, et très vite. Quand sa voiture s'engagea sur le pont, je sentis que je manquais d'air, mais je pus voir son visage avant qu'il se gare, et il n'y avait aucune trace de colère. Il ferma la portière sans utiliser la clé et vint vers moi presque en courant, les sourcils froncés, l'air soucieux, mais compatissant, comme maman. Je n'avais jamais vu cette expression sur son visage, et je n'avais jamais entendu non plus le tremblement de cette voix. « Qu'est-ce qui t'est arrivé, mon petit ? » Alors il me prit par les épaules, me regarda attentivement, m'embrassa sur le front. « Je suis tombé et je me suis blessé à la jambe », lui dis-je, et il était déjà à genoux, en train de l'examiner. « Et ça ? » Il désigna mon T-shirt du doigt. « Je saignais beaucoup et je me suis fait un garrot. » Il se releva et me regarda en souriant. « Tu es très courageux, Álvaro. » Il me prit dans ses bras et je me sentis soudain très heureux, très fier de m'appeler Carrión, d'être son fils.

« Oui ?
— Bonjour, Angélica, c'est Álvaro.

---

1. Exploits de guerre.

— Ah ! Je voulais te parler. Tu dois être content, non ? »

Puis il passa son bras droit sous mes bras et me dit de ne pas m'appuyer sur la jambe blessée avant d'arriver à la voiture. Mes amis nous ouvrirent un passage, dans les yeux une lumière unanime de sympathie, presque d'admiration pour cet homme mûr qui savait pourtant se comporter comme un égal, un camarade. Cet hiver, mon père avait eu cinquante-quatre ans, guère moins que les grands-parents de certains garçons du lotissement, et même s'il ne les faisait pas, la précision de son âge suffisait à leur inspirer un respect voisin de la crainte. Tous, sans exception, préféraient traiter avec ma mère, qui était aussi jeune que les leurs, très blonde et calme en apparence. Cet après-midi-là, ils découvrirent que Julio Carrión était un homme extraordinaire, et cette condition se révéla avec une intensité qu'ils n'avaient jamais soupçonnée quand il m'installa sur le siège arrière et, qu'avant de prendre le volant, debout devant la portière, il les remercia en souriant d'avoir aidé son fils. Désormais, ils feraient n'importe quoi pour lui.

« Écoute, Angélica, je n'ai pas l'intention de discuter avec toi.

— Eh bien, je crains que tu ne puisses y échapper, car ce que tu as fait n'a pas de nom, Álvaro, vraiment. Tu sais dans quel état est ta femme ? Tu sais que tu l'as détruite ? Et ton fils ? Tu y as pensé ? Je ne comprends pas comment tu as pu...

— Rafraîchis-moi la mémoire, Angélica. Tu as eu une aventure avec Adolfo avant de quitter Nacho, n'est-ce pas ? »

Quand nous eûmes passé le pont, je lui demandai où on allait. « D'abord, à la maison, me répondit-il d'une voix calme, pour prévenir maman et te changer, tu ne peux pas aller comme ça à moitié nu... Ensuite, à Madrid, pour qu'on te recouse cette jambe dans un hôpital. — Mais on peut aller voir le médecin du village, non ? » proposai-je, disposé à minimiser ma responsabilité, et il secoua la tête. « Non, je n'ai pas confiance. Je préfère t'emmener à l'hôpital, tu n'as que deux jambes, que je sache, et ça ne me coûte rien... », ajouta-t-il. Alors on arriva à la maison, ma mère vint en courant vers la voiture, ouvrit la portière, me couvrit de baisers, regarda ma blessure et se mit à crier. « Mais enfin, Angélica ! » Cet après-midi-là, son mari ne gronda qu'elle. « Ce n'est rien, un simple accident, qu'est-ce que tu cherches, faire peur au petit ? Va chercher un T-shirt, et mets un pyjama pour chacun de nous dans un sac, ainsi que les brosses à dents, au cas où on reste dormir à Madrid... »

« Oui, mais Nacho m'avait déjà quittée une fois, souviens-toi. Il s'est tiré avec une infirmière et a déserté la maison pendant trois mois, et après, quand il est revenu... Bon, peu importe. Mon cas n'a rien à voir avec le tien, Álvaro.
— Un peu quand même.
— Non ! Pas du tout. Mon mariage était un désastre, il était mort depuis des années et tu le sais, tout le monde le sait. »

Il était comme ça, capable de rassurer, d'inspirer de la confiance. Il était difficile de le faire changer d'idée et, ce soir-là, sa femme ne s'y risqua pas. Alors je cessai de me sentir coupable et je commençai à vivre ce qui arrivait comme une aventure, voire un privilège. Ce fut le cas. En conduisant vers Madrid, il me demanda deux fois si j'avais mal à la jambe, et je mentis : « Pas tellement. » Il me raconta alors une histoire passionnante dont il ne m'avait jamais parlé et que je ne l'entendrais jamais répéter par la suite. Celle de Romualdo Sánchez Delgado – avec qui j'avais joué au foot le dimanche précédent – inconscient et le corps à moitié gelé, entouré par mon père, et son ami Eugenio, chacun une arme à la main, avertissant en espagnol un médecin allemand qu'il serait tué sur place s'il songeait à lui amputer la jambe. « Alors tu vois, me dit-il, quand nous commençâmes à distinguer au loin la tour de La Paz, je suis un spécialiste pour ce qui est de sauver les jambes, et cette fois, je ne vais pas avoir besoin de sortir mon revolver. » Je me mis à rire, je l'assurai à nouveau que je n'avais pas mal et je me sentis heureux, fier de lui, d'être son fils.

« D'accord, Angélica, tu as raison sur ce point. Mais ça ne change rien. Tu es tombée amoureuse d'un autre homme et moi d'une autre femme. À l'époque c'était ta vie, aujourd'hui c'est la mienne. Chacun prend ses propres décisions, non ?

— Ce n'est pas pareil, Álvaro.
— Probablement pas, mais cela y ressemble assez. »

« Le garrot, il se l'est fait lui-même, docteur, avec son T-shirt et un bâton qu'il a trouvé par terre, qu'est-ce que vous dites de ça ? » Le médecin, qui était jeune et sympathique, examina la blessure en souriant. « Tu es très courageux, Álvaro, entendis-je pour la deuxième fois en un seul après-midi, cela a dû te faire très mal. » Je ne répondis pas, et il s'adressa à nouveau à mon père. « Nous allons lui faire une anesthésie locale pour le recoudre. Il aura une belle couture en forme de sept, mais s'il cicatrise bien, il n'aura aucun problème... » Il fit un signe de tête affirmatif, souriant comme toujours. Il n'avait pas peur, et cela suffisait pour que je n'aie pas peur moi non plus. Quand il eut fini le bandage, qui était très spectaculaire, le médecin devint sérieux pour m'avertir que le plus important était que je ne pose pas le pied par terre. « Je sais que c'est pénible de rester au repos en plein été, mais il n'y a pas d'autre solution, et pour ça aussi il faut être courageux... » Ensuite, papa m'apprit à marcher avec des béquilles et j'y arrivais bien, très vite, à tel point que, en rejoignant à la voiture, j'étais sûr qu'il allait me ramener à Navacerrada. Mais il m'ouvrit la portière et conduisit dans la direction opposée, vers un restaurant de fruits de mer qui se trouvait rue Fuencarral, tout près de la glorieta de Bilbao. Je n'y étais allé qu'une fois pour l'anniversaire de mariage de mes parents, mais il devait le fréquenter régulièrement, car les rares serveurs qui n'étaient pas en vacances le saluèrent par son nom. « Nous sommes ravis de vous voir, don Julio. »

« Je ne pense pas.
— Eh bien, moi, je suis sûr que si. Et puis, je ne suis pas comme Julio, Angélica, je ne trompais pas Mai, je ne courais pas après toutes les femmes que je croisais. Je suis sûr que tu le sais, parce qu'elle, elle le sait.
— Bien sûr. C'est pour ça qu'elle est prête à te pardonner, elle souhaite que tu rentres à la maison. Réfléchis, Álvaro. Tu ne peux pas jeter ta vie entière par-dessus bord pour un simple caprice. »

« Je sais qu'août n'est pas un mois en *r*, dit-il au maître d'hôtel quand nous fûmes assis à table, mais je suis certain que vous pourrez faire quelque chose pour ce héros du cyclisme. "Bien entendu." L'homme sourit avant de commencer à nous servir un dîner merveilleux, mais ni les langoustines, ni les pousse-pied, ni l'araignée de mer ne me plurent autant que d'être là, avec mon père, à dîner ensemble comme deux amis, deux camarades. Je n'avais jamais été seul avec lui pendant si longtemps, et je n'avais jamais pensé que cela pût être aussi facile, que nous trouverions autant de sujets de conversation, que nous ririons autant. Ce fut une des plus belles soirées de ma vie, peut-être la meilleure de celles que j'avais vécues jusqu'alors, ou du moins je me la rappellerais ainsi par la suite. Quand nous sortîmes du restaurant il était très tard, et il n'y avait d'autre lumière que celle des lampadaires, mais je vis un éclat jaune et chaud caresser le corps de mon père, lui entourant la tête, comme un halo impossible, le détachant des arbres et des immeubles, des voitures et des passants, et cette lumière m'embrassa moi aussi, me fondit avec lui dans un lieu à part. Jamais je ne pourrai me le rappeler autrement, mon père et moi brillant ensemble dans l'obscurité compacte d'une nuit d'août, dans la ville déserte de l'été de mes onze ans.

« Ce n'est pas un caprice. Et je ne reviendrai pas.

— Eh bien tu te trompes. Tu vas te tromper et je le regrette pour toi. Parce que tu as une femme géniale, et une vie très agréable, Álvaro. Mai et toi avez toujours été très heureux, vous faisiez plaisir à voir, tu le sais, et d'un coup...

— Écoute, Angélica, je ne veux pas continuer cette conversation. Tu ne sais rien de moi et je ne vais pas te raconter quoi que ce soit maintenant. Mais je dois te parler. De papa. C'est pour ça que je t'ai appelée. »

Je n'ai jamais oublié cette lumière qui était en nous, qui était nous, qui nous accompagna jusqu'à la rue Argensola et me soutint pendant qu'il se garait, inonda l'ascenseur, l'entrée, le couloir, et s'intensifia pendant que mon père m'aidait à mettre mon pyjama, me bordait comme un petit enfant, et m'embrassait avant de se coucher dans le lit voisin du mien, au cas où les calmants n'auraient pas fait l'effet escompté et

où la douleur m'aurait réveillé en pleine nuit. Cette lumière
ne disparut pas quand nous restâmes dans l'obscurité et soudain je sentis que je ne pouvais pas m'endormir sans parler,
sans lui dire ce que je ressentais : « Je t'aime beaucoup, papa.
Moi aussi, mon petit. » Voilà ce qu'il répondit, et le bonheur
me brûla les yeux, mes yeux d'enfant courageux, qui n'avait
que onze ans mais n'avait pas pleuré ce soir-là. Je pleurais
déjà rarement, presque jamais.

« De papa ? Et qu'est-ce que tu as à me dire sur papa ?
— Certaines choses ne peuvent pas se raconter par télé-
phone. J'ai rendez-vous avec Rafa dans son bureau, à 17 h 30.
Tu peux venir ?
— Oui, mais seulement si tu me promets de bien réflé-
chir à ce que je viens de te dire. »

Le lendemain, nous nous levâmes de très bonne humeur.
Nous partîmes prendre notre petit déjeuner à l'extérieur
et parlâmes peu. Nous écoutâmes la radio sur le chemin du
retour et je me rappelle aussi le soleil, le vent qui entrait par
la vitre, les chansons de l'été qu'on fredonnait à deux. Ensuite,
maman s'occupa de moi. Elle me prit dans ses bras, me
caressa, m'embrassa un million de fois, et sortit un fauteuil
en osier sous le porche, plaça un tabouret pour que j'y pose
le pied, me demanda ce que j'avais envie de lire, d'écouter, de
manger, de boire, me proposa de jouer avec elle à tous les
jeux de société que nous avions à la maison. Je me laissais
gâter, mais répondais en souriant à tous les sourires avec
lesquels son mari commentait cette scène, et d'un regard d'intelligence à ceux qu'il m'adressa les jours suivants. Deux
semaines plus tard, elle s'entêta à venir à Madrid avec nous,
et poussa un cri en voyant la cicatrice, qui n'était pas un sept
mais plutôt un Z majuscule au centre de mon jarret gauche.
Mon père se mit à rire. « Angélica, je t'en prie, ce n'est pas
une fillette ! Et puis, dès qu'il aura des poils, on ne la verra
plus... » Sur ce point-là également il eut raison. J'étais le seul
de ses fils qui lui ressemblait, et mes jambes se couvrirent
bientôt d'un duvet sombre et bouclé, capable de tout masquer
sauf ce que je suis, ce que je serai toujours, le fils de Julio
Carrión González.

« Angélica, s'il te plaît... J'ai quarante ans.

— Justement. C'est le meilleur âge pour faire des bêtises.

— Bon, ça y est. Je t'ai prévenue et je ne vais rien te promettre, mais si tu veux venir, on se retrouve là-bas. »

Quand j'eus fini de parler à ma sœur, ma jambe recommençait à me faire mal. Je sentais la cicatrice, sa forme exacte, le dessin qu'elle traçait sur ma peau, la peur, le courage et cette vieille douleur, chaleur et froid, les lèvres de la blessure, saignant, brûlant la chair, l'enfonçant à l'intérieur. Je n'y avais pas pensé depuis des années. Ce jour-là, je n'aurais pas dû y penser, et pourtant ma jambe me faisait mal, la lumière brillait, m'éclairait avec autant de force que si elle ne s'était jamais éteinte, comme si rien ne pouvait en venir à bout. Assis seul dans une cafétéria du Paseo de La Habana, devant une table en bois sombre qui devait porter un de ces mystérieux noms africains que Mai aurait su lui attribuer sans hésiter, je pouvais encore le voir devant moi, à une table avec nappe rose, une bougie allumée et un imposant plateau de fruits de mer entre nous deux, avec son large sourire et sa tête magnifique. Je voyais mon père ce soir d'été, le visage nimbé d'un éclat jaune et tendre, et je me voyais moi-même, tel que j'étais alors, petit et courageux, fier, heureux d'être avec lui, d'être le fils d'un homme extraordinaire. Je n'avais pas choisi ce souvenir, je n'aurais pas voulu le retrouver, mais je ne pus arracher ses yeux des miens. Ma mémoire avait choisi pour moi, et avait voulu me rendre cette douleur, cet amour, si solide et sincère, si authentique que rien, ni personne, ne pourrait y mettre un terme, le blesser ou le vaincre.

« Un autre whisky, s'il vous plaît. Avec quelque chose à grignoter.

— Je vous apporte tout de suite la carte.

— Non, je ne veux pas manger. Des nachos suffiront. »

J'aimais mon père. Je l'aimais, je l'admirais, j'avais besoin de lui. Je ne l'avais pas oublié, mais je m'étais arrangé pour ne pas m'en souvenir en lisant la lettre de ma grand-mère, ni plus tard, quand Raquel m'avait parlé du Julio Carrión González, jeune et séduisant dans la défaite, dans la victoire, et dans le désastre final et définitif. Un menteur, un tricheur, un traître, un voleur, un escroc, un opportuniste, un homme dénué de morale, de sentiments, de scrupules, quelqu'un de mauvais. Tout cela était facile, il avait été facile de l'écouter, de l'apprendre, d'enregistrer chaque donnée, chaque secret, dans le profil d'un personnage de fiction, un inconnu au nom familier qui était mon père, oui, et celui de mes frères et sœurs, le mari de ma mère, mais rien de plus. Tant que mon propre amour fut absent, ces deux mots, mon père, ne représentèrent qu'une étiquette, une expression utile pour le classer, un titre sans contenu. Julio Carrión González avait été mon père et moi son fils, son héritier mais pas son complice. Jusqu'à ce que la mémoire me revienne et que tous les mots retrouvent leur sens.

« L'addition, s'il vous plaît.

— Voici, monsieur.

— Merci, gardez la monnaie. »

J'avais appris à aimer Raquel Fernández Perea par-delà l'amour de mon père. J'allais maintenant devoir apprendre à l'aimer en marge de cet amour, et de tous ses mensonges. Entre-temps, je me défaisais de l'intérieur, doucement au début, un petit craquement dans la conscience, le piège de quelques objets honteux, les maladresses de mon imagination et la fureur avec laquelle j'avais décidé de les exterminer. Cela n'avait pas été simple mais pas trop compliqué non plus, jusqu'à ce que la vérité s'attache à mes bras, à mes jambes, et se mette à galoper dans quatre directions différentes, et je sentis la tension, le déchirement d'un démembrement qui ne pourrait plus s'effacer. Disposé à me reprendre coûte que coûte, je dus accepter que mes articulations ne soient plus jamais les mêmes, que mes os ne se soudent pas aux angles qu'ils formaient auparavant et que mon corps conserve à jamais les séquelles de ce processus, membres amputés de longueur dissemblable, trace de sang, légère claudication, et une douleur soutenue, sourde et épuisante, lorsque se lèveraient des jours couverts. L'amour peut tout, et entre conserver quelque chose et se retrouver sans rien, tout le monde choisit de conserver quelque chose. Le néant ne peut se comparer qu'avec lui-même, l'amour aussi.

« Je voudrais un billet pour la séance de 15 h 30.

— Pour quelle salle ?

— Peu importe, je ne sais pas, la deux... »

L'amour ne peut être comparé qu'avec lui-même, et ne peut pas être brisé non plus, on ne peut pas mentir à son sujet, ni le contourner. Si inconvenant, si indésirable, si terrible soit-il. Dans la rue il faisait chaud, au cinéma il faisait froid, mais le sourire de mon père remplissait l'écran, et j'entendais sa voix chaude, assurée, « tu es très courageux, Álvaro », et la mienne, rauque d'émotion, « je t'aime beaucoup, papa », et à nouveau la sienne « moi aussi, mon petit ». Rien de ce qui s'était passé, rien de ce qui pourrait se passer à l'avenir, n'effacerait ce visage, n'éteindrait ces voix. Ma jambe me faisait si mal que j'avais le corps contracté, les yeux me piquaient de l'envie de pleurer les larmes que je gardais depuis cet été, cette nuit blanche et où je m'étais senti heureux, fier d'être le fils de Julio Carrión González. Il s'était écoulé presque trente ans et je n'avais pas cessé de l'être, c'était l'une des rares choses qui ne pourraient jamais changer, mais ces derniers jours, pendant que le monde entier s'effondrait, j'étais parvenu à oublier que je l'aimais, que je l'admirais, que j'avais besoin de lui. Je n'avais pas pensé à lui avant cet instant, et dans ce cinéma climatisé, où l'on projetait un film dont je ne me souviendrais jamais, je me rendis compte de ce que signifiait cet amour qui avait tout vaincu, qui avait résisté à tout, qui ne cédait pas à la raison, ni au cœur, parce qu'il était moi, comme Raquel, comme mon corps, comme mon nom.

« Excusez-moi, mais j'avais rendez-vous avec mon frère Rafa et il n'est pas dans son bureau.

— Ce n'est plus son bureau. Il a repris celui de don Julio, enfin, celui de votre père.

— Ah... Et Julio ? »

J'avais dû apprendre à aimer Raquel par-delà l'amour de mon père, et j'allais maintenant devoir apprendre à continuer à aimer mon père en marge de mon amour pour Raquel et de ma propre volonté. Et rien ne serait aussi dur, aussi difficile ou aussi étrange que d'accepter cette solitude nouvelle et plus cruelle, la conscience de cet amour que je ne souhaitais pas mais que je ne pouvais pas non plus m'empêcher d'éprouver, même si je méprisais cet homme, même si j'avais honte de lui, même si son histoire et sa cupidité m'humiliaient. Je ne méritais pas un tel père, mais je n'en aurais jamais d'autre. Il ne méritait pas l'amour d'un fils comme moi, mais je ne pourrais jamais cesser de l'aimer. C'était mon père et cela expliquait tout, c'était beaucoup plus qu'une phrase, trois mots. C'était mon père. Je le compris alors, quand j'allais appuyer sur la détente, activer le détonateur qui ferait sauter en l'air Julio Carrión González au moins pour moi, au moins dans ma vie, une fois pour toutes et pour toujours. L'homme le plus sympathique du monde, le séducteur congénital, le charmeur de serpents, le sorcier de son propre talent, l'autodidacte si brillant, le vainqueur sans défaites, allait disparaître de l'horizon de sa famille au moins pour quelques heures, et même la cécité du plus aveugle de ses enfants ne parviendrait pas à le rendre entier, sain et sauf, sans tache ni perte, sur le bristol doré où sa femme avait collé nos petites têtes découpées.

« Julio a conservé son bureau habituel. Il... enfin, vous savez, il n'y accorde pas autant d'importance... Bref, vous voulez que je vous accompagne ?

— Ce n'est pas la peine, merci.

— À tout à l'heure, alors. » Julio m'avait demandé de ne pas appeler Rafa et il savait pourquoi il le disait. Moi aussi. C'était pour cela que je l'avais appelé. Si je n'avais pas eu rendez-vous avec lui et Angélica, il ne se serait rien passé. Julio aurait veillé à garder notre conversation secrète jusqu'à ce qu'il soit parvenu à l'oublier, et il n'aurait pas tardé, car ce genre de questions ne l'intéressait pas. En cela il ressemblait à Clara, il n'était pas comme moi, il n'était pas comme Rafa. Mais je savais ce que j'allais faire, et je savais pourquoi. Ensuite, mes aînés s'interrogeraient sur mes raisons et ne les comprendraient jamais vraiment. Ils penseraient que j'avais voulu me venger de mon père sur eux, que j'étais soudain devenu fou, que je m'étais laissé emporter par une colère incompréhensible, que j'étais mû par une haine subite ou une étrange variété de fanatisme idéologique, stimulée par une passion sexuelle qui ne me convenait pas et qui finirait par ruiner irrémédiablement ma vie. Ils en viendraient à supposer tout cela, mais j'étais très calme, très sûr de mes actes et des raisons qui les inspiraient. Je voulais parler. Je voulais écouter. Seulement ça, rien que ça. Je voulais raconter à voix haute ce que personne n'avait jamais raconté et entendre à voix haute ce que je n'avais jamais entendu. Je voulais qu'ils sachent ce que je pensais, ce que je ressentais, et vérifier ce qu'ils pensaient, ce qu'ils ressentaient en apprenant des choses sur celui qui avait été leur père. C'était très peu en apparence, mais c'était beaucoup, car le temps avait passé, et le silence négocié pour recouvrir la vérité avait fini par la supplanter. Maintenant la vérité était ce silence solide, dur, imperturbable, la véritable inexistence de données, de mots, de souvenirs, et les lèvres closes, les consciences muettes, et l'exquise indolence de la richesse. Il s'était écoulé beaucoup de temps, mais pas trop, car ce n'est jamais trop. Il s'était écoulé beaucoup de silence, à tel point que sa durée ressemblait à une garantie d'éternité, mais j'allais le briser. Cela n'allait pas bien se terminer et ça aussi, je le savais.

« Bonjour, j'ai rendez-vous avec mon frère Rafa...

— Oui, entrez, il vous attend.

— Et Angélica ? Elle est là aussi, n'est-ce pas ? »

La secrétaire me le confirma d'un geste, et en poussant la porte je me rappelai un de mes anniversaires, ce devait être celui de mes sept ans, peut-être huit. J'avais demandé un baby-foot qui était épuisé chez tous les marchands de jouets et, l'après-midi, à mon retour du collège, je trouvai un prix de consolation, un jeu de magie, le cadeau archi-classique que mes aînés avaient reçu plus d'une fois. Ma déception fut si grande que je commençai à protester quand le paquet était encore à moitié ouvert, et ma mère se fâcha contre moi. Mon père ne dit rien, mais le lendemain, il arriva avec une énorme boîte. « Un magicien dans la famille, c'est suffisant », l'entendis-je dire en l'ouvrant, puis, des années plus tard, il m'offrit à nouveau ce baby-foot dont j'ignorais qu'il avait été gardé. Mon fils Miguel venait de naître et il était entré en le portant dans la chambre d'hôpital. « Comme c'est un garçon... », avait-il murmuré pendant que nous nous embrassions.

« Bonjour. »

Rafa, assis dans le fauteuil de papa, ne fit pas mine de se lever. Angélica occupait l'un des deux fauteuils réservés aux visiteurs, et ne bougea pas non plus, mais j'allai vers lui d'abord, puis vers elle, et ils me rendirent mes baisers debout, avec une froideur qui me persuada qu'ils savaient déjà pourquoi je les avais convoqués cet après-midi.

Rafa le confirma tout de suite, en me regardant dans les yeux pendant qu'il jouait avec un portemine en acier, fin, élégant, identique à ceux qu'utilisait mon père, à celui que

Raquel m'avait donné comme si cela avait été le sien, peut-être le dernier qu'il ait utilisé de sa vie.

« Écoute, Álvaro... Je sais qu'il t'arrive beaucoup de choses à la fois, qu'elles sont importantes, et donc... il est logique que tu sois nerveux, excité. Quand tu m'as téléphoné, tu m'as dit que tu avais déjà vu Julio, et comme tout ça m'étonnait beaucoup, je lui ai parlé moi aussi. La première chose qu'il m'a dite est qu'il t'avait demandé de ne pas m'appeler, et tu aurais dû l'écouter, tu sais, parce que... »

Il fit une pause pour regarder Angélica, mais celle-ci ne voulut pas intervenir. Alors il me regarda à nouveau et continua à parler sur le même ton, lent, prévenant et encore aimable, bien que déjà imprégné d'une supériorité recherchée.

« Tu ne vas rien nous apprendre que nous ne sachions déjà. C'est une très vieille histoire, aujourd'hui complètement dépourvue d'importance à tous les niveaux, et qu'on ne doit en plus pas prendre en compte, car on ne peut pas le faire. Ni toi, ni moi, ni personne qui n'ait pas vécu cette époque, qui n'ait pas eu à prendre de décisions dans des circonstances si terribles qu'on ne peut même pas les imaginer. Alors, avant que tu commences, je vais te dire deux choses. La première est que rien de ce que tu me raconteras ne pourra me faire changer d'avis sur papa. Et la deuxième est que... » Il m'adressa un sourire ironique. « Bref, Julio m'a déjà raconté cette histoire du numéro de téléphone noté dans un dossier contenant des documents de la Division Azul, mais je dois dire que je n'en ai pas cru un mot, Álvaro. Je préfère t'avertir tout de suite. Cette nana n'est pas nette. Je suis sûr que c'est elle qui t'a trouvé, et encore plus sûr que tout ce qu'elle veut, c'est ton argent. »

Il parla avec tant d'assurance, sur un ton si solennel, qu'il me fit sourire.

« On peut savoir pourquoi tu ris ? demanda-t-il, piqué au vif. Moi, je ne trouve pas ça drôle.

— Moi si », répondis-je, mais je ne voulus pas précipiter les choses, alors je me contentai de le regarder, et je regardai Angélica avant de commencer à poser mes propres questions. « Dites, puisque vous savez tout... Vous savez aussi que grand-mère Teresa, la mère de papa, est morte d'une pneumonie infectieuse le 14 juin 1941, quand elle était incarcérée à la maison d'arrêt d'Ocaña ? »

Angélica ouvrit enfin la bouche. « Ce n'est pas vrai.

— Grand-mère Teresa est morte en pleine guerre, l'été 1937, je crois, et de la tuberculose, Álvaro, tu le sais parfaitement, nous le savons tous. »

Je le regardai, regardai ma sœur, et vis qu'ils me regardaient tous deux bouche bée, avec un air d'étonnement encore pur, non contaminé par d'autres émotions.

« Non, Rafa. Ce qu'on sait, c'est ce que papa nous a raconté, ce qu'il a voulu nous faire croire, mais ce n'est pas la vérité. En juin 1937, grand-mère a quitté son mari, mais elle était vivante, bien vivante. Elle a écrit une lettre d'adieu à son fils, car il n'a pas voulu partir avec elle. Je l'ai. Elle était dans son bureau à La Moraleja, dans ce dossier en carton bleu prétendument inventé. J'ai demandé une copie de son certificat de décès, je peux vous le montrer quand vous voudrez. Grand-mère est morte à Ocaña, prisonnière, ou condamnée, comme disent les papiers qu'on m'a envoyés de l'état civil. Elle a été jugée en 1939 et condamnée à mort pour un délit d'aide à la rébellion. Ensuite, sa peine fut commuée en une peine de trente ans de prison. »

Mon frère ne réagit pas, mais son visage était aussi blanc que s'il ne lui restait plus une goutte de sang dans le corps. Angélica, qui était plus intelligente, mais n'avait aucune culture politique, se contenta de s'énerver.

« Mais, je ne comprends pas... Qu'est-ce que c'est, qu'est-ce que ça veut dire ? demanda-t-elle en s'agitant dans son fauteuil. Pourquoi était-elle en prison ? Qu'est-ce qu'elle avait... ?

— Fait ? Rien. Elle n'avait rien fait. On ne l'a pas mise en prison pour ce qu'elle avait fait, mais pour ce qu'elle était. Socialiste. Et républicaine, bien sûr.

— Mais qu'est-ce que tu racontes, Álvaro ? » Elle laissa échapper un petit rire nerveux dont elle ne fut peut-être pas consciente. « Ce n'est pas possible... Socialiste, grand-mère ?

— Oui, socialiste. » Je souris moi aussi en constatant que le gauchisme laborieux que ma sœur semblait avoir acquis par voie séminale était si faible qu'il ne parvenait pas à traverser la surface, ne fût-ce qu'à griffer son ancienne conviction selon laquelle les victimes méritent toujours leur sort. « Militante du Parti socialiste ouvrier espagnol. Du groupe de Torrelodones, bien sûr. Comme le grand-père de ton mari, qui fut jeté dans un puits aux Canaries, parce qu'il était socialiste lui aussi, adhérent à l'UGT, n'est-ce pas ? »

Elle ne voulut pas le confirmer à voix haute, mais cela m'était égal, parce que je le savais. Elle aussi, même si elle se contentait de mettre la main devant sa bouche pour me regarder d'un œil halluciné. Je me tournai vers mon frère et constatai que la couleur était revenue sur son visage et envahissait ses joues avec violence.

« Et de quel droit prends-tu quelque chose dans le bureau de papa ? » me demanda-t-il, penché sur la table, les poings serrés sur le plateau comme s'il comptait l'enfoncer dans le sol.

Il ne me faisait pas peur et il s'en rendit compte.

« Du même que le tien, Rafa. Quand je suis arrivé, il y avait plusieurs espaces vides sur le mur. Lisette m'a dit que tu avais emporté des photos, et que Julio avait pris le portrait de maman que papa avait dans un cadre en argent. J'ai pensé que chacun avait commencé à se servir.

— Ce n'est pas pareil.

— Non, sur ce point tu as raison. Vous n'avez pas eu la curiosité de chercher quoi que ce soit. Moi si, c'est pour ça que j'ai trouvé ce dossier, bien que je ne veuille pas le garder pour moi, comme tu le vois. Je vous raconte ce qu'il y avait dedans et je peux vous faire des copies du contenu. Il y a des papiers vraiment très intéressants. »

Rafa se détendit, s'appuya à nouveau dans son fauteuil, recommença à chercher refuge dans l'arrogance. « Pas pour moi en tout cas. Grand-mère était socialiste ? Très bien. Cela arrive dans les meilleures familles, c'est bien connu. Ils l'ont mise en prison après la guerre ? Normal, c'est pour ça qu'ils l'avaient gagnée, non ? Si cela s'était passé à l'inverse, les rouges auraient fait pareil. Autre chose ?

— Bien plus, mais je préfère y aller progressivement. Pour l'instant, vous reconnaîtrez que je vous ai déjà raconté une chose que vous ignoriez. Bon, en fait deux. Premièrement, qui était grand-mère. Deuxièmement, qui était papa. Un homme capable de renier sa mère, de l'enterrer vivante, de mentir à son sujet à ses propres enfants... »

Angélica m'interrompit avec une violence subite :

« Non ! Ce n'est pas vrai, Álvaro, ce n'est pas comme ça, ça ne peut pas être comme ça. Papa devait avoir ses raisons pour faire ce qu'il a fait. Pourquoi est-ce que tu prends le parti de grand-mère, contre lui, dis-moi ? On connaissait papa, pas elle. On ne sait rien de grand-mère, on ne peut pas savoir quel genre de personne elle était, peut-être... » Elle fuit mon regard pour chercher une consolation dans celui de Rafa. « À cette époque, ils ont tous fait des choses horribles, non ? Les femmes aussi. Peut-être qu'elle était... Je ne sais pas. Si on l'a condamnée à mort, c'est peut-être parce qu'elle avait tué quelqu'un, ou qu'elle l'avait dénoncé. Madrid était pleine de comités de la police secrète, ils torturaient les gens, les tuaient pour avoir lu l'*Abc*... »

Je regardai ma sœur, mon frère, je respirai profondément, m'étonnai de mon calme, de la tranquillité avec laquelle je parlais.

« Grand-mère était institutrice. Elle avait la classe des petits à l'école de Torrelodones. C'était une militante très active, avec des responsabilités au sein du parti, au niveau local seulement, mais des responsabilités. Et c'était aussi une femme libre, très courageuse, ça oui. Elle prenait la parole dans les meetings, présidait des comités, aidait les réfugiés... Les franquistes condamnaient à mort des gens comme elle, des dirigeants de partis de gauche qui n'avaient commis aucun délit, toujours pour la même raison, incitation à la rébellion, même si les rebelles, c'étaient eux. Ils commencèrent, puis déchaînèrent la terreur de façon ordonnée, systématique, rien à voir avec les crimes individuels et spontanés de la zone républicaine. Voilà ce qui est arrivé, rien de plus. Je suis désolé pour toi, Angélica, mais ta grand-mère n'a jamais tué, torturé ou dénoncé personne. Les gens de son village l'adoraient. »

Rafa était encore moins disposé à digérer mes sourires.

« Ça, tu n'en sais rien. Tu es en train de t'inventer une histoire...

— Non, l'interrompis-je. Je vous dis la vérité. À Torrelodones, il y a encore des gens qui se souviennent d'elle, Encarnita, la propriétaire de la pharmacie, sans aller plus loin. Vous savez qui c'est, n'est-ce pas, on l'a vue à l'enterrement de papa. Après je suis allé la voir chez elle un jour, et elle m'a raconté qui était grand-mère, comment elle était... "Rouge convaincue, mais très gentille, m'a-t-elle dit, gentille surtout, ne l'oublie pas..." Elle la connaissait très bien, elle l'aimait beaucoup. Elle avait été élève de l'école dans laquelle elle enseignait, et depuis toujours elle était très amie de Teresita Elles avaient le même âge.

— Teresita ? » Mon frère avait à nouveau perdu son aplomb et ses couleurs.

« Ah ! Bien sûr, ça non plus, vous ne le savez pas... Et bien, pour des gens qui savent tout, vous en apprenez des choses, non ? » Je fis une pause pour profiter de ce moment et constatai, étonné, que je m'amusais presque. « Papa n'était pas fils unique non plus. Il avait une sœur cadette, Teresa Carrión González, née en 1925. J'ai son acte de naissance, on me l'a donné à l'état-civil de Torrelodones, si cela vous intéresse, je peux vous le photocopier. J'ai aussi une photo sur laquelle elles figurent, elle, grand-mère et tous les élèves de l'école du village. Encarnita l'a conservée pendant toutes ces années, et sa fille m'en a fait trois copies, une au format original et deux agrandissements, de grand-mère et de Teresita, qui devait avoir à l'époque... Je ne sais pas, une douzaine d'années. Mais je ne sais rien de plus à son sujet. Dans les papiers de papa, elle n'apparaît nulle part, ni photos, ni lettres, rien. Je ne sais pas si elle est morte pendant la guerre ou après, ou si elle est toujours vivante. Il ne l'a pas recherchée, c'est certain, et son père non plus. Dans les lettres qu'il lui a écrites en Russie, il n'en parle même pas. »

Angélica était toujours aussi perdue. « Mais... Ce n'est pas possible, parce que cette petite fille... Elle a dû vivre avec lui, non ? Elle devait être...

— Dans sa maison ? » Ma sœur me regarda, acquiesça. « Bien sûr. Ils ont vécu sous le même toit jusqu'à ce que grand-mère quitte son mari, en juin 1937. Teresita est partie avec elle, pas papa. Encarnita m'a dit qu'elle n'avait pas compris, que personne n'avait compris, parce que Julio, c'est-à-dire, papa, aimait beaucoup l'amant de grand-mère, l'homme avec lequel elle est partie, qui s'appelait Manuel, instituteur lui aussi, socialiste, et magicien amateur. C'est lui qui lui a appris à faire des tours de magie. »

Rafa sourit. « Alors, grand-mère Teresa... en plus d'être institutrice, socialiste et républicaine, était une salope. »

Je souris à mon tour. « Comme ta sœur, ici présente. »

La comparaison n'amusa pas cette dernière. « Tu veux arrêter de parler de ça, Álvaro ? Tu deviens vraiment lourd. »

Rafa vint à sa rescousse. « Non, parce que à l'époque tout était différent. Cela a dû être un énorme scandale, imagine, une femme mariée, adultère, qui abandonne son fils, en plus... Quelle humiliation ! Ça ne m'étonne pas que papa n'ait plus voulu entendre parler d'elle.

— Moi si. Parce que, d'abord, elle ne l'a pas abandonné. C'est lui qui n'a pas voulu partir avec elle.

— Allez, Álvaro ! dit-il en riant. Ne joue pas sur les mots...

— Je ne joue pas sur les mots, parce que à cette époque... » Je m'obligeai à m'arrêter, car les petits sourires de mon frère commençaient à me mettre en colère, et je ne voulais pas m'énerver avant l'heure, ce n'était pas bon pour Teresa. « Précisément à cette époque, ce que grand-mère a fait n'était ni plus ni moins grave qu'aujourd'hui. En Espagne, le divorce existait, Rafa, et le mariage civil aussi. Les femmes divorcées pouvaient vivre seules ou se remarier sans perdre la garde de leurs enfants. » Puis je m'adressai à ma sœur : « C'est pour ça que j'ai parlé de toi, Angélica, et je ne voulais pas te critiquer, au contraire, surtout aujourd'hui, où je suis dans la même situation que toi, mais en plus... » Je fis une nouvelle pause pour me tourner vers lui et le fixai longuement. « Il est vrai que la République n'a pas mis un terme à l'obscurantisme. On n'en finira jamais avec ça. Et grand-père Benigno a dû être tout content que Franco gagne la guerre, bien entendu, parce que c'était un sacré facho et une grenouille de bénitier. Il n'y a qu'à lire les lettres qu'il écrivait à papa en Russie. Pour lui il n'y avait pas assez d'exécutions, ni assez de processions, c'est pour ça que je ne vais pas te contredire. Pour lui, sa femme ne devait être qu'une pute rouge, un malheur et une malheureuse, mais pour son fils ce n'était pas pareil, ça ne pouvait pas l'être, car... » Va te faire foutre, Rafa, pensai-je avant de lâcher : « Papa s'était inscrit à la JSU un mois et demi après le départ de sa mère.

— C'est faux ! » Il se leva, fit quelques pas vers moi et ses lèvres tremblaient, sa voix, ses mains, l'index qui me désignait, son corps tout entier tremblait pendant qu'il me regardait comme un mauvais acteur amateur, qui aurait interprété le rôle d'un vieux noble espagnol déshonoré dans n'importe quelle pièce du Siècle d'Or. « Tu mens, Álvaro ! Je n'y crois pas, tu m'entends, je ne vais pas te laisser continuer à dire...

— Allez, Rafa, assieds-toi. Ce n'est pas un mensonge, c'est vrai. Je le sais, parce que j'ai aussi trouvé sa carte, un bristol rectangulaire, plié en deux. Je vais te le photocopier mais en couleur, d'un côté la couverture qui est rouge et porte sur le dessus une étoile dorée à cinq branches et trois lettres majuscules, le S plus grand que les deux autres, et de l'autre côté une photo de papa à quinze ans, son nom complet, sa date de naissance, bref, comme c'est l'usage... »

Mon frère ne bougea pas. Il ferma les yeux, les rouvrit, regarda ses mains, les mit dans ses poches et leva la tête avant de poser son regard sur moi comme s'il ne m'avait jamais vu. Son visage avait changé d'époque, de genre, et ressemblait maintenant à la statue décapitée d'un empereur romain, digne, orgueilleux, pathétique, trop grand pour être contemplé depuis le sol. Je me retins de rire, et je lui redemandai de s'asseoir d'un mouvement de la main. Il ne m'avait jamais été sympathique, mais là, en le voyant se ridiculiser de la sorte, il me fit un peu pitié.

Angélica sauva la situation d'une petite voix de chiot effrayé. « Qu'est-ce que c'est, la JSU ?

— La Jeunesse socialiste unifiée », répondis-je, et je me rendis compte qu'elle n'avait même pas la force de se couvrir la bouche d'une main. « La fusion des Jeunesses socialistes et des Jeunesses communistes. Elles se sont réunies un peu avant le début de la guerre et sont restées ensemble jusqu'à la fin.

— Et papa faisait partie de... ça ? redemanda-t-elle, comme si elle n'était plus sûre de rien.

— Oui. Et de la Phalange espagnole traditionaliste et des JONS, aussi. Il y a une autre carte, mais de 1941. De la fin juin, en fait, on voit qu'il aimait adhérer en été... » Je souris, mais aucun des deux ne voulut m'imiter. « Papa est devenu phalangiste quand il s'est enrôlé dans la Division Azul. Ils ne devaient rien savoir de son passé, je suppose que les gens de la JSU avaient brûlé leurs archives avant l'arrivée des franquistes à Madrid, pour protéger leurs militants. Ça non plus, vous ne le saviez pas ?

— Moi, non, répondit-elle.

— Moi non plus. » Rafa regagna enfin sa chaise, en marchant lentement, et il parla sans l'assurance, la conviction qu'il avait avant. « Mais je ne trouve pas ça si bizarre. Il avait dû changer d'avis.

— Bien sûr, il faisait ça très bien, on pourrait dire que c'était son sport favori... Il aimait tellement avoir plusieurs opinions qu'il n'a jamais renoncé à aucune, il n'a jamais vraiment changé. Il allait et venait, mais sans jamais détruire les preuves de son adhésion à la cause qui lui conviendrait le mieux à tout moment. Il a conservé ses deux cartes toute sa vie. Elles étaient ensemble, enveloppées dans le même papier de soie, à l'intérieur d'un portefeuille allongé, comme ceux qu'on utilise pour ranger les chéquiers, avec la lettre de sa mère et une photo prise à Paris, en 1947, en compagnie d'une très belle femme, qui s'appelait Paloma Fernández Muñoz et était notre parente, au fait, une cousine germaine de grand-mère Mariana. Et grand-tante de ma fiancée, aussi, parce que Julio a dû vous raconter que j'avais une liaison avec une de nos cousines, non ? Ça, vous le savez sûrement.

— Mais... » Rafa en était resté au sujet précédent : « Mais... papa n'est jamais allé...

— À Paris ? » Il n'avait pas osé achever la phrase et ne voulut pas non plus acquiescer à ma question. « Si, bien sûr, qu'il y est allé. Il y a vécu pendant plus de deux ans, de fin 1944 à avril 1947. Quand il a compris que les Allemands allaient perdre la guerre, il a déserté. Au lieu de rentrer chez lui, il est resté en France. Il croyait que les Alliés allaient envahir l'Espagne pour déposer Franco et restaurer la démocratie, à l'époque, tout le monde le croyait, c'était juste, logique, c'était ce qui aurait dû arriver. Alors il a dépoussiéré sa vieille carte de la JSU, pour se mêler aux exilés et revenir en vainqueur, vous comprenez ? »

Je m'arrêtai pour regarder Rafa, Angélica, à nouveau pâles, à nouveau muets, et je poursuivis :

« C'est comme ça qu'il a connu les Fernández. Ils étaient de Madrid et passaient les étés à Torrelodones. Le seul homme survivant de la famille était communiste, mais son frère et son beau-frère, morts tous les deux, fusillés tout près d'ici, au cimetière de l'Est, étaient socialistes, compagnons et amis de grand-mère Teresa. Ignacio Fernández l'avait connue lui aussi, et il reconnut papa un soir, dans un café. Il l'emmena chez lui, et sa famille l'accueillit, le protégea, le nourrit, l'aida à trouver du travail... Ils devinrent si intimes, ils avaient tellement confiance en lui, que lorsqu'il décida de rentrer en Espagne, ils lui demandèrent de s'occuper de la vente des propriétés qu'ils y possédaient car avant la guerre ils étaient très riches, mais ils étaient partis sans rien et ne vivaient guère mieux que lorsqu'ils avaient traversé la frontière. Et il s'engagea à les aider comme ils l'avaient aidé auparavant, il rentra avec des procurations pour agir légalement en leur nom, et il leur a tout volé. Tout. » Je fixai mon frère, il soutint mon regard. « C'étaient des temps difficiles, bien sûr, mais je crois que si on peut les prendre en compte, Rafa, je crois aussi qu'on peut se faire une opinion, et porter un jugement, même si on ne les a pas vécus.

— Tais-toi. » La première fois, il le dit presque à voix basse, sans se troubler, le dos droit contre le dossier du fauteuil, les mains sur ses bras croisés.

« Je n'en ai pas envie, répondis-je. Je ne vais pas me taire. Et ce ne serait pas bien pour vous, parce qu'il vous reste des choses importantes à découvrir, et à moi aussi. Je vous en ai raconté beaucoup et je mérite que vous m'en racontiez. Par exemple, comment papa vous a expliqué la visite d'Ignacio Fernández, le jour où il est arrivé avec Raquel, sa petite-fille, dans la maison d'Argensola, en mai 1977. Et comment vous croyez qu'il a connu grand-mère Mariana, et maman.

— Eh bien...

— Tais-toi, Angélica.

— Non, Rafa. » Ma sœur affronta fermement la tension d'un visage qui était sur le point de changer, même si ni elle ni moi ne sûmes prévoir dans quelle direction, et se tourna vers moi. « Il ne nous a pas expliqué grand-chose, en fait. Il nous a dit qu'il connaissait grand-mère de Torrelodones, qu'elle y passait les étés, qu'il l'avait aidée à vendre les propriétés de sa famille et qu'ils s'étaient partagé les bénéfices. Ensuite, quand maman est devenue grande, elle est venue lui demander de l'aide. Grand-mère comptait l'enfermer à la maison, mais elle voulait travailler, et il l'engagea comme secrétaire, ils commencèrent à sortir ensemble, et... Mais bon, tout ça, tu le sais, non ? » Effectivement je le savais. « C'est ce qu'il nous a raconté. Et que ceux qui étaient en France avaient tout laissé à grand-mère Mariana et que maintenant ils venaient réclamer, mais qu'ils n'avaient aucun droit. Pas légalement.

— Bien sûr, bien sûr..., murmurai-je. Il s'en était occupé, mais... »

Je fis une pause et soudain je me demandai si cela en valait la peine, si cela servait vraiment à quelque chose, pourquoi je parlais, dans quel but. J'étais très fatigué et dégoûté de moi-même, de mon père, de son histoire, de mes frères et sœurs, de tout. Le temps avait passé, beaucoup de temps, et je ne les avais même pas connus, je n'avais pas connu mes grand-mères, ni le grand-père de Raquel, son frère, son beau-frère, Paloma. Et je fus le point de tout arrêter, de me lever et dire à voix haute que tout était désormais égal, et sortir dans le rue. J'avais soudain besoin de sortir, de respirer un air diffé-rent de celui qui soufflait dans ce bureau, de revenir vers Raquel, d'être avec elle. Je l'aurais peut-être fait si je n'avais pas tourné la tête, si je n'avais pas regardé mon frère, si je n'avais pas vu comment il me regardait.

Je continuai à un débit très rapide, sans enthousiasme, pour en finir une fois pour toutes :

« Les choses ne se sont pas passées comme ça. Grand-mère Mariana avait tout gardé parce que c'était la seule à ne pas s'être exilée. Pendant les premiers mois de la guerre, elle vivait à Argüelles, mais un bombardement détruisit son immeuble. Alors son oncle lui proposa de venir habiter chez lui, à la *glorieta* de Bilbao, et elle y resta quand les proprié-taires partirent. Et elle fit en sorte que personne ne vienne la déranger ou la déposséder de quoi que ce fût. Quelques mois après l'entrée des franquistes à Madrid, le mari de sa cousine Paloma arriva vers minuit. Il avait vingt-huit ans et il était lieutenant de l'armée de la République. Il boitait et avait le bras droit mort, il avait été gravement blessé au front, fin 1936. Il voulait seulement se cacher, passer la nuit, dormir dans un lit et manger un morceau. Il n'avait pas d'arme, il ne pouvait s'adresser à personne d'autre, et ce fut la seule chose qu'il demanda à Mariana, qu'elle le laisse dormir là cette nuit. Le lendemain matin, elle le dénonça. Les phalangistes vinrent le chercher, le surprirent dans son sommeil, le tirèrent du lit en pyjama, le mirent en prison, le jugèrent pour rébellion militaire, le condamnèrent à mort et le fusillèrent sur-le-champ, pour que grand-mère devienne une vraie bienfaitrice du régime et puisse vivre tranquille, sans problèmes, profitant de ce qui ne lui appartenait pas. » Je me tournai vers ma sœur. « Alors tu vois, ta grand-mère Teresa n'a dénoncé personne, mais ta grand-mère Mariana si. Et elle se croyait très maligne, mais elle n'avait pas compté avec papa. Elle ne pouvait pas imaginer que tout ce qu'elle avait volé, un autre, plus malin qu'elle, allait le lui voler à son tour et pour toujours, Julio Carrión González, l'homme qui commençait à se faire tout seul. »

Angélica, impressionnée malgré elle par ce qu'elle venait d'entendre, claqua les lèvres d'un air mécontent et s'empêtra avec elle-même, sa mémoire et ses convictions, ce qu'elle voulait et ce qu'elle ne pouvait croire. « Ne dis pas ça, Álvaro. Tu racontes l'histoire d'une certaine façon, qui semble... Les Républicains ont été dépossédés de leurs biens, oui, mais ce n'était pas du vol, puisqu'il y avait des lois, des tribunaux, il y avait... C'était une conséquence de la guerre, non ? Une situation exceptionnelle, et ils n'étaient pas là, ils... ils avaient tout quitté, ils avaient renoncé à tout, pour ainsi dire...

— Non. On ne peut pas dire ça, Angélica. Ils n'ont renoncé à rien, ils n'ont fui que pour sauver leur vie. Et ils ont eu raison de le faire. Les deux hommes de leur famille qui n'ont pas réussi à s'échapper ont été fusillés.

— Bon, mais de toute façon... On ne peut pas parler de ce qui s'est passé comme si c'était arrivé hier... » Alors son expression s'apaisa, comme si elle avait enfin trouvé l'argument qu'elle cherchait. « Si ce que tu racontes est vrai, ce que grand-mère a fait était horrible, bien sûr, ce pauvre homme, je ne sais pas... C'est impardonnable. Mais pour papa, c'est différent. Ce n'était pas un voleur, Álvaro. Ce qu'il a fait était légal.

— Légal ? »

J'aurais dû partir, pensai-je, après avoir posé cette question, j'aurais dû partir immédiatement. J'y avais pensé mais fus incapable de le faire, car tout le sang que j'avais dans le corps se concentra soudain dans ma tête et mes oreilles commencèrent à brûler, mon cou, mon visage brûlait, je sentais la sécheresse du feu dans la gorge, ma langue brûlée, rêche, et tout était orangé, rougeoyant, cette pièce, les meubles, les tableaux, mes frères et sœur, le monde brûlait, tout brûlait, mes yeux ne distinguaient que la couleur des flammes quand mes jambes se levèrent toutes seules et que ma voix cessa d'en être une pour se transformer en une machine à crier.

« Ce foutu pays était illégal, Angélica ! Tout, de haut en bas, était une foutue illégalité ! Tu m'entends ? Les lois étaient illégales, les juges étaient illégaux, les tribunaux... »

Alors je sentis un coup dans le dos et me retournai. Rafa se trouvait derrière moi, et en le regardant, je vis dans ses yeux une ombre du feu qui me consumait.

Il me saisit par la chemise et commença à crier des insultes mêlées à des gouttes de salive, son visage aussi collé au mien que si on allait s'embrasser sur la bouche d'un instant à l'autre. « Tais-toi, salaud, fils de pute ! Tais-toi, maintenant ! »

Je me dégageai, l'obligeai à me lâcher, et alors, peut-être sans avoir encore conscience de ce que je pensais, je calculai qu'il était plus grand, mais j'étais le plus fort des deux. « Ne me touche pas. »

Il recula et s'appuya contre la table, mais il était toujours trop près de moi, et cette sensation de chaleur sans nom précis, les flammes orangées qui m'éblouissaient et enveloppaient tout, s'épaissit et se définit, gagnant du poids, du volume, jusqu'à s'emboîter à un degré suprême, ignoré de moi, d'une sensation connue, qui était de la violence et m'empêchait de bouger, de marcher, de me tirer avant qu'il ne soit trop tard.

Il continua à parler, à crier, à cracher un peu plus que des insultes mêlées à la salive.

« J'en ai ras le bol de l'enfant gâté, du génie de la famille, du scientifique de mes deux ! Qu'est-ce que tu sais du monde réel, Álvarito, qu'est-ce que tu sais du prix des choses ? Je vais te le dire... Que dalle ! Voilà ce que tu sais, tu as toujours vécu comme un parasite, en dépensant l'argent de papa, en vivant comme un prince, et maintenant tu arrives avec tes conneries... » Il se tut un instant, laissa échapper un petit rire amer qui se transforma en grimace. « Et le pire est qu'il l'a fait pour toi plus que pour n'importe qui, pour toi, son fils préféré. Álvaro est le plus intelligent, Álvaro est le meilleur, c'est le seul qui me ressemble, voilà ce qu'il disait tout le temps, sans arrêt, et maintenant... Faut-il être salaud, sale ingrat ! Ton père ne voulait pas que tu passes par là où il était passé, tu comprends ? Il ne voulait pas qu'on grandisse dans la misère, il savait très bien ce que ça signifie d'être pauvre, il le savait. Pas toi, tu n'en as aucune idée, Álvaro... T'es-tu demandé une seule fois ce que coûtait à papa le loyer de ton appartement de Boston ? Moi, je le sais. C'est à moi qu'on a demandé d'aller à la banque pour mettre en place le virement automatique qu'on te faisait tous les premiers du mois. Parce que le petit ne pouvait pas se mettre au travail après ses études, comme les autres, pas le petit, mais non, il devait faire une thèse de doctorat, et puis une autre, parce qu'on lui avait donné une bourse à l'Institut technologique de jenesaisoùdemescouilles, et ça c'était rudement important. Seuls les grands savants y vont. Mais il ne pouvait pas vivre dans une résidence universitaire, comme les autres, pas le petit non, pauvre Alvarito, lui, il fallait lui trouver un appartement, et il fallait le lui payer, parce que c'était déjà suffisant qu'il soit si intelligent... »

Mon sang circulait si vite que je sentais presque l'effondrement, la bousculade de mes propres veines, mais je pouvais encore parler calmement.

« Ce n'est pas vrai, Rafa. J'ai fait ma première thèse avec une bourse de mon université, et j'étais déjà prof à la fac quand je suis parti à Boston. Je touchais depuis quatre ans un salaire mensuel.

— Bien sûr, ton salaire ! Excuse-moi, j'avais oublié... » Et il se remit à rire. « L'État investit sur toi, Alvarito, comme pour les routes... Cela te plaît plus que de penser à l'argent de papa, n'est-ce pas ? Comme ça, tu peux rester pur, bon, progressiste, comme ça tu peux continuer à te consacrer aux choses vraiment importantes, comme le fait que tous les enfants d'immigrants de San Sebastián de los Reyes puissent profiter des plaisirs du capitalisme en faisant les cons une fois par mois dans ton musée miniature : Ah, et pourquoi la rampe descend ? Ah ! et pourquoi la lumière s'éteint ? Ah ! et pourquoi elle est plus lente, maintenant... ?

— Tais-toi, Rafa ! » J'allai vers lui, lui saisis les revers du veston, et lui crachai mon mépris au visage. « Si tu n'as pas honte de parler comme ça, moi j'ai honte de t'écouter, tu entends ? Tu ne sais pas ce que tu dis, tu n'en as aucune idée...

— Oh, regarde, la Terre bouge... » Et sans abandonner le ton faussement ingénu, enfantin, par lequel il soulignait l'étonnement feint de ses yeux écarquillés, il emprisonna mes mains dans les siennes mais ne parvint pas à me faire lâcher prise.

« Tais-toi ! » Et je me mis soudain à dire tout haut ce que je pensais depuis longtemps. « Tu es ce qu'il y a de pire, le pire, la scorie la plus misérable, la plus méprisable... Tu es répugnant, Rafa, tu me dégoûtes. Tu es fier d'être comme tu es, d'être un animal. Tu es satisfait de ce que tu ne sais pas, de ne rien savoir, c'est ce qui te plaît et ce que tu aimerais que les autres fassent, faire sans réfléchir, faire et ne pas savoir, vivre sans jamais se demander pourquoi les choses surviennent... Tu es pire que papa...

— Lâche-moi, Álvaro !

— Bien pire, tu es plus dur, plus cynique... Et toi tu l'as choisi, tu as pu choisir... » Je relâchai la pression quand ma propre pensée devint plus forte que mes mains. « Tu représentes ce que je déteste le plus au monde, toi et ceux qui te ressemblent.

— Lâche-moi !

— Tu es un fils de pute, Rafa... »

Je le lâchai et il me frappa. Il me donna un coup de poing à l'œil droit et je n'eus pas mal parce que mon corps n'était plus que violence, force, colère, mouvement, énergie nouvelle et très puissante. Ce fut pour cela qu'il ne put me repousser. J'encaissai le coup et fonçai tête en avant, comme un taureau furieux devenu fou, le renversai d'un coup de tête, me jetai sur lui et commençai à le frapper avec les deux poings, tellement absorbé, tellement concentré sur ce que je faisais qu'il ne réussit pas à se défendre. Il se couvrait le visage des mains, et je le frappais toujours, une fois, une autre, et encore, sa tête bougeait au rythme de mes coups, tombait d'un côté, puis de l'autre pour m'offrir une obscure émotion, le sombre plaisir de ma force, de sa faiblesse, et un désir insatiable de ne pas m'arrêter.

« Álvaro, Álvaro, je t'en prie ! »

J'entendis la voix de ma sœur, et revins de la lointaine région où je m'étais transporté la dernière minute, ou peut-être quelques secondes. Il ne pouvait guère s'être écoulé plus de temps, car Angélica venait de crier, de s'agenouiller à mes côtés. Maintenant elle pleurait, et me tirait par la manche, je l'entendais et je sentais la pression de ses doigts, mais je ne la regardais pas. Je ne pouvais pas la regarder parce que j'avais les yeux rivés sur Rafa, qui était sous moi, le visage couvert de sang, et il gémissait, se plaignait, les bras morts, allongés sur le sol, et sur mes mains il y avait aussi du sang, mes jointures étaient douloureuses, mais je ne sentais rien de plus. Elles me firent mal jusqu'à ce que la perplexité, la colère et l'émotion se volatilisent, et je me retrouvai seul avec moi-même et avec ma propre version de l'horreur. Je ne m'étais pas battu depuis plus de vingt ans. Et je n'avais jamais frappé quiconque de la sorte.

« Je le savais. »

Alors, quelqu'un s'approcha par-derrière, me prit sous les aisselles, me souleva et immobilisa mes bras, même si tout était déjà fini.

« Je te l'avais dit, Álvaro, je le savais, je savais que ça se terminerait comme ça, je te connais et je le connais, je le connais bien mieux que toi... »

C'était mon frère Julio. Quand nous avions commencé à nous disputer à grands cris, une secrétaire avait ouvert la porte, nous avait vus, et avait eu tellement peur qu'elle était partie le chercher en courant. Maintenant il était avec moi, m'entourant encore de ses bras, je le regardai et ne trouvai rien à lui dire, pas un mot pour expliquer ce qui s'était passé. Alors Rafa se redressa avec beaucoup de difficulté, porta les mains à son visage, hurla de douleur.

Il parlait d'une voix pâteuse, gutturale, comme s'il avait la gorge pleine de lymphe. « Tu m'as cassé le nez, salaud. »

Angélica s'approcha de lui et le toucha avec précaution, mais sans céder à ses protestations. « Fais voir... Non, je ne crois pas qu'il soit cassé, mais il est très enflammé... Il va falloir te mettre quelque chose. Lève-toi, allez, je vais t'aider. » Elle essaya, mais elle ne put le faire bouger. « Viens, Julio, donne-moi un coup de main... »

Ils le prirent chacun par un bras et réussirent à le mettre debout pendant que je contemplais la scène comme un figurant, un spectateur neutre de la douleur qu'un autre aurait provoquée.

« Je t'emmène tout de suite à mon hôpital, Rafa, pour qu'on t'examine. Il va falloir te faire des points de suture à la lèvre, certainement aussi à un sourcil, rien de grave... Pour le reste, tu n'as pas d'os cassé, alors ne t'énerve pas, s'il te plaît. » Pour la première fois de ma vie, je me réjouis du caractère de ma sœur, cet autoritarisme pointilleux de grande prêtresse de la santé qui me faisait habituellement sortir de mes gonds. « Mais avant tout, tu dois te laver le visage, allons aux toilettes, je t'accompagne, viens avec nous, Julio... » Puis elle se tourna vers moi. « Ne pars pas, Álvaro, s'il te plaît. J'ai à te parler. »

Julio me regarda comme s'il avait oublié que j'étais moi aussi avec eux, et avant que je ne les suive, il s'approcha de moi, posa une main sur ma tête, m'embrassa sur la joue. Il ne dit rien et partit, me laissa seul, debout, dans ce bureau immense où tout avait commencé, mon père et Raquel, vérités et mensonges, la vie que je n'avais pas vécue, celle qu'il me restait à vivre. Mais ma sœur ne tarda pas à revenir.

« Álvaro... »

J'étais sûr qu'elle allait me chapitrer et j'étais disposé à accepter la réprimande sans protester, car je la méritais. Rafa m'avait frappé le premier, mais je ne m'étais pas contenté de lui rendre son coup. J'avais perdu le contrôle et j'étais coupable. J'étais sûr que c'était ce que Angélica voulait me dire, ce qu'elle allait me dire, mais quand elle prononça mon nom, en s'essuyant encore les mains sur une serviette en papier blanc que ses doigts coloraient en rose, je sentis dans sa voix la petite angoisse des aveux difficiles.

« Álvaro, je voulais te dire... » Elle commença à tordre et à retordre la serviette en la regardant comme si cet exercice absorbait toute son attention, mais elle eut alors une meilleure idée. « Attends, fais voir ton œil. »

Elle s'approcha, le regarda pendant quelques secondes, le nettoya avec un pan de la serviette, le palpa sans me faire de mal.

« Ce n'est rien, conclut-elle. Il va devenir violet, mais tu n'as aucune coupure... Bon, je voulais te demander un service, Álvaro... Je sais que pour toi tout ce que tu nous a raconté sur papa, et grand-mère, sur les deux, eh bien... C'est important pour toi et je le comprends, je le comprends très bien, ne crois pas ça, mais, malgré tout... Tu ne le comprends peut-être pas, lui non plus ne comprendrait pas, je sais, mais... En fait, je préfère qu'Adolfo ne sache rien, je voudrais te demander de ne rien lui dire, s'il te plaît, parce que... » La serviette n'était plus qu'une pulpe informe entre ses doigts quand elle l'enferma dans un poing et la serra très fort. « Il s'est passé beaucoup de temps, et lui... eh bien, il pense toujours à son grand-père, il est obsédé par la question, et il ne gagnerait rien non plus à savoir... »

Alors elle me regarda enfin, et ce qu'elle vit dans mes yeux l'incita à poursuivre. Un instant plus tôt, je n'aurais pas cru être plus entier que la cellulose qu'elle venait de détruire, mais la température de mon corps remonta pendant que mon esprit retrouvait une sérénité soudaine et mystérieuse.

« Va te faire foutre, Angélica. »

Je le dis sans me troubler, sans élever la voix. Ensuite, je fis demi-tour et partis.

Quand Mariví lui récita à l'interphone la référence de la lettre qu'elle avait envoyée à la veuve de Julio Carrión, Raquel Fernández Perea devint si nerveuse qu'elle en eut des nausées, mais en pensant à ce qui allait lui tomber dessus, elle s'efforça de se reprendre aussi vite que si sa visiteuse était déjà assise en face d'elle. Puis elle décrocha son téléphone et composa à toute vitesse un numéro à quatre chiffres.

« Tante Angélica est venue. Elle est là.

— Mais... » Paco n'hésita qu'une seconde. « Elle aurait dû téléphoner pour te demander un rendez-vous, non ?

— En effet. Mais, tu vois, elle a préféré se présenter sans prévenir. Ce n'est pas bon signe.

— Pourquoi ? Ne t'inquiète pas, Raquel, tu t'en sortiras très bien, j'en suis sûr. »

À cet instant, ce fut Álvaro Carrión Otero, et non sa mère, qui frappa à la porte du bureau.

« Je te laisse, elle est là.

— Bonne chance. » Et ce terme ne signifierait jamais autant et aussi peu à la fois.

Transformée en la toute nouvelle propriétaire d'un appartement luxueux dans lequel elle ne vivrait jamais, Raquel, en quittant le bureau du notaire, pressentait déjà que Julio Carrión ne sortirait pas vivant de cet infarctus. Elle se rendait compte qu'il y avait de fortes chances pour que sa seconde visite ait causé la mort de cet homme, mais même si elle trouvait cela incroyable, ça lui était égal. S'il ne s'était senti coupable de rien pendant plus de cinquante ans, elle n'allait pas se sentir, elle, coupable maintenant. Bien au contraire. Elle se serait réjouie de cette mort comme d'un épilogue adéquat, voire jouissif, de la vie de son grand-père, si la disparition de Carrión n'allait faire échouer ses projets.

Morte la bête, mort le venin. Pendant l'agonie de celui qui aurait dû être sa victime et ne resta que son ennemi, Raquel se rappela souvent cette phrase entendue à plusieurs reprises à Paris et en espagnol, prononcée par une multitude de voix et avec tous les accents possibles, pendant qu'elle se rendait avec sa famille dans les nombreux appartements où on les recevait toujours à grands cris avec champagne et tortilla aux pommes de terre. Morte la bête, mort le venin, oui, mais c'était une autre rage qu'elle ressentait en calculant qu'après tout, Carrión allait encore gagner, même si cette victoire lui coûtait la vie. Cela la mit tellement en rage qu'elle trouva la solution dans sa propre fureur. Quand elle comprit que cette colère, qu'elle vivait comme une expérience personnelle, n'était qu'une passion par procuration, héritée de l'amour d'un homme décédé, elle se rappela à temps que ni les péchés ni les fautes ne s'héritent, mais les dettes, en revanche, se remboursent sans exception dans les héritages. Elle le savait très bien, elle ne travaillait pas pour rien dans une banque.

Il lui aurait été très facile d'attaquer les enfants de Julio Carrión, car elle les connaissait, elle savait à quoi ils ressemblaient, où ils travaillaient. Sebastián protesterait beaucoup au début, mais finirait par la conduire par la main à la porte de leurs bureaux respectifs. Cela ressemblait à une bonne hypothèse, mais elle l'écarta avant de finir de l'explorer. Elle ne craignait pas d'être injuste, mais de se tromper, car elle n'avait jamais pu oublier elle non plus une poupée rousse habillée en vert. Clara Carrión devait avoir son âge et ses frères et sœur étaient plus âgés, mais aucun ne dépassait la frontière de sa propre génération, la première depuis longtemps d'Espagnols qui n'avaient jamais eu peur. Et la peur était la clé de son plan, la condition requise indispensable au succès de son entreprise. Sans elle, rien n'était possible. Si Julio Carrión González n'avait pas eu peur, si cette peur n'avait pas été la même que celle qui avait paralysé Anita Salgado Pérez lorsqu'elle avait appris que son mari était allé voir cet homme presque trente ans plus tôt, le discours que Raquel avait préparé, mémorisé et répété devant le miroir de sa chambre jusqu'à parvenir à le répéter d'un trait dans ce bureau immense, n'aurait pas eu plus d'effet qu'un sourire suffisant, peut-être teinté d'une légère inquiétude. Car tout ce qu'elle lui avait dit était vrai. Les librairies étaient véritablement pleines de livres sur la guerre et l'après-guerre, chaque mois sortaient de nouveaux documentaires sur la question, les juges autorisaient chaque semaine des exhumations de victimes de la répression franquiste, l'État continuait à payer des indemnisations aux partis et aux syndicats républicains spoliés par les vainqueurs de la guerre civile. Chacun de ces événements était une nouveauté en soi et la coïncidence de tous une grande nouveauté, mais pour la mettre à profit, il fallait plus qu'un porte-documents en cuir marron dans les mains d'une économiste sans contacts dans le monde de l'édition.

Ce que Raquel possédait était beaucoup pour elle mais très peu pour un journaliste, car il y avait tant de cas semblables et pires, plus romanesques, plus spectaculaires, avec plus d'enfants, plus de victimes, plus de morts, que la petite tragédie des Fernández Muñoz ne dépasserait jamais la moyenne de la grande tragédie nationale. C'était aussi brutal, aussi dur, mais c'était comme ça. Elle le savait, et elle savait que même si elle avait gain de cause, même si elle écumait les rédactions des journaux et les bureaux des éditeurs jusqu'à ce qu'elle trouve une personne disposée à investir dans son histoire, les conséquences de sa publication, loin de blesser à mort la famille Carrión, ne représenteraient pour ses membres rien qu'une gêne passagère. L'avenir de son groupe ne serait absolument pas compromis par la révélation du passé de son fondateur. Raquel Fernández Perea en était sûre, et pourtant elle risqua et gagna, elle aurait gagné si la mort ne lui avait pas disputé son trophée avant l'heure. Car elle avait parié sur la peur de cet homme, et sa peur ne l'avait pas déçue.

Julio Carrión González avait peur, très peur, depuis toujours. Ce jour-là, dans son bureau, Raquel s'était rendu compte que son attitude n'était pas une réaction aux menaces qu'il entendait, mais la conséquence d'une vieille habitude. Pendant des années et des années, il s'était attendu à ce qu'Ignacio Fernández tienne sa promesse, et s'était préparé à recevoir le coup ultime, définitif. Son grand-père, en fin de compte, avait obtenu gain de cause. Il avait réussi à lui ôter le sommeil et il avait créé les meilleures conditions pour que sa petite-fille finisse la tâche, mais son ambition l'avait perdue. Tout s'était si bien passé que tout s'effondra quand la peur cessa d'être une alliée et se transforma en vengeresse.

Pourtant, ce qui avait marché avec le père ne marcherait pas avec les enfants. Raquel pouvait imaginer la scène, son discours, la réponse qu'elle obtiendrait en échange : Ah oui ? très bien, ma jolie, publie ce que tu voudras, fais comme tu l'entends... Ils ne la craindraient jamais, et leur tranquillité suffirait à la désarmer, aussi les écarta-t-elle tout de suite. Il restait la mère, la veuve et principale héritière de Julio Carrión González, la fille du Crapaud, cette fillette blonde aux yeux clairs qui était devenu un sujet constant de préoccupation pour tous les habitants de la maison où elle habitait, car elle n'avait pas peur lorsque les sirènes annonçaient les bombardements et continuait à jouer tranquillement, n'importe où dans l'immense appartement. Pour Angélica, qui était née au cours de l'été 1935, ce son était courant, la bande sonore quotidienne, rien qui vaille la peine de s'inquiéter. C'était tout ce que Raquel savait d'elle, ça et qu'elle digérait mal la bonne cuisine. Son organisme était si habitué au pain noir et aux lentilles, que lorsqu'on trouvait quelque chose de plus nourrissant à lui donner, il fallait la coucher pour cause de douleur à l'estomac.

Anita, sa grand-mère, n'avait pas pu lui raconter comment elle avait réussi à épouser Carrión, ou comment lui y avait réussi. Elle l'ignorait. Mariana Fernández Viu ne s'était pas mise en contact avec son oncle et sa tante ni avant ni après le retour de Julio, mais en septembre 1949, à la veille de prendre le train qui la ramènerait en Galice chez ses parents, elle était allée voir Casilda García Guerrero, la veuve de son cousin Mateo. Celle-ci avait entretenu une relation épistolaire constante avec les Fernández Muñoz depuis la fin de la guerre, même après son remariage. Au cours des années difficiles, lorsqu'elle vivait seule avec son fils dans une mansarde misérable de la rue Ventura de la Vega, elle avait fait appel à Mariana dans les occasions désespérées, quand elle était sans travail ou que le petit était malade. Lors de ces visites, le Crapaud lui avait toujours donné le strict nécessaire et elle ne lui en avait jamais demandé plus. Elles n'avaient jamais parlé d'autres choses non plus, même si l'une des deux savait que son beau-père avait envoyé à cette adresse des dizaines de lettres qui n'avaient jamais obtenu de réponse, et si l'autre se doutait bien qu'elle le savait.

C'est par Casilda que les Fernández surent à Toulouse, puis ensuite à Paris, ce qui se passait à Madrid, et ce fut elle également qui leur écrivit pour leur raconter ce que Mariana lui avait raconté, après l'avoir retrouvée grâce à l'un des ses jeunes frères, qui travaillait dans un bistrot. À l'époque, Mateo Fernández Gómez de la Riva, sa femme et ses enfants savaient déjà, par l'avocat qu'ils avaient engagé face à l'absence de nouvelles, que Julio Carrión leur avait tout pris à la seule exception de la maison de Torrelodones. La mère de l'aîné de leurs petits-enfants leur raconta que Julio Carrion venait d'en chasser leur nièce, et que celle-ci semblait maintenant très intéressée à représenter les intérêts de sa famille en Espagne afin de récupérer ce qu'elle pourrait, et qu'elle l'avait envoyée se faire foutre. « Mais j'ai peut-être eu tort. Je crois que ce salaud a fait en sorte que vous ne puissiez rien récupérer, mais si vous voulez que j'écrive au Crapaud, au cas où on puisse faire quelque chose, j'ai son adresse... » Ils savaient qu'il n'y avait rien à faire, et que si par hasard cela se révélait possible, ce serait en faveur de Mariana. Ils ne lui faisaient pas plus confiance qu'à Carrión et ils préféraient presque cette fin à n'importe quelle autre qui impliquerait un partage des bénéfices. Quand cela se produisit, ils furent pris au dépourvu.

Le jour où ils trouvèrent, toujours dans une lettre de Casilda, une coupure de presse de la rubrique société d'un journal madrilène, on était déjà en 1956 et ils avaient atteint un niveau de vie assez confortable pour ne plus penser chaque heure à Julio Carrión, mais cela ne les aida pas à comprendre cette nouvelle. *Samedi 5 mai, don Julio Carrión González, trente-quatre-ans, a épousé Mlle Angélica Otero Fernández, vingt et un ans, en l'église Santa Bárbara.* « Qu'en dites-vous ? Moi, j'ai été pétrifiée quand j'ai lu ça... », avait écrit Casilda au crayon, dans la marge. Eux aussi mais ils l'oublièrent immédiatement sauf Paloma, qui s'effondra à nouveau même si cela paraissait impossible.

Des histoires comme celle-ci, la seule qu'Anita put raconter sur Angélica cet après-midi où elle lui avait promis de tout lui raconter, apprirent à Raquel la leçon de la peur, qu'elle n'apprendrait jamais d'une autre façon. Elle eut du mal à comprendre. Personne de son âge, de sa génération, n'y parvenait sans résistance.

« Mais enfin, grand-mère, ce n'est pas possible, je n'y crois pas, s'était-elle entêtée à plusieurs reprises. Casilda était en Espagne, elle vous écrivait et vous lui écriviez tout le temps... Comment Mariana a-t-elle pu tout garder ? Pourquoi n'a-t-elle pas cherché un avocat, pourquoi n'a-t-elle pas porté plainte, que sais-je... ?

— Qui, Casilda ? Ma pauvre petite ! Pour aller au tribunal, elle aurait dû...

— Bon, mais elle aurait pu chercher quelqu'un pour la représenter. Quelqu'un aurait certainement pu faire quelque chose.

— Oui, la mettre en prison, pour commencer.

— Pourquoi ? Elle avait déjà fait de la prison à la fin de la guerre, non ? Et on l'avait relâchée. Je ne dis pas aller directement dans un commissariat, mais... Je ne sais pas, elle allait très mal, elle vivait dans la misère, elle travaillait comme une bête, avec un jeune enfant, et l'autre avait tout, sans aucun droit, et... lorsque Carrión est revenu, cela faisait huit ans que la guerre était finie ! » Plus elle le répétait, moins elle comprenait. « Et avant, vous n'y avez même pas pensé ? Vous n'avez pas eu l'idée de tenter quelque chose ? Ton mari, qui était avocat, et son père, qui était ingénieur et travaillait dans un ministère... Ils étaient d'ici, ils devaient connaître beaucoup de gens, avoir des amis, des collègues de travail. Ce n'étaient pas de pauvres ignorants, ils n'étaient pas démunis, ils devaient savoir à qui s'adresser je veux dire. C'est pour ça que je ne comprends pas. Comment tout cela a-t-il pu arriver, grand-mère ? »

Anita regarda sa petite-fille, sourit à nouveau. « Tout le monde avait peur, les riches et les pauvres, les gens instruits et ceux qui ne l'étaient pas, tout le monde, très peur. Casilda avait peur, et ton grand-père et ses parents aussi. Ils avaient peur pour elle, pour le petit, toi... Tu ne sais pas de quoi tu parles, Raquel, tu ne peux même pas l'imaginer. »

C'est peut-être à cause de cela que Raquel se tut. Elle cherchait de nouveaux arguments, mais ne les trouvait pas.

Sa grand-mère les lui fournit immédiatement. « Écoute, quand les fascistes sont entrés dans Madrid, Carlos, le mari de Paloma, est allé voir un ami intime, professeur dans son université, qui était devenu communiste en pleine guerre et passait pour être le plus révolutionnaire de tous. Je ne me souviens plus de son nom, mais je sais qu'il venait d'une famille de militaires fachos. C'est la raison pour laquelle il avait eu la vie sauve, et pour laquelle Carlos pensa qu'il pourrait le sauver lui. Il a dû aller à pied à Aranjuez pour le rencontrer, son ami l'a écouté, lui a promis de l'aide et lui a demandé de l'attendre. Puis il est allé le dénoncer. C'est ce que sa jeune sœur a dit à Carlos, en lui conseillant de partir en courant. Elle lui a donné de l'argent pour rentrer en train à Madrid et elle lui a sauvé la vie, même si cela n'a servi que pour que Mariana puisse le dénoncer le lendemain. Tu comprends ?

— Et cette fille était de droite, supposa Raquel.

— Bien sûr. De droite, mais c'était manifestement quelqu'un de bien, meilleure que son frère. C'est pour ça qu'on avait peur, parce qu'on ne pouvait faire confiance à personne. Le seul à qui on faisait confiance, c'était Julio, c'était comme s'il faisait partie de la famille, et tu vois... »

Raquel connaissait Casilda depuis toujours. Tous les ans, en rentrant de leurs vacances à Torre del Mar, ses parents faisaient une halte pour l'appeler, et déjeuner ou dîner avec elle. Casilda était la tante de Madrid, une femme âgée affectueuse, qui l'embrassait longtemps avant de constater avec effarement combien elle avait grandi, et qui lui donnait toujours une boîte de bonbons à la violette, qu'elle aimait beaucoup et qu'on ne trouvait pas à Paris. Une fois que ses parents furent rentrés au pays, les rencontres devinrent plus fréquentes. Casilda les accompagnait presque toujours quand ils allaient déjeuner à l'extérieur de Madrid et, certains soirs, elle restait même avec elle et Mateo pour que leurs parents puissent sortir. C'est pour cette raison que Raquel ne comprit pas bien ce qui se passa le jour où ses grands-parents revinrent, ce jour qui avait commencé avec un vermouth au robinet à las Vistillas. À 18 heures, la sonnette retentit, elle alla ouvrir et la trouva en pleurs. « Qu'est-ce qui s'est passé, ma tante, tu t'es fait mal ? » Elle répondit que non avec la tête puis elle lui demanda si grand-père était arrivé. « Oui, il est au salon », répondit Raquel. Il n'était plus au salon, mais derrière elle, et quand elle s'en rendit compte, elle dut partir pour ne pas être écrasée, car grand-père et Casilda s'étreignaient, et ils restèrent comme ça, enlacés dans l'entrée, pendant très longtemps. Elle pleurait et disait à voix basse « Aïe, Ignacio, Ignacio ! » comme si elle se plaignait, et lui, les yeux clos, lui caressait la tête comme à un bébé.

Quand sa grand-mère lui raconta ce qu'elle savait sur Julio Carrión, Raquel se rappela cette scène parmi d'autres qui avaient fait de son enfance l'âge le plus chargé d'émotion, le plus agité, intense et imprévisible de toute sa vie, mais elle fut capable de l'analyser sous une autre perspective, et elle n'eut pas besoin d'autres questions. Après la guerre, Casilda n'aurait pas pu quitter l'Espagne, et même des années plus tard, elle ne songea pas à essayer, de même que ses beaux-parents, ses beaux-frères ne prirent jamais la dangereuse initiative de lui envoyer un simple billet d'avion. Raquel ne pourrait plus jamais demander à la veuve de Mateo si elle avait eu un passeport avant 1976, car elle n'avait survécu que de quelques mois à Ignacio, son beau-frère, mais Raquel était presque sûre qu'elle n'aurait jamais pris le risque de se présenter dans un commissariat où on allait exiger d'elle un extrait de casier judiciaire. On avait du mal à y croire, mais c'était vrai, et c'était absurde, mais c'était comme ça.

Pour tous, le temps avait passé, mais la peur demeurait, aussi puissante, aussi provocante, aussi infranchissable qu'une montagne aux sommets enneigés que les villageois s'habituent à regarder de la plaine pendant des années, sans oser imaginer que quelqu'un puisse l'escalader, arriver au sommet, et contempler ce qu'il y a de l'autre côté. La peur avait représenté pour eux un paysage, une patrie, une habitude, une condition invariable que l'on ne remet pas en cause, la vie même. Et cela, pensa Raquel Fernández Perea quelque temps plus tard, devait être la peur pour Angélica Otero Fernández.

« Mais est-ce que la veuve sait tout ? » lui demanda Paco Molinero le jour où elle décréta que l'heure de se mettre sérieusement au travail était venue.

« Elle doit le savoir, répondit-elle sans hésiter. Je sais ce que tu penses, j'y ai pensé moi aussi, mais peu m'importe. Quand je lui dirai comment je m'appelle, elle saura immédiatement qui je suis et ce que je veux, et logiquement elle doit devenir aussi nerveuse que lui, me donner rendez-vous du jour au lendemain, ne dire rien à personne avant de me voir.

Ses fils, qui m'inquiètent, ne connaissent pas mon nom, je le sais, Sebastián me l'a dit. Il m'a raconté que Carrión lui avait dit que le plus important était que personne ne sache rien, et puis mon nom de famille est Fernández, c'est mon avantage. Elle ne connaît pas non plus la famille de ma mère, Perea, ça ne peut rien évoquer pour elle, alors... »

Elle laissa la phrase à moitié achevée en constatant que son interlocuteur ne bougeait pas la tête d'un côté à l'autre par hasard.

« Non, lui confirma-t-il très vite. C'est le contraire qui m'inquiète. Comment peux-tu être aussi sûre qu'elle sait tout ? »

Elle ne put répondre à cette question. Elle ne disposait que de ses propres sensations et du souvenir d'un soir lointain, l'intuition d'une enfant de huit ans, cette femme blonde, élégante, qui se tordait les mains tout en se demandant où elle avait pu laisser ses cigarettes. La visite d'Ignacio Fernández l'avait rendue plus que nerveuse, presque hystérique, comme malade d'anxiété, c'était la seule chose dont elle était sûre.

Elle poursuivit sur un ton plus prudent, comme si elle voulait se convaincre elle-même : « Quand mon grand-père m'a emmenée chez Carrión, ce samedi de 1977, c'est elle qui nous a reçus. Elle était très élégante, avec une robe noire et beaucoup de perles, elle semblait sur le point de sortir, et elle était aussi tranquille que tu le serais, chez toi, si un samedi après-midi on frappait à ta porte et que tu trouvais un homme âgé, bien habillé, de belle allure, qui tient une petite fille par la main. Elle nous sourit, demanda ce que nous voulions et quand mon grand-père lui a dit son nom... elle s'est décomposée. Elle a failli tomber à la renverse. »

Son ami sourit. « Oui. Ça veut dire qu'elle savait quelque chose, Raquel. Elle devait forcément savoir, non ? Quand Carrión est rentré en Espagne, elle était une petite fille, elle vivait avec sa mère, elle devait le connaître au moins de vue, certainement. Mais on ignore comment ils se sont retrouvés sept ans plus tard, on ne sait pas comment ils sont tombés amoureux, s'ils se sont retrouvés par hasard ou s'il est allé les voir en Galice, ou... va savoir. Elle sait peut-être tout, ou peut-être qu'une partie, et tu ne peux savoir laquelle.

— Et ça te semble si important ?

— Oui, répondit-il avec gravité. Parce que c'est le point faible de toute cette histoire ».

L'enterrement de Julio Carrión González datait de huit jours quand Raquel invita Paco Molinero à dîner par courrier électronique. Il passa la voir quelques minutes plus tard. « Alors, cette nouvelle ? C'est si difficile de faire vingt pas jusqu'à mon bureau ? » Raquel sourit. « Non, mais l'occasion exige un certain sérieux. » Pour s'assurer que son invité ne se méprenne pas, elle ajouta qu'il ne s'agissait pas tant d'étrenner sa nouvelle maison, mais de parler affaires. « Donne-moi une piste », lui demanda-t-il. Elle lui répondit qu'elle ne pouvait pas, qu'elle allait avoir besoin de quelques heures pour le mettre au courant.

Raquel réussit à résumer l'histoire car Paco, qui n'était pas le petit-fils d'Ignacio Fernández, ne l'interrompit pas avec ses questions. Il fut si impressionné par ce qu'il venait d'apprendre qu'il fut incapable de donner une opinion.

« C'est très fort, ma vieille, je dois y réfléchir. »

Elle déguisa sa déception en un sourire. Il s'approcha d'elle et la secoua doucement. « Hé ! Mais qu'est-ce que tu crois ? Je veux réfléchir à comment faire pour que la veuve lâche un million, pas sur le fait de savoir si c'est bien ou non de lui vendre les papiers.

— Alors tu trouves que c'est une bonne idée ?

— Moi ? Je trouve ça vraiment super... »

Pendant toute une semaine, Paco l'appela ou lui écrivit chaque jour, et souvent plus d'une fois, pour lui demander des détails, des noms, des dates, des sommes que Raquel ne connaissait pas toujours. Elle l'avait prévenu qu'aucun des deux n'allait garder un centime de ce qu'ils tireraient, que l'idéal serait qu'il le prenne comme un jeu, ou mieux encore, comme une version petit format, du grand projet de génie financier qu'ils avaient conçu ensemble, et il avait accepté sans hésiter. Raquel savait que cela lui plaisait, l'amusait, le stimulait, mais elle savait aussi que Paco ne pouvait travailler sans tout prendre au sérieux, y compris le développement de sa fortune fictive. Il avait déjà dû remplir un carnet de diagrammes pleins de chiffres, de dates et de noms, et il avait dû ouvrir au moins un dossier dans son ordinateur, quand il décida qu'était venu le moment de travailler sérieusement, et ils se donnèrent rendez-vous pour déjeuner le même jour après le travail.

« C'est le point faible, Raquel, penses-y. Avec les informations dont on dispose, tu ne peux pas arriver comme ça chez la veuve en disant que tu es une de ses nièces et que tu étais parvenue à un accord avec son mari pour lui vendre des documents qui prouvent que c'était un escroc. Imagine qu'elle ne sache rien.

— Ce n'est pas possible, dit-elle, sans en être vraiment sûre.

— Bien sûr que si. Imagine que sa mère lui ait caché ses relations avec Carrión. Les motifs ne lui manquaient pas. Et si après ils se sont retrouvés par hasard quand il était déjà un homme riche... Elle ne sait pas nécessairement d'où sort son argent. Qu'elle ait des soupçons ne signifie pas qu'elle ait osé lui poser la question.

— Non. C'est impossible.

— Ah oui ? À cette époque ? Dans ce pays ? » Elle le regarda, apprécia son sourire, hésita à nouveau. « Non, Raquel. La majeure partie des gens veut vivre tranquille, tu le sais, et le jour où ton grand-père est apparu chez lui... eh bien il a pris peur, bien sûr, parce que c'était comme un fantôme du passé, parce que soudain tout était fini, parce que Franco était mort, parce que les exilés rentraient, parce que les prisonniers politiques sortaient des prisons... Et parce que ton grand-père était la dernière personne qu'elle s'attendait à trouver devant sa porte. Mais qu'elle ait pris peur signifie simplement que cette visite la tracassait, pas qu'elle ait su exactement quel rôle son mari avait joué dans tout cela. Et je ne dis pas qu'elle ne le sache pas, elle le sait peut-être. Je dis qu'on ne peut pas en être sûrs.

— Et lui ? » Raquel devenait nerveuse. « Il devait être hystérique, effrayé, sa femme avait dû s'en apercevoir, enfin, je ne sais pas...

— Oui, mais cette nuit-là, au lit, Carrión a aussi bien pu la prendre dans ses bras, l'embrasser, lui faire l'amour, et lui promettre qu'il veillerait toujours à ce que personne ne fasse de mal à sa famille. C'était l'attitude typique des hommes de sa génération, c'est ce que l'on entendait par virilité. Et ce que les femmes d'alors entendaient par féminité consistait à se taire et à leur faire une confiance aveugle. Réfléchis, Raquel...

La veuve croit que la véritable délinquante fut sa mère et que la seule faute de Carrión fut de l'avoir aidée. C'est possible, mais il existe d'autres possibilités. » Paco, qui n'était pas le petit-fils d'Ignacio Fernández, travaillait sérieusement, et était parvenu à entrevoir des choses qu'elle n'avait même pas soupçonnées. « S'il est vrai qu'elle savait tout, en l'épousant, tante Angélica a trahi sa mère, non ? C'est également possible, et c'est très fort. Mais tout s'est peut-être passé différemment. Peut-être que Carrión a subi un infarctus rien qu'à la pensée que sa femme puisse découvrir, si longtemps après, ce qu'il avait fait à sa belle-mère. Et il y a encore une autre hypothèse, qui aurait mes faveurs, s'il s'agissait d'un pari. Il est fort probable qu'Angélica sache ce qui s'est passé dans les années 1940 et 1970, mais ignore que tu sois allée voir son mari il y a un mois et demi. Il voulait que personne ne le sache, et personne signifie précisément cela : personne. Voilà pourquoi je te dis qu'on ne sait rien. Et que si tu vas la voir, il est possible qu'elle te jette hors de chez elle, qu'elle appelle ses enfants, qu'elle prévienne la police, qu'elle ait un malaise, qu'elle devienne hystérique... Bref, rien de bon. »

Raquel Fernández Perea écouta tous ces arguments avec un grand intérêt, et se reprocha une fois de plus sa négligence, cette faiblesse qui était née dans son esprit traîtreusement et à contretemps, et qui la maintenait distraite, absente, incapable de bien réfléchir.

Le jour où elle s'était rendue à l'enterrement de Julio Carrión, elle n'avait pas de plan précis. Elle était disposée à se faire rembourser la dette par les héritiers, mais elle n'avait pas encore décidé comment, ni quand. Elle n'était pas pressée non plus. Les héritages des riches sont longs, compliqués, requièrent un inventaire minutieux, une répartition difficile, une stratégie fiscale considérable, et celle-ci ne serait pas résolue avant de longs mois, peut-être même pas avant un an. Et il ne serait pas facile de trouver une autre occasion de voir ensemble tous les membres de la famille Carrión. Ce fut cette raison, et non l'urgence, qui la poussa au cimetière de Torrelodones un matin de mars lumineux et glacé. Elle n'était pas très sûre que l'information qu'elle pourrait en tirer lui serve à grand-chose, mais elle avait l'occasion d'étudier l'aspect, les gestes, le style, la façon de s'habiller et de se comporter de ces parents lointains qu'elle avait vus une seule fois dans sa vie, presque trente ans auparavant, et c'eût été une sottise de ne pas en profiter. Elle ne s'attendait pas à autre chose qu'un enterrement classique, des manteaux noirs, des lunettes noires, des mouchoirs serrés dans des poings tremblants, amour, douleur, et une famille prise au dépourvu, plongée dans sa souffrance, exposée à la curiosité générale, mais elle ne pouvait pas écarter le fait qu'il y ait peut-être des frères et des sœurs fâchés entre eux, et éventuellement ce type de données pouvait lui être utile.

Quand elle vit un homme seul, à l'écart des autres, à mi-chemin entre la porte et la tombe, elle crut que c'était une simple connaissance des Carrión, peut-être un employé, quelqu'un qui ne faisait pas partie de la famille du défunt. Mais il l'avait entendue arriver et avait tourné la tête pour la regarder, et à cet instant, Raquel Fernández Perea sentit le sol se dérober sous ses pieds. Les talons de ses bottes s'enfoncèrent dans la terre sombre et humide en affrontant le regard d'un inconnu qu'elle connaissait déjà, qu'elle avait souvent vu sourire sur certaines vieilles photos. Même si l'homme qui était devant elle était plus âgé que le jeune homme qui savait sourire d'une façon si charmante en posant pour les photos de groupe, il était aussi bien sûr plus jeune que le vieil homme qui n'avait pas perdu le souvenir de ce sourire. Si elle les avait connus tous les deux au même âge, elle aurait pu apprécier certaines différences. Mais à la distance du temps et de l'espace qui l'éloignaient de l'un comme de l'autre, ses cheveux noirs, épais, à peine ondulés, lui semblèrent identiques, comme sa tête, son visage à la peau mate et aux mâchoires carrées, au nez long et fin, la bouche par contre très bien dessinée et les lèvres épaisses, d'une souplesse surprenante. Il avait les yeux foncés et d'épais sourcils, comme deux traits noirs et précis qui deviendraient blancs avec l'âge, sans nuire à la qualité scintillante de son regard. Parce que cet homme, qui ne pouvait être Julio Carrión, était Julio Carrión, une copie presque conforme du visage, du corps qui allait se fondre avec la terre, disparaître pour toujours et rester en même temps ici, dans les yeux qui la regardaient.

Elle devint si nerveuse qu'elle ne put soutenir longtemps leur regard. Elle s'obligea à détourner le sien, alluma une cigarette, tenta d'avancer, se rendit compte que la boue avait immobilisé ses talons, les libéra, fit quelques pas et regarda devant elle. Ce n'est pas son fils, non, parce que sinon il serait au bord de la fosse, avec les autres, songea-t-elle. Elle identifia immédiatement Angélica, qui avait les cheveux teints de la même couleur que jadis mais qui était devenue une vieille dame fragile, d'une minceur délicate. Elle était entourée de ses deux fils aînés, ceux qu'elle avait reconnus sur le site web, tous deux grands, blonds, pâles, à moitié chauves, se ressemblant autant que lorsqu'ils étaient enfants. Leur apparence s'ajustait admirablement à celle que Raquel avait imaginée, et les différenciait des deux autres hommes qui faisaient partie du groupe. L'un d'eux, châtain, barbu et l'air d'un soixante-huitard classique, entourait de ses bras une jolie femme blonde, aux yeux clairs, qui ressemblait beaucoup à sa mère. L'autre, plus petit, les cheveux très courts et la cravate noire, était le mari de Clara. Raquel la reconnut immédiatement, car elle conservait cette beauté douce et candide qui l'avait captivée lorsqu'elles étaient enfants. Près d'elle, il y avait deux femmes, mais aucun homme brun, que serait devenu l'enfant de douze ans qui, en 1977, était le seul des enfants de Julio Carrión à ressembler à son père.

Elle éteignit sa cigarette et le regarda à nouveau, maintenant il fumait et continuait à la regarder d'un air vague, où se mêlaient curiosité, surprise et quelque chose de plus, une qualité sereine, équilibrée, inhabituelle chez quelqu'un qui regarde une autre personne. C'était le regard de celui qui observe un tableau, un coucher de soleil, ou écoute une chanson qu'il aime. Raquel comprit que c'était Álvaro, ce devait être Álvaro, même s'il était seul, même s'il était à l'écart, même s'il donnait l'impression de ne pas vouloir se mêler aux autres. Si elle avait pu penser froidement, elle se serait réjouie de son isolement, qui était plus que ce qu'elle en espérait en arrivant à ce cimetière, mais elle ne pouvait plus penser froidement, ni n'osait même penser.

Cet homme n'était pas Julio Carrión, même si on aurait pu le croire, ce n'était pas possible, et beaucoup de temps avait passé. Elle n'était pas Paloma et pourtant, elle ne pouvait cesser de le regarder. Ce n'était pas raisonnable, ce n'était ni logique ni naturel, ce n'était pas normal, ce n'était pas bon, mais Raquel Fernández Perea, sa raison et ses desseins succombèrent à une attraction subite pour un homme qui n'était même pas lui, mais l'ombre d'un autre, et qui la plongea dans une confusion semblable à celle qu'éprouverait une novice candide, inexpérimentée, la première fois qu'elle se voit tentée, puis cernée par le démon. Alors, avant qu'elle ait eu le temps de traiter, de digérer tout cela, la cérémonie s'acheva. Les sanglots devinrent plus intenses pendant que le cercueil descendait au fond de la fosse, les fleurs volèrent, la veuve s'effondra, ses fils la soutinrent, et l'homme solitaire accourut vers eux, les prit dans ses bras, les embrassa, retrouva sa place dans ce deuil. Elle partit alors, en marchant très vite, sans tourner la tête, soudain consciente des risques qu'impliquait sa condition d'intruse.

Ensuite, elle s'était obligée à se situer en marge de cette fantaisie ridicule, morbide, dangereuse, mais depuis ce jour-là elle n'avait guère progressé. Elle avait beaucoup réfléchi à ce qu'elle savait et à ce qu'elle ignorait, elle avait pensé sans relâche à Angélica, à ses enfants, elle avait préparé les multiples variantes d'un discours semblable à celui qui lui avait permis de triompher sur un vieil homme pris au dépourvu, et aucune ne l'avait satisfaite. Le souvenir de ces yeux qui étaient et n'étaient pas ceux de Julio Carrión González interférait dans ses pensées et dans ses conclusions, lui montrait son propre manque de défense, l'affaiblissait.

Raquel Fernández Perea, qui était née, avait grandi parmi les fantômes, était désormais trop grande pour y croire, et savait que tout était une erreur, un mirage, la conséquence inévitable de son entêtement à se transporter à une autre époque, dans un autre pays, pour se plonger dans des passions qui ne lui appartenaient pas non plus. Mais ce qu'elle savait ne l'empêchait pas de pressentir que ces yeux sombres étaient un avertissement. Alors la colère revenait et sa maîtrise ne lui permettait pas non plus d'avancer. C'était la raison pour laquelle elle avait fait appel à Paco Molinero, une intelligence neutre, loyale, libre de préjugés. Et quand elle entendit ce discours qui rendait les choses plus difficiles afin de parvenir à les résoudre, elle comprit que sans lui elle ne serait pas arrivée très loin.

« Tu as raison », reconnut-elle après avoir réfléchi quelques instants, et c'était si clair qu'elle le répéta : « En fait, tu as raison. » Et cela suffit à lui faire voir les choses plus clairement. « Mais il y a une possibilité...

— Les fonds.

— Bien sûr.

— J'allais te le dire.

— Évidemment ! » Elle hocha la tête à plusieurs reprises. « Je ne comprends pas comment j'ai pu être aussi sotte. »

C'était la seule vérité irréfutable que Raquel Fernández Perea avait énoncée à Julio Carrión González lors de sa seconde visite. Avant cette entrevue, elle était passée aux archives du département commercial et y avait trouvé son nom ainsi que celui de certaines de ses entreprises. Elle ne fut pas surprise, car le profil du président du groupe Carrión correspondait à celui de ses clients les plus traditionnels : des entrepreneurs madrilènes qui s'adressaient habituellement à la Caja pour mener à bien leurs projets et y investissaient une partie de leur fortune personnelle, afin d'établir de bons rapports avec leurs interlocuteurs au cas où les choses viendraient un jour à mal tourner. Pour Carrión, comme pour la plupart des autres, les comptes personnels représentaient un volume d'affaires très inférieur à celui des transactions qu'effectuaient ses entreprises, non pas que la quantité fût négligeable en soi, mais parce que les mouvements, et donc les intérêts, les commissions, les gains nets, étaient pratiquement inexistants. Il n'avait fallu que quelques minutes à Raquel pour le constater, et elle avait calculé qu'il ne devait donc pas être très compliqué d'en assurer la gestion, mais la mort de Carrión l'avait conduite à abandonner plus tôt que prévu le chemin que Paco venait de lui signaler.

Le lendemain, à la première heure, elle alla voir directement Miguel Aguado, un garçon plus jeune qu'elle, laid, timide, à l'air sympathique, à qui elle n'avait pas dû parler plus d'une douzaine de fois en dix ans. Elle ne savait rien de son travail, mais il lui fut facile de vérifier que ce n'était pas un gestionnaire particulièrement brillant, même s'il jouissait d'une très bonne réputation et avait obtenu quelques succès importants. C'était un homme bien élevé qui l'accueillit avec un sourire, lui offrit un café et l'écouta sans l'interrompre.

« Dans ces conditions, lui dit-il, je ne vois pas d'inconvénient à te les passer, mais je te préviens que tu n'en tireras rien. Je connais de vue certains des fils, je te l'ai dit, et ce ne sont pas des clients à moi, parce que j'ai toujours traité

directement avec don Julio, mais je suis sûr qu'ils vont liquider les fonds. Je ne sais plus combien ils sont, mais je sais
qu'ils sont nombreux, et très riches. Ces histoires finissent
toujours de la même manière, tu le sais. Les familles nombreuses sont une ruine. »

Raquel sourit. « Je sais. C'est pour ça que Clara m'a appelée, j'en suis sûre. Jusqu'à présent elle avait oublié que je travaillais ici, mais elle le savait. Nous nous sommes vues
plusieurs fois, dans des dîners d'anciennes élèves. Quand nous
étions petites, nous étions très copines, mais s'ils ne comptaient pas liquider leurs fonds, elle ne m'aurait pas appelée,
puisque c'est avec toi que leur père a gagné de l'argent... De
toute façon, je t'ai dit qu'il s'agissait juste d'assurer la gestion
personnelle, de façon officieuse, en laissant tout tel quel. La
seule chose qu'ils veulent, c'est que je leur explique. Et si je
parviens à les convaincre, ce que j'essaierai de faire, ne serait-
ce que par déformation professionnelle, je te les repasserai,
bien entendu. Ils sont à toi.

— Déformation professionnelle, c'est amusant, dit Aguado
en souriant.

— Oui, mais ne te fais pas d'illusions... »

Ce n'était pas la première fois qu'elle passait ce genre de
marché avec un collègue, et ce ne serait pas la dernière. Écrire
à Angélica lui sembla encore moins difficile. Elle aurait pu en
charger une secrétaire, mais elle avait un modèle archivé dans
son ordinateur, et ne mit que cinq minutes à le compléter
avec les données nécessaires. Elle prit la précaution de signer
avec l'initiale de son nom, l'envoya par coursier le jour même
et croisa les doigts. Si Angélica soupçonnait son identité en
lisant la lettre, elle l'appellerait tout de suite. Sinon, et à ce
stade – elle aurait également choisi cette option si sa vie en
dépendait –, elle devrait attendre. Elle savait par expérience
que le délai de réaction des héritiers avoisinait le mois. Ils
répondaient rarement avant et le faisaient très souvent après.
Aussi décida-t-elle de ne pas s'énerver avant la mi-avril. Mais
Julio Carrión González était mort le 1er mars 2005, et il ne
restait qu'un jour avant la fin du mois quand Mariví lui
annonça la visite de sa veuve.

Je ne suis pas prête. Ce fut la première chose qu'elle
pensa. Elle n'était pas prête, et pourtant elle savait par cœur
ce qu'elle devait dire, dans quel ordre, avec quelle intonation,

et de quelle façon procéder. Si les choses se passaient bien, et elles n'avaient pas de raison de mal se passer, ce rendez-vous ne serait qu'une prise de contact, juste un prétexte pour en fixer un plus important, définitif, où elle se rendrait avec un porte-documents en cuir marron qu'elle poserait sur la table au moment opportun.

Elle avait une grande habitude de recevoir des héritiers et de leur assener un discours identique à celui qu'entendrait Angélica Otero Fernández ce matin-là, mais elle avait prévu un entretien très différent : un appel téléphonique, une conversation brève mais suffisante pour se faire une idée du genre de femme avec lequel elle allait traiter, et une série considérable de propositions et de contre-propositions enrobées d'exquise courtoisie. Elle préférait voir la veuve de Julio Carrión dans son bureau car elle s'y sentait plus forte, plus assurée. Elle avait même prévu l'éventualité où Angélica alléguerait des raisons de santé, ou d'abattement, pour ne pas se rendre à la banque, et elle était décidée à répondre immédiatement que, dans ce cas, elle ne voyait aucun inconvénient à se rendre à son domicile, car ces affaires, vous le savez, sont délicates, et notre expérience nous a appris qu'il vaut mieux les traiter directement avec la famille, sans intermédiaires qui accèdent à des informations qui ne les regardent pas.

C'était ce qu'elle allait lui dire, et elle le savait. Elle avait choisi minutieusement les verbes, les pronoms, le numéro de la première et de la deuxième personne : bien sûr, ce n'est pas urgent, je peux attendre tout le temps dont vous aurez besoin pour vous remettre. Ce genre de situation est terrible, je le sais, même si cela représente beaucoup d'argent bien sûr, et qu'il convient de ne pas trop retarder les décisions, nous avons une marge de quelques semaines, voire un mois si cela se révèle indispensable, fixez la date, l'important, doña Angélica, est que vous retrouviez le moral... Les choses se dérouleraient comme ça, comme elle l'avait prévu, et dans ces conditions, avec ces délais, tout se passerait bien. Mais elle avait envoyé la lettre le 20 mars, son destinataire n'avait pas pu la recevoir avant le lendemain, et neuf jours plus tard elle était déjà là, frappant à sa porte sans s'être donné la peine de téléphoner auparavant. Raquel ne comprenait pas, mais elle ne pouvait pas la faire attendre non plus. Après tout, c'était une cliente.

« Entrez », dit-elle enfin, avec un accent courageux, presque musical. Et le sosie de Julio Carrión entra dans son bureau.

Quand elle le vit, elle se leva sans être consciente d'avoir donné à son corps l'ordre de le faire et, en se sentant chanceler, appuya les mains sur la table. Ce n'est pas possible, ce n'est pas possible, cela n'est pas en train de se passer. Mais elle ferma les yeux, les rouvrit, et Álvaro Carrión était toujours là, aussi étonné, aussi stupéfait qu'elle-même.

« Excusez-moi, mais... j'attendais votre mère, parvint-elle à dire.

— Oui, mais je suis venu à sa place. » Le son de sa voix la rassura, car elle ne ressemblait pas à celle de son père. « Comme votre sympathique réceptionniste ne m'a même pas demandé mon nom...

— Oui. » Elle parvint à sourire comme si elle faisait semblant de s'amuser de cette prouesse. « Mariví est très particulière. » Elle se demanda ce qu'elle devait faire ensuite et s'en souvint. « Je vous en prie, asseyez-vous. »

Quand il fut parti, elle regagna très lentement son siège, le fit pivoter pour se placer face à la fenêtre, regretta la lumière, et ne se rendit compte qu'alors qu'il pleuvait. Elle se sentait très mal, mais n'avait pas la force de se demander pourquoi. Le téléphone sonna avant qu'elle n'ait repris ses esprits.

Paco commença par le début. « Tu es seule ?

— Oui.

— Alors, comment ça s'est passé ?

— Très mal... » Elle fit une pause, respira, elle n'avait même pas envie de parler. « Ce n'est pas elle qui est venue mais son fils, le plus jeune, celui que j'ai connu le jour où je suis allée chez lui avec mon grand-père.

— Ce n'est pas si étonnant, dit-il avec un calme qui la déconcerta un moment. Alors, qu'est-ce que ça a donné ?

— Ça n'a rien donné, Paco, il ne s'est rien passé. Je lui ai fait mon discours, je lui ai donné les papiers, je lui ai dit de les regarder chez lui, au calme, et il est parti. » Arrivant à la fin de sa phrase, elle respira et se sentit mieux. « C'est fini.

— Comment ça, c'est fini ? demanda-t-il, interloqué.

— Eh bien oui, parce que je t'ai dit qu'avec les fils il n'y avait rien à faire, et je... Je ne sais pas, je suis devenue très nerveuse, je ne savais que lui raconter, que dire... S'il m'avait appelée avant, j'aurais pu avoir une idée, chercher une alternative, mais comme il est arrivé comme ça, je l'ai traité comme un client habituel, tu comprends ? Et maintenant, je ne sais pas, je...

— Mais qu'est-ce qui t'arrive, Raquel ? » Paco changea de ton. « Tu es affectée. Calme-toi, s'il te plaît. On dirait une débutante, vraiment. »

Ce terme de « débutante », une critique plutôt gentille, qui était dans son métier pire qu'une insulte, la fit réagir.

« C'est vrai », admit-elle et elle le répéta pour s'en convaincre. « C'est vrai, tu as raison. Il ne s'est rien passé de grave, sauf que je suis devenue très nerveuse... Mais je ne crois pas qu'il s'en soit rendu compte.

— Tant mieux. On trouvera un moyen d'arriver à la veuve, ne t'inquiète pas. On en parlera plus tard. Tu es prise à déjeuner ? »

Elle répondit que non et il proposa de réserver une table au restaurant de la rue Escalinata où ils avaient l'habitude d'aller quand ils déjeunaient ensemble.

Puis elle se rendit aux toilettes, se passa de l'eau froide sur le visage et se sentit mieux. En fin de compte, elle était née, elle avait grandi parmi les fantômes. Elle était habituée à leur compagnie et savait qu'ils avaient une forme, un poids, plus de consistance que certaines personnes vivantes. Elle savait aussi qu'elle ne devrait jamais raconter à personne ce qui s'était passé ce matin-là. Qu'elle s'était assise à côté d'Álvaro Carrión et n'avait pas pu le regarder dans les yeux. Que pendant qu'elle parlait, elle était plus attentive aux centimètres qui séparaient son bras du sien qu'aux mots qu'elle prononçait. Que lorsque le garçon était entré avec les cafés et qu'Alvaro Carrión avait dit qu'heureusement ce n'était pas Mariví qui les apportait car il était déjà mort de peur, elle s'était mise à rire, l'avait enfin regardé, et en constatant qu'il la regardait lui aussi elle avait ressenti une chose semblable à un craquement. Qu'elle ne pouvait pas se permettre de laisser craquer son corps, pas avec lui, pas avec un homme qui n'était même pas lui, mais l'ombre d'un autre, un fantôme, un produit maladif de son imagination. Et si cela ne l'était pas, c'était pire.

Elle ne pourrait jamais raconter ça à personne, et encore moins à Paco Molinero. Elle ne pouvait pas lui raconter qu'un quart d'heure de conversation innocente avec Álvaro Carrión l'avait bouleversée davantage que toute une nuit au lit avec lui, mais elle n'eut pas le temps de préparer une réponse adéquate, car la directrice du département commercial choisit ce moment pour l'appeler et vérifier avec elle les comptes d'un client à problèmes. Elle dut la laisser en plan lorsque Álvaro revint dans son bureau pour lui demander pourquoi elle était allée à l'enterrement de son père mais, par chance, sa superchef n'avait pas l'habitude que ses subordonnés la fassent attendre. Le téléphone sonna à nouveau quelques minutes plus tard, et malgré le ton âpre, impatient, de son interlocutrice, Raquel Fernández Perea éprouva le même bonheur qui inonde les oreilles d'un boxeur qui écoute une cloche quand il est sur le point de perdre conscience. À l'heure du déjeuner, elle ne s'était remise ni d'une chose ni de l'autre.

Paco accueillit la nouvelle d'un air soucieux. « Mais pourquoi es-tu allée à l'enterrement ? Tu ne m'en avais pas parlé.

— Eh bien non, parce que récemment encore cela n'avait pas d'importance. Je suis allée à l'enterrement pour les voir, pour savoir quel air ils avaient, comment allait Angélica, si l'un d'eux était mort... Je ne sais pas, ce n'est pas la même chose de négocier avec une femme qui est en fauteuil roulant qu'avec une veuve joyeuse, non ? J'ai trouvé ça intéressant, j'ai pensé que je pourrais vérifier certains détails.

— Oui, sur ce point tu as raison, mais tu aurais pu aller aux funérailles. Cela aurait été moins risqué.

— Et beaucoup plus inutile, Paco, ne crois pas que je n'y aie pas pensé. Aux funérailles, il devait y avoir beaucoup plus de monde, il devait même y avoir Aguado... » Elle fit une pause pour ordonner ses pensées, et affronta la difficulté d'expliquer les choses les plus évidentes avec des mots exacts. « À ce moment, j'ignorais que le gestionnaire de Carrión était Aguado, mais quelqu'un de la banque devait y aller, c'était clair, et pas seulement de la nôtre, il devait y avoir des gens d'autres banques. Et je ne voulais pas qu'on me voie, qu'on me reconnaisse. Et puis, je ne pouvais pas m'approcher pour présenter mes condoléances et l'église devait être pleine, bondée d'employés, d'associés, d'amis des enfants, de voisins et autres. Les Carrión sont nombreux, et leur père était entrepreneur, et riche. Dans ces conditions, je ne pouvais pas être sûre de les reconnaître sans me laisser voir plus qu'il ne me convenait. J'ai pensé à l'enterrement de mon grand-père, tu t'en souviens ? Bien sûr, tout le monde savait que pour lui il n'y aurait pas de funérailles, mais tu es venu, et tu as vu le cimetière, inutile que je te le décrive. Les gens arrivaient jusqu'à la porte. Si quelqu'un était venu nous regarder là, il n'aurait rien vu.

— C'est vrai, tu as raison.

— Voilà, c'est pour ça. Aucune église n'est aussi grande que le cimetière civil, mais de toute façon... J'étais sûre que les Carrión étaient catholiques, ou du moins qu'ils allaient enterrer leur père selon le rite catholique, une cérémonie privée et une autre publique. Et si l'enterrement avait été à la Almudena, où je me perds à chaque fois, cela aurait été différent, mais... pourquoi aller à une cérémonie publique, alors que je pouvais aller à une privée, qui avait de surcroît lieu dans un cimetière de village, accessible, tout petit, où l'on ne peut rien rater ? » En parlant, ses arguments lui semblaient si justes, si parfaits, qu'elle ne comprenait pas comment tout avait pu si mal tourner. « C'était clair, je croyais que c'était clair. Le faire-part ne mentionnait pas l'enterrement, juste les funérailles, et cela signifiait qu'ils ne comptaient prévenir personne, c'est pour cela que je suis arrivée en retard, pour les trouver occupés, concentrés sur le discours du curé. Je ne pouvais imaginer qu'un de ses fils allait se trouver seul, à l'écart des autres, qu'il allait me voir et qu'ensuite ce serait lui, précisément lui, qui viendrait à la place de sa mère. Tout a été le fruit du hasard... Je ne sais pas, incroyable, monstrueux. Si ma vie était en jeu, je n'aurais jamais misé dessus, reconnais-le. »

Paco lui adressa un regard bienveillant. « C'est vrai. Je n'aurais jamais misé un centime dans ce pari. »

Puis ils attaquèrent en silence le premier plat, qui avait refroidi, et ils en laissèrent la moitié tandis qu'ils commençaient la seconde bouteille de vin.

Il se lança le premier. « Qu'est-ce que tu vas faire, maintenant ? »

Elle ruminait la réponse depuis des heures : « Je ne peux, bien entendu, pas lui dire la vérité, alors... Je ne sais pas, je vais devoir inventer quelque chose.

— Arrange-toi au moins pour expliquer ta présence à l'enterrement, Raquel. »

Elle regarda Paco, et bien que son regard soit toujours aussi bienveillant, elle se sentit attrapée, traquée. « Oui, je sais... Ne crois pas que je l'ignore. Il faut quelque chose qui explique l'enterrement, qui n'implique pas Aguado, qui ne passe pas par l'histoire de ma famille, et qui me permette de garder le million de la veuve... Tout ça, non ? »

Il lui adressa un regard compatissant. « Tout ça.

— Merde ! » Et elle eut soudain une énorme envie de pleurer.

« Et oui, je dois dire que ça ne va pas être facile pour toi...

— Sans compter que je joue mon poste, bien sûr.

— Bien sûr. »

Mais je suis devenue folle, ou quoi ? pensa à nouveau Raquel Fernández Perea à ce moment. Comment ai-je pu me fourrer toute seule dans cette situation ? Le danger lui avait rendu sa lucidité, l'éclat qu'elle avait perdu en se regardant dans des yeux qui lui semblaient maintenant refléter un avertissement. Les gens ne vont pas aux enterrements d'inconnus. On aurait dit une sottise, c'était une sottise. Cela n'avait pas été autre chose avant de devenir la corde qu'elle portait maintenant autour du cou, l'épée dont la pointe lui caressait le crâne. Les gens ne vont pas aux enterrements des inconnus. Le plus simple aurait été de dire la vérité, de raconter au moins que Julio Carrión était une vieille connaissance de sa famille. Mais elle ne pouvait s'ériger en celle qui allait venger ses grands-parents, ses arrière-grands-parents, expliquer qu'elle était venue à l'enterrement par simple haine, pour se réjouir de la ruine de son ennemi, car cela ne ferait qu'exciter l'hostilité d'Álvaro Carrión. Cela le pousserait également à se poser des questions.

Elle s'était présentée comme la conseillère en investissements de son père et elle ne l'était pas. Elle avait dit à Aguado que Clara et elle étaient allées à la même université et c'était aussi un mensonge. N'importe lequel de ces deux détails, qui lui avaient semblé aussi triviaux, aussi insignifiants que d'aller faire un tour au cimetière de Torrelodones, suffirait à la faire plonger, à la laisser sans travail, à justifier son renvoi et même à la mettre sur une liste noire de conseillers financiers à qui on ne peut pas faire confiance et qu'une entreprise ne souhaiterait jamais engager. Si ses mensonges étaient découverts, sa propre entreprise serait très intéressée d'apprendre pourquoi elle avait menti et elle ne pourrait que répondre qu'un client aussi important pour Caja Madrid que don Julio Carrión González était en fait un voleur, un escroc et un salopard, c'est-à-dire le genre de personne à l'enterrement duquel personne ne souhaite aller. Elle ne pouvait pas choisir une partie de la vérité sans la raconter tout entière, et cela revenait à avouer quelque chose qui n'était peut-être pas un délit, mais lui ressemblait beaucoup. Cela faisait plus de quatre heures qu'elle réfléchissait à sa situation et elle n'en avait jusqu'alors vu que les difficultés. Mais je suis devenue folle, ou quoi ? Il n'y avait pas la moindre issue.

« Quelle horreur ! Je ne sais pas comment je vais m'en sortir », conclut-elle alors, à voix haute.

Elle n'attendait pas de réponse, mais Paco lui en fournit une aussi catégorique qu'évidente.

« Par le haut. Toujours par le haut. Tu ne peux pas reculer d'un seul millimètre, Raquel. Ne pense pas à te défendre, mais à attaquer. C'est ce que tu as fait jusqu'à présent et tu l'as très bien fait. Tu dois continuer comme ça.

— Ah oui ? Et comment ? » Elle put au moins recommencer à sourire.

« Je ne sais pas, reconnut-il. Je ne sais pas encore, mais on va bien trouver. On a trois jours, quatre en fait, la moitié d'aujourd'hui, et une moitié de lundi. Tu as été brillante, tu vois ? Je ne veux même pas penser à l'état dans lequel on serait si tu l'avais laissé revenir demain... »

Ensuite, Paco voulut payer l'addition et elle s'y opposa, mais elle se laissa volontiers raccompagner en taxi.

Quand elle se retrouva seule, elle se demanda par où commencer et ne sut que se répondre. Elle avait beau ne jamais travailler comme ça, elle décida donc d'adopter la méthode de son ami, et s'assit devant son secrétaire avec un paquet de feuilles et une plume. Mais après avoir rempli une demi-douzaine de feuilles très rapidement, elle comprit qu'elle ne savait comment continuer et aussi qu'elle ne parvenait pas à garder les yeux ouverts. Elle avait bu beaucoup de vin et s'endormit immédiatement après s'être couchée. Elle se réveilla trois quarts d'heure plus tard, la tête engourdie et la langue sèche, mais elle ne pouvait s'accorder aucune trêve.

Elle se lava le visage à l'eau froide, prit les feuilles qu'elle avait rédigées et les emporta au lit.

Elle avait toujours mieux réfléchi allongée, et elle le constata une nouvelle fois en relisant ce qu'elle avait écrit, un tas de sottises qu'elle aurait pu réciter par cœur sans prendre la peine de les noter d'abord. Il était évident qu'un enterrement constituait une cérémonie intime, évident qu'elle voulait attirer l'attention des enfants de Carrión le plus loin possible de son travail, évident qu'elle n'avait pas intérêt à révéler sa parenté avant le moment opportun, et évident que le mieux était de s'inventer une sorte de relation personnelle avec le défunt ou, mieux encore, avec un de ses parents, mais elle n'avait pas trouvé comment intégrer ces évidences à une autre évidence, fictive et avantageuse. Elle avait pensé à ses grands-parents, à ses parents, aux enfants de Carrión, à leurs conjoints, à d'anciennes commissions, à des demandes difficiles à expliquer, des amours platoniques, des jalousies intolérables, et le résultat était pathétique.

J'ai toujours été amoureuse de votre beau-frère et je voulais le voir, juste ça, il ne me connaît pas, car je ne suis tombée amoureuse de lui que de vue, je ne sais même pas comment il s'appelle... Mon grand-père connaissait votre père depuis toujours. Ma famille est de Madrid et passait ses vacances à Torrelodones, un jour votre père a prêté de l'argent à mon grand-père, je suis venue vous le rendre et... J'aimais beaucoup votre père, bien que je ne l'aie pas vu souvent, il sortait toujours des bonbons de derrière mes oreilles et je m'étais prise d'affection pour lui, c'est pour cela que je suis allée à l'enterrement, et j'aurais aimé vous dire bonjour, mais il était tard et j'ai dû vite repartir à Madrid... Je me suis trompée d'enterrement. Je me rendais à un autre enterrement, à Guadarrama, mais j'ai confondu les noms, et voyez quel hasard ! Il s'est trouvé que c'était votre père que l'on enterrait là, et il était un de mes clients...

Elle aurait pu continuer à inventer de mauvaises excuses toute la nuit, mais la sobriété lui rendit une donnée que l'ivresse lui avait enlevée. Les anecdotes triviales ne servaient à rien, car le fils de Carrión avait réussi à la traquer, à la pousser dans les cordes de son propre bureau. Elle n'avait pu lui offrir d'autre réponse qu'un silence imprégné de nervosité et une pudeur inappropriée chez une professionnelle experte, et il s'en souviendrait. Elle devait envisager une autre direction, appliquer toute la force du verbe attaquer et se concentrer sur Álvaro, élaborer une invention qui déborde ses attentes. Ce ne fut que lorsqu'elle s'efforça de se détacher de sa propre mémoire pour contempler ce qui était arrivé à travers les yeux de cet homme, qu'elle parvint à retrouver son calme et à composer une scène différente, beaucoup plus audacieuse, plus risquée et digne d'elle.

Elle semblait tellement cinématographique qu'elle n'écartait pas la possibilité de l'avoir vue dans un film, mais c'était la meilleure idée qu'elle ait eue de tout l'après-midi, et elle était à la hauteur de son talent. « Après tout, j'ai été comédienne », se dit-elle en imaginant qu'il l'attendrait devant la banque, qu'elle l'entraînerait dans un bar, s'assoirait de l'autre côté d'une petite table et le regarderait dans les yeux. « Ne me posez pas de questions, écoutez-moi. Je ne peux pas parler et vous ne devez pas savoir. Votre père s'était mis dans un beau pétrin, et à part lui, nous n'étions que deux personnes à le savoir. J'étais l'une des deux, et je craignais que l'autre ne vienne à son enterrement, qu'elle vous parle, qu'elle fasse un scandale. C'est la raison pour laquelle je suis allée à Torrelodones, mais en voyant qu'elle ne venait pas, je suis partie sans rien dire, car je ne voulais pas vous inquiéter sans raison. Et il vaut mieux en rester là, du moins pour le moment, et que vous n'en parliez à personne, je vous le dis pour votre bien. Si dans les prochains mois un inspecteur des impôts au nom à rallonge prend contact avec vous à propos des opérations financières que votre père a pu effectuer avec notre établissement, appelez-moi. Sinon, et pourvu qu'il en soit ainsi, oubliez cet entretien. Je ne peux rien vous dire de plus, je suis obligée d'être discrète dans votre propre intérêt, et dans celui d'autres clients concernés eux aussi. Au revoir, monsieur Carrión, ce fut un plaisir... », lui dirait-elle alors.

« Ça sonne bien », dit-elle à voix haute.

Alors le téléphone sonna.

« Oui ? »

C'était Paco Molinero. « Je crois que j'ai trouvé.

— Moi aussi. » Et elle sentait un soulagement si grand, si proche de l'euphorie, qu'elle se mit à rire. « Bon, il faut le perfectionner un peu, mais...

— Allez, raconte-moi. »

Elle récita le discours qu'elle venait d'inventer et, ce faisant, en détecta, un par un, tous les défauts qu'elle n'avait pas vus auparavant. Mais lorsqu'elle termina Pablo émit un sifflement admiratif.

« Ce n'est pas mal du tout. Le nom à rallonge de l'inspecteur des impôts lui donne un côté très crédible.

— Tu crois ? » Elle ne semblait plus sûre de rien. « Je ne sais pas, il m'a semblé qu'il était mieux de compliquer les choses, de donner trop d'information et de la déformer. Ça fait plus vraisemblable, et puis ça noie le poisson.

— Bien sûr. Moi aussi j'ai pensé à quelque chose d'assez semblable.

— Ah oui ? » Et l'euphorie s'était déjà évanouie comme un ballon crevé. « En te racontant cette histoire, je n'y ai pas cru, tu sais ? Parce que pour se tirer d'affaire elle n'est pas mal, mais c'est une histoire qui a une suite, non ? Je veux dire qu'il peut se considérer comme satisfait ou non, et si c'est non...

— Il continuera à poser des questions.

— Bien sûr. »

Paco était toujours très enthousiaste, ou du moins s'obstinait-il à le paraître. « Pour l'instant, c'est mieux que rien, non ? Pense à ce qui ne va pas, et demain on voit ça ensemble... »

En raccrochant, elle retourna au lit et s'allongea entièrement sur le dos, les mains croisées et placées sur sa poitrine comme un cadavre. C'était sa position de réflexion. La dame mystérieuse était très bien, oui, certes, mais l'homme docile et prudent... Raquel se rappela Álvaro Carrión, ses yeux, ses sourcils, le profil qu'il avait hérité d'un dur à cuire et sa propre dureté à elle, le ton d'abord ambigu, voire benoît, puis âpre, progressivement catégorique, sur lequel il s'était adressé à elle lorsqu'il était revenu à son bureau. C'était tout ce qu'elle savait de lui, et c'était trop peu pour prévoir sa réaction dans une scène qu'elle venait de concevoir. Elle avait considéré comme évident que le fils de Carrión allait entrer dans son jeu, qu'il n'allait pas poser de questions, qu'il allait prendre peur, mais c'était beaucoup supposer. « N'en parlez à personne, je vous le dis pour votre bien... » Si son discours ne l'impressionnait pas et s'il se mettait à poser des questions, elle devrait tôt ou tard inventer un scandale financier. Pour elle, ce n'était pas très difficile, mais fabriquer des preuves, c'était autre chose. Elle n'avait aucune idée sur la façon dont elle allait introduire l'argent dans la conversation, et cela sans compter qu'Aguado devait toujours être dans la course. Si elle avait appris quelque chose pendant toutes ces années au travail, c'était que dans les scandales financiers il y avait toujours trop de gens impliqués.

Ce fut alors, qu'elle sentit s'illuminer un projecteur au centre de son cerveau, et vit soudain tout l'échiquier, ses pièces et celles de l'adversaire, placées avec une précision étonnante sur le quadrillage noir et blanc.

« Non », dit-elle en se redressant. Et, après s'être assise au bord du lit, elle répéta : « Non, non... »

L'association d'idées avait été impeccable. Les scandales financiers sont pluriels quasi par définition, et ce qui l'intéressait, elle, était une relation plus intime. Il n'y a pas de relation plus intime que celle qui se passe dans un lit. Le lit éliminait Aguado, et, d'ailleurs dans son bureau avant lui, il y avait eu cette fille si terne qui s'appelait Regla et avait l'air d'une sainte Nitouche. Regla ne travaillait plus nulle part, car elle avait eu des relations intimes dans un lit avec un très gros actionnaire d'Unión Fenosa qui avait l'âge d'être son grand-père, et elle l'avait épousé.

« Pas question. »

Elle se leva d'un bond, alla dans la salle de bains, se passa de l'eau froide sur le visage et regagna son lit, disposée à penser de façon plus sensée, mais son cerveau avait commencé à fonctionner, et elle ne sut plus comment l'arrêter.

Les idées s'ordonnaient seules pour avancer avec autant d'harmonie que les pions du champion du monde dans une partie simultanée contres les élèves d'une école primaire. Coucher avec les clients n'est peut-être pas élégant, mais ce n'est pas un délit. Tout le monde le fait, surtout les femmes, car elles ont plus d'occasions, mais les hommes aussi, lorsqu'il s'en présente une. La relation entre un millionnaire et la personne qui gère sa fortune est suffisamment intime pour déboucher naturellement sur un matelas d'un mètre cinquante sur deux. On ne renvoie personne pour avoir couché avec un client, essentiellement parce que personne ne l'apprend à temps. La clandestinité fait partie de la tradition autant que le sexe en soi. Avec ces nombres comportant tous ces zéros, les professionnels de l'argent savent qu'ils n'ont pas intérêt à s'embarrasser avec des bêtises. Et si les vivants ne parlent pas, les morts le font encore moins. Si personne n'avait jamais su qu'une conseillère en investissements avait couché avec un client vivant, on saurait encore moins qu'elle avait couché avec un mort. Ce serait sa parole contre celle de personne, mais pas seulement sa parole. Álvaro Carrión n'aurait ni le temps, ni la possibilité de soupçonner qu'elle lui mentait, si elle sortait à temps la clé d'un appartement situé dans un immeuble de la rue Jorge Juan.

« Non, non, ce n'est pas possible. »

Elle se releva, retourna dans la salle de bains, et, en se regardant dans la glace, se rendit compte qu'elle n'obtiendrait pas un résultat différent de celui qu'elle avait récolté quelques minutes plus tôt...

« Résultat, si ma grand-mère l'apprend, je la tue elle aussi, par une nouvelle contrariété... », conclut-elle, car elle voyait les choses de plus en plus clairement.

L'argument semblait trop risqué, trop complexe, et baroque, élaboré, pour justifier sa simple présence à un enterrement où elle n'avait rien à faire, mais il en finissait une fois pour toutes avec ses problèmes. Cela ne plairait certainement pas à Álvaro Carrión que son père ait une maîtresse, il était même probable qu'il le déplorerait, mais il ne pourrait jamais écarter cette possibilité. Tous les êtres humains se ressemblent, ce sont des créatures ordinaires, très simples en fin de compte. Et parmi les choses qu'ils ont en commun, il n'y a pas que le sexe. Il y a aussi, de la Bible aux couvertures de la presse du cœur d'aujourd'hui, l'ambition de déjouer la décrépitude, d'égarer la mort. Julio Carrión avait quatre-vingt-trois ans, mais il ne les faisait pas. C'était un vieil homme fort, vigoureux et même séduisant, le développement naturel du jeune homme charmant qui avait toujours eu beaucoup de succès auprès des femmes. Álvaro devait savoir tout cela. Peut-être n'aimerait-il pas découvrir que son père avait eu une maîtresse qui aurait pu être sa fille, voire sa petite-fille, mais lui aussi était un homme, plus si jeune, et – si les instincts d'une conseillère en investissements habituée à cataloguer les inconnus d'un coup d'œil et à ne pas se tromper servaient à quelque chose – avec un penchant indiscutable pour les femmes. Il était donc raisonnable d'estimer qu'il pouvait se sentir contrarié, mais aussi complice de la dernière aventure de son père.

Elle se rendit à la cuisine, se prépara un œuf mayonnaise, aliment qui la consolait le mieux, ouvrit une boîte de bonnes asperges, une autre de thon encore meilleure, sortit du réfrigérateur un paquet de pain de mie, posa le tout sur un plateau et l'emporta sur la table qui se trouvait devant la télévision. Elle actionna la télécommande jusqu'à ce qu'elle trouve un bon vieux film en noir et blanc. Il était espagnol et elle aurait préféré un film américain, un policier, mais elle rit beaucoup en voyant Pepe Isbert habillé en esquimau en plein été.

C'était risqué, c'était complexe, baroque, et élaboré, mais aussi, et surtout, c'était parfait. Raquel se rappela sa propre intuition : il vaut mieux compliquer les choses, donner trop d'informations et les déformer, ça fait plus vraisemblable et puis ça noie le poisson. Ce jugement, elle l'avait formulé pour Paco Molinero sans saisir encore sa véritable qualité, et elle comprit qu'elle ne trouverait pas de meilleure solution. Elle était allée à l'enterrement de Julio Carrión pour observer sa famille et en tirer des conclusions, et malgré tout, elle avait bien fait son travail. En ce matin lumineux et froid, elle avait remarqué que le fils qui se trouvait à l'écart ne portait pas de costume bleu ou gris, pas même une cravate. Et en le voyant dans son bureau, elle avait à nouveau remarqué son jean et sa veste en daim, si peu en accord avec le style des héritiers de millionnaires. Même s'il existait une secte catholique ultra réactionnaire qui se caractériserait par une façon progressiste de s'habiller, et même si Álvaro Carrión y appartenait, aucune dose de colère, aucun accès de rage ou d'indignation, ne lui permettrait de faire du mal à la dernière maîtresse de son père. Que cela lui plaise ou non, il devrait tout avaler sans mâcher, car derrière la clé de cet appartement il ne trouverait que les écritures d'une donation peut-être trop généreuse, mais scrupuleusement légale. Les motifs qui auraient poussé un vieil homme, dont toutes les facultés mentales étaient intactes, à les signer peu avant de mourir ne pourraient jamais les invalider. Les morts ne parlent pas. Il était fort peu probable que la famille Carrión opte pour le scandale, car la valeur de l'appartement devait représenter très peu de chose en comparaison de ce qu'ils allaient recevoir, et même si c'était le cas, les chefs de Raquel Fernández Perea ne pourraient jamais démentir sa version. Elle était sûre que Julio Carrión avait bien fait les choses et que, suivant ses instructions, Sebastián aurait effacé toutes les traces du chemin qui l'avait conduite de la rue Ávila à la rue Jorge Juan.

Quand elle se coucha, elle pensa qu'elle ne parviendrait pas à s'endormir, et pourtant, elle ne se retourna pas longtemps dans son lit, juste ce qu'il fallait. Après avoir examiné attentivement ses arguments, elle comprit que la plus grande qualité de son plan consistait en sa capacité à résoudre ses problèmes à court terme, sans éliminer ses attentes pour l'avenir. Maintenant, tout dépendait de la réaction d'Álvaro. Si ses révélations l'indignaient ou le rendaient furieux, il serait compliqué d'arriver à sa mère, mais si son esprit était en accord avec les vêtements qu'il aimait porter, le plus probable était qu'il garde le secret pour lui, et Angélica reprendrait alors la place qu'elle lui avait elle-même assignée jusqu'à ce que son fils fasse irruption dans son bureau. Elle allait devoir trouver un moyen de suivre les mouvements de son interlocuteur et attendre un certain temps avant de passer à l'étape suivante, mais rien de grave n'allait survenir le lundi. Ce fut pour cette raison qu'elle dormit d'une traite, et le lendemain se leva avec des forces intactes.

Ce fut tout. Ensuite, quand le mensonge se mit à rouler, quand il grossit pour devenir de plus en plus gros, et qu'il parvint à changer de forme pour se glisser, s'infiltrer partout et se suspendre à un fil aussi ténu que sa propre nature, Raquel en viendrait à trouver incroyable que son imposture soit née au cours de ces voyages successifs à la salle de bains où elle croyait n'avoir fait rien de plus grave que de se mouiller le visage afin de continuer à réfléchir. Ensuite, quand elle commença à se sentir prisonnière de ce mensonge, elle se demanda où ses réserves, ses craintes aboutiraient lorsque cette folie commencerait à lui plaire, ou plutôt, lorsqu'elle cesserait de lui déplaire. Comment était-elle parvenue à se séparer si facilement de l'instinct qui avait fait sauter toutes les alarmes devant la perspective de devenir la maîtresse de Julio Carrión même dans une fiction inoffensive, stratégique. Elle ne réussirait jamais à se l'expliquer entièrement, mais elle se rappellerait toujours à temps qu'elle n'avait pas été animée que par l'ambition et l'avarice. Elle avait surtout été poussée par la peur, une passion espagnole, si familière. Peut-être

aussi par le temps, qui filait vite et ne lui permit pas de s'arrêter, d'étudier ses mouvements, de bien les planifier, de réfléchir à deux fois à ce qu'elle allait faire.

Son plan n'était pas seulement risqué, complexe, baroque,
élaboré et parfait et pendant qu'elle prenait son petit-déjeuner,
elle comprit également qu'il allait être laborieux. L'appartement de Jorge Juan était la pièce maîtresse de la partie, celle
qui allait réussir l'échec et mat sur l'échiquier imaginaire sur
lequel elle jouait contre les Carrión depuis l'après-midi de la
veille, mais ne serait efficace que si elle parvenait à faire de cet
appartement une scène vraisemblable. Elle devait le remplir
d'objets, le semer de mines, de pistes fausses et authentiques
comme des appâts vivants embrochés sur un hameçon. Tout
ce qui survint fut peut-être dû au fait qu'elle n'eut pas le temps
d'y réfléchir à deux fois, et qu'elle se livra avec enthousiasme
à cette tâche et que, même si elle ne put pas le croire ensuite,
elle s'amusa.

« Comment ça va ? »

Ce jour-là, Paco vint travailler tard, mais la première
chose qu'il fit en s'asseyant à son bureau fut de l'appeler.

« Beaucoup mieux, parce que j'ai tout perfectionné. »

Elle était parvenue à le surprendre. « Ah oui ? Tout quoi ?

—Tout. » Et elle se mit à rire. « Le scandale financier est
terminé.

— Et alors ?

— Ouh ! C'est une longue histoire. Tu fais quelque chose,
cet après-midi ? Si tu veux, on mange rapidement et je t'explique. J'aimerais qu'après tu m'accompagnes quelque
part... »

Il semblait plus que surpris. « Quelque part ? Je n'y
comprends rien. Tu me fais peur, Raquel.

— N'aie pas peur parce qu'il n'y a pas de quoi s'affoler.
Ce n'est pas dangereux non plus. Je veux que tu m'accompagnes dans un sex-shop. Je pourrais y aller seule, mais...

— Dans un sex-shop ?

— Oui. J'imagine que tu n'y comprends rien, mais tu ne
connais pas encore la meilleure. Tu parles à la dernière maîtresse de Julio Carrión González. » Elle attendit une réponse,
un commentaire, mais son ami était devenu muet. « Tu ne
m'as pas dit que ce qu'il fallait, c'était attaquer ? On peut diffi-
cilement faire plus... »

Pourtant, quand elle le retrouva, elle était plus nerveuse qu'elle ne s'y attendait, et elle le regarda pendant un bon moment dans les yeux avant de se mettre à parler. Elle le connaissait très bien, et elle savait que s'ils formaient une bonne équipe c'était parce que chacun des deux avait le courage de pallier par ses capacités les déficiences de l'autre. Raquel était plus imaginative, plus courageuse et beaucoup plus audacieuse. Paco avait plus mauvais esprit, il était plus astucieux et beaucoup plus réaliste. Pour cette raison, l'auteur du plan s'attendait à des doutes, à des questions voire à des critiques, la réponse habituelle aux sauts périlleux qu'elle seule était capable de concevoir. Mais à la fin, Paco ne se contenta pas de se mettre à rire. Il applaudit également.

« Super, ma petite ! dit-il en riant. Mais c'est super, c'est génial, vraiment... »

Raquel se réjouit tant de son enthousiasme que lorsqu'ils entrèrent ensemble dans un immense sex-shop de la rue Atocha, elle sentit une effervescence rajeunissante, le genre d'impatience mêlée à de la témérité, à de l'émotion, à un rire intermittent, sot et débridé, qui avait toujours été le préambule de ses espiègleries enfantines, de ses folies adolescentes. Le vendeur s'en rendit peut-être compte, car il s'approcha tout de suite d'elle, et sourit avant de lui demander ce qu'elle cherchait.

« Eh bien voilà, je voudrais... » Elle réfléchit. « Je ne sais pas, entre douze et quinze films, pornographiques, bien sûr, mais normaux. C'est-à-dire, des hommes qui baisent avec des femmes, c'est tout. Pas de travestis, pas d'animaux, pas de mineurs, pas de sadomaso... Que ce soit légal, tu vois.

— Tu peux choisir toi-même. Ils sont juste derrière toi, dans ces deux couloirs, lui dit-il.

— Oui, mais je ne suis pas très au courant, alors je vais peut-être me tromper. S'il n'y en avait qu'un, mais une telle quantité... Ça peut me prendre tout l'après-midi. C'est pour ça que j'ai pensé que, si ça ne te dérange pas, tu pourrais choisir pour moi.

— Bon, répondit-il, perplexe, c'est très personnel, en général, mais si c'est ce que tu veux... »

Il sortit de derrière le comptoir et elle le suivit avec un panier en plastique à la main comme si elle s'apprêtait à goûter un nouveau fromage dans un supermarché. Elle était seule, car Paco lui avait dit qu'il allait faire un tour dans le magasin, mais elle n'eut pas besoin de lui pour répondre aux questions de son nouveau mentor.

« Des films avec des lesbiennes, oui, non ? À trois ? De la sexualité de groupe ?

— Bien sûr, c'est très classique. La seule chose, que ce ne soit pas trop déjanté, parce que c'est pour un monsieur très âgé, et... Je ne sais pas, je ne veux pas qu'il prenne peur.

— On a aussi des promotions. Des films plus anciens, mais ils peuvent t'intéresser.

— Non, je préfère qu'ils soient chers. Normaux, mais de qualité, disons. Je veux dire, rien de miteux, des gens élégants, jeunes, beaux, bref...

— Oui, oui, j'avais compris. Même si, je te préviens, les films bizarres coûtent plus ou moins le même prix.

— Oui, mais... Je me comprends. »

Son panier était presque plein quand elle vit Paco arriver avec le sien.

Il lui montra ce qu'il contenait et elle se mit à rire : « Choisis-en un. Je crois que ceux couleur métal sont plus sérieux, ils vont mieux avec don Julio. » Il se mit à rire lui aussi. « Mais ceux de couleur sont beaucoup plus jolis et te correspondent mieux.

— Mais, Paco, vraiment... » Elle étudia un moment les godemichés, l'un argenté, l'autre en plastique blanc, le troisième fait d'une sorte de caoutchouc mauve, le quatrième pareil, mais vert pistache. « Tu crois que c'est nécessaire ?

— Avec un fiancé de quatre-vingt-trois ans..., dit-il dans un éclat de rire, tu sais... Je crois que ça n'est pas de trop, c'est sûr.

— Alors le mauve, qui est plus républicain.

— Je me disais... » Mais le vendeur, qui avait écarquillé les yeux en entendant l'âge du fiancé de sa cliente, ne voulut pas encore révéler le fond de sa pensée.

« Quoi ? » lui demanda Raquel, qui avait surpris son expression, pendant qu'elle mettait le godemiché dans son panier.

Le garçon hocha la tête. « Non, rien. J'avais oublié ce que tu m'avais dit avant. » Raquel fronça les sourcils et il baissa la voix : « Tout doit être légal, n'est-ce pas ?

— Bon, en fait... » Elle s'approcha de lui et lui murmura à l'oreille : « C'est juste une façon de parler, tu sais. »

Il opina, avança vers le fond du couloir, et ils le suivirent.

« J'ai un collègue, à côté, qui vend du Viagra, dit-il en ne s'adressant qu'à Raquel. Dans les pharmacies, ils ne le vendent que sur ordonnance, tu sais. J'ai d'autres choses ici, mais sans couleur, je dois dire. C'est pour ça que j'ai pensé que, peut-être...

— Ça m'intéresse énormément. Énormément, vraiment...

— Combien tu en veux ? » demanda-t-il, composant un numéro sur son portable.

Elle réfléchit et ne changea pas d'avis : « Pour l'instant, deux... Ça me suffit. »

Alors, Raquel Fernández Perea comprit que tout allait bien se passer, car la chance était de son côté. Une fois dans la rue, portant deux sacs en plastique vert sombre, opaque et sans aucune marque, elle réfléchit à nouveau. Paco l'accompagna au bar où les attendait le dealer, mais il partit tout de suite.

« J'ai rendez-vous avec une nana et je suis en retard..., dit-il en regardant par terre comme s'il avait honte de ne pas l'avoir dit plus tôt. Je vais sûrement passer le week-end en dehors de Madrid, mais s'il y a un problème, tu peux me joindre sur mon portable, d'accord ?

— D'accord, répondit-elle en l'embrassant. Tu n'imagines pas à quel point je te suis reconnaissante, vraiment, je ne peux pas te dire... »

Mais il aperçut à ce moment une lumière verte, la lâcha vite, leva la main pour arrêter un taxi.

« Désolé, Raquel, je dois partir, vraiment, je vais me faire tuer, on en parle lundi... » Et il s'en alla au moment où elle avait décidé de céder, de se laisser inviter à dîner, puis boire un verre chez lui, et de finir au lit.

Elle était tellement sûre que c'était ce qui allait se passer qu'elle en avait même envie, pas tellement en fait, mais assez pour se laisser faire joyeusement. Pendant qu'elle payait, l'atmosphère du lieu l'avait portée à faire des calculs, et elle venait de se rendre compte qu'elle n'avait couché avec personne depuis la nuit du 31 décembre, quand Berta l'avait entraînée dans une fête où elles avaient rencontré un acteur qui lui avait plu sur le moment mais plus après. Sa campagne particulière de résistance, la négociation avec Sébastian López Parra, les retrouvailles avec Julio Carrión González, les secrets de sa grand-mère, ses visites au siège du Grupo Carrión, l'enterrement et ses conséquences l'avaient trop occupée pour penser au sexe. Et cependant, le manque d'intérêt de Paco était aussi un signe de la complicité du hasard, car si elle avait passé la nuit avec lui, elle n'aurait pas pu s'en débarrasser avant le lundi matin, et elle préférait travailler seule. À partir de cet instant, elle n'avait plus besoin de personne. Une fois la peur et le danger disparus, elle faisait plus confiance à ses propres capacités qu'aux avantages de n'importe quelle association. Elle fit toute seule et le fit bien. Elle n'eut besoin de faire appel à personne d'autre à la seule exception d'Ignacio, son frère, qui, le lendemain à l'heure du déjeuner, lui expliqua que les tout petits comprimés blancs qu'on met sous la langue s'appellent de la cafinitrine et préviennent les infarctus, et d'autres un peu plus gros et blancs eux aussi pourraient être de l'estatine, pour combattre le cholestérol.

« Tu veux les voir ? » lui demanda sa grand-mère en sortant la boîte à pilules de son sac, et elle ajouta qu'elle pouvait naturellement les garder. « À la maison, j'en ai tout un arsenal, enfin, c'est ton frère. Maintenant, je ne sais pas ce que tu veux en faire...

— Mais rien, tu as raison. C'était juste par curiosité... » Et elle remit la boîte à pilules dans le sac de sa grand-mère avec trois comprimés en moins, un petit et deux gros, qu'elle plaça tout de suite dans son paquet de cigarettes.

Le matin, elle avait acheté une petite boîte carrée en argent au couvercle rayé, très semblable à celle que Julio Carrión avait renversée sur la table lors de leur dernière entrevue, et un portemine en acier semblable à celui qu'elle avait vu accroché, toujours le même et au même endroit, à la poche de sa veste. Elle avait aussi fait l'achat le plus capricieux de sa vie, fromage, foie gras, fruits secs, biscuits salés et friandises, chocolats, une bouteille de whisky et une de gin, du Coca, du tonic, des serviettes en papier... Tout cela était déjà rue Jorge Juan, mais elle avait apporté chez elle ce qu'elle avait acheté pour la salle de bains parce que l'effet serait plus réussi si elle gardait ce qui était neuf et apportait à l'appartement ce qui avait déjà été à moitié utilisé. La seule concession qu'elle s'accorda fut un passage au bazar chinois du coin, où elle trouva des verres, des plats et des couverts bien meilleur marché que ceux du quartier de Salamanca. Pour choisir un DVD, elle avait suivi la même école, car l'opération garçonnière lui coûtait une fortune, même si elle savait que tout ce qui se trouvait rue Jorge Juan lui reviendrait tôt ou tard. Le hasard récompensa sa vocation de vierge sage en lui mettant sous les yeux deux douzaines de petites bougies placées dans des photophores en plastique transparent, qui semblaient fabriqués à dessein pour décorer le bord du jacuzzi.

Elle laissa les fantaisies pour la fin, et le dimanche après-midi, quand tous les appareils ménagers fonctionnaient, que le réfrigérateur avait commencé à fabriquer de la glace, que le lit était fait et les cendriers sales, elle se servit un verre, se déshabilla, tourna le robinet de la baignoire et laissa tomber du gel douche dedans. Puis elle disposa les bougies, les alluma, sortit le godemiché de son emballage et entra dans l'eau avec lui. « Si tu n'as pas envie de l'étrenner, il faudrait le laver plusieurs fois pour qu'il ne sente pas le neuf », lui avait conseillé Paco. Elle ne l'étrenna pas, mais elle le laissa tremper pendant une demi-heure, le temps pour que la moitié de la cire finisse de fondre. Ensuite, elle souffla les bougies une à une, comme si c'était son anniversaire, et se félicita elle-même. Elle était sûre de n'avoir commis aucune erreur, mais avant de partir, elle revérifia le tout.

Le lendemain, à la première heure, Paco Molinero passa par son bureau en se rendant au sien.

« Comment vas-tu ?

— Bien, assura-t-elle, mais elle se corrigea après l'avoir regardé. Pas aussi bien que toi, mais très bien. Je suis un peu nerveuse. »

Il ne voulut pas faire de commentaire sur son week-end. « Tu veux que nous déjeunions ensemble ?

— Je ne peux pas. Je déjeune avec Álvaro Carrión. »

Il en fut très surpris. « Ah ! Je ne savais pas que vous aviez pris rendez-vous pour déjeuner.

— Il ne le sait pas lui non plus, mais j'ai pensé que c'était mieux, non ? » Elle se mit à rire. « Je ne peux pas lui dire que je suis la maîtresse de son père comme ça, et puis, si on déjeune ensemble, je peux lui soutirer des informations.

— C'est possible, admit-il. Bon, appelle-moi pour me raconter, d'accord ? »

Ce matin-là, elle s'était levée avant que l'alarme qui commandait son radio-réveil ne se déclenche, elle avait essayé la moitié de ce qu'elle avait dans son placard avant de choisir la robe qu'elle portait et était partie au travail sans maquillage. Elle le fit avant de sortir et ne voulut pas analyser pourquoi, de même qu'elle avait refusé d'analyser pourquoi elle ne répondait pas à Sebastián, qui la rappela le samedi, et qu'elle-même s'apprêtait à déjeuner, deux jours plus tard, avec l'un des fils de Carrión, bien que sa compagnie fût infiniment plus dangereuse. Quand elle l'aperçut, à nouveau en jean et sans cravate, de l'autre côté des portes en verre, ses lèvres sourirent toutes seules et tout le reste se passa de la même façon. Elle n'avait pas prévu de le tutoyer, mais en l'approchant, elle comprit qu'elle ne pouvait pas continuer à le vouvoyer. Et ce fut la dernière décision consciente qu'elle prit avant de prendre la clé de l'appartement de son sac pour la poser sur la table.

En sortant du restaurant, elle aurait pu conclure que cela faisait des années qu'un homme ne lui avait pas plu autant, mais elle n'avait plus sa tête. Elle croyait que ses jambes ne pourraient pas non plus la ramener chez elle, et quand elle s'en rendit compte, elle se trouvait déjà au métro Noviciado. Ensuite, elle s'enferma dans la chambre, baissa les persiennes, se jeta sur le lit et se mit à rire. Elle avait très envie de rire et aucune envie de réfléchir à ce qui se passait. Et elle ne fit rien d'autre jusqu'à ce que le téléphone sonnât.

Paco semblait effrayé, il était 18 h 15. « Qu'est-ce qui s'est passé ? Tu ne m'as pas appelé.

— Non, parce que... Eh bien, j'ai oublié.

— Alors ?

— Très mal. Et très bien. »

Il n'y comprenait rien, et la perplexité affleura à sa voix.

— Pourquoi ? »

Raquel s'assit, prit une grande respiration, essaya de prendre un ton sérieux.

« Álvaro Carrión est physicien, Paco.

— Physicien ? répondit-il, complètement perdu. Pourquoi dis-tu ça ? Il a un gymnase ?

— Non. Il est physicien, de la physique-chimie, tu te souviens de cette discipline, à l'école ? C'est un scientifique.

— Mais comment peut-il être... ? » La surprise l'empêcha de finir sa phrase. « Avec un père entrepreneur, millionnaire... C'est un scientifique ?

— Oui.

— C'est la chose la plus étrange que j'aie jamais entendue.

— Eh oui ! » Raquel comprenait très bien la réaction de son collègue. « C'est très bizarre, mais c'est comme ça. » Elle fit une pause que la stupéfaction de Paco ne parvint pas à remplir. « Ses frères aînés travaillaient déjà avec leur père, la traditionnelle dynastie de patrons, tu sais, mais pas lui. Il est physicien et donne des cours à l'université. Il n'a rien à voir avec les affaires de sa famille et il n'a rien pu m'en dire, bien sûr. Il n'a pas mal réagi non plus quand je lui ai dit que mon père et moi étions amants, il n'a pas réagi du tout, c'est une bonne réaction, tu ne trouves pas ? Et puis il a l'air d'être progressiste, tu sais ? Je crois que de ce côté j'ai eu de la chance.

— Et de l'autre ? »

Maintenant c'était elle qui ne comprenait pas. « Quel autre ?

— Lequel tu veux que ce soit ? Celui du fric.

— Ah ! Ça, je n'en sais encore rien. Je vais devoir attendre, voir de quel côté il est... Pour l'instant, il ne s'est pas indigné, ni offensé, il ne m'a pas insultée ni dit que je mentais. Il a gardé la clé, oui, j'imagine qu'il va y aller, et... Je ne sais pas, il va devoir digérer tout ça.

— Oui, c'est normal, on compte là-dessus, mais ce que je ne comprends pas, c'est pourquoi tu m'as dit que tout s'était également très bien passé.

— Euh... parce que je me suis beaucoup amusée, je dois dire.

— Mais, Raquel... » L'étonnement de Paco tournait vite à l'impatience. « Tu n'es pas allée déjeuner avec ce type pour t'amuser.

— Non, tu as raison. Mais qu'est-ce que tu veux ? Je me suis amusée. »

Elle ne fut pas capable de mieux l'expliquer et consacra le reste de l'après-midi à imaginer Álvaro Carrión tombant dans tous ses pièges, une distraction qui l'excitait et l'émouvait tout à la fois. Elle croyait tout contrôler, mais quarante-huit heures plus tard, elle avait déjà perdu. Cela ne l'inquiéta pas. Le plus remarquable fut qu'elle ne s'en souciait pas.

Rafael Carrión Otero l'appela le mercredi 6 avril, pour l'informer qu'il était devenu le président des entreprises de sa famille. Avant qu'elle ait eu le temps d'assimiler la nouvelle, il lui annonça qu'il avait pris la situation en main, qu'il était très occupé, qu'il aimerait la voir le lendemain, le matin, oui, parce que, l'après-midi, tous les héritiers étaient convoqués à une réunion très importante, qu'il lui serait très reconnaissant de lui préparer les documents et qu'il allait liquider les fonds car c'était la volonté expresse de sa mère.

« Rien de ce que vous pourriez dire ne va me faire changer d'avis », ajouta-t-il à la fin, et elle n'essaya même pas. Adieu aux fonds, se dit-elle. Très bien. Paco Molinero ne fut pas d'un avis différent. À ce stade, cela leur était égal.

Le frère aîné d'Álvaro ne lui plut pas du tout. Il lui ressemblait si peu que même la déformation professionnelle ne l'incita pas à le retenir. Grand et mince, mais avec du ventre, il avait les épaules voûtées, le teint très pâle et le cheveu pauvre, fin et clairsemé, auquel il aurait peut-être mieux fait de renoncer. Sinon, il était arrogant, tout-puissant et aussi revêche que s'il comptait avoir l'air antipathique exprès.

« Je croyais que c'était un jeune homme, Aguado, qui s'occupait des investissements de mon père ? fit-il avant de signer.

— Effectivement, mais il travaille depuis peu à une opération très délicate, très complexe. Il a beaucoup de travail et m'a demandé de m'en charger, répondit Raquel.

— C'est égal. » Il signa avant que son interlocutrice ait eu le temps d'achever la phrase qu'elle avait préparée, consulta sa montre, sélectionna les documents. « Ceci est pour vous, n'est-ce pas ? »

En prenant congé, Raquel s'aperçut qu'il la regardait comme si elle était un meuble. Sur le moment, elle n'y attacha pas d'importance, mais elle se rappela sans le vouloir l'expression de son visage une semaine plus tard, en la comparant avec le regard concentré, souriant mais plus que légèrement anxieux, que lui adressa son frère du comptoir d'un restaurant japonais.

Elle avait déjà calculé qu'Álvaro l'appellerait probablement pour lui rendre la clé, mais, à part s'acheter une robe si courte et si décolletée qu'on aurait dit une de ces combinaisons que les femmes portaient dans les années 1950, et un gilet en maille rose qui soulignait admirablement ce qu'il feignait de dissimuler, elle ne prévit aucune stratégie, aucune autre offensive pour ce rendez-vous. Et cette nuit-là, tout commença à s'effondrer.

Si quinze jours plus tôt quelqu'un lui avait montré cette scène, si elle avait pu se voir et se regarder, écouter ses paroles et lire les pensées qui les inspiraient, elle se serait mise à rire. « C'est impossible, c'est le dernier homme au monde avec lequel je souhaiterais avoir des rapports, le dernier, si on faisait naufrage ensemble et qu'on se retrouve sur une île déserte ; je construirais ma cabane à l'endroit le plus éloigné de celui qu'il choisirait pour construire la sienne », aurait-elle dit. Mais Álvaro Carrión savait la regarder, et il lui semblait si amusant quand il désignait sur la carte les noms des sushis avec le doigt, et si charmant quand il cherchait les mots justes pour s'exprimer sans la blesser, si émouvant quand il avoua qu'il avait rassemblé tout ce qui se trouvait dans l'appartement pour que sa mère et ses frères ne le découvrent pas, et si inquiétant au moment où il baissa la voix et la regarda dans les yeux avant de lui demander si elle avait aimé son père. Cela faisait tant d'années que son corps ne craquait pas, et lui y parvenait si facilement qu'au dessert elle se retrouva à penser au plus inconvenant de tous les plans que le monde était capable de lui offrir.

Il pensait la même chose et elle s'en aperçut. Aussi put-elle réagir, ce soir-là, mais pendant qu'elle consultait sa montre, et feignait de s'effrayer de l'heure tardive en se rappelant à voix haute qu'elle devait se lever très tôt le lendemain, elle n'était plus sûre de rien et elle ne savait pas si elle allait viser juste ou se tromper. Ce soir-là, Álvaro Carrión était maintenant lui, et non plus l'ombre de son père, et Raquel Fernández Perea ne pouvait continuer à recourir à la fragilité de sa tante Paloma pour masquer sa propre faiblesse. Pourtant, elle se débarrassa de lui. Avec douceur et sans paroles, sans fermer aucune porte ni prendre congé pour toujours, elle s'en débarrassa et se dit qu'elle avait bien fait, que c'était le mieux, le plus sage, le plus sensé, la seule chose à faire. Elle ne voulait pas penser qu'elle n'avait jamais eu autant envie de coucher avec quelqu'un, mais elle y pensa quand même. Et quand elle rentra chez elle, elle était si démoralisée qu'elle n'eut même pas la force de se fustiger d'être si bête.

En se couchant seule elle voulut s'absoudre de ses péchés. Ça ne fait rien, ça me passera. Et en se levant le matin, elle se consola avec le même pronostic. Mais ça ne fit pas rien, parce que cela ne lui fut pas égal. Les jours passèrent, oui, un, deux, trois, quatre jours, et le bien-fondé supposé de son renoncement commença à se diluer dans l'acide des désirs insatisfaits, une substance si irritante qu'elle est capable de fabriquer son propre antidote.

Et alors ? fut la première dose. Et si je le faisais ? Je ne vais rien lui dire et, dans ma famille, personne ne l'apprendra non plus... Cette goutte lui fit tant de bien qu'elle commença à prendre le même médicament par cuillerées. Ça ne sera qu'une fois, pourquoi davantage ? En quelques coups, j'arrange tout, il est marié, alors, résultat, pour une simple aventure sans importance... Elle finit par constater que le plus efficace était de boire directement à la bouteille. Pourquoi est-ce que je deviendrais accro, hein ? Je ne le suis plus jamais, ça ne m'est pas arrivé depuis des lustres, et puis, le plus facile est que ça ne marche pas, pourquoi est-ce que ça marcherait ? Ce qui est normal, c'est... eh bien ça, que ce soit une chose normale, agréable et basta, surtout la première fois, et comme il n'y en aura pas davantage, je ne vois même pas pourquoi je m'inquiète... Ce qui serait inquiétant serait de ne pas le faire, ça oui, parce que si je ne couche pas avec lui, je mourrai en pensant que c'était l'homme de ma vie, et ce n'est pas possible, mais bon, sûrement pas, pourquoi un fils de Carrión, précisément un fils de Carrión serait-il l'homme de ma vie ? Non, c'est impossible... Et l'instinct, une autre sottise, car l'instinct fonctionne, il fonctionne, c'est sûr, mais ensuite, parmi tant d'autres choses en jeu, et je ne sais rien de lui, je ne sais rien de sa vie, je peux me le permettre, oui, mais lui... ? Il est en pleine lune de miel, il vient peut-être de tomber amoureux d'une autre, on va peut-être le renvoyer, ou le promouvoir, ou il va partir vivre à l'étranger et il ne cherche pas les complications. Le plus facile serait qu'il me dise non et avec ça le problème est terminé... Je l'appelle, je lui dis que je veux lui remettre quelques affaires appartenant à son père, et il me demandera peut-être de les lui faire porter par coursier, ils sont là pour ça...

Raquel Fernández Perea ne saurait jamais que le 4 avril 1947, en descendant d'un train à la gare du Nord, Julio Carrión González avait eu avec lui-même une négociation semblable, avec un résultat très différent. Et pourtant, elle se rendit compte que, en marge de ce qui pourrait arriver par la suite, Álvaro l'avait sauvée, car ce ne fut qu'après ce dîner où il commença à être lui-même que Raquel comprit qu'elle avait affaire à un homme, un être vivant, délicat, sans défense, aussi innocent des fautes d'un fantôme que Paloma elle-même à l'instant où Julio l'avait trahie. Malgré tout, même si Carrión était mort, et l'histoire trop loin de la défaite, de la victoire, elle ne pourrait jamais changer de camp, suivre joyeusement les pas du traître. Et c'était ce qu'elle avait fait jusqu'à ce que les paroles, les sourires, les regards d'Álvaro la persuadent que c'était avec lui qu'elle traitait, non avec son père. Et comme elle réfléchissait, elle frissonna, puis tout s'évanouit, ses plans, son ambition, son projet de vengeance. Dans le trou laissé libre par l'ombre d'un nombre à six chiffres, elle ne trouva pas seulement l'éclat rougeoyant et dense de son désir, mais aussi l'écho des paroles de son grand-père, et le souvenir de toutes les promesses qu'elle n'avait pas voulu tenir.

Le matin qui suivit ce dîner, Paco Molinero reçut ses nouvelles avec un regard stupéfait sur lequel elle ne voulut pas s'arrêter. « Je ne lui ai rien dit. Je n'ai pas trouvé le moment, ni la manière, et puis... Ça ne fait rien, c'est la vérité, ça m'est vraiment égal, c'est vrai, ça m'est égal. J'ai perdu l'élan, l'envie que j'avais au début, et maintenant j'ai l'impression que c'était une folie. Je pense souvent à mon grand-père, tu sais ? Je suis sûre que c'est ce qu'il aurait préféré, et soudain je le comprends, je comprends très bien ses raisons... »

Elle les lui expliqua sans réussir à le convaincre.

« Mais comment est-ce que tu peux ne pas t'intéresser à un million d'euros, Raquel ? Ce n'est pas possible, c'est impossible, personne ne peut se désintéresser d'un million d'euros... »

Alors, Raquel s'aperçut qu'ils avaient cessé de constituer une équipe, comme deux émissions de radio qui ont commencé à émettre sur des fréquences différentes. C'était sa faute, car elle ne lui avait pas dit la vérité. C'était pour cela que Paco ne la comprenait pas, il ne pouvait pas la comprendre, mais, depuis, il la regardait avec autant d'attention que s'il la surveillait, ou c'était du moins ce qu'elle sentait. « Tu caches quelque chose. Tu es très bizarre, ma petite, remarqua-t-il quelques jours plus tard. Voyons, qu'est-ce que je viens de te dire ?

— Eh bien... » Oui, ça se voit, se disait-elle alors, ça se voit et c'est terrible, bien sûr, c'est affreux, car ainsi, on ne peut même pas travailler, ni rien. « Je ne sais pas, quelque chose sur les comptes de cette cimenterie, non ?

— Tu vois ?

— Oui, mais je n'ai rien. » Ça ne peut pas continuer comme ça, je ne peux pas continuer comme ça, il faut faire quelque chose, même si ça me nuit, mais quelque chose. « J'étais un peu distraite... »

Un pendule chaotique venait d'entrer dans sa vie.

Une semaine après avoir dîné de sushis avec lui, Raquel Fernández Perea appela Álvaro Carrión Otero et lui proposa un rendez-vous pour le lendemain. Il ne dit pas non, et elle en oublia qu'elle devait passer l'après-midi avec Berta.

« Je croyais que Jaime était un vaniteux insupportable qui ne savait parler que de lui-même et qu'il se débrouillait bien au lit, mais que ce n'était pas non plus un bon acteur même s'il gagnait tous ces prix », dit Berta d'une traite, avant même de le saluer.

Raquel ne saisit pas un mot et se demanda ce que son amie faisait devant chez elle à 6 heures de l'après-midi.

« Qu'est-ce que tu racontes ?

— Je ne sais pas, mais tu as mis cette robe portebonheur... »

Raquel baissa la tête et vit sa robe imprimée de petites fleurs jaunes et de feuilles vertes, sa préférée. C'était la raison pour laquelle elle l'appelait sa robe porte-bonheur, car c'était celle qui lui allait le mieux, mais cela n'expliquait pas l'irruption de Berta, ni son allusion à l'acteur avec lequel elle avait couché le soir de la Saint-Sylvestre.

« Oui, je l'ai mise, reconnut-elle, mais ça n'a rien à... » La mémoire lui revint. « Ah, oui ! Nous avions rendez-vous pour aller au théâtre, voir Jaime... » Et elle se prit la tête à deux mains, comme si elle voulait s'assurer qu'elle était bien là. « Ah, Berta !

— Tu as oublié ?

— Oui... Je ne sais pas. Dernièrement, j'oublie vraiment tout...

— Tu as rendez-vous avec un mec.

— Oui... » Elle la regarda et se mit à rire. « Oui ! Et tu ne sais pas comment il est, tu ne le sais pas, il est... Enfin, j'ai rendez-vous avec lui à 18 h 15. Descends avec moi et je te le montrerai. On va à une expo sur les trous noirs.

— Quoi ?

— Les trous noirs. » Elle continuait à rire. « L'espace stellaire, tu sais... Il est physicien, la physique-chimie, les poulies, les puissances et tout ça. C'est lui qui a monté l'exposition. »

Ce fut alors au tour de Berta de rire.

« Et ça te plaît ?

— Énormément.

— Tu es bête, hein ?

— Très. Je te l'ai dit... », conclut-elle en riant.

Ensuite, le hasard lui fournit une occasion sous la forme d'une petite fille grosse et vilaine qui ne comprenait rien à un appareil avec deux jets d'eau et une manivelle. Pendant qu'Álvaro lui donnait des explications, Raquel éprouva deux tentations simultanées et contradictoires. Ou je l'embrasse sur la bouche, ou je pars en courant. Il y en avait une troisième : tout lui raconter. Mais elle ne s'y arrêta pas. Elle n'avait pas non plus envie de courir, elle se contenta de prendre pour une certitude l'intuition qui l'avait éblouie la dernière fois qu'elle l'avait vu. Cela ne dérangea pas Álvaro d'entendre qu'il n'avait pas l'air d'être le fils de son père, et il convint qu'il valait mieux ne pas repenser à lui. C'eût été le moment de parler, de laisser affleurer un bout de vérité au coin d'un mot. La première chose que fit mon grand-père après avoir couché avec ma grand-mère fut de lui apprendre à lire et à écrire. Elle composa cette phrase dans sa tête, mais elle pensa qu'Álvaro était espagnol lui aussi, qu'il devait être habitué aux mystères, aux silences, et qu'elle ne lui mentait pas, plus maintenant, qu'elle ne lui mentirait plus jamais. Il était vrai qu'on lui avait fait passer un test d'intelligence au lycée, et que l'une des épreuves présentait deux ménagères tenant un aspirateur à différentes hauteurs, et qu'elle avait exagéré, qu'elle avait dépassé les bornes et que cette erreur avait fait beaucoup baisser sa moyenne en sciences. Lui connaissait la bonne réponse, et c'était un bon professeur et il lui plaisait beaucoup, il lui plaisait tellement qu'elle souhaitait aller au lit avec lui, après tout, ce serait juste un coup, deux tout au plus, une simple aventure sans importance. Mais à l'intérieur de la boîte enveloppée dans le papier cadeau qu'il posa dans son assiette avant de dîner, il y avait deux pendules. Le premier était normal, stable, traditionnel, enchaîné à sa propre nature prévisible, l'autre chaotique, capricieux, fou, imprévisible ; et les deux ensemble, fonctionnant en même temps, de toute l'éternité n'auraient pu formuler, même avec des décimales, ce qui arriva cette nuit-là à Raquel Fernández Perea pendant que tout commençait à s'écouler avec la régularité paisible de l'eau qui coule.

Berta la regarda avec des yeux écarquillés. « Tu es devenue folle, ou quoi ? »

Quand elle raconta, mais à elle seule, toute la vérité, elle était déjà si accrochée qu'elle était incapable d'expliquer ce que signifiait cet adjectif.

Elle n'en avait parlé à personne jusqu'alors, elle ne voulait même pas y penser, elle ne voulait pas mesurer les dimensions de la souricière dans laquelle elle était si heureuse, plus qu'elle ne l'avait jamais été, elle ne voulait rien savoir, et pour cette raison elle ne s'en parlait même pas à elle-même. Quand elle était seule, elle préférait imaginer une autre scène, un samedi matin et le soleil entrant à flots par les balcons, Álvaro à la maison, en pyjama, elle qui rentrait des courses avec un bouquet de fleurs qu'elle répartissait entre plusieurs vases de cristal. C'était ce qu'elle voulait savoir, mais, la veille au soir, ils avaient dîné tous les trois ensemble, et elle avait dû improviser un faux malaise pour que Álvaro et Berta se taisent une bonne fois, bien que dans cette pizzeria il ne fît pas si chaud. Elle n'avait pas réussi à tromper son amie. Elle l'aurait appelée pour lui débiter n'importe quel discours. Elle aurait pu lui dire qu'ils s'étaient disputés avant de sortir dîner et qu'elle en avait été tellement affectée qu'elle s'était mise à pleurer. Elle aurait pu lui raconter ça ou n'importe quoi d'autre, mais le temps avait passé, à peine trois mois pour les autres mais pour elle ils avaient été aussi longs qu'une vie entière. L'été était arrivé et les fleurs et les vases en cristal étaient si proches, si réels qu'elle aurait pu les toucher du doigt. La veille au soir, quand Álvaro avait parlé de lui, il avait aussi parlé d'elle, parce que cela devait bien arriver un jour, et un jour, elle devrait parler, dire la vérité à quelqu'un. Elle décida de commencer par sa meilleure amie, et Berta l'instable, Berta la folle, l'impulsive, la capricieuse, la déséquilibrée, Berta l'inepte, celle qui ne sortait jamais avec l'homme qui lui convenait, porta les mains à sa tête et la regarda avec des yeux écarquillés, le visage aussi pâle que s'il était en cire.

« Mais qu'est-ce que tu me racontes, Ra ? Je n'y crois pas, non, je ne peux pas le croire. Qu'est-ce que c'est que cette folie ? Comment as-tu pu te fourrer dans cette histoire ? »

Raquel essaya d'abord de se défendre. « Je ne m'y suis pas fourrée, Berta. Je ne m'y suis pas fourrée, ça m'est arrivé... C'est juste arrivé, et je n'ai pas pu... C'était un hasard, tout, un hasard, je... Je ne savais pas que ça allait m'arriver, comment est-ce que j'aurais pu imaginer que j'allais tomber amoureuse de lui ? Je ne sais pas, je dois dire que je ne sais pas ; je n'y comprends rien, tout était si facile, tout a été si facile, que je ne me suis rendu compte de rien... »

Elle n'était pas bonne. Elle comprit qu'elle n'était pas bonne, qu'elle ne convaincrait personne comme ça, mais son amie ne lui demanda pas d'autres explications. Elle s'approcha d'elle, l'enlaça, et s'efforça de paraître gaie.

« Bon, ça ne fait rien. » Mais Raquel s'aperçut qu'elle n'y croyait pas elle-même. « Je ne crois pas que ce soit si grave, parce que... Il y a un moyen d'arranger ça, non ?

— Je l'espère. »

Son amie la prit à nouveau dans ses bras. « Bien sûr. Et pour l'instant, qu'est-ce que tu vas faire ? Continuer comme ça, je suppose...

Raquel se sentit mieux. « Bien sûr. Il est marié, il a un enfant, il ne va pas tout quitter pour moi, n'est-ce pas ? Les hommes mariés ne font jamais ça. Et en ce moment on se voit beaucoup, parce qu'il ne donne plus de cours, il est en vacances, mais après... Eh bien, je ne sais pas, les choses redeviendront comme avant et, tant que tout restera comme ça... Je ne vais rien lui dire, Berta, je ne peux pas. Je ne peux pas lui raconter quel genre d'homme était son père, ce qu'il faisait, il pourrait me détester rien que pour ça. Et puis, s'il l'apprenait, il n'aurait plus jamais confiance en moi. Il penserait que je suis une tricheuse, une menteuse, un escroc... Je ne suis pas comme ça, tu le sais, mais lui... S'il l'apprenait, je ne pourrais plus le regarder en face, je mourrais de honte, tu comprends ? Je l'aime, Berta, je l'aime tellement que je ne pourrais pas supporter qu'irrémédiablement il pense ça de moi, ni même vivre avec lui en sachant qu'il le pense, même s'il ne me le dit pas. Je l'aime, Berta, je l'aime... Bon, ça, je l'ai déjà dit, non ? »

Elle venait de s'apercevoir que si elle continuait comme ça elle allait se mettre à pleurer, et elle ne pouvait pas se le permettre, car ce serait accepter que tout finirait, que son histoire avec Álvaro s'effondrerait irrémédiablement tôt ou tard, aussi secoua-t-elle la tête et essaya-t-elle d'être optimiste.

« Mais si le temps continue à passer, si on reste longtemps ensemble, s'il me connaît mieux et oublie son père, peut-être... Peut-être que je peux ne jamais rien lui raconter, ou... Peut-être qu'il viendra un moment où ça ne sera plus aussi important. Et si cela doit finir, que ça finisse, mais que ça dure le plus longtemps possible. Je ne sais plus rien, Berta, je ne sais que penser, ni que croire...

— Résultat, tu dois être la seule femme dans l'histoire de l'humanité qui couche avec un homme marié et qui ne souhaite pas qu'il quitte sa femme », conclut Berta avec un accent presque philosophique, et elles se mirent toutes deux à rire.

Mais cette nuit-là, quand elle se retrouva seule, Raquel pensa à elle, à Álvaro, révisa ses calculs et sentit qu'elle se vidait, que son corps devenait un trou, un espace vide, un trou affamé, capable de tout dévorer. Parce qu'elle aimait cet homme, elle l'aimait plus que quiconque, mais son amour n'allait servir à rien. Il n'existait pas de pauvreté comparable à la sienne, d'amertume semblable à celle qu'elle éprouvait, de destin aussi cruel que le sien. Parce que tout cet amour n'allait servir à rien. Il y avait longtemps qu'elle pensait aux samedis ensoleillés, aux fleurs colorées, aux vases en cristal, mais elle ne comprit pas avant cette nuit que la scène avec laquelle elle se berçait avant de s'endormir était plus qu'une fantaisie, un choix trivial ou un résidu de romantisme adolescent. Les fleurs inexistantes qu'elle mettait dans des vases qui n'existaient pas non plus constituaient son assurance-vie, une garantie de survie.

Cette nuit-là, quand son amie Berta la quitta, Raquel Fernández Perea mourut un peu. Elle mourut de peine, de rage, de peur. Pas d'amour, car l'amour la maintenait vivante, son amour la garda vivante et intacte, joyeuse et confiante, entière, jusqu'à l'instant du coup définitif. Et lorsque la vie qu'elle souhaitait s'étendit devant elle, lorsque Álvaro Carrión la déplia à ses pieds comme un tapis magique, lui offrit tout ce qu'il avait, et qu'elle le refusa, Raquel se sentit mourir et ne voulut pas mourir, pas cette nuit, pas à ce moment, pas devant lui.

Berta lui avait dit qu'il devait y avoir une façon d'arranger les choses et elle voulut y croire. « Je dois trouver une façon d'arranger les choses », dit-elle à Álvaro le lendemain, pendant qu'ils prenaient le petit-déjeuner ensemble, puis elle se le répéta une, dix, cent, mille, un million de fois.

Elle devait trouver une façon d'arranger les choses, et une, dix, cent, mille, un million de fois, elle s'allongea sur le lit, sur le dos, très étirée, les mains croisées sur la poitrine, comme un cadavre. C'était sa position pour réfléchir, mais elle ne lui servit à rien non plus. Le verbe disparaître la guettait dans tous les coins, l'attendait sur tous les chemins, se penchait derrière toutes les portes par lesquelles elle tenta d'échapper à sa brutalité, au dessein impitoyable que lui imposait le renoncement à la seule chose qui lui importait.

Ce n'est pas possible, ce n'est pas possible, pensa-t-elle. Un, dix, cent, mille, un million de fois. Et elle se leva, alla dans la salle de bains, se mouilla le visage avec de l'eau froide, se regarda dans la glace et s'allongea à nouveau. Mais elle n'eut plus d'idée.

Clara, ma sœur, m'attendait sur les escaliers du porche. Nous n'avions pas rendez-vous, mais je ne fus pas surpris de la voir, sur la même marche où elle s'arrêtait petite fille, éviter d'avoir des problèmes à la maison.

Je lui dis bonjour, et je gravis trois marches pour m'asseoir à côté d'elle comme à l'époque où j'étais le seul de ses grands frères suffisamment proche pour comprendre qu'elle était ennuyée d'avoir abîmé un livre de la bibliothèque du collège, ou d'avoir prêté sa montre à une amie qui l'avait perdue.

« Bonjour », dit-elle en souriant, sans prêter attention à mon œil violacé. Elle prit ma tête entre ses mains, pour m'embrasser sur les joues. Il y avait plus de vingt ans qu'elle ne m'avait pas embrassé à cet endroit, de cette façon. « Pourquoi est-ce que tu es habillé comme ça ? Tu vas froisser ta veste. »

Je portais le costume gris des thèses et des concours, une chemise et une cravate. Dans les rares occasions où je n'avais pu y couper, je n'avais jamais réussi à me sentir à l'aise dans cette tenue au point d'oublier que je la portais, mais c'était le cas ce matin-là, et il me fallut un moment avant de comprendre la remarque de ma sœur.

« Je suis venu parler à maman », lui dis-je, comme si c'était une raison suffisante.

Elle me regarda, et je vis qu'elle avait les yeux brillants. « Oui... Et moi, alors ? Tu n'avais pas l'intention de m'appeler ? »

La gueule de bois avait été terrible, mais je n'en perçus l'intensité qu'une fois seul, dans ma voiture, la valise des grands voyages dans le coffre, ma tristesse embuant les vitres d'une vapeur froide et sale qui sentait mauvais, comme une

odeur de renfermé. Mon imagination était engourdie, intimi-
dée par l'horizon d'un bleu très pur, les yeux de ma mère, leur
couleur plus intense, plus belle, quand elle nageait dans des
eaux troubles de l'émotion ou de la colère. « N'y va pas, Álvaro », m'avait dit Raquel. Les siens étaient plus étranges, verdâtres mais sombres, soudain aussi profonds que s'ils avaient
été noirs. « N'y va pas. » Mais j'y étais allé, je devais y aller et,
en refermant la porte de l'appartement de la rue Hortaleza,
cette maison qui me plaisait tant et où je ne reviendrai jamais,
je pensai que c'était peut-être mieux comme ça, qu'il valait
mieux tout supporter à la fois, tout d'un coup, comme lorsque
nous étions enfants et que l'un d'entre nous avait la varicelle,
et que ma mère mettait ses cinq enfants dans un grand lit,
pour qu'on l'attrape tous en même temps. « Quelle horreur,
maman, quel procédé sauvage », disait Angélica lorsque nous
évoquions ce souvenir. Mais maman se défendait : « Mais
c'était bien mieux, on a toujours fait comme ça... »

Quand je refermai la porte de l'appartement de la rue
Hortaleza, je pensai à Miguelito quand il avait eu la varicelle,
Mai et moi nous relayant pour les caresses, les chansons et
les contes, pour l'occuper et qu'il se gratte le moins possible,
et cette forte fièvre, le corps de mon fils en sueur et flasque,
et très vite ensuite, à peine le temps de s'en rendre compte, la
splendide, épuisante énergie d'un enfant de trois ans sain et
infatigable. C'est mieux comme ça, tout à la fois, pour en finir
une fois pour toutes, tout rassembler, toutes les larmes, les
fautes, les questions, les secrets, pensai-je. « J'en ai ras le bol
des conversations transcendantales », avais-je dit la veille au
soir à Raquel, et c'était vrai. Je n'en pouvais plus, et pourtant,
en conduisant sur la route de Burgos et pendant que ma
mémoire, loyale et traîtresse, me bombardait avec les meilleures images de la vie à laquelle je venais de renoncer, le
corps nu de ma femme, le rire débridé de mon fils, la souplesse des doigts de ma mère quand elle me tenait par la main
dans la rue et que tous les trois étaient aussi beaux, adorables
et lumineux qu'ils ne l'avaient peut-être jamais été, qu'ils ne
le seraient plus jamais, je pensai que c'était mieux comme ça,
tout supporter en même temps, une fois, pour toutes.

« Bien sûr, que j'allais t'appeler. » Cela ne me dérangeait
pas de voir Clara bien que je ne l'aie pas appelée, même si je

n'avais pas encore décidé quand je le ferais. « Mais tu es plus jeune que moi. Si je ne savais rien, tu en savais encore moins.

— Je ne saurai jamais rien, Álvaro. Jamais, déclara-t-elle, le regard fixé sur l'horizon.

— Parce que tu ne veux pas savoir...

— Bien sûr que non, tu me connais, poursuivit-elle en souriant. Je suis très froussarde, tu le sais. C'est ce que tu me disais toujours, quand nous étions petits. "Entre, Clara, parle à papa, à maman, dis-le-leur, ose le dire, tu ne peux pas continuer à te cacher, tu vas devoir dîner, tu ne vas pas rester dormir dans l'escalier..." Quand j'ai cassé la fameuse danseuse en porcelaine, et l'année où j'ai raté cinq matières aux examens, et le jour où j'ai cassé la vitre de la fenêtre de la cuisine avec un ballon ou encore le soir où ils sont tous sortis et que nos sommes restés seuls, toi et moi, avec Fuensanta, et que j'ai mis une robe d'Angélica pour jouer et fait une tache d'encre qu'il a été impossible de faire disparaître. C'était le pire, je crois que je n'ai jamais eu aussi peur de ma vie, tu te souviens ?

— Oui. » Je me souvenais de tout et je répondis à son sourire. « Ce n'est pas moi, ce n'est pas moi, je ne sais rien... Quand il manquait quelque chose à quelqu'un, ce n'était plus nulle part. Tu l'avais déjà jeté à la poubelle, bien enveloppé dans un sac en plastique, et ensuite tu disais toujours la même chose : ce n'est pas moi, je ne sais rien. Mais ça ne faisait rien. Tu finissais toujours par te faire prendre. Cette fois, c'est différent, Clara.

— Non, dit-elle en secouant la tête. Non. Hier soir, en parlant avec Angélica, j'entendais la voix de papa, tu sais, souricette, souricette, tout le temps. Ensuite, j'ai appelé Rafa, pour lui demander comment il allait, et j'entendais toujours, souricette, souricette... tu veux te marier avec moi ? Je n'ai pas parlé à Julio, ce n'était pas la peine. Je sais qu'il est de ton côté, même quand tu n'as pas raison, et tu n'as pas raison, parce que vous ne pouvez pas avoir raison, ni Rafa, ni toi, ni aucun des deux. »

« Souricette, souricette... tu veux te marier avec moi ? » Quand Clara avait trois ou quatre ans, c'était son conte préféré, mais elle ne voulait l'entendre que par papa. Tous les soirs, elle apparaissait dans le salon de l'appartement de la rue Argensola en traînant son livre, et en arrivant vers mon père elle disait : « Souricette, souricette... » Il lui répondait par les mêmes mots : « Souricette, souricette... » Il la prenait dans ses bras, lui lisait le texte très court, écrit en vers, à tel point qu'ils l'apprirent tous les deux par cœur et se mirent à le réciter à toute heure, partout, qu'ils soient seuls ou non. Elle jouait toujours la souricette présomptueuse, lui changeait de ton pour jouer tous les autres rôles, et en arrivant à la petite souris de la fin, il tirait une voix fluette et tendre, très comique, qui faisait se tordre de rire ma sœur. Ainsi, Clara devint « souricette, souricette », et mon père cessa de l'appeler par son prénom même dans les occasions les plus solennelles. Le jour où il sortit de la maison avec elle en robe de mariée, avant de passer la porte, il la prit par les épaules, la regarda et demanda : « Souricette, souricette... pourquoi vas-tu te marier avec un autre ? » Et ils se mirent tous deux à rire.

« Comment va Rafa ? »

Elle fit la grimace avec laquelle elle affrontait générale-ment les sujets désagréables. « Il est très fâché contre toi, bien sûr. Et il a le visage en compote. On a dû lui faire des points de suture et on lui a mis quelque chose dans le nez, une sorte de prothèse rigide, pour maintenir la cloison à sa place. Tu la lui as manifestement déviée d'un coup de poing. Il m'a dit que ça lui faisait très mal.

— Je le regrette. » Clara ne dit rien. « Je te jure que je regrette, je regrette beaucoup, mais c'est lui qui a commencé.

— Oui, Angélica me l'a dit, et il n'y a qu'à voir ton œil. Mais ce que je ne comprends pas... » Elle secoua à nouveau la tête avant de me regarder. « Comment est-ce que tu as pu te battre avec Rafa, Álvaro ? Ça ne m'étonne guère de lui, avec son caractère, mais toi... Et tout ça pour une bêtise, pour avoir critiqué ton musée, c'est ça ?

— Non, Clara, ce n'était pas pour ça. Il est vrai qu'il s'est moqué du musée, de moi, de mon travail, mais ce qui s'est passé était pire, beaucoup plus grave... » Je me demandai si je serais capable de le lui expliquer, et même dans ce cas, il était probable qu'elle ne me comprenne pas. « Il ne m'a pas critiqué moi, mais ce que je pense, ce que je crois être bien, juste. Je suis une pièce insignifiante dans cette affaire et ce qu'il a dit sur moi ne m'a pas fait mal, mais qu'il se moque de la science, des scientifiques en général, des activités que nous organisons avec les collèges, m'a fait sortir de mes gonds... »

Ma sœur fronça les sourcils d'un air sceptique presque comique et je compris à quel point ces mots, les seuls que je pouvais prononcer, avaient semblé ridicules à ses oreilles. « Je sais que ça a l'air d'une bêtise, je sais, mais ce n'en est pas une, Clara, je t'assure. Il n'y a rien que je déteste autant en ce monde que les gens qui se vantent de ne rien savoir, les gens qui sont fiers d'être comme des animaux, je ne peux pas les supporter, je ne les supporte pas. C'est ce qu'a fait Rafa, et il savait pourquoi il le faisait, il savait ce qu'il disait. Je ne suis pas religieux, tu le sais, mais je ne passe pas mon temps à blasphémer pour insulter ceux qui le sont.

— Évite ce genre de comparaison, Álvaro ! » J'avais réussi à la choquer sans le vouloir.

Je tentai de la rassurer. « Si tu ne veux pas, je ne compare pas, mais c'est ce qui s'est passé. Rafa est venu droit sur moi. Il m'a cherché, et il m'a trouvé.

— Quand on me l'a raconté, je n'y ai pas cru, je ne pouvais pas, pas de toi, Álvaro. Il... Il est plus violent, tu le sais. Enfin, violent n'est pas le mot, mais il a plus de caractère, c'est l'aîné, le plus autoritaire, il ne sait pas discuter sans s'échauffer, et il faut le laisser, on le sait tous, après ça lui passe, mais toi, tu n'es pas comme ça, toi...

— J'avale des couleuvres depuis toujours, Clara, l'interrompis-je. Ce n'est pas une question de caractères, ni d'arguments, rien de ça. Rafa crie et moi je me tais pour avoir la paix, mais cela ne signifie pas que je sois pacifique, ni qu'il ait toujours le droit au dernier mot, même s'il n'a pas raison. C'est juste une habitude, l'habitude chez nous, l'habitude de ce pays. »

Je m'étais efforcé de contrôler mes gestes, le volume de ma voix, et je sentais un voile sombre sur mes yeux, un goût épais dans le palais, et la présence des flammes orangées et chaudes auxquelles je m'étais abandonné la veille, et la couleur, la température d'une tentation à laquelle je ne voulais plus jamais goûter. Mais une étincelle avait dû sauter malgré mes efforts, car ma sœur me regardait maintenant effrayé, les lèvres crispées dans une expression de profond étonnement, chargée de reproches, de crainte qu'elle-même ne savait pas interpréter et que je ne lui avais jamais vue.

« Je ne te comprends pas, Álvaro.

— Ça ne fait rien. Je ne suis pas fier de ce qui s'est passé hier, et je dois reconnaître que je ne me comprends pas moi non plus. » Je ne mentais pas et elle s'en aperçut. Il ne m'était jamais rien arrivé de tel, et je suis sûr que ça ne m'arriverait plus jamais.

Clara ne voulut rien dire pendant que je recommençais à me sentir coupable et malade de honte en imaginant cette scène, Angélica entrant aux Urgences de l'hôpital, choisissant un collègue de confiance pour lui raconter à l'oreille que deux de ses frères s'étaient battus ; Rafa assis sur une chaise en plastique, le visage tuméfié, me haïssant, et Julio à côté de lui, ne sachant que dire, comment l'accompagner pendant que toute la salle d'attente les regardait. Cela avait dû être horrible, humiliant pour tous, surtout pour moi, même si je n'étais pas avec eux. J'avais tellement honte en l'imaginant que je tentai de me justifier et ce fut pire.

« Et puis, ce n'est pas si grave, non ? Les gens se battent tout le temps, quand ils boivent trop, quand ils se rentrent dedans en voiture, à cause d'une femme, à cause... » Je me tus en voyant une tristesse épaisse et liquide, dans les yeux de ma sœur.

« Cette histoire te rend fou, Álvaro. »

J'essayai de me voir au travers de ces yeux qui ressemblaient toujours à deux gouttes de miel doré et clair, les yeux de Clara, la petite, choyée, la souricette qui, lorsque nous étions enfants, me connaissait mieux que personne et qui ensuite commença à me considérer comme un martien, un être étrange, incompréhensible, qui avait un métier absurde et prenait des décisions absurdes. Elle me voyait comme un homme qui disait, pensait et croyait des choses absurdes, mais aussi comme son frère Álvaro, l'autre moitié de l'équipe condamnée à perdre toutes les parties qui se jouaient contre son éternelle rivale, l'équipe des grands. Maintenant elle avait grandi, elle avait trente-cinq ans, elle venait de me dire que je devenais fou et elle avait peut-être raison, car elle me regardait avec une impassibilité presque absolue qui l'ancrait sans aucune complication, aucun conflit, dans la facilité placide d'une éternelle enfance, un univers aux couleurs pâles où les émotions n'étaient peut-être pas très intenses, mais jamais troubles ni désagréables. Pour ma sœur, la vie n'était pas devenue très différente de l'escalier où nous étions assis, elle ne l'était pas ce matin-là, pendant qu'elle me regardait aussi désolée que si elle venait de casser une autre danseuse de porcelaine. Pour Clara, la vie ne serait jamais autre chose ; elle n'y consentirait jamais.

« Cette histoire rendrait fou n'importe qui, lui fis-je cependant remarquer.

— Non, Álvaro, pas moi. » Elle me sourit, secoua une nouvelle fois la tête. « Pas moi, tu le sais. Je l'ai dit à Angélica hier soir, quand elle a essayé de me raconter que la fille pour laquelle tu as quitté Mai est notre cousine, et qu'elle t'a raconté... Je ne sais pas, des choses horribles sur papa et maman, sur grand-mère Mariana, n'est-ce pas ? Je lui ai répondu que je ne voulais pas les connaître, et je te le dis à toi, maintenant, je ne veux rien savoir. Ni aujourd'hui ni jamais, rien. Je continuerai à bien m'entendre avec vous tous, parce que vous êtes mes frères et sœur et que vous le resterez, papa était mon père, et pour moi c'était le meilleur, quoi qu'il arrive... »

Les larmes l'empêchèrent de poursuivre, et j'aurais pu lui demander pourquoi elle pleurait cette fois, quelle était l'origine, la raison de ces pleurs qui contredisaient sa foi, la ferveur fanatique de ces mots qu'elle avait prononcés avec tant de douceur, mais je ne le fis pas. Je connaissais la réponse et savais qu'elle m'en donnerait une différente. « Je pleure parce que tout cela me fait beaucoup de peine, parce que je ne peux pas supporter que vous vous battiez, parce que je vous aime tous beaucoup. » C'était vrai, elle nous aimait tous beaucoup, nous nous aimions tous beaucoup, comment ne nous serions-nous pas aimés, nous étions frères et sœurs.

Elle me prit les mains et les serra, comme l'avait fait Raquel le matin pour me demander de ne pas partir. « Laisse tomber, Álvaro, je t'en prie. Laisse tomber, maintenant, une histoire si laide, si sale... On ne peut pas la comprendre. Je sais que tu dis que si, mais je crois que non, que Rafa a raison, qu'on ne peut pas savoir ce qu'on aurait fait si... » Elle ne voulut pas continuer et changea de tactique : « Et, surtout, ce que je n'arrive pas à comprendre... Qu'est-ce que ça peut te faire ? Quelle importance, aujourd'hui, ce que papa peut avoir fait quand on ne le connaissait pas ? Ensuite, il a été un homme bon, un bon père, un entrepreneur intelligent et ambitieux, honnête, le meilleur, il a donné du travail à beaucoup de gens, tout le monde l'aimait, c'est comme ça que nous l'avons connu et pour ça que nous l'avons tant aimé, et toi plus que moi, Álvaro, toi plus que personne... C'est le plus curieux, le plus triste de tout, j'y ai pensé hier, et... Julio et moi, nous avons toujours été du côté de maman, et de vous trois, c'est toi qu'il a toujours le plus aimé, ensuite Angélica, et Rafa... Pauvre Rafa ! lâcha-t-elle et ses yeux se chargèrent de mélancolie. Et tu l'aimais, Álvaro, plus que quiconque, je le sais, je l'ai toujours su, ces choses-là se remarquent. C'est pour cela que je ne comprends pas... Je n'y comprends rien, Álvaro.

— Je l'aimais, Clara, et je l'aime toujours, confirmai-je. Je ne pourrai jamais cesser de l'aimer, même si cela me déplaît, même si je préférerais l'oublier... Julio prétend qu'on peut oublier, qu'il y est parvenu, mais je crains de ne pas pouvoir, tu sais ? Je ne lui ressemble pas. Maintenant je pense beaucoup à papa, plus qu'avant, j'y pense sans le vouloir, même si je pense à autre chose, et je le vois toujours dans les meilleurs moments, quand il m'aidait, veillait sur moi, s'occupait de moi, toujours pareil... Avec Mai il m'arrive une chose semblable. Elle n'a jamais été aussi jolie ni aussi adorable qu'aujourd'hui, je n'ai jamais été aussi heureux avec elle que dans mon souvenir. » Je regardai ma sœur en souriant. « C'est ma faute, ma faute, je le sais, et je sais que ça me passera. Et que si mon histoire avec Raquel ne s'était pas compliquée à ce point, si elle ne nous avait pas tous éclaboussés, le souvenir de Mai serait beaucoup plus faible. Ça aussi je le sais, et je peux le contrôler, mais pour papa, c'est différent. Pour papa, c'est au-dessus de mes possibilités.

— Alors, laisse tomber, Álvaro. Ne le fais pas pour papa, ni même pour maman, fais-le pour toi... Et pour moi. Laisse les choses comme ça, parce que ça ne sert plus à rien, rien ne sert à rien. Papa est mort mais nous sommes vivants et nous devons continuer à vivre. Nous devons essayer d'être heureux, vois ce que tu as obtenu, maintenant Rafa te déteste, il finira par détester Julio parce qu'il te défend, Angélica va très mal, et moi... »

Ma sœur se remit à pleurer et je passai un bras autour de ses épaules, je l'attirai vers moi, j'appuyai sa tête contre ma poitrine et pensai à elle, à ses arguments et aux miens, à quelques mots importants pour tous les deux, générosité, responsabilité, égoïsme, et à d'autres que Clara n'apprendrait jamais. *Tu dois être un homme digne, bon, courageux, je me trompe peut-être, mais je sens que je fais ce que je dois faire, et je le fais par amour...* Elle ne me comprenait pas, mais moi si, au-delà de ce qui me semblait bien ou mal, juste ou injuste, sain, raisonnable, indispensable. Clara ne voulait pas savoir, elle préférait ignorer la quantité et la qualité de tout ce qu'elle ignorait, elle s'était entêtée à vivre, ou à faire comme si elle vivait à l'intérieur de sa propre serre aux parois de verre. Ce n'était pas très original, mais elle avait le droit de choisir ce chemin, d'unir le fracas de ses lèvres scellées au silence retentissant de millions de voix qui avaient choisi de se taire avant elle, de fermer leurs oreilles au vacarme d'un silence plus bruyant que n'importe quel cri. Moi-même, j'avais eu cette possibilité. Depuis le début, j'avais toujours su qu'on peut aussi ne rien faire, mettre les morceaux d'une danseuse en porcelaine dans un sac en plastique, le refermer par un nœud bien serré, le jeter dans la poubelle, entasser d'autres déchets dessus et les tasser avec le pied. C'était son système, et quand elle était petite, elle se faisait toujours prendre. Elle avait beau courir maintenant, le futur allait la rattraper de la même façon car, tôt ou tard, elle finirait par savoir sans le vouloir, entendre ce qu'elle ne voulait pas écouter, et elle pourrait toujours penser que tout était mensonge mais elle n'y parviendrait pas entièrement, plus maintenant. Un détail de la vérité, cet ennemi auquel elle prétendait échapper, se glisserait irrémédiablement sous sa peau comme une écharde, un de ces petits bouts de bois qui ne provoquent pas de blessure ouverte et ne font pas venir la couleur du sang, qui ne sont même pas douloureux, mais durcissent avec le temps au point de devenir un relief calleux qui fait partie du doigt dans lequel elles se sont fichées, comme le corps mou d'une crevette abandonné sur un rocher ne fait plus qu'un avec lui. C'était ce qui allait se passer, je le savais. Je restais son frère aîné et j'étais passé auparavant par toutes les phases du même processus, mais elle avait le droit de choisir, et elle avait choisi.

« Ne t'inquiète pas, Clara, lui murmurai-je sans cesser de l'étreindre. Si tu ne veux rien savoir, je ne vais rien te raconter. Moi aussi, je t'aime beaucoup, et je continuerai à beaucoup t'aimer, toujours. » Elle ne bougea pas, ne dit rien, et je l'étreignis encore plus fort. « Souricette, souricette... »

Alors elle écarta la tête de mon épaule, se tourna vers moi, me sourit. Nous recommençâmes à nous embrasser, et je me levai. Elle m'imita tout de suite, et ne fit rien pour dissimuler l'inquiétude qui lui faisait ciller les yeux.

« Je t'ai prévenu que tu allais froisser ta veste..., dit-elle sans me regarder, tout en tentant de la lisser avec les doigts.

— Oui. » Je savais déjà où elle voulait en venir.

Elle ne tarda guère à confirmer mes prédictions, et je fermai les yeux pour éviter son regard pitoyable, suppliant, insupportable. « S'il te plaît, Álvaro, ne va pas voir maman. Pas aujourd'hui, pas encore, attends un peu. Elle a soixante-dix ans, elle est malade, tu le sais, la mort de papa a été un coup très dur pour elle, et maintenant ça, par-dessus... » J'ouvris les yeux et constatai que son regard n'avait pas changé. « C'est pour ça que je suis venue, seulement pour ça. Je voulais te parler, savoir comment tu allais, mais surtout je veux te demander, te prier de ne pas contrarier maman, je te le demande, s'il te plaît. S'il te plaît, Álvaro... »

Je pris les mains de ma sœur pour la libérer de la tâche inutile d'arranger ma veste, et je répondis à ses suppliques avec fermeté. J'étais très calme car tout ce que j'avais su depuis le début, bien avant d'arriver à La Moraleja, était que ce matin-là j'allais devoir entendre ces paroles, que quelqu'un s'avancerait pour me les dire, pour me servir sur un plateau l'alibi parfait, l'argument suprême, l'excuse idéale.

« Je ne suis pas venu contrarier maman, Clara, je suis venu lui parler, c'est tout. » Alors ce fut ma sœur qui ferma les yeux. « Et je ne veux pas qu'elle me raconte quoi que ce soit, juste qu'elle m'explique. La seule chose que je veux, c'est entendre sa version. »

Elle me regarda à nouveau, tenta de sourire, y parvint avec difficulté. « Mais il n'y a pas urgence, n'est-ce pas ? Il ne va rien se passer si tu attends un peu, une semaine, deux, le temps nécessaire pour que tu te calmes, pour que tu réfléchisses bien à ce que tu vas faire, pour comprendre ce que tu es en train de faire... Tout cela est très vieux, Álvaro, ça s'est passé il y a très longtemps, avant notre naissance, et ça ne va rien changer, tu le sais ? Ça ne peut pas changer ni en mieux ni en pire, c'est comme ça, et ça va rester comme ça. Et je ne te demande pas de ne pas parler à maman, comment est-ce que je pourrais te demander ça ? Juste d'attendre un peu que les choses se calment, ta situation avec Mai, avec cette fille, avec Rafa, bref...

— Je ne peux pas attendre, Clara. » Je restais calme et elle s'énervait de plus en plus. « Je ne peux pas supporter un jour de plus ainsi. Je dois en finir une fois pour toutes, pour pouvoir continuer ma vie, pour redevenir une personne normale... Ça n'a rien à voir avec maman, ni avec toi. Mais avec moi, ce que je suis, ce que je serai quand je sortirai d'ici. Tu ne comprends peut-être pas, et pourtant... » Ce que j'allais dire était si évident que je ne m'arrêtai pas à en calculer les conséquences. « Tu as le droit de ne pas savoir, mais moi j'ai le droit de savoir.

— Non, Álvaro. » Sa voix, ses yeux, son expression se durcirent. « Tu n'as pas le droit de la faire souffrir, de tout gâcher, de raconter toutes ces saloperies sur papa, de nous faire du mal. Tu nous fais beaucoup de mal, tu sais, à tous, et pour rien, juste parce que ça t'a pris, parce que tu t'es entiché d'une nana et que tu n'as rien trouvé d'autre que d'être son héros, ce n'est que ça, et tu n'as pas le droit, tu ne l'as pas...

— Ce que je n'ai pas, c'est la faute de quoi que ce soit, Clara. » Elle ne comprit pas, mais j'étais encore très calme. « Je n'ai rien fait de mal, je n'ai volé personne, je n'ai livré personne, je n'ai trahi... »

Elle s'arrêta à peine pour respirer avant de hurler : « Tatatatatatatatatata ! Tatatatatatatatata ! »

Elle criait, les paupières closes et les doigts dans les oreilles, le bout des doigts blanc à force de les serrer. C'était l'une de ses stratégies classiques, comme de s'asseoir sur une marche, ni dedans ni dehors, ou de se débarrasser tout de suite de ce qu'elle venait de casser. Elle ne voulait pas m'écouter et je n'avais moi non plus aucune envie de continuer à parler, même s'il me restait des choses à dire. La principale était que j'étais sûr que ma mère n'allait pas s'effondrer, qu'elle n'allait pas s'écrouler, ni fondre en larmes, et que son cœur n'allait pas s'arrêter parce qu'elle parlait avec moi. Mais Clara n'était pas non plus disposée à entendre cela. Aussi la laissai-je derrière moi, et pourtant j'entendis à nouveau sa voix avant de franchir la porte.

« Attends-moi, Álvaro. » Elle se coiffa du bout des doigts, tira sur sa jupe, se frotta les yeux et me prit dans ses bras, me serra fort, m'embrassa à plusieurs reprises. « Je t'aime beaucoup, tu sais ? Et si tu entres, je veux y aller avec toi. »

Je l'attendis et nous entrâmes ensemble dans la maison déserte, propre, ordonnée. Le soleil entrait jusqu'au centre du vestibule, et s'étendait sur le sol du couloir jusqu'à se fondre avec la clarté qui traversait les vitrages entrouverts qui donnaient sur le salon. Dans le fond, assise sur un canapé, le dos à la lumière, à sa place habituelle, ma mère nous regardait arriver. Elle avait les jambes croisées, les mains négligemment posées sur sa jupe, et quand nous nous approchâmes, elle soupira.

« Laisse-nous seuls, Clara. »

Le cœur de ma mère n'allait pas s'arrêter parce qu'elle parlait avec moi. Je le savais, j'étais sûr qu'aucun de nous deux ne courait ce danger, mais je ne m'attendais pas à ce qu'elle me sourie, ni qu'elle sourie à ma sœur avant de répéter son dernier ordre sur un ton serein, presque aimable.

« Je veux parler seule à Álvaro, Clara.

— Mais, maman...

— Pourquoi est-ce que tu n'irais pas attendre dans le jardin ? » Elle le désigna du doigt. « Lisette est sortie il y a un moment, avec les enfants. C'est une très belle journée, mais ça ne durera pas, nous sommes en octobre... » Elle sourit à nouveau. « Il faut en profiter, tu ne crois pas ? »

Ma sœur la regarda, me regarda et se retourna sans rien dire.

« Tu veux fermer la porte avant de sortir, ma chérie ? » Elle attendit que nous soyons vraiment seuls pour sourire pour la troisième fois. « Alors, tu ne m'embrasses pas ?

— Si, bien sûr, maman... »

Je savais que son cœur n'allait pas s'arrêter, mais je n'aurais jamais pu imaginer qu'elle affronterait ma visite avec tant de calme, avec une sérénité qui frôlait l'indifférence.

En m'approchant d'elle, je remarquai ses bijoux, la douceur brillante de son chemisier en soie, la perfection presque géométrique avec laquelle sa longue jupe s'étalait sur le canapé comme une mascotte bien dressée. Elle était aussi bien coiffée que si elle sortait de chez le coiffeur, et une ombre rose colorait les joues que j'embrassai délicatement pour recevoir en échange deux francs baisers. Ma mère s'était habillée, maquillée, elle s'était préparée pour me recevoir, mais cette attitude révélait en elle une chose différente de ce que représentaient mon costume et ma cravate. En le constatant, je me sentis perplexe, perdu dans la confusion de mes attentes et de mes espoirs, pendant que je cédais un instant à la conscience de son autorité avec la même confiance passive que je ne remettais jamais en question quand j'étais enfant, et elle l'ange du bien et du mal, la maîtresse de ma vie.

« Tu es très élégant, pour venir me voir. » Elle ne souriait plus, mais son visage conservait encore l'expression aimable et détendue des sourires. « Je suis contente de te voir comme ça, tu sais... » Je ne répondis pas, et elle m'indiqua de la main le fauteuil qui était le plus proche d'elle. « Assieds-toi, allez. Je t'attendais. »

Je la regardai, et elle me regarda, nous nous regardâmes comme si nous ne nous connaissions pas, comme si nous avions besoin de nous mesurer mutuellement, de deviner les forces de l'adversaire avant de risquer les nôtres, et je me demandai qui était cette femme, qui avait toujours été ma mère, et ce qu'elle pouvait ressentir en me regardant moi, qui serais toujours son fils. Je ne parvins à répondre à aucune de ces questions mais j'attrapai sans le vouloir une réponse que je ne cherchais pas en remarquant que l'attitude de ma mère ne ressemblait pas à la mienne, ni à celle d'aucun de mes frères et sœurs non plus. En trouvant Clara dans l'escalier, je n'avais guère prêté attention à son allure, mais je me souvenais maintenant de ses cheveux retenus par un élastique, de ses bottes sales, éclaboussées de boue, et de l'anxiété sur son visage en guise de maquillage. « Tu nous fais beaucoup de mal », m'avait-elle dit, et je savais que c'était vrai, que cela avait fait du mal à Julio de me parler, et à Rafa encore plus, qu'Angélica avait dû passer une nuit blanche, et qu'elle souffrait à cause de moi, seule dans le jardin, et que personne n'avait souffert ni ne souffrirait autant que moi. À une échelle élémentaire, que tous ses enfants avaient calculée en même temps et avec des données semblables, elle, veuve et seule, vieille et sans défense, lui reviendrait le degré suprême de la souffrance, mais tous les signes indiquaient que les cinq frères et sœurs Carrión Otero avaient commis la même erreur.

Je n'avais pas envisagé la douleur de ma mère, je n'avais pas voulu y penser, je ne pouvais pas le faire. J'avais décidé de la laisser pour la fin, pour ce moment vague, fabuleux, où je pourrais me dire à moi-même que tout était fini, que le moment était venu de tracer une ligne par terre et de sauter par-dessus à pieds joints pour recommencer, de l'autre côté. Je n'avais pas voulu calculer son désespoir, le mesurer à ma faute, car alors je n'aurais pas pu bouger, je n'aurais pas été capable de faire ni de dire quoi que ce fût. J'allais être un homme digne, bon, courageux, et je me trompais peut-être, mais je sentais que je faisais ce que je devais faire, et je le faisais par amour.

Je savais que ma mère était une femme dure, forte, qu'elle n'allait pas s'écrouler, ni s'effondrer, ni éclater en sanglots, mais j'avais pressenti une scène très différente, une inquiétude, une angoisse, une amertume dont l'absence m'empêchait d'interpréter ce que je voyais. Son calme me semblait presque offensant, me déconcertait, faillit me désorienter entièrement jusqu'à ce que je pense que ce n'était peut-être pas qu'elle et que ce n'était pas que moi, que c'était nous, car je ne pouvais pas savoir dans combien de maisons avaient été vécues ou le seraient encore de telles scènes. En le comprenant, je soupçonnai que cela avait été ma véritable méprise, une gigantesque erreur de calcul, car les choses ne se contentaient pas d'être différentes de ce qu'elles semblaient être, c'était l'inverse, tout le contraire, et ce phénomène devait répondre à un principe, un élément que je n'avais pas su apprécier, évaluer, placer à l'endroit adéquat. Le temps n'est pas une ligne droite, il ne l'a jamais été, et je le savais très bien, je suis physicien, mais pas aussi dur, aussi fort que ma mère. C'était la raison pour laquelle je n'avais jusqu'alors jamais considéré que ce qui était pour nous une tragédie puisse n'être pour elle qu'un ennuyeux contretemps.

L'optique est une science paradoxale, mais les lentilles n'ont pas de cœur, elles manquent de sensibilité, de mémoire, de moyens d'intervenir dans les images déformantes. Souvent, la distance aide à faire la mise au point, améliore la perception des formes, des volumes d'un objet, et dans la même proportion, la proximité peut représenter un obstacle pour les yeux peu exercés, mais nous n'appliquons cette règle qu'aux choses, nous ne pouvons l'invoquer lorsque les gens sont concernés, tant de personnes qui portent tant de tristesse. Ce n'est pas possible, c'est impossible, impossible que nous, qui sommes déjà si loin, nous percevions si nettement ce que nous avons vu, et qu'elle, qui était là, soit maintenant si calme, avec moi..., me dis-je.

Je n'eus pas le temps de laisser mûrir cette idée, d'en envisager totalement la nature catastrophique, car ma mère me devança par la réponse à une question que je ne lui avais pas encore posée.

« Ta tante Teresa, la sœur de ton père, vit en Allemagne... » Elle fit une pause pour me donner la possibilité de dire quelque chose, mais je ne pus en profiter, et elle poursuivit avec le même naturel qu'au début. « Enfin, elle est peut-être morte, parce que nous n'avons pas eu de nouvelles depuis 1978, environ... À la fin de notre guerre, elle était en Algérie. Ta grand-mère a réussi à la faire monter sur un de ces bateaux qui partaient à Oran, avec une sœur de l'homme avec qui elle vivait, et elle y est restée. Ensuite, après la guerre mondiale, elle a épousé un Espagnol qui avait été prisonnier dans un de ces camps que les nazis avaient en Afrique française. Ils ont eu plusieurs enfants, je ne sais pas combien, et ils sont restés à Oran jusqu'à l'indépendance de l'Algérie. Alors ils sont partis, ils ont passé quelque temps en France, et vers le milieu des années 1960, ils ont émigré en Allemagne. Ils se sont installés dans une ville assez connue, je ne sais plus, Stuttgart ou Düsseldorf, quelque chose comme ça, son mari travaillait dans une usine Volkswagen. Ton père n'avait pas de nouvelles d'elle depuis son retour de Russie, mais après la mort de Franco, quand les exilés ont commencé à rentrer, il les a retrouvés par une association de républicains espagnols qui avaient travaillé à un chemin de fer, dans le désert du Sahara ou quelque chose comme ça, je ne me souviens plus très bien... »

Elle parlait et j'écoutais, je m'efforçais de comprendre, de retenir chacun de ses mots, cette information que je ne lui avais pas demandée, qui m'importait moins que son calme, moins que la fermeté de sa voix, le rythme connu, familier, auquel je m'étais habitué dans mon enfance pendant que je l'entendais raconter de nombreuses autres histoires, des anecdotes pittoresques ou amusantes, insignifiantes, inoffensives. Mais ma mère faisait comme si elle ne se rendait compte de rien, et elle me regardait, fronçait les sourcils pour se souvenir, agitait la tête, poursuivait.

« Le mari de Teresa avait été l'un d'eux, certains de ceux qui revinrent le connaissaient, ils connaissaient sa femme, et ils donnèrent son adresse à papa. Il lui écrivit une très longue lettre, en lui parlant de sa vie, en lui disant qu'il aimerait la voir, qu'il pensait beaucoup à elle, bref... Elle répondit immédiatement, par une demi-page. Elle lui disait ce que je viens de te raconter, qu'elle allait très bien, qu'elle n'avait besoin de rien, que ses enfants étaient grands et mariés en Allemagne, qu'ils allaient y rester, et que si son frère n'avait pas pensé à elle en quarante ans, elle ne voyait pas en quel honneur il le faisait maintenant. C'était tout. »

Elle me regarda à nouveau avec un étrange rictus, un geste imprécis, à mi-chemin entre un éclat de rire naissant, une expression étonnée et une de mépris, qui semblait destinée à créer une pause que je ne pus remplir.

Ma mère le fit pour moi. « Je crois qu'elle a pensé une chose bizarre, que papa voulait profiter du fait qu'il avait une sœur rouge, je ne sais pas, quelque chose comme ça, tu vois, une bêtise... Elle lui a répondu par cette lettre si courte, si sèche, et il n'a plus écrit, bien sûr. Et je pourrais te dire qu'il en a été contrarié, mais je te mentirais. La vérité, c'est qu'à ce moment je n'ai pas compris pourquoi il avait fait ça, et je ne comprends toujours pas. La dernière fois qu'ils s'étaient vus, ton père avait quinze ans, et sa sœur douze, alors... Mais soudain, un soir, on a vu à la télévision l'interview d'un écrivain exilé, je ne me souviens pas de qui il s'agissait, et ils ont montré beaucoup de photos, tu sais, et passé des documentaires avec des gens qui traversaient la frontière, et alors, d'un coup, ton père s'est levé et au lieu de dire qu'il allait à la salle de bains, il m'a regardée et m'a dit : "Je vais chercher ma sœur. – Ta sœur ? Et pourquoi ?" lui ai-je demandé, mais il ne m'a pas répondu, et il a fait ce qu'il a voulu, comme toujours, bien entendu, tu sais comment il était. »

Je parlai enfin, et ma propre voix me parut aussi étrangère que si elle s'était tue pendant de longues années. « Et tu ne nous l'as pas raconté. »

Ma mère m'adressa un regard étonné. « Bien sûr que non. Pourquoi est-ce qu'on l'aurait fait ? Si la sœur de ton père était venue, cela aurait été différent. Il voulait l'amener à la maison, pour qu'elle vous connaisse tous, il est soudain devenu très sentimental, tu ne peux pas t'imaginer à quel point, ensuite même lui ne se l'expliquait pas, l'attaque qu'il a eue, mais bon... Papa n'en parlait jamais, mais je crois qu'il pensait beaucoup à sa mère, elle oui, alors... Qu'est-ce que j'en sais. Nous étions restés si longtemps sans aucune nouvelle d'eux, et soudain, poursuivit-elle avec une expression d'ennui, des républicains de partout, les morts, les exilés, de Mexico, de France, d'Argentine, les enfants de Russie, ceux de Belgique, ceux-ci, ceux-là et ceux d'ailleurs, toute la sainte journée, dans les journaux, les revues, à la télévision... Un ennui insupportable, que personne ne pouvait supporter, on aurait dit qu'il ne s'était jamais rien passé d'autre dans le monde, qu'il n'y avait jamais eu d'autre guerre et que nous étions coupables de quelque chose... Bref, ton père se mit en tête de rechercher sa sœur, mais après avoir lu sa lettre, il était très clair qu'elle ne voulait pas entendre parler de lui. Nous n'eûmes plus jamais de nouvelles. Ni l'envie d'en avoir.

— Et pourquoi est-ce que tu me le racontes aujourd'hui, maman ?

— Parce que c'est la seule chose que tu ne saches pas, non ? » Elle croisa les bras, se tourna vers moi, et nous nous regardâmes à nouveau avec autant d'attention que si elle n'avait pas été ma mère et que si je n'avais pas été son fils. « Et parce que c'est la seule chose que je te raconterai. »

Dans le silence qui suivit cet avertissement, je me rendis compte que rien n'avait changé, rien n'avait tremblé ni ne s'était endurci en elle, sous l'aisance, la placidité avec laquelle elle s'était calée sur le canapé pour appuyer sa tête sur une main, et son regard bleu, clair et aquatique. Elle resta un instant immobile, comme si elle posait pour un peintre, et alors le fils aîné de Clara, qui jouait au foot avec son frère, s'approcha de la fenêtre, frappa contre la vitre, et cria « coucou, grand-mère ! » pour que nous puissions elle et moi lire en même temps sur ses lèvres. Ma mère changea de position, se tourna vers l'extérieur, le salua de la main, plissa la bouche à plusieurs reprises pour lui envoyer des baisers, et je ne comprenais rien. Elle continuait à faire des pitreries, attirant

l'attention de Fran, puis d'Iñigo, qui arrivaient en courant
pour frapper à la fenêtre lui aussi, et je pensai à Clara, à Rafa,
à Angélica, à Julio et à moi, je pensai à mon fils, à mes neveux,
à tous les enfants à naître, à mon père, à son argent, à cette
maison, je pensai à ma propre mère pendant que je la respirais, et je sentis que je manquais d'air, que je ne pouvais plus
respirer, que je ne devais pas rester une seule minute de plus.
Mais les enfants partirent en courant aussi vite qu'ils étaient
venus, et leur grand-mère reprit son maintien, se réinstalla
sur le canapé, étira avec soin les plis de sa jupe et me regarda.

J'avais besoin de parler, je savais que je le devais, mais je
ne pouvais pas, je n'osais pas lui demander de souffrir, et
pourtant c'était la seule chose que ma mère aurait pu faire
pour moi, la seule chose qui m'aurait consolé, qui m'aurait
réconcilié avec mon prénom et mon nom de famille, avec mon
passé, le leur, cet amour que je ne pouvais arracher de ma
mémoire.

J'aurais dû parler mais je n'osai pas, je ne pus le lui
demander, juste y penser, la supplier en silence, « souffre,
maman, s'il te plaît », le répéter une fois, une autre, et encore,
et encore « souffre une fois pour toutes », pour entendre ma
propre voix seule, « souffre un peu, souffre pour Clara, qui est
la petite et qui est là, dehors, pendant que le monde – "souricette, souricette, tu veux te marier avec moi ?" – lui tombe
dessus et lui fait du mal. Souffre pour Rafa, souffre pour lui,
maman, parce qu'il a le visage en compote et une prothèse
dans le nez, à cause de moi et de toi, parce qu'il t'a défendue,
il a cru en toi, souffre un peu, maman, même si c'est pour
Julio, celui qui dit qu'il ne sait pas souffrir, lui qui ne sait pas
prendre la vie au sérieux, souffre pour lui, qui est ton préféré,
et le mien, souffre une fois pour toutes, maman, souffre, s'il
te plaît, souffre pour Angélica, qui doit être partagée en deux,
entre ce qu'elle croit devoir penser et ce qu'elle ne peut éviter
de ressentir, souffre pour elle, maman, et souffre pour moi,
pour moi aussi même si je suis le plus ingrat, le plus cruel de
tes enfants, souffre pour cette souffrance de ne pas te voir
souffrir, pour la solitude atroce à laquelle tu me condamnes,
souffre pour moi, maman, parce que je suis seul, seul avec
toi, complètement seul, et je souffre.

« Pourquoi est-ce que tu me regardes comme ça, Álvaro ? »
Souffre, maman, souffre, s'il te plaît, répétai-je pour la der-

nière fois, et elle me sourit. « Je savais bien que cela allait arriver. Ton père et moi étions sûrs que cela arriverait un jour. Aucun secret ne peut être conservé éternellement et le nôtre a toujours été trop compliqué. Il y avait trop de gens, trop de rancœurs en jeu. Ce que nous n'aurions jamais pu imaginer, c'est le moyen par lequel tu as tout appris, mais... Bon, la vie est bizarre. Elle est pleine de surprises, bien sûr, et...

— Explique-moi, maman. » Je n'avais pas prévu de parler, mais les mots montèrent à mes lèvres sans demander la permission. « Ne me donne pas de détails parce que c'est inutile, je sais tout, tu le sais, mais explique-moi comment tout cela a pu arriver, parce que je ne comprends pas, j'ai beau chercher, je ne comprends pas, je ne peux pas... Tant de cruauté, de mesquinerie, de cynisme... »

Elle se pencha, arrangea sa jupe, ferma les yeux un moment, les ouvrit à nouveau et me regarda.

« Tu m'as appris ce qui était bien et ce qui était mal, maman, tu m'as appris que je ne devais pas être égoïste, ni avare, que je ne devais pas envier mes frères et sœurs, ni me battre avec eux, qu'on devait partager tout ce qu'on avait, et pardonner. Tu m'as appris le Notre Père, tu te souviens ? pardonne-nous nos offenses comme nous pardonnons à ceux qui nous ont offensés. Je sais bien que le texte a été modifié, je ne connais pas le nouveau, mais je peux encore réciter l'ancien par cœur, car c'est toi qui me l'as appris, tu m'as montré comment être ce que je suis, distinguer le bien et le mal, les innocents et les pécheurs... Et maintenant je ne peux pas, je n'y arrive pas, maman, je ne peux pas accepter que vous vous soyez avilis à ce point, et je dois le faire, je dois trouver un moyen de comprendre, car tu es ma mère, et papa était mon père, et je l'aimais, je t'aime, et je ne pourrai jamais cesser de vous aimer, je ne serai jamais le fils d'aucun autre homme, d'aucune autre femme, je n'aurai jamais d'autre famille, mais je ne comprends pas, je n'arrive pas à comprendre... »

Ses yeux étaient si froids, si clairs, que je ne pus m'y mesurer. Alors Clara commença à se promener dans le jardin, à passer près de la fenêtre, et je constatai que je ne pouvais pas non plus lui rendre son regard. Et je ne pus plus relever la tête en parlant.

« Je suis très seul, maman. » J'avais besoin de la regarder, mais je n'osais pas le faire. « Je suis très seul et c'est très dur pour moi, oui très dur. C'est pour ça que j'ai besoin que tu me l'expliques, pour pouvoir y croire, tu comprends ? Parce que je n'y crois pas, je n'y crois toujours pas, je ne peux pas. J'ai besoin que tu me dises pourquoi papa a trompé tout le monde, pourquoi il a trahi les gens qui lui faisaient confiance, pourquoi il n'a jamais cru à rien, pourquoi il n'a jamais aimé personne, pourquoi il a menti, volé, et pourquoi ensuite il t'a aimée toi, pourquoi il nous a aimés nous, pourquoi tu l'as aimé, maman, explique-moi, raconte-moi quelque chose de mieux que ce que je sais, sauve-le, sauve-toi, sauve-nous tous... Explique-moi pourquoi ton mari a enterré sa mère vivante, pourquoi il l'a niée, pourquoi il me l'a volée, et sauve ta mère, au passage, rends-moi mon autre grand-mère, si tu peux. Raconte-moi ça aussi, comment on peut livrer un homme désarmé qui a faim, qui est juste fatigué, qui veut seulement dormir une nuit dans un lit, explique-moi, s'il te plaît, explique-moi pourquoi ta mère est allée dénoncer le mari de sa cousine, puisqu'elle savait qu'il n'avait rien fait de mal, et qu'on allait l'exécuter... Explique-moi ça ou dis-moi au moins qu'elle n'a plus jamais pu dormir tranquille. Tu m'as appris le Notre Père, maman, dis-moi que sa conscience l'a torturée jusqu'à sa mort, qu'elle aurait fait n'importe quoi pour retourner en arrière, pour revenir à cette nuit et lui rendre la vie... Ça ne s'est pas passé comme ça, n'est-ce pas ? »

J'entendis une course, des pas, des rires, puis la voix de Lisette, tonitruante de l'autre côté de la porte : « Iñigo ! » Des indices indubitables que la réalité existait toujours derrière la porte, même si son écho résonnait à mes oreilles comme le bruit d'un cauchemar : « Venez immédiatement ! »

« Je sais que ça ne s'est pas passé comme ça, maman, mais j'ai besoin que tu me le dises même si tu me mens... Dis-moi ça, maman, dis-le-moi, car je ne comprends pas non plus cette vérité. Je ne comprends pas mon père, je ne comprends pas ma grand-mère et je ne te comprends pas toi, qui es ma mère, je ne sais pas comment tu as pu épouser l'homme qui vous avait jetées à la rue, qui vous avait tout pris, celui que ta mère détestait plus que n'importe qui au monde. Papa était son pire ennemi, toi sa fille unique, mais tu n'as pas pensé à en choisir un autre. Tu l'as épousé, tu es tombée amoureuse de lui et vous avez été heureux, vous avez eu beaucoup d'enfants, car votre bonheur ne s'est pas arrêté au mariage. Vous avez élevé des enfants heureux et nous nous sommes tous bien tenus, nous avons été de bons élèves, responsables, raisonnables, nous sommes tous devenus des gens de bien, de bons professionnels, de bons citoyens, de bons parents pour vos petits-enfants... C'est incroyable, maman ! Tu ne trouves pas ça incroyable ? C'est tellement brutal, tellement sauvage, tellement... inconcevable... »

J'entendis à nouveau des courses, des pas, des rires, puis le bruit de la porte d'entrée quand elle se fermait, et je compris que mon neveu ne nous dérangerait plus.

« C'est pour ça que j'ai besoin que tu m'expliques. Fais-le, maman, explique-moi. Dis-moi toi aussi que je ne peux pas comprendre, que je ne l'ai pas vécu et que je n'ai pas le droit d'être choqué, ni même d'avoir un avis, de juger qui que ce soit... »

Le silence s'épaissit, et mon haleine, ma langue étaient douloureuses.

« Ce n'était pas un pays, mais le Far West, dis-le-moi, maman, dis-moi que tout le monde se vendait pour un plat de lentilles, que la vie des gens ne valait pas le prix des vêtements qu'ils portaient sur eux, que personne ne se souvenait de ce qu'était la dignité et que je ne sais pas de quoi je parle, car je suis né dans le monde des privilégiés et que je devrais me considérer comme satisfait. Dis ce que tu veux, ce qui te passe par la tête, n'importe quoi plutôt que tu n'as jamais rien su, que tu ne savais pas ce qui se passait, ce qu'ont fait ta mère, ton mari... Ne me dis pas ça parce que je ne vais pas le croire. Je ne peux pas le croire, même si c'est peut-être la seule vérité qu'il me reste à apprendre, dis-moi qu'il est difficile de résister à son milieu, non ? »

Je souris pour moi, puis pour elle, et je la regardai enfin pour la trouver les yeux clos, barricadés derrière ses mains.

« Ça a dû être très difficile de vivre la tête haute, les yeux ouverts, les oreilles disposées à écouter, oui, je peux l'imaginer, car la peur humilie, et la bassesse n'engendre que des sentiments vils, l'indécence ne peut générer que de l'indécence... Ça devait être comme ça, non ? Je peux l'imaginer mais ça ne me console pas, parce que tu étais vivante, maman, tu avais des yeux, des oreilles, et dans d'autres familles il n'y avait pas de différends, personne à pleurer, pour qui se faire du souci, d'autres ne devaient avoir ni dettes ni cadavres sur la conscience. Mais toi, toi, maman, que tu me parles comme ça, que tu ne te sois jamais rien demandé, que papa soit mort si tranquillement... C'est pour ça que je préfère autre chose, que tu me dises au moins que c'était il y a longtemps, que tu ne t'en souviens plus, ou que tu ne me comprends pas, que tu ne saisis pas ce qui m'arrive, que tu ne sais pas ce que je gagne finalement à remuer tout ça, maintenant. Que je suis un naïf, un imbécile... »

Alors elle se découvrit le visage, et me regarda à nouveau. « Dis-moi au moins ça, maman. »

Je n'avais plus rien à dire, et elle s'en rendit compte.

Elle était aussi impassible que si elle avait cessé de respirer, et l'immobilité accentuait ses rides, les rendait plus graves, plus profondes, soulignait la présence pâteuse du maquillage sur les sillons, mais ses yeux, maintenant plus bleus, plus que froids, glacés de colère, soutenaient le regard d'une femme jeune. Elle était jolie, ma mère, elle l'avait toujours été, mais cette fois, tandis que la dureté affleurait à son visage comme si la peau avait à peine été un ornement, la housse d'un masque de fer, elle ne me plut pas. L'espace d'un instant, je crus qu'elle me faisait peur, ensuite qu'elle me faisait de la peine, et plus tard qu'il vaudrait mieux que tout cela me soit égal. Mais cela serait impossible, et je le savais.

« Tu me donnes une cigarette ?

— Quoi ? » Au début, je crus avoir mal entendu, mais elle désignait mon paquet de cigarettes.

« Donne-moi une cigarette, répéta-t-elle, d'une voix neutre.

— Bien sûr, dis-je en lui tendant le paquet. Tiens, mais je ne crois pas que tu devrais fumer... »

Elle l'alluma de ses mains tremblantes, et aspira la fumée avec avidité. « Je ne devrais pas. Mais j'aime ça. »

Nous fumâmes en silence, et j'eus le temps de regretter ce que je lui avais dit et de comprendre que je n'aurais rien pu dire d'autre, pendant qu'elle se remettait plus vite que moi, pour se réinstaller dans cette impassibilité presque insultante.

« Tu veux que je te dise, Álvaro ? » Elle écrasa son mégot dans le cendrier et elle était une autre femme, ma mère d'avant, celle de toujours. « Tu devrais te faire couper les cheveux. C'est dommage que tu les portes toujours si longs, parce qu'ils te mangent le visage et tu es très beau, le plus beau garçon de la famille, c'est sûr... »

Je suis aussi le plus intelligent, maman, tu l'as oublié ? faillis-je dire. Et j'ai compris le message, ne t'inquiète pas, je m'en vais. Mais je me levai sans rien dire et ne desserrai pas les lèvres avant de les avoir posées sur son front. Je n'avais jamais vécu d'instant plus dur que celui-ci.

« Au revoir, maman. »

Je lui tournai le dos, et en me dirigeant vers la porte, je découvris que j'allais mieux que je ne le pensais, peut-être parce que je n'étais plus capable de ressentir quoi que ce fût, au-delà d'une soudaine insensibilité née de la stupeur que j'avais consommée jusqu'à son épuisement, et de la défaite dont je n'avais pas commencé à souffrir mais qui repeignait déjà en blanc toutes les choses passées et présentes, en moi et hors de moi.

« Écoute, Álvaro... » Mais il n'y aurait pas de pitié, pas encore. « J'ai oublié de te dire... Pas ce dimanche, l'autre, c'est-à-dire le 16... » Elle fronça les sourcils. « C'est le 16, non... ? Oui, le 16... Bon, eh bien, on va faire un barbecue dans le jardin pour fêter les vingt ans de María, déjà... »

Ce fut à mon tour de sourire, je me retrouvai soudain à sourire. Je souriais par pur étonnement, à cause de l'incapacité absolue à croire ce que je voyais, ce que j'entendais, et ce n'était pas possible, ça ne pouvait pas arriver, mais j'avais moi aussi des yeux, des oreilles, je les connaissais bien, j'avais confiance en eux, et cette femme était ma mère, pensai-je, j'étais son fils, elle ne pouvait pas parler ainsi, prononcer ces mots doux joyeux, ordinaires, et me regarder à la fois dans les yeux. Elle ne pouvait pas, et pourtant elle continua, elle arriva au bout comme si je n'étais pas l'homme qui mâchait le sable d'un désert glacé et aride, blanc sur blanc et tout blanc, au centre du salon de sa maison.

« C'est fou, non ? » Et cet homme c'était moi et elle souriait elle aussi. « Je me rappelle Angélica enceinte, ma première petite-fille, je ne pouvais pas le croire, parfois je me dis, quelle folie, c'était hier ! Mais non, tu vois. Enfin, ta nièce a envie d'un barbecue, mais je ne sais pas, à cette date, il peut pleuvoir ou faire un froid de canard, mais bon, on va essayer, et je suis en train de penser que... Enfin, j'espère que tu viendras, bien sûr, et que tu amèneras le petit, s'il te plaît, Álvaro... »

Et à cet instant, à cet instant précis, ses yeux se remplirent de larmes. Je ne pus plus songer que ce n'était pas possible, que ça n'arrivait pas. Je fus incapable de penser.

« J'ai envie de le voir, c'est le plus dur pour moi dans vos divorces, vraiment, c'est terrible, de ne pas voir ses petits-enfants, c'est horrible... Alors je compte sur toi, et sur Miguelito, et ne t'inquiète pas pour Rafa, je vais lui parler, mais à part ça... »

Elle détourna son regard, arrangea sa jupe, me regarda à nouveau.

« Je veux que tu saches que, si tu veux, tu peux venir avec cette fille, Raquel, n'est-ce pas ? »

La blancheur m'éblouit, m'aveugla, me traversa les tempes comme une aiguille moqueuse et affûtée.

« Je me souviens de son nom parce que j'ai été très surprise qu'il y ait dans cette famille une fillette avec un nom biblique. J'imagine qu'elle doit être très jolie, parce que toute petite elle était ravissante, une beauté, je m'en souviens aussi, et puis je suis sûre que c'est quelqu'un de très instruit, très cultivé, et qu'elle saura rester... »

Toutes les choses présentes et passées étaient blanches à l'intérieur et à l'extérieur de moi. Mes doigts, mes mains, la cravate que j'ôtai et la poche où je la mis, mes yeux et ce qu'ils contemplaient, mon ouïe étaient blancs, mon cerveau dans sa très blanche inutilité.

« Ne me regarde pas comme ça, Álvaro. » Ma mère, blanche elle aussi, de la tête aux pieds, sourit de ses lèvres blanches. « Tu es mon fils et tu vas le rester, toujours, par-dessus tout. Je sais que cela te semble très grave, mais ça ne l'est pas, je sais que ça ne l'est pas. Le temps mettra chaque chose à sa place, je mourrai et tu regretteras ce que tu m'as dit il y a un moment, mais d'ici là je n'ai pas l'intention de te perdre. D'autre part, cette fille... elle ne peut pas être pire que ta belle-sœur Verónica, et, tu vois, aujourd'hui, c'est la mère de deux de mes petits-enfants. Comme les autres. »

À cet instant, je pus penser à nouveau. Ne souffre pas, maman. Ne souffre pas, s'il te plaît, ne souffre jamais, ne souffre pas à cause de moi, ne souffre à cause de personne, ne souffre même pas un peu, n'essaie jamais la consolation de la souffrance, car c'est la seule chose que je ne pourrais pas comprendre, maintenant que les choses commencent à reprendre leur forme, leur couleur, maintenant que je reprends le contrôle de mon corps, que mes yeux, mes oreilles, mon cerveau distinguent enfin autre chose que de la blancheur, maintenant que je sais ce que je voulais savoir, qui je suis et qui je vais être, ne souffre pas, maman, ne pense pas souffrir un instant, car moi, je ne souffrirai plus pour toi. Je ne pourrai plus jamais le faire, plus jamais.

Je partis sans un mot et sans dire au revoir à personne. Je démarrai sans mettre ma ceinture et partis aussi rapidement que possible. J'avançai sans savoir où j'allais jusqu'au moment où je revins en moi-même et me garai sur un arrêt d'autobus. Mes jambes, mes mains, tout mon corps tremblaient et cela m'aurait fait du bien de pleurer, mais je n'essayai même pas. Je ne pleure pas beaucoup, très peu, presque jamais.

Je ne sais pas combien de temps je restai là, mais je sais que je rentrai à Madrid, que je trouvai miraculeusement à me garer devant la porte de la caserne du Conde-Duque, que Raquel m'ouvrit la porte sans dire un mot, et que j'entrai dans un petit ascenseur avec la valise des grands voyages et mon histoire sur le dos.

Je sais que je pensai alors que ce n'était peut-être pas si grave. Le cynisme maquillé de ma mère, ses sourires impitoyables et précis, l'écorce de pierre de son âme, une entaille endurcie, sèche, là où aurait dû se trouver son cœur, me piquaient les yeux et me gonflaient les gencives comme un goût amer et acide, que mes sens confondaient avec le goût imaginaire du sang. Et pourtant, mon histoire n'était qu'une histoire, parmi tant d'autres semblables, grandes ou petites, des histoires tristes, laides, sales. De ces histoires qui ont toujours l'air de mensonges mais qui ne disent que la vérité.

Juste une histoire espagnole.

« ... pour les stratèges, pour les politiques, pour les historiens, tout est clair : nous avons perdu la guerre. Mais
sur le plan humain, je n'en suis pas si sûr... Nous l'avons
peut-être gagnée. »

Antonio Machado
(décembre 1938)

# De l'autre côté de la glace

## Note de l'auteur

La première note sur ce roman que j'ai conservée dans un cahier porte la date du 2 décembre 2002. Depuis, un certain nombre d'historiens et d'écrivains espagnols, pour la plupart de ma génération – celle des petits-enfants de ceux qui se sont affrontés il y a soixante-dix ans –, a publié un nombre considérable d'ouvrages importants sur mon sujet. J'ai contracté envers certains d'entre eux une profonde dette au cours de l'écriture du *Cœur glacé*. Je dois remercier des auteurs tels que Enrique Moradiellos *(1936. Los mitos de la guerra civil)* ou Ricardo Miralles *(Juan Negrín. La República en guerra)*, essentiellement pour leur compagnie, qui a représenté pour moi un bien plus précieux que cela ne pourrait le sembler à première vue. Avec d'autres auteurs j'ai des dettes plus spécifiques.

*El exilio republicano español en Toulouse (1939-1999)*, une émouvante compilation d'histoires personnelles coordonnée par deux historiennes, l'une espagnole, Alicia Alted, et l'autre française, Lucienne Domergue, m'a appris à regarder du côté de l'exil français. Sans le magnifique livre de Xavier Moreno Juliá, *La División Azul. Sangre española en Rusia 1941-1945*, l'aventure orientale de Julio Carrión González aurait été beaucoup moins riche, et moins vivante. Je dois les mêmes remerciements à Secundino Serrano, qui a supporté mes incessantes demandes d'aide avec autant de générosité que de patience. Son ouvrage, *La última gesta. Los republicanos que vencieron a Hitler (1939-1945)*, m'a émue et aidée à en comprendre les protagonistes. Envers mon voisin – et voisin des Fernández Muñoz –, Jorge Martínez Reverte, j'ai tant de dettes que je ne saurais par où commencer mais il suffira au lecteur de lire *La batalla de Madrid*, un document aussi passionnant que le meilleur des romans, pour les découvrir. Et je souhaite remercier Valentina Fernández Vargas, auteur de *Memorias no vividas, Madrid qué bien resiste. La vida cotidiana en el Madrid sitiado.* Son travail m'a aidée à systématiser et à approfondir ma propre chronique familiale, un récit qui m'est parvenu principalement à travers mes grand-tantes, Concha et Charo Grandes Pérez, championnes des écervelées évacuées du 10 de la rue Velarde, où mon père, Manolito, n'avait pas peur en entendant les sirènes qui avertissaient la population civile des bombardements. Pour lui, né en 1933, ce son faisait partie de la vie quotidienne.

*Le Cœur glacé* est un roman dans le sens le plus classique du terme. Du début à la fin, il s'agit d'une œuvre de fiction, et cependant je ne peux ni ne souhaite avertir ses lecteurs que toute ressemblance du sujet ou de ses personnages avec la réalité est une pure coïncidence. Il s'agit plutôt du contraire. Les épisodes les plus romanesques, les plus dramatiques et invraisemblables parmi ceux que j'ai racontés ici sont inspirés de faits réels.

Les puits d'Arucas, sur la Grande Canarie, existent. J'y suis allée en tenant la main de Pino Sosa, fille du maire socialiste qui fut enterré vivant avec une soixantaine de républicains vivants eux aussi, dans un puits que les voisins s'empressèrent de baptiser « Le Puits du cri des sorcières ». Et je suis allée à la *plaza de tientas* [1] qui existe toujours dans la cave de Los Gabrieles [2], rue Echegaray. Même si cela semble difficile à croire, les femmes madrilènes allaient au front insulter les déserteurs aux pires moments de novembre 1936, et elles préféraient supporter les bombardements debout, en pleine rue, pour acclamer leurs pilotes, au lieu de courir vers les refuges. Aujourd'hui encore, dans le mur du cimetière de l'Est – aujourd'hui appelé celui de la Almudena –, à Madrid, contre lequel on fusilla presque trois mille personnes dans l'immédiat après-guerre, des fleurs sont piquées dans les trous laissés par les balles. Je les ai vues.

Dans toutes les gares françaises par lesquelles passa le train qui transportait la División Azul vers son campement en Bavière, il y avait des réfugiés républicains prêts à jeter des pierres, et dans le train, de nombreux rouges camouflés, qui traversèrent toute l'Europe pour passer aux troupes soviétiques à la première occasion, convaincus que cette guerre était également la leur. C'est pour eux, bien évidemment pas pour Staline, que j'aimerais pouvoir écrire qu'après la défaite du fascisme, ils ne se retrouvèrent pas dans les

---

1. Arènes privées permettant de tester les aptitudes au combat des taureaux.
2. Célèbre bar madrilène aux céramiques représentant des scènes de tauromachie.

mêmes camps de concentration que les volontaires phalangistes, mais c'est la vérité. De même qu'il est vrai que, à la fin de la Seconde Guerre mondiale, les Alliés trahirent à nouveau de façon honteuse, pour la deuxième et dernière fois, la démocratie espagnole en général et, en particulier les dizaines de milliers d'antifascistes espagnols qui avaient combattu les nazis – surtout, mais pas exclusivement, dans le sud de la France – et qui constatèrent que leur combat, et leur sacrifice, n'avaient servi qu'à renforcer le pouvoir de Francisco Franco.

La Loi de Responsabilités politiques du 9 février 1939, dont les termes semblent émaner d'un mauvais scénariste de bandes dessinées, amateur de mises en scène totalitaires, a vraiment existé, au point que, malgré sa suppression en 1945, elle continua à être appliquée un peu partout jusqu'en 1966. Étaient concernées par cette loi « les personnes, aussi bien juridiques que physiques, qui depuis le 1er octobre 1934 et avant le 18 juillet 1936, contribuèrent à créer ou à aggraver la subversion *(sic)* de tout ordre dont l'Espagne fut victime », celles qui auraient « exercé des fonctions politiques sous le Front populaire » ou, sans aller plus loin, celles qui se seraient « déclarées publiquement en leur faveur ». En ce qui concernait les sanctions économiques, la Loi de Responsabilités politiques établissait qu'elles « seraient applicables même si le responsable venait à décéder avant le début du procès ou pendant, et seraient applicables à l'héritage, et transmissibles aux héritiers qui ne l'auraient pas refusé ».

Et dans la réalité, le général Camilo Alonso Vega, directeur général de la Guardia Civil, s'appropria après la guerre une villa dans le quartier d'El Viso, à Madrid, propriété de Francisco López Ganivet, neveu d'Ángel, qui parvint à s'exiler à Londres, et de sa femme, Matilde Landa, qui dirigeait le Secours Rouge international dans Madrid assiégé, et qui se suicida à la prison de Palma de Majorque en 1941, incapable de résister à la pression qu'exerçaient sur elle les autorités franquistes, qui la menacèrent de priver de lait les prisonnières avec des enfants si elle refusait de se laisser baptiser. Quand elle décida qu'elle ne pouvait assumer cette responsabilité mais ne pouvait non plus se trahir elle-même, elle se jeta par une fenêtre. Les témoignages des autres prisonnières coïncident pour dire qu'elle ne survécut pas au choc, mais le directeur de la prison baptisa son cadavre pour déclarer ensuite qu'à ce moment, Matilde était encore vivante et avait demandé elle-même le baptême.

Tous ces épisodes ainsi que de nombreux autres de l'histoire espagnole récente, dont certains apparaissent dans ce livre, semblent faux mais ils se sont produits, malheureusement pour nous.

En ce sens, il n'y a que deux exceptions délibérées.

La première a un rapport avec le coup d'État du colonel Casado, qui est peut-être, pour des raisons évidentes, le fait le plus sombre, le plus mal raconté et documenté de toute la guerre civile. En marge des combattants communistes, qui ne peuvent apporter que le point de vue des victimes, leurs contemporains passent généralement dessus sur la pointe des pieds, sans doute par peur de se salir. Pour cette raison, bien que je sois sûre que ces données existent quelque part, je n'ai pas pu trouver de référence géographique précise des lieux où les rebelles de mars 1939 enfermèrent leurs prisonniers. Si j'ai choisi les cachots de la Puerta del Sol pour Ignacio Fernández Muñoz, c'est à cause de leur triste notoriété. Par pure tradition.

Le deuxième moment où je me suis écartée d'une manière consciente de la réalité a été celui où Pancho Serrano Romero traverse la rivière Volkhov. Je sais qu'on ne peut pas traverser cette rivière à pied même en été, même dans sa section la plus étroite et caillouteuse, mais j'ai pris la liberté de la rétrécir parce que le discours de Pancho, ses vivats à la République et à la glorieuse lutte du peuple espagnol, auraient perdu en force et en émotion, si leur auteur avait dû les prononcer assis ou en faisant des acrobaties debout dans un bateau.

À l'exception de ces deux détails, j'ai pu commettre de nombreuses erreurs dont je suis la seule responsable. Les réussites, en revanche, sont toujours dues à l'aide désintéressée de toutes ces personnes que je souhaite remercier :

Juan Pérez Mercader, qui aux premiers jours de décembre 2002, et à propos du naufrage du *Prestige*, définit les urgences dans les systèmes à composantes multiples comme cela arrive quand le tout se révèle être plus grand que la somme des parties. Dans cette réunion interdisciplinaire qui se tint à la Réserve de Doñana et à laquelle j'étais également invitée, Álvaro Carrión, qui n'avait à l'époque pas encore de nom, commença à être physicien.

Manuel Toharia, qui m'a aidée à trouver à Álvaro un travail dans un musée des sciences.

Ernesto Páramo, directeur du Parc des Sciences de Grenade, qui m'offrit un pendule chaotique quand ils étaient épuisés dans toutes les boutiques de tous les musées d'Espagne, et ne me demanda pas pourquoi je ne pouvais pas attendre les deux semaines qu'il fallait pour qu'ils les reçoivent.

Et surtout, dans le chapitre consacré aux scientifiques, mon ami Jorge Wagensberg, physicien, professeur à l'université et directeur du musée CosmoCaixa de Alcobendas, et de celui du CosmoCaixa de Barcelona, qui est son modèle et son grand frère. Presque tout ce que sait Álvaro Carrión de la physique, je l'ai appris auparavant de

Jorge, un prestigieux universitaire et essayiste qui s'enthousiasme chaque fois qu'il laisse bouche bée un groupe d'enfants de dix ans. Je l'apprécie et l'admire aussi pour ça.

Mon amie Laura García Lorca, qui me raconta l'histoire de Federico, son grand-père, qui dit en quittant l'Espagne : « Je ne remettrai plus les pieds dans ce pays de merde. » Il y laissait les corps sans vie de l'un de ses enfants – Federico, le poète – et de son gendre – Manuel Fernández-Montesinos, maire socialiste de Grenade –, fusillés tous deux au cours de l'été 1936 à quelques jours d'intervalle. Il laissait également la responsabilité de toutes ses propriétés à un voisin de Valderrubio qui était « très sympathique, très sympathique », et en qui, précisément pour cette raison, sa femme, Vicenta Lorca, n'avait jamais eu confiance. Des années plus tard, quand la Seconde Guerre mondiale s'acheva et qu'il comprit que sa prophétie allait s'accomplir, don Federico commença à écrire à ce voisin tellement sympathique, qui ne répondit à aucune de ses lettres jusqu'au jour où il reçut un billet pour se rendre à New York sur un transatlantique. Cette offre, il l'accepta. À son arrivée, les García Lorca vinrent l'accueillir et l'invitèrent à déjeuner. Au dessert, Garcia Lorca osa enfin proposer : « Bien, maintenant voyons ces papiers... » Et le voisin de Valderrubio qui était si sympathique, de se frapper le front et de s'exclamer : « Aïe, don Federico ! Vous n'allez pas le croire ! Je les ai oubliés à Grenade. »

Mon amie Rosana Torres me raconta l'histoire de sa mère qui, à la fin de la guerre, à vingt-deux ans, enceinte de quatre mois et seule au monde – ses deux frères fusillés, ses parents en prison, son mari, commandant des Carabiniers, prisonnier lui aussi et condamné à mort –, se risqua à se rendre chez elle, dans un appartement du centre de Valence où s'était installée la famille de l'homme qui avait dénoncé ses parents, pour demander qu'ils lui laissent emporter sa machine à coudre, afin de pouvoir gagner sa vie avec. Ils refusèrent, elle leur demanda alors de lui laisser emporter du linge, « parce que mes culottes, vous n'allez pas les mettre, non ? » Et ils refusèrent encore.

Et Juana Reinés Simó, la mère de Rosana, pour avoir élevé ce fils seule, pour avoir eu trois autres enfants quand le commandant Torres sortit de prison, et pour être arrivée jusqu'à aujourd'hui si jolie, si intelligente, et, surtout, si jeune, qu'il y a deux ans, lors d'un hommage aux femmes républicaines, quand un photographe lui demanda de se placer avec les autres, elle refusa. « Pas question, enfin, comment est-ce que je pourrais me faire prendre en photo avec ces dames si âgées ? »

Mon ami Benjamín Prado, parce que s'il ne l'avait pas été, je ne serais pas allée à l'enterrement de son père, Benjamín Rodríguez, qui avait été dans sa jeunesse motocycliste de la garde de Franco. Et si je n'étais pas allée au cimetière de Las Rozas ce matin d'avril 2002, je n'aurais pas vu une femme jeune et séduisante qui resta sur le côté, sans s'approcher pour saluer quiconque jusqu'à la fin de la cérémonie, et dont l'apparition mystérieuse en apparence seulement et seulement pour moi m'offrit l'image d'où est né ce roman.

Ma chère Angelines Prado, qui bien avant de devenir la mère de Benjamín, fut la fille du chef de gare de Las Rozas, et au moment où elle avait désormais un grand nombre de petits-enfants, reconstruisit pour moi de mémoire, avec une précision étonnante, la ligne du front dans la sierra de Madrid, avant et après qu'on l'eut évacuée à Torrelodones avec les autres habitants de son village. À cette époque, l'automne 1936, c'était une jeune fille. L'été 2004, heureusement évacuée pour les vacances dans une buvette au bord d'une plage de Rota, à Cádiz, elle se souvenait si bien de tout que notre conversation connut une fin surprenante. « Alors Torrelodones n'est tombé qu'à la fin, quand Madrid est tombé, non ? » dis-je. Et Angelines me regarda en écarquillant les yeux pour me corriger. « Enfin, tombé... Disons plutôt qu'ils l'ont pris. »

Mon amie et partenaire Azucena Rodríguez, alias « la Rubia[1] », comme ça, parce qu'elle était là, et pour m'avoir présenté Carlos Guijarro Feijoo, un vieil ami de son père – Miguel Rodríguez Gutiérrez, le dernier prisonnier du Valle de los Caídos – qui se rappelait bien la carte de la JSU, où ils avaient tous les deux commencé à militer, l'un dans la clandestinité, l'autre en exil, juste après que tout fut perdu, mais avant de se connaître à la fin des années 1940, après avoir purgé leurs peines respectives.

Carlos Guijarro Feijoo, qui mourut l'hiver 2006 et qui ne pourra jamais tenir ce roman entre les mains, qu'il écrivit aussi en me racontant comment sa famille échappa à Buchenwald quand sa mère se jeta en pleurant aux pieds du médecin allemand qui se trouvait sur le quai, en train de trier les prisonniers. Et comment, après que sa mère se fut engagée au nom de toute la famille à regagner sa ville, Madrid, dans un train qui ne s'arrêtait nulle part, elle entendit son père dire près de Poitiers : « Tu parles, que je vais rentrer en Espagne pour qu'ils me fusillent, il n'en est pas question... » En approchant de la gare, comme le train commençait à rouler plus

---

1. La Blonde.

lentement, son père se mit à compter, et à trois, ils se sont jetés tous les six ensemble, lui, sa mère, ses frères et sœurs et son père. Ensuite, comme si les Guijarro n'en avaient pas assez donné, Carlos partit avec son père dans une exploitation forestière qui se trouvait à Blois, près du château de Chambord, pour rejoindre la résistance. Ils se battirent tous les deux contre les nazis, et en octobre 1944, lui et son frère Fermín traversèrent la frontière pour continuer à se battre. Et ils tombèrent. Et allèrent tous les deux en prison. Ils y restèrent des années. En sortant, ils continuèrent à se battre, à militer dans la clandestinité. Soixante ans plus tard, dans sa maison du peuple dirigé de Fuencarral, Carlos me raconta tout cela comme si cela n'avait eu aucune importance. Comme si les épisodes de sa vie n'avaient été que les anecdotes d'une vie ordinaire.

Et Mati, la femme de Carlos, qui, chaque fois qu'elle avait un enfant, attendait qu'il ait quinze mois pour supporter le voyage, et allait le montrer à ses beaux-parents en France. « Qu'est-ce qu'on pouvait faire d'autre ? Ils n'osaient pas venir, et lui, comme il avait fait de la prison, eh bien, on ne lui aurait pas donné de passeport... Les parents et le fils ne se revirent jamais. Bref, nous avons beaucoup souffert, beaucoup, en fait... Beaucoup. »

Domingo Ramírez Moreno, qui était assis devant la porte de sa maison, à Bajo de Guía, le quartier des pêcheurs de Sanlúcar de Barrameda, en train de regarder le Guadalquivir, pendant que je faisais de lui et de Perea, son compagnon, des personnages de ce livre. « Je suis parti en France et on m'a mis à Saint-Cyprien, tu sais, un de ces camps qu'il y avait sur une plage... Figure-toi qu'on devait faire nos besoins dans la mer, et pour s'essuyer, on utilisait les billets de banque qu'on avait apportés, parce que l'argent républicain ne valait rien, bien sûr. On disait : "On est les plus riches du monde, on se torche avec des billets de mille pesetas... ! Bref, c'était horrible." » Il me raconta aussi comment il s'était évadé de Saint-Cyprien, une nuit de tempête où Perea – dont je ne connais en fait que le nom et qui était de Malaga – avait aussi peur que les sentinelles sénégalaises. « Écoute, Perea, je m'en vais... Ou tu te décides, ou tu restes ici, mon vieux... » Après avoir passé quatre mois avec une famille française qu'il ne voulait pas continuer à mettre en danger plus longtemps, il se risqua à croire aux promesses des agents franquistes. Et il rentra en Espagne, où il était convaincu qu'il ne lui arriverait rien, parce que « je suis d'un village de Séville, mais je n'ai pas fait la guerre à Santander, et là-bas, on n'a tué personne, vraiment personne ». Il alla directement à la maison d'arrêt du Dueso, pour y purger une peine de presque cinq ans.

Mon ami Alfons Cervera, qui m'emmena voir Florián et Reme un matin d'été, à Valence.

Florián García Velasco, alias « Grande », qui a lui aussi écrit une partie de ce roman pendant que nous buvions de l'Eau de Valence et qui était fier de son allure sur un vieux portrait, avec l'uniforme et la casquette plate de l'Armée Populaire de la République. « À l'époque du coup d'État de Casado, j'étais à Madrid. Alors ils ont pris tous ceux de ma compagnie et ils nous ont mis au cachot. On avait un gardien qui s'appelait Rogelio et était socialiste. Cela lui faisait beaucoup de peine de nous voir là, il nous donnait des cigarettes... Je parlais beaucoup avec lui. Je lui disais : "Rogelio, mon vieux, tu ne te rends pas compte de ce que vous êtes en train de faire ? Tu ne comprends pas qu'ils vont nous tuer, nous, qui sommes des vôtres, qui n'avons rien fait ?" Et un jour, il nous ouvrit la porte du cachot, et il nous dit : "Allez ! attendez un peu et tirez-vous..." Il nous a sauvé la vie à tous, vraiment. Et puis, vois comment sont les choses, je l'ai rencontré à Albatera, tu sais. J'ai entendu quelqu'un m'appeler "Florián, Florián !", et c'était lui. Je l'ai appelé : "Rogelio !" Il est arrivé et m'a dit : "Ah ! Florián, tu avais bien raison !" Alors nous nous sommes embrassés, et nous sommes restés tous les deux comme ça, au milieu du camp, et... Voilà, on n'arrêtait pas de pleurer... » On l'avait envoyé ensuite à Madrid pour se présenter dans un commissariat avec des témoins ou des documents aptes à l'identifier, et lui, « tu parles que je vais me faire identifier », en descendant du train, il s'était mis à marcher sans regarder en arrière, il a contacté d'anciens camarades et, après avoir travaillé pendant un certain temps dans la clandestinité, était parti dans la montagne, où il resta six ans.

Remedios Montero Martínez, alias « Celia », femme résistante et femme de Florián, qu'il rencontra dans la montagne puis à Prague, de nombreuses années plus tard, dans une histoire digne d'un autre roman. Reme, qui apprit à lire et à écrire, « le peu que je sais », en prison, était la fille d'un garde forestier qui n'avait pas pu l'envoyer à l'école parce que trop loin de chez eux. L'école se trouvait dans un village proche du lieu où, encore en 1951, la Guardia Civil le tuerait à coups de fusil une nuit, comme elle avait tué auparavant ses fils Herminio, puis Fernando, comme elle tuerait avant et après – sans détention préventive, sans procès, sans verdict ni autres formalités que la protection « légale » de la « ley de fugas[1] » l'outil qui fut le plus utile au régime franquiste pour légaliser l'assassinat – tant d'autres résistants et points d'appui de la résistance. Reme ne voulut pas me donner le nom de ce village de la province de Cuenca qui est

---

1. Exécution extrajudiciaire qui consiste à simuler la fuite d'un prisonnier pour faire feu sur lui sans sommations.

le sien. Depuis son retour en Espagne, à la fin des années 1970, elle n'y a pas remis les pieds.

Olga Lucas, traductrice et conteuse, fille de réfugiés républicains communistes en France, qui naquit à Toulouse, grandit dans une maison où il était interdit de parler le français, passa par Prague, apprit le tchèque qu'on ne lui laissa pas parler non plus à la maison, et se souvint pour moi de son enfance et de sa jeunesse, après m'avoir prévenue d'un large sourire lumineux, avec un accent très léger, mystérieux, qu'en réalité « nous les enfants de l'exil, nous avons toujours été et serons toujours très bizarres ».

Santiago Carrillo Menéndez, qui m'a mise en contact avec ses parents.

Son père Santiago Carrillo – qui dans son enfance madrilène détestait le flamenco et qui en exil le cherchait sur toutes les fréquences de toutes les radios qu'il avait possédées au cours de ces années –, et sa mère Carmen Menéndez – qui n'oubliera jamais la date à laquelle le PCE fut déclaré illégal en France parce que ce même jour elle accouchait pour la première fois –, pour son temps, son hospitalité et, surtout sa prodigieuse et indispensable mémoire.

Julio Rodríguez Puértolas, pour avoir partagé avec moi le rendez-vous qui constitue la pièce maîtresse de ce roman.

Ma famille, les Grands d'Espagne, sans autres mots.

Mes éditeurs, Toni López-Lamadrid et Beatriz de Moura, et Juan Cerezo, qui sont désormais comme une autre famille pour moi, et ne se sont peut-être pour cette raison jamais plaints de la taille de ce livre.

Ma grande amie, Ángeles Aguilera, pour tant de choses, depuis tant d'années et pour celles qu'il nous reste.

Mes amis Estrella Molina et Luis Muñoz, les deux autres membres du « cabinet de crise » sans qui je n'aurais pu surmonter les miennes, Bienvenido Echevarría, pour se laisser conduire par l'émotion, et Mariano Maresca, pour être toujours si proche, à l'autre bout du fil.

Eduardo Mendicutti, qui m'aime autant que je l'aime, et n'ose donc pas lire mes romans avant leur publication.

Mon ami Andrés Leal, pour ses conseils particuliers sur les conseils financiers.

Mon ami Javier Rioyo, qui achète pour moi dans une librairie néonazie des livres impossibles à trouver ailleurs, « non, il vaut mieux que tu n'y ailles pas, au cas où on te reconnaisse et que cela soit déplaisant », et qui, depuis que j'ai commencé à écrire ce roman, m'en a offert d'autres aussi précieux pour moi que le roman de Carlos María Idígoras, *Algunos no hemos muerto* [1], qui a été ma principale source littéraire sur la campagne de la División Azul.

Mon ami Chus Visor, lecteur attentif de mon travail, auquel il a contribué par le cadeau de curiosités bibliographiques aussi utiles pour moi que certains pamphlets d'Ernesto Giménez Caballero – je me rappelle en particulier *Camisa azul, boina colorada* [2] –, dont je n'aurais pas été capable d'imaginer les excès idéologiques et argumentaires, même ivre et droguée jusqu'à l'inconscience.

Et Conchita, pour son affection et sa générosité constantes.

Mon ami Enrique Morente, pour des *granaínas* [3] que je n'oublierai jamais. *L'homme désire une chose, cela lui paraît un monde, puis il l'obtient, ce n'est que de la fumée.* Et pour avoir répondu à ma question, « de qui sont les paroles ? » par une réponse tout aussi émouvante : elle est populaire.

Mon ami Joaquín Sabina, qui a écrit il y a quelques années la bande sonore de ce roman à son insu, mais surtout parce que c'est mon ami. Et à Jime, pour la même et principale raison.

Mes enfants, Mauro, Irene et Elisa, qui ont avalé à table, avec les plats, des dizaines de récits partiels de cette histoire.

Don Benito Pérez Galdós, pour avoir écrit.

María Teresa León, qui se confectionna deux uniformes militaires de fantaisie pour rester jolie dans les meetings et lors de ses visites au front, et qui écrivit ensuite, pour les Espagnols de ma génération et des suivantes, la mémoire de sa mélancolie, la chronique la plus émouvante, intense et précise, de ce que cela signifia de continuer à vivre pour les exilés républicains de 1939.

---

1. Certains d'entre nous ne sont pas morts.
2. Chemise bleue, béret rouge.
3. Fandango de Grenade dépouillé de rythme qui se chante librement, accompagné à la guitare en si.